NÉSTOR R. DUPREY SALGADO
MAYI MARRERO
JOSÉ SÁNCHEZ JORGE
EDITORES

LLUVIAS BORRASCOSAS

El PIP, el MPI-PSP
y el debate dentro del independentismo
electoral puertorriqueño
durante la Guerra Fría (1964-1992)

Mariana
EDITORES

Título: Lluvias Borrascosas

Primera edición: julio 2019 - 1,000 ejemplares

ISBN: 978-1-935892-70-0

Diseño de la portada: Rangely "Rangy" García
Fotos de los editores: Carlos Delgado

Diagramación interior:
Tamara Yantín Ayala / tamarayantin@gmail.com / 787-553-6893

Datos para catalogar:
Partidos Políticos
Movimiento Independentista
Independencia Puerto Rico
Carlos Gallisá Bisbal
Rubén Berríos Martínez
Juan Mari Brás
PIP
PSP
MPI

A Carlos...
quien quiso que se contara la historia
con las versiones de los protagonistas
para que los lectores lleguen a sus conclusiones,
con la aspiración de que no se cometan los mismos errores
y de construir desde las victorias.
¡Misión cumplida, Comandante!

Los editores

CONTENIDO

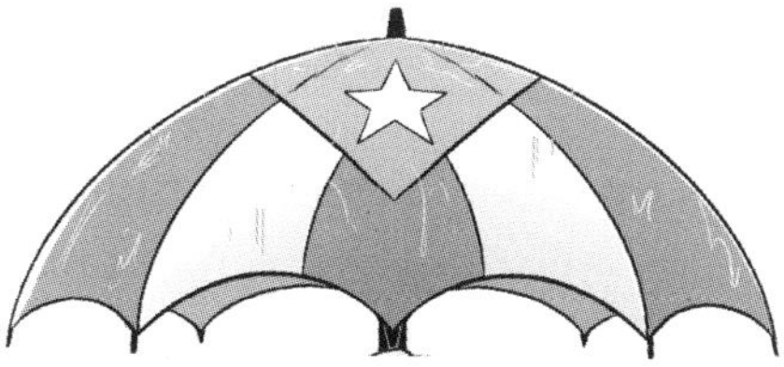

Agradecimientos

Este libro es un trabajo de amor y compromiso con la amistad y con la historia. Muchas manos cómplices hicieron posible que esta conspiración por la verdad saliera a la luz.

A Rubén Berríos Martínez, por su confianza y colaboración con los editores de esta obra.

A Alida Millán y a todo el colectivo del semanario *Claridad*.

A Pablo Marcial "Tito" Ortiz, Carmen Faura y al grupo de preservación histórica del Partido Independentista Puertorriqueño.

A Rosi Mari, a Mari Mari y a todo el equipo de la Fundación Juan Mari Brás.

A Ángel Pérez y al grupo de preservación histórica del Movimiento Independentista Nacional Hostosiano.

A Carlos Román y al equipo de preservación histórica del Movimiento Socialista de los Trabajadores.

A Freddy Rodríguez, Mariel C. Marrero y al grupo de Producciones Zaranda, por facilitarnos las entrevistas inéditas de Juan Mari Brás y Luis Ángel Torres.

A Ángel Collado Schwartz y a la Fundación Voz del Centro, por compartir con nosotros la entrevista a Antonio J. "Toño" González.

A Marcos Nieves y al Archivo General de Puerto Rico.

A Myra Torres Álamo y al Archivo Digital del periódico *El Mundo* en la Biblioteca José M. Lázaro de la Universidad de Puerto Rico, Recinto de Río Piedras.

A Pablo José Hernández Rivera por las fotografías y otros materiales suministrados.

A Hiram Sánchez Martínez, por su ayuda en la documentación de los eventos en torno al asesinato de Antonia Martínez.

A Noel Colón Martínez y Javier Colón Morera por facilitarnos fotografías, documentos y conversaciones útiles para este libro.

A Elizabeth Coriano, por su ayuda en la transcripción de las entrevistas.

A la artista Rangely "Rangy" García, por su talento y entusiasmo en el diseño de una provocadora portada.

A Tamara Yantín Ayala y Luz Nereida Pérez, porque sin su ayuda y confianza, este libro no hubiese sido posible.

Y otra vez, a Carlos Gallisá Bisbal, quien fue el motor inspirador de esta obra, y con quien los editores contrajeron el compromiso postrero de que la misma vería la luz.

Introducción

El deber de todo revolucionario es hacer la revolución. Se sabe que en América y en el mundo la revolución vencerá, pero no es de revolucionarios sentarse en la puerta de su casa para ver pasar el cadáver del imperialismo.

Fidel Castro

Segunda Declaración de La Habana, 1964

Las actuales generaciones latinoamericanas no se hallan, al parecer, en condiciones de elegir. Solo es cuestión de plazo y de circunstancias accesorias. Si las fuerzas de la regresión se obstinan en procurar seguir prosperando al amparo del subdesarrollo, se desencadenará una crisis cruenta, de vicisitudes impredecibles. Si se incorporan útilmente a lo inevitable, acaso el tránsito opere menos acremente. La revolución latinoamericana es necesaria. Es un hecho en marcha, es inevitable.

Salvador Allende

"¿A dónde va América Latina?",
Revista Arauco, No. 55 (agosto de 1964), p. 6.

El triunfo de la Revolución Cubana en 1959 había convertido la región latinoamericana no solo en un lugar de interés noticioso por el efecto de la guerrilla romántica acaudillada por Fidel Castro y su victoria ante el ejército cubano, sino que también a partir del alineamiento de la joven revolución con la Unión Soviética, había traído a las ya calientes costas caribeñas la Guerra Fría en su versión más conflictiva. En una evocación histórica de memoria y reflexión historiográfica, el historiador británico Eric Hobsbawn mira a la distancia esos años y su repercusión global:

> Los revolucionarios de Fidel Castro, fáciles de reconocer por su juventud, su larga melena, sus barbas y su retórica, como herederos del espíritu de 1848 –pensemos en la famosa imagen de Che Guevara– prácticamente podrían haber sido concebidos para convertirse en los símbolos de una nueva era de romanticismo político a escala mundial.[1]

La vecindad caribeña, así como el hecho de ser expuesta como "vitrina" de una manera antagónica a las revoluciones nacionalistas del "Tercer Mundo" para superar el colonialismo y alcanzar cuotas significativas de desarrollo económico y social, convertía a Puerto Rico en el contrapunteo imaginario de la Revolución Cubana. Ello hacía que los adversarios, tanto del colonialismo como del modelo impulsado por el Partido Popular Democrático (PPD) y Luis Muñoz Marín, vieran en la experiencia socialista cubana un referente de alternativa para impulsarse dentro de las condiciones de Puerto Rico y su relación con los Estados Unidos.

A esa nueva realidad geopolítica e ideológica en la región del Caribe, se sumaba el estado de situación política y organizativa del independentismo en Puerto Rico. Luego de haber alcanzado significativas cuotas de apoyo electoral, llegándose a convertir en el principal partido de oposición en 1952, el vehículo electoral de la independencia, el Partido Independentista Puertorriqueño (PIP), se encontraba atravesando una profunda crisis organizativa y de apoyo popular. Tras ver reducido su apoyo electoral considerablemente a partir de 1956, hasta perder su franquicia electoral en 1960 y 1964, lo que lo obligó a reinscribirse, el PIP enfrentaba la competencia de una organización que en su ideología y en su práctica se identificaba con los principios antiimperialistas y socialistas de la Revolución Cubana. Nacido en el mismo mes y año del triunfo de la guerrilla del "26 de Julio", el Movimiento Pro-Independencia (MPI) había incursionado en la vida política puertorriqueña como una escisión del PIP que desarrollaba una lucha social y política que incorporaba nuevos elementos tácticos a la lucha independentista. Esa "Nueva Lucha por la Independencia" que estaba impulsando el MPI se desarrollaría en su origen al margen del proceso electoral, campo que el PIP ocupaba con exclusividad durante la década de los sesenta del siglo XX. A partir de finales de esa década, convergieron varios procesos que implicaron un cambio significativo en la influencia social y política del independentismo en la sociedad puertorriqueña. Dichos procesos lo llevaron a ocupar un protagonismo no alcanzado desde la década

1. Eric Hobsbawn. *Años interesantes: Una vida en el siglo XX*. Madrid: Editorial Crítica, 2013, p. 238.

del '50, cuando el nacionalismo albizuista y el pipiolismo electoral representaban la única opción contestataria a la creciente hegemonía del popularismo muñocista.

La radicalización del escenario político global, producto de la manifiesta insatisfacción de la juventud y su oposición, tanto a los efectos del desarrollismo capitalista de la posguerra como al militarismo creciente del cual la Guerra de Vietnam será el símbolo, y el aparente agotamiento de las fórmulas tradicionales de organización política y social (el partido político estrictamente electoral y el sindicato) llevarán a que, desde Tlatelolco a París, el mundo vea nuevas maneras de expresión política. A ese clima de "fermento revolucionario" mundial, se sumará en Latinoamérica un elemento que atraerá la atención de los movimientos de izquierda. A partir del triunfo de la Revolución Cubana, habían proliferado en el continente grupos que pretendían reproducir en sus espacios geográficos las condiciones de lucha y la táctica guerrillera de los "barbudos" cubanos. El "foco guerrillero", un pequeño grupo de campesinos, obreros y jóvenes organizados en una guerrilla que hostiga hasta la victoria las tradicionales fuerzas militares en alianza con focos de lucha social urbana, era de momento la táctica preferida por las juventudes de la región. Se dejaban a un lado los tradicionales partidos socialistas y comunistas, sin hablar de las fuerzas reformistas de la llamada "izquierda democrática" que habían visto cómo la política estadounidense de la Alianza para el Progreso, una vía reformista de cambio social, se ahogó en las playas dominicanas con la invasión de 1965.

Sin embargo, el fracaso de esa táctica en todos los países donde fue ensayada, ejemplificado con la muerte, en 1965, en la selva boliviana de su principal promotor, Ernesto "Che" Guevara, llevó a un replanteamiento de las vías de acceso al poder disponibles para la izquierda. Ya Latinoamérica era un "campo de batalla" entre las ideologías "totalizantes" de origen europeo que pretendían, desde miradas abarcadoras, proveer marcos de solución a los problemas particulares de las sociedades. Desde la democracia cristiana, inspirada en la Doctrina Social de la Iglesia Católica y en las experiencias alemanas e italianas de reconstrucción tras la Segunda Guerra Mundial, así como el socialismo democrático en sus aspectos reformistas y el socialismo marxista en sus variantes comunistas (leninista, trotskista y maoísta), encontraban en el continente azotado por la miseria y la falta de derechos democráticos, terreno fértil para su promoción. Esa competencia, tras el fracaso de las vías armadas, se moverá al campo electoral.

En 1969, se comenzó a poner en marcha un proceso en dos países suramericanos de atípica tradición democrática: Chile y Uruguay. Allí, los partidos de izquierda, junto con fuerzas del centro reformista, se aliaron para intentar llegar al poder por la ruta electoral y poner en marcha un proceso revolucionario conducente al socialismo. El Frente Amplio uruguayo y la Unidad Popular chilena presentaban ante América Latina la posibilidad de alcanzar, mediante una victoria con votos y no con balas, la "tierra prometida" de la revolución.

Esa posibilidad alcanzó ribetes más cercanos cuando, en septiembre de 1970, el médico chileno Salvador Allende Gossens fue electo presidente de Chile y comenzó a ponerse en práctica la "Vía Chilena al Socialismo". El triunfo de Allende y la coalición encabezada por los partidos Socialista y Comunista, así como varios partidos menores de inspiración cristiana y laica, abría una interrogante: ¿Era posible para la izquierda conquistar el poder y llegar al socialismo por la vía electoral? Puerto Rico no fue excepción a la búsqueda de respuestas a esa interrogante de eco continental. En el independentismo electoral puertorriqueño, se reproducirá ese debate durante los años finales de la década del sesenta hasta los postreros de la Guerra Fría y del largo siglo XX.

El lector encontrará en este libro seis entrevistas realizadas, en varios momentos, a las principales figuras en esa controversia. Rubén Berríos Martínez, Juan Mari Brás, Carlos Gallisá, Luis Ángel Torres, Norman Pietri Castellón y Antonio J. "Toño" González cuentan sus versiones de esta historia a la distancia del tiempo y desde la mirada de los años transcurridos. Entre los meses de septiembre a noviembre de 2018, los editores coordinamos y realizamos las entrevistas a Berríos y Gallisá. Gracias a la generosidad del productor del documental *Dialogando sobre el independentismo*, Freddy Rodríguez, tuvimos acceso a dos entrevistas inéditas a Juan Mari Brás (realizadas en los años 1995 y 2005) y a una entrevista igualmente inédita a Luis Ángel Torres (realizada en 2005). La Fundación Juan Mari Brás nos facilitó la entrevista a Norman Pietri Castellón, realizada originalmente por la periodista Mari Mari Narváez, hija de Juan Mari Brás, para el libro *Hablan sobre Mari Brás* (Fundación Juan Mari Brás, 2018). De igual manera, la Fundación Voz del Centro nos facilitó la entrevista a Antonio J. "Toño" González, realizada por Ángel Collado Schwartz en 2008.

Hechas previamente las advertencias sobre el potencial subjetivo del testimonio autobiográfico a la distancia, consideramos de particular valor que los entrevistados muestran sensible franqueza y honestidad intelectual en sus respuestas. El paso de los años parece ablandar los juicios ajenos y arreciar los propios en clave autocrítica que, entendemos, es de particular valor historiográfico como relato de memoria coyuntural y reflexión teórico política.

Para contextualizar y complementar el relato, se incluyen artículos y documentos de la autoría de los entrevistados y de los organismos de las principales fuerzas políticas protagonistas de esta historia: el PIP, el MPI-PSP y el MSP (Movimiento Socialista Popular). También se incluyen artículos noticiosos de la prensa de la época, particularmente de los periódicos independentistas *Claridad* y *La Hora*. Asimismo, se han incluido documentos provenientes de expedientes desclasificados del Negociado Federal de Investigaciones (FBI) y de la División de Inteligencia de la Policía de Puerto Rico, con el objetivo de demostrar que las autoridades federales y estatales no solo estaban al tanto de los conflictos entre grupos independentistas, sino que abonaron a la crisis del independentismo a través de la represión política.

Junto a estos documentos complementarios, las voces de los protagonistas irán contando los episodios que marcan uno de los periodos más conflictivos en la historia del independentismo puertorriqueño del siglo XX. Uno de los entrevistados, Rubén Berríos Martínez, bautizó estos acontecimientos de las décadas del '70 y '80 como "lluvias borrascosas", frase que inspiró el título de esta obra. En estas páginas, el lector encontrará fuentes primarias para intentar entender procesos tales como:

1. La creación, en 1959, del Movimiento Pro-Independencia (MPI) y el desarrollo de la renovación de la lucha independentista luego de la represión y la crisis sufrida durante esos años por las dos principales organizaciones independentistas de entonces: el Partido Independentista Puertorriqueño (PIP) y el Partido Nacionalista.
2. La influencia de la Revolución Cubana y los movimientos de liberación nacional en Asia y África, en particular la lucha del pueblo de Vietnam, en la radicalización de la juventud y el surgir de una nueva conciencia antiimperialista en Puerto Rico.
3. La creciente vinculación a partir de la década del '60 del independentismo puertorriqueño con una serie de luchas sociales (ambientales, sindicales, estudiantiles y comunitarias) que irán creando un nuevo perfil militante y táctico, así como las variantes en métodos de lucha ensayados en esos años.
4. La influencia de todo ese contorno sociopolítico en la transformación del PIP a partir de 1967 y el debate ideológico que se dará en esa colectividad alrededor de las ideologías totalizantes de influencia continental entonces: la democracia cristiana, el socialismo de-

mocrático y el socialismo marxista-leninista, entre otras corrientes de debate en la izquierda global.

5. La transformación del MPI en Partido Socialista Puertorriqueño (PSP) y su ambigua relación con el PIP, unas veces de colaboración y otras de abierta confrontación ideológica y por el espacio político.
6. La división del MPI, el PIP y el PSP acaecida durante esos años, las complejas relaciones interpersonales de sus líderes y la posible injerencia de las agencias de inteligencia de los gobiernos de Estados Unidos, Puerto Rico y Cuba en dichas controversias, con el saldo personal y político que dejaron las mismas.
7. La competencia y redefinición del espacio político y de objetivos tácticos del independentismo electoral y cómo este interactuará con una nueva ola de represión y de activismo armado, muchas veces en confabulación con organizaciones electorales, como es el caso de la relación del MPI-PSP y los Comandos Armados de Liberación (CAL), acciones armadas que se discuten solo en tanto y en cuanto afectan las decisiones tácticas del independentismo electoral.
8. Las repercusiones geopolíticas de este debate en el contexto de las relaciones de Estados Unidos con los países no alineados, como Cuba, y los países y partidos aliados vinculados a la socialdemócrata Internacional Socialista (IS), con particular énfasis en la internacionalización del caso colonial de Puerto Rico.

Esperamos que este libro sirva de estímulo y punto de partida para investigaciones abarcadoras o monográficas sobre este interesante, complejo y aleccionador periodo de la historia política contemporánea.

Los editores

I.
La Nueva Lucha, el MPI y los triunviratos del PIP

En la década del '50 del siglo XX se produce, junto con el auge del modelo desarrollista neocolonial del Partido Popular Democrático (PPD) bajo el liderato de Luis Muñoz Marín, una ola de represión contra el movimiento independentista puertorriqueño, por parte de los gobiernos de Estados Unidos y Puerto Rico, que se verá reflejada en la práctica liquidación del Partido Nacionalista (PN) tras la Revolución de 1950 y la reducción de los votos del vehículo electoral del independentismo: el Partido Independentista Puertorriqueño (PIP) de 19% de los votos en 1952, cuando fue la segunda fuerza electoral, baja a 12.4% en 1956. En 1959, surgirá el Movimiento Pro Independencia (MPI) que, inspirado en el triunfo en ese mismo año de la Revolución Cubana, ensayará nuevos acercamientos tácticos a la lucha por la independencia, vinculándose a movimientos sociales y comunitarios y rechazando de plano la participación electoral. Tras perder su franquicia electoral en las elecciones de 1960 y 1964, el PIP comenzará tímidos acercamientos de colaboración con el MPI y se producirán los primeros cuestionamientos al interior de la colectividad al liderato de su fundador y presidente hasta entonces, Gilberto Concepción de Gracia, lo que dio paso al surgimiento de un nuevo liderato en el Partido.

Cronología

1964

3 de noviembre- Elecciones generales, el PIP obtiene 22,201 votos, pero no queda inscrito. (Bayrón Toro, Fernando 2016, p. 312)

1966

enero- Primera Conferencia Tricontinental en La Habana. El MPI es electo al secretariado permanente de la Tricontinental.

marzo- El MPI llama a la abstención o "Huelga" electoral en momentos en que el PIP está en plena campaña para su inscripción.

22 de abril- El PIP decide en una asamblea abandonar la Comisión de Estatus de Puerto Rico y Estados Unidos, creada en 1964 para hacer campaña en los países latinoamericanos con el objetivo de que el caso de Puerto Rico sea incluido en el Comité de los 24. El MPI participa también en esta campaña.

mayo- El PIP acude al Comité de Descolonización de la Organización de Naciones Unidas (Comité de los 24).

1967

30 de marzo- Se celebra una reunión en la casa del Dr. Gilberto Concepción de Gracia con participación de los líderes del PIP, Partido Nacionalista, MPI y Liga Socialista para la creación de un frente unido patriótico antiplebiscitario.

14 de abril- Una delegación compuesta por José Antonio Ortiz (PIP), Juan Mari Brás (MPI), Gerardo Navas (Vanguardia Popular) y Piri Fernández de Lewis (presidenta del Congreso Puertorriqueño Anticolonialista) regresó de Nueva York luego de entregar una petición del Congreso Puertorriqueño en la que se solicitaba una vista en la ONU.

16 de abril- Marcha del MPI contra el plebiscito en San Juan.

16 de julio- Concentración antiplebiscitaria en el Estadio Sixto Escobar a la que concurrieron más de 40 mil personas.

julio- Campaña del MPI y el PIP contra el plebiscito. Organización del Congreso Soberanista Anti-Plebiscitario y jornada en la ONU de oposición al plebiscito.

julio-agosto- El MPI representado por Juan Mari Brás participa en la Conferencia de la Organización Latinoamericana de Solidaridad (OLAS).

22 de octubre- Se celebra en Ponce una asamblea donde se discute y se desafía la presidencia de Gilberto Concepción de Gracia, quien ocupaba ese cargo desde la fundación del PIP, quitándole la presidencia y eligiendo en su lugar un triunvirato (Comisión Presidencial) compuesto por Gilberto Concepción de Gracia, Jorge Luis Landing y Rubén Berríos Martínez. En esa asamblea, solo había dos candidatos a la presidencia: Concepción de Gracia y Jorge Luis Landing.

1968

15 de marzo- Fallece don Gilberto Concepción de Gracia a los 58 años.

20 de abril- Antonio J. González es electo para llenar la vacante en la Comisión Presidencial del PIP dejada por Gilberto Concepción de Gracia. Jorge Luis Landing renuncia a la Comisión.

28 de abril- El MPI celebra la VII Asamblea Nacional en Carolina, donde se proclama el derecho a la lucha armada.

> *Nuestra repuesta a la creciente represión que hemos descrito es la proclamación, por esta asamblea, del derecho de nuestro pueblo a recurrir a la lucha armada para la conquista de la independencia.*
>
> *En la misma medida en que se siga constriñendo el marco de precaria legalidad en que opera la nueva lucha de independencia, en esa misma medida irá desarrollándose, hasta alcanzar el plano principal, la lucha clandestina y armada.* (Juan Mari Brás, *Claridad* #194-195, 5 de mayo de 1968.)

También se reafirmó la negativa a participar en las elecciones llamando nuevamente a una Huelga Electoral.

mayo- Gilberto Concepción Suárez es nombrado para sustituir a Jorge Luis Landing en la Comisión Presidencial del PIP.

junio- El MPI comienza su campaña hacia la Huelga Electoral.

23 de septiembre- Centenario del Grito de Lares. En la tarima, hablaron Jacinto Rivera (PN), Rubén Berríos (PIP), Juan Mari Brás (MPI), Juan Santos Rivera (PN), José Marcano (Federación de Universitarios Pro Independencia, FUPI) y Antulio Parrilla.

5 de noviembre- En las elecciones generales, el PIP obtiene 24,832 votos, pero no queda inscrito.

noviembre- Jorge Luis Landing y otros exmiembros del PIP fundan el Partido Auténtico Soberanista (PAS) con Landing como su presidente.

Testimonios

1. Juan Mari Brás
Fundación del MPI

Entrevistador: ¿Qué lleva a la formación del Movimiento Pro Independencia? ¿Fueron las fuerzas políticas independentistas que se unieron para formar el movimiento? Además, ¿cuáles eran las condiciones sociales, económicas, la coyuntura, que también ayudaron a estas condiciones, a que este movimiento tomara el auge que tomó y marcara un nuevo momento en la lucha por la independencia?

Juan Mari Brás: Bueno, en el 1956 el Partido Popular gana las elecciones, como lo había hecho antes, desde el '44 en adelante, copando los ocho distritos electorales del país. Y el Partido Independentista, que había sido el segundo partido en el '52 y que había elegido 5 senadores y 10 representantes a la legislatura en el '56, redujo su electorado en 40 mil votos, de 126 mil que había sacado en el '52, se redujo a 86 mil y redujo su representación parlamentaria de 5 senadores a 3, y de 10 representantes a 7. Eso trajo como consecuencia un proceso de reevaluación de todas las estrategias y programas del PIP. Yo era miembro de la Junta de Directores del Partido, había sido electo a ese cargo, había sido director de campaña en las elecciones de '56 y, dicho sea de paso, sin falsas modestias, Mayagüez fue uno de los pocos pueblos donde el PIP no bajó votos. En el '56, mantuvo el electorado. Entonces, la Junta de Directores reunida en Guayama, después de las elecciones, nombró una comisión para reevaluar toda la estrategia del PIP y se nombró al compañero Francisco Susoni, que era senador del PIP, como presidente de esa comisión. Susoni y Gilberto Concepción de Gracia vinieron a Mayagüez a proponerme que yo me fuera a trabajar a tiempo completo a la legislatura, como asesor legislativo de la minoría independentista y que aceptara, al mismo tiempo, ser vicepresidente de la Comisión de Evaluación que se había creado por la Junta de Directores en Guayama, para coordinar los trabajos de esa Comisión. Yo acepté esa encomienda y eso fue lo que determinó mi mudanza para San Juan, el cierre del bufete que tenía en Mayagüez desde que me había graduado de abogado en el '54, y me fui a trabajar con la minoría independentista en el Senado y a ejercer las funciones de vicepresidente ejecutivo de esa Comisión.

Celebramos vistas públicas en todos los distritos del País los domingos sucesivos. Convocábamos a la militancia pipiola y a todos los que tuvieran interés a que fueran a esas vistas, que celebrábamos en las alcaldías y en lugares públicos. Y la gente llegó y habló y dijo todo lo que pensaba del anquilosamiento que ya iba marcando al Partido. Nosotros cogimos muy en serio esas vistas públicas. El grupo que componía la Comisión incluía a doña Carmen Rivera de Alvarado, Francisco Manrique Cabrera, Gabriel Vicente Maura, Lorenzo Piñeiro Rivera, que era secretario general del Partido, muchísimos otros, y rendimos un informe muy crítico de las estrategias y normas que había seguido el Partido desde el '52 al '56. Y, proponíamos una serie de cambios estructurales para darle mayor participación a la juventud, darle mayor participación a la mujer en el seno del Partido, darle participación a la base del Partido en la toma de decisiones, ampliar las miras y no reducirlas al objetivo estrictamente electoral. Bueno, una serie de planteamientos y, sobre todo, una posición muy crítica del asomo de corrupción, que ya empezaba verse en los cargos legislativos y la burocracia legislativa.

Nosotros nos habíamos hecho cargo de coordinar al personal de la minoría independentista, por ejemplo, y yo convoqué a todos los empleados que estaban en la nómina de la minoría independentista para una reunión, donde se distribuyeran las tareas de ese personal y más de la mitad de los que estaban en nómina no vinieron a la reunión ni dieron excusas. La gente estaba acostumbrada a que recibían el sueldo sin trabajar y entonces empezamos a protestar esas medidas laxas que se habían ido dejando pasar y finalmente rendimos un informe sumamente severo y crítico, que el doctor Concepción de Gracia consideró como un ataque a su liderato. Aunque, en verdad, esa no era la razón para esa crítica tan severa. Era para compartirla con todo el equipo de dirección del Partido y no un ataque al presidente. Fuimos a la asamblea del Partido donde se convocó para recibir ese informe y la asamblea nos respaldó a nosotros, aprobó el informe por inmensa mayoría, a pesar de que Concepción de Gracia estuvo en contra del informe. No solo se aprobó el informe, sino que se me eligió a mí como director de propaganda del Partido a nivel nacional y miembro de la Comisión Ejecutiva del Partido. Se eligió a doña Carmen Rivera de Alvarado para un cargo ejecutivo, y como miembro de la Comisión Ejecutiva, se eligió a Manrique Cabrera, y a todos los que habíamos suscrito ese informe, se nos eligió a esos cargos.

El doctor Concepción de Gracia consideró que era un golpe a él esa elección nuestra y lo manifestó privadamente. Y, como yo trabajaba bajo su dirección, como asesor legislativo de la minoría en el Senado, pues consideré que era mi obligación, si no tenía la confianza suya, renunciar al cargo remunerado que ocupaba como asesor legislativo del PIP. Y, decidí renunciar a todos los cargos que ocupaba en la dirección del Partido simultáneamente porque pensaba que lo otro era iniciar un proceso de confrontación con el presidente del Partido, a quien yo le tenía una gran admiración, respeto y afecto por las relaciones cordiales, y hasta casi filiales, que habíamos tenido por años. Y, entonces renuncié a todos los cargos del Partido y doña Carmen Rivera de Alvarado hizo lo propio al otro día. Y, empezaron a salir en la prensa una serie de renuncias sucesivas en apoyo a mi renuncia. Renunció Manrique Cabrera, renunció Gabriel Vicente Maura, renunció doña Carmen, como dije. No renunciaron, pero apoyaron nuestras posiciones, otros legisladores del PIP, como Paquito Susoni, que presidía la Comisión, Lorenzo Piñeiro Rivera, José Luis Feliú Pesquera y ahí empezó un proceso de división interna dentro del Partido. El Comité Municipal de Río Piedras del Partido Independentista respaldó nuestras posiciones, el Comité Municipal de Mayagüez del Partido Independentista respaldó nuestras posiciones. Y, entonces la reacción de Gilberto y los dirigentes del Partido fue destituir, por acuerdo de la Junta de Directores, a los dos comités, al de Río Piedras y al de Mayagüez y notificaron públicamente que quedaban destituidos esos dos comités que presidían el representante Evaristo Carrasquillo de Río Piedras y don Santiago Mari Ramos, mi padre, de Mayagüez.

Entonces, nosotros decidimos celebrar una reunión conjunta de los dos comités, con una serie de amigos a quienes invitaríamos a participar en la reunión de distintos pueblos de la Isla, aquí en Mayagüez, el día de Hostos de 1959. Eso lo decidimos a finales del '58 y yo hablé por televisión ese día, aquí en el Canal 5 de Mayagüez, en un programa que auspiciamos con una colecta que se hizo aquí entre los independentistas invitando a todos a participar en la conmemoración de Hostos. Esa tarde nos reunimos en la casa de los esposos Nazario Trabal. Éramos alrededor de 100 personas. Doña Pupa era médium espiritista y tenía un Centro en el patio de su casa y en ese Centro Espiritista fue que se fundó el MPI. Allí nos reunimos ese centenar de personas que incluía los dos comités de Río Piedras y Mayagüez del PIP, que incluía gente de diferentes pueblos de la Isla y del liderato de la FUPI. La FUPI se había fundado desde 1956 y no estaban en el PIP la mayor parte de ellos. Algunos sí se consideraban miembros del PIP, como Jaime Luciano, que fue el primer presidente de la FUPI. Norman Pietri, que era uno de los líderes fundadores de la FUPI, estuvo en la reunión del 11 de enero, no era miembro del PIP y fue como independentista invitado por nosotros y muchos otros jóvenes fupistas. Invitamos también a algunos nacionalistas, como don Rafael Cancel Rodríguez, el papá de Rafaelito, de aquí de Mayagüez, que seguía siendo nacionalista, aunque el Partido Nacionalista estaba ya bastante desarticulado. Pues, don Rafa fue, con el grupo de nacionalistas de aquí de Mayagüez, a la reunión del 11 de enero. Y, fueron algunos exmiembros del Partido Comunista, que también se había desintegrado ese partido aquí en Mayagüez. Eugenio Cuebas Arbona, que era el más destacado comunista que hubo en Mayagüez en toda una época, estuvo también. Y, estuvo gente de diferentes sectores del independentismo. Allí estuvo doña Loida Figueroa, que no era de ningún grupo y fue invitada, y estuvo el profesor González González, que no era de ningún grupo y fue invitado a esa reunión.

Esa reunión ocurre 10 días después de haber caído Batista en Cuba y haber emergido como líder de la Revolución Cubana Fidel Castro, que había recorrido la Isla de Cuba triunfalmente desde Santiago a La Habana, recibido por las multitudes en todos los pueblos que cruzaba en el trayecto y muchos de nosotros habíamos estado involucrados en la solidaridad con la lucha que llevaba Fidel y el 26 de julio desde la Sierra Maestra, participando en las campañas de recolección de fondos para enviar a la Sierra Maestra armamentos, comestibles y lo que necesitaban ellos para mantener su guerrilla. Desde la Sierra Maestra, se trasmitía Radio Rebelde y mediante esas emisiones, que clandestinamente transmitía el Movimiento 26 de Julio desde la Sierra Maestra, se orientaba a todos los solidarios de la Revolución Cubana en todo el archipiélago que estaban en piyamas sobre el avance de la revolución. Y nosotros estábamos al tanto todas las noches por Radio Rebelde, que se captaba aquí en los radios en Puerto Rico, y participábamos en mítines, actividades para levantar fondos. De manera que cuando nos reunimos en Mayagüez, el primer acuerdo fue enviar un cable de felicitación a Fidel Castro por el ascenso al poder de la Revolución Cubana, ocurrido en esos primeros días del mes de enero, notificándole además que en Puerto Rico estábamos constituyendo el comité organizador de un nuevo movimiento que habría de impulsar la lucha de independencia en nuestro país y que aspiraba a tener el mismo éxito que ellos ya apuntaban allá en Cuba. Me acuerdo que Rodríguez Benítez, que era representante a la Cámara del PIP, estuvo presente en la reunión y fue fundador del MPI. Fue quien propuso la moción para que se le enviara ese cable a Fidel, y lo enviamos ese mismo día desde la oficina del cable en Mayagüez. Allí se constituye un comité organizador para que, durante el curso de ese año, se organizara una asamblea constituyente de un nuevo movimiento que luchara por la independencia de Puerto Rico y que fuera una organización amplia, no partidista. Se me designó a mí como secretario ejecutivo de ese comité organizador y empezamos a trabajar intensamente aquí en la vecindad de Mayagüez.

En el barrio Indiera Fría de Maricao, se había refugiado César Andreu Iglesias, un puertorriqueño distinguidísimo, escritor con una gran cabeza política, que había sido presidente del Partido Comunista. Por diferencias que hubo en el curso de esas divisiones recurrentes que hay en la izquierda siempre, habían expulsado a César y a su mujer, que era una norteamericana comunista, Jane Speed, muy buena militante. A ambos los expulsaron del Partido Comunista y ellos se vinieron a Indiera, compraron un predio de terreno muy pequeño y, como César era carpintero, oficio que había aprendido de su padre, él mismo construyó una casita en ese predio. Allí se refugiaron a vivir, y vivían muy primitivamente. Yo me acuerdo que los iba visitar allí en Indiera y César me decía: "¿Quieres que tengamos la tertulia hoy en la terraza Caribe o en la Atlántica?". "Pues vamos pa' la Caribe". Y entonces, nos íbamos para el patio de la casa que daba para el Mar Caribe y se veía el Mar Caribe allí y nos íbamos para el otro lado y se veía el Mar Atlántico allí. Pero no había tales terrazas, lo que había era la tierra en una casita muy humilde y allí cultivamos la amistad, que ya habíamos iniciado en la universidad. Porque César fue estudiante de la universidad cuando regresé del ejército de la Segunda Guerra Mundial como veterano. Entré a la universidad y coincide conmigo en los años universitarios. Y, reanudamos la amistad aquí en Mayagüez, cuando él venía aquí al pueblo, o en Indiera cuando yo subía a visitarlos allá.

Un día César se me presentó para decirme que quería colaborar en el nuevo movimiento que había salido en la prensa, que nosotros estábamos en vías de formar y yo le di la bienvenida y le dije, que magnífico, que me parecía una extraordinaria adquisición su colaboración en ese movimiento. Y, entonces se internó allá en Indiera y escribió una conferencia que se titulaba *Bases de una nueva lucha de independencia.* Y entonces vino y me dijo: "Yo quiero ir a darle esa conferencia al grupo de cuadros potenciales de ese movimiento que ustedes están desarrollando". Y le dije, "Pues, magnífico" y desarrollamos esa conferencia en la terraza de la casa de Manrique Cabrera en Guaracanal en Río Piedras. Y, allí llevamos a los fupistas y llevamos a los organizadores del movimiento en el Área Metropolitana y en los pueblos aledaños, donde ya habíamos organizado algunos grupos en Bayamón, Caguas y Carolina. Ante todos ellos, César leyó su conferencia y nos impactó a todos. En esa conferencia, César planteaba, como una recomendación suya a nosotros, que dejáramos a un lado la polémica pequeña con el PIP de nuestras bases de disidencias con el Partido y que concentráramos el esfuerzo todos en generar una nueva lucha de independencia con un nuevo concepto de la idea independentista para los puertorriqueños, discutiendo sus problemas reales, basándonos en las cosas que sucedieran en la vida cotidiana de este pueblo y que esa lucha, con todo fervor, pero bien organizadamente constituyera un movimiento amplio que no circunscribiera sus miras a la lucha sectaria, siempre frustrante, de facciones y de disidencias. Eso tuvo un impacto extraordinario en todos los que escuchamos su conferencia e inmediatamente reunimos al comité organizador, invitamos a César a formar parte de ese comité y aceptamos la propuesta suya como base para una nueva organización del movimiento de la nueva lucha.

2. Rubén Berríos Martínez

Cómo se hace independentista; encuentro con Gilberto Concepción de Gracia; campaña contra el plebiscito de 1967

Rubén Berríos Martínez: A don Gilberto le toca ser líder del independentismo durante el final de la Segunda Guerra y las primeras décadas de la Guerra Fría. Aunque al inicio de ese periodo el independentismo era mayoritario, Estados Unidos estaba cerrado a la posibilidad de un Puerto Rico independiente. Con una desproporción de fuerzas como la que existía entre Estados Unidos y Puerto Rico, por más pueblo que tuvieras, te iban a cerrar el camino. Y fue ese el momento cuando don Gilberto es elegido presidente del Segundo Congreso Pro Independencia en el 1943 y funda el PIP en el 1946. Ante esa realidad, don Pedro Albizu Campos, ya de regreso a Puerto Rico en el 1947, opta por el único camino que en ese momento cree posible: causarle una crisis a Estados Unidos ante la comunidad internacional. Don Pedro opta por la vía de la confrontación armada para obligar a Estados Unidos a enfrentar la situación y descolonizar a Puerto Rico. Y don Gilberto opta por canalizar electoralmente al independentismo. Añado otro elemento: el crecimiento económico durante la guerra y la posguerra. O sea, la etapa del becerro de oro, que dura hasta el sesenta y pico. Para mí, ese periodo es probablemente el más difícil para hacer realidad la independencia, porque Estados Unidos bajo ningún concepto va a permitir un Puerto Rico independiente. Ni durante la Segunda Guerra Mundial ni en la Guerra Fría. Yo creo que es fundamental tener en cuenta ese trasfondo para comprender a cabalidad la figura de don Gilberto.

Néstor Duprey Salgado: Curiosamente, el momento que tú planteas es el más difícil para la lucha independentista por la correlación de fuerzas: la

Guerra Fría y el relativo éxito del modelo económico en Puerto Rico. En ese momento, tú tomas una decisión personal de involucrarte en la lucha por la independencia de Puerto Rico. En el momento más difícil para la lucha independentista, en el que ser independentista va contracorriente de todo, del escenario local y del escenario internacional, ¿qué lleva a un joven inteligente, talentoso y educado a hacerse independentista? ¿Cómo Rubén Berríos, en medio de ese contexto, abraza la lucha por la independencia de Puerto Rico? ¿Qué pasó?

RBM: Yo creo que la contestación es de carácter ético y moral: creo que en las casas deben mandar los de la casa. Ya lo dijo don Gilberto Concepción de Gracia: "¡Si yo no fuera independentista, me moriría de la vergüenza!" Yo te recuerdo que toda mi familia por parte de mi padre, no solamente eran populares y liberales, sino senadores y dirigentes del Partido Popular...

NDS: ...del Partido Liberal, primero y luego del Partido Popular.

RBM: Correcto. Y, por la familia de mi madre, republicanos desde principios del siglo 20. Y, ante eso, pues lo normal parecería ser que uno siguiera uno de esos caminos. Pero ya desde la escuela superior (yo me gradúo del Colegio San Ignacio en el '57 y de Georgetown en el '61), pues, ya yo era independentista.

NDS: ¿Tú te sentías independentista ya en la escuela superior, en San Ignacio?

RBM: Sí. Recuerdo que ya en San Ignacio habíamos dos que nos sentíamos independentistas en aquel entonces. Raulito Juliá y yo; y, también Jeramfel Cordero, quien todavía milita en el PIP en Trujillo Alto. Tres de menos de diez. No está mal.

NDS: ¿Cuál es tu primer recuerdo de Concepción de Gracia?

RBM: Recuerdo a mi padre hablarme bien de don Gilberto. Ya para el 1960, yo llamo por teléfono (a mi casa, en aquel entonces no había internet, ni nada de esas cuestiones) para que me dijeran el resultado de las elecciones. Antes de empezar a estudiar en el 1961 en la Escuela de Derecho de Yale, papá me llevó a conocer una persona que luego me presentó a don Gilberto Concepción de Gracia. Era independentista y amigo de papá. Se llamaba José Antonio Ortiz, profesor de la Universidad. Y entonces conocí, en algún momento del verano del '61 o del '62, (no recuerdo cuándo) a don Gilberto. Me llevó a conocerlo José Antonio. Papá tenía todos los prejuicios de que, aunque el ideal era muy bonito, nos moriríamos de hambre con la independencia, y decía que lo que había que hacer era convencer a la gente de su viabilidad económica. ¡Como si fuera tan fácil!, ¿verdad? De ahí, durante la primera parte de mi vida política, mi insistencia en la cuestión económica. Como si bastara con sumas y restas, importaciones y exportaciones. Después comprendí la razón de fondo del colonialismo y que existían grandes corrientes y tendencias históricas que impedían la independencia. Me di cuenta de que la liberación nacional no depende solamente de la lógica y la razón.

NDS: Y los números.

RBM: Y los números. Porque tú no puedes convencer a la gente uno a uno. La vida no es así. Se trata de procesos históricos muy complejos. Entendí, también, el rol de los individuos en la historia, particularmente de los líderes como don Gilberto. Entendí que los hombres hacen su historia, pero en condiciones dadas y determinadas y don Gilberto representaba para mí, desde que lo conocí, el prototipo de la persona que mantenía el ideal en alto, aunque estuviera él solo junto a unos cuantos cirineos. Representaba la ética, la moral.

NDS: Y fíjate cómo a mí me llamó la atención, y tú traes el tema económico, que es precisamente tu tesis, lo que llama la atención de Concepción de Gracia.

RBM: Así es. Cuando yo termino mi tesis en la Universidad de Yale (esa tesis que debe estar allá en Yale) se la presento a don Gilberto y, entonces, don Gilberto me invita al Ateneo de Puerto Rico para que, en una asamblea de la juventud del Partido, yo hablara sobre la tesis, sobre la economía y la independencia. Eso es en el '63, '64. Yo creo que es el '63, me parece.

Pablo Ortiz Ramos: Y lanza el reto a Muñoz para...

RBM: Debatir la cuestión económica.

NDS: Que tú debatas con él.

RBM: Así mismo es. Yo me creía que si se probaba que..., pero no era una cuestión de probar. Era mucho más profundo que eso. Estados Unidos tenía que mantener un bastión geopolítico militar en Puerto Rico. Por eso invadieron a Puerto Rico. Y de ahí, dicho sea de paso, surge el dilema de muchos líderes del PPD luego de la Segunda Guerra: o dejamos al lado eso de la independencia o ya Truman nos advirtió las consecuencias. No debe extrañar, pues, que cuando Ángel Rama (el gran escritor y crítico uruguayo) prologa mi libro *La independencia de Puerto Rico: Razón y lucha*, dice que es muy doloroso que yo haya tenido que dedicar gran parte del libro a explicar lo que más nadie se cuestiona en el mundo: que la soberanía es necesaria para el desarrollo. Pero, yendo a tu punto, ¿por qué yo inicialmente, desde San Ignacio, soy independentista?... La única explicación mía, como ya te dije, tiene que ser una explicación ética. Yo creo que hay que mandarse en la propia casa y creo que todas las nacionalidades tienen el derecho a perpetuarse y mandarse en su casa y eso es lo que es la independencia. Para mí lo importante era mantener el fuego vivo. En algún momento, la correlación de fuerzas cambiaría, tanto internamente como en Estados Unidos, como internacionalmente y, en ese momento, advendríamos a la independencia por voluntad de los puertorriqueños. Mi independentismo no surgió inicialmente de razonamientos económicos. Fue por razones éticas e ideológicas, y en ello no tengo la menor duda que influyó mi educación católica jesuita en el Colegio San Ignacio de aquel entonces. Uno de mis primeros discursos en el Senado de Puerto Rico, que está contenido en mi libro *La independencia de Puerto Rico: Razón y lucha*, se titula "El significado del cristianismo". O sea, que ese primer impulso surge de la ética, de la moral "de más allá de las etiópicas bahías". Después, pues obviamente que es fácil explicar; fácil no, pero más fácil. El colonialismo es siempre el colonialismo. Es decir, ¿a quién se le ocurre que los americanos vinieron aquí a repartir comida como si fueran monjitas o Madre Teresa de Calcuta? Conquistaron y aplastaron a nuestro país porque les convenía. Aquí debo mencionar la lectura, en los '60, del libro de Paul Baran, *La economía política del crecimiento,* que me ayudó a comprender la naturaleza del colonialismo, del imperialismo y el socialismo y que amplió mis conocimientos sobre esas materias.

NDS: Estudiando en Yale.

RBM: En Yale. Y, después, en Inglaterra. Pero el hecho de darse cuenta de que el colonialismo es explotación y que ellos nos sacan el vivir y que están aquí porque les conviene a ellos y no a nosotros, no basta para transformar la realidad política.

NDS: Tú tomas la decisión, cuando regresas a Puerto Rico, de incorporarte a la lucha política del PIP en un momento de mucha debilidad política del PIP. ¿Cómo fue ese inicio?

RBM: Pues mira, yo, ya en la campaña del '64, (me iba a ir a Inglaterra en el '64), hice militancia política con el PIP, y cuando regresé ya había decidido que me iba a dedicar a la lucha por la independencia.

NDS: A la lucha por la independencia en el PIP.

RBM: En el PIP, sí señor.

NDS: ¿Por qué el PIP y por qué no el MPI, por ejemplo?

RBM: Las razones ideológicas están por escrito en mi libro *Hacia el socialismo puertorriqueño,* del 1973 al '74. Desde entonces para mí era inconcebible el socialismo si no era democrático. En aquel entonces, existían en el mundo varias tendencias socialistas. Era claro para mí que el MPI se inclinaba a una línea, vamos a decirlo como después se dijo, marxista-leninista, y esa no era la línea en la que yo creía.

NDS: ¿Ya tú habías conocido a Juan Mari Brás personalmente?

RBM: Yo creo que no. Yo creo que yo conocí a Juan Mari porque me lo presentó, creo que Francisco Manrique Cabrera, a quien conocí porque en los veranos yo venía aquí y estudiaba literatura puertorriqueña. No creo que había conocido a Juan Mari antes de llegar a Puerto Rico. Pero yo desde mediados de los sesenta vi clara la diferencia entre el marxismo-leninismo y el socialismo democrático.

NDS: ¿Cuándo, si tú fueras a identificar el momento en que tú te, no quiero usar la frase "te conviertes", pero te convences y te concibes a ti mismo como socialista? ¿Cuándo es?

RBM: [suspira] Antes de llegar a...

NDS: ¿En Londres?

RBM: Antes de llegar a Puerto Rico, desde Yale. Sí, desde Yale.

NDS: Ahí tuvo mucho que ver la lectura que me dices, la lectura de Paul Baran...

RBM: Sí señor. Y mi convicción ética de que, como enseñó José Martí, con los pobres de la tierra quiero yo mi suerte echar.

NDS: ...la experiencia en Londres.

RBM: Sí, también, seguro. La experiencia en Oxford con los muchachos socialistas allí, que eran de la línea fabiana de izquierda, vamos a ponerlo así.

NDS: De eso te van a acusar después.

RBM: Si, de eso me acusa Corretjer. También me acusan de ser socialista cristiano. Es que estaban en boga innumerables tipos de socialismo en aquel entonces. Había socialismo cristiano, particularmente en Austria.

NDS: Sí, pero te incorporas a un partido que, en aquel momento, ese PIP de los '60, es bien conservador.

RBM: Bueno, pero había de todo.

NDS: ¿Cómo era ese PIP? ¿Cómo era ese partido independentista en el que tú te incorporaste?

RBM: Bueno, ese partido en el que yo me incorporé en los sesenta (especialmente don Gilberto), pues yo diría que era un partido cuyos miembros eran gente, en su gran mayoría, comprometidos con la justicia social. En palabras de don Gilberto: "Independencia para el pueblo y no para los que representan el privilegio y la opresión".

NDS: Quedaba algo de ese origen del Partido Popular, ¿no?

RBM: Sí. Era gente muy íntegra, muy honrada, a nivel de los pueblos, gente muy seria y, en la mayoría de los casos, gente de abajo, como en tu pueblo [dirigiéndose a Pablo Ortiz y refiriéndose a Barranquitas] Rosa Julia Rodríguez; trabajadores de fábricas y agrícolas, pequeños agricultores y comerciantes, maestros, empleados, profesionales. Y, debo mencionar también, a un número de figuras destacadas, muchos de ellos fundadores del PIP, quienes posteriormente, durante la década del setenta y después, me acompañaron en esta lucha. Me refiero a patriotas como don Baltasar Quiñones Elías, don Fernando Milán Suárez, don Julio García Díaz, don Francisco Susoni Lens, don Rafael Soltero Peralta, don Héctor Ramos Mimoso, doña Lydia Alfaro y doña Margot Arce de Vázquez. Eran gente muy seria, gente de principios y palabra. Para ellos, los fines no justificaban los medios.

NDS: Cuando tú llegas a Puerto Rico y te incorporas al PIP, no eran muchos los jóvenes que se estaban incorporando al PIP, y desde un inicio a ti se te ve de una forma diferente. Se te ve como un activo que se incorpora al PIP y que suma, en un momento de debilidad, unos atributos políticos que el PIP no tenía: juventud, conocimiento en economía. ¿Cómo tú sentías eso "vis a vis" la relación con esa vieja generación, la generación de don Gilberto, los nombres que me enumeras? ¿Había choque?

RBM: Siempre le tuve un gran cariño y respeto a esos patriotas. Yo no sé si era que ellos querían tanto a don Gilberto y don Gilberto me apreciaba a mí, que por esa razón me ayudaron mucho para que en la década del setenta este partido no se convirtiera en un grupo más del llamado socialismo científico de aquella época. También hay que entender que hombres y mujeres razonables pueden diferir, muchos de la mejor buena fe, y eso yo lo entiendo perfectamente ahora. Eso es lo primero, que pueden diferir y lo segundo es que todas las teorías se comprueban en la práctica. O sea, se confirman o se niegan en la práctica. Y yo creo que lo que pasó en el '60 y setenta y pico y con posterioridad habla por sí mismo. Más aún, a mí no me queda la menor duda, por ejemplo, que casi todos actuaron en aquella época de buena fe. Pero la situación era difícil, el adversario, el más potente del mundo, la Guerra Fría, la CIA, el FBI. Y, por eso, yo veo esa etapa (y espero que otros así la vean) con tanta comprensión.

NDS: Hay un elemento que a mí me intriga. En ese momento que tú te integras al PIP, la primera campaña en la que tienes un rol importante es la campaña contra el plebiscito del '67. Antes de eso, había ya un cuestionamiento de un sector en la periferia del PIP, y dentro del PIP, al liderato de Gilberto Concepción de Gracia y ahí hay un inicio de un planteamiento de, vamos a llamarlo, de "renovación" del PIP. ¿Cómo tú veías esas discusiones?

RBM: Bueno, sí, lo que pasa es que ese sector, como yo lo recuerdo… estaba encabezado, desde perspectivas muy diferentes, por dos personas: por Toño González y por Jorge Luis Landing.

NDS: Estoy hablando de (Antonio J.) Toño González, de Manuel Maldonado Denis… Ellos cuestionan el liderato de don Gilberto Concepción de Gracia.

RBM: Sí, señor. Pero respecto a Landing (quien más tarde inscribió el efímero Partido Soberanista) había algo con lo que yo no compaginaba. Yo había escuchado las historias; no sé, o sea, pero había algo.

NDS: ¿Había algo en la personalidad, en su trayectoria...?

RBM: Así mismo, en su trayectoria. Y con Toño no, con Toño yo me llevaba muy bien y también con Manolín. Yo creo que Toño era conservador por definición, pero estaba muy influenciado, al crear el PUP, por otras personas que no estaban en el partido; por Germán Rieckehoff, probablemente. Se dispara todo aquello…

NDS: Cuando fundan el Partido Unión Puertorriqueña (PUP) en 1969.

RBM. Exacto. Y ahí viene la primera fase de la disputa ideológica que se inicia con ese grupo conservador. Y la disputa ideológica álgida en el interior del PIP luego de la muerte de don Gilberto dura desde luego de las elecciones del '68 hasta el 1973-74. De un lado, los conservadores de Toño, del otro los de la línea del "socialismo científico" en sus diversas versiones y del otro, el sector al que yo pertenecía insistiendo en el socialismo democrático. Todo eso está recogido en diversos discursos y artículos que se encuentran en mi libro *Razón y lucha*.

NDS: Conservador dentro del debate que se estaba dando en el PIP.

RBM: Obviamente. Y yo visito a Puerto Rico. O sea, que yo me tiro a la Isla para inscribir el partido en el '67 y '68; me voy a organizar el Partido.

NDS: ¿Esa fue la primera vez, Rubén, que tú te tiras a caminar la Isla luego del '68? ¿Cómo fue ese último año con Gilberto, desde la campaña del plebiscito hasta la muerte de Gilberto?

RBM: Yo me tiro a la Isla antes del '68 para inscribir el Partido para el '68. Fueron dos veces. Los que nos tiramos para las elecciones del '68 fuimos básicamente don Gilberto, Luis Rivera Lacourt (quien era, con don Gilberto, el experto en cuestiones electorales), Gilberto Manuel Concepción y yo. Todavía tengo las miles y miles de juramentaciones... y, luego, después de las elecciones del '68.

NDS: O sea, esa es la primera vez que tú te lanzas a conocer la Isla.

RBM: Así mismo es; para el 1968 y luego del 1968, aunque también había participado en la campaña contra el plebiscito del 1967.

NDS: ¿Y cómo fue esa experiencia? Un muchacho que llega de Yale y de Londres.

RBM: Extraordinaria. El ejemplo que tengo en la cabeza es llegar a Cidra. Don Gilberto me ha dicho: "Ve y procura a Fernando Barrionuevo". Llego yo a Cidra. "Don Fernando Barrionuevo, ¿dónde está?" Él tenía una especie de tienda cerca de la plaza. No era un colmadito porque lo que había era longaniza y dos o tres cositas. Me encuentro allí con un señor con un delantal blanco haciendo longaniza y yo digo: "¿Está don Fernando Barrionuevo por aquí?" "¿Quién quiere hablar con él?" Y yo le dije: "Mire, a mí me manda el doctor Concepción de Gracia para que hablara con usted". "¿Quién?" "Espérese un momentito". Se quitó el delantal, se lavó las manos y me dice, "¿En qué puedo servirle?" Y yo le dije: "Yo soy Rubén Berríos Martínez, abogado, y vengo a inscribir el Partido". ¡Cerró la tienda y estuvo dos días conmigo! Y ahí, también, conocí a Víctor Torres, maestro de los independentistas de esa zona central. Y, entonces, esa escena que yo te narro se repite.

NDS: Eso se repitió.

RBM: Así es. Rosa Julia y Ramiro en Barranquitas y tantos, tantos otros patriotas de tantos pueblos, de los que no reciben aplausos ni aspiran al reconocimiento. Se repitió en el '67 y se vuelve a repetir después del '68.

NDS: Después del '68.

RBM: O sea, que yo visito toda la Isla, conozco a todo el liderato local e intermedio. Me acuerdo, cuando después del '72 (que no hemos llegado ahí) decían: "¡Rubén y los de la Isla!" ¡Seguro! Yo sabía cómo estaba la cosa. Era la Isla frente a un grupo de universitarios que estaba con el socialismo científico.

NDS: ¿Cómo convencen a Concepción de Gracia de que acepte en 1967 la idea del triunvirato? ¿Y qué papel tú juegas ahí? ¿Qué pasó?

RBM: En el Teatro La Perla, en Ponce. Bueno, ahí estaba Landing aspirando a la presidencia. Entonces, yo me dirijo a la Asamblea: "Miren, aquí no se puede seguir con el Partido como está porque este Partido necesita una renovación total. Y, por lo tanto, yo propongo que aquí busquemos una fórmula que nos permita a todos seguir juntos, porque si no hacemos esto, vamos a decir la verdad, "¡Este Partido es un cadáver!". Es la frase que yo uso. Aunque luego me doy cuenta que fui muy injusto con muchos patriotas y por ello, me arrepiento de haberlo sido. Unos aplaudieron y otros abuchearon. Y don Julio García Díaz, que es uno de los caballeros más íntegros que ha nacido en este País, se paró: "¡Con calma, Rubencito no quiso decir eso!". Entonces se calmó la algarabía. Luego, se aprobó lo del triunvirato. Propusieron a don Gilberto. Inmediatamente alguien propuso a Landing y alguien (yo no sé quién) me propuso a mí. Y alguien propuso a Pucho Marzán. Entonces, fuimos a una votación y yo salí electo en vez de Pucho Marzán. Terminé en el triunvirato. Yo no hice campaña.

NDS: ¿Tú llevaste allí delegados?

RBM: No. Pero estaba gente como Fernando Barrionuevo y Víctor Torres, y muchos jóvenes de la Isla que obviamente votaron por mí, como

Justo Echevarría y Pepín de Jesús, de Arroyo; y que me perdonen los otros por no mencionarlos.

NDS: Ya había una gente que se identificaban contigo.

RBM: Eso fue lo que pasó, pero no hubo ningún tipo de campaña en la Isla, ni nada de esas cosas.

NDS: ¿Cómo lo tomó don Gilberto? ¿Lo tomó como un reto?

RBM: No, yo creo que don Gilberto, no. Don Gilberto era un patriota y aceptó la decisión de la Asamblea.

NDS: ¿Tú conversaste con él?

RBM: Desde la primera reunión que tuvimos entre don Gilberto y yo, no hubo ni un "sí" ni un "no". Yo creo que don Gilberto asumía mi buena fe. Nos dividimos el trabajo de inscripción, seguimos para adelante. Él me conoció en la práctica y yo a él lo respeté siempre como a un padre y un patriota sin tacha.

NDS: La salud de don Gilberto, ¿cómo se va deteriorando?... Porque en esa asamblea de Ponce yo recuerdo haber leído que él estaba con un tanque de oxígeno o algo así. Que estaba en una situación muy frágil de salud.

RBM: Sí. Pero, yo jamás pensé que (él tenía cincuenta y pico de años) don Gilberto estaba grave. "Él está enfermo, está en el hospital, está recibiendo de José Milton Soltero tratamiento", pero yo no recuerdo lo que preguntas sobre Ponce. Después, recuerdo, cuando íbamos a llevar las papeletas (cogimos tantas en tal y tal pueblo). Yo sí recuerdo que al final, cuando se le llevaron las últimas papeletas para completar la inscripción, casi después don Gilberto murió.

NDS: ¿Cómo funcionó ese triunvirato? ¿Ese primer triunvirato?

RBM: Poco después de la muerte de don Gilberto, estamos en Arzuaga [el Comité Nacional del PIP, entonces ubicado en la calle Arzuaga de Río Piedras]. Yo estaba presidiendo la Comisión Ejecutiva y, junto a mí, Gilberto Manuel, quien sustituye a don Gilberto en el triunvirato, y Landing, el otro miembro del triunvirato. Landing renuncia porque quería que Colón Gordiany fuera el nuevo miembro en vez de Gilberto Manuel por don Gilberto. Entonces, Landing dijo ante la Comisión Ejecutiva, "¡Pues, yo renuncio!"; y yo di con el mallete en la mesa, "¡Se le acepta la renuncia!", y procedimos a elegir a un nuevo miembro del triunvirato.

NDS: Entra en el triunvirato Toño González.

RBM: Así mismo es. Toño, Gilberto Manuel y yo.

NDS: Ese es el triunvirato que va a las elecciones del '68. Ese triunvirato es el que va a dirigir el PIP después de la muerte de don Gilberto...

RBM: Así es. Recuerdo que en la campaña del '68, yo recorrí todos los pueblos y muchos de los barrios de Puerto Rico.

NDS: Fuiste candidato a la Cámara.

RBM: Fui candidato a la Cámara. Di mítines en todos sitios y eso sí lo recuerdo.

NDS: Trabajabas mucho.

RBM: Sí, sí.

NDS: ¿Cómo cambia ese PIP luego de la muerte de don Gilberto, que fue una figura tan identificada con la colectividad? Ahí entra una generación... entras tú, entra Toño González, que había sido una figura de segunda, en la segunda línea. Gilberto Manuel asume un rol protagónico mayor. ¿Cómo cambia ese PIP?, que es un poco el PIP que va a anteceder al PIP de los '70 y toda la situación interna, ¿no?

RBM: En esa etapa yo recuerdo bien que vamos a una asamblea en la Cancha Pepín Cestero de Bayamón y se plantea la presidencia única.

NDS: ¿Eso es luego de las elecciones del '68?

RBM: Sí.

NDS: Ya Toño González se ha ido.

RBM: Sí señor.

NDS: Noel Colón Martínez sustituye a Toño González en el triunvirato.

RBM: Después de las elecciones.

NDS: Después de las elecciones del '68, es después del '68.

RBM: En Bayamón, se plantea y se aprueba la cuestión de la presidencia única de forma abrumadora, aunque me imagino que algunos no me querían en la presidencia única. Luego se plantea la vicepresidencia.

Había un grupo que yo había conocido pocos años antes, que eran Georgie Segarra, Jaime Córdova, Carlos Gallisá, ¿quién más?

NDS: ¿Gallisá?

RBM: Sí, y Manolín Maldonado.

POR: Manuel Maldonado [Denis].

NDS: Manuel Maldonado. Genaro "Tuto" Marchand.

RBM: Y ahí propusimos a Carlos Gallisá para vicepresidente.

NDS: ¿Cuándo tú lo conociste? ¿Cuándo conociste a Carlos Gallisá?

RBM: No recuerdo bien, pero tiene que haber sido del '64 al '67. Lo conocí al mismo tiempo que a Georgie, Jaime y al resto del grupo que se conocían desde la universidad y eran mayores que yo.

NDS: Porque, para proponerlo como vicepresidente en una presidencia tuya, tenías que haberlo...

RBM: Sí, ya lo conocía bien, pero en el Partido no era, entonces, muy conocido. En el grupo, nos planteamos ¿quién debe ser vicepresidente? Entonces decidimos que Carlos.

NDS: Sí. Y, a partir de ahí a ustedes se le ve como un dúo.

RBM: Así es.

3. Carlos Gallisá Bisbal
Elecciones de 1964 y el PIP; la Nueva Lucha

Carlos Gallisá Bisbal: A mi juicio, esa segunda etapa de la lucha independentista termina con el ataque al Congreso y el fin del Partido Nacionalista y el nacionalismo. Que después han seguido estirándolo y estirándolo, ha sido a veces hasta ridículo. Y ahí comienza una etapa de represión que dura hasta el 1958. Aquí no se podía hablar. Y no hay independentismo, no hay lucha. Está el PIP, en aquel entonces, que había ganado unos 125 mil votos en el '52. Y, que hay que decir que, la verdad es que, eso no era una masa independentista. El PIP en esas elecciones recogió todo un sentimiento anti Popular que llevó a esos 125 mil. Ahí el PIP, al '56 ya baja a 80 [mil]; y del '56 al '60 ya baja a 24 [mil]. La primera expresión que se da ya de independentismo es al final del '52

[59], que es la FUPI. Después viene el desprendimiento de Mari Brás y su gente del PIP, con la creación del MPI. Era una cosa muy incipiente.

José Sánchez Jorge: Eso es en 1958, ¿verdad?

CGB: 1959. Una cosa que empezó muy pequeña y muy moderada, pero que empezó a crear otra vez un ambiente independentista. Un amigo mío tiene una frase que es muy buena para definir ese momento. Dice que el MPI enseñó a este pueblo a protestar otra vez. No había habido un piquete en diez años. Que el MPI enseñó a la gente otra vez a protestar. Bueno, pues ahí tenemos eso, esa creación del MPI como desprendimiento del PIP. Entonces, luego de las elecciones del '70 [72], o poco antes de las elecciones del '70 [72], en el PIP, pues un grupo de jóvenes nos dimos a la tarea de renovación. Decíamos que Gilberto tenía que dejar la presidencia y todas esas cosas. Y ahí empezamos, hasta que pudimos. Ahí es que se da el proceso de los triunviratos en el PIP, el papel de Rubén...

JSJ: Carlos Gallisá, una persona que, como abogado corporativo, tenía un futuro brillante, que pudo haber hecho el dinero que él hubiera querido; sin embargo, tomó un desvío en su vida que lo lleva a ser la persona importante en la historia de Puerto Rico que es hoy. ¿Qué lo llevó? O sea, ¿qué pasa por la mente de Carlos Gallisá cuando decide dejar atrás este mundo y dedicarse a una vida que es sumamente difícil? No estábamos hablando solamente de que no hay dinero, sino también la represión. ¿Qué pasa? ¿Por qué?

CGB: Pues, mira, sí te puedo explicar esto. Uno llega al independentismo por un sentimiento, no por una cabeza que te va diciendo todo el proceso. En la escuela superior de Manatí, yo empiezo a leer sobre la revolución yanqui, las 13 colonias y empiezo a sentir una simpatía con los héroes... Patrick Henry y todos esos, se te quedan unos sentimientos de: "Yo estoy con esta gente", ¿tú sabes?, pero sigue por ahí caminando uno. Y entro y salgo del ejército. No me maltrataron ni nada, pero estuve en el ejército. Estuve en Corea, estuve un año casi, en Corea. Era teniente y salí de ahí bien. Eso fue en el '60 que yo salí. Y había un grupo, en el que estaba Jaime Córdova, después llegaron Rubén y Jorge Segarra. El mentor del grupo era Toño González. Y empezamos a reunirnos y hablar de lo jod... que estaba el PIP y todo. Y en las elecciones del '64 hicimos casi un partido nosotros mismos al margen del PIP. Éramos la juventud del PIP, no oficial. Salimos por ahí a hacer campaña. Y encontramos, pues aquel desastre que había allí en el PIP. No se podía hablar de Albizu, en el PIP no se podía hablar de Albizu. Entonces, nos pasamos por los coj...s todo. Esos últimos años del PIP, eso fue un desastre de Gilberto Concepción de Gracia. Y entonces le caímos arriba a Gilberto Concepción de Gracia. Después de las elecciones del '64, yo vengo a una asamblea de pedir la renuncia, yo muchacho todavía le pedí la renuncia a Gilberto Concepción de Gracia y se forma un peo allí del carajo. Por eso cuando Rubén dice que su maestro fue Gilberto... los dos le caímos arriba a Gilberto. Y ahí, pues hicimos una campaña nosotros. Y empujamos unas cosas allí en el PIP, que Gilberto se las pasaba por los coj...s. Y cuando Rubén se va a Ponce, viene a hablar conmigo y me dice: "Vámonos a hablar los dos allí." Yo le digo: "Mira, ya yo he peleado aquí con Gilberto y con todo el mundo. Vete tú, yo me quedo." Y recuerdo siempre, tocándome la ventana cuando salió lo del triunvirato. Por eso es que Rubén y yo tenemos unas vinculaciones distintas, tú sabes. Además, su hijo prácticamente vivía en casa y cosas que se dan al margen, ¿no?

JSJ: Que la cuestión personal de ustedes es bien fuerte.

CGB: Sí, sí. La gente no entiende eso porque la gente cree que es una garata.

4. Luis Ángel Torres

Inicios en el PIP y en la Juventud Independentista Universitaria

Entrevistador: Vamos a comenzar con ¿cómo se envuelve en la lucha por la independencia y por qué una organización y no otra?

Luis Ángel Torres: Sí, yo me inicié en la lucha por la independencia cuando tenía trece o catorce años en la década del sesenta. Y en ese tiempo, con los que tuve algún tipo de relación fue con el Partido Independentista Puertorriqueño, el Movimiento Pro Independencia y en la escuela intermedia y superior con la Federación de Estudiantes Pro Independencia, la FEPI. En ese momento, era una relación más o menos de ir a distintas actividades, algunos círculos de estudios, algunas actividades que realizaban estas organizaciones, pero no era una lucha tan intensa como fue en años posteriores. Cuando entro a estudiar al Colegio de Mayagüez en 1967, '68, allí me integro al Partido Independentista Puertorriqueño. También fui miembro de la FUPI durante unos meses y comienzo a participar en distintas actividades que eran promovidas por la juventud del Partido Independentista dentro de la Universidad, del Colegio de Agricultura y Artes Mecánicas, que era como se conocía al Colegio en ese tiempo, y en distintas actividades independentistas que se realizaban en el área. Y posteriormente en 1968, '69, principalmente '69, hicimos las gestiones para fundar en el Colegio la Juventud Independentista Universitaria, la JIU, que era el brazo estudiantil del Partido Independentista Puertorriqueño. Que ya, unos meses antes se había fundado en el Recinto Universitario de Río Piedras y entonces nosotros hicimos los contactos con ellos para establecer la fundación de la organización también en Mayagüez.

Ent: En ese sentido, mencionó anteriormente que había estado un tiempo en la FUPI, aparte de ser del PIP. ¿Qué tipo de trabajo se realizaba y cómo podemos diferenciar una organización de otra? ¿Hacían actividades distintas o estaban adscritas a algún organismo distinto?

LAT: En el caso mío, pues fue más o menos por una tendencia general que había en ese momento en el independentismo. Cuando uno entraba en la Universidad, la única organización que existía con presencia era la FUPI y a pesar de que había diferencias con la política del Partido Independentista Puertorriqueño y la FUPI respondía principalmente a la línea del Movimiento Pro Independencia, el MPI, pues uno se vinculaba a las distintas luchas y a través de eso me hice miembro de la FUPI. En ese momento, yo no tenía muy claras las diferencias entre unos y otros, pero sí tenía el interés de... colaborar, de ayudar en alguna medida a la lucha por la independencia de Puerto Rico y a través de la FUPI logré eso durante unos meses. Posteriormente, cuando se plantea la posibilidad de organizar una filial de PIP dentro de la Universidad, ahí es que entonces tomo la determinación de participar en la fundación de la Juventud Independentista Universitaria (JIU).

Ent: ¿Qué tipo de trabajo se desarrollaba para poder establecer semejanzas y diferencias entre las dos organizaciones o trabajaban en conjunto? Obviamente eran los mismos problemas y las mismas metas. Pero ¿cómo se desarrollan los trabajos contra el servicio militar o qué tipo de cosas hacían?

LAT: La campaña principal en que nosotros participamos y que dio pie a la fundación de la JIU dentro del recinto universitario fue la campaña contra el Servicio Militar Obligatorio. Porque muchos de nosotros fuimos llamados al reclutamiento y optamos por negarnos a participar de las fuerzas militares de Estados Unidos y entonces, a través de la Juventud Independentista Universitaria, a través del PIP, pues recibimos la colaboración legal y la defensa necesaria para que ese proceso fuera exitoso. Además de la campaña contra el militarismo, también se desarrolló una campaña incipiente en términos educativos de promover, a través de actividades en los recintos universitarios, educación política sobre los fundamentos de la independencia, por qué era importante que nos integráramos a ese trabajo y la situación en que el independentismo se encontraba en ese momento que, desde el punto de vista nuestro, era bastante crítica.

Ent: Háblenos justamente de eso ¿Por qué era crítica en ese momento la situación? ¿Cómo se perfila ese PIP al que usted entra, comparado con lo que había sido anteriormente? Durante la década del sesenta, sobre todo, ¿cómo es que a partir del '68 comienza a darse una serie de cambios?

LAT: En el caso del PIP, en las elecciones del '64, la organización obtuvo apenas unos 24 mil, 30 mil votos. Posteriormente, en las elecciones del '68, pues se llega al punto más bajo de votación por el PIP con 23 mil, 24 mil votos, máximo. Y se da una crisis de liderato en la organización. Y una crisis político-organizativa, donde el liderato de Gilberto Concepción de Gracia, que había sido el dirigente del Partido desde su fundación, comienza a ser cuestionado particularmente por distintos sectores juveniles dentro de la organización, entre los cuales estaba yo y otra serie de compañeros que estudiábamos en las universidades. Porque nosotros entendíamos que el PIP no estaba respondiendo a las necesidades del independentismo y que su mensaje era fundamentalmente nacionalista, que no apelaba a los intereses, a los derechos, a las necesidades de los trabajadores puertorriqueños. Y comenzamos unas discusiones dentro del Partido tratando de lograr unos cambios, que inicialmente, pues no los pensábamos como cambios de liderato. Los veíamos más como unos cambios de carácter filosófico. Porque entendíamos que el PIP debía definir su ideología de una manera mucho más vinculada a las luchas de los trabajadores y de los estudiantes. Y ese era el caso nuestro. Sin embargo, se estaba dando a nivel de la dirección nacional del Partido una crisis de liderato, donde incluso se había establecido un triunvirato después de la muerte de Gilberto Concepción de Gracia. La crisis se profundiza y entonces se establece un triunvirato donde participan Rubén Berríos, Noel Colón Martínez y Gilberto Concepción Suarez, el hijo de don Gilberto. Ese triunvirato era representativo de las diferencias o de las distintas tendencias que convivían en el PIP y estaba cada uno tratando de impulsar sus puntos de vista. Nosotros entendimos, en aquel momento, que Rubén Berríos representaba el sector más radical dentro del triunvirato en el Partido y comenzamos a reunirnos y a participar en distintas actividades para promover que dentro de la organización se diera una discusión, que se profundizara la educación política de los compañeros miembros del PIP y que el PIP asumiera una posición favorable a las luchas de los trabajadores que en aquel momento a través de huelgas y distintos conflictos se estaban escenificando en el país. Y asumimos más o menos el apoyo a Rubén Berríos como representante de esa tendencia ideológica dentro del Partido.

Ent: En el '64 y '68, el MPI tiene una campaña de huelga electoral. ¿Tiene alguna anécdota de cómo era hacer campaña de independentistas? ¿Cómo se vivió eso? ¿Recuerda algo en particular?

LAT: Bueno, no tanto como anécdota, pero sí yo pienso que la campaña del MPI de Huelga Electoral, aunque no logró el éxito, estaba dirigida hacia lograr un alto porciento de abstención electoral en el país y sí tuvo un impacto muy grande en el PIP. Porque la campaña del MPI estuvo más dirigida hacia el independentismo. Entonces logró calar con cierta profundidad en muchos de nosotros porque estábamos en una disyuntiva: votar por un Partido Independentista que era conservador, que no quería vincularse a las luchas sociales, que criticaba a la juventud, que no estaba a tono con las tendencias de lucha que a nivel internacional se estaban dando, particularmente las luchas anticoloniales en Asia, África. Pues nosotros vimos con buenos ojos la campaña de MPI porque dio una opción de participación en esa campaña a distintos sectores juveniles. Sin embargo, no lo vimos como si el objetivo principal fuera el que una gran cantidad de personas dejara de votar, sino que lo vimos como que esa campaña iba a tener un impacto sobre todas las fuerzas independentistas, particularmente sobre el PIP. Iba a producir o impactar de alguna manera para que se produjeran unos cambios en el PIP. Más o menos en esa óptica era que nosotros veíamos esa campaña en aquel momento.

Ent: Algo que es muy conocido son las luchas que se dan internacionalmente y el rol que tiene la juventud. Estamos hablando de una renovación en el Partido Independentista, pero también están en las universidades y, en esos años, se dan muchas cosas en la universidad especialmente en la UPR en Río Piedras. ¿Recuerda algunas de las cosas en esos años?

LAT: Sí, esos fueron unos años sumamente intensos que nos ayudaron mucho a profundizar nuestra formación como militantes independentistas y socialistas. Se estaban dando, por ejemplo, en Estados Unidos, unas luchas muy intensas del movimiento negro por los derechos civiles. Había unas luchas intensas en contra de la guerra de Vietnam y nosotros nos ubicamos dentro de esa tendencia de oposición a la guerra de Vietnam, de no participación en la guerra, de ser objetores por conciencia política en el caso nuestro. Eso lo combinamos con la lucha antimilitarista por sacar el ROTC que era para nosotros el representante de las fuerzas militares y del imperialismo norteamericano en las universidades. Sacarlo fuera del Recinto, de los recintos universitarios de la Universidad de Puerto Rico y eso junto a la influencia de la Revolución Cubana, de las luchas anticoloniales que se estaban dando en el mundo, particularmente las luchas guerrilleras en América Latina. Eso nos llevó a un contacto incipiente, inicialmente, pero que después logramos profundizar con el marxismo. El análisis de esas experiencias, el estudio de los textos básicos o clásicos del marxismo y la participación en actividades antimilitaristas aquí en Puerto Rico nos llevó a concluir que el movimiento independentista tenía que transformarse y que tenía que ponerse a tono con esas ideas de avanzada. Tenía que buscar un sujeto social que nosotros definíamos en aquel momento, en términos generales, como la clase trabajadora, que había que plantearse: la independencia ¿para qué? Una independencia para lograr una nación supuestamente libre, pero que entonces fuera un mercado neocolonial de Estados Unidos o de otras potencias o una independencia donde el contenido social fuera la lucha por el socialismo y que las clases trabajadoras fueran quienes gobernaran en Puerto Rico. Pues dentro de ese complejo proceso de reflexión, fuimos amasando una ideología y planteándonos unas cosas que entendíamos contribuían a que se pudiera lograr una transformación en las organizaciones independentistas, en este caso en particular, en el PIP.

El Secretario General del MPI, Lic. Juan Mari Brás, en los actos del Grito de Lares en 1963. (Archivo digital *El Mundo*)

Viaje a la ONU 1966. De izquierda a derecha Héctor Dávila, Juan Mari Brás, José Milton Soltero, Fernando Milán Suárez, Gilberto Concepción de Gracia, Gerardo Navas y Piri Fernández de Lewis. (Archivo digital *El Mundo*)

Vista de la concentración anti plebiscitaria, celebrada en el Estadio Sixto Escobar, julio de 1967 (Archivo periódico *Claridad*)

Gilberto Concepción de Gracia se dirige a militantes pipiolos durante los actos del Grito de Lares en 1967.
(Fondo Carpetas Policía de Puerto Rico, Archivo General de Puerto Rico (AGPR))

Exhorta A Inscribirse

PIP Repudia Llamado De MPI A Abstención

PONCE — (Por F. Rodríguez Arroyo) — El licenciado Francisco Susoni, hijo, vicepresidente del Partido Independentista Puertorriqueño, dijo el domingo en esta ciudad, ante un grupo de sus correligionarios, que "nuestro partido repudia el llamamiento del liderato del MPI y la FUPI, exhortando al pueblo a no concurrir a las inscripciones generales del domingo, 6 de marzo".

Dijo el líder independentista que, "El PIP está ahora más vigoroso que nunca y espera llevar a las urnas el mayor número de votos de su historia en las próximas elecciones, para demostrarle al mundo que Puerto Rico desea su independencia, democráticamente".

Susoni estuvo en Ponce el domingo, para presidir la asamblea de delegados celebrada en su nuevo local, en la calle Tricoche no. 30, en la cual el joven abogado ponceño y profesor de la Universidad Católica de Puerto Rico, Ezequiel Estremeras, fue electo vicepresidente del PIP en el Distrito Sur. Además, Estremera estará a cargo de la campaña pre-inscripcionaria de esa colectividad en Ponce.

Emocionado ante las felicitaciones de sus compañeros de lucha, el Lic. Estremera hizo un llamamiento a todos los seguidores del ideal de independencia, para que lo ayuden "En este momento crucial del pueblo de Puerto Rico". Pidió al liderato pipiolo que "Trabaje fuerte en estas inscripciones que se avecinan y que no hagan caso a los que han traicionado el ideal de independencia, pidiendo ahora al pueblo un retraimiento, para que no concurra a las inscripciones del próximo domingo".

ALL INFORMATION CONTAINED
HEREIN IS UNCLASSIFIED
DATE 5-24-2000 60267 NLS/EP/OD

Xerox Copy
To 105-3353 Sub I
a.c.c.

(Indicate page, name of newspaper, city and state.)

Page 3 - El Imparcial

San Juan, Puerto

Date: 3-2-66
Edition:
Author:
Editor:
Title:

Character:
or
Classification:
Submitting Office: San Juan
☐ Being Investigated

100-4014-3117
100-4014-

SEARCHED ____ INDEXED ____
SERIALIZED ____ FILED ____
FBI—SAN JUAN

"El PIP repudia llamado del MPI a abstención."
Periódico *El Mundo*, marzo de 1966.

Consideran Cumplieron Misión

PIP Decide Dejar Próximamente Su Puesto en Comisión de Status

Por Rafael López Rosas

La Comisión Ejecutiva del Partido Independentista Puertorriqueño acordó retirarse de la Comisión del Status y hacerlo oficialmente en la próxima reunión de ésta en Washington, luego de presentar un pliego de razones dando a conocer su posición.

Esta decisión es la primera que se toma de parte de uno de los sectores representados ante la Comisión del Status como representativo de una de las tres finalidades sobre el status político de la Isla. Con esta decisión del PIP no habrá representación oficial independentista dentro de la Comisión, especialmente en los momentos que preceden a la formulación del informe y recomendaciones que esta entidad hará al Congreso de Estados Unidos.

Desde hace varios meses, el doctor Gilberto Concepción de Gracia, presidente del PIP y su delegado ante esa Comisión, dijo a EL MUNDO, que recomendaría ante la Comisión Ejecutiva de su Partido, la retirada de su delegación ante el mencionado organismo.

No fue hasta la noche del viernes que se produjo la discusión final sobre el asunto que se juzgaba de primordial importancia entre el liderato del PIP. La discusión de la proposición de retiro de la Comisión del Status fue hecha por el propio doctor Concepción de Gracia. Fue el primer asunto de la agenda y su discusión duró desde las 8 de la noche hasta un poco después de medianoche.

La decisión final fué lograda casi a medianoche y después de agotados los de-
(Continúa en Pág. 26, Col. 3)
bates en pro y en contra. La decisión fue por mayoría.

El criterio de la mayoría fue en el sentido de que ya el Partido Independentista había cumplido con su misión ante dicha Comisión, salvando la posición del sector independentista ante la misma, dando a conocer los postulados de este sector del pueblo de Puerto Rico y que su presencia en ella ya no era necesaria.

En una ocasión anterior el doctor Concepción de Gracia había manifestado que los delegados norteamericanos ante la misma mostraban cierta parcialidad ante los problemas planteados, indicando su favoritismo hacia los sectores partidarios de la unión permanente y se mostraban reacios a cualquier cambio que se saliera de ese patrón. Se mostraban hasta contrarios a cualquier cambio progresivo dentro del Estado Libre Asociado.

Cuando EL MUNDO se comunicó con el doctor Concepción de Gracia el sábado por la mañana para confirmar los informes sobre la reunión y la decisión de retirarse, el líder independentista confirmó la decisión sin dar detalles sobre la misma.

Sin embargo dijo que había recibido informes de la misma Comisión del retiro del representante Leo O'Brien, republicano de Nueva York, de este organismo, pero que no tenía comentarios que hacer al respecto.

Se supo también que la Comisión Ejecutiva del PIP nombró una Comisión compuesta por los señores José Antonio Ortiz, Jorge Luis Landing, Elisa Estrella de Diego, Héctor Alvarez Silva, Fernando Milán, Erasmo Velázquez Olmedo y Francisco Colón Gordiany para que pongan por escrito las razones del retiro que se presentarán ante la reunión que celebrará próximamente la Comisión del Status en Washington.

Por otro lado, se informó que el PIP se inscribía en Cabo Rojo el sábado y celebraba un mitin en ese pueblo esa misma noche.

(Indicate page, na
newspaper, city a

EL MUNDO S

1

26

Date: 4/25/6
Edition: FINAL
Author:
Editor:
Title:

Character:
or
Classification:
Submitting Office:

☐ Being Investi

100-4014
100- 9

SEARCHED
SERIALIZED
APR 2
FBI — SA

ALL INFORMATION CONTAINED
HEREIN IS UNCLASSIFIED
DATE 5-24-2000 BY 60267 NLS/EP/00

"El PIP decide próximamente su puesto en Comisión de Status."
Periódico *El Mundo,* 22 de abril de 1966.

Colonialismo En Isla

100-4014

PIP Acude Al Comité De Los 24 En La ONU

POR FLOR DE MARIA RODRIGUEZ

La retirada del Partido Independentista Puertorriqueño (PIP) de la Comisión del Status, es definitiva y ya está diligenciando el apoyo de naciones sudamericanas para conseguir que Puerto Rico sea incluído en la agenda de trabajo del grupo de los 24, que demanda la descolonización, según informó el profesor José Antonio Ortiz, delegado alterno del PIP en dicha Comisión, quien regresó de Estado Unidos durante el fin de semana.

De acuerdo con el profesor Ortiz, el senador Javitts felicitó al Dr. Gilberto Concepción de Gracia, por la labor que éste realizó durante su permanencia en la Comisión y dijo que en el curso de los trabajos, había aprendido a respetar y a admirar al Dr. Concepción de Gracia y que sentía su retiro, por la labor meritoria que había realizado.

Los delegados del PIP, que se retiran porque alegan que la Comisión ha trabajado en perjuicio del sentimiento independentista puertorriqueño, dan como otra razón para dejarla, que ésta justifica el Estado Libre Asociado para Puerto Rico y que el informe radicado ante la misma por el Lic. Leibowitz, va encaminado a justificar el "satus quo" y la vigencia del sistema colonial en la Isla.

Se alega, además, que dicho informe trata de justificar las actuales relaciones entre Puerto Rico y Estados Unidos, de modo que, de acuerdo con el mismo, el problema de Puerto Rico está resuelto.

(Indicate page, name of newspaper, city and state.)
EL IMPARCIAL
SAN JUAN P.R.

55

Date: 5/11/66
Edition:
Author:
Editor: 100-404-3132
Title: 100-4014-313
Character:
or
Classification:
Submitting Office: SAN JUAN
☐ Being Investigated

SEARCHED ____ INDEXED ____
SERIALIZED ____ FILED ____
MAY 1966
FBI — SAN JUAN

-106 (POLITICAL TRENDS IN P.R.)
-4014 (PIP)
[redacted] b7C
818 (GILBERTO CONCEPCIÓN DE GRACIA)

ALL INFORMATION CONTAINED
HEREIN IS UNCLASSIFIED
DATE 5-24-2000 BY 60267 NLS/EP100

SEARCHED ____ INDEXED ____
SERIALIZED ____ FILED ____
MAY 1 3 1966
FBI — SAN JUAN

"El PIP acude al Comité de los 24 en ONU."
Periódico *El Imparcial*, mayo 1966.

CONTRA EL COLONIAJE

Representación de P.R. Entrega Documento ONU

Una delegación de representantes de organizaciones independentistas y puertorriqueñistas, encabezada por el Dr. José Milton Soltero, hizo entrega el pasado jueves 6 de abril de un importante documento al Presidente del Comité de Descolonización de las Naciones Unidas, Embajador John W. S. Malecela.

La delegación la integraron, además del Dr. José Milton Soltero, la Dra. Piri Fernández de Lewis, Presidenta del Congreso Puertorriqueño Anticolonialista, Licenciado Juan Mari Brás, Secretario General del Movimiento Pro Independencia, Dr. José Antonio Ortiz, Secretario General del Partido Independentista Puertorriqueño e Ingeniero Gerardo Navas Dávila, portavoz político de Vanguardia Popular.

A continuación el texto del documento entregado al referido comité por la delegación de organizaciones soberanistas puertorriqueñas.

"AL COMITE DE DESCOLONIZACION DE LAS NACIONES UNIDAS POR INTERMEDIO DE SU PRESIDENTE SU EXCELENCIA SEÑOR JOHN W. S. MALECELA
Naciones Unidas, Nueva York.

EXCELENCIA:

Nos dirigimos a Su Excelencia y a todos los demás miembros del Comité de Descolonización de las Naciones Unidas en relación con el estudio del caso de Puerto Rico.

El 10 de octubre de 1966 el Comité de Descolonización aprobó el informe del Grupo de Trabajo por el cual fue acordado que "en fecha temprana después de iniciarse la próxima sesión del Comité" (o sea, después del 20 de febrero de 1967), "se estudiará la cuestión de la inclusión de Puerto Rico en la lista de Territorios dependientes".

Posteriormente, en el mes de diciembre, la Asamblea General ratificó ese compromiso del Comité, con lo que el supremo organismo de las Naciones Unidas dio un incuestionable mandato para que el estudio no se siga posponiendo.

Como el Comité ya ha iniciado sus trabajos estimamos oportuno consignar nuestro deseo y expresar nuestra confianza de que el estudio de la cuestión puertorriqueña habrá de ser iniciado de conformidad con los referidos acuerdos ya adoptados y con el mandato dado.

A propósito de dicho estudio solicitamos muy respetuosamente que se disponga la celebración de audiencias públicas en las que organizaciones y ciudadanos de Puerto Rico pueden comparecer a someter el testimonio y la evidencia documental necesarios para que el Comité pueda sustanciar válidamente sus conclusiones.

Ya que de lo que se trata es de decidir si Puerto Rico ha de ser incluido o no en la lista de Territorios que sirve de agenda al Comité de Descolonización, entendemos que la prueba testifical y documental que el Comité interesa concierne esencialmente a la realidad político-colonial en que continúa debatiéndose el pueblo de Puerto Rico.

La evidencia irrefutable con que los organismos y personas suscribientes contamos y hemos de someter sobre ese específico punto, es de tan definitivo alcance, que sólo su examen habrá de llevar al Comité a la conclusión inequívoca que se interesa.

Estimamos nuestro deber anticiparle al Comité dos datos que son pertinentes e indispensables en el estudio del caso: 1. el hecho de que se ha decretado oficialmente un supuesto plebiscito a celebrarse en Puerto Rico el 23 de julio de 1967, en el que se incluye, según el estatuto ya aprobado, el vigente status colonial como una de las alternativas en la consulta; y 2. el hecho de que tal plebiscito, aunque aparece oficialmente auspiciado por el gobierno local, la inspiración y antecedentes del mismo obedecen a la iniciativa e impulso del propio gobierno de los Estados Unidos. Todo ello para poder contar con algún tipo de evidencia que les permita tratar de seguir posponiendo la solución al problema de la dependencia colonial de Puerto Rico cuando llegue el confrontamiento con el estudio de nuestro caso en las Naciones Unidas.

Podemos asegurar desde ahora al Comité que el plebiscito decretado, no sólo confirma una vez más la realidad de que nuestro caso continúa sin resolverse, sino que todas las circunstancias que concurren en el insidioso plan, comprometen en mayor grado aún la posición de los Estados Unidos como potencia administradora y hacen más evidente el incumplimiento por parte de su gobierno de los compromisos y acuerdos del organismo mundial para liquidar el colonialismo dondequiera que éste se encuentre.

Aguardamos el aviso pertinente del Comité para comparecer en audiencia a presentar la evidencia en el turno que respectivamente se nos tenga a bien asignar, para probar que Puerto Rico no ha resuelto aún su problema de soberanía.

Con el testimonio de nuestra más alta consideración y agradeciendo, a nombre de Puerto Rico, el profundo interés de las Naciones Unidas, del Comité y de Su Excelencia, en relación con el problema de nuestro pueblo, nos es grato reiterarnos

Muy respetuosamente,

Piri Fernández de Lewis, Presidenta Congreso Puertorriqueño Anticolonialista, Organización no partidista en Defensa de la Libre Determinación de Puerto Rico; Juan Mari Brás, Secretario General Movimiento Pro-Independencia de Puerto Rico; José Antonio Ortiz, Partido Independentista Puertorriqueño; Gerardo Navas Dávila, Portavoz Político Vanguardia, Organización que postula la Asociación con base en la Soberanía de Puerto Rico.

PASE ESTE PERIODICO A UN AMIGO

"Representación de P.R. entrega documentos ONU."
Periódico *El Imparcial*, 14 de abril de 1967.

GRAN MARCHA PATRIOTICA

A DERROTAR EL PLEBISCITO COLONIALISTA

Como "un acontecimiento historico, cuya proyección en el futuro patrio se empieza a vislumbrar como de altísima significación", calificó la Gran Marcha Patriótica del pasado domingo 16 de abril, el Secretario General del Movimiento Pro Independencia, Juan Mari Brás, al hacer el resumen del grandioso mitin celebrado en el Parque Luis Muñoz Rivera.

Manifestó que la gran Marcha patriótica sirvio "para hacer patente que al patriotismo boricua no le quiebra la voluntad, la amenaza; que al patriotismo boricua no logra arrodillarlo el chantaje, que al patriotismo boricua no le va a detener en su empeño ninguna clase de persecusión".

"La gloriosa manifestación patriotica de la mañana de hoy —dijo Mari Brás— revela sin lugar a dudas, que ni la policía de Puerto Rico, ni el FBI y la agencia central de Inteligencia, ni todas las policías imperiales juntas pueden evitar la explosión de patriotismo del pueblo puertorriqueño; que no pueden frenar el desarrollo de nuestra lucha de Independencia".

Destacó que esa lucha "se funda en la presencia incuestionable en esta isla de una nacionalidad indestructible, que no puede tener más destino que la plenitud de la soberanía y de la independencia".

Agregó el lider emepeísta que la lucha de los puertorriqueños está "simbolizada en esas tres grandes figuras del pasado patrio que recogen todo un siglo de lucha: En Ramón Emeterio Betances, Padre de la Patria nuestra, que desde los remotos días del siglo XIX le señaló un camino de dedicación a los puertorriqueños".

"En José de Diego —añadió—, el Apostol que pasado el trauma de la invasión norteamericana a nuestra tierra inicia trabajosamente el proceso de reconstruir esa voluntad de independencia del pueblo puertorriqueño".

José de Diego murió —añadió Mari Brás— "pero como los pueblos siempre generan de sus propias entrañas el liderato que ha de dirigir las batallas de sus destinos, surgió de la mezcla de una negra puertorriqueña, y de un español, la más grande figura del siglo en que vivimos: el Maestro don Pedro Albizu Campos".

Manifestó que Albizu Campos "agarró la bandera de Betances, agarró la bandera de de Diego y las conjugó ambas en la proyección de un movimiento patriótico que inició el proceso de organizar a la Patria para el rescate de su soberanía".

Mari Brás agregó que "25 años de prisión, dolores, angustia, persecución" no puedieron doblegar al gran lider de la rebeldía nacional puertorriqueña.

"Sus discípulos más amados —destacó— le acompañaron en ese calvario de sufrimiento y de dolor, y muchos cayeron inmolados por la Patria. Pero esas fuentes, como todas las que vienen en el proceso de una lucha noble como la Independencia Patria, no han ido sino a abonar y a fertilizar la indomable voluntad de independencia del pueblo puertorriqueño".

"Aquí estamos para decirle al Apostol de Diego, para decirle al Maestro Albizu Campos, para decirle al Padre de la Patria, Ramón Emeterio Betances: ¡Aqui está el Puerto Rico que sí se rebela doctor Betances".

Mari Brás se refirió, asimismo, a las gestiones iniciadas por el MPI en 1960 ante las Naciones Unidas para lograr la descolonización de Puerto Rico a la luz de la resolución anticolonial de ese organismo.

"Llevamos el trabajo internarional —explicó— por todos los contornos, al nivel de los gobiernos amigos para pedir solidaridad militante con nuestro planteamiento, y más aún lo llevamos al nivel de todas las organizaciones de masa definidamente antimperialistas que desde todos los costados del planeta desarrollan su lucha hacia el mismo objetivo convergente de derrotar el dominio de los débiles por los fuertes, de derrotar el dominio del imperialismo, y establecer un mundo donde todos los pueblos, grandes y pequeños, puedan ser plenos usufructuarios de su riqueza, y tener dominio absoluto de su propio destino".

Mari Brás se refirio también a la tarea de organización cumplida por el MPI desde su fundación en 1959, y agregó: "Cuando terminamos aquella obra de organizar los núcleos fundamentales de la vanguardia lanzamos la consigna que desde entonces ha juntado voluntades por todos sitios: DESPIERTA BORICUA; DEFIENDE LO TUYO".

Desde entonces —añadió el Secretario General del MPI— nuestra política de unidad ha ido dirigida a producir el despertar masivo del pueblo, no para que el pueblo se convenza de que nosotros lo vamos a [illegible] nosotros no somos los libertadores de este pueblo, nosotros lo que hacemos es abrir la puerta de la comprensión al pueblo por distintos sitios para que se desborde por ella y vaya en busca de su propia libertad".

005248

"¡Qué pensará el cerebro de mosquito de Luis Muñoz Marin, cuando le cuenten que aqui se reunieron 15 mil patriotas a pesar de todas las amenazas en una Gran Marcha auspiciada por el MPI", exclamo el lider independentista.

Al mencionar que Muñoz Marin no compareció a la Universidad de Puerto Rico donde debía pronunciar un elogio a su política colonial, Mari Brás dijo que "no fue porque no se atreve hablar en la universidad".

"A nosotros —añadió— no nos permiten hablar por la televisión, a nosotros no nos permiten hablar por los medios oficiales de la comunicación pública, pero ellos que tienen toda la maquinaria ellos que tienen todo el engranaje, sin embargo, el pobrecito Muñoz no puede hablar en la Universidad de Puerto Rico, no puede hablar en la Universidad de Puerto Rico porque la UPR está en la primera fila de la lucha antiimperialista de nuestro pueblo".

"El señor Muñoz Marín —dijo— le tiene miedo al confrontamiento con los estudiantes, le tiene pavor. ¿Porqué Muñoz Marín no va a Las Mareas? Está cada vez más prisionero de sus propios miedos. Y mientras éso ocurre él que soñaba que el MPI estaba controlado por la policía, a él que le habían hecho creer los sabuesos de la Seguridad Interna que nos tenían bajo control, ¡cómo estará de asustado hoy cuando sepa que se ha desbordado el patriotismo puertorriqueño en las calles de San Juan". "Esta lucha que aquí libramos —observó Mari Brás— lo que significa al fin y al cabo, despues de nuestro largo aislamiento de cuatro siglos y medio es la incorporación de Puerto Rico al mundo; es la afirmación de un principio que también estableció José de Diego: también el centro es parte de la bola del mundo, también nuestro país es parte de este planeta que se agita en las convulsiones mayores de su historia para hacer valer los derechos de las grandes masas hambreadas, los derechos de las grandes multitudes a quienes se les ha pri-

(Pasa a la Página 4)

El Secretario General del MPI, Juan Mari Brás, mientras se dirigía a los asistentes al grandioso mitin celebrado en el Parque Muñoz Rivera.

"A derrotar el plebiscito colonialista." Discurso de Juan Mari Brás. Periódico *Claridad* 16 de abril de 1967.

4 CLARID

A DERROTAR . . .

(Viene de la Página 2)

...ado de todos los privilegios y de los derechos fundamentales".

Aludió al propio tiempo a la lucha de los pueblos en todas partes del mundo y especialmente en América Latina, a propósito de lo cual dijo: "Allá en la cresta de los Andes, de los heroicos Andes de la América del Sur, donde hasta el presente fue escenario de las grandes gestas históricas que conocen los anales de este hemisferio, la épica grande de Bolívar y de la primera lucha de independencia; allí, en esos mismos Andes florece hoy el embrión de la segunda gran guerra de América del Sur. Y por eso desde aquí, a nombre de ese pueblo que lucha, saludamos al comandante Guevara donde quiera que éste se encuentre. Donde quiera que se encuentre en ésta América Nuestra sabemos que allí germina el porvenir americano".

Al analizar la oportunidad de lucha que se presenta a los puertorriqueños en las presentes circunstancias, Mari Brás expresó que "aún los que no comparten con nosotros la comprensión radical del problema en toda su dimensión, aún los que creen que nosotros vamos más allá de donde debe irse en la denuncia del imperialismo, aún esos reconocen hoy que es el instante de dar la batalla final por recobrar la soberanía conculcada del pueblo puertorriqueño".

"Nosotros tenemos que abrir generosamente nuestros brazos —destacó— para unirnos a todas las fuerzas que en Puerto Rico quieran dar esa batalla por el tránsito a la independencia, al reconocimiento de la soberanía del pueblo puertorriqueño".

Mari Brás recalcó que "es ahora o es nunca que las Naciones Unidas van a intervenir como auxiliar del pueblo de Puerto Rico en su lucha de independencia", tras lo cual agregó que "en vista de la firmeza con que se hizo el planteamiento, y del hecho de que coincidieran en ese planteamiento fuerzas dispares en enfoques ideológicos, que no tienen en común sino la lealtad suprema a la Patria, los dirigentes del Comité Anticolonial accedieron a hacer el planteamiento conforme lo pedíamos las organizaciones anticolonialistas de Puerto Rico".

Aludiendo al debate en las Naciones Unidas sobre el caso de nuestro país, el líder independentista expresó: "Nosotros no sabemos cuál será el resultado de ese debate, pero sí sabemos una cosa, que le hemos hecho claro a todos los miembros de ese comité, un voto negativo a la lucha de Puerto Rico contra el coloniaje no significará que el pueblo de Puerto Rico haya sido derrotado en su lucha de independencia; más bien significará la derrota del propio Comité, la derrota de las Naciones Unidas como instrumento de liberación de los pueblos. Somos conscientes, sí, que la intervensión de las Naciones Unidas ahora le representaría al pueblo puertorriqueño y su actual generación una formidable ayuda moral que reduciría grandemente los sacrificios que de ahora en adelante hubiera que hacer por la independencia de Puerto Rico".

"Sepa las Naciones Unidas, sepa el Comité de 24, lo que ya sabe el imperialismo: a este pueblo no lo van a detener en su voluntad de independencia, nada ni nadie", dijo Mari Brás.

Al referirse a la acción convergente de los anticolonialistas puertorriqueños agregó que "la lucha por la unidad de las fuerzas patrióticas van a continuar aquí como factor esencialísimo para conducir adelante al independentismo".

"A todos ellos —añadió— desde la cima de nuestro entusiasmo producido por esa elocuente demostración de apoyo que al MPI le ha hecho el pueblo patriota de Puerto Rico en el día de hoy, a todos ellos les hacemos un llamado cordial, un llamado fraternal, un llamado patriótico; a todos los dirigentes de grupos, de partidos, de facciones, las personalidades independientes que en una u otra forma colaboran en esta lucha; a todos les hacemos el llamado de conjugar esfuerzos, de unir voluntades, de hacer que esta marcha que hoy sobre sus hombros ha hecho la Vanguardia Patriótica, se multiplique por mucho en los próximos meses antes del plebiscito colonialista, y cuentan con nosotros en la primera fila del sacrificio para ese trabajo. Cuenten con los integrantes del MPI, con los simpatizantes del MPI que están dispuestos, no sólo a darles su entusiasmo y apoyo a esa conjugación de fuerzas contra el plebiscito colonialista, sino a hecharnos sobre nuestros hombros nuevamente el peso del trabajo duro de la organización, el peso del trabajo que produce estas movilizaciones".

Aludió Mari Brás a los múltiples argumentos en que desarrollar una lucha de masas en nuestro país. "Por todos sitios —dijo— se reproduce el plan del imperialismo para tragarse a Puerto Rico. Ahora mismo está debatiéndose en toda la prensa, a regañadientes pero por fin llego al plano de la prensa mercenaria, el problema del despojo minero de que se nos quiere hacer víctimas".

A continuación explicó los graves peligros envueltos en los proyectos de explotación de las minas de cobre de Adjuntas, Utuado y Lares por empresas norteamericanas.

"Este gobierno —advirtió Mari Brás— no tiene derecho a entregar estas minas cuando no se ha solucionado el problema fundamental del destino político de Puerto Rico. Las minas puertorriqueñas son nuestra reserva de riqueza para mantener el poder de regateo en la independencia que nos permita entrar en el comercio internacional con una gran capacidad para conseguir los mejores tratos para nuestro comercio. Por eso hemos lanzado la consigna: MINAS PUERTORRIQUEÑAS, O CERO MINAS".

En otra parte de su discurso el líder emepeísta señalo que se ha de "hacer obra de puertorriqueñización por todos los costados. Nosotros tenemos poder de regateo. Nosotros somos una fuerza con la que hay que contar en Puerto Rico definitivamente; y si alguno tenía

EDITORIAL CLARIDAD
Calle 11 Núm. 604
Barrio Obrero, San Juan
Puerto Rico.

"A derrotar..." continuación

ESTADO LIBRE ASOCIADO DE PUERTO RICO
POLICIA DE PUERTO RICO

OFICINA DE INTELIGENCIA

7008

4-5-67
FECHA

/__/ EL MUNDO
/✓/ EL IMPARCIAL

/__/ NEW YORK TIME
/__/ SAN JUAN STAR
/__/ EL CARIBE R.D.

8 EL IMPAR

LOCALES

Mari Bras Niega se Hayan Tomado Acuerdos Formales

SAN JUAN — El Secretario General del Movimiento Pro Independencia, Lic. Juan Mari Bras, negó ayer que en una reunión de dirigentes independentistas efectuada en la residencia del Dr. Gilberto Concepción de Gracia se hayan tomado acuerdos formales, señalando que sólo fue "un cambio de impresiones".

Añadió que en la reunión, "nos limitamos a intercambiar ideas en torno a la propuesta del Partido Independentista Puertorriqueño sobre la naturaleza, composición y bases del Frente Unido Antiplebiscitario y cada organización presente expresó sus puntos de vista"

MARI BRAS CONCEPCION

Mari Bras dijo que los puntos de vista del MPI, en lo que se refiere al Frente Unido Patriótico Antiplebiscitario, son de que este organismo debe limitarse necesariamente a las organizaciones "definidamente independentistas", sin exclusión de ninguna clase y que la creación de este frente unido "no debe ser incompatible con las gestiones que realiza un Comité de Personalidades del país para la concreción de actividades concertadas de todas las fuerzas anti-coloniales que combaten el plebiscito".

El dirigente independentista añadió que en la reunión en la residencia del doctor Concepción de Gracia — celebrada el jueves 30 de marzo— se dejó todo en suspenso hasta una próxima convocatoria y que no puede afirmarse que se constituyó el frente Anti-Plebiscitario, aunque sí existe el mejor deseo de constituirlo, por parte de las organizaciones independentistas allí reunidas.

Añadió que, mientras tanto, el MPI continuará sus gestiones de unidad en los tres niveles en que trabaja actualmente: al nivel de pueblo, en la organización de la marcha patriótica convocada para culminar el centenario del apóstol José de Diego el 16 de abril próximo; al nivel de las organizaciones independentistas mediante las conversaciones iniciadas en la residencia del doctor Concepción de Gracia y al nivel de todas las fuerzas puertorriqueñistas —organizadas o no— que combaten al plebiscito.

005333

DISTRIBUCION:

(1) Juan Mari Bras-7008
(1) Gilberto Concepción de Gracia - 8
(1) Plebiscito 15-16

TNTE. CATALINO HERNANDEZ
#7-3029

EXAMINADO
DIAZ GONZALEZ
ANGEL MARTIN
COMISIONADOS

OI/4/

"Mari Brás niega haya tomado acuerdos formales."
Periódico *El Imparcial*, 4 de mayo de 1967.

CONCENTRACION 16 DE JULIO RATIFICA NUESTRA LUCHA DE INDEPENDENCIA

La más grande concentración política celebrada en Puerto Rico se efectuó el pasado domingo 16, en el Parque Sixto Escobar, para dar un rotundo mentís a las pretensiones de Luis Muñoz Marín y sus amos de Washington.

Con un ensordecedor clamor, más de 40 mil manos y puños se alzaron el pasado domingo en el Parque Sixto Escobar para jurar que no permitirán que se escamotee el derecho del pueblo puertorriqueño a su independencia.

Este, que fue el punto culminante de la Gran Concentración Soberanista Antiplebiscitaria, se produjo cuando el Lic. Juan Mari Brás, Secretario General del Movimiento Pro Independencia, refutó la alegación de Muñoz Marín de que con el plebiscito se cerrarán las puertas de la independencia. Para demostrar la imposibilidad de tal pretensión, Mari Brás pidió que todos los que estuvieran dispuestos a luchar para sostener el derecho de nuestro pueblo a su libertad lo expresaran levantando puños y manos. Jubilosas exclamaciones ahogaron las últimas palabras del orador mientras la totalidad de los asistentes respondía agitando en el aire banderas, pañuelos, cartelones y puños.

La Concentración, considerada el más grande acto político celebrado en Puerto Rico, ha sido el punto culminante de la campaña de total repudio a la farsa plebiscitaria desarrollada conjuntamente por todas las fuerzas de afirmación puertorriqueñista, incluyendo sectores del propio Partido Popular.

Señaló el Lic. Mari Brás en su discurso que la Concentración era la más elocuente respuesta que daban las fuerzas más puras de la vida puertorriqueña a aquellos que quisieron imponer el plebiscito. Tal imposición es un insulto a la dignidad de nuestro pueblo, dijo Mari Brás, pero quienes pretendieron insultar al pueblo de esa forma lo único que han logrado es precipitar la unidad de las fuerzas independentistas y puertorriqueñistas hasta el punto de hacer posible el abrazo fraternal del Sixto Escobar.

Llamando la atención hacia el hecho de que solamente allí donde se desarrolla una lucha de independen-

(Pasa a la Página 6)

"Concentración 16 de julio ratifica nuestra lucha de independencia." Artículo de Juan Mari Brás. Periódico *Claridad*, 16 de julio de 1967.

Concentración 16 de julio

(Viene de la Página 1)

día hay una nación, el dirigente del MPI apuntó que la nacionalidad puertorriqueña se ha cuajado al calor de una lucha centenaria de independencia.

Agregó que ahora, cuando en Puerto Rico se está produciendo un reagrupamiento de las fuerzas políticas con la desintegración de los viejos partidos tradicionales y el surgimiento de nuevas fuerzas hasta el punto de hacerse posible la acción unitaria de afirmación patriótica del 16 de julio, pretenden cerrar la puerta a la independencia. Fue entonces que Mari Brás pidió a los presentes que expresaran su determinación de no permitir que se escamotee el derecho del pueblo puertorriqueño a su independencia.

"Para nuestro derecho a la independencia no tenemos que pedirle permiso a nadie," dijo Mari Brás. Seguidamente, el orador llamó la atención hacia el hecho de que los puertorriqueños formamos parte del dos por ciento de la humanidad que todavía vive bajo las coyundas del coloniaje. Ante la reacción del público en este punto señaló que Muñoz Marín pretende encubrir ese hecho diciendo la mentira de que sólo el dos por ciento de los puertorriqueños quiere la independencia. A renglón seguido llamó la atención hacia el hecho de que durante el último cuarto de siglo el 64 por ciento de la humanidad se ha librado de las cadenas del coloniaje, quedando aprisionado en ellas sólo el dos por ciento aludido. Pero ese dos por ciento marcha aceleradamente hacia su liberación, dijo Mari, agregando que queda también la tarea de liquidar esa otra forma de explotación que llamamos neocolonialismo.

Es ante ese hecho irreversible de que el pueblo puertorriqueño también marcha hacia su liberación que quisieron celebrar el espurio plebiscito, pretendiendo así que los puertorriqueños remachen con sus votos las cadenas del coloniaje. Pero el plebiscito estaba ya de antemano derrotado, apuntó finalmente el orador, por la indiferencia con que lo ha recibido el pueblo y por la militante labor que han desarrollado las fuerzas de afirmación puertorriqueña.

Dijo que la Concentración, que constituye el golpe de gracia contra el plebiscito, no era sino el primer paso hacia la unidad definitiva del pueblo puertorriqueño que llevará al reconocimiento de nuestra soberanía.

El primer orador del acto lo fue el Licenciado Yamil Galib, del Congreso Anticolonialista, quien abundó sobre el profundo significado que tenía en nuestra vida de pueblo el acto de ese día.

Le siguió en el uso de la palabra el Lic. Noel Colón, ex-miembro del Partido Popular y ex-presidente del Colegio de Abogados de Puerto Rico. Hablaron, además, el Ing. Gerardo Navas, portavoz de los populares de Vanguardia, el Dr. Gilberto Concepción de Gracia, presidente del Partido Independentista, y la Dra. Piri Fernández de Lewis, también del Congreso Atnicolonialista.

El acto concluyó cuando el Dr. José Milton Soltero, coordinador de la Concentración, leyó la Declaración del 16 de Julio.

"Concentración 16 de julio..." (continuación)

ENTREVISTA EXCLUSIVA A JUAN MARI BRAS

LA OLAS: HACIA LA DERROTA FINAL DEL IMPERIALISMO EN AMERICA LATINA

Poco después de haber llegado a Puerto Rico, el presidente de la delegación puertorriqueña a la Primera Conferencia de la Organización Latinoamericana de Solidaridad (OLAS), el Lic. Juan Mari Brás, Secretario General del Movimiento Pro Independencia, concedió una entrevista exclusiva a CLARIDAD en la que aquilata la significación del encuentro revolucionario y relata para nuestros lectores varios de los aspectos más importantes del desarrollo de la Conferencia.

El dirigente emepeísta llegó a Puerto Rico a las cuatro de la madrugada del pasado miércoles, siendo recibido por alrededor de cien militantes y dirigentes del MPI que, a pesar de la avanzada hora y de la escasa anticipación con que se les comunicó telefónicamente la hora de llegada, se trasladaron al aeropuerto para tributarle la cálida acogida que merecía.

Conociendo el interés de sus lectores por enterarse de los más mínimos detalles de este histórico suceso, CLARIDAD hizo la siguiente entrevista al Secretario General del MPI:

¿Podría explicarnos los objetivos de los participantes en la Conferencia de OLAS?

—El objetivo central de la Primera Conferencia de OLAS fue concretar una estrategia común en escala continental para la lucha contra el imperialismo, el colonialismo y el neo-colonialismo en América Latina. Darle contenidos concretos a la solidaridad, en términos de que las luchas concretas en todas y cada una de las 22 naciones participantes en la Conferencia, converjan hacia ese objetivo estratégico, que no es otro que la derrota definitiva del imperialismo en América Latina y de todo el aparato burocrático-militar que éste sostiene junto con las oligarquías en los distintos países de nuestra América.

—¿Cuál fue el cauce principal —si es que podemos decir que alguno— trazado por la Conferencia?

—La Conferencia estableció la lucha armada como el camino para la liberación nacional en América Latina. Estableció, igualmente, que los frentes guerrilleros establecidos ya en Colombia, Venezuela, Guatemala y Bolivia, así como los que se desarrollen en el futuro inmediato son la primera línea de fuego en esa lucha armada de nivel continental contra el imperialismo. La solidaridad militante con esos frentes guerrilleros es por tanto la más alta expresión de solidaridad en este instante, así como la solidaridad con la revolución cubana, que es el foco desde el cual se irradia el propósito de la liberación para toda América Latina.

Se entiende, también, por solidaridad —y así quedó establecido en la Declaración final— la militante lucha de los pueblos dentro de sus propios territorios para continuar adelantando su particular lucha.

—Dentro del contexto general de la lucha en América Latina, ¿qué papel visualizó la Conferencia que le tocaría a nuestro pueblo en la lucha de liberación nacional, dadas las circunstancias particulares que envuelven el caso de Puerto Rico?

—Al finalizar la Conferencia y aprobarse la declaración general, quedó claramente establecido que en el caso de Puerto Rico, como en el caso de los demás territorios sujetos a la dominación colonial directa, la lucha tiene que dirigirse a la obtención de la independencia, enmarcada esa lucha dentro de la lucha general por la liberación nacional en todo el continente. Se dejó claramente establecido en las intervenciones de la delegación puertorriqueña, tanto en la plenaria como en las discusiones en las distintas comisiones, el papel de Puerto Rico; de la lucha en Puerto Rico como una de golpear dentro de una de las fortalezas mayores del imperialismo en América. Hicimos clara la distinción, —que aunque de grado, es muy importante para la comprensión— entre la lucha contra el colonialismo en su manifestación primitiva y clásica, tal como ocurre en Puerto Rico, y la lucha general contra el modo de dominación prevaleciente en toda América, que se define como neo-colonialismo. Hicimos claro y creo que la Conferencia lo entendió —y así se reveló en las distintas resoluciones donde se hace referencia a Puerto Rico— que la distinción fundamental entre el colonialismo que llamamos de tipo primitivo y la dominación neo-colonial consiste en que en el caso del colonialismo como funciona en Puerto Rico el propósito del imperialismo es absolver y tragarse al territorio dentro de sus propias fronteras eventualmente, mientras que en el neo-colonialismo el imperialismo reconoce la existencia de nacionalidades con todo el aparato formal de tipo jurídico que da la independencia.

Esa distinción es muy importante porque si no se tiene en mente se pierde la perspectiva. En Puerto Rico el imperialismo no está en plan de hacer concesiones neo-coloniales de clase alguna, el imperialismo en Puerto Rico sigue con su propósito invariable de absorver a Puerto Rico, de asimilarlo por completo y eventualmente podérselo tragar cuando hubiere destruido todas las raíces de la puertorriqueñidad. Se aprobó una resolución específica en la Tercera Comisión, que establece la Jornada de Solidaridad para el 23 de septiembre y reconoce la lucha del pueblo puertorriqueño por la independencia —orientada por su Vanguardia Patriótica, el MPI— como una contribución de gran valor contra el imperialismo en América y en el mundo.

Se hace reconocimiento específico a la contribución que representa en escala mundial la resistencia de la juventud puertorriqueña al Servicio Militar Obligatorio, específicamente vinculada esa resistencia a nuestra solidaridad con el heroico pueblo de Vietnam. También se hace referencia al caso de Puerto Rico en las resoluciones sobre dominación económica; en las resoluciones sobre instalaciones militares y aparato opresivo imperialista: en la declaración sobre colonialismo y en la Declaración General de la Conferencia, que se resume en 20 puntos. Uno de los 20 puntos, el número 15 específicamente, se refiere directamente a la lucha en los territorios colonizados por las potencias europeas y los territorios directamente sometidos a dominación colonial de Estados Unidos, cuyo caso es el de Puerto Rico, estableciéndose que en esos casos la lucha ha de orientarse hacia la obtención de la independencia; enmarcada esa lucha, como dije, dentro de la lucha general por la liberación nacional.

—¿Podría decirnos las comisiones que

(Pasa a la Pág. 4)

JUAN MARI BRAS

Claridad
PORTAVOZ DEL MOVIMIENTO PRO INDEPENDENCIA DE PUERTO RICO
Domingo 20 de Agosto de 1967 — Núm. 160 — 5 Ctvs.

Barriada "El Plebiscito"

GOBIERNO NO ATIENDE PETICIONES DE ARRABAL

Por ALBERTO PEREZ

Luego de más de cuatro meses de gestiones ante las autoridades pertinentes los habitantes del arrabal El Plebiscito, no han podido conseguir la instalación de luz y agua en sus humildes casas. Los oficiales de la CRUV y del municipio de San Juan se han portado en forma grosera y despectiva. La alcaldesa de San Juan, Felisa Rincón, ha evitado un encuentro con las familias y se ha querido desentender del problema aduciendo falsas excusas de trabajo.

El Plebiscito es la última "extensión" del arrabal que bordea la Laguna San José. Sus moradores son, en su mayoría, obreros desempleados. La miseria y el discrimen existentes en nuestra sociedad, controlada por los monopolios norteamericanos, han obligado a estos hombres a buscar "refugio" en frágiles casuchas construidas por ellos mismos con pedazos de cartón, madera vieja y zinc a altas horas de la noche para evitar la persecusión de la policía que siempre está en acecho.

Hace unos días los habitantes de El Plebiscito iniciaron una protesta frente a la Escuela Gándara, de aquel sector, reclamando que se les instale agua y luz eléctrica. "Fuimos donde Felisa; la Sra. Iglesias nos recibió y nos dijo que no nos podían poner agua porque iban a demoler cuanto antes: el Sr. Muñoz, de la CRUV, dijo lo mismo", dice Rafaela Concepción mientras relata las gestiones que han realizado los vecinos ante las agencias gubernamentales.

Rafaela vive junto a sus seis hijos, a quienes tiene que mantener y cuidar en una casucha de un solo cuarto. Mujer jóven, muestra en su físico las huellas de una existencia azarosa y llena de sufrimientos.

Algunos de los residentes de El Plebiscito han radicado solicitudes para un apartamento en los caseríos públicos desde el 1959 sin haber recibido ninguna notificación de la Corporación de Renovación Urbana y Vivienda.

En la comunidad existe un gran espíritu de compañerismo. Evidencia de esto es la decisión de que mientras no se les resuelva el problema de vivienda colectivamente ninguno abandonará el lugar. La CRUV le ha hecho proposiciones a dos o tres de ellos para que se muden a Ceiba. "Nos daban a algunos un cuadro de terreno en el que no se podía sembrar ni na'; además, por allá hay menos trabajo que acá y si uno tiene

(Pasa a la Pág. 4)

QUINTILLA

No le debes entregar
las minas al invasor.
No te dejes chantajear
y si se quiere largar,
mientras más pronto mejor.

por Quintín

"Las OLAS: Hacia la derrota final del imperialismo en América Latina."
Periódico *Claridad*, 20 de agosto de 1967.

4 CLARIDAD Dom

La OLAS:...

(Viene de la Página 1ª)

trabajaron en la OLAS y las funciones que desempeñaron?

—Las OLAS se dividió en cuatro comisiones. La primera, la política, hizo el análisis de toda la situación histórica que culmina en la época actual de la lucha de nuestros pueblos por su liberación. Se discutió en esa Comisión el papel de la Revolución Cubana en la transformación de las condiciones generales en América Latina para la lucha, el problema candente de la vía para la lucha y se concluyó en la lucha armada como orientación general de la lucha en América. El problema de la guerrilla como frente principal de lucha y germen de los ejércitos populares que han de liberar el continente eventualmente. El problema de la vinculación entre el mando militar y el mando político en aquellos países donde la lucha ha cobrado su máxima manifestación, que es la guerrilla.

Todos estos problemas se discutieron en la Primera Comisión, donde hubo una declaración. Después, la Segunda Comisión bregó con el problema de la estrategia, en particular problemas estratégicos y tácticos en la consolidación de la lucha, en escala continental y se aprobaron dos declaraciones generales.

La Tercera Comisión bregó con el problema de la solidaridad, y es en esta Comisión donde, además de cuatro declaraciones generales de solidaridad, se adoptó una sobre colonialismo, otra sobre Vietnam, otra sobre la revolución cubana y otra sobre la lucha guerrillera en América Latina. Se aprobaron entonces una serie de resoluciones específicas de solidaridad, entre las que se cuenta la resolución de solidaridad con Puerto Rico.

La Cuarta Comisión estableció y discutió los estatutos para la creación permanente de la Organización Latinoamericana de Solidaridad.

—¿Según pudimos enterarnos por Radio Habana, el compañero participó en varias comisiones, incluso su intervención en una de ellas fue calificada muy favorablemente por esa emisora. ¿Podría darnos algunos datos de esa intervención?

—Yo participé en la Primera y Segunda comisiones. Tengo entendido que la participación que reseñó Radio Habana fue en relación con nuestra intervención en la Primera Comisión. Nosotros tuvimos una intervención general y varias particulares en esa Comisión. En la intervención general establecimos la posición del MPI en relación con el tema general favoreciendo el criterio no sólo de que la lucha armada es la vía para la liberación de América Latina, —que eso nadie lo discutía allí y estaba completamente claro— sino de que entendíamos y respaldábamos el criterio de que los frentes guerrilleros son la primera línea de confrontamiento con el enemigo en esa lucha de escala continental y que, por tanto, había que ofrecer la máxima solidaridad a esos frentes donde estaban establecidos. En esa intervención analizamos la tesis que servía de base al debate que había preparado el Comité organizador en lo que respecta al colonialismo, a los territorios sometidos al coloniaje. Explicamos la distinción entre colonialismo y neo-colonialismo y la particularidad de la lucha en los pueblos sometidos a colonialismo directo, así como la necesidad de trazar el objetivo inmediato de la independencia nacional en el caso de los pueblos que aún no la han obtenido y no confundirlo, como proponían algunos que se fundiera, en el objetivo total de la liberación y sencillamente olvidar el objetivo de la independencia nacional como cosa inmediata para los territorios alegando que no había diferencia cualitativa entre la dominación colonial y la neocolonial.

Nosotros, sin entrar a la discusión semántica de si era cualitativa o no la diferencia, insistimos en que era una diferencia muy importante ésta entre la dominación que se manifiesta a través del aparto burocrático-militar de las repúblicas establecidas en unos países y la que opera directamente por control directo, en el caso de Puerto Rico, que tiene como consecuencia, entre otras, la de ir destruyendo la existencia misma de la nacionalidad y debilitando, por tanto, la capacidad de resistencia.

Ese criterio prevaleció. Se enmendó el criterio establecido en la tesis original y así se manifiesta en la Declaración General y en las declaraciones que fluyeron como consecuencia de este debate, que fue uno de los más ricos del debate en la Primera Comisión. El presidente de la delegación de Cuba, Armando Hart, hizo una intervención extensa donde fondeaba en los problemas principales de la estrategia de la lucha antimperialista en América Latina.

—Sobre la presencia en la Conferencia de Stokely Carmichael y dados los vínculos anteriores que existían entre el movimiento del cual él forma parte y el MPI, nos gustaría saber ¿cómo se manifestó la presencia de Carmichael, cómo influyó la discusión sobre la situación del pueblo negro de Estados Unidos? Además, quisiéramos conocer su comentario sobre el discurso de Fidel en la clausura, donde declara que considera a los negros como la vanguardia revolucionaria en Estados Unidos.

—Carmichael fue uno de los personajes centrales de esta Conferencia. Se le nombró delegado de honor, tuvo una intervención en la plenaria en la que, dicho sea de paso, hizo extensa referencia al acuerdo existente entre SNCE y el MPI, y a su participación en actos aquí en Puerto Rico, así como a la conjunción de fuerzas de negros y puertorriqueños que empieza a materializarse en Nueva York, Newark y en otros lugares de Estados Unidos.

En su intervenciones, en conferencias de prensa, entrevistas individuales con revistas y periódicos y en la plenaria, Carmichael tuvo la oportuidad de abundar mucho más de lo que lo había hecho antes de elaborar en más detalles su tesis sobre la lucha del pueblo negro norteamericano vinculada a la lucha anticolonial del mundo, tesis que ya había sido esbozada, pero sin mucha elaboración, en Puerto Rico, en el programa Ante la Prensa. "Uds. son una colonia fuera de Estados Unidos, nosotros somos una colonia dentro de Estados Unidos", decía él. Esa tesis la pudo elaborar bastante en sus intervenciones en La Habana, planteando el problema negro precisamente como un problema de lucha anticolonial y la explotación del negro como una explotación de tipo colonial, que tiene todas las características que definen el colonialismo.

En la clausura del acto, cuando Fidel habla elogiosamente de la lucha del negro norteamericano y declara que éstos constituyen la vanguardia revolucionaria de Estados Unidos, no hace sino reiterar una tesis que ha estado sosteniendo la Revolución Cubana por largo tiempo y que se manifiesta en esta Conferencia, muy particularmente de que las vanguardias revolucionarias no son necesariamente aquellas que se articulan con una organización previa y toda una teoría y un andamiaje filosófico-teórico: en otras palabras, no son necesariamente los partidos que se autotitulan vanguardias revolucionarias, sino que las vanguardias surgen de la propia lucha en muchos casos y se van desarrollando y adquiriendo fisonomía propia en la lucha. Y eso fue lo que ocurrió en Cuba, cuando de la propia lucha guerrillera en la Sierra se fue ampliando y desarrollando la vanguardia que eventualmente —y ya después de haber conseguido el poder— se consolidó en el Partido. Eso es lo que él visualizó en Estados Unidos. Los que están luchando en este momento en Estados Unidos son los negros y están en la primera línea de esa lucha allí. No es que esté pensando en términos racistas y así lo explicó, de que la lucha en Estados Unidos sea de los negros con exclusión de los blancos, sino que, por circunstancias históricas muy entendibles, son los negros los que inician la lucha en su forma más álgida en estos momentos en Estados Unidos.

Eventualmente eso convergerá con una serie de luchas que salgan por distintos sitios y en distintas manifestaciones, en un país tan multifacético como Estados Unidos. Se consolidará en una vanguardia ya articulada. Pero de momento él reconoce, correctamente, que son los negros los que están en la fila de alante y, después de todo, eso es la vanguardia: quien está en la fila de alante.

—Sobre las manifestaciones que han hecho los gobernantes norteamericanos con relación a Carmichael, al igual que la derecha, que ha comenzado a exigir que se saque a Carmichael del país y que se le supriman sus derechos civiles, hemos oído que ya se está formando un Comité para exigir el respeto a la vida de Carmichael... ¿Qué trabajo desarrollará el MPI en tal sentido?

Ese comité fue una iniciativa del propio Fidel, que lo sugirió. El próximo viernes hay un acto de solidaridad con el pueblo negro de Estados Unidos en La Habana. En él hablará un dirigente de la revolución y un representante de la lucha negra en Estados Unidos. Ese será el primero de una serie de actos y expresiones de solidaridad que se manifestarán en todas partes en las próximas semanas.

Aquí en Puerto Rico, ciertamente tenemos el propósito de someter a los organismos del Movimiento la proposición de que se concrete una serie de actos de solidaridad con el pueblo negro norteamericano, con SNCC y con el compañero Carmichael tanto aquí como en Nueva York, por parte del MPI.

—¿De las intervenciones en la plenaria y en todo el desarrollo de las OLAS, desearía usted destacar alguna en particular?

—La Conferencia fue riquísima en la profundidad de los debates y en la rigurosidad de los análisis. Las intervenciones fueron, como nota general, brillantes. Debe destacarse el discurso del Presidente de Cuba, Dr. Osvaldo Dorticós, que fue el de apertura y que señaló una certera orientación.

En cuanto a las intervenciones, tanto en la plenaria como en las comisiones, representando puntos de vista que no son conflictivos sino diversos, yo destacaría por un lado la intervención de la delegación venezolana: de su presidente, el comandante Francisco Prada, en la plenaria, y la de su vice-presidente, el Sr. Hostos, en la primera comisión. Por otro lado, deben destacarse las intervenciones del dirigente del Partido Comunista de Uruguay, Rodney Arismendy.

REMITE
Calle 11 Núm. 604
Barrio Obrero, San Juan
Puerto Rico

"Las OLAS:..." (continuación)

(Mount Clipping in Space Below)

Borrascosa Sesión De 6 Horas

Asamblea Acuerda una Junta Presidencial Dirija el PIP

Por FRANCISCO TORRES CORALES

PONCE — Tras una borrascosa asamblea que duró más de seis horas, la dirección del Partido Independentista Puertorriqueño pasó a manos de una junta presidencial que estará integrada por los licenciados Gilberto Concepción de Gracia, Jorge Luis Landing y Rubén Berríos. Tarto Landing como Berríos, quienes fueron las figuras centrales de los violentos debates que se produjeron en la asamblea especial del PIP celebrada el domingo en el Teatro La Perla, anunciaron que "se acabó la pelea por la presidencia del partido y de ahora en adelante lo que procede es luchar por un Puerto Rico soberano, libre e independiente".

El Lic. Landing, candidato de fuerza de muchas delegaciones para la presidencia del PIP, dijo poco después de haber aceptado ser miembro de la junta presidencial de la colectividad, que "habremos de trabajar arduamente, todos los independentistas de corazón, para que el partido quede inscrito antes de enero, como regalo especial de Navidad al pueblo puertorriqueño y demostración palpable de que el PIP es el único instrumento de independencia en la isla".

Por su parte, el Lic. Berríos, que durante el curso de los trabajos fue repudiado por el Dr. Concepción de Gracia al afirmar que "el PIP estaba cadáver y que se hacía necesari- una estructuración de su liderato porque no atraía a nadie en razón de que no tiene imagen", manifestó a la asamblea que "daremos un ejemplo a Puerto Rico, ahora que ha habido esta reorganización, de lo fructífero y lo beneficioso que será la independencia para nuestro país.

De otro lado, vimos a un Dr. Concepción de Gracia sin ánimo para dirigirse a su público en los momentos finales de la asamblea. Y decidió no hacerlo, a pesar de que sus amigos más allegados lo cogían por la mano y lo alentaba para que diera un mensaje de despedida. Dirigiéndose a los periodistas, Concepción de Gracia dijo que "no le daba validez al referéndum para elegir el tercer candidato para la junta presidencial, debido a que no había quórum". No quiso hacer ningún comentario adicional en cuanto a si continuaría militando en la nueva dirección de su partido.

Al salir de la asamblea, el líder independentista se veía preocupado y hasta dejó escapar lágrimas cuando escuchó a sus correligionarios entonar el himno puertorriqueño. Concepción de Gracia volvió al proscenio y se unió a los que entonaban la Borinqueña, pero siempre se notaba en él que no estaba complacido con el resultado de la asamblea.

Hablando para EL IMPARCIAL, el Dr. Concepción de Gracia dijo que "en esta asamblea se llegó a un entendido de nombrar una junta presidencial de tres miembros, para evitar que haya una división en el PIP, como la quieren muchos que se jactan de ser independentistas pero que en realidad no son nada, sino unos oportunistas". Acusó al Movimiento Pro Independencia de Puerto Rico de haber enviado miembros de esa agrupación al Teatro La Perla para "sabotearle la asamblea".

ALL INFORMATION CONTAINED
HEREIN IS UNCLASSIFIED
DATE 5-16-00 BY60267 NLS/EP/ed

[redacted] b6 b7C

[redacted]

(Indicate page, name of newspaper, city and state.)

El Imparcial

Page 3-46

10-24-67

Date:
Edition:
Author:
Editor:
Title:

Character:
or
Classification:
Submitting Office:

☐ Being Investigated

100-4014-3359

"Asamblea acuerda una Junta Presidencia dirigirá el PIP."
Periódico *El Mundo*, 24 de octubre de 1967.

Another Independence Party Formed by Ex-PIP Members

By JAMES McDONOUGH
Of The STAR Staff

Jorge Luis Landing and other former members of the Puerto Rican Independence Party have announced the founding of a new political party based on the independence ideal.

The new group, called the Authentic Sovereignty Party, has begun to register as an offical political party in Ceiba where it collected 57 signatures.

Victor Mendez Nieves, a member of the new group's ruling board said approximately 125 former PIP members decided to found anew party after attempts to "revitalize" PIP failed.

Ruben Berrios, a member of PIP's three-man presidential board; speaking for the party said about the new group, "PIP is very busy with important things and hasn't time to comment on unimportqnt things."

In a prepared statement, the new group declared that PIP's loss of its electoral franchise in three consecutive elections demonstrates that it is an "ineffective means" to achieve national independence.

Therefore, the group decided to found a new party which, they claim, will have more appeal for the Puerto Rican masses.

"We intend to found a party that will convince people who are not now independentistas to become ones," Mendez Nieves said.

He said it would probably take a year to register the party by petition.

The group must get signatures equal to or more than five per cent of the total vote of the last election to appear on the 1972 ballot.

The party's symbol will be an upstretched arm making a victory sign. In Spanish the group is called Partido Autentico Soberanista.

The founding fathers of the group broke away from PIP after the death of Gilberto Concepcion de Gracia approximately eight months ago.

Landing, provisional president of the party, was a member of PIP's Presidential Board.

The party stated it will atempt to recruit all Purto Ricans, but particularly members of the working class, which it calls "victims of colonialism."

Mendez Nieves explained that the group chose the words "authentic sovereignty" to distinguish its aims from those who advocate "fake sovereignty."

He made it clear that by authentic sovereignty the group means the independence of Puerto Rico.

The party is headed by a board of Landing, Mendez Nieves, Secretary General Luis Alberto Torres, Treasurer Angel Fuentes, Rafael Hernandez Ripoll and attorney Francisco Colon Gordiany.

Later this group will be expended to 15 persons.

(Indicate page, name of newspaper, city and state.)

"THE SAN JUAN STAR"

November 23, 1968

Page 6

Date:
Edition:
Author:
Editor:
Title:

Character:
or
Classification:
Submitting Office:
☐ Being Investigated

100-4014-

SEARCHED ___ INDEXED ___
SERIALIZED ___ FILED ___
1968
FBI—SAN JUAN

"Another Independence Party Formed by ex-PIP Members."
Periódico *The San Juan Star*, noviembre de 1967.

FALLECE CONCEPCION DE GRACIA

Procedentes de todos los rincones de la isla, miles de independentistas desfilaron durante todo el fin de semana ante el cadáver del Dr. Gilberto Concepción de Gracia, quien durante 22 años presidió el Partido Independentista Puertorriqueño.

La noticia del fallecimiento del conocido luchador independentista tomó por sorpresa a todos los sectores políticos del país y embargó de luto a todos los que, de una forma u otra, laboran por conquistar la independencia. Hasta el día anterior a su muerte y a pesar de la afección que le aquejaba, el Dr. Concepción de Gracias se mantuvo activo en sus ocupaciones políticas y profesionales.

El dirigente independentista fallecio víctima de una infección renal a las 2:55 de la tarde del viernes, en el Hospital San Carlos, de Santurce. Tenía 58 años.

Tan pronto se tuvo conocimiento del fallecimiento, la dirección nacional del Movimiento Pro Independencia, por voz de su Secretario General, suspendió todas las actividades que estaban programadas para el fin de seman,a, al tiempo que llamó a todos los militantes a acudir a los actos funerales de tan abnegado patriota y comunicó a la Comisión Ejecutiva del PIP y a los familiares del líder la condolencia de toda la militancia emepeísta.

Nacido en Vega Alta, el 9 de julio de 1909, Concepción de Gracia estudió Administración Comercial y Leyes en la Universidad de Puerto Rico, graduándose en el 1932. Obtuvo posteriormente maestrías en Leyes de Patentes de Invención y en Ciencias Jurídicas, así como su doctorado en Derecho Constitucional en universidades norteamericanas.

Siendo aún joven abogado, fue defensor de varios dirigentes nacionalistas durante los procesos políticos seguidos contra ellos por el régimen colonial, entre éstos del Dr. Pedro Albizu Campos. Colaboró también, en Nueva York, con el progresista congresista italo-americano Vito Marcantonio, quien se distinguió por la forma radical y valiente, como defendió la independencia de Puerto Rico y las más justas reivindicaciones de los puertorriqueños residentes en esa ciudad.

A su regreso a la Isla en 1945, presidió el Congreso Pro Independencia, entidad no-partidista que agrupó a todos los defensores de la Independencia para Puerto Rico, aún aquellos que estaban en el Partido Popular. Al fundarse el Partido Independentista Puertorriqueño, fue electo presidente en la asamblea constituyente del mismo, el 20 de octubre de 1946, en Bayamón. Ocupó dicho cargo hasta el día de su muerte, aunque desde hacía unos meses compartía el mismo con los co-presidentes Jorge Luis Landing y Rubén Berríos.

Desde 1952 hasta 1960, año en que el PIP perdió su franquicia electoral, fue senador por el partido, siendo además portavoz de la minoría independentista en el Senado. Posteriormente, continuó [illegible] do, acudiendo a las elecciones como candidato a gobernador. Al momento de morir estaba enfrascado totalmente en tratar de lograr la reinscripción para participar en las elecciones de este año.

Concepción se distinguió como brillante abogado, orador fogoso e intelectual poseedor de una vasta cultura. Había trabajado, además, como periodista en Nueva York durante su juventud. Como

(Pasa a la Página 4)

Dr. Concepción de Gracia

Claridad

PORTAVOZ DEL MOVIMIENTO PRO INDEPENDENCIA DE PUERTO RICO

Domingo 17 de Marzo de 1968 — Núm. 188 — 5 Ctvs.

MENSAJE DEL SECRETARIO GENERAL DEL MPI ANTE LA MUERTE DEL DR. CONCEPCION DE GRACIA

La sorpresiva noticia del fallecimiento del Doctor Gilberto Concepción de Gracia conmueve a todo el pueblo patriota de Puerto Rico, de cuyo supremo ideal de independencia ha sido uno de los máximos exponentes.

La Misión Nacional del Movimiento Pro Independencia y toda la militancia emepeísta se unen al dolor de sus familiares, sus compañeros del Partido Independentista y el pueblo puertorriqueño en general por la pérdida de tan insigne patriota. Llamamos a todos nuestros afiliados y simpatizantes a estar pendientes de las noticias sobre los actos funerales y a asistir a los mismos.

Personalmente, la muerte de Gilberto Concepción de Gracia, conocida tan de súbito e inesperadamente, me produce la desgarradura espiritual que representa la partida definitiva de un amigo entrañable, que fue, además, uno de mis principales maestros en esta lucha por la independencia patria. Nos alienta, sin embargo, la seguridad de que su recuerdo, unido ya al de los fundadores de la nacionalidad, Betances, De Diego y Albizu Campos, inspirará a los puertorriqueños hacia una lucha cada vez más firme y vigorosa, hasta alcanzar nuestro objetivo libertario.

Juan Mari Brás

Figuras Centenario

Por JOSE BAUZA

(Datos sobre los hombres y mujeres que contribuyeron a la gesta del 1868).

MANUEL MARIA GONZALEZ

De acuerdo al historiador Pérez Moris, González había nacido en Venezuela. Fue uno de los organizadores y jefes de más discreción y talento que contribuyeron a la formación de las sociedades secretas y al desarrollo de la conspiración. Del día 20 al 24 de julio de

"Fallece Concepción de Gracia."
Periódico *Claridad*, 15 de marzo de 1968.

Asamblea MPI Proclama Derecho A Lucha Armada

Portando cartelones de saludo a la Séptima Asamblea Nacional del MPI, un grupo de trabajadores de la Compañía Telefónica, que se encontraba en huelga, entraron en manifestación a la Cancha bajo techo de Country Club en los precisos momentos en que terminaba dicha Asamblea para comunicar que no habían sido los trabajadores en huelga los autores del sabotaje que impidió que se radiara a todo el país el informe del Secretario General, Juan Mari Brás.

El discurso de Mari Brás no pudo ser transmitido "en vivo" por la cadena radial que se había contratado —pagándose por adelantado— debido a que fallaron las comunicaciones entre la Cancha donde se desarrollaba el acto y la emisora radial. La compañía Telefónica achacó la falla a "sabotaje" de los trabajadores en huelga.

Los obreros de la telefónica, que se trasladaron desde su línea de piquetes frente a la compañía para comunicar a la Asamblea del MPI la falsedad de la acusación, llegaron acompañados de su presidente. Este pronunció un breve discurso en el que denunció los atropellos que comete a diario la "Puerto Rico Telephone Company" contra los trabajadores, y pidió respaldo y ayuda para la huelga.

Seguidamente, el Secretario General del MPI contestó el saludo, comunicando a los trabajadores la resolución de respaldo a su causa que momentos antes había adoptado la Asamblea y reiterándoles que podían contar con todos los recursos del MPI para llevar adelante su lucha.

La sesión de clausura de la Séptima Asamblea del MPI, a la que asistieron más de tres mil personas, aprobó las bases programáticas para la nueva política de la organización, particularmente las que se refieren a la reevaluación de la Tesis Política. En esta edición de CLARIDAD estamos publicando el texto de los acuerdos de la Asamblea.

En su discurso a la Asamblea, Mari Brás hizo un resumen del proceso que ha vivido el MPI desde su fundación y muy en especial de la discusión ideológica que durante el último año vino desarrollándose hasta culminar en la Asamblea.

Punto Culminante

El punto culminante de la Séptima Asamblea Nacional del MPI ocurrió a las dos de la tarde del domingo 28, cuando los más de tres mil delegados plenos, suplentes y fraternales, de todas partes de la Isla, puestos de pie, acogieron con una estruendosa ovación la línea política que define a esta histórica reunión, expresada así por el Secretario General Juan Mari Brás al resumir su informe político de dos horas:

> "Nuestra respuesta a la creciente represión que hemos descrito es la proclamación, por esta asamblea, del derecho de nuestro pueblo a recurrir a la lucha armada para la conquista de la independencia".
>
> "En la misma medida en que se siga constriñendo el marco de precaria legalidad en que opera la nueva lucha de independencia, en esa misma medida irá desarrollándose, hasta alcanzar el plano principal, la lucha clandestina y armada".

De esta manera, el pueblo independentista hizo patente su firme determinación de no ceder ante la amenaza, ni la represión, y por el contrario escalonar la ofensiva revolucionaria hasta alcanzar la victoria de la patria.

Claridad

PORTAVOZ DEL MOVIMIENTO PRO INDEPENDENCIA DE PUERTO RICO

Domingo 5 de Mayo de 1968 — Núms. 194-195 — 5 Ctvs.

NUEVO REGLAMENTO REFLEJA CAMBIOS MPI

El nuevo reglamento del Movimiento Pro Independencia, aprobado por la Séptima Asamblea Nacional, refleja los cambios estructurales en la organización de la vanguardia patriótica necesarios para instrumentar las orientaciones organizativas que fluyen de la nueva tesis política. La comisión de reglamento se reunió durante todo el día y la noche del sábado 27 de abril y examinó artículo por artículo el reglamento del MPI, enmendando la definición de afiliados, la composición y marco de autoridad de la Misión Nacional, la organización a nivel regional y las disposiciones sobre disciplina.

Uno de los principales cambios en el reglamento es la definición de dos categorías de afiliación al movimiento: militantes y afiliados, con la enumeración de los deberes y derechos en cada categoría. Los militantes representarán los cuadros de la organización, a quienes se exige regularidad en el pago de cuotas, asistencia a reuniones y realización de tareas. Estos serán los que dirigirán la política del movimiento, tanto al nivel nacional como regional y de base, ya que son los que tienen derecho a elegir y ser elegidos y a votar.

La nueva Misión Nacional estará constituida por 15 miembros electos por acumulación de votos en la Asamblea Nacional, 5 delegados de la juventud electos en la Conferencia Nacional de la JMPI, 1 delegado por cada una de las misiones centrales y un número de delegados electos por cada una de las zonas organizativas en que se divide el territorio nacional, a saber: San Juan, Bayamón, Arecibo, Aguadilla, Mayagüez, Ponce, Guayama, Humacao, Fajardo y Caguas. Nueva York tendrá su delegado como misión central en la Misión Nacional. La Misión Nacional, que se reunirá una vez cada tres meses, nombrará los funcionarios de la organización, a saber, Director General, Secretario General, Secretario de Organización, Secretarios de Acción Obrera, Educación, Relaciones Internacionales, Acción Femenina, Prensa, Cultura, Finanzas y Actas. El Secretario de la Juventud lo elige la Conferencia de la JMPI. La Misión Nacional designará, además, las comisiones Política, de Organización y de Finanzas. La Comisión Política estará integrada por el Director General, el Secretario General, el Secretario de Organización y nueve miembros adicionales electos por la Misión Nacional.

Se instituyeron las asambleas de zona como organismos regionales del movimiento. Dichas asambleas se reunirán tres veces al año para trazar planes de trabajo a nivel de las zonas. Dichas asambleas elegirán los secretarios de zonas, los delegados de zonas a la Misión Nacional y los comités de Disciplina, que funcionarán a nivel regional. Las adjudicaciones de los comités de disciplina pueden apelarse a un Comité Nacional de Disciplina, que nombrará la Misión Nacional.

ASAMBLEAS DE ZONAS

Se están convocando ya las asambleas de zonas del MPI en todo el país para celebrarse simultáneamente en cinco zonas el domingo 19 y en cinco más el domingo 26 de mayo. El domingo 19 se reunirán las de San Juan, Bayamón, Caguas, Fajardo y Humacao. El domingo 26 se reunirán las de Ponce, Mayagüez, Aguadilla, Arecibo y Guayama.

Al efectuarse dichas asambleas de zonas, se completará la elección de la nueva Misión Nacional Pedro Albizu Campos del MPI, la cual se reunirá el segundo domingo de junio para elegir los funcionarios de la organización y designar las comisiones permanentes y el Comité Nacional de Disciplina.

En la Asamblea fueron electos los siguientes compañeros como miembros por acumulación de la Misión Nacional: Juan Mari Brás, Pedro Baigés Chapel, Norman Pietri, Lorenzo Piñeiro Rivera, César Andreu Iglesias, Ramón Arbona, Francisco Manrique Cabrera, Fran Cervoni, Julio Vives Vázquez, Jenaro Rentas, Juan Angel Silén, Jaime Luciano, Carmen Rivera de Alvarado y George From. El 15to. miembro lo seleccionará la Misión Nacional de un empate habido en la asamblea entre 3 candidatos.

QUINTILLA

Perros fieles por doquier
ladrando sin parsimonia
que al pueblo han de proteger.
Lo que quieren es roer
el hueso de la colonia.

por Quintín

NUMERO EXTRAORDINARIO DEDICADO A LA ASAMBLEA

Este número de CLARIDAD, que abarca las ediciones 194 y 195, está dedicado totalmente a recoger gran parte de los documentos programáticos del Movimiento Pro Independencia aprobados en la Séptima Asamblea Nacional, que se celebró en San Juan durante los días 26, 27 y 28 de abril. La importancia de estos documentos, que constituyen la guía de acción para el MPI, hace imprescindible que se les dé la máxima divulgación posible. En nuestro afán por recoger el texto completo de los mismos en una sola tirada de CLARIDAD que sirva para referencia futura, hemos retrasado la salida de este número; pero sabemos que nuestros lectores sabrán comprender la importancia y necesidad de ese retraso. El próximo número de CLARIDAD circulará durante el próximo fin de semana, como de costumbre.

"Asamblea MPI proclama derecho a lucha armada".
Periódico *Claridad,* 5 de mayo de 1968.

"EL IMPARCIAL
5/21/68
P. 14

Junta Directores PIP [redacted]

b7C

Seleccionan A Concepción

Por LUIS AYALA FERRER

ARECIBO — Por una abrumadora mayoría de delegados de toda la Isla reunidos en asamblea en esta ciudad, fue electo a la Junta de Directores del Partido Independentista Puertorriqueño el Lic. Gilberto Concepción Suárez, hijo del patriota del mismo nombre recientemente fallecido y que ocupó posición similar en dicha junta hasta la hora de su muerte.

La asamblea estuvo presidida por el Dr. Antonio J. González, miembro también de la junta, y cuya elección para cubrir la vacante dejada por la muerte del caudillo independentista, Dr. Gilberto Concepción de Gracia, provocó la renuncia del Lic. Jorge Luis Landing quien favorecía la candidatura del Lic. Francisco Colón Gordiany para ocupar dicha posición.

Al conocerse la elección del licenciado Concepción Suárez en la asamblea de delegados celebrada en el Comité Municipal del PIP en la Avenida José de Diego, disgustados Landing y sus seguidores montaron piquetes frente al comité y luego improvisaron un mitin cerca del lugar de la asamblea.

La trilogía que gobierna el PIP, Lic. Rubén Berríos Martínez, Dr. Antonio L. González y ahora Concepción Suárez, que acaba de ser electo, se propone imprimirle nuevo vigor a la colectividad en un esfuerzo por hacer una gran demostración en las urnas en los comicios de noviembre próximo.

ALL INFORMATION CONTAINED HEREIN IS UNCLASSIFIED DATE 5/17/05 BY 60324 UC BAW/LBS
EP/LSN

(Indicate page, name of newspaper, city and state.)

Date:
Edition:
Author:
Editor:
Title:

Character:
or
Classification:
Submitting Office:

☐ Being Investigated

[redacted]

b7C

SEARCHED ___ INDEXED ___
SERIALIZED ___ FILED ___
MAY 2_ 19__

"Seleccionan a Concepción."
Periódico *El Imparcial*, 21 de mayo de 1968.

MPI DECIDE INICIAR CAMPAÑA HACIA LA HUELGA ELECTORAL

Comenzar desde ahora la campaña de huelga electoral tendiente a envolver en el repudio a las elecciones coloniales a todos los independentistas fue uno de los principales acuerdos de la Misión Nacional Pedro Albizu Campos, máximo organismo de dirección nacional del MPI, en su reunión del pasado domingo 9 de junio.

La reunión en que se eligieron los funcionarios y comisiones que dirigirán los trabajos del MPI por los próximos tres años, acordó como inicio del trabajo en pro de la huelga electoral, intensificar el fraternal debate ideológico, en todos los niveles, entre los independentistas del país. Entendió la Misión Nacional que el debate ideológico desarrollado en forma fraternal, con respeto recíproco y con ánimo patriótico y la mejor buena fe, contribuirá a adelantar y mejorar la lucha de independencia, aclarando los principales problemas de estrategia y táctica con que ésta se enfrenta.

A tono con estos acuerdos, los dirigentes del MPI decidieron dar máxima prioridad a los trabajos destinados a mejorar la eficiencia de la organización y como parte de ese trabajo, intensificar la labor de educación política de la militancia emepeista, llevando a ésta y a todo el pueblo, en su pleno significado, los acuerdos de la Séptima Asamblea Nacional.

La reunión resolvió, también, iniciar los estudios y recopilación de materiales necesarios para iniciar una campaña en torno a la consigna "igual paga por igual trabajo para los trabajadores puertorriqueños". Se considera que, mientras los trabajadores puertorriqueños vienen obligados, debido al colonialismo que padece el país, a vivir dentro del marco de la economía norteamericana, teniendo que pagar el alto costo de vida que esta economía impone con el agravante de que ese costo de vida es aún mayor en la colonia, reciben sin embargo salarios infinitamente inferiores a los que ganan los trabajadores en Estados Unidos por realizar el mismo trabajo. En consecuencia, se hace necesario alertar y organizar los trabajadores puertorriqueños para que exijan los mismos salarios que se pagan en Estados Unidos por el trabajo que ellos realizan.

Por otro lado, la Misión Nacional del MPI aprobó el plan de trabajo sometido por el Secretariado Nacional de la Juventud para organizar una amplia campaña de solidaridad, nacional e internacional con los 25 jóvenes acusados por los sucesos del 27 de septiembre pasado.

FUNCIONARIOS ELECTOS

Por aclamación la Misión Nacional reeligió a Juan Mari Brás para el cargo de Secretario General. El compañero Francisco Manrique Cabrera también fue reelecto para el cargo de Director General.

Para otros cargos fueron electos: Pedro Baigés Chapel, secretario de or-

(Pasa a la Página 4)

Claridad

Domingo 16 de Junio de 1968 — Núm. 199 — 5 Ctvs.

EN CARTA AL GOBERNADOR

Anuncian Campaña Internacional Respaldo Estudiantes Acusados

Como inicio de una campaña internacional de solidaridad con los 25 jóvenes independentistas puertorriqueños acusados por los sucesos del 27 de septiembre en el Recinto de Río Piedras de la Universidad de Puerto Rico, una organización de Estados Unidos se ha dirigido al gobernador de Puerto Rico, Roberto Sánchez Vilella, por voz de sus presidentes, dos prestigiosas personalidades progresistas, anunciándole a la vez que proyectan desplegar todos sus esfuerzos para reclutar apoyo internacional para estos jóvenes.

La organización, el Comité Norteamericano Pro Justicia para los Presos Políticos Latinoamericanos (U. S. Committee For Justice to Latin American Political Prisioners - USLA), envió copia de su carta a los periódicos comerciales de Puerto Rico, que no la han dado a conocer al pueblo puertorriqueño.

En ella piden al gobernador que intervenga para que las acusaciones sean desestimadas, por considerar que se trata de persecución política.

Firman la carta el pacifista norteamericano Dave Dellinger, editor de la

(Pasa a la Pág. 4)

POLITICOS DERROCHAN FONDOS MIENTRAS ARRABALES EMPEORAN

Por Raúl Márquez Román

SAN GERMAN — En esta ciudad, al igual que en el resto de la Isla, los partidos políticos coloniales se han lanzado a su acostumbrada farsa electoral. Mientras el pueblo padece miserias, ve cómo malgastan su dinero a diestra y siniestra en propaganda y confabulaciones políticas.

Por un lado andan los de Ferré, por el otro los de Negrón, por acá los de Chaguín y por allá los de Roberto, cazando votos. Parecen buitres rondando presas muertas.

El pueblo, que desde hace cuatro años no sabía de sus supuestos representantes, ahora tiene la oportunidad de verles la cara. Aparecen por campos y pueblos el alcalde, el representante, los asambleístas y hasta el médico del Centro de Salud. Han dejado su preciada comodidad de urbanización y aire acondicionado para en los meses pre-electorales asegurarla por cuatro años más. Por dondequiera pasan ofreciendo su ensarta de promesas: más carreteras, más hospitales, más progreso... Mientras tanto, la gente pobre de San Germán sufre y padece.

En esta ciudad hay más de 4 mil desempleados. Las facilidades de salud pública son pésimas, contándose solamen-

(Pasa a la Pág. 4)

QUINTILLA

Benítez, el trepador,
ya se cansó de "educar".
Ahora busca algo mejor:
faena gobernador,
para poder culminar.

por Quintín

"MPI decide iniciar campaña hacia la huelga electoral."
Periódico *Claridad*, 16 de junio de 1968.

MPI DECIDE....

ganización; Norman Pietri, secretario de educación; César Andreu Iglesias, secretario de acción obrera; Carlos Padilla, secretario de relaciones exteriores; Ramón Arbona secretario de prensa; Jaime Luciano, secretario de finanzas; Fran Cervoni, secretario de cultura; Loida Figueroa, secretaria de acción femenina; Isabel Umbert, secretaria de actas. Se ratificó en el cargo de Secretario de la Juventud el compañero Alberto Pérez, quien había sido electo por la conferencia de la juventud.

La Misión Nacional creó, además, los cargos de subsecretario de organización y tesorero y eligió a Jenaro Rentas para desempeñar el primero y a Carlos Paraliticci para el segundo. Asimismo, se creó un Comité Ejecutivo de organización, que formaron Pedro Baigés Chapel, Jenaro Rentas y Norman Pietri.

"MPI decide..." (continuación)

Texto completo del discurso de Mari Brás

Continuar marchando hacia adelante...

Compatriota:

El Centenario del Grito de Lares nos [illegible] a una cumbre y desde esa cumbre alcanzada en este día glorioso, alcanzada por cien años de lucha fatigosa y dura de varias generaciones de puertorriqueños de voluntad inquebrantable nuestra primera palabra para evocar a todos aquellos que cayeron en el siglo de lucha para hacernos posible llegar a la cumbre de hoy; a todos los héroes y los mártires de la nacionalidad cuajada en Lares, desde los fundadores, de Manolo el Leñero y Rojas y Mariana Braccetti y Parrilla, a través de la historia, incluyendo a los Padres de la Patria, Betances y Albizu Campos, (ovación) y hasta el último mártir de nuestra lucha emancipadora, el mártir de la Nueva Lucha, Fefel Varona (ovación); ese joven patriota puertorriqueño que murió asesinado por la metralla criminal del imperialismo yanqui (gritos de ¡Asesinos!) en las tierras del heroico Vietnam.

Porque recordar a [illegible] los que han caído en esta lucha desde todas sus vertientes y a través de todas sus manifestaciones es acto de elemental justicia que debemos a ellos los que hemos experimentado hoy el glorioso amanecer de esta cumbre lareña. Porque hemos llegado a Lares desde todos los rincones de la Patria a vivir un momento de emoción suprema en comunión con toda la puertorriqueñidad. Hemos venido a Lares a vivir una intensa felicidad que fluye en los corazones de todos los presentes y que se ha manifestado desde las horas de ayer en este pueblo heroico, hasta la tarde de hoy. Cuando en la mañana de hoy brigada de jóvenes de la nueva lucha, arriaban las banderas yanquis de los edificios oficiales yanquis de Lares (ovación) y enarbolaban la bandera de Lares y la bandera de Puerto Rico; cuando en la mañana de hoy, jóvenes militantes de la nueva lucha se enfrentaban a los capitalistas yanquis en las fábricas de Lares para imponerles con la solidaridad del pueblo patriota el respeto a esté pueblo y a este día (aplausos y gritos) cerrando sus fábricas; cuando en la mañana de hoy los jóvenes universitarios abandonaban las aulas para venir a Lares, aquí, a hacer reafirmación de su decisión de lucha, toda esa [illegible] representaba la euforia de un pueblo que ansía y que clama por tener una Patria donde podamos proyectarnos a través de las generaciones y donde podamos los puertorriqueños hacer la contribución que nos corresponde al desarrollo de la cultura y de la vida de la especie humana. (Aplausos)

Y esta cumbre alcanzada, este glorioso amanecer del Centenario nos hace sentir una enorme responsabilidad a todos los presentes, nos impone a todos un extraordinario reto. La responsabilidad y el reto de continuar marchando hacia adelante hasta alcanzar la cumbre suprema de la Liberación Nacional y de la Independencia del pueblo puertorriqueño (ovación).

En este espíritu en que se acrisola, la voluntad de lucha. de nuestro pueblo es que encuentra el imperialismo al pueblo patriota hoy. Porque de hoy en adelante la lucha se multiplicará, la lucha se intensificará hasta alcanzar los niveles masivos que haga, que conmocione la conciencia general de todo el pueblo puertorriqueño, de modo que ese pueblo asuma el papel que le corresponde como protagonista de su propia historia y jalone hacia la consecución de sus objetivos.

Esa lucha es diversa. En esa lucha hay margen para la discrepancia. En esa lucha hay margen para la especialización de tareas. Lo importante es ubicarse en la debida perspectiva para entender que dentro de esa diversidad, dentro de esas incluso contradicciones ideológicas, hay un común denominador de unidad nacional que es el que va impulsando la unidad nacional de todo el pueblo puertorriqueño para alcanzar su independencia y su liberación. Esa unidad va a alcanzar a la inmensa mayoría de nuestro pueblo porque la inmensa mayoría de nuestro pueblo tiene el sentimiento patriótico, porque la inmensa mayoría de nuestro pueblo tiene la necesidad urgente de que cese el sistema colonial en Puerto Rico, porque la inmensa mayoría de nuestro pueblo tiene unos intereses legítimos en abierta contradicción con los bastardos intereses del imperialismo que son los que se oponen a la independencia de nuestra Patria (aplausos). Y a esa unidad... (gritos de "Mari, seguro, a los yanquis dales duro") ...a esa unidad creciente de todos los puertorriqueños, en la búsqueda de su liberación se une y se unirá la solidaridad creciente de todas las pujantes fuerzas que en el mundo combaten al imperialismo yan-

VIETNAM HEROICO

Y nosotros, desde esta cumbre de Lares, saludamos en esta hora a quienes desde todos los confines de la tierra adelantan la lucha por liquidar al imperialismo y destruir ese monstruo que oprime a la humanidad. Y desde esta cumbre puertorriqueña vaya nuestro saludo a esa cumbre moral de la humanidad contemporánea que es el heroico pueblo de Vietnam en lucha contra el imperialismo yanqui (gritos de "¡Mari, seguro, a los yanquis dales duro!")

Porque, amigos, según el imperialismo opera en escala universal para oprimir al mundo sin discriminar en cuanto a naciones ni en cuanto a razas en su empeño de explotar hasta asfixiar por completo a las clases y naciones explotadas de este mundo, así también las fuerzas que luchan contra él en escala universal tienen que juntar su poderío para desarrollar en esa misma escala, que es la única en que puede visualizarse la derrota final del imperialismo, la estrategia necesaria que nos conduzca a liberar del imperialismo al mundo y a liberar del imperialismo a nuestra Patria puertorriqueña (aplausos).

LA VICTORIA NUESTRA

No quiere eso decir ni remotamente que debamos limitarnos a regocijarnos por las victorias que se obtienen contra el imperialismo en remotos contornos del planeta. Esas victorias son nuestras victorias, esas victorias nos regocijan, esas victorias nos inspiran, esas victorias nos dan la seguridad de la victoria nuestra. Pero la victoria nuestra tiene que apoyarse fundamentalmente en la lucha que sea capaz de generar, desde las entrañas mismas de la Patria, el pueblo puertorriqueño (ovación).

Y en ese sentido nosotros somos conscientes de que se está cuajando, en la diversidad de formas en que se manifiesta la fragua de una revolución, se está cuajando la revolución puertorriqueña (gritos de "¡A las armas!).

REVOLUCION

La revolución, se ha demostrado hasta la saciedad a través de la historia, es el vehículo principal de cambio y desarrollo alcanzado por la humanidad. Los procesos revolucionarios tienen, vistos en la perspectiva grande de la historia, la grandeza de hacer extraordinaria economía de sacrificios y de vidas para los pueblos por el contrario de las naciones pusilánimes que desarrollan los que pretenden estancarnos en el status quo, los que quieren que los pueblos no cobren vuelo para alzarse contra todas sus coyundas. Las revoluciones son procesos mediante los cuales los pueblos evitan el dolor, evitan la angustia, evitan la muerte que [illegible] produce la explotación que generan los sistemas imperialistas y los sistemas de explotación (aplausos — gritos de "¡A las armas!")

EL IDEARIO DE LARES

Por eso nosotros... (gritos de "¡Mari, seguro, a los yanquis dales duro!) nos adherimos al ideario de Lares, tanto en su dimensión independentista como su dimensión revolucionaria (aplausos) y recordamos que en Lares se proclamó la República y se proclamó mediante una revolución. Y decimos que no solo fue revolucionario el método utilizado conforme a las circunstancias de su época por los insurrectos de Lares, sino que fue revolucionario su programa, fue revolucionario el contenido de la República que proclamaron, que representaba lo más avanzado del pensamiento contemporáneo de la época.

LOS ESFUERZOS DE LOS CAL

Y en ese sentido, nos[illegible]os, a nombre de la Vanguardia Patriótica Puertorriqueña y plenamente conscientes de la

"Continuar marchando hacia adelante." Discurso de Juan Mari Brás, Periódico *Claridad*, 23 de septiembre de 1968

Mari Brás ...

(Viene de la página 9)

responsabilidad que nos corresponde ...mo organización de primera fila en ... nueva lucha de independencia, salu...mos los esfuerzos que realizan pa...iotas puertorriqueños por traducir, ...r la vía de la lucha armada (ovación). ...iquiera en su fase más elemental, la lucha de independencia de Puerto Rico... (gritos de "¡A las armas!)".

Y por eso desde esta cumbre, desde esta cumbre de Lares, el Movimiento Pro Independencia de Puerto Rico saluda a los compatriotas que integran los Comandos Armados de Liberación (Ovación, gritos de "¡Mari, seguro, a los yanquis dales duro!)... Y los saludamos, porque hemos llegado a la convicción absoluta, que transmitimos al pueblo por este medio, de que esa organización clandestina que ha estado operando durante los últimos tiempos en nuestro país responde a un empeño serio de un grupo de compatriotas de adelantar la lucha por la independencia de Puerto Rico (ovación).

Y nosotros... (gritos de "Fuego, fuego") nosotros nunca hemos alegado, nosotros nunca hemos pretendido que el MPI va hacer la independencia de Puerto Rico por sí solo. Nosotros entendemos, nosotros afirmamos que la Independencia de Puerto Rico será el resultado de la acción que realicen en distintos órdenes, desde distintos campos, en una diversidad de formas y maneras, todos los contingentes del patriotismo nacional (gritos de ¡Unidad, unidad!) que se encaucen hacia la independencia de Puerto Rico.

LA UNIDAD

Y esa es la unidad que debe salir de Lares: la unidad de entender que cada cual, que cada grupo, que cada organización tiene una responsabilidad, la responsabilidad de adelantar la lucha dentro de sus concepciones tácticas y estratégicas. Pero entender, al mismo tiempo, que no será el resultado de esa lucha positivo si no converge en la amplitud de la Patria toda la multiplicidad de acciones que se requieren para provocar la crisis del imperialismo, crisis que conmueva los cimientos y crisis... (gritos de "¡A las armas!")... que traiga consigo el masivo despertar de la conciencia patriótica del pueblo puertorriqueño.

NUESTRO COMPROMISO

Porque una vez ocurra ese despertar masivo impulsado por las acciones de todas sus vanguardias conjugadas en el mismo propósito de afirmación puertorriqueña —nos lo enseña la historia y nos lo está enseñando incluso la historia contemporánea— no hay fuerza contrarrevolucionaria capaz de oponerse con éxito a la fuerza masiva de los pueblos en disposición de hacer su revolución. (gritos de "¡fuego!")

Sea, pues, compatriotas, ese nuestro compromiso con los fundadores de la nacionalidad. Hace cinco años expresamos aquí, todos los presentes, que nos juramentábamos a luchar hacia la meta de celebrar el Centenario en la independencia. Se ha generado una fuerza lo suficientemente grande para producir todo cuanto se ha hecho en el curso de este lustro. Los que hayan cumplido su deber en la tarea de todos los días, en la multiplicación de su esfuerzo individual y en la articulación de un esfuerzo colectivo eficiente, hemos cumplido con el compromiso que hicimos en Lares. No está al alcance nuestro pronosticar las fechas de la llegada a los objetivos; lo importante es que haya esa disposición, que cobremos el sentido de urgencia que tiene la independencia de Puerto Rico, que no puede posponerse más, que no puede dilatarse más la llegada de Puerto Rico a la independencia porque conllevaría el colapso de la nacionalidad.

Y armados de esa inspiración que nos da el legado histórico que nos dejaron los fundadores y los héroes y los mártires que en el curso de cien años amasaron con su esfuerzo el patrimonio de lucha de este pueblo, continuaremos adelante. ¡Hasta la victoria siempre! ¡Despierta, boricua: defiende lo tuyo! (Estruendosa ovación)

"Continuar marchando..." (continuación)

II.
Renuncia de Toño González

Tras el primer triunvirato electo en 1967, en el que Gilberto Concepción de Gracia compartió la dirección del Partido con Jorge Luis Landing y Rubén Berríos, a la muerte del fundador del PIP, fue electo el hijo de este, Gilberto Concepción Suárez. Dicha elección provocó la renuncia de Landing, quien fue sustituido por el profesor universitario y economista, Antonio J. "Toño" González, quien encabezó la papeleta pipiola en los comicios de 1968. Irónicamente, luego de sus primeras acciones conjuntas con el MPI, particularmente su campaña contra el plebiscito de 1967, tras las elecciones de 1968, el PIP sufrió su primera división desde 1959. Esta se produjo con la salida en 1969, precisamente, de González y Landing, quienes fundarían dos nuevos partidos independentistas. González, de ideología demócrata cristiana, fundó el Partido Unión Puertorriqueña (PUP), y Landing, el Partido Auténtico Soberanista (PAS). La renuncia al PIP de su candidato a gobernador en las elecciones de 1968 abrió un espacio en la dirección colectiva al licenciado Noel Colón Martínez.

Cronología
1969

marzo- Antonio J. González renuncia a la Comisión Presidencial del PIP por diferencias con los otros dos comisionados.

abril- El Lic. Noel Colón Martínez entra a sustituir al Dr. Antonio J. González en la Comisión Presidencial del PIP.

1 de junio- Antonio J. González funda el Partido Unión Puertorriqueña.

29 de junio- Una asamblea del PIP en Bayamón reafirma que la dirección del Partido debe quedar en la Comisión Presidencial de tres miembros.

10 de septiembre- Mitin en Teatro de la UPR en conmemoración del natalicio de Pedro Albizu Campos.

30 de noviembre- Marcha unitaria contra el Servicio Militar Obligatorio.

diciembre- Noel Colón Martínez y Gilberto Concepción Suárez renuncian a la Comisión Presidencial citando diferencias con Rubén Berríos. Anuncian que no abandonaban el Partido y que no se postularían para la presidencia única del Partido, ya que Rubén aspiraba a ella. Señalan, además, que nadie estaba autorizado a hacer campaña en sus nombres.

Testimonios

1. Antonio J. "Toño" González

Su salida del PIP

Ángel Collado Schwartz: ¿Qué fue lo que te llevó a ti a asumir la candidatura para gobernador, del PIP?

Antonio J. González: Bueno lo que pasa es que hubo una asamblea del Partido Independentista en San Germán y para sorpresa mía, cuando yo llego allí me proponen para candidato a gobernador y no hubo más candidatos, así que fue unanimidad.

ACS: ¿Y cómo fue esa campaña, Toño?

AJG: Una campaña bonita, una campaña... Acuérdate que el Partido Independentista en las elecciones de 1964... Interesante, déjame darte este dato, por qué ocurre esto. El Partido Independentista sacó 63 mil y pico de votos en el 1948, sacó 125 mil votos en la campaña de 1952 y en la campaña de 1956 perdió 40 mil y pico de votos. En la campaña de 1960, perdió otros 40 mil votos y así que se quedó con 40 mil votos. Creo que en la campaña subsiguiente pierde la franquicia. ¿Qué es lo que ocurre para que el Partido...? Bueno, en parte el Partido se nutrió mucho de la juventud veterana que había y entonces después, vinieron las discrepancias que hubo en el Partido Independentista con el rompimiento de Juan Mari Brás y su grupo del Partido que fue en el '56. Por eso es que, en las elecciones en el '56, hubo la gran discrepancia y hubo una asamblea en Arecibo y ahí se dividió el Partido. Cuando termina esa asamblea, un grupo se reunió en Guaynabo y allí fundaron el MPI. El MPI y después de eso el PSP.

ACS: Toño, hay dos elementos también importantes que afectaron el resultado electoral del Partido Independentista. Uno es la Ley de Mordaza, la cual obviamente llevó a prisión a muchos independentistas en Puerto Rico y segundo, que hubo inmigración de puertorriqueños que, aunque esto no se ha podido corroborar desde el punto de vista estadístico, pero hay una creencia de que algunos de los que se fueron a Estados Unidos e inmigraron, eran independentistas. Y no es una casualidad que en Chicago y en Nueva York hay un grupo fuerte de independentistas.

AJG: Yo sé, la gente emigró porque había un programa de inmigración sostenido por el gobierno por las condiciones de pobreza que había en Puerto Rico. Pero el dato histórico es que esa es la vida del Partido Independentista: 63 mil y pico de votos en las elecciones del '68; segundas elecciones en el '52, 125 mil votos; y en el '56 pierde 40 mil; en el '60 pierde 40 mil más; en el '64 pierde la franquicia. Esa es la realidad, que fue perdiendo fuerza en parte debido a las divisiones, en parte por el crecimiento fuerte de Puerto Rico. La gente mejora sus condiciones de vida y ser patriota no es fácil.

ACS: Toño... tú estabas mencionando que, en las elecciones de 1968, que es cuando tú corres para gobernador por el Partido Independentista, es importante señalar para nuestros jóvenes radioescuchas que esa fue una elección histórica. Porque es la primera vez que el Partido Popular Democrático pierde unas elecciones desde 1940 que, aunque en el '40 no fue que las ganó, fue la Coalición, obviamente controló la legislatura y de ahí en adelante al '44, el '48, todas fueron victorias aplastantes del Partido Popular. Y en el '68, pues hay una división del Partido Popular, que Roberto Sánchez Vilella funda el Partido del Pueblo y se va con su candidatura en contra de la de Luis Negrón López del Partido Popular y el resultado es que el recién fundado Partido Nuevo Progresista con Luis A. Ferré, gana las elecciones. Ya esas son las elecciones que tú te presentas como candidato a gobernador. Tú mencionaste que fue una campaña muy digna. Pero luego de esa campaña decides abandonar el Partido Independentista y fundar un partido. ¿Qué fue lo que te motivó a abandonar el Partido y fundar otro partido?

AJG: Bueno, esta ha sido una historia interesante y voy a decir cosas que pueden sonar como falta de humildad de mi parte, pero es interesante.

La campaña de 1968, que era la campaña en que yo corrí para gobernador... Había muerto recientemente Gilberto Concepción de Gracia y él era el presidente. Yo nunca pensé que iba a ser el presidente del Partido y que iba a ser candidato ni nada, nunca lo pensé. Pero ocurre que en ese momento yo soy candidato a gobernador. Hay un debate en televisión de los candidatos a gobernador en que estaba Luis A. Ferré, y estaba Luis Negrón López, y está por el... Sánchez Vilella por el partido de él, y está el que quedó por el Partido Republicano allá en Ponce, Ramiro Colón, que es candidato a gobernador. En ese debate, da la casualidad que como yo era economista, hice una presentación que gustó. Se acuñó de allí una frase que decía: "Toño González, el mejor". Luis A. Ferré, en una reunión que tuvimos para grabar un programa antes de las elecciones, se acercó y me dijo: "Toño, todo el mundo dice que tú eres el mejor, pero yo tengo los votos"; en ese momento tenía los votos. En esa campaña de "Toño el Mejor", y el Partido, muerto Gilberto, había que buscar un presidente y entonces ahí es que poco antes de las elecciones del '68, se insertó Rubén Berríos. Un muchacho joven, inteligente, buen orador, de la juventud, que no tuvo una participación muy grande en esa campaña, pero que se incorpora con la juventud. Entonces donde quiera que yo iba la gente me estimulaba a que yo era el que tenía que dirigir el Partido, a tal extremo que yo estaba en una licencia sin sueldo para dirigir el Partido, para contestar una interrogante que había en el Partido. Necesitaban un presidente a tiempo completo, entonces yo me preparé para eso. Terminadas las elecciones en noviembre, yo estaba celebrando por la Isla unas reuniones para reorganizar el Partido y ocurrió que el grupo de estos jóvenes que me respaldaban, hicieron una reunión en Peñuelas. Cuando me invitaron a mí y me aparezco en Peñuelas, me dicen: "No, pues si la reunión de Peñuelas se suspendió, de San Juan..." Entonces un joven de Ponce corrió la voz y organizó otra reunión en Guayama, voy al Municipio de Guayama, a la reunión y esa reunión se suspendió. Ya sospeché que algo estaba pasando porque yo no la había suspendido. Convoco a una reunión de la Comisión Ejecutiva del Partido y planteé que yo estaba en licencia sin sueldo, estaba encontrando dificultades para las reuniones y quería saber qué pasaba. En esa reunión de la Junta de Directores, noté que no se atrevían a decirme lo que pasaba. Sencillamente presenté mi renuncia; yo renuncié. Al renunciar, se acerca un grupo de personas del Partido, que no eran líderes del Partido realmente, independentistas, entre ellos estaba Tuto Marchand, Raúl Serrano, un grupo, está Gilberto Concepción Suárez. Me invitaron a una reunión provocada por ellos, donde estaba Rubén, en la oficina de Tuto Marchand en el edificio de Fomento. Me presenté ante ellos y allí nos dijeron que expusiéramos nuestras ideas para el Partido. Expuse lo que yo creía. Yo tenía publicado un libro de economía política y Rubén Berríos dijo que eso era un manifiesto capitalista. Hubo una discusión, una discrepancia y nos mandaron a que nos fuéramos en lo que ellos deliberaban. Entonces, fuimos a un restaurante chino que había allí, Rubén Berríos y yo, un ratito en lo que ellos deliberaban. Cuando regresamos, Rubén Berríos enseguida dijo: "Bueno, ya decidieron. Pues venga la decisión". "Ya tenemos la decisión. Hemos designado al compañero Gilberto Concepción Suárez para que dé el informe. Cuando Gilberto Concepción Suárez da el informe, Rubén le hizo el señalamiento de que fuera breve y Gilberto contestó "Voy a ser brevísimo". Quiero señalarte, Ángel, que esta es la primera vez que hago público esto, puedo tomar una declaración jurada so pena de desacato, pero lo que estoy diciendo es lo correcto. La decisión de ese grupo, que no eran líderes del Partido, eran allegados, simpatizantes, con excepción de Gilberto Manuel y Rubén. Ah... porque había un asunto en discrepancia que era si el Partido debiera ser gobernado por una presidencia unipersonal o por una presidencia colegiada.

ACS: Toño...estábamos hablando de la reunión que hubo, una reunión de amigos independentistas, donde estabas hablando de que Gilberto Concepción Suárez estaba dando el resultado de la reunión que ellos habían tenido.

AJG: Bueno ahí es que se da el informe y Gilberto informa que el Partido había decidido... Había un asunto en discrepancia que era si el Partido debía tener una presidencia única o una presidencia colegiada. Entonces parte de lo que se discutió allí era si debería hacerse la presidencia colegiada o la presidencia de la Comisión Ejecutiva con un presidente, y eso se discutió allí. Entonces se habló de quién debería ser el dirigente del Partido, los dos asuntos. Gilberto Concepción Suárez, en representación de ese comité, que no era la estructura del Partido, sino de amigos, rindió el informe y dijo que habían decidido: número uno, mantener el sistema presidencial, rechazaron lo de la colegiación, y número dos, que el presidente del Partido debía ser Antonio J. González. Ahí es que Rubén interrumpe y dice "Se van a arrepentir toda la vida". Yo di un discurso breve y terminó. De allí, yo salí con el mandato para reorganizar el Partido como presidente. Cuando la asamblea se hiciera, pues obviamente se iba a presentar mi candidatura y yo la iba a aceptar. Después de esa reunión es que yo, lo que estaba diciendo anteriormente, salgo en licencia sin sueldo para que el Partido tuviera un presidente a tiempo completo, a reunirme con la gente del pueblo a notificarle esto.

Inclusive una actividad que iba a haber en la plaza en Aguadilla, el día de José de Diego, y se había hecho una organización donde iba a participar una profesora de canto (que en paz descanse) Raquel Gandía, que era profesora de canto y cantaba también. La cosa es que, inclusive esa actividad, hicieron gestión para que se suspendiera, porque desde San Juan... Donde quiera que yo iba encontraba que ya no podía dar la reunión. Ahí es que yo como ya dije, regreso a San Juan, provoco una reunión y decido retirarme del Partido, retirarme de la política.

ACS: O sea que, aunque ellos estuvieron de acuerdo que tú fueras el presidente, te sabotearon la presidencia.

AJG: Exacto y ahí es que yo me retiro. Eso confirmó el hecho de que tan pronto yo me retiro, hay la asamblea del Partido Independentista y allí reafirman la presidencia única a pesar de que estaban proponiendo una colegiación.

ACS: Cuándo es que se crea el Triunvirato, que está Rubén, Gilberto y otros.

AJG: Y estoy yo, ahí se crea para sustituir a Gilberto Concepción de Gracia. Se crea antes de la campaña en una asamblea en Arecibo porque lo que ocurre es lo siguiente. Fíjate lo que ocurre. Hay una asamblea del Partido en Bayamón, en el comité del Partido, entonces allí hay que designar a los candidatos del Triunvirato. Landing tenía como candidato a Colón, un líder obrero, abogado también, para sustituir a Concepción de Gracia, y se hace el Triunvirato a la muerte de Concepción de Gracia y Landing propone a Colón. Yo estoy en mi casa, porque eso es a la muerte de Gilberto. Tengo un bebito que me acababa de nacer, era el '68. Vino una comisión del Partido, vinieron a casa, que yo tenía que presentarme a la asamblea. No había ido por cuestión sentimental. Me vinieron a buscar, que se había formado una discrepancia y, pues, yo fui. Allí propusieron a Colón y me propusieron a mí, entonces qué ocurre, que yo salgo electo de la Comisión y entonces al ocurrir esto, en sustitución de Gilberto Concepción de Gracia, es que en Arecibo hay una discrepancia con Landing, porque allí fue que se eligió en sustitución a Gilberto Concepción de Gracia. Esa fue la controversia que hubo.

ACS: ¿Cuándo es que tú decides fundar el Partido Unión?

AJG: A partir de esa discrepancia. Yo estoy en mi casa, tranquilo, cuando se presentó un grupo de amigos. Alvarito Calderón y un amigo íntimo de ellos, se me olvida el nombre, que era socio de Alvarito Calderón, abogado de Mayagüez, se me escapa el nombre. Ellos son los que insisten en que deberíamos fundar otro partido y se funda la Unión Puertorriqueña (PUP) para las elecciones.

ACS: ¿Y cómo fue esa experiencia de ese partido?

AJG: Pues como no había independentistas para un partido, mucho menos hay independentistas para dos partidos. Lo que hizo fue que el PUP sacó 5 o 7 mil votos y el PIP sacó menos. Hubo que inscribirlo también, pero nosotros decidimos no inscribir el partido, lo disolvimos.

2. Rubén Berríos Martínez

Diferencias ideológicas con Toño González

Néstor Duprey Salgado: Tú te conviertes en el heredero político de Concepción de Gracia y, a la vez, vas a refundar al PIP. O sea, el PIP de Rubén Berríos no es el PIP de Gilberto Concepción de Gracia. Y la primera señal, luego de la presidencia única y abandonar el esquema del triunvirato, es la definición ideológica del PIP hacia el socialismo democrático. A la mirada de hoy, 2018, ¿cómo tú recuerdas ese proceso? Así, desde la visera política.

Rubén Berríos Martínez: Bueno, eso empieza formalmente con un artículo que yo publiqué en el periódico *El Mundo* en el '68, bajo el título "Independencia, ¿para qué?". Ese artículo marcó el inicio del proceso que culminó con la adopción del socialismo democrático como uno de los fundamentos ideológicos –conjuntamente con la independencia– del Partido Independentista Puertorriqueño. Se suscitó un profundo debate en el Partido, que luego del 1968 culminó con el retiro del Partido Independentista de un sector que no estaba dispuesto a aceptar tal ideología y que pasó a organizar el Partido Unión Puertorriqueña (PUP), el cual participó en las elecciones de 1972 y desapareció después de las mismas. Me acuerdo que, posteriormente, Muñoz, en una entrevista, dice que yo estoy en dónde él estaba en ASI (Acción Social Independentista), grupo fundado por Luis Muñoz Marín en 1936.

NDS: ¿A eso tú le atribuyes la salida de Toño del PIP? ¿Fue un "issue" ideológico para ti? ¿No como lo interpretaron en aquel momento? Ahora, con la mirada ancha que tú lo ves, ¿fue un asunto ideológico o fue un asunto de liderato personal?

RBM: A mí me gustaría pensar que, de mi parte, no fue de liderato personal y de parte de Toño tampoco.

NDS: Tú entiendes que fue una diferencia ideológica.

RBM: Sí. Una diferencia bastante grande.

NDS: El orden de los eventos: se va Toño del PIP en el '69...

RBM: Así es, luego de ser candidato en el 1968.

El Dr. Antonio J. González, candidato a Gobernador por el PIP en las elecciones de 1968, al emitir su voto. (Archivo digital *El Mundo*)

Rubén Berríos Martínez y Gilberto Concepción Suárez, durante la asamblea del PIP de 1968. (Archivo digital *El Mundo*)

Marcha contra el Servicio Militar Obligatorio en 1969.
(Fondo carpetas de la Policía, AGPR)

Anuncio del Partido Unión Puertorriqueña, colectividad que funda Toño González a su salida del PIP en 1969.
(Archivo personal de Pablo José Hernández Rivera)

Antonio J. González Deja El PIP Definitivamente

RIO PIEDRAS (UPI) — El profesor de Economía Antonio J. González calificó de definitiva e irrevocable su decisión de renunciar al Partido Independentista Puertorriqueño. El ex candidato a gobernador por el PIP en las últimas elecciones informó que un conflicto de enfoques y estrategia en la lucha por la independencia con el licenciado Rubén Berríos Martínez ,ocasionaron su decisión de retirarse del Partido Independentista Puertorriqueño.

Toño González dijo que Berríos quiere radicalizar la lucha por la independencia, afirmando que es muy peligrosa esa propuesta radicalización.

Añadió el doctor González que el PIP tiene una filosofía de lucha reconocida, con la cual el pueblo simpatiza. Explicó, además, que el Partido Nacionalista y el Movimiento Pro Independencia radicalizaron la lucha por la independencia sin lograr los resultados que se perseguían.

Explicó que llevó al seno de la comisión ejecutiva una moción para que se le diese un voto de confianza, la cual fue rechazada.

Según el doctor González, Berríos había hecho unos pronunciamientos injustos y ofensivos contra su persona, lo que motivó que presentara la moción solicitando el voto de confianza.

El doctor Julio García Díaz, Fernando Milán Suárez y el licenciado Gilberto Concepción Suárez visitaron ayer al doctor González en su residencia para gestionar reconsiderase su decisión y continuara militando en él PIP

Explicó que el licenciado Rubén Berríos constituye un factor de división dentro del PIP, creando pugnas entre jóvenes y viejos liberales y conservadores.

Antonio J. González quien fue miembro fundador del Partido Independentista Puertorriqueño, lleva 22 años militando activamente en dicha agrupación política. En 1948 fue candidato a alcalde por Ciales, en 1964 candidato a alcalde de San Juan y en 1968 candidato a gobernador. Es profesor de Economía de la Universidad de Puerto Rico e integraba con el licenciado Gilberto Concepción Suárez y el licenciado Rubén Berríos Martínez la Comisión Presidencial del PIP.

Habla Concepción

El licenciado Gilberto Concepción Suárez declaró ayer tarde que el profesor Antonio J. González no ha debido renunciar al Partido Independentista Puertorriqueño.

El copresidente del PIP añadió que cualquier discrepancia es materia que se puede discutir dentro de los organismos del partido.

El licenciado Concepción Suárez dijo que el PIP no tiene como problemática llegar al poder público como objetivo, sino en función de lograr la independencia de Puerto Rico.

Añadió el licenciado Concepción que dentro de un partido independentista no cabe lucha ni pugnas entre conservadores y radicales, ni entre jóvenes y viejos.

Gilberto Concepción Suárez dijo que él respalda la misma filosofía democrática del Partido Independentista Puertorriqueño de lograr la independencia para Puerto Rico mediante el método viable de concurrir

(Pasa a la página 20)

Antonio

(Viene de la pagina 4)

a las elecciones.

El copresidente del PIP ma nifestó que la comisión con liadora que encabezó para grar que el doctor Antonio González, retirara su renunc no logró el éxito esperado.

Informó también que el nes la Comisión del PIP, es el organismo máximo partido, se reunirá a las oc de la noche en la oficina Comité del Precinto Núm Dos, en el Condado, para c siderar la renuncia del doc González.

Interrogado sobre el voto confianza que la Comisión E cutiva le negó al doctor G zález en reunión presidida el propio Concepción Suá: éste dijo que declaró fuera orden la moción y añadió la Comisión Ejecutiva no te jurisdicción sobre unas conv saciones que el profesor G zález y el licenciado Ber habían sostenido en enero.

En esas conversaciones donde, según se alega, Ber ofendió al doctor González.

"Antonio J. González deja el PIP definitivamente."
Periódico *El Mundo*, 30 de marzo de 1969.

(Mount Clipping in Space Below)

PIP Escoge Sustituto González

Por Estela Ruaño
y Bernardo Guerra Prado

El licenciado Noel Colón Martínez fue electo por la asamblea de delegados del Partido Independentista Puertorriqueño como tercer miembro de la Junta Presidencial en sustitución del doctor Antonio González, quien renunció recientemente.

En una asamblea extraordinaria efectuada ayer por la mañana en las oficinas del PIP en Caguas, el abogado le ganó al profesor Héctor Alvarez Silva— único contrincante— por votación de 53 a 26. La asamblea, a la que asistieron 79 delegados, ha sido la más concurrida en los últimos 12 años.

El economista Alvarez Silva fue luego elegido por aclamación como Secretario de Asuntos Económicos del PIP. Asimismo fue elegido por aclamación el profesor Milton Pabón, para ocupar la Secretaría de Capacitación Política.

A pesar de que al comenzar a discutirse la agenda hubo oposición de parte de un grupo que apoyaban la idea de que la elección para la vacante no se efectuara hasta la próxima convención general del partido, se aprobó por mayoría que la elección se efectuase ayer.

La agenda fue dividida en dos puntos, en el primero se

(Continúa en la Pág. 16-A)

PIP Escoge Sustituto...

De la Primera Página

aprobaron los nombramientos de las personas que interinamente ocuparán los puestos de secretarios ejecutivos de las diferentes comisiones.

Los secretarios ejecutivos nombrados son los siguientes: Asuntos Obreros, Víctor Guillermo Hernández; Relaciones Exteriores, licenciado William Fred Santiago; Director de la Juventud, David Noriega; Asuntos Municipales, licenciado Miguel Velázquez; Organización Política, doctor Julio García; Asuntos Culturales, Gamalier Pérez y el licenciado Raúl Serrano Geyls, asuntos legislativos.

Luego de que se aprobaran las designaciones de los Secretarios Ejecutivos la Comisión Ejecutiva dio por abierta las nominaciones para las candidaturas. El primero en proponer un candidato fue el doctor Julio García Díaz quien nominó al profesor Héctor Alvarez Silva; le siguió el señor Fernando Milán Suárez quien nominó al licenciado Noel Colón Martínez.

Antes de ser electo, el licenciado Colón Martínez señaló que el PIP necesita organización y clarificación ideológica.

Según él, no basta sólo tener como meta la independencia. "Es necesario pensar en la gente puertorriqueña, en esos 500,000 indigentes que hay en el país", señaló.

El orador fue fuertemente ovacionado cuando señaló que la independencia no vendría de afuera sino que tendrían que luchar por ella los mismos puertorriqueños.

El abogado pidió la unidad del partido sosteniendo que es necesario tener un partido fuerte para junio próximo, cuando el ex líder del PIP, Antonio J. González, celebre la asamblea del partido que está organizando.

Al terminar su discurso aceptando la co-presidencia, pidió que hablase el señor Alvarez Silva, quien instó a sus correligionarios a no descansar "ni la inteligencia, ni la voluntad ni el espíritu para hacer del PIP el camino hacia la república democrática de Puerto Rico."

La Junta Presidencial del PIP quedó compuesta por 3 abogados: Gilberto Concepción Suárez, Rubén Berríos y Noel Colón Martínez. Antes de finalizar la asamblea, el licenciado Concepción Suárez pidió a todos unidad dentro del PIP. Agregó que es natural que surjan discrepancias y choques de ideas, pero advirtió que todo esto deber ser discutido dentro del PIP, y nunca debe ser motivo para abandonar el partido.

(Indicate page, name of newspaper, city and state.)

"EL MUNDO"

April 21, 196

Page 1, 16A

ALL INFORMATION CONTAINED
HEREIN IS UNCLASSIFIED
DATE 5/11/10 BY 60 [illegible]

Date:
Edition:
Author:
Editor:
Title:

Character:
or
Classification:
Submitting Office:

☐ Being Investigated

100-4014A

SEARCHED INDEXED
SERIALIZED FILED
APR 23 1969
FBI—SAN JUAN

"PIP escoge sustituto de González."
Periódico *El Mundo*, 21 de abril de 1969.

DIRECTOR, FBI (100-205249) DEC 1969

SAC, SAN JUAN (100-4014) (C)

PARTIDO INDEPENDENTISTA PUERTORRIQUENO
(INDEPENDENCE PARTY OF PUERTO RICO) (PIP)
IS - PRN
(OO:SJ)

Enclosed for the Bureau are ten copies of an LHM regarding the captioned organization. Copies of this LHM are being disseminated locally to 771st Military Intelligence Detachment, Office of Special Investigations, Ramey Air Force Base, Naval Investigative Service Office and U. S. Secret Service.

SJ T-1 is [redacted] b2, b7D

LHM is classified "Confidential" due to containing information from SJ T-1, the disclosure of which could lead to the disclosure of the source, thus hampering his continuing effectiveness in reporting his security type information.

[redacted] is a subject of the San Juan Office, but he is not on the SI or RI.

b7C

[redacted] are on the RI-A of the San Juan Office. [redacted] is on the San Juan SI, Priority II.

ALL INFORMATION CONTAINED
HEREIN IS UNCLASSIFIED
DATE 5-19-00 BY 60267 NLS/EP/cd

2 - Bureau (RM) (Enc.10)
7 - San Juan (100-4014) (Enc. 2)
(1 - 80-106) (Enc. 1)
(1 - [redacted]
(1 -
(1 -
(1 -
(1 -

b7C

SVT/ljs
(9)

100-401

SEARCHED ... INDEXED
SERIALIZED ... FILED

Memorando FBI sobre PIP. 11 de diciembre de 1969.

UNITED STATES DEPARTMENT OF JUSTICE

FEDERAL BUREAU OF INVESTIGATION CONFIDENTIAL
San Juan, Puerto Rico

In Reply, Please Refer to
File No.

DEC 1 1 1969

PARTIDO INDEPENDENTISTA PUERTORRIQUENO
(INDEPENDENCE PARTY OF PUERTO RICO) (PIP)
INTERNAL SECURITY - - PUERTO RICAN NATIONALIST

A characterization of the PIP
is attached

EVENTS REFLECTING THE STATUS OF PARTY

The October 16, 1967 issue of "El Mundo", a Spanish language daily newspaper, published at San Juan, Puerto Rico, stated that the PIP was founded in 1948, but that the PIP has declined in votes dramatically since 1952.

The March 22, 1968 issue of "El Mundo" stated that the PIP first lost legal standing as a political party when it failed to poll enough votes in the 1960 elections. The article explained that under Puerto Rico's Electoral Law, there are two kinds of political parties: "Principal Parties" (those which have obtained five percent or more of the total vote for Governor in the preceding election) and "Parties by Petition" (those which have fulfilled requirements for registration). The PIP, after the 1960 elections, began an intensive drive to regain legal status by registration, which, at that time, called for petitions equalling ten percent of the total vote for Governor. The PIP was unable to complete its registration campaign in time for the 1964 elections. However, the PIP was placed on the 1964 ballot by legislative edict through the efforts of the then Governor Munoz (Luis Munoz Marin). Following the 1964 elections, the PIP again lost official status, but the PIP, led by Concepcion de Gracia (Doctor Gilberto Concepcion de Gracia), continued to battle for legal status. The article stated that the PIP would be placed on the 1968 ballot as it had fulfilled all legal requirements for recognition as a political party by petition.

CONFIDENTIAL

Group 1

Excluded from automatic
downgrading and declassification

This document contains neither recommendations nor conclusions of the FBI. It is the property of the FBI and is loaned to your agency; it and its contents are not to be distributed outside your agency.

DECLASSIFIED BY 60261 NLS/EP/ed
ON 5-18-00

"Memorando FBI sobre PIP." (continuación)

CONFIDENTIAL

PARTIDO INDEPENDENTISTA PUERTORRIQUENO (PIP)

Articles in the November 7, 1968 edition of the "El Imparcial", a Spanish language daily newspaper, published in San Juan, and in the November 8, 1968 edition of the "San Juan Star", an English language daily newspaper, published in San Juan, reported that the PIP had not received enough votes in the November 5, 1968 elections to remain as a registered party. The PIP had received 23,245 votes, which was less than three percent of the total vote cast.

An article in the June 5, 1969 issue of the "San Juan Star" reported that the Puerto Rican Elections Board disclosed that the PIP had registered and filed with the Elections Board 42,042 petitions towards qualifying as a bona fide political party. According to the Electoral Law of Puerto Rico, the PIP must file at least 45,941 petitions from no less than 44 precincts which number was five percent of the vote cast in 1968.

PARTY LEADERSHIP

The October 10, 1967, issue of "El Mundo" stated that Doctor Gilberto Concepcion de Gracia had been President of the PIP since it was founded in 1948 but there was a movement within the party to unseat Concepcion at the party General Assembly to be held October 22, 1967 at Ponce, Puerto Rico.

The October 24, 1967, issue of the "San Juan Star" reported that during a noisy, at times almost riot-torn, convention of the PIP at Ponce, Puerto Rico, the position of President of the party was abolished and was replaced by a Presidential Commission consisting of three persons: Doctor Gilberto Concepcion de Gracia, Lawyer Jorge Luis Landing and Doctor Ruben Berrios Martinez, a Lawyer and Professor of Economics at the University of Puerto Rico (UPR).

On April 27, 1968, "El Mundo" contained an article stating that the Board of Directors of the PIP met on April 20, 1968, to fill a vacancy on the Presidential Commission caused by the death of Doctor Gilberto Concepcion de Gracia.

2

CONFIDENTIAL

"Memorando FBI sobre PIP." (continuación)

CONFIDENTIAL

PARTIDO INDEPENDENTISTA PUERTORRIQUENO (PIP)

Doctor Antonio J. Gonzalez, a Professor at the University of Puerto Rico, was elected to the Commission. Jorge Luis Landing immediately resigned from the Commission and the party because the candidate he backed for the Commission vacancy was not elected.

On May 21, 1968, "El Imparcial" reported that the Lawyer Gilberto Conception Suarez, son of Doctor Gilberto Concepcion de Gracia, had been elected to the Presidential Commission to fill the vacancy caused by the resignation of Landing.

The November 23, 1968 issue of the "San Juan Star" reported that Jorge Luis Landing and about 125 former members of the PIP announced the founding of the Authentic Sovereignty Party (Partido Autentico Soberanista) (PAS), a new party based on the independence ideal.

> The PAS was formed during November, 1968, by a group who broke away from the Independence Party of Puerto Rico (PIP). The PAS board is headed by Jorge Luis Landing as President, and they made clear that by authentic sovereignty the group means independence for Puerto Rico. It was also announced that the group intends to register as an official party in Puerto Rico.

On March 31, 1969, the "San Juan Star" contained an article stating that Antonio J. Gonzalez had resigned from the PIP, saying he was forced to resign from the Presidential Commission and the party when he did not receive a vote of confidence at a meeting of the PIP Executive Committee. Gonzalez also alleged that the PIP has turned to the left.

On April 10, 1969, "El Mundo" reported that Gonzalez was forming a new political party to gain the independence of Puerto Rico. "El Mundo" subsequently reported on June 2, 1969 that Gonzalez was unanimously elected President of the Puerto

3

CONFIDENTIAL

"Memorando FBI sobre PIP." (continuación)

CONFIDENTIAL

PARTIDO INDEPENDENTISTA PUERTORRIQUENO (PIP)

Rican Union Party on June 1, 1969, at an assembly of the new party at Country Club, San Juan.

> The Puerto Rican Union party headed by Doctor Antonio J. Gonzalez, a UPR Professor, was established on June 1, 1969, in Rio Piedras, Puerto Rico. During the charter convention, Doctor Gonzalez proclaimed that his party was an independence movement to be carried out within a framework of "Close friendship with the United States" and one that will reject violence and communism.

An article in the April 21, 1969, issue of "El Mundo" stated that the Lawyer Noel Colon Martinez was elected to the Presidential Commission by an assembly of delegates at Caguas, Puerto Rico. This Commission now is composed of three lawyers; Gilberto Concepcion Suarez, Ruben Berrios Martinez and Noel Colon Martinez.

The "San Juan Star" reported on June 30, 1969, that, on Sunday (June 29, 1969), the PIP had a convention at Bayamon, Puerto Rico, and that the convention had voted overwhelmingly to retain the three man Presidential Board as is.

AIMS OF THE PIP

On August 13, 1968, SJ T-1, who has provided reliable information in the past, advised that Juan Emmanuelli Morales was planning to take Ruben Berrios Martinez or Gilberto Concepcion Suarez, leaders of the PIP to New York in the near future. The purpose of the trip will be the solicitation of financial assistance from the Communist Party, United States of America (CPUSA). On September 9, 1968, SJ T-1 advised that the PIP leaders have decided not to go to New York after they received word that parties such as the CPUSA and others would not back them as they were not considered a revolutionary party.

4

CONFIDENTIAL

"Memorando FBI sobre PIP." (continuación)

CONFIDENTIAL

PARTIDO INDEPENDENTISTA PUERTORRIQUENO (PIP)

SJ T-1 has identified Juan Emmanuelli Morales as a former member of the Partido Comunista Puertorriqueno (Communist Party of Puerto Rico) (PCP) who was expelled from that Party in 1953. Emmanuelli Morales describes himself as a Marxist-Leninist and maintains friendly relations with the PCP.

A characterization of the PCP is attached.

The April 23, 1969, issue of "El Mundo" contained an article stating that at the inauguration of the new location of the PIP headquarters at 101 De Diego Street, Rio Piedras, Puerto Rico, Ruben Berrios Martinez explained that the mission of the PIP is to bring independence to the island within a democratic, Christian and peaceful structure, with the highest sense of justice for all Puerto Ricans.

On July 7, 1969, the "San Juan Star" contained an article reporting that Juan Mari Bras, Secretary General of the Movimiento Pro-Independencia de Puerto Rico (Puerto Rican Independence Movement) (MPIPR), said he hopes to meet with PIP leaders within a week to determine what issues the two groups could tackle jointly. Juan Mari Bras pointed to several areas where MPIPR and PIP leaders might reach an agreement, including opposition to the draft, the annual celebration of Grito de Lares, and the reaffirmation of Puerto Rican identity against the incursions of the English language and statehood.

A characterization of the MPIPR and Grito de Lares are attached.

The same article contained a statement of Gilberto Concepcion Suarez, member of the Presidential Board of the PIP. He said that MPIPR leaders had not been in contact with PIP leaders, but he saw no harm in discussing concerted action with them. Concepcion Suarez pointed out that the PIP, MPIPR and other groups and individuals are working together on the Alvelo Committee to offer legal aid to local youths who refuse to accept the draft. He added that another area where common action between the PIP and MPIPR may be possible is international pressure for independence in organizations

5

CONFIDENTIAL

“Memorando FBI sobre PIP.” (continuación)

CONFIDENTIAL

PARTIDO INDEPENDENTISTA PUERTORRIQUENO (PIP)

such as the United Nations.

A characterization of the Sixto Alvelo Committee is attached.

The July 10, 1969 issue of the "San Juan Star" contains a statement from Ruben Berrios, a member of the PIP Presidential Board, who said "I want to make it clear, once and for all, that a get-together by the PIP and MPIPR is impossible because of differences in methods of struggle and philosophy which existed". Berrios stated that his party could never get-together with other groups that do not believe in the democratic process.

On June 30, 1969, the "San Juan Star" reported that at a speech made to the PIP convention at Bayamon, Puerto Rico on June 29, 1969, Ruben Berrios stated that the PIP must take up the cause of the "suffering Puerto Rican" if independence is to become a reality. He told the party that "neither nineteenth century Capitalism nor rigid state control," will save Puerto Rico. Later, in an interview, he said that the island needs an economy where the Government is involved on all levels like Denmark or Sweden.

6

CONFIDENTIAL

"Memorando FBI sobre PIP." (continuación)

DECLARACIONES DE LA JUNTA DE DIRECTORES DEL P.I.P.

POR PUERTO RICO

con relación renuncia

Dr. Antonio J. González

La Comisión Ejecutiva del Partido Independentista Puertorriqueño considera lamentable la acción tomada por el doctor Antonio J. González al renunciar a nuestra colectividad. Entiende que pretender provocar disenciones en las filas patrióticas es atentar contra el ideal que nos une y nos obliga a todos: el sagrado ideal de la Independencia.

Nuestro Partido ha tenido las mayores consideraciones con el Dr. González, al punto de conseguir reintegrarle a la lucha patriótica y designarle posteriormente su candidato a gobernador en las pasadas elecciones, encomendándosele entonces la principal defensa de los postulados democráticos que siempre han inspirado al Partido Independentista Puertorriqueño.

Con posterioridad a las elecciones, dentro del Partido han ocurrido acontecimientos que el país debe conocer para pesar en su justa medida la posición asumida por el Dr. Antonio J. González.

1. En los días 2 y 7 de enero, los miembros de la Junta Presidencial celebraron reuniones en las cuales participaron en calidad de asesores distinguidos compañeros del Partido; reuniones en las que prevaleció un clima de entera franqueza y honestidad patriótica. En dichas reuniones, los tres integrantes de la Junta Presidencial acordaron recomendar al Partido la sustitución de la actual presidencia colegiada por una presidencia de tipo unipersonal. Los compañeros miembros de la Junta Presidencial, Licenciados Rubén Berríos y Gilberto Concepción Suárez, acordaron, asimismo, respaldar la candidatura del Dr. Antonio J. González para Presidente del Partido, de resultar triunfante la proposición de que se sustituyera la Junta Presidencial por la presidencia de una sola persona.
2. La Comisión Ejecutiva, en reunión celebrada el 24 de enero de 1969, fue informada de la recomendación que habría de hacer la Junta Presidencial a la Asamblea General del Partido.
3. El 10 de febrero de 1969, la Junta Presidencial celebró una reunión en la cual acordó dividir las funciones entre sus tres miembros, a los fines de hacer posible una labor más eficaz.

   En la división de funciones, el Dr. González tendría a su cargo coordinar las labores del Comité de Finanzas y dirigir las Oficinas Centrales, manteniendo en todo momento una estrecha comunicación con los Comités del Partido en toda la isla. En adición, fue nombrado Portavoz de la Junta Presidencial con la encomienda de expresar la posición del Partido en relación a todos los asuntos de interés público en el país.
4. Desde que se le nombró Portavoz, el Dr. González mantuvo un silencio inexcusable sobre innumerables acontecimientos de importancia política que ocurrieron en el país; conducta que dió margen a múltiples quejas procedentes de toda la isla.

   Durante este período, el Dr. González mantuvo en un estancamiento casi total los otros asuntos que le habían sido encomendados.
5. En reunión de la Junta Presidencial celebrada el 14 de marzo, los Licenciados Rubén Berríos y Gilberto Concepción Suárez le informaron al doctor González que ante su inactividad se hacía imperativo reconsiderar la anterior determinación de recomendar a la Asamblea General una presidencia unipersonal. Se acordó en dicha reunión que los Licenciados Berríos y Concepción Suárez defenderían la presidencia colegiada y el Dr. González defendería la presidencia unipersonal y que finalmente se acataría por todos la decisión mayoritaria de la Asamblea.
6. El martes 18 de marzo, en reunión de la Junta Presidencial, el Dr. Antonio J. González, informó que tenía redactada una carta de renuncia al Partido. Añadió que estaba en duda sobre si darle curso a la misma o si mantener el acuerdo contraído en la reunión del 14 de marzo. Dijo, además, que de no darle curso a dicha renuncia, comparecería a la Asamblea General a defender sus puntos de vista y que acataría la decisión final de la Asamblea. Pidió un plazo de seis días para pensar sobre este asunto.
7. El lunes 24 de marzo, fecha en la cual el doctor González habría de informar su decisión sobre lo anterior, pidió dos días más para decidir si renunciaba o no. Nuevamente, el doctor González se comprometió a acatar plenamente el resultado de la votación en la Asamblea General, en caso de no darle curso a su renuncia con anterioridad a la Asamblea.
8. El miércoles 26 de marzo, el Dr. González distribuyó una carta cuyo texto lee como sigue:

   "Luego de una profunda y meditada consideración he decidido que lo que más conviene a los mejores intereses de todas las partes envueltas es que se deje a los organismos centrales del Partido considerar en sus méritos todos los aspectos relacionados con los cambios en estructura y enfoques, así como quiénes deben ocupar los cargos que la Asamblea del Partido cree.

   Llevaré y defenderé, como es lógico, mis personales puntos de vista sobre estos aspectos, como creo deben hacer todos los miembros del Partido.

   Creo que esta decisión hace posible que se siga trabajando armónicamente hasta la Asamblea General del Partido."
9. Todo lo anteriormente expuesto le fue relatado a la Comisión Ejecutiva en su reunión del viernes 28 de marzo de 1969.

Interrogado el Doctor González sobre si su carta significaba una ratificación de su compromiso anterior de aceptar la voluntad de la Asamblea General con respecto a la estructura presidencial, éste expresó que asistiría a dicha Asamblea sin compromiso de clase alguna, añadiendo que era posible que abandonara al Partido si la Asamblea decidía a favor de mantener una Junta Presidencial. Se le pidió que en virtud de los principios democráticos que inspiran al Partido Independentista Puertorriqueño, él expresara su disposición de acatar la voluntad libre de la Asamblea.

En lugar de responder a la petición que se le hacía, el Dr. González suscitó una cuestión de confianza aludiendo a ciertas manifestaciones personales hechas por el Lic. Rubén Berríos en las reuniones del 2 y 7 de enero de 1969.

Mientras se debatía si era o no de la competencia de la Comisión Ejecutiva dar un voto de confianza basado en algo que había ocurrido tres meses atrás en una reunión ajena a la Comisión Ejecutiva, el Dr. González abandonó abruptamente los trabajos.

Se nombró una Comisión para hablar con el Dr. González con el propósito de que éste reconsiderara su actitud. Cuando dicha Comisión le visitó en la mañana del sábado 29 de marzo, ya la prensa conocía de la renuncia del Dr. González, la cual no fue presentada oficialmente al Partido.

De los hechos expuestos surgen las siguientes conclusiones:

1. El Dr. Antonio J. González se negó a comprometerse a acatar el mandato democrático de una Asamblea General del Partido. Entendemos que esta actitud está en conflicto con los más elementales postulados de la democracia.
2. Entendemos, además, que la negativa a comprometerse con la decisión de la Asamblea General del Partido, unida a su antes expresada amenaza de renunciar, equivalía a ejercer una influencia indebida para que se realizara su sola voluntad.
3. Entendemos que no es lógico el fundamento aludido por el Dr. González y que alegadamente provoca su renuncia. Un incidente personal ocurrido meses antes fuera del seno de la Comisión Ejecutiva no puede tener los efectos que ahora se pretende atribuirle y constituye una mera excusa que impresiona como premeditada, máxime cuando en la reunión anterior de la Comisión Ejecutiva (posterior al incidente mencionado), el Dr. González no hizo mención alguna del mismo.
4. Entendemos que la renuncia del Dr. González obedece a motivaciones personales en las que él pone sus ansias de poder por encima de su responsabilidad para con el Partido.

Tenemos la absoluta seguridad de que los independentistas y todo el pueblo de Puerto Rico sabrán juzgar, a la luz de los hechos expuestos, la actitud del Dr. Antonio J. González como ésta se merece.

El Partido Independentista Puertorriqueño ha sido, es y será hasta la independencia el único instrumento para canalizar democráticamente las ansias de libertad de nuestro pueblo.

Los puertorriqueños conscientes de su responsabilidad patriótica mantendrán incólume la unidad independentista en este momento histórico en que las fuerzas asimilistas y antipuertorriqueñas constituyen una amenaza para nuestra nacionalidad, exigiéndose el máximo esfuerzo de los que luchamos por Puerto Rico.

San Juan, Puerto Rico
30 de marzo de 1969

"Declaraciones Junta de Directores del PIP con relación renuncia Dr. Antonio J. González."
Periódico *El Yunque*, 1 de mayo de 1969.

LA INDEPENDENCIA, ¿PARA QUÉ?[1]

Los independentistas nos preguntamos a menudo: ¿Cómo es posible que todo nuestro pueblo no apoye un ideal tan noble como el de la independencia?

Contestaciones fáciles y superficiales a esta pregunta no se hacen esperar: "Nuestro pueblo es miedoso; teme a otra Cuba ...", "Los puertoriqueños son muñocistas y Muñoz no quiso la independencia . . . ", "Los independentistas no tenemos acceso a los medios de comunicación masiva . . . ", "¡Si no explotaran las

[1] Este artículo, publicado originalmente en el periódico *El Mundo* en 1968, marcó el inicio del proceso que culminó en 1970 con la adopción del socialismo democrático como uno de los fundamentos ideológicos —conjuntamente con la independencia— del Partido Independentista Puertorriqueño (PIP). Con posterioridad al mismo, se suscitó un profundo debate en el partido, que culminó con el retiro del Partido Independentista Puertorriqueño (PIP) de un sector que no estaba dispuesto a aceptar tal ideología y que pasó a organizar el Partido Unión Puertorriqueña (PUP), el cual participó en las elecciones de 1972 y desapareció después de las mismas. El segundo artículo de este capítulo, *Sobre el miedo al miedo,* es un discurso pronunciado en 1969 y dirigido a combatir esa tendencia. Con posterioridad a las elecciones de 1972, otro sector del partido, de tendencia ultraizquierdista, intentó conducir a este a una posición marxista leninista. Muchos de los integrantes de esa tendencia abandonaron el Partido Independentista Puertorriqueño (PIP) y se unieron al Partido Socialista Puertorriqueño (PSP) en el periodo de 1972 a 1976. El discurso titulado *Nacionalismo y socialismo puertorriqueño*, del presente capítulo, fue pronunciado en Ponce en la Asamblea General del 9 de septiembre de 1973, en donde se dirimió la cuestión ideológica planteada, a favor de la línea del socialismo democrático.

El discurso *Nuestra definición*, pronunciado en Lares el 23 de septiembre de 1975, y que aparece en este capítulo explica el proceso de definición ideológica del Partido Independentista Puertorriqueño (PIP) y su cristalización en el Socialismo Democrático.

"La independencia, ¿para qué?" Artículo de Rubén Berríos Martínez, *La Independencia de Puerto Rico: Razón y lucha,* pp. 359-362.

bombas!. . ." etc. Ninguna de estas contestaciones va al corazón del problema. El miedo a Cuba, el muñocismo, la falta de acceso a los medios de comunicación, la americanización, las bombas, etc. son sólo manifestaciones de procesos mucho más profundos. ¿Cuáles son estos procesos, estas razones, estas realidades mucho más profundas que han impedido a los puertorriqueños el organizarse efectivamente en demanda de su independencia?

La primera realidad es el enorme control que tienen sobre Puerto Rico el gobierno, las fuerzas armadas y las grandes empresas norteamericanas. Nadie niega esa realidad. Nadie, ni estadista, ni estadolibrista, ni independentista, niega lo que está consagrado en los libros de leyes: que el Congreso de los Estados Unidos de Norteamérica —entre otros poderes— manda a nuestros jóvenes a la guerra, decide cuántos y cuáles extranjeros pueden entrar a Puerto Rico, determina en qué mercados podemos comprar los productos, tiene control sobre nuestras comunicaciones, sobre nuestra transportación y sobre nuestro comercio, y llega hasta la minucia de fijar el tamaño de la botella donde se envasa el vino de pasas que se produce en Puerto Rico. *A este sistema por medio del cual un país manda sobre otro se le llama colonialismo.*

Nadie niega tampoco la realidad que está consagrada en los libros de estadística y economía: Puerto Rico es el sexto mercado de compra de productos norteamericanos en el mundo. Para usos militares y otros, los Estados Unidos de Norteamérica controlan más de 10% de los terrenos cultivables en Puerto Rico. Las compañías norteamericanas se llevan de Puerto Rico cientos de millones de dólares anuales en ganancias (en 1982 miles de millones); controlan el 75 % de la industria y el comercio en Puerto Rico; la deuda pública y privada de Puerto Rico es una de las más altas por persona del mundo y casi la totalidad se debe a intereses norteamericanos. Puerto Rico es un buen negocio para los norteamericanos. ¡Si no, no estarían aquí! *A este sistema por medio del cual un país controla a otro y saca del mismo grandes beneficios se le llama imperialismo.*

Aunque el imperialismo y el colonialismo son realidades innegables, se justifican en Puerto Rico bajo la peregrina filosofía de que "la sarna con gusto no pica". Independientemente de si hemos consentido al imperio y a la colonia, el hecho real es que, aunque *"la sarna con gusto no pica", no por eso deja de ser sarna.*

"La independencia..." (continuación)

Este sistema colonialista imperialista le conviene a unos administradores puertorriqueños que se llaman el gobierno de Puerto Rico, y le conviene al 9 % de nuestra población, que se gana el 40 % del ingreso total de Puerto Rico. Por otro lado, la gran masa pobre y de clase media padece gravísimos problemas económicos y sociales. El desempleo, la marginación, el crimen, la droga y los pésimos servicios de salud y educación, entre otros, son males crónicos.

Los grandes intereses norteamericanos y un reducido grupo de puertorriqueños tienen, por lo tanto, un interés real y verdadero en que se mantenga la presente relación con los Estados Unidos de Norteamérica. Este grupo de personas le han hecho creer a muchos puertorriqueños que no disfrutan del sistema, que este sistema también les conviene a ellos. Este sistema colonial imperial se mantiene en el poder haciendo uso de todos los medios a su alcance.

Sin conocer esta gran verdad, sin conocer el imperio, no podemos hacer nada contra él. El primer paso es conocer al adversario y darse cuenta de lo difícil que es la lucha contra un enemigo tan poderoso.

La segunda realidad que es necesario comprender para contestarnos la pregunta inicial la encontraremos en nosotros mismos, los independentistas. La prédica independentista, salvo honrosas excepciones, ha permanecido por muchos años en un plano teórico o sentimental. Esto estaba justificado mientras la meta primaria del independentismo tenía que ser forjar una nacionalidad o sea un pueblo con conciencia de sí mismo. Pero la meta actual es hacer de la nuestra una nacionalidad libre.

La República no es solamente un fin, es también un medio. Las grandes masas del pueblo siempre se hacen la pregunta: "*La independencia, para qué?*" Y la respuesta no puede ser, solamente, "Para mandarnos a nosotros mismos." Los pobres y la clase media en Puerto Rico tienen razón en preguntarse: "La República, ¿para qué? " El pueblo tiene razones válidas para temerle a una República al estilo de algunas que hay en el mundo.

El pueblo no ha perdido el miedo, en buena medida, porque, bajo la teoría de que se asustaría, no le habíamos dicho lo que le podía quitar el miedo: Que la República será para establecer un sistema socialista y democrático que redundará en beneficio de las grandes mayorías del país.

"La independencia..." (continuación)

La clave para que el pueblo apoye la República es la siguiente: Tener una idea clara de cuál es el problema básico de Puerto Rico: la colonia y el imperio. Darse cuenta de que el imperio puede permanecer como negocio para los explotadores aún con el nombre de República. Creer en el pueblo y saber que el pueblo responderá el día en que le contestemos la pregunta: "La independencia, ¿para qué?

La independencia no es solamente para decidir por nosotros mismos; la independencia es para establecer un sistema de justicia social y económica. Esto se logra mediante el establecimiento de la República Socialista y Democrática de Puerto Rico. El socialismo democrático significa, que la democracia económica será el principio rector de nuestra economía; significa que cada puertorriqueño recibirá el fruto de su propio trabajo; significa, igualmente, que estarán garantizadas las plenas libertades civiles, individuales, de grupo y de asociación. Significa, en resumen, un sistema que exaltará los más excelsos valores del humanismo, elevando al primer puesto, no los valores mezquinos de lucro y ambición personal, sino los valores eternos de la confraternidad, la cooperación y la justicia.

Para eso es la República, para eso es la independencia.

"La independencia..." (continuación)

III.
La unidad PIP-MPI

Tras ensayar un esquema de dirección colectiva, el PIP dará paso a una renovación organizativa e ideológica bajo la dirección de una nueva generación de líderes encabezada por el joven abogado y profesor universitario, Rubén Berríos Martínez. Este, acompañado de otros jóvenes como Carlos Gallisá y Luis Ángel Torres, así como el pasado miembro del PPD y expresidente del Colegio de Abogados, Noel Colón Martínez, promoverán una política de acercamiento unitario en la práctica con el MPI, que creará expectativas de una acción unitaria en el plano electoral entre las dos organizaciones. Sin embargo, la salida de tres dirigentes importantes del MPI al PIP, César Andreu Iglesias, Norman Pietri Castellón y Samuel Aponte, será un factor adicional en la creciente complicación de la relación entre ambas organizaciones, que también traerá repercusiones futuras al interior del PIP.

Cronología

1970

25 de enero- El PIP celebra una asamblea en la cancha Pepín Cestero en Bayamón, donde se rompe con los triunviratos y se elige a Rubén Berríos como presidente de la colectividad. De igual manera, se elige a Carlos Gallisá a la vicepresidencia.

4 de marzo- Disturbios en la UPR. Asesinan a la estudiante Antonia Martínez Lagares. Rubén Berríos, Juan Mari Brás y Florencio Merced (presidente de la FUPI) despedirán el duelo.

16 de abril- Rubén Berríos y Juan Mari Brás participan de los actos de conmemoración del natalicio de José de Diego.

26 de junio - Renuncian César Andreu Iglesias, Samuel Aponte y Norman Pietri Castellón al MPI por diferendos surgidos después que estos rechazaran enérgicamente los actos que se estaban llevando a cabo por grupos como las CAL. "El argumento de Pietri y los otros era que un grupo militar estaba tomando y ejecutando decisiones políticas que, en todo caso, le correspondían aprobar o rechazar a la comisión política del Movimiento, por las tremendas implicaciones que estas tenían". (Entrevista a Norman Pietri en *Hablan sobre Juan Mari Brás*, p. 143, reproducida en este libro) Los primeros en salir fueron Andreu, George H. Fromm y Aponte; Pietri sale más tarde.

Verano 1970- Actividades MPI-PIP contra el Servicio Militar Obligatorio (SMO)

18 de julio- Protesta contra la explotación minera en Utuado. Oradores Juan Mari Brás y Rubén Berríos.

24 de julio- Rubén Berríos Martínez y un grupo de dirigentes del PIP viajan a Culebra para desarrollar durante todo un fin de semana actividades de desobediencia civil contra los ejercicios de la Marina de Guerra de Estados Unidos.

29 de agosto- Marcha del Comité Pro Rescate de Culebra desde el Parque Sixto Escobar hasta la Plaza de Armas del Viejo San Juan con participación de 25 mil personas, según cálculos de la Policía. Participaron como oradores el líder de los pescadores Anastasio Soto, Juan Mari Brás (MPI), Luis F. Camacho (Partido del Pueblo), Rubén Berríos (PIP), Pedro Grant (MOU), Rvdo. Francisco Torres Rivera (Iglesia Metodista) y el obispo católico Antulio Parrilla Bonilla.

4 de septiembre- Salvador Allende es electo presidente de Chile, siendo el primer socialista electo a ese cargo en la historia de Latinoamérica.

10 de septiembre- En el Teatro de la Universidad de Puerto Rico (UPR), con asistencia de alrededor de mil personas, la Federación de Universitarios Pro Independencia (FUPI) y la Juventud Independentista Universitaria (JIU) auspician una conferencia en torno al natalicio de don Pedro Albizu Campos. Los oradores son Rubén Berríos, Juan Mari Brás y Jacinto Rivera Pérez (presidente del Partido Nacionalista).

23 de septiembre- Se celebra el Grito de Lares organizado de manera unitaria por el PIP, el MPI, el Partido Nacionalista y el Partido Auténtico Soberanista (PAS) con asistencia de 40 mil personas. Son los oradores

Rubén Berríos, Juan Mari Brás, Jacinto Rivera Pérez, José Milton Soltero, Héctor Dávila Alonso, Antulio Parrilla y Jorge Luis Landing. Juan Mari Brás hizo un llamado para "sentarse a negociar las bases específicas para la creación de un Frente Unido Independentista" (*Claridad,* #275)

2 de noviembre- Una delegación conjunta PIP-MPI viaja a Chile a la juramentación del presidente Salvador Allende. Asistirán Rubén Berríos, Juan Mari Brás, Manuel Maldonado Denis y José Milton Soltero, entre otros.

7 de noviembre- Rubén Berríos Martínez se reúne con el presidente de Chile, Salvador Allende.

1971

18 de enero- Rubén Berríos Martínez y un grupo de dirigentes del PIP llegan a Culebra para una segunda jornada de desobediencia civil.

22 de enero- Rubén Berríos y 12 miembros del PIP son arrestados por actos de desobediencia civil en Culebra y son encarcelados en la Penitenciaría Estatal.

18 de febrero- Juicio federal a Rubén Berríos Martínez, quien es condenado a tres meses de cárcel. Se realizarán vigilias diarias en la Penitenciaría Estatal mientras dure su encarcelamiento.

21 de febrero-Concentración frente al Penitenciaría Estatal por el encarcelamiento de Rubén Berríos Martínez.

24 de febrero- Miembros del MPI, encabezados por Juan Mari Brás, detuvieron maniobras de tiro de la Marina de Guerra de Estados Unidos en las aguas de Culebra.

26 de febrero- Protesta de abogados frente a la Corte Federal: Juan Mari Brás, Noel Colón Martínez, Aldo Segurola, Gilberto Concepción Suárez y Héctor Ramos Mimoso

11 de marzo- Incidentes en la UPR (ROTC)

2 y 3 de mayo- Vigilia y liberación de Rubén Berríos Martínez

12 de septiembre-Marcha convocada por el PIP y el MPI en conmemoración del natalicio de Pedro Albizu Campos y contra la Convención de la Asociación de Gobernadores de Estados Unidos, con asistencia de 80 mil personas.

23 de septiembre- En discurso en los actos del Grito de Lares, Juan Mari Brás llama a la conciliación PIP-MPI.

Testimonios

1. Juan Mari Brás

Inicio de acciones unitarias con el PIP

Juan Mari Brás: Dos años después [de la aprobación de la Resolución 1514(XV) de 1959] se creó el Comité de Descolonización [1961]. A todo esto, nosotros nos pasábamos semanas enteras y meses en Nueva York. Una vez estuve dos meses que no podía venir a Puerto Rico porque tenía una infección en los oídos y no podía coger aviones, y no había barcos de Nueva York a San Juan y estuve dos meses allí metido en las Naciones Unidas cabildeando porque no podía hacer otra cosa. Y cuando llegamos a solicitar que el Comité de Descolonización nos recibiera, y le diera audiencia a una delegación de Puerto Rico, el presidente, que era un embajador de la República de Mali en África, se llamaba Sori Culibali y era muy amigo nuestro, nos dijo "Ustedes tienen que conseguir un país miembro de la ONU que haga la solicitud formal de que se incluya el caso de Puerto Rico y de que se le dé audiencia a ustedes, porque hasta que un país no lo haga, yo no puedo leer una carta que me manden ustedes". Y entonces, fue que vinimos a Puerto Rico, le planteamos todo eso al independentismo y decidimos circular una petición a todos los gobernantes latinoamericanos, firmada por el presidente del PIP que era Gilberto Concepción de Gracia; el presidente interino del Partido Nacionalista en la época, que era un señor que se llamaba José Otero; el presidente de una organización católica independentista que se llamaba la Cruzada Patriótica Cristiana y que era el Padre Margarito Santiago; y yo como secretario general del MPI. Los cuatro enviamos esa carta a todos los gobiernos latinoamericanos. La mayor parte de ellos ni siquiera nos contestaron la carta. Algunos la contestaron con esa fraseología que usan los diplomáticos y finalmente Cuba fue el único país que accedió a hacer la petición formal al Comité de Descolonización para que se incluyera el caso de Puerto Rico en las Naciones Unidas. Pero no crean que aquello tampoco fue fácil, había unas presiones grandísimas sobre Cuba para que no enviara esa carta, específicamente de la Cancillería Soviética que consideraba que era una provocación a los Estados Unidos y que no había por qué crear un nuevo punto de fricción con los Estados Unidos.

El asunto fue elevado hasta el Buró Político del Partido en Cuba y si no hubiera sido por Fidel nunca se hubiera abierto esa puerta porque los diplomáticos de carrera cubanos, naturalmente, tomando en consideración los intereses específicos de la diplomacia cubana de la época tendían a ceder a la presión de no meterse en este tema tan polémico. Yo no tengo la menor duda de que la iniciativa cubana, de abrir el caso de Puerto Rico en Naciones Unidas, es una de las razones por las cuales Estados Unidos ha sostenido tan temeraria e insistentemente el bloqueo contra Cuba, porque es una de las cosas que más ha resentido la diplomacia yanqui. Pero Cuba cumplió su obligación martiana como dijo Fidel un día en ocasión de la fundación del Partido Comunista Cubano, hablándole a un millón de personas en la Plaza de la Revolución. Le había pedido en ese momento al Secretario de Estado de los Estados Unidos, que si quería relajar tensiones entre Estados Unidos y Cuba, que abandonara la prédica de la independencia de Puerto Rico. Eso había salido por todos lados y Fidel dijo, "Nos están pidiendo que traicionemos la memoria de José Martí, porque esto no es un asunto que surja por virtud del conflicto este / oeste ni que tenga que ver con la Guerra Fría. Esto tiene que ver con el artículo primero de los Estatutos del Partido Revolucionario Cubano fundado por Martí que dice: *Se funda este partido para hacer la independencia de Cuba y fomentar y auxiliar la independencia de Puerto Rico*. Y claro está, Cuba se mantuvo en esa posición y eso hizo posible que se dieran los primeros debates en el Comité de Descolonización.

No obstante, cada vez que se levantaba el cubano, y Alarcón era el experto número uno en esto, porque él era un muchacho y estaba iniciándose en la diplomacia, y empezaba a hablar, el americano se levantaba: "Cuestión de orden que no se puede mencionar a Puerto Rico por la resolución 748". Entonces, Alarcón decía en sus discursos: "Y ese país cuyo nombre no me dejan mencionar porque me interrumpen entonces para plantear la cuestión de orden". Así se fue abriendo el debate poco a poco. Conseguimos que la cumbre de los no alineados en El Cairo, de 1964, aprobara una resolución pidiéndole al Comité de Descolonización que entendieran en el caso de Puerto Rico, y ya eso dejaba un apoyo de un sector muy importante de la Asamblea General, que son los miembros del Movimiento No Alineados, pero todavía se mantenía la resistencia de Estados Unidos con bastante apoyo, claro, por las presiones. En el '67, se trajo a colación el asunto y se discutió si se incluía a Puerto Rico en la lista de territorios del Comité, y a mitad del debate los cubanos, yo estaba allá donde estaba el público sentado, me vienen a buscar. Bajo donde ellos y me dicen: "Nosotros hicimos ya el conteo y tenemos ocho votos a favor y ocho votos en contra y ocho abstenidos y esto va a quedar tabla y no hay manera de capear esta situación porque los americanos tienen comprometidos a los ocho a favor de ellos en contra de nosotros y lo que puede pasar es que de los ocho nuestros se nos rajen dos o tres, así que tú decides si seguimos con esto o proponemos que nos allanamos a que se deje sobre la mesa el asunto *sine die*, que quiere decir hasta la próxima audición". Yo les dije: "Pues vámonos para el *sine die*". Y se aprobó el *sine die* y se quedó la cosa ahí. El *sine die* ese duró del '67 al '72. Son cinco años. Todos los años volvíamos y hablábamos con unos y con otros y el cubano hablaba en la Asamblea, porque el cubano no era miembro del Comité de Descolonización en esa época, era en la Asamblea en donde podía hablar y no se podía llegar. Es en el '72, después de muchísimos cabildeos, que pudimos redactar en una servilleta, allí en el *Delegates Lounge*, un parrafito bien anodino. Y yo le dije a Alarcón: "Mira a ver qué te parece esto", le hizo dos o tres cambios y me dijo: "Voy para allá". Y consiguió que nos lo compraran algunos de los amigos no alineados y se aprobó la primera resolución.

Ese año ya estaba Allende en la presidencia de Chile. Allende era nuestro amigo personal. Habíamos conocido a Salvador Allende en la Conferencia Internacional Interamericana Pro Democracia y Libertad convocada por la CIA, bajo el manto de unas organizaciones democráticas en el 1960 en Caracas, Venezuela. Pero toda la izquierda se metió en aquella conferencia, la izquierda latinoamericana, y allí nosotros conocimos a Allende. Allende era el portavoz de la izquierda en esa conferencia, desde entonces mantuvo amistad con nosotros. Yo había ido a Chile, siendo el presidente del Senado en el año '65, debe haber sido, o '66 y había conversado con él en varias ocasiones en Cuba donde habíamos coincidido. Y entonces mandamos una delegación a Chile a pedir al presidente Allende que, como Chile era miembro del Comité de los 24 y Cuba no lo era, Chile hiciera la petición formal de que se escuchara, en audiencia, al movimiento independentista puertorriqueño en el Comité de los 24. Allende tuvo que reunir a los secretarios generales de los 6 partidos que formaban la unidad popular, y allí se discutió todo lo relativo a esa petición, y otra vez se decidió a favor nuestro con la influencia directa y personal de Salvador Allende. Y ha quedado consignado en la propia historia de la represión de los Estados Unidos que uno de los factores precipitantes de la participación de la inteligencia americana en el Golpe de Estado de Augusto Pinochet fue la posición de Chile sobre Puerto Rico. Porque fue a petición de Chile que, por primera vez en la historia de Naciones Unidas, se acuerda escuchar a dos independentistas puertorriqueños que éramos el compañero Rubén Berríos, presidente del PIP, y yo, como secretario general del MPI, que hablamos por primera vez en las Naciones Unidas en 1973, el mismo año en que cae el gobierno de Allende y se da el golpe militar, uno o dos meses después de nuestra intervención en Naciones Unidas por gestión que hizo la delegación chilena a petición nuestra.

De manera que esa solidaridad cubana, chilena, latinoamericana en general, de los países no alineados, que siempre se mantuvieron en la línea del apoyo a nuestra petición de que las Naciones Unidas examinaran el caso de Puerto Rico, es lo que hizo que este caso pudiera sobrevivir al colapso de la Guerra Fría. Muchos creyeron que al colapsar la Unión Soviética y descomponerse el campo socialista y emerger los Estados Unidos como fuerza hegemónica en un mundo monopolar, pues que ahí se iba a ir ajuste el caso de Puerto Rico. No ha sido así, porque desde el principio los auspiciadores de ese caso, nosotros en Puerto Rico, los cubanos, los chilenos y los venezolanos y todos los que nos han apoyado y los no alineados, siempre nos han manifestado que este no es un asunto de Guerra Fría. Esto no era por una venganza de Cuba contra Estados Unidos...

...Así que se les viró la tortilla, de aquella conferencia, que la habían concebido y organizado para volcarla contra Cuba. Se convirtió en todo lo contrario: una conferencia que apoya la independencia de Puerto Rico y se niega a censurar la Revolución Cubana. Y eso tuvo una repercusión también continental. Eso le dio entonces un impulso al Movimiento Pro Independencia dentro de la comunidad latinoamericana y nos permitió iniciar la campaña de Naciones Unidas de finales de 1960, que ya he comentado anteriormente, en el debate de la Resolución 1514. Esa presencia internacional del Movimiento, el empuje de la campaña contra la explotación minera, el empuje del periódico *Claridad* fue el trípode sobre el cual se montó la organización del Movimiento Pro Independencia de Puerto Rico en los próximos años. Decía que esas tres campañas: la campaña internacional, la de la oposición a la explotación minera y la de la circulación y publicación del periódico *Claridad* fue el trípode sobre el cual se montó el Movimiento Pro Independencia, que fue vertiginoso en esos años y que culmina en el esfuerzo que realiza el MPI para la celebración unitaria del Centenario del Grito de Lares en 1968. Esfuerzo que empieza a concretarse desde 1965 y que toma auge en el 1967 cuando se celebra un plebiscito acordado por encargo de Washington, acordado por la Asamblea Legislativa en una sesión extraordinaria, para que el pueblo escogiera entre: el Estado Libre Asociado, la estadidad y la independencia para producir el resultado de ese plebiscito como forma de parar el desarrollo del caso de

Puerto Rico en las Naciones Unidas. Y el movimiento independentista, a instancias del MPI, junta sus fuerzas para combatir ese plebiscito como un truco colonialista de los Estados Unidos utilizando de instrumento al Partido Popular. Convergimos entonces todos: el PIP, el MPI, el Partido Nacionalista y los grupos autonomistas del Partido Popular, incluyendo un sector del Grupo de los 22, encabezado por Noel Colón Martínez y el Grupo Vanguardia. Todos convergimos en una organización de una gran concentración contra el plebiscito que se llamó Concentración Soberanista Anti Plebiscitaria, que se celebró una semana antes del plebiscito en el Parque Sixto Escobar de San Juan, y que reunió millares de puertorriqueños de todos esos sectores que se manifestaron allí como la oposición real a ese truco plebiscitario. Y de esa experiencia unitaria, sacamos la del Comité Pro Centenario del Grito de Lares, encabezado por el Monseñor Antulio Parrilla Bonilla, que hizo posible la primera gran celebración masiva del Grito de Lares en la historia de Puerto Rico. Cuando digo la primera gran celebración masiva, es sin menoscabo de las celebraciones que llevaba a cabo el Partido Nacionalista en los años '30, donde se movilizaban centenares de nacionalistas de toda la Isla hacia Lares, en la peregrinación por la cuesta de Anón... y todo lo que ellos hacían.

Al Centenario de Lares no fueron centenares, fueron millares y millares de puertorriqueños de todo el país. Y desde dos días antes ya estaban acampando en la orilla del pueblo de Lares jóvenes de todas partes de Puerto Rico. Cuando llegó el día del Centenario en Lares, no se podía ni siquiera transitar en automóvil; tuvieron que prohibirles a los carros subir al pueblo. Tenían que quedarse allá abajo en la carretera. Y fue tal la masividad de aquel acto, que a partir de entonces se convirtió, la efeméride del 23 de septiembre en la máxima celebración del calendario patriótico puertorriqueño, a donde todos los años llegan de todas partes de la Isla independentistas a unirse a esa celebración. Ese día del Centenario de Lares no hubo clases en ninguna escuela, ni en la Universidad de Puerto Rico, porque nosotros decretamos que era día de fiesta nacional y nadie fue a la Universidad y nadie fue a las escuelas, los padres optaron por no mandar a sus hijos a las escuelas. Desde entonces se tomó la providencia de incluir el 23 de septiembre en el calendario de días feriados de la Universidad de Puerto Rico todos los años, para evitar el ausentismo masivo que se había dado en el Centenario.

Inmediatamente después de ese Centenario del Grito de Lares, se produce la intensificación de la campaña contra el servicio militar obligatorio que se había iniciado desde mediados de la década, en la medida en que se iba incrementando la Guerra de Vietnam. Y entonces, nosotros desarrollamos una campaña de resistencia al servicio militar obligatorio y fueron miles de jóvenes puertorriqueños los que se negaron a entrar al ejército americano. En el 1970, dos años después del centenario, en la misma celebración del Grito de Lares, tan masiva como la del centenario, se quemaron dos mil y pico de tarjetas del Servicio Militar Obligatorio, en una pira, que como dije, dirigía el Monseñor Antulio Parrilla. Y consta en los expedientes del COINTELPRO del FBI, que nos acusaron a nosotros por violación de las leyes federales que prohíben como delito federal, hacer eso: quemar tarjetas del servicio militar. No nos acusaron porque estaba el Obispo Parrilla. La Casa Blanca recomendó al *Attorney General* de Estados Unidos que no radicara porque era provocar a la Iglesia Católica. Y, Monseñor nos salvó de ir presos, a los que participamos en aquella quema, según dice el memorando del FBI en el expediente del COINTELPRO.

Nosotros seguimos desarrollando campañas de desafío público de todo cuanto representara la imposición de los Estados Unidos en Puerto Rico. En Culebra, se inició una campaña de desafío contra la presencia de la Marina, mientras el PIP y unos grupos religiosos como los cuáqueros norteamericanos levantaban una capilla en el área de tiro, en el territorio vedado a la población civil de Culebra y arrestaban a Rubén Berríos, y a un grupo de religiosos y militantes pipiolos, que estaban celebrando una actividad religiosa ecuménica allí, y los llevaron a la Corte Federal y los acusaron y los condenaron. Y, Rubén cumplió 3 meses de cárcel por esa acción. Mientras ellos hacían eso, el MPI hacía su propio desafío a la Marina. Nosotros fuimos en lanchas, propiedad de militantes independentistas, invadimos el área de mar donde la Marina realiza sus maniobras, en momentos en que estaban realizando maniobras, con 2 lanchas con la bandera puertorriqueña. Yo iba en una de ellas, piloteada por Raúl González Cruz, un militante del movimiento, que fue director de *Claridad* y que murió muy joven en un accidente automovilístico y que tenía un ánimo y una capacidad heroica extraordinarios. Cuando se nos rajó el piloto que iba pilotear la lancha aquella, Raúl dijo: "Yo la piloteo". Y yo le dije: "Pero, ¿tú conoces de eso?". Y me dice: "Yo jamás en mi vida he estado en una lancha, ni de pasajero, pero yo sé guiar carros, y en algo tiene que parecerse esto". Y agarró la lancha y de allí, de Las Croabas, la sacó a las 12 de la noche y arrancamos para allá para Culebra. Y allí en Culebra al otro día, arrancamos para el campo, para el mar donde estaba la Marina realizando sus operaciones y otro muchacho de Culebra en otra lanchita chiquita, con dos más. Todos con la bandera puertorriqueña en nuestras embarcaciones, nos metimos en el área prohibida. Y bajaban los aviones, a ras de las lanchas, y nos decían: "This is the US Marshall", el alguacil, "Ustedes están violando la ley federal, tal y cual sección del estatuto, salgan de este sitio donde están o serán capturados y enjuiciados por violación a tal sección, qué sé yo tanto". Y nosotros oíamos eso como oír llover y seguíamos pa'lante y pa'lante con aquel piloto, que jamás en su vida había piloteado una lancha, y de momento viene una lancha como tres veces del grande de la nuestra, del US Navy, que viene dirigida directamente hacia nosotros, y entra en un forcejeo con nosotros, para obligarnos a entregarnos. Sería, ¿verdad? Me imagino. Y, cuando la lancha se pega a nosotros, una compañera fupista que iba con nosotros, dicho sea de paso, después ha vivido todos sus años en Nueva York, y, yo la he visto en las concentraciones por años y años, y está allá y, ha sido militante de la lucha durante todos esos años. Esa compañera le dio un jalón al cable de la lancha de la Marina que los dejó vara'os allí en el mar. Por alguna magia se paró el motor de aquella lancha y se quedaron vara'os los marinos alguaciles que venían a detenernos a nosotros, y nosotros seguimos y dimos todas las vueltas por allí y desafiamos.

Y tuvieron que parar la maniobra, y regresamos al puerto de Culebra victoriosos, porque habíamos realizado la maravilla de parar a la Marina de guerra de los Estados Unidos sin que nos pudieran siquiera paralizar nuestras lanchas. Y las dos lanchas llegaron por su propio motor al puerto de Culebra. Y, allí, nos recibieron los amigos que estaban detrás del movimiento contra la Marina en Culebra y, pues, pensábamos que nos iban a arrestar, que nos iban a enjuiciar como habían hecho con Rubén Berríos en días atrás por la actividad en esa tierra. Pero nunca nos arrestaron, nunca nos hicieron nada, nosotros seguimos como Pedro por su casa, llegamos a la Isla Grande, como se dice allá. Publicamos la foto de la lancha nuestra y de todo el operativo, porque llevamos al fotógrafo de *Claridad*, y las publicamos en la portada de *Claridad* con reportajes y todo, y jamás en la vida nos acusaron por nada en relación con ese acto de desafío. De toda aquella campaña de Culebra en la que participó activamente, el entonces alcalde de Culebra del Partido Popular, Feliciano, culminó en que la Marina se retiró de Culebra. Y, se pudo reclamar como una victoria del pueblo la retirada de la Marina de Guerra de los Estados Unidos de Culebra. No así de Vieques, se retiró de Culebra, pero reforzó su presencia en Vieques. Y la lucha en Vieques ha seguido y sigue por años, y sigue todavía hasta el día de hoy. Pero aquella fue una de las grandes victorias del movimiento patriótico de puertorriqueños: la retirada de la Marina de la isla de Culebra.

Llevamos a cabo campañas por el rescate de las playas para el pueblo, que fueron también exitosas. La Constitución de Puerto Rico dice que las playas pertenecen al pueblo de Puerto Rico, pero el Caribe Hilton tiene una playa privada para sus huéspedes y el único sitio por donde se podía entrar era el *lobby* del hotel. Entonces nosotros le metimos un grupo de gente de allá de Barrio Obrero, de Hato Rey y de todos lados, metiéndose por el *lobby* del Caribe Hilton para ir a la playa. Y acusaron a un grupo de nuestros militantes, que estaban encabezando esa manifestación y salieron eventualmente absueltos, porque se probó que no había delito alguno. Se probó en corte que no había pasaje público por donde entrar a aquella playa, y que como el pueblo tiene derecho de tener acceso a la playa, si no hay pasaje público, el único sitio por donde se podía entrar era el *lobby* del Caribe Hilton y por ahí se entró. Y, se afirmó de esa manera el derecho al uso público de las playas y se obligó a que se hicieran pasajes para la gente en Isla Verde, en el Condado. En distintos sitios donde hay playas que se estaban privatizando en la práctica, se tuvieron que hacer callejones para que el pueblo tuviera acceso a esas playas.

Dondequiera que se daba una situación abierta de desigualdad, el MPI estaba presente para desarrollar campañas e impulsar al pueblo a defender lo suyo, porque la consigna general en la que se fundó toda aquella campaña de los años '60 del Movimiento Pro Independencia fue aquella de "¡Despierta Boricua! ¡Defiende lo tuyo!". "Despierta boricua, defiende lo tuyo" se convirtió en una consigna universal en todo el país que la voceaban los que eran del Movimiento y los que no eran del Movimiento. "Despierta boricua, defiende lo tuyo" obtuvo la condición de himno cuando el profesor González le puso música a la consigna. Y, compuso una marcha que la cantaban los emepeístas en todas las manifestaciones que se presentaban llamando a la militancia, a la lucha. A luchar por rescatar el patrimonio nacional cautivo por los Estados Unidos...

En medio de eso se inserta el Movimiento Pro Independencia de Puerto Rico. Orienta y lleva a cabo campañas activas. Se penetra en sectores significativos del movimiento obrero, participando en sus luchas sindicales inmediatas; se empieza a concienciar a algún sector del liderato obrero, que empieza a acercarse al movimiento y a reunirse bajo sus tiendas. Y, más allá de eso, el movimiento va influyendo, de tal suerte que surge aquí, espontáneamente una lucha clandestina en contra de la penetración del gran comercio norteamericano en Puerto Rico. Y esa lucha clandestina se manifiesta principalmente en dos organizaciones que se conocieron porque realizaban acciones y emitían comunicados, los Comandos Armados de Liberación, que les llamaban las CAL, y el Movimiento Independentista Revolucionario Armado, la

MIRA. Cada una de estas organizaciones hacía sus acciones, prendían en fuego el Bargain Town, KMart, los Grand Union y todas las tiendas y comercios norteamericanos, que perdían millones en esas conflagraciones, donde, dicho sea de paso, nunca mataron a nadie. Eran acciones armadas de precisión quirúrgica, realizaban sus actos para causar daños a los invasores del comercio sin afectar la vida de ningún inocente, ni de ninguna persona.

Eso fue creando un clima de combatividad, pero a su vez, un clima de represión. Porque naturalmente, en la medida en que se intensifica la lucha, se intensifica la represión y viceversa. Nosotros respondimos en el MPI con la consigna "Mayor represión, mayor combatividad", "Ustedes nos reprimen a nosotros porque como no pueden reprimir al movimiento clandestino, porque es clandestino, pues reprimen a los que estamos de frente. Pues nosotros vamos a responder con mayor combatividad". Y eso va creando una tensión social muy grande. De ahí es que surge todo el programa de descrédito contra el MPI por parte de los medios oficiales y donde se presenta al MPI como la organización diabólica que engendra toda esta acción y todo lo que tenga que ver con destruir el sistema americano de gobierno en Puerto Rico. Y que somos contrarios a la democracia, ya que somos contrarios a la paz y que somos el diablo en candela, cada uno de nosotros. Pero al mismo tiempo, eso va alentando una mística de lucha que se va viendo en todo el ámbito del espectro independentista del país. Se ve en el MPI, que era a la sazón la organización más articulada de masas que había en el independentismo.

Y, se ve en el Partido Independentista que empieza a renacer bajo un nuevo aliento, después de haber pasado un periodo de estancamiento y prácticamente haber desaparecido del panorama electoral. Porque el PIP estuvo perdiendo su franquicia electoral en el '60, '64 y '68. En los tres momentos, en esas tres elecciones, el PIP no alcanzó la franquicia electoral, aunque volvió a inscribirse, pero la volvía a perder. Pero ya en el '72, el PIP gana otra vez la franquicia electoral y gana otra vez una representación parlamentaria por primera vez desde que la perdió en 1960. Y, el PIP se renueva con unas posiciones muy parecidas a las del MPI. A lo largo del periodo entre el '68 y el '72, luego de la muerte del doctor Concepción de Gracia, hay un triunvirato que toma las riendas del PIP y luego ese triunvirato se elimina....

[Luego hay un liderato] muy influenciado por la tónica y la mística del MPI, incluyendo a Gallisá que finalmente se metió al MPI, al PSP. E incluyendo a Rubén que, aunque nunca se admitió al MPI ni al PSP, se inició en sus lides políticas bajo el aliento del MPI y sus orígenes estuvieron vinculados a la Concentración Soberanista Contra el Plebiscito, que él fue responsable de la organización en la Zona Metropolitana de esa concentración dirigida por el doctor José Milton Soltero, que era miembro del MPI. Y ese Partido Independentista que se fue forjando con una nueva tónica, se parecía más al MPI que al viejo PIP. Por eso fue que en el 1970 hicimos una actividad conjunta. No sé si fue en el '70 o '71, la Marcha de los Gobernadores. Hicimos una actividad conjunta del MPI y el PIP para protestar por el sistema colonial imperante en Puerto Rico en ocasión de una conferencia de gobernadores de Estados Unidos en Puerto Rico que se celebró en los hoteles de Isla Verde, aquí en San Juan. Esa marcha se produjo como la manifestación más masiva y de más gente que se había celebrado en toda la historia de Puerto Rico. Y, así lo reconoció la prensa, incluyendo la prensa americana en Puerto Rico como el *San Juan Star*. Se calculó que no menos de 100 mil personas participaron en aquella marcha de los gobernadores. Tuvimos que negociar con el gobierno de Luis Ferré. Afortunadamente el Secretario de Justicia de Luis Ferré era un hombre muy razonable y liberal en su visión, que es Santiago Soler Favale. Y, nosotros negociamos directamente con Chago Soler la ruta de la marcha, porque no querían permitirnos pasar por frente a los hoteles, porque allí se necesitaba la avenida Isla Verde para el tránsito de los gobernadores de los hoteles a San Juan y que nosotros nos fuéramos a la 65 de Infantería, no a la 65 sino a la Baldorioty de Castro, que queda a distancia de los hoteles. Y, nosotros le decíamos que no, que lo que íbamos a marchar era para que los gobernadores nos vieran, no era por allá lejos. Y, finalmente pudimos llegar a un acuerdo en que se pusieron unos drones en el medio de la avenida Isla Verde y la mitad de la avenida Isla Verde era para los gobernadores entrar y salir y la otra parte era para nosotros marchar. Y, se pudo realizar ese acto.

2. Rubén Berríos Martínez
Presidencia única, Nuevo PIP y relación con el MPI

Néstor Duprey Salgado: Se celebra la asamblea de la presidencia única. Tú sales electo presidente, con Carlos Gallisá vicepresidente, y ahí se acelera el proceso de transformación ideológica del *Partido. Que tú planteas que comienza en el '67 con tu artículo "Independencia: ¿para qué?" Cuando tú asumes la presidencia del PIP en 1970 coincide, en cuestión de meses, con el triunfo de Salvador Allende en Chile y realizas un viaje a la juramentación de Allende.*

Rubén Berríos Martínez: Sí. Ahí tengo la foto cuando le entregué la bandera de Puerto Rico.

NDS: Y coincides en ese viaje con Juan Mari Brás. Y yo tengo entendido que es la primera vez que tú compartes, con algún grado de cercanía, con Mari Brás.

RBM: Sí. Pero, te recuerdo que ya en la campaña antiplebiscitaria Juan y yo habíamos participado juntos en varias actividades.

NDS: ¿Cómo se da la invitación a la toma de posesión de Allende en el '70? ¿No te acuerdas?

RBM: Pues mira, yo no recuerdo. Yo creo que llegamos a Chile por vías distintas. Yo sí recuerdo que en el viaje de vuelta paramos en Lima, Perú y nos fuimos juntos a comer. No recuerdo la conversación que tuvimos, pero sí sé que esa noche nos ofrecieron ceviche –y yo, pues no como pescado crudo, ni semicrudo– y Juan comió ceviche y se enfermó. Siempre bromeábamos respecto a eso. Fue la primera vez que pudimos compartir y hablar, establecer una buena relación.

NDS: Te pregunto, porque es curioso que después de ese encuentro se van a dar una serie de actividades conjuntas entre el PIP y el MPI, luego PSP: la marcha de los gobernadores, se celebran los Gritos de Lares de manera unitaria, y ustedes comparecen en el '72 en las Naciones Unidas juntos.

RBM: Eso sí lo recuerdo con claridad.

NDS: ¿Cómo se da ese restablecimiento de la relación? Porque la relación del PIP y el PSP/ MPI era un poco distante con don Gilberto. ¿Cómo se da ese acercamiento? ¿Cómo fue esa experiencia? ¿Qué tú recuerdas de ese proceso?

RBM: Bueno, recuerdo los eventos que tú mencionas. La marcha de los gobernadores...

NDS: Que fue una marcha multitudinaria.

RBM: Sí, sí. Terminó, si mal no recuerdo, allá frente a los hoteles en Isla Verde. Y después, pues, recuerdo la comparecencia ante la ONU. Mi comparecencia está publicada en mi libro *Razón y Lucha*.

NDS: ¿Tú recuerdas cómo se da y por qué esa decisión de comparecer a la ONU en ese momento en el '72 ante el Comité de Descolonización? ¿Tuvo que ver el gobierno de Cuba?

RBM: Sí.

NDS: ¿Fue una iniciativa de acá? ¿De Puerto Rico?

RBM: No lo recuerdo exactamente, pero sí sé que de aquí se hicieron peticiones a la ONU. El MPI hizo una petición, nosotros hicimos una petición, no recuerdo si el Partido Nacionalista hizo una petición, pero sí sé que ahí fue que empezó a abrirse la puerta de la ONU, con la comparecencia de Juan y la mía. El propósito fundamental de esa comparecencia fue abrir el foro. Y como consecuencia, la decisión en la ONU fue mantener bajo consideración el caso de Puerto Rico y encargar al Relator un informe sobre el mismo. Sí, recuerdo mi insistencia, (y creo que de Juan también), en reuniones previas con el gobierno cubano, con los embajadores de la ONU; recuerdo que yo insistía siempre que no era cuestión de poner a Puerto Rico otra vez en la lista de colonias, porque eso significaría revisitar la decisión de la ONU del '53 y muchos países iban a usar eso como pretexto para no respaldarnos. Insistí en que no nos metiéramos en ese lío, que había una solución mucho más sencilla jurídicamente. Y es que entonces, contrario al 1953, lo que aplicaba no era el Art. 73(e) de la Carta, sino la Resolución 1514 (XV) del 1960, que se refería a los territorios que aún no habían logrado su independencia. Y que, por lo tanto, la ONU podía adquirir jurisdicción en el caso de Puerto Rico. El informe del Comité de Descolonización iría a la Asamblea General y la Asamblea General lo aprobaría. Yo recuerdo que yo usaba la frase, "Después que el Comité asuma jurisdicción, olvídate...". Eso es como si a ti te admiten a cardiología, pues ya, obviamente, tú tienes un problema del corazón. "Olvídense de volver a la lista, eso es inmaterial." Recuerdo que poco después escribí un artículo sobre la materia que apareció en *el American Journal of International Law*.

NDS: Y ¿qué pasó después?

RBM: Ahí es que viene la elección del '72... Pero, antes, viene Culebra, que es fundamental. A mí se me conocía en el Partido, pero el reconocimiento en el país no era el que yo tenía en el Partido. Entonces viene lo de Culebra, en el '71. Obviamente lo de Culebra estuvo muy influenciado por mi vivencia con todo el proceso de los derechos civiles en Estados Unidos, que transcurrió cuando yo estudiaba en ese país. Y, la idea de utilizar la desobediencia civil, además de la vía electoral, se concreta en ese momento y tiene un resultado fructífero.

NDS: Tú introduces la desobediencia civil como una práctica política en el PIP, que es otra ruptura, hasta cierto punto con el PIP de Concepción de Gracia...

RBM: Con el independentismo en general.

NDS: ...y con el independentismo en general. ¿Cómo fue esa experiencia para ti? ¿Por qué Culebra? ¿Cómo se da ese proceso de decidir específicamente practicar la desobediencia en Culebra? ¿Por qué?

RBM: ¿Qué fue lo que pasó en Culebra?

NDS: Porque aquí no hay David Sanes, un evento que provoque, ¿no?

RBM: Pero había algo relativo a una protesta en Culebra.

NDS: Yo creo que fueron unos ejercicios. Yo voy a averiguar. Creo que fueron unos ejercicios.

RBM: Sí. Yo creo que tiene que ver algo con una bomba que cayó en un lugar que no debía caer.

NDS: Se había dado toda la revelación de las cartas de Muñoz con Kennedy, de la posibilidad de entregar Vieques-Culebra...

RBM: Sí, pero creo que cayó una bomba cerca del pueblito y como allí todo es cerca; ahí vimos la oportunidad.

NDS: Ninguno de ellos había practicado desobediencia civil.

RBM: No, no. Pero, además, en Culebra me di cuenta de algo importante: de que *facta non verba* es importante.... Mucha gente no echó para adelante allí....

NDS: De los que se suponía y no estuvieron.

RBM: Así mismo es.

NDS: Y para ti, ¿qué representó esa experiencia en prisión?

RBM: Era en el Oso Blanco. Fuerte. Allí estaban todavía varios nacionalistas, Toñito Cruz Colón entre ellos. Experiencia fuerte, pero esperanzadora, pues se levantó un gran revuelo en el país. Los que fuimos allí nos reuníamos y hablábamos.

NDS: ¿Los trece?

RBM: Sí, los trece. Nos reuníamos y hablábamos. También me di cuenta de lo difícil que es esta lucha. Una de las personas de Culebra que fue encarcelada, no era independentista, y la noche de la pelea de Muhammad Alí y Frazier, él iba a Frazier. Yo no podía entender. Me di cuenta de lo compleja y contradictoria que es esta realidad nuestra. Un hombre bueno, trabajador, que cumplió cárcel con nosotros, pero iba a Frazier.

NDS: Tú consideras que esos son los dos principales cambios que tú estableces en la presidencia, en la línea política del PIP y en la práctica del PIP

RBM: Sí. La desobediencia civil y la definición socialista democrática.

3. Luis Ángel Torres
Otros grupos, renovación del PIP y muerte de Antonia Martínez

Entrevistador: ¿Qué otros grupos y qué influencias, si algunas, de otros sectores se ingresan al PIP, como César Andreu, Norman Pietri? Entiendo que la gente del PSR [Partido Socialista Revolucionario] también estaba haciendo un trabajo anterior al PIP, si eso tuvo algún impacto en esos años, ¿qué impacto tuvo?

Luis Ángel Torres: Sí, yo creo que hubo impacto, pero fue posterior. El impacto principal fue después del '70, pero antes de 1970 el impacto principal, que yo recuerdo, fue la gran influencia que tuvo en nosotros la invasión de Checoslovaquia por parte de la Unión Soviética, que se conocía en aquel momento como el Pacto de Varsovia. Para nosotros, eso fue una crisis porque estábamos en un proceso de acercamiento al socialismo, de estudio del marxismo, tanto en la universidad como en círculos de estudio, aunque obviamente estábamos dentro de la estructura de un partido que no era marxista que era el PIP, pero fue un impacto muy grande porque nos permitió comenzar un debate dentro del PIP sobre el socialismo democrático y cómo lo que había pasado en Checoslovaquia nosotros lo veíamos como una negación de ese socialismo democrático. Eso nos permitió que en el PIP se asumiera ese debate como un debate importante, por lo menos, a nivel de la juventud. Y obviamente, personas como César Andreu Iglesias y otra serie de compañeros que militaban en ese momento en el MPI, pues contribuyeron a que ese debate se fuera dando. Y esto es importante porque hasta mediados de la década del '60, el independentismo era demasiado cuidadoso en discutir públicamente las diferencias. Nosotros decíamos que el independentismo se nos asemejaba a una logia, donde las cosas se discutían entre columnas, como decía una consigna de una logia, y no se querían discutir públicamente con unas grandes limitaciones porque entonces la gente pensaba que el independentismo no tenía unos problemas, que sí los tenía y que estaban afectando definitivamente el proceso de lucha por la independencia. Yo creo que uno de los grandes logros o virtudes de esos años antes del '70 fue que logramos que esa discusión se sacara hacia afuera y comenzar un debate que poco a poco moviera al independentismo hacia la necesidad de lograr unas transformaciones. Transformaciones que se van a lograr en el PIP a partir de 1970 cuando Rubén Berríos es electo el 25 de enero del 1970 como presidente del Partido. Porque como les dije horita hasta ese momento lo que había predominado era un triunvirato, pero esas transformaciones también se van a dar o ya se estaban dando dentro del Movimiento Pro Independencia que, posteriormente en 1972, si la mente no me traiciona se convierte en Partido Socialista Puertorriqueño.

Ent: Se dan también. Antes de continuar con eso, me gustaría que habláramos de la muerte de Antonia, ¿cómo vieron eso siendo universitarios? ¿Qué fue lo que pasó? Son años también donde hay organizaciones de lucha armada como se ve, son años violentos de todas partes, ¿cómo fue esa experiencia?

LAT: Yo creo que esa fue una experiencia sumamente intensa y que contribuyó mucho al desarrollo político nuestro de amplios sectores de la juventud universitaria. El asesinato de Antonia Martínez Lagares, estudiante de pedagogía que muere el 4 de marzo de 1970, cuando la Policía invade la universidad dentro de la lucha contra el ROTC y ocupa las calles de Río Piedras y comienza a disparar indiscriminadamente, incluso hacia las residencias, y allí pues uno de los policías que dispara mata a Antonia Martínez. Que definitivamente es lamentable, pues es la muerte de una compañera estudiante. Sin embargo, esa muerte tuvo un impacto sumamente grande en el desarrollo de la conciencia de los estudiantes universitarios. Yo lo diría en dos niveles, en el nivel de la conciencia de la necesidad de seguir luchando y de profundizar teniendo un mayor compromiso en la lucha en contra de la presencia militar en la universidad. En segundo lugar, pues lleva también a que un sector amplio del estudiantado comience a tomar conciencia de que se tiene que preparar para enfrentar las embestidas represivas de la Policía. A nivel nacional en Puerto Rico, pues ya se está dando la intervención de la recién creada Unidad de Inteligencia de la Policía, las intervenciones de la fuerza de choque en las comunidades y en las huelgas. La fuerza de choque, que había sido creada también por el gobierno de Luis A Ferré. Pues esas intervenciones comienzan a influenciar al independentismo, por lo menos a unos sectores, de que es necesario prepararse para enfrentar la represión, y dentro de ese contexto y lo que mencioné anteriormente, de las luchas revolucionarias que se estaban dando en América Latina, pues surgieron desde finales de la década del '60 y principios del '70 organizaciones de tipo armado como los Comandos Armados de Liberación (CAL), el Movimiento Independentista Revolucionario Armado (MIRA) y distintos grupos. Algunos que tenían nombres, otros que no usaban un nombre así distintivo, comenzaron a plantearse que la lucha por la independencia y el socialismo fuera acompañada de una preparación para enfrentar la represión y comenzaron a desarrollar el planteamiento de que, para la toma del poder por los trabajadores en Puerto Rico o para el logro de la independencia, el independentismo tenía que hacerlo por métodos armados y aunque esa no fuera la norma cotidiana en la lucha, había que prepararse para que en el momento adecuado se pudiera entonces responder a ese nivel también. Es parte entonces de las influencias que tuvimos en esos años, donde la represión fue cada día más marcada y, por lo tanto, pues provocaba el que hubiese una respuesta de los trabajadores o del independentismo a distintos niveles.

Ent: En ese contexto, el PIP toma otra línea un poco más pacifista, ¿verdad? Ahí está Culebra, que van para ser arrestados, dejarse arrestar. ¿Cómo se da la lucha del PIP versus lo que está sucediendo en estas tres organizaciones?

LAT: Bueno, el PIP asume una actitud crítica de los métodos de lucha armados. Sin embargo, tiene una gran contradicción interna, y es que la juventud del PIP, que se había fundado más o menos para el 1969 la Juventud Independentista Universitaria y la Juventud Independentista Estudiantil que se funda en 1970, estábamos dando una lucha contra el militarismo en las universidades y en las escuelas que provocaba acciones represivas de parte del estado. La fuerza de choque incluso intervino en escuelas públicas, haciendo redadas contra estudiantes independentistas. La fuerza de choque intervino varias veces en los conflictos universitarios y, por lo tanto, aunque el PIP tuviera una posición crítica sobre la lucha armada, los que estábamos dentro y enfrentándonos a la represión teníamos que prepararnos también para poder repeler los ataques de la Policía. O sea, que a pesar de que el liderato se oponía o criticaba esos métodos de lucha, tenía que entender que nosotros teníamos que usarlos en el contexto de la lucha universitaria, donde la represión era una de las características principales. El liderato, sin embargo, mantenía su posición de crítica hacia la lucha armada. El PIP no asumía una posición de condena necesariamente de las acciones armadas. Lo vio como una respuesta de unos sectores. El PIP decía pues sectores desesperados, quizás que habían perdido paciencia en la lucha por la independencia, que legítimamente están respondiendo de esa manera. En el caso del Partido, pues el Partido endosaba o apoyaba principalmente las actividades de desobediencia civil. Entendiendo también que algunas de esas actividades podían generar violencia, y el caso más típico es el caso de Culebra, donde el partido en 1970 asume la campaña de sacar a la Marina de Culebra y utiliza la desobediencia civil pacífica como el método principal para que ese objetivo se logre y fue de tal impacto la campaña desarrollada por el PIP que logró que el Movimiento Pro Independencia y otros sectores que apoyaban otros métodos de lucha también participaran utilizando la misma estrategia o táctica de desobediencia civil pacífica en el proceso de Culebra. O sea, que en cierto sentido logró una unificación a nivel del independentismo. Proceso de unificación para que la táctica de desobediencia civil sea utilizada por todos los sectores del independentismo.

Ent: Y, en ese sentido, también se desarrollan conversaciones entre ambos grupos y se da también coincidencia en marchas y en otras actividades, como en la de los Gobernadores, el súper puerto, ¿puede hablarnos un poco de ese proceso?

LAT: En 1970, como le señalé, cuando Rubén Berríos sale presidente del Partido, uno de los compromisos a que Rubén Berríos llegó con la juventud era que iba a iniciar un proceso para el desarrollo de un programa del Partido y que en ese proceso de diseño del programa la juventud iba a tener un papel preponderante. Y que las ideas socialistas que nosotros estábamos planteando pues iban a ser consideradas. De hecho, según se va dando el debate para llegar a la confección del programa, entre el '70 y '71, pues el programa acoge el socialismo democrático como el contenido fundamental del Partido Independentista Puertorriqueño. Proceso que no fue fácil porque había un sector dentro del Partido que había sido el sector dominante durante la mayor parte de los años de existencia del Partido, que era una pequeña burguesía acomodada o incluso sectores de la burguesía puertorriqueña nacionalista que apoyaban al PIP. Y eso pues, provocó un intenso debate en la organización porque ese sector no aceptaba el socialismo como alternativa. Sin embargo, ante la fuerza que tenía la juventud dentro del Partido y ante el hecho de que Rubén, Carlos Gallisá y otros líderes del Partido asumieron el discurso socialista, pues ese sector se fue retrayendo, siguió apoyando al Partido, pero ya en menor medida y como decíamos nosotros se quedó un poco a la expectativa para ver qué era lo que sucedía en el Partido. Ese pronunciamiento del PIP como un partido independentista con un programa socialista, pues provoca a su vez un acercamiento con el Movimiento Pro Independencia que también había venido hablando durante los últimos años de socialismo o de la lucha por la independencia como una lucha por la liberación nacional tomando como ejemplo el caso de la Revolución Cubana. Y al comenzar a darse un lenguaje bastante parecido, el estudio del marxismo, el estudio de las experiencias de lucha latinoamericana, de luchas anticoloniales, pues permitió un acercamiento entre ambas organizaciones y se estableció una comisión que comenzó a darle forma a lo que posteriormente se denominó Frente Unido entre el PIP y el PSP. Que no pasó de unas etapas formativas, pero que por lo menos fue un elemento muy importante para que se produjeran unos acercamientos. Además de las reuniones y actividades conjuntas que se hicieron, se llevó a cabo el 12 de septiembre de 1971, la gran marcha en contra de la convención de gobernadores de Estados Unidos que se hizo en Isla Verde. Esa se considera una de las actividades independentistas más masivas que se ha hecho en la historia de este país donde tanto el MPI como el PIP, como otras organizaciones menores, hicieron un trabajo excelente de movilización y se logró que miles y miles, en aquel momento se calculó en unos 80 a 90 mil asistentes, participaran en una actividad tipo anticolonial. Y se esperaba que para el proceso electoral del '72, que sería un año después, pues se produjera un tipo de acuerdo o resultado por consenso entre ambas organizaciones, pero no fue así.

Ent: Y de ahí, el Frente Unido Cero Votos en el '72.

LAT: Sí.

4. Carlos Gallisá
Asamblea del PIP de 1970 y vicepresidencia del Partido

Carlos Gallisá Bisbal: Pues entonces Tuto Marchand y yo estábamos muy bien. Y llega un momento en que yo digo: "Yo no puedo estar haciendo estas cosas aquí, tú sabes, corporativas y a la misma vez diciendo lo que estoy diciendo." Y Rubén me dice: "Tú tienes que ser el vicepresidente." Yo le digo que no, porque había una vieja guardia que no quería a Rubén. Y es que esa vieja guardia, cuando Rubén empieza a hablar del socialismo, se echa para atrás. Yo digo: "Mira, para que tú seas presidente tienes que transigir con esa vieja guardia." Me dice que no. Todavía caminando hacia Bayamón, a la asamblea, me sigue diciendo que no. Y cuando yo acepto, en esa asamblea empiezan a surgir otros candidatos. Ya había como cinco o seis, qué sé yo. Porque me veían a mí también de los de Rubén. Siempre recuerdo que era en un cuadrilátero, allí en Bayamón, donde hacíamos la asamblea, la [cancha] Pepín Cestero.

JSJ: La que está por ahí, por Villa Rica.

CGB: Sí, esa. Y cuando después que me nominan y acepto, empiezan a surgir más candidatos, yo dije: "Bueno, yo he aceptado aquí porque entendía que era lo correcto." Luego digo: "No, para el carajo." Así que rechazo la nominación. Siempre recuerdo que Rubén me dice: "No me dejes solo." Y cuando bajo, Raúl Serrano, que había sido juez del [Tribunal] Supremo, estaba muy cerca de nosotros, y me dice: "Si no eres tú, esto se jod... Tú eres el único que puede bregar con Rubén." Y ahí yo me quedo, porque la juventud que había en aquel entonces se creía que yo era de la vieja guardia, o sectores de la juventud, porque José Antonio Ortiz, de la vieja guardia, me pide que yo lo represente y entonces una gente allí se confundió de que yo venía del otro lado. Y entonces se paró José Miguel Pérez, que era el presidente de la juventud, y dijo: "El candidato de la juventud es Carlos Gallisá." Y ahí pues se acabó el evento. Pues, esos son sentimientos que le dan a uno y que uno, pues tiene que bregar con esos sentimientos y eso me jod... la vida familiar, económica, tuve problemas largos, económicos... De tener que vender cosas...Tú me hablabas del carrito aquel. Yo tenía un Riviera a todo "switch." Yo tenía un Rolex en aquella época, que eso no lo tenía nadie. Muchacho, de un Rolex y de un Riviera pasé a un Datsun. Yo no sé ni como yo viví unos cuantos años de eso, ahora mismo no tengo mucho. Me divorcié también, pero no me arrepiento de nada de eso. Creo que he vivido una vida que yo quería vivir, tú sabes, y no me arrepiento. Yo creo que tengo unas experiencias que me ayudaron mucho. Especialmente, no me deslumbra nada de la burguesía porque lo tuve como abogado. Viví una vida de burguesía. Así que a mí no me deslumbra el ir a una comida o un vino, que ha deslumbrado a muchos independentistas cuando lo conocen.

JSJ: Sí, yo por lo menos creo que el que sabe eso se da cuenta del compromiso.

CGB: El compromiso de uno es mayor.

JSJ: Porque usted dejó lo que muchos conocieron después.

CGB: Sí.

JSJ: Yo estoy seguro de que no fue fácil. Yo no viví eso, pero estoy seguro de que no fue fácil. Porque muchas veces representando trabajadores a veces, no se hace lo que es económicamente suficiente para subsistir, ¿no?

CGB: Además de eso, digo, no por nada de elogios, no, un amigo mío me dice que yo he sido el dirigente independentista como que ha tenido más agarre con el pueblo. Yo juego billar, yo juego dómino, estoy dispuesto a entrar a una barra... Que muchos independentistas dirigentes no han tenido ese agarre. Y lo hago muy generalmente porque, pues era atleta y tenía agarre con mucha gente.

JSJ: Háblame de Culebra.

CGB: Culebra fue importante.

JSJ: Pero, usted no estaba haciendo desobediencia en Culebra. Usted estaba trabajando acá.

CGB: Sí, iba a lo de Culebra también.

JSJ: Pero, usted no fue preso por [estar en] Culebra.

CGB: Yo no fui preso, no. Porque tuvimos una reunión allá en Culebra y sabíamos que el que tenía que ir preso era Rubén. Me dijeron que me tenía que quedar fuera, como vicepresidente, para dirigir el Partido. Tuve que dirigir como tres meses porque él estaba preso. Pero como son las cosas aquí, tú sabes. Yo entraba a ese presidio todos los días prácticamente.

JSJ: Él estaba en La Princesa, ¿verdad?

CGB: Estuvo inicialmente en La Princesa y después en la parte federal del Oso Blanco.

5. Norman Pietri

EL MPI y la lucha armada

Mari Mari Narváez: En la década del '70, hubo un conflicto que provocó una ruptura importante en el MPI. Grupos como los Comandos Armados de Liberación (CAL) llevaban a cabo acciones revolucionarias armadas y hubo grandes diferencias en torno a ese método de lucha. "Eso mismo pasó en toda América Latina, cuando se dividió en muchos partidos comunistas", dice Pietri. A raíz de esta diferencia, algunos miembros de la dirección política, como César Andreu Iglesias y George H. Fromm, renunciaron y se marcharon. En el ámbito interno, Norman Pietri, que entonces también trabajaba en *Claridad*, censuró enérgicamente uno de esos actos. Mari Brás, por su parte, lo defendió como acto de guerra. El argumento de Pietri y los otros era que un grupo militar estaba tomando y ejecutando decisiones políticas que, en todo caso, le correspondía aprobar o rechazar a la comisión política del Movimiento, por las tremendas implicaciones que estas tenían. "A la larga, esa división prevaleció, pero fue a la larga. Ya para 1976, alguien fue a mi casa y me dijo: 'Ah, tus posiciones políticas han prevalecido, regresa'. Pero eso no es así que uno aprieta un botón y uno triunfó". Cuenta Pietri que, cuando él condenó esas acciones armadas, "había gente fanatizada por esto. Y me vieron como una especie de traidor. Me querían 'matar'", dice metafóricamente. "Como yo me quedé... Los demás se fueron, pero yo me quedé discutiendo y les dije que ese no era el camino. Y cuando hubo una reunión de la misión nacional para sustituirnos, Mari Brás no quería (sustituirnos)".

Mari Mari Narváez: ¿Pero esas cosas se discutían así, en asambleas y todo?

Norman Pietri: Se discutían. De una forma sutil, pero se discutían, por lo menos en las reuniones de la misión nacional, cuando se discutió el ataque al MPI en el 1969, nos reunimos en Ponce y se discutían cosas y se hablaba de lucha armada. En una forma sutil a veces, a veces en grupos más pequeños. Afortunadamente nunca hubo, al menos a nivel de la dirección, una delación ni nada de eso... Había que cuidarse cuando se discutía".

Norman se quedó en la dirección del MPI hasta que decidió irse porque lo miraban mal, muchos no lo querían allí. "No Mari Brás", aclara. "Mi relación con él era excelente, pero me refiero a otros, a niveles de menos autoridad. A nivel personal, Mari Brás y yo no rompimos. Pero en el periódico... Bueno, él era el director de *Claridad* y yo renuncié. Después se hizo una componenda y volvimos todos, pero pasaron otra serie de incidentes y volvimos a irnos".

MM: ¿Incidentes de la misma naturaleza?

NP: Más o menos.

MM: Pero, entonces, Mari Brás le decía que esos eran actos de guerra.

NP: Él publicó un artículo (expresando su posición). Había una división.

MM: Y el mismo Mari Brás usted dice que, aunque se distanciaban, personalmente seguían siendo...

NP: A los pocos meses nos veíamos en casa de Pupa (Trabal) y jugábamos dominó. Y rehicimos nuestra relación de amistad. Él incluso me quería nombrar, que si para el PSP, como comisionado electoral y yo le dije que no, que no me interesaba. Quería que me integrara más de lo que me interesaba.

Desde la izquierda: Manuel Maldonado Denis, Juan Mari Brás, Nilita Vientós Gastón, José Milton Soltero y Rubén Berríos Martínez camino a la toma de posesión del presidente de Chile, Salvador Allende, 1970. (Archivo del periódico *Claridad*)

Carlos Gallisá dirigiéndose a militantes del PIP en el campamento de desobediencia civil en Culebra. (Archivo del periódico *Claridad*)

Rubén Berríos Martínez encarcelado luego de realizar desobediencia civil en Culebra. (Archivo histórico Partido Independentista Puertorriqueño)

Sobre estas líneas: Juan Mari Brás y militantes del MPI interrumpen ejercicios de la Marina estadounidense en Culebra (Archivo del periódico *Claridad*)

Rubén Berríos Martínez a su salida de la cárcel, acompañado entre otros por Luis Rivera Lacourt, David Noriega, Jorge Morales Yordán, Carlos Gallisá y Noel Colón Martínez. (Fondo carpetas de la Policía AGPR)

Rubén Berríos Martínez dirigiéndose al público a su salida de la cárcel. (Fondo carpetas de la policía AGPR).

Noel Colón Martínez comparte con Rubén Berríos a la salida de este último de la cárcel en 1971. (Archivo del periódico *Claridad*)

Sobre estas líneas:
Conferencia de prensa del PIP y MPI convocando una marcha conjunta contra la Conferencia de Gobernadores estadounidenses a celebrarse en Isla Verde en 1971.
(Archivo del periódico *Claridad*)

Vista de la marcha contra la Conferencia de Gobernadores estadounidenses en Isla Verde.
(Archivo del periódico *Claridad*)

4-A EL MUNDO Sábado, 7 de Marzo de 1970

Arecibo Testimonia Duelo Sepelio Estudiante

Condenan Uso Armas Fuego en Río Piedras

Lea La Revista HABLEMOS

DEMOLICIONES EXCAVACIONES

765-2550 • 766-5430 • 765-9612

SUBASTA

SERVICIO CAFETERIA POSTAL EDIFICIO CORREO GENERAL AVE. FRANKLIN DELANO ROOSEVELT HATO REY, PUERTO RICO

¡Le nombraron gerente!

Remodelación y Ampliación del Hospital del Maestro

Mensaje de:

"Arecibo testimonia duelo sepelio estudiante."
Periódico *El Mundo*, 7 de marzo de 1970.

UNITED ST TES DEPARTMENT OF JUSTICE
FEDERAL BUREAU OF INVESTIGATION
San Juan, Puerto Rico

In Reply, Please Refer to
File No.

MAR 2 3 1970

PARTIDO INDEPENDENTISTA PUERTORRIQUENO
(INDEPENDENCE PARTY OF PUERTO RICO)(PIP)
INTERNAL SECURITY - PUERTO RICAN NATIONALIST

A characterization of the PIP is attached.

EVENTS REFLECTING STATUS OF PARTY

On March 10, 1970, Mrs. ROSITA M. CORDOVA, Secretary to the Superintendent, Commonwealth of Puerto Rico Elections Board, San Juan, Puerto Rico, advised that at the January 23, 1970 meeting of the Elections Board, the PIP was certified as a legally constituted political party in Puerto Rico by reason of petition.

PARTY LEADERSHIP

The January 9, 1970, edition of "The San Juan Star", an English language daily newspaper published in San Juan, Puerto Rico, reported that on January 8, 1970, GILBERTO CONCEPCION SUAREZ and NOEL COLON MARTINEZ, members of the Presidential Commission of the PIP, confirmed their resignations as members of the three-member Presidential Commission of the PIP. This leaves RUBEN BERRIOS MARTINEZ as the only member of the commission. Both CONCEPCION and COLON emphatically denied they have left the party. They stated that they believe in the principle of a one-man presidency because they think that the natural difficulties derived from a collective presidency do not permit efficient direction.

The January 26, 1970, edition of "The San Juan Star" reported the results of the Program and Guidelines Convention of the PIP held on January 25, 1970, at Bayamon, Puerto Rico. The three-member Presidential Commission of the PIP was eliminated, and RUBEN BERRIOS MARTINEZ was elected

0-Bureau (RM)
1-Secret Service, SJ
1-NISO
1-771st MI-Det
1-OSI, Ramey AFB
3-San Juan (1-100-4014) (1-100-4014 Sub I)(105-11975)(1-80-106)
(1[redacted])(1-[redacted])(1[redacted](1-[redacted]) b7C
SVT:cab
(22)

This document contains neither recommendations nor conclusions of the FBI. It is the property of the FBI and is loaned to your agency; it and its contents are not to be distributed outside your agency.

ALL INFORMATION CONTAINED
HEREIN IS UNCLASSIFIED
DATE 5-18-00 BY 60267 NLS/ERKD

100-4014-3579

Memorando del FBI sobre el PIP. 23 de marzo de 1970.

PIP

President by acclamation by the more than 1,000 delegates to the convention.

Following BERRIOS' election, attorney CARLOS GALLISA was elected Vice-President.

AIMS OF THE PIP

The January 20, 1970, edition of "The San Juan Star" contains the results of a press conference held by BERRIOS, who announced that new guidelines will be submitted to the party at its Program and Guidelines Convention to be held January 25, 1970, at Bayamon, Puerto Rico. BERRIOS indicated that the guidelines contain one hundred-one "new proposals", including some he said would bring "fundamental changes within the party". He mentioned allowing persons from the age of fourteen and up to fill positions in the PIP, allowing only registered party members to participate in party conventions, and having fifteen districts for coordination of party activities instead of the present eight districts, as examples of the new proposals. He also stated that the new proposals create a single presidency for the party instead of a three-man Presidential Board.

BERRIOS added that he expects to leave soon for Princeton University, which has invited him to participate in a symposium on Latin America. He will also seek the backing of liberal leaders for the independence of Puerto Rico, and believed that if TED KENNEDY were to know the case of Puerto Rico, it would be possible that he would support independence for the island. BERRIOS also said that he will talk with responsible leaders of the "New Left" in the United States before returning.

The January 26, 1970, edition of "The San Juan Star" reports that the delegates ratified the one hundred-one new bylaws of the party at the Program and Guidelines Convention on January 25, 1970.

2

"Memorando del FBI..." (continuación)

PIP

During his speech accepting the presidency of the PIP, BERRIOS pledged himself to stronger party unity and a more radical political posture. BERRIOS said the party must adopt "Christian socialism" and "pacific militance" as its principal tactics. In demanding that the party adopt what he termed "the doctrine of the vanguard," BERRIOS stated that the PIP "must be with the down-trodden - those who number some ninety-five per cent of the island's population."

In an interview, BERRIOS placed special significance on the inclusion of other means of gaining independence in addition to going to the polls every four years. "More active participation in protests, marches, pickets and boycotts is now a written part of our guidelines," he said. "These are the very things I've been talking about for a long time but this is the first time they are actually included in PIP rules."

The December 10, 1969, edition of "The San Juan Star" contained an article reporting that on December 9, 1969, PIP Youth Secretary JOSE MIGUEL PEREZ announced that the PIP Youth is now taking steps to drive the Civil Air Patrol (CAP) out of high schools. Anti-CAP activities have taken place at schools in Trujillo Alto, Barranquitas and Bayamon, Puerto Rico.

The January 22, 1970, edition of "Liberacion", self-described as the "Official Voice of the University Youth for Independence" (Juventud Independentista Universitaria)(JIU), which organization at the University of Puerto Rico (UPR) is affiliated with the PIP, lists among the objectives of the JIU for the present school semester the intensification of the struggle for student rights and for university autonomy, the fight against obligatory military service, and above all, a more and more militant struggle against the Reserve Officers Training Corps (ROTC) program.

The February 24, 1970, edition of "The San Juan Star" reported that on the day before, a group of about six hundred PIP youths "invaded" the tiny island of Culebra, holding a rally at the entrance of the Navy Observation Post overlooking the shooting range on the western tip of the island and taking a dip at the beach in what PIP President RUBEN BERRIOS called "an open defiance of Navy restrictions."

3

"Memorando del FBI..." (continuación)

PIP

BERRIOS also stated that the courts "would never rule in favor of Culebra or against the Navy. The only way to solve the Culebra problem and the similar problem of military occupation in Puerto Rico is to achieve our independence as a nation."

Culebra - The island of Culebra is located Northeast of Puerto Rico and extends for approximately 21 square miles. Executive Order #8684, dated February 14, 1941, designated Culebra and adjacent waters as Naval Defensive Areas and Naval Air Space Reservations. In 1963, the Atlantic Fleet Weapons Range was established in Culebra. The range represents one of the largest controlable sea and land spaces available for conducting large scale fleet exercises. The inner-range area includes the islands of Culebra and Vieques, Puerto Rico.

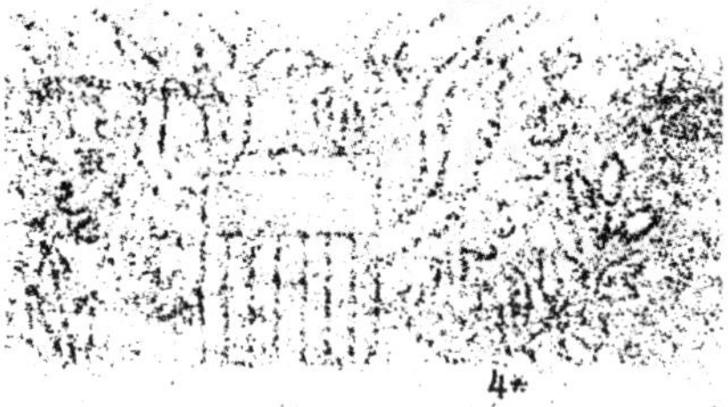

4*

"Memorando del FBI..." (continuación)

hagase busqueda

7708

ESTADO LIBRE ASOCIADO DE PUERTO RICO
POLICIA DE PUERTO RICO

OFICINA DE INTELIGENCIA

Fecha

EL MUNDO

EL IMPARCIAL ✗

DIA

Líderes Renuncian Del MPI

Flor de María Rodríguez
Redactora

Ocho miembros del Movimiento Pro Independencia, (MPI) tres de los cuales pertenecían a la Comisión Política de dicha organización, renunciaron a esa colectividad según se supo hoy.

La renuncia, conforme a lo expresado por fuentes informadas, obedeció a la censura de una columna de César Andreu Iglesias, que se publicaba semanalmente en Claridad, órgano del MPI. Se alega que el artículo en cuestión fue censurado por decisión del Secretario General del MPI, Juan

(Pasa a la Página 15)

Líderes Renuncian Del MPI

(Viene de la Portada)

Mari Brás, quien adujo que el mismo era un ataque personal contra él y que sacaba a la luz pública un debate interno de la organización que dirige.

LA CENSURA, agrega la fuente, fue posteriormente ratificada por algunos miembros de la Comisión Política del MPI, entre los que figuran Lorenzo Piñeiro Rivera, Francisco Manrique Cabrera, Jenaro Rentas, Jaime Luciano y Pedro Baigés Chapel.

El incidente provocó las renuncias de Norman Pietri a la dirección de Claridad y de Samuel Aponte a la subdirección. Este último y César Andreu Iglesias, miembro de la Comisión Política del MPI, Georg Fromm, también miembro de la Comisión Política, y Carlos Quesada, Gervasio García, Jorge López y Diana Cuevas de Andreu, renunciaron también al MPI.

LA COLUMNA en cuestión saldrá impresa en la Revista "Escalera" que se publica por el Colegio de Humanidades de la Universidad de Puerto Rico. En la misma, Andreu Iglesias dice que "el mundo vive en una época de revolución" y que ello se entiende de diversas maneras. Señala que hay personas que creen que ser revolucionario es d[ej]arse el pelo largo o t[e]ner relaciones sexuales d[e] distinta índole.

"No hay que escandal[i]zarse por ello," dice [y] agrega: "Las épocas [re]volucionarias —y esta [lo] es, ¿qué duda cabe?—, r[e]vuelvan las aguas y con[sa]consecuencia salen a la s[u]perficie un montón [de] miasmas. Por eso quien[es] aspiran a revolucionari[os] tienen que distinguir [en] el presente, lo que es f[er]mento de futuro de [lo] que es corrupción del p[a]sado".

EN SU artículo, Andr[eu] Iglesias critica aquell[os] que quieren "hacer u[na] revolución en cualqui[er] sitio, a cualquier hora". "Les basta alguna teor[ía] mal digerida, y ya se pie[n]san robespierres o le[ni]nes".

Dice que estas person[as] se entregan al camino [del] "misticismo revolucio[na]rio" y creen que con el[lo] pueden adelantar la [re]volución.

Agrega que quienes [se] les oponen se ganan [el] anatema de que retranc[an] la revolución.

Según Andreu, la [vio]lencia no crea vida, s[ólo] "la ayuda a nacer" y ag[re]ga que lo decisivo en [el] hombre no es la virt[ud] ni el valor, ni el cono[ci]miento. "Es la superació[n]

EXAMINADO
ABRAHAM DIAZ GONZALEZ
ANGEL ... MARTIN
COMISIONADOS

007708

"Líderes renuncian MPI."
Periódico *El Imparcial*, 26 de junio de 1970.

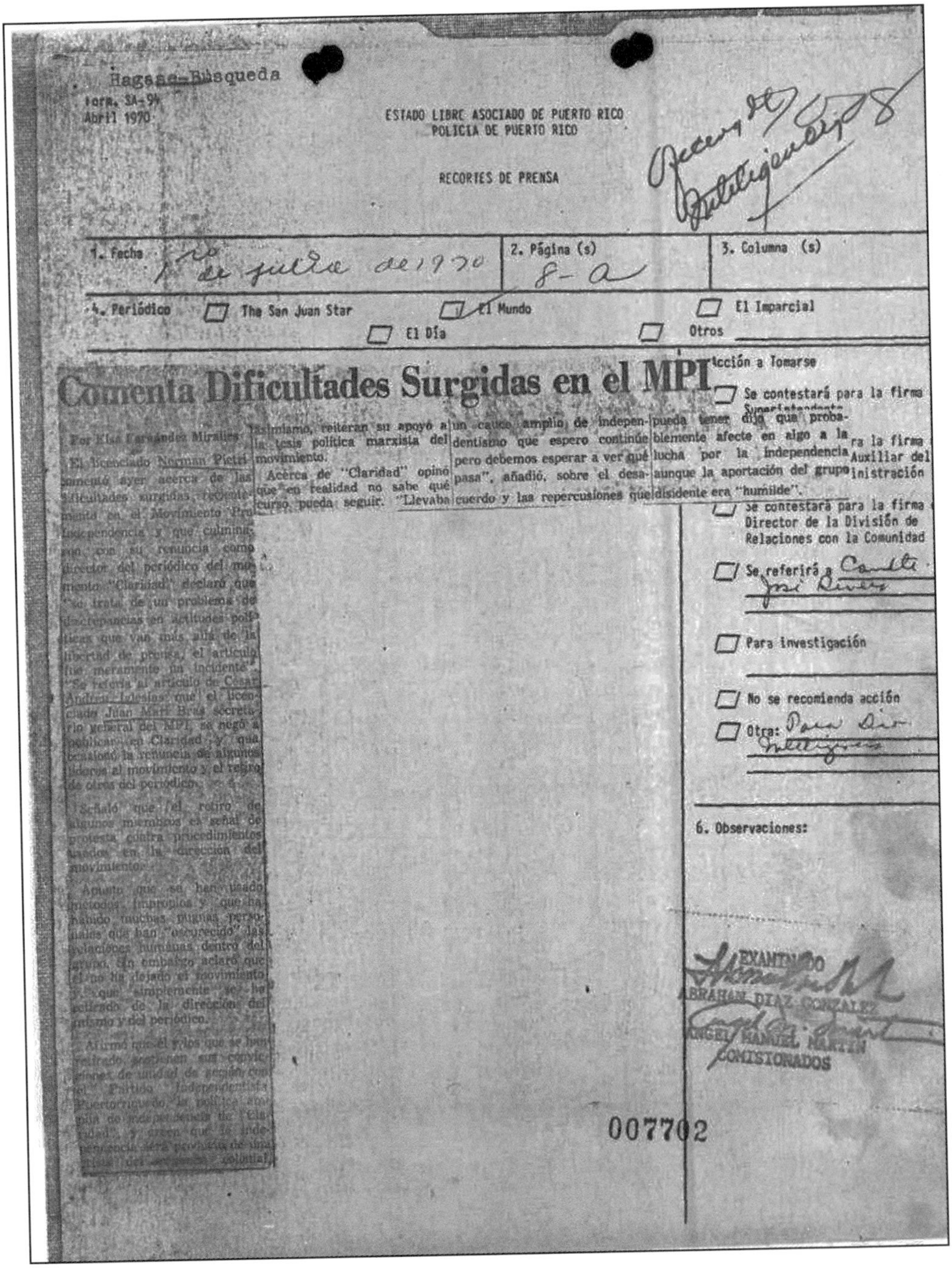

Hagase-Búsqueda
Form. SA-94
Abril 1970

ESTADO LIBRE ASOCIADO DE PUERTO RICO
POLICIA DE PUERTO RICO

RECORTES DE PRENSA

Oficina de Inteligencia 578

1. Fecha: 1ro de julio de 1970 | 2. Página (s): 8-A | 3. Columna (s)

4. Periódico: ☐ The San Juan Star ☑ El Mundo ☐ El Imparcial ☐ El Día ☐ Otros

Comenta Dificultades Surgidas en el MPI

Por Elsa Fernández Miralles

El licenciado Norman Pietri comentó ayer acerca de las dificultades surgidas recientemente en el Movimiento Pro Independencia y que culminaron con su renuncia como director del periódico del movimiento "Claridad" declaró que "se trata de un problema de discrepancias en actitudes políticas que van más allá de la libertad de prensa, el artículo fue meramente un incidente". Se refería al artículo de César Andréu Iglesias que el licenciado Juan Mari Brás secretario general del MPI, se negó a publicar en Claridad y que ocasionó la renuncia de algunos líderes al movimiento y el retiro de otros del periódico.

Señaló que "el retiro de algunos miembros es señal de protesta contra procedimientos usados en la dirección del movimiento".

Apuntó que se han usado métodos impropios y que ha habido muchas pugnas personales que han "oscurecido" las relaciones humanas dentro del grupo. Sin embargo aclaró que él no ha dejado el movimiento y que simplemente se ha retirado de la dirección del mismo y del periódico.

Afirmó que él y los que se han retirado sostienen sus convicciones de unidad de acción con el Partido Independentista Puertorriqueño, la política amplia de independencia de "Claridad", y creen que la independencia será producto de una [illegible] del [illegible] colonial. Asimismo, reiteran su apoyo a la tesis política marxista del movimiento.

Acerca de "Claridad" opinó que en realidad no sabe qué curso pueda seguir. "Llevaba un cauce amplio de independentismo que espero continúe pero debemos esperar a ver qué pasa", añadió, sobre el desacuerdo y las repercusiones que pueda tener dijo que probablemente afecte en algo a la lucha por la independencia aunque la aportación del grupo disidente era "humilde".

5. Acción a Tomarse

☐ Se contestará para la firma Superintendente
☐ Se contestará para la firma Auxiliar del ... Administración
☐ Se contestará para la firma Director de la División de Relaciones con la Comunidad
☑ Se referirá a Cantti José Rivera
☐ Para investigación
☐ No se recomienda acción
☑ Otra: Para Div. Inteligencia

6. Observaciones:

EXAMINADO
ABRAHAN DIAZ GONZALEZ
ANGEL MANUEL MARTIN
COMISIONADOS

007702

"Comenta dificultades surgidas en MPI".
Periódico *El Mundo*, 1 de julio de 1970.

7008

ESTADO LIBRE ASOCIADO DE PUERTO RICO
POLICIA DE PUERTO RICO

POLICIA DE PUERTO RICO
NEGOCIADO OPERACIONES
CAMPO

CD-JGL-JHB-/809 '70 JUL 21 AM 11 14

RECIBIDO

Distrito de Utuado, Puerto Rico
18 de julio de 1970

JUL 31 1970

De : Comandante Distrito Utuado

A : Jefe Negociado Operaciones de Campo
P/C. Comandante Area Norte

Asunto : Actividad Separatista

Hoy 18 de julio del cursante año se llevó a efecto una actividad del Círculo Universitario Guarionex y del Movimiento Pro Independencia. La misma dio comienzo a las 10:00 A. M. terminando a las 3:45 P. M.

Hicieron uso de la palabra el Lcdo. Juan Mari Brass y el Lcdo. Ruben Berrios.

Reinó el orden y solamente fue arrestado el individuo José Rafael Perez Ortiz, residente en Bayamón Gardens de Bayamón, por el delito de Daños Maliciosos, por haber destruído el cristal posterior de un omnibus público.

La actividad estuvo atendida por el Tnte. Cor. Ernesto Lugo Méndez y por miembros de la policía de Arecibo y Utuado.

EXAMINADO 007672
ABRAHAM DIAZ GONZALEZ
ANGEL MANUEL MARTIN
COMISIONADOS

Tnte. Juan Guzmán Luna 6-2575
Comandante del Distrito

CAN/EIM/eam-386 Comandancia Area Norte 20 de julio de 1970

Referida al Director Negociado Operaciones de Campo, para su conocimiento.

TNTE. COR. ERNESTO LUGO MENDEZ
COMANDANTE AREA NORTE 2-2472

DISTRIBUCION
(1) M.P.I 4-4
(2) Mencionados

Memorando de la División de Inteligencia de la Policía de Puerto Rico sobre actividad conjunta de Juan Mari Brás y Rubén Berríos Martínez, contra la explotación de minas de cobre en Utuado, 18 de julio de 1970.

NOTICIAS DE LA ZONA MINERA

FORO SOBRE PROBLEMA MINERO

REVELAN EN LAS MINAS HAY MUCHOS MILLONES EN ORO

Con una asistencia de más de quinientas personas, a pesar de la intensa lluvia que estuvo cayendo sobre toda la zona durante el día y hasta las primeras horas de la noche, se efectuó el jueves 16 en la plaza pública de Utuado el foro sobre el problema minero que bajo los auspicios del Comité de Acción Ciudadana Contra la Explotación Minera se había convocado desde hace algunas semanas. Aunque se había hecho una invitación pública a los portavoces del llamado Comité Pro Minas a que participaran en dicho foro, éstos no quisieron debatir.

Consumiendo el turno de cierre en el foro, el Secretario General del MPI, Juan Mari Brás, puntualizó que la entrega del cobre a las compañías mineras no es meramente un mal negocio para el pueblo puertorriqueño, sino la convalidación de un robo. Explicó que, además del cobre por valor de más de tres mil millones de dólares que van a obtener las empresas yanquis en estas dos minas, van a sacar una gran cantidad de oro -- completamente gratis -- de las mismas. Indicó que, según afirman los expertos -- en toda mina de cobre hay oro y plata entremezclados. "En las minas de esta zona", aseguró, "hay también gran cantidad de hierro. Hay más hierro que cobre aquí, juntos uno y el otro. ¿Qué van a hacer con ese hierro? ¿Lo van a botar a los lagos de cola, lo van a desechar o lo van a procesar? Nada de ésto se le ha explicado al pueblo." Mari anunció que próximamente el MPI hará un pronunciamiento público donde se escudriñará este aspecto de la presencia de hierro en las minas.

"Esta noche vamos a hablar en algún detalle del oro que hay en estas minas", dijo Mari Brás, y seguidamente explicó que el oro lo van a extraer fuera de Puerto Rico, cuando se hayan llevado los lingotes de cobre fundido para Estados Unidos. Es en esa fase, que se llama la refinación electrolítica, que extraen hasta una libra de oro por cada quintal de cobre. "Si se toma en cuenta que el oro se está cotizando hasta $45.00 la onza, se verá que lo que van a sacar en oro es mucho más que lo que sacarán del cobre mismo", afirmó Mari, y añadió "y ésto lo harán completamente al márgen de los puertorriqueños, fuera de nuestra jurisdicción, y sin que tengan que pagar ni siquiera una miserable regalía por este oro." Mari Brás insistió en la consigna emepeísta de que "ni una sola libra de cobre saldrá de Puerto Rico."

El primer panelista en el foro fue el profesor Neftalí García, bioquímico, quien aseveró que las compañías mineras no van a tomar las medidas indispensables para evitar la contaminación del aire y el agua. "No conozco una sola compañía que lo haya hecho, y no hay razón para creer que estas compañías lo van a hacer," afirmó. Acusó a Ferré de ser uno de los que más contribuye a la contaminación en Cataño. Insistió en que el gobierno no ha podido evitar la contaminación producida por las plantas petroquímicas, por lo que mucho menos la va a evitar con las compañías mineras.

El profesor José F. Cadilla, geólogo y profesor de la Universidad de Puerto Rico, señaló que el gobierno de Puerto Rico se conforma con una participación total de 27 por ciento de la ganancia de la explotación. "Eso es lo que ganaba Chile a la altura de 1925. Ahora Chile obtiene un 72 por ciento de la ganancia", aseguró. Mencionó estudios que hicieron científicos de las universidades de Chicago y Michigan que demuestran que las compañías mineras no han podido controlar la contaminación en Estados Unidos. "Si no lo han podido o no lo han querido evitar en su propio país, ¿cómo esperar que lo logren aquí? ", dijo el panelista.

En el acto participaron, además, los cantores de protesta Roy Brown y Noel Hernández. Actuó como moderador el Profesor Jorge Nieves, de Lares.

Jovenes Utuado Protestan Por Entrega De Las Minas

Alrededor de doscientos jóvenes desfilaron por las calles de Utuado el sábado 18 de julio en protesta contra la entrega del cobre a dos compañías norteamericanas. El acto, en el que participaron como invitados los licenciados Rubén Berríos, Presidente del PIP, y Juan Mari Brás, Secretario General del MPI, fue auspiciado por la organización de universitarios utuadeños Guarionex, que preside Ivan Salvá. El desfile salió desde el centro comercial Cabrer y recorrió las principales calles de la ciudad hasta llegar a la plaza pública, donde se efectuó un mitin.

Lic. Jorge Luis Landing

Lic. Ruben Berríos

Al abrir el mitin, Salvá denunció a Jimmie Sureda, dueño de una funeraria en Utuado, de despegar los pasquines que se habían puesto anunciando el acto, en complicidad con la policía. Salvá aseguró que Sureda favorece la explotación del cobre porque ya está haciendo cálculos de cuántos cadáveres pueden caer a su funeraria, producto de la contaminación.

El Secretario General del MPI, Juan Mari Brás, pidió que ante la inminencia de las negociaciones para entregar el cobre, las fuerzas patrióticas junten esfuerzos y, mediante un adecuado programa de unidad en la acción, hagan frente solidariamente a este gran reto, que es de todo Puerto Rico. Aseguró que el MPI buscará información a través de su segundo nivel, para mantener informados a los puertorriqueños del curso de las tales negociaciones.

El Presidente del PIP, Rubén Berríos, manifestó que su partido favorecería la explotación del cobre solamente si se cumplieran las siguientes condiciones: 1) que la empresa minera sea propiedad del pueblo de Puerto Rico, 2) que se venda el cobre en el mercado mundial y no en el mercado de Estados Unidos, donde se impone un precio artificialmente más bajo, y 3) que se garantice la salud del pueblo frente a los peligros de la contaminación. Berríos afirmó que había que continuar las campañas contra el Servicio Militar Obligatorio, en solidaridad con Culebra frente a la intervención de la Marina de Estados Unidos y en contra de la explotación minera, hasta que a los norteamericanos les sea más conveniente irse que quedarse aquí.

Durante la actividad del sábado se repartió entre los asistentes una hoja suelta del Partido Auténtico Soberanista, editada por su Secretario General, Luis Alberto Torres, en que conmina "a la nación puertorriqueña a la decidida defensa de su riqueza minera" e insta "a la discusión por parte de los dirigentes de las diversas organizaciones patrióticas de la defensa del patrimonio minero y a la organización de una marcha nacional de protesta contra la explotación de las minas de cobre de Utuado-Adjuntas por los monopolios norteamericanos." El boletín recuerda que tales propuestas fueron hechas por el presidente del PAS, Jorge Luis Landing, en el acto conmemorativo del aniversario del Grito de Lares el año pasado.

AGASAJAN EN UTUADO A MALDONADO DENIS

UTUADO -- La Editorial Isla Adentro, que dirige el joven Angel M. Maldonado, agasajó el sábado 18 al escritor Manuel Maldonado Dénis por la reciente publicación de su libro "Puerto Rico, Mito y Realidad".

El poeta utuadeño Guillermo Gutiérrez dijo del nuevo libro de Maldonado Denis que "sus análisis esclarecen para la nueva generación la hipocrecía oficial, y el pueblo acoge con júbilo esta obra que llena un vacío, ya que el estudiante puertorriqueño no cuenta con un texto escolar que demuestre el vía crucis de la colonia".

El profesor Pedro Rodríguez, ex-discípulo de Maldonado Dénis (1966) hizo una reseña crítica del libro y calificó el ensayo sobre Albizu Campos como "el mejor que se ha hecho hasta ahora sobre Albizu". Rodríguez censuró a los intelectuales que no se comprometen con la independencia de Puerto Rico y su lucha.

Luis Alberto Torres, estudiante de Leyes, anunció que Editorial Isla Adentro se propone divulgar libros de Puerto Rico. Como próximas publicaciones, anunció "Ensayos sobre la Situación Universitaria" que recogió Santos Vargas; "Colección de Versos Populares y Canción Protesta" por Angel Maldonado; "Pasado, Presente y Futuro del PPD" por Luis Nieves Falcón y "Albizu Campos: el sacrificio del valor, o el valor del sacrificio", por Manuel Maldonado Denis.

Torres anunció también que pronto comenzarán la publicación de una revista periódica para "aportar a la sociedad puertorriqueña un centro que se dedique con valentía a la crítica y que promueva el afan por la lectura."

PLANIFICACION CONGELA TERRENOS EN ZONA MINERA

ANGELES -- Vecinos de este poblado de la jurisdicción municipal de Utuado se quejan de que la Junta de Planificación tiene sus terrenos congelados, sin que se les permita hacer segregaciones ni construcciones en los mismos, hasta tanto las compañías mineras decidan si necesitarán dichas tierras para la explotación del cobre.

Los vecinos mostraron a CLARIDAD un documento de la Oficina Regional de Arecibo de la Junta de Planificación, en el que dicho organismo prohibe al señor Sixto Padró la lotificación de una finca de su propiedad en el poblado de Angeles. En el referido documento se dice lo siguiente:

"De acuerdo a los informes que tenemos, el sector donde radica la segregación propuesta está siendo considerado por la Comisión de Minería para posible explotación. Antes de tomar acción en este caso, es necesario que la mencionada comisión dé sus recomendaciones."

Seguidamente el documento ordena que el peticionario presente las recomendaciones de la Comisión de Minería, para lo cual le dá un término de noventa días, y dispone que de no allanarse la Comisión de Minería a la segregación solicitada, se archivará la petición.

El documento lo firman Harry Maldonado, como secretario y Rosaura González, sub-secretaria, de la oficina de Arecibo de Planificación.

6 CLARIDAD - 26 DE JULIO DE 1970

"Jóvenes Utuado protestan por entrega de las minas"
Periódico *Claridad*, 26 de julio de 1971.

OFICINA INTELIGENCIA
OI - tss - 560

7008

29 de agosto de 1970

MEMORANDO A: Jefe Oficina Inteligencia

DE: Tnte. I José R. Morales 6-4948 (FDO)

ASUNTO: MARCHA EFECTUADA EN DEMANDA MARINA DE E. U. ABANDONE ISLA DE CULEBRA

Aproximadamente 2, 500 personas participaron hoy de una marcha organizada por el Comité Pro Rescate de Culebra, demandando que la Marina de E. U. suspenda las prácticas de tiro al blanco en la isla y abandone los terrenos que posee en ella.

El sitio de reunión fue el Parque Sixto Escobar. Iniciaron la marcha a las 12:00 M. y llegaron a la Plaza de Armas en San Juan a las 12:50 P. M. donde celebraron un mitin.

La actividad transcurrió en perfecto orden y no se registró ningún incidente, terminó a las 3:10 P. M.

El maestro de ceremonias fue Carmelo Feliciano, hermano del Alcalde de Culebra, los oradores fueron:

1- Anastacio Soto - Pescador culebrense
2- Juan Mari Bras (M. P. I.)
3- Luis F. Camacho (Partido del Pueblo)
4- Rubén Berrios (P. I. P.)
5- Pedro Grant Chacón - Líder obrero
6- Francisco Torres Rivera - Revdo. Metodista
7- Antulio Parrilla - Sacerdote

Todos los oradores condenaron en forma energica al imperialismo norteamericano y demandaron que la Marina de Estados Unidos se retire de Culebra inmediatamente e incondicionalmente. Sobresalieron los discursos de los Lcdos. Juan Mari Bras, Luis F. Camacho y Rubén Berrios quienes vaticinaron que lucharan por cada palmo de territorio ocupado por las Fuerzas Armadas en Puerto Rico y que tras del caso de Culebra vendra Aguadilla, Cayey, Ceiba, etc., hasta crear muchos casos similares al de Culebra.

007837

Informe de la División de Inteligencia de la Policía de Puerto Rico sobre marcha contra la presencia de la Marina de EEUU en Culebra. 29 de agosto de 1970.

7008

ESTADO LIBRE ASOCIADO DE PUERTO RICO
POLICIA DE PUERTO RICO

Martes 8 de sept. 1970

OFICINA DE INTELIGENCIA

EL MUNDO

NEW YORK TIMES

SAN JUAN STAR

EL CARIBE R. D.

MPI Celebra Victoria Allende

El Movimiento Pro Independencia de Puerto Rico expresó su regocijo por la victoria del doctor Salvador Allende como candidato a la presidencia de Chile.

Un vocero del MPI informó a EL MUNDO que inmediatamente que se conocieron los resultados de los comicios, que arrojaron una mayoría para el candidato de unidad popular, el Secretario de dicho movimiento, Juan Mari Bras, cursó un telegrama a Allende expresándole "el regocijo del pueblo puertorriqueño en lucha por la independencia" y su vanguardia, el MPI, por el resultado de la elección.

Dijo el vocero que Mari Bras expresó a Allende que su triunfo es "de Chile y de toda América".

Siguió diciendo que el presidente electo Chile es miembro del Partido Socialista Chileno y que dicha colectividad ha mantenido los más estrechos lazos de solidaridad mutua con el Movimiento Pro Independencia de Puerto Rico.

Añadió el vocero que en 1967 Juan Mari Bras y Carlos Padilla estuvieron en Chile como invitados del Partido Socialista y concertaron con la dirección de dicho partido un acuerdo de mutua cooperación.

Dijo además que en 1968, el MPI fue invitado a enviar una delegación frater... asamblea gen... Social...

...para representar al Movimiento en el evento.

De acuerdo con el vocero, Mari Bras dijo al comentar el triunfo de Allende en Chile: "La victoria de Allende representa una gran esperanza para toda la América nuestra. Para Puerto Rico, representa una victoria propia".

"Salvador Allende es uno de los más consecuentes amigos que ha tenido nuestra lucha de independencia. Esperamos que su mandato sea respetado y estamos seguros que bajo su presidencia, el hermano pueblo chileno empezará a realizar su revolución y que ésta no va a frustarse por la conspiración de las oligarquías que monopolizan las riquezas del pueblo allí.

"Las masas del pueblo chileno, que han demostrado su voluntad de revolución, harán valer ese mandato por encima de todo".

007632

EXAMINADO
... DIAZ GONZALEZ
... MARTIN
COMISIONADOS

¡ESCUCHE!

"MPI celebra victoria de Allende."
Periódico *El Mundo*, 8 de septiembre de 1971.

7008

CONFIDENCIAL
OI- lhc- 214

11 de septiembre de 1970

MEMORANDO A : Jefe Oficina Inteligencia

De : Sgto. Ismael Medina (Fdo)

Asunto : Conferencia en Teatro de la UPR con motivo del natalicio de Pedro Albizu Camps.

Anoche de 8:45 P. M. a 11:00 P. M. y en el Teatro de la UPR diferentes grupos independentistas universitarios entre ellos FUPI y JIU, auspiciaron una conferencia con motivo de celebrarse el natalicio de Pedro Albizu Campos.

Los conferenciantes fueron: Juan Mari Bras (7008), Rubén Berrios (32053) y Jacinto Rivera Pérez (22).

Las actividades transcurrieron de la siguiente forma:

A las 8:00 P. M. comenzaron a reunirse frente al Teatro los estudiantes, ya dentro del mismo se estaba efectuando la elección del Consejo de Estudiantes Nocturno.

Mientras tanto las personas que se reunian frente al teatro, comenzaron a gritar "Pa dentro Pa dentro".

A las 8:40 P. M., terminó la actividad de elección del consejo de estudiantes nocturno y fue desocupado. Inmediatamente se le entregó el mismo a las personas que esperaban, estas lo ocuparon rápidamente y dió comienzo la conferencia.

A la actividad asistieron aproximadamente 1,000. Todo transcurrió normalmente y sin novedad.

ABRAHAM DIAZ GONZALEZ
MANUEL MARTIN
COMISIONADOS

Personas identificadas:

1. - Juan Mari Bras-7008
2. - Rubén Berrios-32053
3. - Flavia Rivera Montero-24043
4. - Rubén Soto Falcón-23855
5. - Rubén Mojica Rivera-23491
6. - Carlos Tomassini-25742
7. - Judith Morales-21,711
8. - César Márquez Quiles-30066
9. - Juan A. Lara Fontanez-29,187
10. - Angel L. López-30875
11. - Jenaro Rentas-27,489
12. - Manuel De J. González-29064

007629

DISTRIBUCION: (1) FUPI (13) Mencionados.
(1) Natalicio Pedro Albizu Campos (1) JIU

Memorando División de Inteligencia de la Policía de Puerto Rico sobre conferencia en la UPR en torno al natalicio de don Pedro Albizu Campos, 11 de septiembre de 1971.

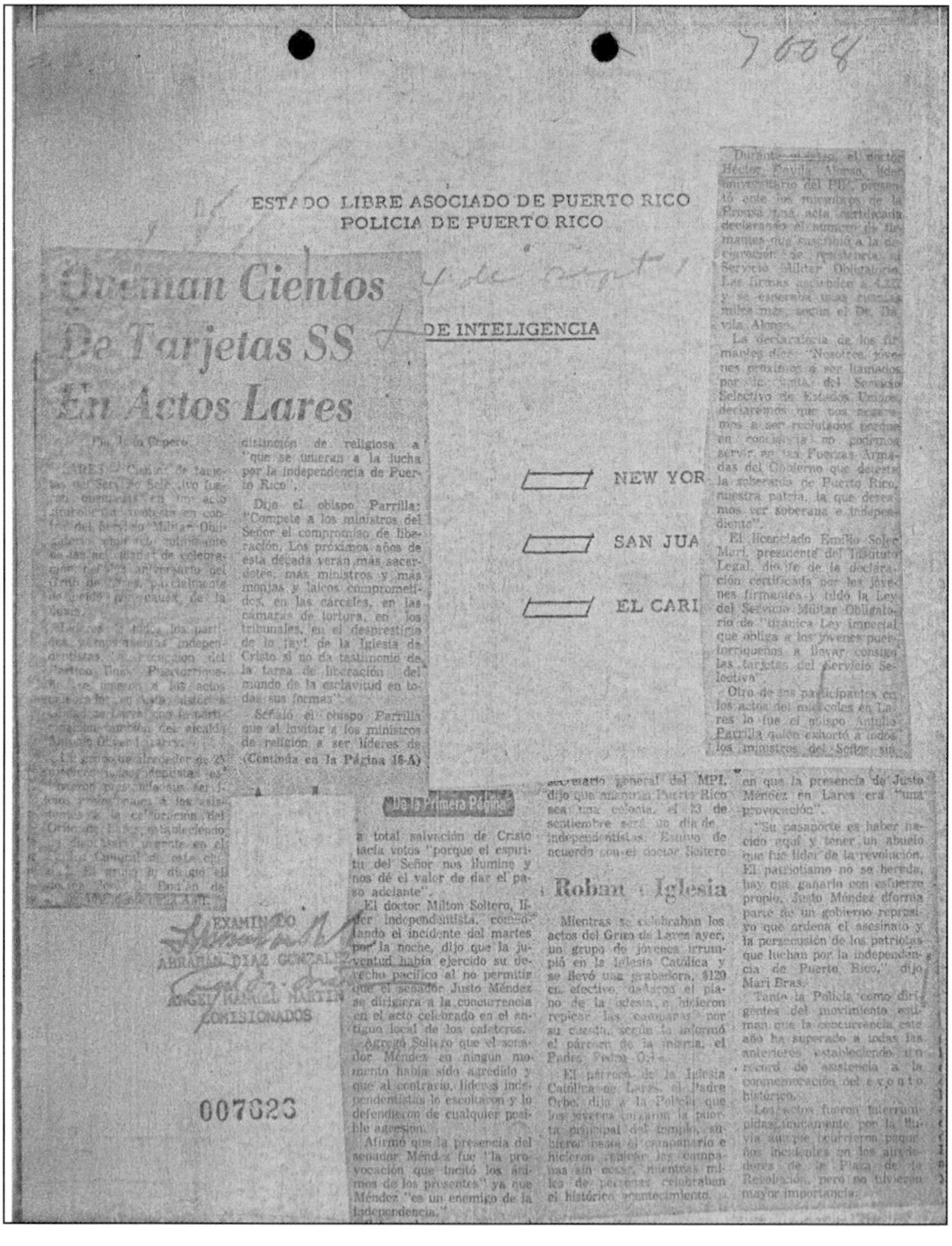

ESTADO LIBRE ASOCIADO DE PUERTO RICO
POLICIA DE PUERTO RICO

DE INTELIGENCIA

Queman Cientos De Tarjetas SS En Actos Lares

LARES — Cientos de tarjetas del Servicio Selectivo fueron quemadas en un acto [illegible] del Servicio Militar Obligatorio [illegible]

[illegible] distinción de religiosa a "que se unieran a la lucha por la independencia de Puerto Rico".

Dijo el obispo Parrilla: "Compete a los ministros del Señor el compromiso de liberación. Los próximos años de esta década verán más sacerdotes, más ministros y más monjas y laicos comprometidos, en las cárceles, en las cámaras de tortura, en los tribunales, en el desprestigio de lo ¡ay! de la Iglesia de Cristo si no da testimonio de la tarea de liberación del mundo de la esclavitud en todas sus formas".

Señaló el obispo Parrilla que al invitar a los ministros de religión a ser líderes de

(Continúa en la Página 16-A)

Durante el acto, el doctor Héctor Dávila Alonso, líder universitario del PIP, presentó ante los miembros de la Prensa una acta certificada declarando el número de firmantes que suscribió a la declaración de resistencia al Servicio Militar Obligatorio. Las firmas ascienden a 4,[illegible] y se esperaban unas cuantas miles más, según el Dr. Dávila Alonso.

La declaratoria de los firmantes dice: "Nosotros, jóvenes próximos a ser llamados por la Junta del Servicio Selectivo de Estados Unidos, declaramos que nos negamos a ser reclutados porque en conciencia no podemos servir en las Fuerzas Armadas del Gobierno que detenta la soberanía de Puerto Rico, nuestra patria, la que deseamos ver soberana e independiente".

El licenciado Emilio Soler Mari, presidente del Instituto Legal, dio fe de la declaración certificada por los jóvenes firmantes y tildó la Ley del Servicio Militar Obligatorio de "tiránica Ley imperial que obliga a los jóvenes puertorriqueños a llevar consigo las tarjetas del Servicio Selectivo".

Otro de los participantes en los actos del miércoles en Lares lo fue el obispo Antulio Parrilla quien exhortó a todos los ministros del Señor su…

De la Primera Página

…a total salvación de Cristo hacía votos "porque el espíritu del Señor nos ilumine y nos dé el valor de dar el paso adelante".

El doctor Milton Soltero, líder independentista, comentando el incidente del martes por la noche, dijo que la juventud había ejercido su derecho pacífico al no permitir que el senador Justo Méndez se dirigiera a la concurrencia en el acto celebrado en el antiguo local de los cafeteros.

Agregó Soltero que el senador Méndez en ningún momento había sido agredido y que al contrario, líderes independentistas lo escoltaron y lo defendieron de cualquier posible agresión.

Afirmó que la presencia del senador Méndez fue "la provocación que incitó los ánimos de los presentes" ya que Méndez "es un enemigo de la independencia."

…secretario general del MPI, dijo que mientras Puerto Rico sea una colonia, el 23 de septiembre será un día de independentistas. Estuvo de acuerdo con el doctor Soltero en que la presencia de Justo Méndez en Lares era "una provocación".

"Su pasaporte es haber nacido aquí y tener un abuelo que fue líder de la revolución. El patriotismo no se hereda, hay que ganarlo con esfuerzo propio. Justo Méndez forma parte de un gobierno represivo que ordena el asesinato y la persecución de los patriotas que luchan por la independencia de Puerto Rico," dijo Mari Bras.

Tanto la Policía como dirigentes del movimiento estiman que la concurrencia este año ha superado a todas las anteriores estableciendo un récord de asistencia a la conmemoración del evento histórico.

Los actos fueron interrumpidos únicamente por la lluvia aunque ocurrieron pequeños incidentes en los alrededores de la Plaza de la Revolución, pero no tuvieron mayor importancia.

Roban Iglesia

Mientras se celebraban los actos del Grito de Lares ayer, un grupo de jóvenes irrumpió en la Iglesia Católica y se llevó una grabadora, $120 en efectivo, dañaron el piano de la iglesia, e hicieron repicar las campanas por su cuenta, según lo informó el párroco de la iglesia, el Padre [illegible]

El párroco de la Iglesia Católica de Lares, el Padre Orbe, dijo a la Policía que los jóvenes forzaron la puerta principal del templo, subieron hasta el campanario e hicieron repicar las campanas sin cesar, mientras miles de personas celebraban el histórico acontecimiento.

007623

"Queman cientos de tarjetas SS en actos Lares."
Periódico *El Mundo*, 24 de septiembre de 1970.

ESTADO LIBRE ASOCIADO DE PUERTO RICO
POLICIA DE PUERTO RICO

7008

2 de Nov. de 1970.

MEMO A : JEFE DE LA DIVISION DE INTELIGENCIA.
CUARTEL GENERAL, HATO REY, P.R.

DE : SGTO. CARLOS A. ROBLES 8-5236
ENCGDO. SERV. PUESTO DE LA DIV. DE
INTELIGENCIA EN EL AEROPUERTO.

ASUNTO : SALIDA DE JUAN MARI BRAS Y OTROS.

Para informar que hoy 2 de Nov. de 1970 hora 7:20 A.M. en el vuelo # 983 de Iberia salió el Lcdo. Juan Mari Bras aconpañado de un grupo de personas para estar presentes en la toma de gobierno que tendrá lugar en Chile con motivo del cambio de gobierno. Estas personas estan invitadas por el presidente elécto del mismo Sr. Allende.

7008

Además del Lcdo. Mari Bras salieron junto con él en el mismo vuelo los siguientes:

Jorge Pérez NR
Irma Skabar NR
Manuel Maldonado Denis 29326
Nilita Vientós 20222
Rubén Berríos 32053
José Soltero Peralta 29399
Raúl Yumet 4937
Leopoldo Rivera 31968
Victor Sambolín 3 ref

Fueron despedidos en éste por la Sra. Paquita Pesquera De Mari. 1347 El agente Crispín Rosario observó la salida de estos individuos.

EXAMINADO
ABRAHAM DIAZ GONZALEZ
ANGEL MANUEL MARTIN
COMISIONADOS

Sgto. Carlos A. Robles
Sgto. Carlos A. Robles 8-5236.
Encgdo. del Servicio.

F.B.I. Notificado.

007570

Memorando División de Inteligencia de la Policía de PR sobre viaje a Chile para juramentación del presidente Salvador Allende, 2 de noviembre de 1970.

La Marina Pierde Una Batalla

CULEBRA – Luego de ensayar varias maneras para tratar de evitar la entrada de los miembros del PIP al área de tiro que ocupan en esta isla, la marina de Estados Unidos optó por retirarse a una distancia prudente y dejar que se construyera una capilla en el lugar.

Una compañía de robustos "marines" fue derrotada por un grupo de jóvenes desarmados en el "combate por la construcción de la capilla". Inicialmente los marinos habían salido de sus casetas portando pistolas y bayonetas, luego se retiraron y dejaron las pistolas, produciéndose el forcejeo entre los manifestantes y los militares. En un momento los marinos se retiraron y comenzaron a colocarse caretas antigases sobre sus caras. A esas alturas prácticamente se había introducido casi tóda la madera al área. Poco después los marinos se quitaron las caretas sin hacer uso de los gases.

La presencia de un nutrido grupo de periodistas y fotógrafos fue la causa principal de que la marina no diera órdenes de usar medios más violentos para evitar la entrada al campo de tiro.

Mientras un grupo invadía por tierra uno de los blancos de la marina, otro contingente avanzaba por mar para establecerse en el Cayo Luis Peña. Al llegar allí plantaron una bandera puertorriqueña al tope del peñasco. (Fotos CLARIDAD por Camero).

La bandera nacional hace su entrada al campo de tiro. Dos "marines" intentaron bloquear su paso pero fallaron.

En el forcejeo este marino perdió el casco, mordió la arena y se mojó el...

El vice-presidente del PIP, Carlos Gallisá, en los momentos que bordea la verja con dos cuartones de madera.

Al más chiquito de los "marines" lo pusieron a leer la orden que fija las penalidades a las personas que entren al campo de tiro. Ni el perro le hizo caso... mientras tanto un grupo de camarógrafos del ejército firmaban la escena. Al fondo, parte del campamento que la marina montó en el área y la verja que segrega el campo de tiro del resto de la isla.

Una escena del "tira y jala". Nótense las bayonetas en el cinto de los marinos.

12 CLARIDAD – 24 DE ENERO DE 1971

24 DE ENERO DE 1971 – CLARIDAD 13

"La Marina pierde una batalla."
Periódico *Claridad*, 24 de enero de 1971.

VIOLAR LA LEY DEL IMPERIO ES CUMPLIR LA LEY DE LA PATRIA[1]

Violar la ley del imperio, es cumplir la ley de la Patria. Hemos violado la ley del imperio.

Aceptamos que hemos violado intencionalmente una orden judicial del gobierno de los Estados Unidos de Norteamérica y que hemos interrumpido el bombardeo de la marina norteamericana contra el territorio puertorriqueño. Nuestra conducta no es aislada; es parte de un movimiento patriótico encaminado a eliminar la arbitraria e injusta autoridad federal sobre Puerto Rico, incluyendo el poder de este tribunal, que emana del Congreso de los Estados Unidos de Norteamérica y no del pueblo de Puerto Rico.

Al violar esta orden federal, cumplimos como hombres con una profunda responsabilidad moral y, como puertorriqueños, con una honda responsabilidad patriótica. Más aún, anunciamos nuestra intención de violar cualquier ley federal cuya violación consideremos necesaria para cumplir nuestra responsabilidad como hombres y como puertorriqueños.[2]

Al hacer esto, es necesario que expongamos las razones de nuestra acción, no para satisfacción de este tribunal, cuya autoridad legal y moral impugnamos, sino para conocimiento de nuestro pueblo.

1 El autor rehusó defenderse ante el Tribunal de Distrito de los Estados Unidos de Norteamérica en Puerto Rico y en cambio pronunció, en español, este discurso. Véase notas 1 y 4, capítulo I, artículo "Desde la cárcel".

2 Nuevamente en 1982, a raíz de una decisión del gobierno de los Estados Unidos de Norteamérica que prohibía a los puertorriqueños viajar a Cuba para los Juegos Centroamericanos que se celebraron en La Habana, el autor anunció públicamente que violaría tal prohibición, y viajó a Cuba. A su regreso fue detenido por las autoridades del Departamento de Inmigración de los Estados Unidos de Norteamérica pero, hasta el verano de 1983, no se le habían formulado acusaciones.

"Palabras de Rubén Berríos Martínez ante el Tribunal Federal," 18 de febrero de 1971. *La independencia de Puerto Rico: Razón y lucha*, pp. 29-31.

Desde la moral, como hombres que creemos en la libertad, nuestro juez es nuestra propia conciencia. Para nosotros, como decía José Martí: "Un hombre que se conforma con obedecer leyes injustas y permite que pisen el país en que nació, los hombres que se lo maltratan no es un hombre honrado." Por ser hombres honrados violamos la orden de esta corte. Ante el tribunal de nuestra conciencia un hombre honrado siempre es inocente. Ser inocentes ante esta corte nos haría culpables ante nuestra conciencia. Ser inocentes ante nuestra conciencia, nos hace culpables ante esta corte.

Desde el patriotismo, en la república la ley es orden, en la colonia la ley es tiranía. El orden es necesario a la vida del hombre; la tiranía hace la vida del hombre imposible. En un pueblo libre, donde la ley se fundamenta en la voluntad y la participación de los ciudadanos, y donde existen canales efectivos para su constante revitalización, la ley se convierte en garantía de la vida ordenada en la sociedad. En un pueblo como Puerto Rico, donde la ausencia de democracia, el colonialismo, o sea la esclavitud política, es el fundamento de la ley, la violación de leyes injustas es el inicio de la libertad.

Desde nuestra civilización el incumplimiento y violación de leyes injustas e inmorales tiene su fundamento en lo más noble de nuestra herencia. Isaías, en violación de las leyes de su época, anduvo sin ropa y descalzo tres años entre las multitudes de su pueblo en protesta por la era imperial de Etiopía, Egipto y Siria. Oseas, en violación de las leyes de su época, se casó con una prostituta para dramatizar que Dios había entrado en pacto con un pueblo que actuaba como una prostituta. Y Cristo nos enseñó que las leyes no deben cumplirse cuando el sistema jurídico atenta contra el hombre. "El sábado se hizo por causa del hombre y no el hombre por causa del sábado." Fiel a su palabra, Cristo violó la ley judía y la ley romana.

Desde entonces, los hombres cumbres de la humanidad han sufrido la pena de leyes injustas e inmorales rehusando cumplirlas. En palabras de Thoreau: "Bajo un gobierno injusto el lugar para un hombre justo es la prisión."

Si defender el derecho de nuestros compatriotas en Culebra a vivir en paz sin estar sujetos al bombardeo de la marina norteamericana es ser culpables, entonces somos culpables.

Si defender el derecho de Puerto Rico a su integridad terri-

"Palabras de Rubén Berríos Martínez..." (continuación)

torial y reclamar para nuestro pueblo la devolución de todo el territorio que los Estados Unidos de Norteamérica usurpan en bases militares es ser culpables, entonces somos culpables.

Si defender el derecho de los jóvenes puertorriqueños a su propia vida, ayudándolos a desafiar el ingreso forzoso al ejército de los Estados Unidos de Norteamérica es ser culpables, entonces somo culpables.

Si defender el derecho del trabajador puertorriqueño a disfrutar del producto de su trabajo y luchar en contra de los monopolios que explotan a nuestro pueblo es ser culpables, entonces somos culpables.

Si defender el derecho de los puertorriqueños a no ser desplazados de sus empleos por extranjeros, en su propia tierra, es ser culpables, entonces somos culpables.

Si defender el derecho de los puertorriqueños a mantener y desarrollar su idioma, sus tradiciones y su cultura, sin sometimientos de clase alguna es ser culpables, entonces somos culpables.

Si defender el derecho que tenemos los puertorriqueños de mandarnos a nosotros mismos es ser culpables, entonces somos culpables.

Si defender el derecho que tienen las clases oprimidas de nuestro pueblo a disfrutar de una vida humana y justa es ser culpables, entonces somos culpables.

Si violar las leyes injustas e inmorales del imperio por defender estos derechos es ser culpables, entonces somos culpables.

Como hombres, como hijos de esta Patria, y como partícipes de una civilización milenaria, ante los que sojuzgan a nuestro pueblo, somos y seremos culpables por defender a nuestro pueblo. Ante nuestro pueblo, somos y seremos inocentes.

Violar la ley del imperio es cumplir la ley de la Patria. Hemos cumplido la ley de la Patria. ¡Que viva Puerto Rico Libre!

"Palabras de Rubén Berríos Martínez..." (continuación)

EN LA LUCHA POR MANUEL MALDONADO DENIS

Carta Abierta A Rubén Berríos

Querido Rubén:

Cuando supe la nueva de tu encarcelamiento me hallaba justamente en un seminario sobre Martí, y en una de las ponencias allí presentadas se había hecho la siguiente cita del Apóstol acerca del Padre de la Patria: (Betances) "era aquel que, en el consuelo de su trabajo, ni recuerda mezquino, la riqueza que puso para el beneficio futuro de su patria, en la semilla de la libertad, ni vacila, cobarde, en poner su pecho a la hora necesaria, con el pecho de los hombres en quienes se asila el porvenir, de sus paisanos buenos en quienes se asila el decoro". Pensé en tí entonces, y vino a mi mente esa otra descripción Martiana de Betances como un "hijo de la riqueza y la cultura, llevado de su arte natural a la elegancia y calma de la vida, que las puso de lado, desde que vió que había de comprarlas, a puro disimulo, con la merma de su honor". Y pensé en ti porque tú, al igual que Betances, has renunciado a la vida regalada y cómoda a la cual hubieses sido acreedor como miembro de tu clase, para incorporarte a la penosa, a la ingrata, a la noble tarea de liberar a nuestro pueblo.

Se me ocurrieron tantas cosas cuando me golpearon con tu confinamiento. Si hoy eres el victimizado de la elite colonial, bien pudiste, de haberlo querido, haber sido el victimario de quién sabe cuantos patriotas puertorriqueños. Hubiese bastado que estuvieses dispuesto a poner tu extraordinaria inteligencia, tu inagotable energía, tus brillantes credenciales académicas en lo más granado de las universidades norteamericanas al servicio del régimen para que se te abriesen las puertas de la política y de los negocios, para que hoy fueses —en adición a un prominente abogado de una prestigiosa firma capitalina— quién sabe si una de las más rutilantes y prometedoras figuras de la política colonial. Quién podría dudar que, de haberlo deseado, hubieses podido sentarte como verdugo sentencia que cumples por "violar la ley del imperio al cumplir la ley de la Patria". Pero no. Optaste por el camino difícil y accidentado. Renunciaste a tu clase y a todas las prerrogativas que acompañan dicho hecho. Y hoy, para vergüenza de tus carceleros, y honra nuestra, escribes una página gloriosa en la historia de la liberación de Puerto Rico.

El paso que has tomado es de tal trascendencia que no admite de vacilaciones ni de compromisos. El imperialismo y los cipayos nativos jamás perdonarán tu osadía al obligarlos a desenmascararse y a mostrar ante el mundo el verdadero carácter del régimen colonial que nos explota. Eres un hombre marcado, como lo fue en su día Betances y más tarde Albizu Campos, y como lo son hoy los Berrigan y Angela Davis. De aquí en adelante caerán sobre tí como aves de rapiña —no por tí, por tu persona— sino por lo que tú simbolizas en este momento para nuestro pueblo y para los pueblos del mundo. Removerán todo el cieno de la miasma colonial para intentar desprestigiarte, y tu antigua clase —más amenazada que nunca por tu gesto viril— se regodeará buscando en los vericuetos de la ley y el orden la forma de privarte de los más elementales medios de subsistencia.

Tu fortaleza, sin embargo, viene de más hondo. Al leer tu acusación hecha en forma de defensa ante la corte yanqui que ordenó tu encarcelamiento, invocaste la más sólida y firme tradición en tu apoyo. Bien está que invoques a Isaías, a Cristo, a Martín Luther King, como precursores de tu gestión patriótica. Pero cuando invocas a Martí, no deberías olvidar a Bolívar, y cuando invocas a Bolívar, no debes olvidar a Albizu Campos. Porque éste no fue pacifista. Es cierto. Pero, no obstante, llevó la lucha por nuestra liberación hasta sus consecuencias últimas. Tú también eres heredero de esa tradición —y sé que así lo has proclamado una y mil veces— porque nada mejor que la gesta por tí realizada para que se cumpla a cabalidad la sentencia Albizuísta ante la tumba de Beauchamp y Rosado: tú también, mediante tu valor y sacrificio, has logrado esa transmutación hacia fines superiores de que hablaba el Maestro, como la condición previa para la entrada a la inmortalidad. de tu pueblo en el mismo estrado que ocupa el juez, mal nacido en Puerto Rico, que acaba de imponerte la severa

Los Shylock de la colonia pedían su libra de carne humana. La pidieron también cuando Albizu Campos practicaba su apostolado en pro de nuestra liberación durante su fecunda existencia. Ya se la han dado, como se la dieron anteriormente. Mas ni importa. Realmente no ha importado. Lo importante ha sido que atacando tu carne no puedan doblegar tu espíritu. Hombres de poca fe, no entienden, no te entienden. Creen que debes ser un loco para decir las cosas que dices. Piensan que nunca podrás caminar sobre las aguas del patriotismo puertorriqueño. Los náufragos no pueden creer en que aún haya quienes navegan por sobre las tempestades.

En este momento tu celda es el símbolo de nuestra liberación. Paradójicamente. En el momento que decidiste enfrentarte al poderío inmenso del imperio, hiciste como el esclavo que se alza frente al amo y pone fin a sus abusos... La liberación, como ha dicho Marcuse en una carta a Angela Davis, es esencialmente el preludio de la libertad. Cuando te liberaste mediante tu decisión de decir basta ya al imperialismo estabas, al mismo tiempo, liberándonos a todos. Comprendimos el verdadero alcance de tu acción al percatarnos de que tu rebeldía signaba el camino de nuestra inminente liberación.

Tu cárcel es nuestro encarcelamiento. Tu libertad es nuestra liberación. Como los héroes y los mártires que han dejado su impronta en nuestra lucha centenaria, te debemos la realización de aquella famosa frase en que Martí le ofrece a Máximo Gómez la dirección del ejército libertador de Cuba, solamente a cambio del "placer del sacrificio y la ingratitud probable de los hombres". Has estado a la altura de la sentencia Martiana.

Hoy te saludo respetuosamente, hermano. Un abrazo. Salud. Hasta la victoria siempre.

Manolo.

"Carta abierta a Rubén Berríos. Artículo de Manuel Maldonado Denis."
Periódico *Claridad*, 18 de febrero de 1971.

Lanchas MPI Interrumpen Maniobras

Por Alberto Pérez
Redactor-Jefe de CLARIDAD

CULEBRA -- En una acción sin precedentes dos botes tripulados por miembros del MPI y residentes locales impidieron que los barcos de la marina de guerra de Estados Unidos dispararan contra el territorio de esta isla.

A eso de las 9:45 de la mañana las dos embarcaciones partieron desde la Bahía de Sardineras y se dirigieron al área de tiro. De una de ellas bajaron dos de los tripulantes, que inmediatamente internaron en el área de tiro, siendo detenidos por los infantes de marina luego de que los estuvieran persiguiendo por un rato.

Las dos embarcaciones continuaron hacia la Playa de Flamenco, donde se colocaron entre los barcos y la costa interrumpiendo los ejercicios de tiro. En una de las lanchas iban el Secretario General del MPI, Juan Mari Brás y el Secretario de Asuntos Obreros, Angel Agosto. La embarcación estaba tripulada, además por Magaly Ocasio, dirigente de la Federación de Universitarios Pro Independencia y Rubén Soto, presidente de dicha organización.

Otros tripulantes eran Domingo Garrafa y Luis Medina. Esta lancha estaba piloteada por Raúl González; junto a ellos iba el "city editor" del periódico The San Juan Star, Tomás Stella, quién estaba cubriendo la actividad.

La segunda embarcación estaba piloteada por un residente de Culebra, Juan Rivera y la tripulación la componían: René Pietri, Sixto Moreira, Benjamín Dávila y el fotógrafo Américo Angleró.

Cuando las lanchas se acercaron al área de tiro, una embarcación de la marina, tripulada por varios marinos y un alguacil federal, se les aproximó y les notificó algo que los tripulantes de la embarcación emepeísta no pudieron oir. Poco después el bote de la marina embistió la embarcación de los independentistas, con el aparente fin de volcarla y hacerla zozobrar.

En una ocasión el alguacil federal desenfundó su revolver y apuntó hacia la lancha donde iba el Secretario General del MPI. Luego de un momento volvió a guardarlo.

A eso de la una de la tarde las lanchas regresaron al muelle. Allí los esperaban un nutrido grupo de personas, que con los puños en alto, entonaron el himno nacional. Sobre la embarcación ondeaba la bandera puetorriqueña.

Al cierre de esta edición se desconocía el destino de René Pietri y Sixto Moreira, los dos militantes del MPI que desembárcaron en el campo de tiro. Varios abogados hacían gestiones con el fin de saber de su paradero y de las posibles acusaciones formuladas contra ellos.

Una hábil maniobra del piloto Raúl González evitó que la embarcación zozobrara luego de haber sido embestida por el bote de la marina. De izquierda a derecha Magaly Ocasio, González y Juan Mari Brás.

René Pietri se interna en tierra culebrense luego de haber desembarcado en el área que utiliza la marina como blanco para sus disparos. (FOTOS CLARIDAD DE ANGLERO)

La bandera puertorriqueña ondea en la embarcación emepeísta que penetró a las aguas donde la marina realiza sus ejercicios de tiro.

Periódico CLARIDAD
Calle Humacao 1006
Urb. Santa Rita
Río Piedras, Puerto Rico 00925

"Lanchas MPI interrumpen maniobras."
Periódico *Claridad*, 21 de febrero de 1971.

El valor supremo del hombre es el valor.
—Pedro Albizu Campos

Claridad 10¢

Núm. 295—Año XIII—Semanal | San Juan, Puerto Rico, 28 de Febrero de 1971 | 15 Cts. Fuera De Puerto Rico

MPI Interrumpe Maniobras Culebra

Vea Contraportada

Escalonarán Lucha

Por Florencio Merced
Redactor de CLARIDAD

SAN JUAN – Una escalada en la lucha contra la presencia de la marina de guerra de Estados Unidos en Culebra ha sido anunciada por el Movimiento Pro Independencia de Puerto Rico.

El MPI inició el pasado miércoles una campaña de solidaridad con la lucha de ese pueblo por expulsar la marina de allí y con los independentistas encarcelados por acciones realizadas con la misma causa. Dos miembros del MPI, Violeta Nazario y Radamés Acosta, penetraron en la tarde del miércoles junto a otros tres miembros del PIP en el campo de tiro y fueron arrestados y trasladados a la Corte Federal en San Juan, donde se les citó para una vista el próximo miércoles.

El Secretario General del Movimiento Pro Independencia, Juan Mari Brás afirmó en comunicado de prensa que, "ahora que el

(Vea—MPI ESCALONARA LUCHA—Pág. 20)

No se trata de un paisaje lunar. Es en Culebra, al momento en que Violeta Nazario, del MPI, Rosa Marrero y Miriam Maldonado, del PIP, de derecha a izquierda, penetran al campo de tiro ocupado por la marina yanqui en la mañana del miércoles pasado.

— CIPAYO —

"MPI interrumpe maniobras en Culebra."
Periódico *Claridad*, 28 de febrero de 1971.

MPI ESCALONARA LUCHA

viene de la pág. 1

liderato del PIP ha sido perseguido y han encarcelado a varios de sus líderes, incluyendo a su presidente, licenciado Rubén Berríos, el MPI tomará en Culebra la posición de vanguardia que nos corresponde en la lucha de todos los oprimidos y explotados en Puerto Rico." "Desarrollaremos –añadió el líder emepeísta– una serie de acciones novedosas y movilizaremos todos nuestros recursos tanto a nivel nacional como internacional hasta lograr el objetivo de erradicar todo vestigio de la marina yanqui de la tierra de nuestros hermanos culebrenses".

La dirección de la organización patriótica acusó a los abogados norteamericanos contratados por el municipio de Culebra para defender su caso ante las cortes federales de ser instrumentos de la Agencia Central de Inteligencia (C.I.A.) y de engañar al alcalde Feliciano induciéndole a firmar un pacto "que es suicida para el pueblo de Culebra". En mensaje distribuído entre la comunidad culebrense el miércoles, el MPI denunció que el llamado pacto de Culebra fue planeado por la propia marina y suscrito por el gobernador Ferré y el presidente del Senado, Rafael Hernández Colón para permitirle a la agencia militar ganar tiempo y poder continuar tramando "la salida de los culebrenses y su permanencia en la isla-municipio".

Las maniobras de la marina llamadas "Operation Springboard" estaban programadas para terminar el pasado jueves pero ya tienen planeadas operaciones similares para mayo o junio, y que recibirán el nombre de "Unitás". Se da por descontado que la marina de guerra de Estados Unidos presionará en los círculos políticos de su país para quedarse operando en Culebra.

De igual manera se asegura que la lucha en Culebra irá tornandose cada vez más dura, enfrentándose por un lado la más reaccionaria de las instituciones norteamericanas, la marina de guerra, y por otro, la firme voluntad de millares de puertorriqueños dispuestos a no cejar en su empeño de liberar a Culebra de la opresión que representa el que su suelo y sus playas sean utilizadas como objetivos de tiro al blanco.

Para las actividades que desarrollará el Movimiento Pro Independencia se está tratando de fundir la lucha de Vieques y Culebra en una sola. A tal efecto se han destacado cuadros de esta organización a realizar trabajo político en ambas islas-municipios. Hay planes, además, de invitar a grandes personalidades de la política internacional para que observen de cerca la situación imperante en Culebra y sirvan de portavoces a nivel mundial de la lucha que aquí se libra.

"La idea de un frente unido en Culebra no se ha descartado, al contrario, ahora cobra más vigencia que nunca", declaró Juan Mari Brás. "Pero eso sí —añadió— la lucha será sin cuartel. Si la marina se nos queda con Culebra hoy, mañana se quedará con todo Puerto Rico."

Miriam Maldonado, Edgardo Morales, Félix Colón y Edgardo Delgado, todos del Partido Independentista Puertorriqueño figuran entre los arrestados el pasado miércoles. A raíz de los arrestos el vice-presidente del PIP, Carlos Gallisá reiteró que los militantes de la organización que dirige continuarán su desafío contra la marina "hasta lograr la victoria definitiva".

Radamés Acosta, extrema derecha, militante de la Misión Cedeño del MPI en Puerto Nuevo, avanza dentro del campo de tiro en Culebra, y un marino yanqui corre detrás de él, mientras otro forcejea con Miriam Maldonado, del PIP, al tiempo en que Violeta Nazario, del MPI, y Rosa Marrero, del PIP, caminan hacia adelante. Ocurrió el miércoles pasado en Culebra. (Foto CLARIDAD por Flores).

DIRECTORIO DE PROGRAMAS RADIALES

Radio CLARIDAD

Lunes, 7:00 P.M.
WXRF, Guayama

Martes y Jueves, 6:15 P.M.
WMDD, Fajardo

Jueves, 6:30 P.M.
WMNT, Manatí

8:00 P.M.
WABA, Aguadilla

Sábado, 11:30 A.M.
WISA, Isabela

11:30 A.M.
WPRA, Mayagüez

12:30 P.M.
WKFE, Yauco.

Radioperiódico COMBATE
Diario de lunes a sábado
5:30 P.M.
WUPR, Utuado

20 CLARIDAD – 28 DE FEBRERO DE 1974

"MPI interrumpe..." (continuación)

"Violar La Ley Del Imperio Es Cumplir La Ley De La Patria"

Fotos CLARIDAD Por Camero

Carlos Gallisá, vice presidente del PIP y Lilliamor Berríos, esposa del presidente del PIP, saludan con el puño en alto a la concurrencia que se dió cita el pasado domingo frente al presidio colonial de Río Piedras.

Esta señora dijo: ¡Presente! en la actividad de solidaridad con los encarcelados en relación con los sucesos de Culebra. ¿La conoce usted? Se llama Carmen y lleva 17 años esperando por su marido, quien se encuentra recluído desde el 1954 en una cárcel federal. Es la esposa de nuestro querido Rafaelito Cancel.

Por Florencio Merced

El pueblo patriota echó a un lado sus diferencias tácticas y en numero de miles se dió cita el pasado domingo frente al presidio colonial en Río Piedras, para solidarizarse con más de una decena de sus hermanos que se encuentran allí encarcelados.

Desde temprano en la mañana comenzaron a llegar los patriotas, jóvenes, viejos, niños, hombres y mujeres de todas las edades, unos a pie, otros en carro, iban llenando el predio de terreno que sirvió de anfiteatro natural para la celebración de un gran mítin masivo que auspició el Partido Independentista Puertorriqueño.

Poco después de la una de la tarde dieron comienzo las actividades, no sin que antes un grupo de jóvenes hubiesen levantado un gran cartel con la consigna de "Violar la ley del imperio es cumplir la ley de la Patria". Un servicio religioso, con representación de las diferentes gamas de la cristiandad tuvo lugar, sirviendo de puente al acto pòlítico la homilía que allí leyó Monseñor Antulio Parrilla. Anteriormente hizo uso de la palabra el licenciado William Fred Santiago, quien continuó como maestro de ceremonia de la actividad.

Un grupo de artistas que incluyó entre otros a Roy Brown, Noel Hernández, Iris Martínez, Miguel Angel Suárez, Davilita y el grupo musical de Claudio Ferrer dieron continuidad a la concentración multitudinaria. Miles de puertorriqueños corearon la canción de Roy Brown en la parte de ¡Fuego, fuego, los yanquis quieren fuego!

El profesor Ferrer Canales hizo uso de la palabra resaltando la figura y el ejemplo del presidente del PIP, compañero Rubén Berríos Martínez. A nombre del Partido Independentista Puertorriqueño hablaron los licenciados Noel Colón Martínez y Carlos Gallisá, vice-presidente del PIP.

Un momento de gran emoción resultó ser la presentación y los mensajes de las esposas de los presos políticos, momentos antes de finalizar el acto. Con igual emotividad se recibió por el público las continuas manifestaciones de solidaridad que con la lucha independentista en general y con los presos independentistas en particular hizo la población penal del presidio colonial de Río Piedras.

Con el puño en alto se entonó el himno nacional La Borinqueña, en la versión original de Lola Rodríguez de Tío, dando por terminada la exitosa movilización y concentración masiva, en respaldo a los independentistas encarcelados, a raíz de su desafío a la Marina de Guerra yanqui en relación con el abuso de poder que ejerce esta agencia militar contra nuestros hermanos culebrenses.

Que linda, verdad! También dijo ¡Presente! el domingo pasado. Para que ella crezca y viva en libertad es que hay que el máximo en la lucha en que nos hemos empeñado.

Monseñor Antulio Parzilla da lectura a una homilía durante su intervención en el acto.

Ni uno ni dos, ni tres, fueron miles los independentistas que respondieron al llamado a la solidaridad y repudiaron con su presencia en el mítin organizado por el PIP, el encarcelamiento de los patriotas.

"Violar la ley del imperio es cumplir la ley de la patria."
Periódico *Claridad*, 28 de febrero de 1971.

LIDERES INDEPENDENTISTAS

Prometen Solidaridad Reciproca Frente A Represión

SAN JUAN – Una declaración conjunta del Partido Independentista Puertorriqueño, el Comité de Resistencia al Servicio Militar Obligatorio y el Movimiento Pro Independencia fue dada a conocer el pasado lunes simultáneamente en San Juan, Ciudad de México y Naciones Unidas.

La declaración, motivada por el encarcelamiento del Presidente del PIP, Rubén Berríos y otros independentistas la semana pasada, advierte sobre el desencadenamiento de una nueva etapa represivá del régimen imperialista contra el pueblo patriota, al mismo tiempo en que destaca el derecho inalienable de todos los puertorriqueños a utilizar "los medios que cada cuál considere propios para alcanzar la independencia."

La declaración, firmada por Carlos Gallisá, como presidente interino del PIP; Héctor Dávila Alonso, como presidente del CRASMO y Juan Mari Brás, como Secretario General del MPI, fue dada a la prensa internacional en conferencia de prensa efectuada en la capital mexicana por el doctor José Milton Soltero. Soltero salió el viernes por la mañana hacia México con la encomienda conjunta de las tres organizaciones mencionadas de dar a conocer el documento a la prensa allí. En las Naciones Unidas, el delegado del MPI, J.A. González González hizo circular la declaración en varios idiomas a la prensa y delegaciones de la organización mundial.

El texto íntegro de la declaración es el siguiente:

DECLARACION CONJUNTA

La condena a prisión del Presidente del Partido Independentista Puertorriqueño, compañero Rubén Berríos Martínez, y otros 14 compañeros por defender el derecho a la integridad territorial, la paz y tranquilidad del pueblo de Culebra —que es parte integrante de Puerto Rico— constituye una provocación a todo el pueblo de Puerto Rico.

Carlos Gallizá

Dávila Alonso

Juan Mari Brás

Las únicas violaciones a la moral y la ley que se han realizado en Culebra han sido por parte de la Marina y el gobierno de Estados Unidos. Al utilizar a Culebra como campo de tiro para sus maniobras navales, el gobierno norteamericano ha violado sistemáticamente la legislación internacional vigente, que proscribe en forma terminante la utilización de los territorios coloniales para fines bélicos por parte de las potencias interventoras.

La acción temeraria de Estados Unidos de someter a la población culebrense al acecho continuo de sus prácticas bélicas viola la Carta de las Naciones Unidas, la Declaración Universal de los derechos del Hombre y la Declaración, Por la Independencia de Pueblos y Países Coloniales (Resolución 1514-XV) de las Naciones Unidas. Tal conducta delictiva del gobierno norteamericano debe ser juzgada y condenada como un crímen contra la humanidad.

Los compañeros condenados a prisión ayer por un tribunal extranjero, que obtiene jurisdicción sobre nuestro pueblo por imposición unilateral impulsada por la fuerza bruta, no han cometido delito alguno. Ejercían el más sagrado derecho de todo ciudadano y de todo pueblo: el de protestar contra un acto genocida del gobierno de Estados Unidos en una isla que forma parte del territorio nacional puertorriqueño.

Las fuerzas independentistas de Puerto Rico advierten a nuestro pueblo y a todos los pueblos del mundo que nuevamente el gobierno imperialista de Estados Unidos desata su acción represiva en vano intento de contener el creciente ímpetu que va cobrando la lucha por la independencia de nuestra patria.

Sostenemos el derecho inalienable de todos los puertorriqueños a utilizar los medios que cada cuál, o cada agrupación o partido, considere propios para reivindicar los derechos conculcados a nuestra patria por el sistema colonial que aquí rige.

Los suscribientes, como representantes de distintas organizaciones de luchas patrióticas, mantenemos diferencias de método de lucha, tácticas y estratégicas, pero declaramos solemnemente que ante la represión responderemos con la unión cohesiva de todos para enfrentar la voluntad de independencia de Puerto Rico a todo propósito de contener el avance de nuestro común forcejeo patriótico.

Estados Unidos pretende convertir a Puerto Rico en una gran base de su complejo militar operado a escala mundial para sostener el sistema de explotación imperialista a que ese país somete a gran parte del planeta. Dentro de sus planes, Culebra es parte de un complejo naval y de cohetería nuclear que comprende a la base naval de Roosevelt Road y las islas de Vieques y Culebra. La función asignada por el Pentágono a la isla de Culebra y sus mares está en abierta contradicción con el derecho a la vida, al trabajo, a la paz y al disfrute de su tierra por parte de una comunidad de más de setecientos puertorriqueños que han vivido por más de un siglo en esa isla.

La lucha por rescatar a Culebra para los culebrenses y sacar de allí a la Marina de Estados Unidos continuará sin tregua. Todos los independentistas estamos comprometidos en esta causa. De igual modo, seguiremos avanzando la lucha en los distintos frentes en que la misma se está librando en la actualidad y aquellos en que vaya ampliándose en el futuro.

No permitiremos que ningún acto represivo detenga esta lucha. Y cada vez que se vuelque contra nosotros —como en este caso— la fuerza bruta imperialista, mayor será la unidad de todo el patriotismo puertorriqueño.

En este minuto histórico, en que todas las señales indican un escalonamiento en la represión imperialista contra el independentismo puertorriqueño, llamamos la activa solidaridad de todos los pueblos del mundo, incluyendo el pueblo de Estados Unidos, y la combativa militancia de nuestro pueblo, para sostener el derecho de nuestra patria a la independencia plena y el libre ejercicio de su soberanía nacional.

San Juan, Puerto Rico, a 22 de febrero de 1971.

Héctor Dávila Alonso—Pres.
Comité Resistencia al SMO
Carlos Gallisá—Vice-Pres. PIP
Juan Mari Brás—Sec. Gen. MPI

Revocan Permiso Acto Sobre SMO

CAGUAS– Un grupo de residentes de las comunidades de Villa del Rey y Villa Nueva se quejaron de que luego de obtener el permiso para celebrar una conferencia en el centro comunal sobre el Servicio Militar Obligatorio, el mismo fue revocado a última hora, amparandose el representante de Parques y Recreos en que el acto era de naturaleza política.

Informan los organizadores del acto que varias semanas antes habían hablado con el sargento Trinta quien está a cargo de dicho centro y este había otorgado el permiso para la actividad. El Licenciado López Pacheco era el conferenciante de la noche.

Minutos antes de comenzar la actividad programada para el sábado 20 de febrero a las 8:00 PM, se presentó un enviado de Parques y Recreos negándose a abrir el salón a pesar de que se le enseñó el permiso que otorgó el sargento Trinta.

El acto siempre se celebró cuando uno de los participantes ofreció su casa que está localizada al frente del centro.

Por otro lado informaron que tanto el sargento Trinta como varios residentes han enviado innumerables cartas a la oficina de Parques y Recreos quejándose de las condiciones deplorables en que se encuentra el lugar y la falta de equipo en el mismo, haciendo caso omiso las autoridades.

Legión Américana Emprende Campaña Contra Obispo

SAN JUAN – La Legión Americana Auxiliar (Unidad 24) presidida por Zulma Grillasca de Misla, se ha visto "en la necesidad espiritual" de emprender "como buenos católicos" una campaña contra el Obispo Monseñor Antulio Parrilla.

La señora Misla, esposa de Edison Misla Aldarondo, secretario ejecutivo de la Federación de Alcaldes del PNP, escribe al Arzobispo Aponte Martínez: "No piense en mí ni en los abajo firmantes como personas de prejuicios políticos... Sabemos que Usted ha hecho lo posible por evitar que el señor Parrilla continue haciendo mal uso de sus hábitos, sin embargo, recurrimos a Usted para terminar esta situación de una vez por todas... El señor Parrilla en innumerables ocasiones, aprovechándose de las circunstancias ha hecho declaraciones, sermones y hasta indicaciones claramente comunistas... Contamos con Usted para salvaguardar el prestigio y la doctrina de la Iglesia de personas inescrupulosas que no pierden tiempo ni esfuerzo mientras utilizan sus títulos para otros fines ajenos a los de Nuestro Señor Jesucristo."

Monseñor Parrilla, en entrevista para CLARIDAD, declaró que esperaba estos ataques de la reacción. "Por otro lado, son miles las cartas que me llegan de puertorriqueños que apoyan mis posiciones."

CARTA DE UN CONFINADO A PRESIDENTE DEL PIP

Señor Rubén Berríos:

Muy respetuosamente me dirijo a usted y a los suyos para así poder demostrarle mi apoyo a todos ustedes y a la causa de nuestra libertad. Antes que nada deseo pedirle que me perdone por mi ortografía, no tengo mucha preparación académica. Le diré que soy un fiel simpatizante del movimiento llamado Poder Negro. Siento un profundo interés por esta causa ya que mi color es negro y he comprendido que mi raza ha sido sometida a un castigo injusto por toda la vida. Creo que ya es tiempo de luchar para podernos superar de esta condición en que hemos vivido. Sinceramente le digo que apoyo su causa, pues la misma es la mía. Soy puertorriqueño y negro y es una obligación para mí el unirme a luchar por la libertad de esta nuestra Patria.

Créame que me encuentro pagando por un delito que no he cometido, no le negaré que he sido un delincuente, hoy he comprendido que fue el sistema de gobierno que me brindó la oportunidad de convertirme en un delincuente. Estoy arrepentido de haber nacido bajo este sistema. El delito por el cual me acusaron no importa, reconozco que es muy difícil obtener mi libertad, la justicia no lo quiere así.

Lo único que deseo es que usted sepa que soy seguidor de su causa. También deseo pedirle que usted se sienta confiado en unión a nosotros los que aquí estamos confinados. Todos nosotros sentimos un inmenso reconocimiento y respeto por ustedes. Nuestra condición de vida es muy lamentable, usted sabe en la forma en que vive nuestro pueblo; imagínese como vivimos los que estamos en prisión.

Se despide de usted con respeto y admiración,

C.L.L.

4 CLARIDAD – 28 DE FEBRERO DE 1971

"Prometen solidaridad recíproca frente a represión."
Periódico *Claridad*, 28 de febrero de 1971.

EL DISCURSO...

Viene de la página 20

los independentistas plantear el problema en estos términos? La lucha es larga y requiere mucho esfuerzo mental y físico. Y la lucha es nuestra, es del pueblo, y tenemos que hacerla unidos, aunque usemos distintos métodos. Siempre cabe la posibilidad de corregir errores.

Berríos explica en el mencionado discurso que la violencia trae la represión y causa desempleo. Destaca los aspectos negativos de la violencia revolucionaria.

Según él, la violencia revolucionaria (que no es revolucionaria "na", dice él) está desatando la violencia reaccionaria. Esto evita que el independentismo trabaje efectivamente. Por eso condena los sucesos del 11 de marzo. Sin embargo, yo creo que la represión se debe al auge que ha cobrado la lucha independentista. Al PIP se le reprime porque sustenta una ideología socialista, cosa que pone en peligro los intereses del imperialismo.

Además la violencia revolucionaria del estudiantado riopedrense sí ha tenido efectos positivos. La quema del ROTC une a grandes masas del estudiantado, concientiza al pueblo y suscita grandes concentraciones en contra del Servicio Militar Obligatorio. Al calor de estas luchas surgen los nuevos militantes del PIP que le dan nueva vitalidad al Partido.

Por otro lado, hay que examinar la posición de la reacción ante la violencia revolucionaria. El imperialismo y sus sirvientes dicen que la violencia revolucionaria es "terrorismo", tirar tiros, poner bombas, tirar piedras. Es imprescindible que el pueblo entienda lo que es violencia revolucionaria y violencia reaccionaria. Si no, esto conllevaría que sectores del independentismo quedarían aislados del pueblo. Esto es lo que quiere el imperialismo. Primero arremeterían contra el independentismo radical y luego contra los pipiolos. Los imperialistas están dispuestos a todo para mantener su régimen de explotación. ¿Qué pasa en Viet Nam?

Pero hay otra cuestión. Si la violencia es tirar tiros y poner bombas, esto podría llevar al pueblo a pensar, si no se le orienta bien, que los imperialistas no son violentos, puesto que aquí no están poniendo bombas o tirando tiros. ¿Y la gente sin techo adecuado? ¿Y los bebés que padecen hambre? ¿Y la ley del SMO? ¿Y la ley Taft-Hartley?

También hay que plantearse la cuestión del desempleo que causan las bombas. Primero, el grave problema del desempleo que tiene Puerto Rico no lo han causado las bombas, como sostiene el señor Ferré. El treinta por ciento de desempleo responde a otras realidades: a algunos capitalistas les conviene más cerrar las fábricas puesto que las fábricas en Europa le producen más, a otros se le acaba la exención contributiva, otros ganan más reemplazando al hombre por la máquina, la economía no genera suficientes empleos, etc. Por otro lado, las bombas han afectado principalmente al sector turístico. Pero la industria del turismo que existe aquí contribuye a la prostitución del pueblo puertorriqueño. Y además, la crisis del turismo responde a problemas inherentes a la industria misma. Por ejemplo, el turismo aquí, debido a los altos precios, apela mayormente a la minoría adinerada de Estados Unidos. Y también hay que señalar que una bomba "bien tirá", como las que pusieron en solidaridad con los obreros en huelga de la General Electric en Palmer, tienen un efecto positivo.

Desde Una Prisión En Puerto Rico

Por Rubén Berríos Martínez

(Traducido del New York Times de 28 de abril de 1971, página 47)

SAN JUAN -- Estoy escribiendo desde una prisión en Puerto Rico, la última colonia clásica en Latinoamérica. La relación esclavo-amo, en cualquiera de sus formas, destruye lo que separa a los seres humanos de los animales: la libertad.

Estoy escribiendo para un periódico norteamericano porque el pueblo norteamericano es nuestro aliado potencial. Para lograr su independencia los puertorriqueños tenemos que hacerle más conveniente para el gobierno de Estados Unidos irse que quedarse en nuestra tierra, y en ese esfuerzo, los norteamericanos libres pueden ser de gran ayuda.

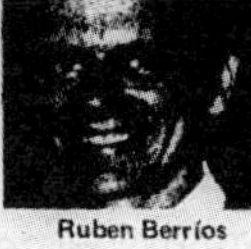

Ruben Berríos

En un país donde el 13 por ciento de su escasa tierra cultivable está ocupada por fuerzas armadas extranjeras quienes también hacen un arsenal atómico de su territorio; donde su juventud es obligada a pelear en las guerras de una nación extranjera, convirtiendo así el grito de lucha "el tributo sin representación es tiranía" en un suspiro comparado con este tributo de sangre; donde las leyes de un parlamento extranjero aplican sin el consentimiento de los gobernados convirtiendo en burla una de las más elementales reglas de la democracia representativa; la lucha por la liberación nacional se ha convertido en el deber de cada hombre y mujer que se respete a sí mismo.

Si a estas abusivas condiciones políticas uno añade un 28 por ciento de desempleo, inmensos y míseros arrabales poblados por el 25 por ciento de nuestras familias, precios más elevados que los de Nueva York con ingresos de menos de $300 per cápita para una tercera parte de la población, una injusta distribución de las riquezas donde el nueve por ciento de las familias recibe el 40 por ciento de ingreso neto y donde el 40 por ciento recibe el nueve por ciento del ingreso neto, ganancias anuales de $450 millones para los inversionistas norteamericanos y un billón de dólares de déficit en la balanza de pagos a favor de Estados Unidos, entonces la lucha por la revolución social viene a ser obligación para cada puertorriqueño.

No es sorprendente que los norteamericanos hayan comenzado a escuchar sobre un Puerto Rico diferente. Los tan difundidos hechos, tales como el abusivo bombardeo de Culebra por parte de la Marina, los motines universitarios, más de 150 actos de sabotaje que han plagado las empresas norteamericanas en Puerto Rico durante los últimos dos años, son síntomas de un problema más profundo. A la violencia institucionalizada del sistema colonial algunos responden con la no violencia, otros con la violencia, y es triste decir, otros todavía responden con la colaboración.

Doblando sus rodillas, los colaboradores pedirán disculpas y asegurarán a los norteamericanos que los independentistas son una minoría en una comunidad de leales ciudadanos norteamericanos. Como prueba someterán la tesis de colonialismo por consentimiento.

Y en un sentido, pudieron estar en lo cierto. Las clásicas manipulaciones de los amos coloniales, la repartición de los despojos con los colaboradores locales, el bombardeo de propaganda a través de periódicos y televisiones controladas por norteamericanos, un sistema educativo destinado a imbuir al puertorriqueño con un sentimiento de inferioridad, impotencia, y dependencia, y la persecución directa de las fuerzas independentistas han ocurrido.

Pero ahora, las contradicciones entre el colonizador y el colonizado, particularmente la incompatibilidad entre la justicia social y el status colonial, se han tornado evidentes. Y las fuerzas independentistas han dirigido sus energías hacia borrar la tradicional concepción errónea de las masas que a través de constante indoctrinación, llegaron a creer que la república equivale a hambre. Unificando la lucha por la liberación nacional con la lucha por el cambio social radical al contestar la pregunta ¿por qué independencia? —nuestra lucha por la libertad ha dejado de ser un movimiento elitista y se está transformado en un movimiento de masas.

Además de darse cuenta de la necesidad de un cambio radical, los puertorriqueños ven la posibilidad de ese cambio. Esto se debe, en gran parte, a la pérdida de prestigio por parte de Estados Unidos, y la adición efectiva a nuestra metodología de las tácticas de la no-violencia. Estas están particularmente apropiadas para situaciones como la nuestra donde el balance del poder físico es desproporcionado y la nación colonizadora se ve obligada, por consideraciones de política interna e internacional, a llevar una máscara de respetabilidad democrática.

Colonizados, explotados, ideológicamente preparados, y llenos de esperanzas, nuestro pueblo está en rumbo hacia la libertad.

"Desde una prisión en Puerto Rico." Artículo de Rubén Berríos Martínez. Periódico *Claridad*, 9 de mayo de 1971.

MARI BRAS ANUNCIA

Transformación MPI A Partido Clase Obrera

SAN JUAN -- En su discurso de clausura del acto conmemorativo del primero de mayo, Día Internacional de los Trabajadores, el pasado sábado en la Plaza Barceló de Barrio Obrero, el Secretario General del Movimiento Pro Independencia Juan Mari Brás anunció a las cinco mil personas que allí se congregaban que el MPI se ha trazado el objetivo de ir sentando las bases, ideológicas y organizativas, para transformarse en un partido revolucionario de la clase obrera.

"Con ese objetivo central", afirmó Mari Brás, "concentraremos de ahora en adelante en la preparación de la Octava Asamblea Nacional de nuestra vanguardia que ha de efectuarse en noviembre próximo."

Otro de los oradores del acto, el Presidente del Movimiento de Acción Sindical Pedro Grant, propuso que se organicen las "milicias obrero-estudiantiles para proteger a los obreros y estudiantes de la represión de que son víctimas en su lucha por las reivindicaciones sociales y económicas."

Una impresionante marcha con antorchas, banderas rojas y pancartas alusivas a la protesta obrera dió comienzo a la celebración. La marcha salió desde el puente de Cantera, entrando por las calles de esa comunidad hasta salir a la Avenida Borinquen. Las miles de personas que participaron en la marcha llegaron a la Plaza de Barrio Obrero coreando consignas como "¡Obreros, Pa'l Frente; Hasta la Victoria Siempre!"

La Plaza se encontraba llena de gente al llegar la marcha. En esos momentos se encendieron varios cohetes y se comenzó a escuchar La Internacional, himno de lucha de todos los obreros del mundo.

David Ortiz Angleró, moderador del acto que auspiciaba el Movimiento de Acción Sindical, dió la bienvenida al público y acto seguido subió a escena un grupo de jóvenes de "Juventud Unida de Cantera", (afiliada al Movimiento Pro Independencia) que montó una obra teatral de tema obrero.

La obra culminó con la quema de una bandera norteamericana, disparo de cohetes y sonidos de tiroteo. El final simbólico de la obra de los jóvenes aficionados tuvo una gran acogida por el público que irrumpió en una ovación prolongada y gritos de viva.

Roy Brown Ramírez y Noel Hernández brindaron sus canciones de protesta que fueron recibidas con fuertes aplausos y participación en coro de los presentes.

En su intervención, el Secretario General del Movimiento Pro Independencia dijo que "en, este año de la Organización de los Trabajadores nos hemos propuesto desarollar campañas y concentrar todos nuestros esfuerzos hacia la organización obrera para darle al movimiento obrero una base de organización sólida." Añadió Mari Brás que la meta que se proponía el MPI era impulsar la creación de una Central Unica de Trabajadores para "la militante defensa de los intereses de clase de los trabajadores".

Hablando sobre la nueva lucha de independencia, Mari Brás dijo que su meta no es una Independencia donde unos pocos puertorriqueños continuaran la explotación de los obreros, sino que la independencia sería "para abrir las puertas através de las cuales la clase obrera tomará el poder para construir el Socialismo."

Pedro Grant en su discurso acusó al gobernador Luis A. Ferré de ser uno de los más grandes explotadores de los obreros que tiene Puerto Rico. "La Puerto Rico Iron Works, propiedad del gobernador Ferré, comenzó hace cuarenticinco años pagándole cuatro centavos la hora a sus obreros" afirmó Grant. Agregó que aunque el gobernador y su familia se habían hecho millonarios, trabajadores que comenzaron con esa empresa hace 45 años hoy ganan $1.71 la hora. "Pero esto se acabó, pues los obreros han despertado y el lunes tres de mayo se van a la huelga por mayor salario" anunció Grant.

Irma Reyes, obrera en huelga de la New York Department Store, estaba visiblemente afectada por los gritos de apoyo y aplauso con que recibió el público su petición de que "no le compren a esos patronos anti-obreros de la New York."

Los líderes estudiantiles, Rubén Soto y José Alberto Alvarez Febles, presidentes de la FUPI y del Consejo General de Estudiantes de la UPR, respectivamente, instaron a los estudiantes a unirse a la lucha de los obreros por sus reivindicaciones económicas y políticas. Alvarez Febles aseguró que la lucha estudiantil continuaría en su curso de abrir las puertas de la Universidad para los hijos de los trabajadores.

David Ortiz Angleró

Roy Brown

J.A. Alvarez Febles

Rubén Soto aseveró que "la solidaridad del estudiantado para con los obreros la mostraremos en la acción el próximo lunes cuando los obreros de mantenimiento de la Universidad se van a la huelga". Soto añadió que "tomaremos todas las acciones que entendamos ayuden a los obreros de la Universidad a alcanzar su meta."

Diversos mensajes de organizaciones obreras y patrióticas fueron leídos en el acto. Se solidarizaban con el acto, entre otros, el Sindicato de Artistas Peruanos, el Partido Nacionalista, el Sindicato de Trabajadores de la Cultura de la URSS, la Unión Nacional de Puerto Rico, la Asociación Nacional de Trabajadores Sociales, la Federación Estudiantil Pro Independencia, el Comité Obrero Revolucionario y la Asamblea de Pobres de las barriadas Plebiscito y Embalse.

Líder Culebra Ex-Carcelado Anuncia Acrecentara Lucha Contra Marina

Por Raúl González
Redactor de CLARIDAD

CULEBRA -- "Todos los puertorriqueños tienen derecho a luchar por su patria aplicando los métodos que estos crean convenientes... y los métodos se aplican de acuerdo con las situaciones y de la inteligencia que pueda tener cada individuo" dijo Benjamín Pérez Vega, dirigente culebrense a su regreso de la prisión.

Estos comentarios fueron vertidos por Pérez a su regreso a la isla municipio donde más de un centenar de personas recibieron en el aeropuerto de esa localidad a los patriotas encarcelados por entrar en territorio usurpado por la marina norteamericana.

Luego del recibimiento se celebró una marcha por el pueblo de Dewey; los habitantes salían de sus casas a saludar a los patriotas recién ex-carcelados. Un ambiente de júbilo y alborozo reinó en Culebra durante todo el día.

En conferencia de prensa celebrada en el Restorán "Aquí me Quedo", donde se le ofreció una fiesta a los que regresaban al pueblo de la prisión, Rubén Berríos Martínez dijo que el próximo alcalde de Culebra será un independentista. Señaló que la represión y la invitación al diálogo hecha por Ferré se debe a que en la última encuesta que realizara una agencia de publicidad para el PNP se encontró que el PIP posee en estos momentos el 24 por ciento de los votos del total de electores inscritos.

Interrogado para CLARIDAD Benjamín Pérez señaló que en el presidio se organizó un comité del Partido Independentista Puertorriqueño. Dijo que "en el presidio recibíamos CLARIDAD por la submarina ya que no lo permiten por ser el único periódico decente de Puerto Rico." De esta manera se enteró de la participación de un culebrense en alianza con la marina para tratar de volcar la lancha del MPI cuando esta organización realizó un acto de desafío en esa isla. Sobre esto afirmó "fíjate como son las cosas, una persona que ha sido maltratada por los marinos desde que nació; se alía con ellos contra sus compatriotas."

Por otra parte condenó al Alcalde Feliciano por pretender que se sacara un permiso para el recibimiento a los patriotas encarcelados. Sobre esto dijo, "es un descaro que para un recibimiento a hijos de Culebra se tenga que sacar permiso; es la primera vez en la historia de Culebra que se ve tal cosa."

En cuanto a la lucha por el rescate de Culebra y la expulsión de la marina de esa isla dijo que todavía no había planes concretos pero que si aseguraba que se iba a redoblar la lucha.

Extenderan A Nueva York Protesta Contra Explotación De Las Minas

SAN JUAN -- El Obispo Episcopal de Puerto Rico, Mons. Francisco Reus Froylán, y el Dr. Máximo Cerame Vivas, Director del Departamento de Ciencias Marinas de la Universidad de Puerto Rico están en Nueva York, donde extenderán su protesta a la minería del cobre en Puerto Rico hasta las reuniones anuales de las mismas compañías que se proponen explotarlo.

Las compañías Kennecott Copper y American Metal Climax escucharán una resolución formal presentada por la Iglesia Episcopal norteamericana y respaldada por otras tres iglesias norteamericanas y por lo menos una organización conservacionista llamada Friends of the Earth. La resolución a presentarse dice: "Resuelvase que los accionistas declaran que la política de esta corporación sea de ahora en adelante que la corporación no entrará en ninguna operación minera a menos que se comprometa a indemnizar a aquellos a los cuales esa operación le implique costos en términos de daños ambientales."

Las tres denominaciones norteamericanas que van a respaldar la resolución son: la Iglesia Bautista Americana, Iglesia Metodista Unida, y la Iglesia Presbiteriana Unida. Las acciones de las cuatro iglesias, votadas en ambas reuniones a favor de la resolución, podrán ascender hasta un total de 10 millones de dólares, especialmente si otras denominaciones o cuerpos religiosos accionistas, votan a favor de ella.

El Dr. Cerame Vivas, conocido opositor de la operación cuprífera propuesta en Puerto Rico, dará su punto de vista como ecólogo marino. El Obispo Reus, enfatizará los daños sociales y culturales que podrán resultar de la operación.

Un portavoz del Obispo Reus explicó el significado de la resolución a presentarse. Dijo que pide que las compañías sufraguen los costos totales de la operación en sus aspectos ambientales, tanto la restauración total de la tierra, como la compensación total por cualquier daño a seres humanos o al medio ambiente por contaminación del aire o el agua, que pueda causar dicha operación. También podrá incluir cualquier costo de relocalización de residentes que pueda haber como resultado de la operación.

Hasta la fecha, según el portavoz, las compañías no han ofrecido pagar los costos de la operación proyectada en ninguno de los dos renglones mencionados arriba.

9 DE MAYO DE 1971 -- CLARIDAD 5

"Mari Brás anuncia transformación MPI a partido de la clase obrera."
Periódico *Claridad*, 9 de mayo de 1971.

El Discurso De Rubén Berríos

Por Roy Brown Ramírez
Colaborador de CLARIDAD

SAN JUAN -- Al salir de la cárcel, Rubén Berrios reitera que el único método de lucha "verdaderamente revolucionario" en el caso de Puerto Rico, es la militancia pacífica. Hace falta analizar cómo el compañero Berrios fundamenta sus planteamientos y la tónica que le da a éstos.

★ análisis de noticias

La militancia pacífica dentro de los marcos de la legalidad es un método común de lucha. Se llevan a cabo marchas, piquetes, y pasquinadas. La desobediencia civil aplicada pacíficamente ha rendido buenos frutos en la nueva lucha de independencia, como por ejemplo en el caso de la resistencia al Servicio Militar Obligatorio, la violación de interdictos, y las pasquinadas abiertas.

La historia nos muestra que la militancia pacífica y la desobediencia civil se vienen aplicando en Puerto Rico desde mucho antes que el Nuevo PIP lo "descubriera". Pero ciertamente es el PIP la primera organización que plantea que es el único método correcto de lùcha.

El mencionado método tuvo efectividad cuando se le aplicó al caso de Culebra. El acto de desafío del PIP le dió nuevo vigor a la lucha de los culebrenses y la impregnó del espíritu de la lucha por la liberación nacional, además de replantearlo dramáticamente ante la opinión internacional dado el caso que 13 puertorriqueños fueron encarcelados por "invadir" el área de tiro de la marina en Culebra.

Pero cabe señalar que la militancia pacífica todavía no está clara en la mente de nuestro pueblo, no se entiende bien su alcance y su aplicación. Dados los planteamientos del PIP, ha cobrado gran importancia. Sin embargo, creo que el PIP todavía está experimentando, capacitando a su gente para aplicarla más efectivamente. De hecho, todavía no se ha probado hasta la saciedad. Todavía no ha prendido masivamente como una cosa diaria entre el pueblo. Hace, tres meses, por ejemplo, que no se practica la militancia pacífica.

El presidente del PIP plantea que el pueblo puertorriqueño no tiene otra posibilidad a no ser la de la militancia pacífica. En cuanto a esto es inflexible. Esto se podría sustentar explicando que dadas ciertas condiciones objetivas y subjetivas, en un momento dado, la militancia pacífica tiene las mejores posibilidades de aglutinar grandes masas del pueblo. Esto no lo explica Berríos. Pero por otro lado, hay que hacer claro que la sociedad es compleja y las condiciones cambian. ¿Cómo negarle al pueblo otros métodos de lucha, tales como una insurrección armada?

Yo creo que la cuestión está abierta al debate. Yo puedo hablar con un militante del PIP y entender por qué él postula la militancia pacífica como el método correcto de lucha para el PIP y para el pueblo en general, esto dadas ciertas condiciones objetivas y subjetivas en un momento dado. Puedo comprender los planteamientos de un compañero en torno a no practicar la violencia.

En el discurso que pronunció al salir de la cárcel, Rubén Berríos se opone a las bombas que explotan en los establecimientos de los capitalistas yanquis. Dice que tales actos dejan a muchos puertorriqueños sin empleo. También condena los sucesos del 11 de marzo. Eso ha desatado una ola de represión que ha privado al PIP de llevarle el mensaje del socialismo al pueblo, dice. Pero Berríos no entra a analizar estos hechos con más profundidad. Y es precisamente sobre estos hechos que él fundamenta su argumentación a favor de la militancia pacífica y en contra de las actividades clandestinas de los CAL y en contra de la violencia defensiva, contra la violencia revolucionaria. Esto lo discutiremos más adelante. Antes, hay que examinar la tónica de los argumentos de Berríos.

¿Qué le parece la pacificación de Rubén?

Entiendo que Berríos se agite ante la ola de represión. Según él, esto pone en peligro el trabajo del PIP. No obstante, sabemos que el MPI siguió trabajando. CLARIDAD se vendió en las calles el 12 de marzo y en días posteriores se celebraron micromítines y piquetes en solidaridad con los obreros en huelga de la New York Department Stores. No obstante, creo que una crítica bien fundamentada, que pase los aspectos negativos y positivos de los sucesos, se puede justificar.

Pero la crítica de Berríos es más bien un ataque vicioso a un sector importante del independentismo. Una cosa es oponerse a la violencia debido a una interpretación científica de la realidad, y otra cosa es ganarse aplausos diciendo que los que practican o justifican la violencia no leen a Mao o al Che. Berríos asegura que tal aseveración es cierta. Berríos no menciona el nombre de los independentistas que, según él, no leen, no piensan, y no hacen lucha científica, pero todos los presentes sabían que se refería por un lado, al MPI y, por otro, a los CAL. Para Berríos, somos anarquistas, seudo-revolucionarios, analfabetos políticos. Los emepeístas, según él, creen que ser revolucionario es ser el más bocón y tirar muchas piedras. Tirar una bomba responde, según Berríos, a que el luchador clandestino cree que hacer eso es sentirse muy macho.

El que se pica es porque ají come, dice el refrán. Yo me sentí aludido. Yo aplaudo algunos de los actos de la CAL. Y de hecho, en una de mis canciones trato de explicar el porqué de la consigna... "los yanquis quieren fuego". No obstante, creo que mi trabajo debe orientarse hacia la lucha de masas. Hay que concientizar y organizar al pueblo. Mi concepción de la lucha, de lo que es una organización revolucionaria, mi orientación teórica y práctica, es distinta a la de muchos pipiolos, aunque me consta que muchos tienen las mismas ideas que yo. Podré estar equivocado en cuanto a mis posiciones, pero no porque sea un bocón o porque me crea más macho. Cierto que el más revolucionario no es aquel que tire más piedras. Pero tampoco és un anarquista o un seudorevolucionario aquel que tira una piedra para defenderse. Sobre eso se puede debatir, aunque por cuestión de espacio no lo pienso hacer aquí.

Hay que aclarar otras cosas. Lo fundamental de las diferencias entre el PIP y el MPI no es que unos sean más bocones que otros. Marx, Lenin, Mao y el Che escriben sobre la revolución, describen la realidad para entenderla y para poder cambiarla. Leerlos es tratar de aprender de otros hombres, aprender sobre otras realidades y equiparnos para estudiar la nuestra. Todo candidato a cuadro del MPI estudia a estos hombres y estudia la tésis del MPI que responde a un análisis serio de la realidad puertorriqueña. Es falso implicar que la política del MPI, porque ésta defienda el uso de la violencia revolucionaria, se reduce a mera boconería. El Nuevo PIP es claramente el resultado del empuje del MPI. Es el MPI el que a través de los años ha señalado el camino hacia el socialismo y hacia la desobediencia civil. El trabajo del MPI no es hacer violencia. El MPI es una organización de masas. Las diferencias entre el MPI y el PIP responden más bien a una interpretación distinta de la realidad puertorriqueña.

Existe una diferencia en cuanto a métodos de lucha. El PIP tiene un método único y el MPI cree en una multiplicidad de métodos y frentes. ¿No sería más beneficioso para las cabezas de

(Vea—EL DISCURSO—Pág. 21)

20 CLARIDAD -- 9 DE MAYO DE 1971

"El discurso de Rubén Berríos." Artículo de Roy Brown.
Periódico *Claridad*, 9 de mayo de 1971.

EL DISCURSO...

Viene de la página 20

los independentistas plantear el problema en estos términos? La lucha es larga y requiere mucho esfuerzo mental y físico. Y la lucha es nuestra, es del pueblo, y tenemos que hacerla unidos, aunque usemos distintos métodos. Siempre cabe la posibilidad de corregir errores.

Berríos explica en el mencionado discurso que la violencia trae la represión y causa desempleo. Destaca los aspectos negativos de la violencia revolucionaria.

Según él, la violencia revolucionaria (que no es revolucionaria "na", dice él) está desatando la violencia reaccionaria. Esto evita que el independentismo trabaje efectivamente. Por eso condena los sucesos del 11 de marzo. Sin embargo, yo creo que la represión se debe al auge que ha cobrado la lucha independentista. Al PIP se le reprime porque sustenta una ideología socialista, cosa que pone en peligro los intereses del imperialismo.

Además la violencia revolucionaria del estudiantado riopedrense sí ha tenido efectos positivos. La quema del ROTC une a grandes masas del estudiantado, concientiza al pueblo y suscita grandes concentraciones en contra del Servicio Militar Obligatorio. Al calor de estas luchas surgen los nuevos militantes del PIP que le dan nueva vitalidad al Partido.

Por otro lado, hay que examinar la posición de la reacción ante la violencia revolucionaria. El imperialismo y sus sirvientes dicen que la violencia revolucionaria es "terrorismo", tirar tiros, poner bombas, tirar piedras. Es imprescindible que el pueblo entienda lo que es violencia revolucionaria y violencia reaccionaria. Si no, esto conllevaría que sectores del independentismo quedarían aislados del pueblo. Esto es lo que quiere el imperialismo. Primero arremeterían contra el independentismo radical y luego contra los pipiolos. Los imperialistas están dispuestos a todo para mantener su régimen de explotación. ¿Qué pasa en Viet Nam?

Pero hay otra cuestión. Si la violencia es tirar tiros y poner bombas, esto podría llevar al pueblo a pensar, si no se le orienta bien, que los imperialistas no son violentos, puesto que aquí no están poniendo bombas o tirando tiros. ¿Y la gente sin techo adecuado? ¿Y los bebés que padecen hambre? ¿Y la ley del SMO? ¿Y la ley Taft-Hartley?

También hay que plantearse la cuestión del desempleo que causan las bombas. Primero, el grave problema del desempleo que tiene Puerto Rico no lo han causado las bombas, como sostiene el señor Ferré. El treinta por ciento de desempleo responde a otras realidades: a algunos capitalistas les conviene más cerrar las fábricas puesto que las fábricas en Europa le producen más, a otros se le acaba la exención contributiva, otros ganan más reemplazando al hombre por la máquina, la economía no genera suficientes empleos, etc. Por otro lado, las bombas han afectado principalmente al sector turístico. Pero la industria del turismo que existe aquí contribuye a la prostitución del pueblo puertorriqueño. Y además, la crisis del turismo responde a problemas inherentes a la industria misma. Por ejemplo, el turismo aquí, debido a los altos precios, apela mayormente a la minoría adinerada de Estados Unidos. Y también hay que señalar que una bomba "bien tirá", como las que pusieron en solidaridad con los obreros en huelga de la General Electric en Palmer, tienen un efecto positivo.

"El discurso..." (continuación)

Claridad
9 Mayo 1971

9008

ESTADO LIBRE ASOCIADO DE PUERTO RICO

POLICIA DE PUERTO RICO

OFICINA DE INTELIGENCIA

COMENTARIO POLITICO POR JUAN MARI BRAS

El Partido Revolucionario

Hemos anunciado el propósito del Movimiento Pro Independencia de acelerar su desarrollo ideológico y organizativo a los fines de transformarse en un partido revolucionario de la clase obrera. Es preciso esclarecer bien, desde ahora, este concepto para que no dé lugar a equívocos.

En primer lugar, quede claro que no estamos hablando de convertirnos en partido político, al estilo de los partidos tradicionales de aquí. El partido revolucionario no tiene ni la razón de ser ni la estructura del partido convencional existente en los sistemas capitalistas, mucho menos de los partidos coloniales.

008063

El fundamento del partido convencional es alcanzar el poder político para administrar el sistema existente y a lo sumo reformarlo en sus detalles. El del partido revolucionario es tomar el poder para transformar por completo la estructura existente.

En Puerto Rico el problema se hace más complejo por nuestra condición colonial. Aquí ha habido partidos que han pretendido emular a las colectividades reformistas de Europa o América Latina y ni aún eso han podido hacer. Porque la camisa de fuerza del régimen colonial no hace posible ni siquiera la reforma dentro del sistema. Ejemplos históricos son el Partido Socialista y el Partido Popular.

Por eso, aún colectividades de ideología reformista se convierten en revolucionarias si son consecuentes en su postura patriótica. Tal fue el caso del Partido Nacionalista. Este nunca pretendió transformar la estructura capitalista. Su ideología fue siempre perfectamente encajable dentro de dicha estructura. Pero el carácter genuinamente patriótico del nacionalismo les colocó en posición revolucionaria frente al sistema colonial.

Ahora se trata de un objetivo sumamente ambicioso. Pretendemos conjugar en el fundamento de nuestro partido la meta patriótica de la independencia con la meta revolucionaria de la construcción del socialismo en Puerto Rico. Y hablamos de socialismo en su única acepción científica, o sea, la completa eliminación de la propiedad privada sobre los bienes de producción, la colectivización y centralización de la economía. Es la manera eficiente de resolver lo que nuestro Eugenio María de Hostos profetizó como el clamor más inquietante del siglo XX en el mundo: "propiedad para todos, trabajo para todos; producción y consumo para todos."

Plantearse este objetivo requiere unas formas de lucha que, en todo caso, van mucho más allá de la rutina electoral. En nuestro caso, tenemos que precipitar la crisis latente del sistema colonial para alcanzar la independencia y sentar las bases hacia la toma del poder en la república, que nos lleve al cambio verdaderamente revolucionario de construir el socialismo.

A tamaño reto no puede enfrentarse ni un partido convencional ni un mero movimiento. El primero por las razones explicadas, y el segundo por su naturaleza de mera organización amplia y con objetivos generalmente a corto plazo, no pueden desarrollar la disciplina, el dinamismo y la agilidad indispensables para motorizar una lucha de envergadura, probablemente a largo plazo.

Lo anterior no quiere decir que el MPI no haya podido cumplir su función vanguardista por llamarse movimiento y no partido. El nombre tiene muy poco que ver con ésto. Lo que pasa es que, en la práctica, en la medida en que el MPI se fue transformando de frente amplio que fue en sus comienzos en vanguardia patriótica, pasó a ser más partido revolucionario y menos movimiento.

Ahora lo que buscamos es perfeccionar su funcionamiento como partido revolucionario. Es organizar un partido con tal disciplina de sus cuadros y militantes que resista victoriosamente todas las embestidas del enemigo; con un grado de capacitación de sus integrantes que garantice la plena comprensión de la cambiante realidad en cada instante; con tal combatividad, firmeza y audacia en sus campañas, que sirva de ejemplo al resto del pueblo y lleve a mayores sectores populares a envolverse en la lucha. Ese partido impulsará una diversidad de movimientos masivos, haciendo posible multiplicar geométricamente el frente amplio que pretendimos acumular con la suma aritmética de miembros en los primeros balbuceos del MPI.

(En futuras columnas continuaremos abordando este tema en sus diversos aspectos.)

8 CLARIDAD 9 DE MAYO DE 1971

"El partido revolucionario." Artículo de Juan Mari Brás. Periódico *Claridad,* 9 de mayo de 1971.

PUERTO RICO EN LA ONU

Por J.A. González González
Corresponsal de CLARIDAD

NACIONES UNIDAS -- Nuevamente el gobierno de Cuba ha salido en auxilio del pueblo puertorriqueño, para hacer posible que los gobiernos representados en Naciones Unidas conozcan el peligroso escalonamiento de la represión anti-patriótica en Puerto Rico.

El embajador Cubano, doctor Ricardo Alarcón, envió una carta al Secretario General de la ONU, U Thant, requiriéndole que se haga circular como documento oficial de la delegación cubana el "Llamamiento Urgente a la Solidaridad con Nuestra Lucha" que dirige Juan Mari Brás, Secretario General del MPI, "a los gobiernos, partidos, organizaciones, y grupos amigos del pueblo puertorriqueño y de su lucha de independencia; a todos los pueblos del mundo."

Gonzalez Gonzalez

El viernes pasado, la delegación cubana circuló copia de la carta de Alarcón y del documento de Mari Brás a los corresponsales de prensa que cubren las Naciones Unidas.

La noticia sobre el pedido cubano, así como el documento del MPI, fueron despachados a centenares de periódicos en todas partes del mundo por las distintas agencias de prensa y corresponsales aquí.

El documento emepeísta comienza afirmando que "en más de un siglo de lucha ininterrumpida por la independencia de Puerto Rico, nuestro pueblo se ha enfrentado a diversas formas de represión y agresión por parte de los interventores extranjeros. En la actualidad, cuando el independentismo puertorriqueño está triunfando en movilizar las grandes mayorías populares en apoyo a sus combativas campañas, el gobierno de Estados Unidos, en connivencia con el régimen colonialista del llamado estado libre asociado de Puerto Rico, está desatando una ola de brutal represión contra el pueblo puertorriqueño y sus luchadores independentistas."

Luego de detallar todos los encarcelamientos, arrestos, acusaciones fabricadas, agresiones y atropellos contra los independentistas ocurridos durante las últimas semanas, el documento advierte lo siguiente:

"Lo que el gobierno norteamericano quiere ocultar, en complicidad con el gobierno colonial, es el saldo de desasosiego, miseria e inconformidad que está alcanzando el colonialismo en Puerto Rico: ruina casi total de la agricultura; desempleo ascendente a más del treinta por ciento de la fuerza trabajadora; cientos de miles de puertorriqueños sin albergue en condiciones mínimas para la subsistencia; ciento veinte fabricas cerradas en los dos años que lleva Luis A. Ferré de gobernador; ruina del negocio turístico; y, por otro lado, combativo desarrollo del movimiento obrero, que ha llevado a cabo más de cien huelgas en el último año; del movimiento estudiantil, que ha desafiado las leyes arbitrarias que impone el militarismo yanqui en nuestras universidades; y auge del espíritu de protesta y lucha entre comunidades pobres y sectores de la población que sufren más implacablemente los efectos desgarradores del coloniaje."

Más adelante, el documento informa sobre la conspiración que hay contra el único periódico puertorriqueño, CLARIDAD, por parte del gobierno colonial; recuerda la vacilación del Comité de 24 de la ONU sobre su obligación de dilucidar el caso de Puerto Rico y reitera que esta conducta del comité ha hecho que Estados Unidos sienta que puede violar impunemente todas las normas del derecho internacional vigente en su trato a Puerto Rico, y finalmente afirma:

"Ya no estamos pidiendo que las Naciones Unidas intervenga para evitar la guerra en Puerto Rico. Estamos invocando la ayuda concreta, la solidaridad militante de gobiernos, países, partidos y organizaciones amigas en el mundo entero para que ayuden al pueblo puertorriqueño a ganar su lucha de independencia contra el imperialismo de Estados Unidos."

"Le recordamos al mundo entero que Puerto Rico es una de las principales fronteras del tercer mundo. Si Estados Unidos lograra contener la lucha de liberación de los puertorriqueños, hasta ahogar nuestra nacionalidad, se asentaría sobre bases más sólidas el poderío imperialista, especialmente en lo que respecta al Caribe y la América Latina en general. La independencia de Puerto Rico es, pues, una necesidad continental y mundial para alcanzar el equilibrio de poder que requieren los pueblos del tercer mundo en su confrontación con el imperio yanqui."

"Para nosotros, puertorriqueños, latinoamericanos, integrantes de este mundo que clama por una total reestructuración de las bases sociales y económicas de la humanidad contemporanea, la norma es la que nos legó el maestro Pedro Albizu Campos, inspirador y orientador de nuestra lucha de independencia; "Para quitarnos la patria, primero tienen que quitarnos la vida." Por eso nuestra consigna de hoy es ¡a mayor represión, mayor combatividad."

4 CLARIDAD -- 16 DE MAYO DE 1971

CAL Nombra Berríos Intermediario Tregua

SAN JUAN -- El jefe de los Comandos Armados de Liberación, Alfonso Beal, propuso una tregua al "imperio yanki y el gobierno colonialista" basada en cinco puntos y a la vez anunció que dicha organización no realizará acciones en los próximos quince días pero que de violarse alguna de las condiciones "reanudaremos las acciones diez por uno."

Las manifestaciones de Beal constan en unas declaraciones enviadas por correo a los diferentes medios de comunicación del país. "Es tonto tan solo pensar que la represión contra el pueblo es producto de las acciones nuestras. Eso es lo que quiere hacer creer el enemigo y en ese error caen muchos políticos que, aunque sinceros, desconocen como funciona el imperialismo," señala el jefe guerrillero en la declaración.

El texto de la declaración, fechada el cuatro de mayo, lee como sigue:

DECLARACIONES DE ALFONSO BEAL

"Con la explosión de dos tiendas de la cadena yanqui New York Department Store hemos cumplido nuestra operación diez por uno para vengar los actos terroristas contra independentistas, y en particular la de la Farmacia Domus y la casa de la compañera Ana Livia Cordero. Escogimos estas tiendas porque son yanquis y; también en solidaridad con los obreros en huelga de las mismas.

"Estuvimos el lunes a recibir al compañero Lcdo. Rubén Berríos cuando salió del presidio. Nos dio mucha alegría verlo salir en libertad, a él y a los demás luchadores que fueron condenados por la corte del imperio. Pero nos sentimos ofendidos por sus ataques indirectos a nuestro instituto armado.

"Nosotros no somos bocones, apenas hablamos, lo que hacemos es actuar. No queremos que el compañero Berríos se convierta en guerrillero, como tampoco nosotros nos metemos a resistentes pacíficos. Cada cuál en su lugar. Nosotros no criticamos las acciones de Berríos, aceptamos que

Ruben Berríos

Alfonso Beal

nos critique, pero responsablemente. El es responsable de sus actos y nosotros de los nuestros.

"Nos sentimos orgullosos de haber podido hacer bastante por la independencia de la patria. Organizar un pequeño ejército guerrillero parecía algo imposible hace algunos años, pero en estos momentos es una realidad. Ahora tenemos ese ejército y nuestras acciones son cada vez más duras contra el enemigo: el imperio norteamericano. Nuestra disciplina es férrea. Nuestros combatientes están bien adiestrados, hacen bien sus acciones y nadie los puede agarrar. Tenemos explosivos, municiones y armas para expandir la guerra mucho más de lo que se imagina el enemigo. Creemos que crear un ejército libertador es indispensable para conseguir la independencia. Y no cejaremos en mejorarlo y expandirlo cada vez más. Se necesitarán muchas otras cosas, quizás un partido electoral que saque miles de votos, o un movimiento no-electoral y militante, o ambas cosas, pero todo eso no será suficiente para hacer la independencia. No habrá libertad sin un ejército libertador. Nosotros nos ocupamos de desarrollar ese ejército. Encárguense los demás del resto.

"Es tonto tan solo pensar que la represión contra el pueblo es producto de las acciones nuestras. Eso es lo que quiere hacer creer el enemigo y en ese error caen muchos políticos que, aunque sinceros, desconocen como funciona el imperialismo. El gobierno reprime cuando se ve amenazado y la lucha de masas, al nivel que está ahora, constituye una amenaza a sus intereses.

"Ahora bien, no queremos interferir con los que laboran en otros planos de lucha. Ahora hay un gran auge en la lucha de masas. Se ha visto en el acto del primero de mayo que realizó el MPI y en el recibimiento a los líderes que dio el PIP el lunes.

"Sin embargo estamos dispuestos a hacer una tregua en nuestras operaciones militares si el imperio yanki y el gobierno colonialista aceptan las siguientes condiciones:

1. Que cesen la persecución de todos los independentistas y se archiven los casos fabricados que han puesto contra independentistas inocentes.
2. Que la policía deje de abusar de los estudiantes, los obreros y los independentistas en general.
3. Que se permita a todos los partidos y demás organizaciones independentistas usar la radio, la televisión y los periódicos en las mismas condiciones que lo usan los partidos colonialistas y otras organizaciones.
4. Que cese por completo toda violencia contra los independentistas, provenga de quien provenga.
5. Que se publique este comunicado integramente en toda la prensa del país.

"La duración de la tregua dependería del enemigo. Tan pronto violen una sola de las condiciones que hemos puesto reanudaremos las operaciones diez por uno.

"Autorizamos al Lcdo. Berríos a acordar esta tregua con el gobierno con las condiciones mencionadas.

"Para demostrar nuestra buena fe, estaremos quince días desde hoy en tregua, sin realizar ninguna operación. Si al terminar los 15 días se ha violado alguna de las condiciones, reanudaremos las acciones, diez por uno.

"INDEPENDENCIA O MUERTE, ALFONSO BEAL, Jefe de los CAL"

ORGANIZACION DE TRINIDAD TOBAGO APOYA LUCHA LIBERACION PUERTO RICO

BELMONT -- El secretario del Comité Nacional de Acción Conjunta de Trinidad Tobago, Ralston Grainger, manifestó su apoyo a la lucha de los puertorriqueños por su Liberación Nacional y a su vez reafirmó la determinación de su pueblo de continuar su lucha contra el imperialismo norteamericano e inglés.

Indicó Grainger que en su país "se está desarrollando el ejército del pueblo que día a día lucha en contra de las contradicciones" que sufre su pueblo a manos del imperialismo. "El imperialismo lo que persigue es la balkanisación económica del Caribe", afirmó Grainger.

Aseguró que el ejército de liberación nacional cuenta con el apoyo del pueblo y que como muestra de ello "el pueblo ha constituído los Tribunales del Pueblo y estos han absuelto a los soldados del ejército popular señalando que estos luchan por la justicia social".

"Ante la presente situación económica, política, y militar tenemos que desarrollar una lucha revolucionaria en contra del brutal imperialismo. Los Hermanos en todo el Caribe, de Guyana hasta Puerto Rico y Cuba señalan conjuntamente: ¡Unidad en el Caribe, Liberación Ahora! ", concluye el mensaje.

"CAL nombra Berríos intermediario tregua."
Periódico *Claridad*, 18 de mayo de 1971.

Claridad 19 sept. 71

7008

COMENTARIO POLITICO POR JUAN MARI BRAS

Viraje Histórico

La marcha del domingo representa el gran viraje histórico de Puerto Rico hacia la independencia. El camino de la independencia es largo y zigzagueante. Había que tener una conciencia plena de la solidez de esta hermosa plasmación social que es Puerto Rico para perseverar en el empeño independentista hace apenas una década.

Parecía entonces que las fuerzas ciegas de la economía— desbordadas sobre nuestra política— habían determinado fatalmente la eventual disolución de nuestra patria y su asimilación a Estados Unidos.

Pero una patria con raíces profundas como la nuestra no sucumbe por mero decreto de los monopolios. Menos aún cuando éstos, sostenidos por una política imperialista que empezaba a mostrar signos de decadencia a escala mundial, van generando con su propia voracidad las bases de una fuerza contraria que significa su destrucción.

Así empezó a renacer el independentismo. No es hechura de ningún genio. Es resultado de la propia realidad que va desenmadejando sus complejidades, al influjo de las luchas perseverantes de los grupos de vanguardia, hasta exponerse en toda su sencillez fundamental al alcance de las grandes mayorías. Y esa sencillez es la suprema definición que atisbó Albizu Campos desde la plenitud de su visión profética: yanquis o puertorriqueños.

Todo lo demás es ilusorio y artificial. En Alabama, para los racistas del KuKlux Klan, yanquis querrá decir liberales del Norte estadounidense. Para nosotros en el tercer mundo, yanquis quiere decir imperialismo: piratería y pillaje, en palabras de Don Pedro. La única división real entre los puertorriqueños del presente es esa. Con los yanquis están sus acólitos, los que se han lucrado de la traición a su pueblo, sirviendo de intermediarios al saqueo de nuestra riqueza: Ferré, García Méndez, Moscoso, Picó. El partido a que pertenezcan importa poco. Lo importante es su común denominador de entregas y traiciones. El resto del país, que es decir el pueblo entero, estará de este lado, del lado de la independencia. Hoy, mañana o pasado, pero ciertamente caerán del lado de lo suyo. Así de simple es.

El viraje histórico del domingo consiste en que de pronto se toma conciencia universal de que esa regla tan sencilla se ha empezado a volcar en una fuerza masiva, poderosa, incontenible.

Ya se acabaron los arrinconamientos del independentismo. Ahora la independencia está en la bola. Ya no es un tres porciento, ni un cinco ni un diez. Es un veinte o un treinta que ha de convertirse en cincuenta, sesenta, noventa y no tiene más ruta que la del ascenso.

No es tampoco por mera adición aritmética que va a producirse ese aumento. El trauma del domingo es la acumulación de mucho esfuerzo que a su vez empuja traumas futuros de mayor alcance.

Quedaron atrás los miedos y las vacilaciones. Ya Puerto Rico entero sabe que se puede ser firme, radical y combativo y aumentar el respaldo de masas para la independencia. Los toños gonzález del pseudo- independentismo espantadizo quedaron sepultados para siempre políticamente. Los hernández colones y los arrarases de la componenda autonomista empiezan a ver resquebrajarse la base engañosa de su fuerza política: el ilusionismo de conciliar lo irreconciliable.

Las fuerzas independentistas tienen una sólida base de afinidades: su clara definición anti-imperialista. Ahora no hay razón para que esas fuerzas no se conjuguen para impulsar su multiplicación acelerada en la acción libertadora misma.

Hemos agarrado la clave del desarrollo de la lucha. Consiste en no sentarse a esperar por mayorías electorales para hacer una independencia quimérica. Hacemos la independencia a golpes contundentes contra el enemigo desde ya. Vamos ganando terreno al enemigo y ya son muchos los costados de esta lucha que se manifiestan por todas partes. Ya no pueden aislarnos.

El pueblo sabe que somos muchos, que somos los más organizados y que somos la fuerza del futuro, la única que crece y asienta su poderío en las juventudes. El mundo ha tomado noticia de que Puerto Rico vibra en tensión patriótica y revolucionaria. El imperialismo descubre que tendrá que tallar con una fuerza nueva, pujante, que no va a replegarse a los chanchullos ni ante la tentación, ni la amenaza ni la represión.

Se acabó la charanga del voto presidencial, la estadidad y la asociación permanente. Basta que el independentismo junte sus fuerzas para detener todo intento de seguir remachando el coloniaje. Profundice esa unidad el independentismo y jalonará un paso más decisivo aún: forzar la independencia de Puerto Rico.

Es obvio que el PIP y el MPI tienen el liderato indiscutible de la lucha de independencia. Y quedó claro que cuando estas dos organizaciones articulan sus fuerzas se reproducen muy por encima de la suma de sus capacidades. La unidad es, pues, un imperativo del momento. Entenderlo así es empezar a descargar el liderato responsable que Puerto Rico necesita. El hecho de que así lo van entendiendo dirigentes y militantes de las dos organizaciones básicas del independentismo contemporáneo ha sido el punto decisivo de este viraje histórico.

007896

CLARIDAD -- 19 DE SEPTIEMBRE DE 1971

"Viraje histórico." Artículo de Juan Mari Brás.
Periódico *Claridad*, 19 de septiembre de 1971.

En una sociedad hecha a la medida para que una mayoría sirva de masa despersonalizada de explotación y de escalera para que una minoría viva de ella y se lleve por ella y a costa de ella a la cumbre más alta de los privilegios. Antulio Parrilla Bonilla (Vea pág. 10)

Claridad **10¢**

EL PERIODICO DE LA INDEPENDENCIA

Núm. 325 - Año XIII – Semanal | San Juan, Puerto Rico, 26 de septiembre de 1971 | 15 centavos fuera de Puerto Rico

Berríos Y Mari Brás Llaman A La Unidad

Por Raúl González
Redactor de CLARIDAD

LARES -- Una gigantesca multitud, calculada en más de 40,000 personas, recibió con estruendosas ovaciones y largos aplausos los señalamientos de unidad pronunciados por los dirigentes del Partido Independentista Puertorriqueño y del Movimiento Pro Independencia de Puerto Rico durante el acto político que culminó la celebración del 103 aniversario del Grito de Lares.

El presidente del PIP, Lcdo. Rubén Berríos, señaló que su partido y el MPI han estado en conversaciones con el propósito de sellar la unidad independentista. "No sabemos hasta donde llegarán estas conversaciones pero si podemos decir que independientemente de lo que surja de ellas, el PIP y el MPI siempre tendrán las más cordiales relaciones

(Vea–BERRIOS Y MARI BRAS–Pág. 24)

La multitud reunida en Lares selló con su combatividad el clamor de unidad independentista que hicieran sus principales dirigentes. Definitivamente el pueblo patriota está unido. (Foto CLARIDAD por Camero).

A Pleno Asamblea ONU Caso P.R.

Por J.A. González González
Corresponsal de CLARIDAD

NACIONES UNIDAS -- El debate sobre la inclusión del caso colonial de Puerto Rico en la agenda de la asamblea general pasará al pleno de la asamblea luego que el Comité General, tras una discusión de hora y media, recomendó que no se incluya el tema por cerrada votación de 6 votos a favor, 10 en contra, 8 abstenidos y tres ausentes. La discusión y votación en el Comité General compuesto por 27 naciones se llevaron a cabo el pasado jueves 23 de septiembre. Dicho comité está obligado a rendir un informe al pleno de la asamblea general sobre la cuestión aunque ésta fuera derrotada.

El comité general estaba supuesto a rendir informe a la asamblea el viernes 24 pero no es seguro que llegue a discutirse el asunto ese mismo día ya que en el informe del comité aparece como primer punto la cuestión de la restitución de los derechos al gobierno de la República Popular China, que podría tomarse las horas de sesión del viernes. En ese caso la cuestión de Puerto Rico se debatiría el sábado 25, de celebrarse sesión ese día, cosa que no es muy común pero sí se hace en algunas ocasiones, o si no el lunes 27.

SAN JUAN -- El Presidente de Chile, Salvador Allende dio instrucciones al Ministro de Relaciones Exteriores, Clodomiro Almeida para que intervenga en el debate de la asamblea general de la ONU en favor de la inclusión del caso colonial de Puerto Rico en la agenda. Así lo informó a CLARIDAD a su regreso de Santiago de Chile el jueves el doctor José Milton Soltero, quien había viajado al hermano país para recabar la solidaridad chilena con el planteamiento independentista puertorriqueño en las Naciones Unidas.

Almeida llegará a Nueva York durante el fin de semana y de realizarse el debate el lunes tendrá oportunidad de participar en el mismo. Si el debate se anticipara el viernes, el canciller chileno instruyó al embajador de su país en Naciones Unidas para que éste haga la intervención en favor de Puerto Rico.

Por otro lado, el Secretario General del MPI Juan Mari Brás salió para Nueva York en la mañana del viernes para presenciar el debate sobre el caso puertorriqueño y sostener entrevistas previas con varios delegados que participarán en el mismo en favor de Puerto Rico.

Los seis países que votaron a favor de la inclusión del de Puerto Rico en la agenda de la asamblea fueron la Unión Soviética, Hungría, Bulgaria, Sierra Leona, la

(Vea–A PLENO ASAMBLEA ONU–Pág 24)

"Berríos y Mari Brás llaman a la unidad."
Periódico *Claridad,* 26 de septiembre de 1971.

BERRIOS Y MARI BRAS LLAMAN A LA UNIDAD

viene de la página 1

de unidad", dijo Berríos durante su turno. Es la primera vez que dirigente alguno del MPI o el PIP revela la existencia de tales conversaciones.

Por su parte el Secretario General del MPI señaló que el escalonamiento de la unidad es un hecho irreversible. "Con la gigantesca marcha del pasado doce de septiembre comenzamos la unidad; de ahora en adelante la continuaremos y la escalonaremos", dijo Mari Brás, siendo interrumpido por las ovaciones de la multitud que gritaba "¡unidad, unidad! " Por otro lado dijo: "Que no se crean los imperialistas y sus alzacolas en Puerto Rico que el hecho de que discutiéramos detalles de la marcha del doce con funcionarios del gobierno, significa que nos vayamos a convertir en freno de la lucha. Por el contrario, nuestra función es de aceleradores de la lucha del pueblo." Recalcó que las ilusiones en las componendas y en las reformas se acabaron, que la trayectoria de la nueva lucha es a favor del cambio radical. Terminó señalando que la independencia es sinónimo de revolución y que eso es lo que van a hacer los independentistas en Puerto Rico: la revolución.

Rubén otra parte de su discurso, señaló que no bastaba con la presencia de los independentistas a los actos masivos y que dicha presencia no significaba nada a menos que cada independentista entienda que tiene que convertirse en un predicador, en un trabajador incansable por la independencia. En un análisis de la década anterior de nuestra lucha recalcó la importancia de la diversidad de tácticas. Al final de su discurso hizo un llamado a redoblar el esfuerzo independentista.

En el acto político también participaron representantes de otras organizaciones independentistas: Don Jacinto Rivera Pérez, por el Partido Nacionalista; Juan Antonio Corretjer de la Liga Socialista Puertorriqueña; Félix Ojeda del Partido Comunista de Puerto Rico; el Dr. Héctor Dávila Alonso del Comité de Resistencia al Servicio Militar Obligatorio; el Lcdo. Jorge Luis Landing por el Partido Auténtico Soberanista y David Pérez en representación del Partido de los Young Lords.

Durante todo el día reinó un espíritu de festividad y alegría pero a diferencia del año pasado se destacó la disciplina y la falta de incidentes desagradables a excepción de los compañeros que se desmayaron debido al candente sol y la compactividad de la masa reunida en Lares.

Los actos conmemorativos del 103 aniversario de la Revolución de Lares comenzaron el pasado 21 de septiembre con un acto artístico auspiciado por la Asociación de Artistas Independentistas. Durante la noche del miércoles 22 se presentaron películas y se ofreció un espectáculo artístico en la Plaza de la Revolución. A las 6:00 de la mañana del día 23 una diana recorrió las calles del pueblo. La tradicional concentración y peregrinación desde el puente del Añón salió a las 9:30 A.M. Más tarde se celebró una misa en la cual Monseñor Parrilla leyó una homilía dedicada a los presos políticos puertorriqueños. (Vea página 10) Luego de la misa se partió hacia al cementerio donde se depositaron ofrendas florales sobre las tumbas de héroes lareños. Asimismo se depositó una ofrenda floral ante el obelisco en la Plaza de la Revolución. Al terminar estos actos comenzó el acto artístico con la participación destacada de los artistas Noel Hernández, Miguel A. Suarez, Antonio Cabán Vale, Silverio y Rosana, Suni Pas, Roy Brown, Pepe y Flora y Efrén Ramírez.

Al comenzar el acto político la periodista norteamericana Ruth Reynolds, quien se destacó en la defensa de los presos políticos puertorriqueños y fue una cercana colaboradora de Don Pedro Albizu Campos, saludó a la multitud allí reunida. Posteriormente el presidente del Partido Nacionalista leyó una carta de dicha periodista donde se informaba que a Carlos Feliciano el régimen norteamericano le había fabricado siete casos adicionales cuando este iba a salir bajo fianza. De esta manera se impide que éste recobre la libertad.

Interrogados por CLARIDAD, miembros del Comité Nacional para la Celebración del Grito de Lares, que preside Monseñor Antulio Parrilla, se mostraron muy complacidos por la labor desplegada por el comité de disciplina que trabajó en estos actos. Por su parte, el Lcdo. Emilio Soler Mari, que presidió dicho comité de disciplina se mostró agradecido por la cooperación de los comerciantes y el pueblo lareño.

La masividad de este acto quedó recalcada con el hecho de que a más de diez kilómetros a las afueras de Lares había autos estacionados. Muchas personas para poder llegar hasta la Plaza de la Revolución caminaron por más de dos horas desde donde dejaron sus automóviles.

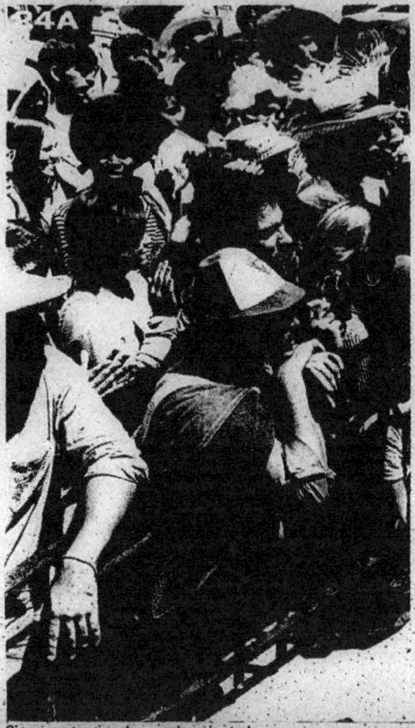

Siempre atentos al mensaje orientador.

A PLENO ASAMBLEA ONU CASO P.R.

viene de la página 1

República Popular del Yemén del Sur y Sudán, que inicialmente estaba ausente del comité pero luego unió su voto favorable a la petición cubana. Votaron en contra Estados Unidos, Gran Bretaña, Francia, Bélgica, Finlandia, Grecia, Filipinas, Costa Rica y el gobierno títere de Chiang Kai Shek que aún funge como representante de China pero que —como se sabe— está a punto de ser expulsado de la organización mundial.

Los países miembros del Comité General que se abstuvieron de votar fueron Venezuela, Perú, Jamaica, Burundi, Irlanda, Zambia, Chipre y Nigeria.

El embajador de Cuba Ricardo Alarcón Quesada hizo una brillante exposición ante el Comité General en defensa de la petición de su gobierno para que se incluya el caso colonial de Puerto Rico en la agenda de la presente asamblea. El delegado norteamericano hizo una intervención típicamente imperialista, negándole a Puerto Rico el derecho a la independencia y sosteniendo, contrario a la legislación de las Naciones Unidas, que se trata de un asunto interno que compete únicamente a "los ciudadanos norteamericanos residentes en Puerto Rico en el cual la ONU no puede intervenir." Alarcón le contestó contundentemente, señalando que Puerto Rico es un país intervenido y que es por eso que la ONU tiene no solo la autoridad sino la obligación de dilucidar este caso que es uno de claro corte colonial. El embajador cubano hizo referencia a que en este mismo día (23 de septiembre) los puertorriqueños conmemoran el aniversario 103 del Grito de Lares y la fundación de la primera república puertorriqueña y recalcó que desde entonces hasta el presente el pueblo de Puerto Rico no ha cesado de luchar por la independencia nacional.

También saludó a los presos políticos puertorriqueños que extinguen condenas en cárceles de Estados Unidos y Puerto Rico por defender ese derecho a la independencia y mencionó por sus nombres a Oscar Collazo, Rafael Cancel Miranda, Irving Flores, Andrés Figueroa Cordero y Lolita Lebrón, quienes cumplen condenas en prisiones norteamericanas.

Por otro lado, la delegación de Estados Unidos se ha estado moviendo intensamente para ejercer presión sobre muchos países a los fines de evadir la discusión del caso de Puerto Rico en la asamblea. El banquero Rafael Picó ha estado visitando distintas delegaciones aquí por encomienda del gobierno de Estados Unidos.

Se sabe, sin embargo, que cuando el debate sobre la inclusión se traslade al pleno de la asamblea, el viernes, sábado o lunes, varios países, además de Cuba, harán intervenciones en favor de Puerto Rico. Entre estos se mencionan a Chile y Ecuador de América Latina; Argelia y Tanzania de Africa; la URSS y Polonia de los países socialistas, entre otros.

Algunos de los países que se abstuvieron de votar en el Comité General adujeron como razón el título que Cuba le habá dado al tema solicitado que es "el Caso Colonial de Puerto Rico", indicando que un voto a favor prejuzga como colonial el caso de la isla. Por tal razón, varios diplomáticos y periodistas comentaron con este corresponsal que los votos a favor de la resolución cubana son claramente de países que definen a Puerto Rico como un caso colonial y favorecen la aplicación de la resolución 1514 (XV) al mismo.

Salvador Allende

24 CLARIDAD – 26 DE SEPTIEMBRE DE 1971

"Berríos y Mari Brás..." (continuación)

7008

ESTADO LIBRE ASOCIADO DE PUERTO RICO

POLICIA DE PUERTO RICO

OFICINA DE INTELIGENCIA

[✓] EL MUNDO   [ ] NEW YORK TIMES

Mari Bras Insta a Conciliación

Por Juan Cepero

El licenciado Juan Mari Bras, secretario general del Movimiento Pro Independencia, fue aplaudido e interrumpido con gritos de "unidad, unidad, unidad" por miles de simpatizantes independentistas cuando dijo en una parte de su discurso que hay que desarrollar una búsqueda estratégica y lógica que lleve a Puerto Rico a su liberación nacional.

Mari Bras fue el orador más aplaudido durante los actos conmemorativos del aniversario del Grito de Lares, el cual estuvo mucho menos concurrido este año que en años anteriores.

Observadores y organizadores adujeron esta merma en asistencia al hecho de que recientemente se celebró una concentración masiva en repudio a la Conferencia de Gobernadores celebrada en San Juan y que esto mermó los fondos de los comités municipales por lo cual no pudieron financiar la transportación de sus afiliados ayer a Lares.

En el transcurso de su discurso, Mari Bras abogó por un tipo de conciliación que incluya desde la abstención electoral, la lucha revolucionaria y la asistencia a elecciones.

En referencia a la pasada Conferencia de Gobernadores y las conversaciones de él y otros líderes independentistas con el licenciado Santiago Soler Favale, asesor especial del Gobernador, dijo que "había que conversar porque las condiciones así lo requerían: seremos aceleradores y no freno de la lucha por la independencia nacional."

Continuó diciendo Mari Bras que la unidad independentista comenzó el 12 de septiembre de este año y que esa unidad se seguirá escalonado con usos diversos de táctica, según sea dado el caso.' pero sabiendo que la revolución es lo único que traerá la libertad para Puerto Rico.

007889

Finalizó Mari Bras repitiendo que su organización (MPI) está en la mejor disposición de patrocinar la unidad independentista.

En un aparte, Mari Bras, dijo que todos los puertorriqueños tenían cabida en esta unidad independentista excepto el Partido Unión Puertorriqueña, por considerar él que no es un partido independentista.

Esta contestación la produjo una pregunta sobre la aceptación del Partido Auténtico Soberanista en dicho frente unitario independentista.

Por su parte, el licenciado Rubén Berríos, presidente del Partido Independentista Puertorriqueño, en una aparente aceptación del discurso de Mari Bras, dijo que "hoy se reconocen errores de ideología y hay que utilizar todos los métodos que nos lleven a la liberación nacional." Señaló

(Continúa en la Pág. 21-A)

Mari Bras Insta a Conciliación...

De la Primera Página

que esto lo decía a nombre de su partido...

Sobre la propuesta unidad independentista, Berríos dijo que tanto el MPI como el PIP están sosteniendo conversaciones al respecto. Pero afirmó que cualquiera que sea el resultado de estas conversaciones, ya sea unidad completa, a medias o como sea, siempre estarán unidos y coordinados en la hermandad y en el ideal de independencia.

Por su parte, el presidente del Partido Nacionalista, Jacinto Rivera Pérez y el secretario general de la Liga Socialista, Juan Antonio Corretjer, abogaron por una unidad independentista en favor de los presos políticos y en favor de la independencia de Puerto Rico.

Dijo Corretjer que el auge de la independencia en Puerto Rico se debe a Pedro Albizu Campos, Betances, la revolución cubana y "la obra organizativa que hemos formado en el frente anti-electoral".

Por su parte, Monseñor Antulio Parrilla criticó ayer el sistema penal de Puerto Rico en su homilía durante la Misa que fue parte de la conmemoración del 103 aniversario del Grito de Lares, y que fue dedicado a los presos políticos puertorriqueños.

"Las cárceles son antros de perdición, inhumanas, centro de vicios y de perversión sexual", dijo monseñor Parrilla agregando que "los ricos no caen en la cárcel".

Afirmó que esta sociedad está hecha a la medida para que una mayoría "sirva de masa despersonalizada de explotación y de escalera para que una minoría viva de ella y se eleve por ella y a costa de ella llegar a la cumbre más alta de los privilegios".

007890

Más adelante afirmó el Obispo titular de Ucres que todos los presos en Puerto Rico son presos políticos porque "son víctimas expiatorias de una sociedad sadísticamente estructurada en la voilencia".

"Mari Brás insta a conciliación."
Periódico *El Mundo*, 24 de septiembre de 1971.

IV.
Frente Unido o cero votos

Luego de tres años de actividades y campañas conjuntas en el frente nacional e internacional, el rechazo del PIP a un frente electoral con el MPI dará paso a la transformación de este en un partido de ideología marxista leninista, el Partido Socialista Puertorriqueño (PSP), quien competirá eventualmente por el espacio electoral independentista con el renovado PIP, que abrazará la ideología del socialismo democrático. En la campaña electoral de 1972, el PIP estrenará no solo nuevo liderato y nueva ideología, sino estrategias de campaña que lo acercarán a las luchas comunitarias, universitarias y laborales que crean una efervescencia independentista que se verá reflejada en la gran asistencia a la asamblea general de la colectividad en un abarrotado Estadio Hiram Bithorn en San Juan. Esas expectativas chocarán con el resultado electoral posteriormente, en el que, aunque el PIP recupera su presencia legislativa perdida en 1960 al elegir senador a Rubén Berríos y lograr dos representantes por adición en las figuras de Carlos Gallisá y Luis Ángel Torres, la desilusión creará las bases del eventual rompimiento de la cúpula dirigente del nuevo PIP, así como provocará la decisión del PSP de inscribirse como franquicia electoral de cara a los comicios de 1976.

Cronología

1971

10 de octubre- El MPI propone al PIP un Frente Unido electoral.

29 de noviembre- Asamblea Constituyente del Partido Socialista Puertorriqueño (PSP). Asiste una delegación del PIP encabezada por Rubén

Berríos. Juan Mari Brás hace un llamado a la unidad PSP-PIP bajo la consigna "Frente Unido o cero votos".

1972

enero-febrero- Juan Mari Brás viaja a Cuba, Chile, China y Corea del Norte en gestiones sobre el caso de Puerto Rico en la ONU.

1 de mayo- Actos conjuntos del PIP y el PSP con motivo del Día Internacional de los Trabajadores en Río Piedras.

20 de mayo- Protesta del PSP contra el concurso de Miss Universo en el hotel Cerromar de Dorado. Los Comandos Armados de Liberación (CAL) colocan varios artefactos explosivos allí. El PIP rechaza las acciones de los CAL en un editorial del periódico *La Hora*.

27 de mayo- Acto conjunto del PIP y el PSP en solidaridad con el pueblo de Vietnam en la plaza de Río Piedras.

mayo- Se revela plan para asesinar a Rubén Berríos y Juan Mari Brás.

18 de junio- Reunión del liderato del PIP y el PSP para coordinar trabajos en la ONU.

9 de julio- Asamblea general del PIP con asistencia de 40 mil personas. Juan Mari Brás asiste encabezando una delegación del PSP. Desfilan pancartas con imágenes de Marx, Lenin y Ho Chi Minh.

20 de julio- Una delegación unitaria del independentismo sale hacia la ONU a testificar ante el Comité de Descolonización.

28 de agosto- Se aprueba la primera resolución referente al caso de Puerto Rico en el Comité de los 24 en la ONU.

3 de septiembre- Acto de bienvenida a delegación que asiste a la ONU en Bayamón. Rubén Berríos y Juan Mari Brás son oradores.

23 de septiembre- En los actos del Grito de Lares, Juan Mari Brás hace nuevo llamado a la unidad independentista.

30 de septiembre- Juan Mari Brás exhorta a militantes, afiliados y simpatizantes del PSP a no votar.

22 de octubre- Aniversario número 26 del PIP en Santa Rosa Bayamón, se estima la asistencia de unas 50,000 personas

octubre- Debate sobre el caso de Puerto Rico en Asamblea General de la ONU.

7 de noviembre- En las elecciones, el PIP obtiene 52, 070 votos (4.37%) quedando inscrito por primera vez desde 1956. Rubén Berríos resulta electo senador con más de 90 mil votos y Carlos Gallisá y Luis Ángel Torres obtienen escaños a la Cámara por adición.

11 de noviembre- El PSP admite que el independentismo ha sufrido un revés electoral.

TESTIMONIOS

1. JUAN MARI BRÁS

"FRENTE UNIDO O CERO VOTOS": INTENTO DE UNIDAD ELECTORAL CON EL PIP; FUNDACIÓN DEL PSP

Juan Mari Brás: Nosotros planteábamos la unidad del PIP y el MPI en un frente común electoral, y para otras funciones, como la mejor manera de aprovechar esa coyuntura dinámica que se estaba presentando. Poníamos como ejemplo esa marcha de los gobernadores porque allí se comprobó nuestra tesis de que la unidad tiene un efecto multiplicador. Si usted llama a una marcha del PIP, usted puede conseguir 10 mil personas. Si usted llama a una marcha del MPI usted puede reunir 10 mil personas. Pero si usted llama una marcha conjunta, no solo son 20 mil los que van, van 100 mil. Y ese es el efecto multiplicador de la unidad y lo vimos ahí comprobado, decíamos. Naturalmente con ese efecto tan contundente y con ese efecto tan positivo que produjo la marcha de los gobernadores, se iniciaron las conversaciones para la unidad MPI-PIP, y nos reunimos en distintas fechas, ocasiones y lugares, para discutir un plan de frente unido. No se pudo realizar el frente unido; se opuso al frente unido el PIP tajantemente. Dicho sea de paso, no era Rubén Berríos el portavoz de esa posición, era Carlos Gallisá el que se oponía al Frente Unido PIP-MPI, dicho en justicia histórica. Y, pues se opuso por razones que ellos consideraban muy válidas. Y, entonces al romperse la posibilidad del frente unido, se plantea el MPI ¿qué vamos a hacer nosotros? Y entonces es que se inicia la discusión de convertir el MPI en un partido político. Y esa discusión culmina en la fundación del Partido Socialista Puertorriqueño en noviembre de 1971.

2. Rubén Berríos Martínez

Candidatura a la gobernación de Noel Colón Martínez, rechazo al Frente Unido electoral con el PSP y campaña de 1972

Rubén Berríos Martínez: Entonces, luego de las elecciones del '72, y me acuerdo como si fuera ahora, después de estar en la cárcel, pues se crea un impacto en todo Puerto Rico y cuando el día de las elecciones, (te recuerdo que estamos hablando sin máquinas electorales y con limitados funcionarios), yo he pedido que de la Isla me traigan sábanas –actas electorales–, unas de Ponce, otras de San Juan, y me llegan como 200 o 300 sábanas de diversos lugares. Me acuerdo, como si fuera ahora, todo el mundo triste en el comité –que quedaba en la esquina de la Avenida Universidad– diciendo "El partido no queda inscrito". Yo miro las actas y digo, "Aquí hay votos para llegar al Senado. ¡Pero de largo!". Lo veía. Con 35 palitos aquí, 10 eran del PNP, 25 eran de los Populares, de todos lados de Puerto Rico.

Néstor Duprey Salgado: El escrutinio...

RBM: En el Partido se inició un conteo interno de las sábanas, de las actas electorales. Me acuerdo que un muchacho de la juventud, que estudiaba matemáticas, le decíamos Kissinger, se pone conmigo a contar. Entonces vienen más actas, y ya tenemos ochocientas, novecientas. Es evidente la elección al Senado. A la Cámara no, pero al Senado sí, y a la gobernación ¿quién sabe? Entonces, por alguna razón, en aquellas elecciones del '72, se hace un recuento general.

Pablo Ortiz Ramos: ¿No fue por lo de Sánchez Vilella?

NDS: Fue por lo de Roberto Sánchez Vilella para la Cámara. El escaño de Sánchez Vilella.

RBM: Eso es. ¡Lo que son las coyunturas históricas! Por lo de Sánchez Vilella empiezan el recuento y yo salgo electo, creo que por noventa y pico de mil votos para el Senado. Me acuerdo que yo me fui a Suecia a ver a mi hijo; ya me había separado de mi primera esposa. Cuando regreso, me informan que yo estoy electo y que Noel, quien fue candidato a gobernador, puede llegar a los votos requeridos para la inscripción. Si Noel llegaba a los cincuenta mil votos –no recuerdo el número–, el partido quedaba inscrito, tendríamos derecho a la adición.

NDS: A representante de la Cámara por adición.

RBM: Sí, a dos. Dicho y hecho, eso fue.

NDS: Y ahí entran Carlos Gallisá y Luis Ángel Torres... Pero, antes de eso, hay dos cosas que a mí me gustaría para marcar ese contraste de tu dirección política en el PIP en la década del '70. Uno, es la decisión de la candidatura a la gobernación de Noel Colón Martínez, de una figura que tenía muy corto tiempo de militancia en el PIP. Y segundo, el tema de las expectativas del PIP en esa elección del '72. El PIP viene de celebrar una asamblea donde llena el Estadio Hiram Bithorn.

RBM: ¿En el '72? Sí.

NDS: En el '72. Sí señor. Donde prácticamente lograr coagular un activismo social que todas las proyecciones apuntaban a que el PIP iba a quedar inscrito y por lo menos iba a tener un buen resultado electoral...

RBM: Así es. Eso es correcto.

NDS: Y como tú planteas, al final hay un poco de desilusión en unos sectores.

RBM: Sí. ¡Grande!

NDS: ¿Cómo tú lo veías?

RBM: Me acuerdo de la asamblea en el Bithorn que, cuando sale el grupo de los estudiantes universitarios, tienen una pancarta gigantesca de Carlos Marx, otra de Ho Chi Minh y quizás de Lenin y de otros.

NDS: ¿Tú sabías que eso iba a pasar?

RBM: No. Yo estoy sentado allí en la tarima y doña Lydia Alfaro, que era presidenta del Precinto 3, cuando ve las pancartas le pregunta a la persona que tiene al lado: "¿Y quién es ese? ¿Walt Disney?" ¿Tú sabes lo que es empujarle una pancarta de Carlos Marx no solo a gente del PIP, sino a todo el pueblo mediante los medios de comunicación? Bueno, ¿qué efecto tuvo eso? Yo no sé exactamente, pero lo que te quiero decir es ¿de dónde salieron esas pancartas?

NDS: ¿Pero, tú te enteraste allí?

RBM: Allí mismo. Allí mismo. Ya obviamente había unas corrientes dentro del Partido que no eran las corrientes en las que yo creía. Yo me enteré allí. Y, obviamente, como la "revolución" estaba "a la vuelta de la esquina", pues algunos creían que íbamos a sacar un fracatán [de votos]. Yo creía que quedábamos inscritos. Yo creía que había votos para quedar inscritos, que era lo que necesitábamos.

NDS: Había en esa generación, Rubén, tú mencionas ahora, lo mencionas en broma y en serio, el tema de que la revolución era inminente. Y muchos de los que analizamos este periodo ahora, desde la óptica histórica, sentimos y percibimos una "inminencia de la victoria", que un poco explica lo que pasa después, o sea la desilusión...

RBM: Así es.

NDS: Pero tú, cuando uno lee tus expresiones durante toda esa campaña, tú fuiste muy prudente siempre en tu evaluación de cuál iba a ser el comportamiento electoral, el resultado electoral.

RBM: Sí. Yo no me engañé tanto, vamos a ponerlo así. Y después, pues vino esa decepción que tú dices. Y la decepción, pues, junto con los movimientos de fuera del Partido, que eran los del MPI, ya PSP, son los que traen las lluvias borrascosas del '72 al '76.

NDS: Hay dos decisiones que se toman de cara a las elecciones del '72, que uno verá las consecuencias luego en toda la crisis posterior. Uno, el negarse a ir en un frente unido a la elección con el PSP, aquella campaña "¡Frente unido o cero votos!" Y segundo, la decisión de la candidatura de Noel Colón Martínez como gobernador. Luego de haber hecho unas actividades unitarias, la Marcha de los Gobernadores, los Gritos de Lares, ¿Por qué el PIP decide en aquel momento no ir en un frente unido con el PSP a las elecciones de 1972?

RBM: Bueno, yo no recuerdo exactamente el detalle de la discusión, pero sí sé que obviamente lo de Noel estaba fundamentado en el hecho de que iba a traer gente del Partido Popular a votar por el PIP. Y, lo segundo, a que en el Partido había una convicción generalizada de que unirse con el PSP restaba en vez de sumar. Esas yo creo que fueron las razones fundamentales.

NDS: ¿Cómo fueron tus relaciones con Noel durante la campaña del '72? ¿Cómo tú las recuerdas en aquel momento? ¿Buena, mala, regular, inexistente?

RBM: Cordial. Mi relación con Carlos siempre fue más cercana, pero con Noel la relación fue más formal, aunque buena. Recuerda, además, que Noel era mayor que nosotros.

NDS: No era el mismo nivel de afinidad. Con Carlos había una relación más íntima.

RBM: Sin duda alguna.

NDS: Más estrecha por la afinidad generacional alta.

RBM: Sí. Y por otras razones. Y por amigos mutuos, como Jorge Segarra, quien era como mi hermano.

3. Carlos Gallisá
Rubén y la unidad, el Frente Unido y la campaña de 1972

José Sánchez Jorge: Pero, Rubén hablaba de unidad cuando el PIP estaba... o él podía pensar que el PIP estaba...

Carlos Gallisá Bisbal: ¿Rubén? Rubén nunca hablaba de unidad de verdad. Rubén no, especialmente, él me oía mucho a mí. Él me oía mucho. En todos los actos unitarios, era porque yo lo presionaba y lo presionaba. Por ejemplo, en la asamblea que dimos en el Bithorn, que yo te digo [que eran] 30 a 40 mil personas, yo digo: "Vamos a invitar a Mari Brás para que vaya a la asamblea y hable allí." Chacho, aquello fue una batalla campal con Rubén hasta el final. Bueno, llegó a la cosa de decirme: "Bueno, si invitamos a Mari Brás, tenemos que invitar a Luis Ferré y a Rafael Hernández Colón." "Pero, Rubén ¿cómo tú, carajo, me vas a decir a mí eso?" Finalmente, accedió y, oye, la asamblea fue un éxito, que se vació también en esa asamblea el MPI, no, o el PSP, pues. De todos esos eventos, puedes buscar información que a mí se me escapa. Y tenerlo documentado, y decir lo que ha pasado. Pues, venció la visión de Rubén del Partido Independentista como el que está. Es un sector del independentismo conservador que siempre tiene su peso en la lucha, aunque no tenga futuro. Pero, de hecho, se estancó en las últimas elecciones.

JSJ: Usted menciona que el MPI, en esa asamblea del Bithorn, que invitan a Juan.

CGB: A Juan. Yo presento a Juan en esa asamblea.

JSJ: Pero viene gente del MPI también a la asamblea.

CGB: Sí.

JSJ: ¿Por qué entonces el MPI, o yo no sé si lo propusieron, por qué el MPI no propuso en algún momento que su matrícula votara por el PIP? Eso hubiera sido un acto de solidaridad, ¿no?

CGB: No, no lo hicieron. Muchos votaron después de la asamblea cuando vieron... Pero nunca lo hicieron y entonces, la consigna era una condición de ellos votar si había unidad. Déjame ver cuál era la consigna. "¡Sin unidad, cero votos!" Una cosa así. Algunos votaron. "¡Unidad, cero votos!", algo así, por ahí. Pero oficialmente se abstuvieron como organización. Bueno, entonces ahí se da de verdad la expresión del "melonismo."

JSJ: Por eso, pero el PIP no la quiso dar, porque cuando se propone eso para la campaña del '72, ellos dijeron no...

CGB: ¡Frente unido o cero votos! ¿Te acuerdas? Esa era la consigna ¡Frente unido o cero votos! Ahí yo tuve una discusión larga con Mari Brás. Y yo le dije, "Mira Juan, Rubén Berríos nunca va a hacer la unidad." Rubén no creía en eso. Yo sabía lo que pensaba Rubén. Bueno, lo ves ahí en esas caricaturas [sobre la crisis del PIP en la sala del hogar de Gallisá]. La visión de Rubén era el partido que existe hoy. Él mandando solo y pa'l carajo; no va a compartir con nadie. Pero Juan no entendió eso nunca.

JSJ: Yo lo que digo [es que] hasta su muerte, tenía la esperanza de que se diera algo.

CGB: Sí, pero es que no conocía a Rubén. Yo conocía a Rubén, yo estaba bien cerca de Rubén. Rubén hablaba conmigo abiertamente, y él con Mari Brás no quería mucha cuenta. Y Juan tenía una visión distinta de la lucha, que es la que tiene ahora. Un partido conservador donde él mandara y ya. El debate del '73 es un debate de dos visiones de partido, que se define en lo que es el de Rubén y el que nosotros queríamos; ese es el debate. Y claro, aquí se ha dicho que es una garata mía con Rubén, ¿no?

JSJ: Pero es que antes que hubiera la garata suya con Rubén, ya usted estaba pensando en esa unidad...

CGB: Ah, claro, sí, pero Rubén no. Sí, desde el principio tenemos problemas. Si tú pudieras conseguir el discurso de Rubén cuando sale del presidio, ahí hay ya algo... Cuando Rubén termina el discurso de salida del presidio, yo renuncio a la vicepresidencia, digo, sin decirlo públicamente. Yo le dije a Rubén en el viaje afuera, le dije: "Mira, este no es el partido que me representa. Esto no es el partido [en el] que yo entré."

Eso fue como un lunes, y Rubén me oía mucho a mí. Y entonces él va el jueves, yo siempre recuerdo, a la universidad, se llenó aquel teatro. Escribe su discurso por primera vez y hace entonces unos ajustes de lo que había dicho de revoluciones sin fusiles.

JSJ: Pero ya lo dicho, dicho está.

CGB: Ah, sí, pero rectificó algo, ahí empieza el debate. Claro, había otra gente distinta que quería hacer otro partido. Yo quería cambiar al PIP, dentro del PIP hacer la transferencia. Otros tenían ya el MSP y todo esto. Y entonces ahí viene el tercerismo, el lío con Noel Colón Martínez y la expulsión de Noel. Pero muy mal manejado todo esto, tú sabes. El otro día me dijo un amigo que estuvo hablando en Lares con [Ángel] Villarini, y que Villarini le dijo que ellos habían cometido un grave error en el tercerismo, pues había dos fuerzas. Había un independentismo conservador, que es el tradicional. Y ese independentismo era mayoritario en el PIP, que es el independentismo de siempre, conservador, ateneísta. Nosotros estábamos rompiendo lo que había sido… Acuérdate que toda esa gente viene mayormente del Partido Popular. Esos no vienen de la revolución, tú sabes. Vienen de y tienen mentalidad Popular, muchos. Quizás lo vas a ver, todo esto…

JSJ: Entonces, filosóficamente hablando, ¿de verdad se podía conseguir algo con ese frente unido? O sea, ¿si se hubiera dado, de verdad, pudiéramos haber esperado una fuerza electoral grande, como decía don Juan, y adelantar grandemente la independencia?

CGB: Yo creo que sí; hubiera habido un adelanto. Hubieran tenido una presión mayor a los Populares y al yanqui. Porque esa visión de partido que nosotros teníamos, hubiera tenido un impacto internacional mayor que la que tuvo en las Naciones Unidas y en otros sitios. Yo creo que el deterioro del Partido Popular hubiera sido mayor.

JSJ: ¿Y más rápido?

CGB: Y más rápido. Me parece que en aquellos años hubiera [tenido] un atractivo mayor para la juventud. Acuérdate que aquellos eran los años difíciles, tú sabes... Hubiera tenido impacto… Pero, no se dio, no se dio.

4. Luis Ángel Torres
La JIU, las pancartas en la asamblea del PIP y la campaña de 1972

Entrevistador: Háblenos de esas elecciones, las campañas y cómo se desarrolla todo eso. Comenzamos con eso, ¿no?, cómo esa juventud del PIP se envuelve en ese tipo de cosas y lo combinamos con el 11 de marzo [de 1971, los incidentes en la UPR].

Luis Ángel Torres: Sí, además del elemento muy positivo que se fue logrando en el PIP, que acometiera la tarea de diseñar un programa socialista democrático, eso fue parte también de un proceso más amplio donde la juventud comenzó a involucrarse en las luchas obreras. Porque unas de las críticas que nosotros le hacíamos al liderato del Partido era que el PIP quería lograr la independencia, pero no trabajaba con los sectores que debían ser la base social para que esa independencia se produjera, que eran los distintos sectores de la clase trabajadora. Por eso, nos dimos a la tarea de participar en distintas huelgas, conflictos y actividades que se dieron en el País. Una de las huelgas históricas, que se menciona como uno de los puntos culminantes de ese proceso de participación del independentismo, fue la huelga de Palmer, en la General Electric en Río Grande, donde un sector amplio del Movimiento Pro Independencia y de sectores de la juventud del PIP nos involucramos en ese proceso. Y así por el estilo, en otra serie de huelgas que se dieron en esos años, también participamos activamente. Podría decirse, sin temor a equivocarnos, que el PIP fue el primer gran promotor de los rescates de tierras, que se le llamaba en ese tiempo rescate de terrenos, pero nosotros los bautizamos como rescate de tierras porque esas eran tierras que le pertenecían al pueblo puertorriqueño, pero que fueron usurpadas, ya fuera por el estado o por empresas privadas. Y entendíamos que el pueblo tenía el derecho legítimo de apoderarse de ellas para resolver un problema grave que había en el país: la falta de vivienda adecuada. Y fueron miles las familias, yo pienso que, a nivel de todo el país, que se lanzaron a rescatar tierras y en el Partido Independentista, particularmente sus sectores juveniles, jugamos un papel bien importante en asesorarlos, ayudarlos, en hacer círculos de estudios, discusiones que permitieran que ese objetivo se pudiera lograr. En el caso mío, yo participé en 80 o 90 rescates de tierras a nivel de todo el país, porque la gente, una vez tenía el problema de la vivienda, identificaba una parcela, un terreno baldío, pues se comunicaba con nosotros para que le diéramos la asesoría, los ayudáramos. Y entonces, gustosamente lo hacíamos y contribuimos a que ese proceso se desarrollara. Obviamente, ese proceso tuvo una contraparte de represión de parte del Estado y en algunas comunidades cometieron abusos muy grandes. Recuerdo la comunidad de Villa Kennedy en Toa Baja y la comunidad de Candelaria en Mayagüez, donde metieron los tractores, que nosotros les decíamos "las puercas", para destruirles las casas a las personas con las personas dentro... Y, obviamente, eso generó violencia de ambas partes porque la gente tiene derecho a defender el techo de sus hijos, de sus familiares, y esa fue una campaña sumamente intensa que tuvo un impacto muy grande junto a la participación en las huelgas en la ideología del PIP.

El PIP dejó de ser esa organización espectadora de las cosas que pasaban, a ser una organización que se involucraba en la lucha directamente. Pero a su vez, eso tuvo sus problemas. Creaba o profundizaba unas diferencias con algunos sectores dentro del PIP que no creían en esos métodos de lucha y que entendían que el Partido debía seguir siendo uno de Bandera e Himno y no un partido de lucha. En ese contexto de lucha, la juventud del PIP participa también en las luchas universitarias y, dándole continuidad a lo que hablamos ahorita sobre el 4 de marzo de 1970 cuando asesinan a Antonia Martínez, pues, al año de ese suceso, nosotros comenzamos a programar en la Universidad la conmemoración de la muerte de Antonia. Y, obviamente, como sabíamos que la Policía iba a responder de manera violenta, pues hicimos los preparativos necesarios para salvaguardar al movimiento estudiantil ante una embestida de la Fuerza de Choque. Para el 4 de marzo del 1971, estábamos bien preparados para hacer la actividad, llamamos a un paro, que fue un éxito total, del Recinto de Río Piedras, incluso en otros recintos de la Universidad. Pero ese día la Fuerza de Choque no entró a la Universidad. Como sabían que estábamos preparados, que el movimiento estudiantil había madurado y estaba en posición de repeler sus ataques, pues no entraron. Sin embargo, a través de un incidente que se produce varios días después, el 11 de marzo del 1971, unas discusiones que se dan entre estudiantes independentistas y estudiantes pro militaristas del ROTC, pues degenera en una confrontación inicial por la mañana que posteriormente se convierte en un motín de grandes proporciones. La Fuerza de Choque decide entrar al Recinto y comienza una batalla campal que duró cuatro o cinco horas, donde murió un cadete del ROTC, Jacinto Gutiérrez se llamaba, murió un sargento de la Policía, el sargento José Rondón, y murió también un teniente coronel, Juan Virino Mercado, que a la sazón era el comandante de la Fuerza de Choque. Eso más o menos nos da una idea de la escalada de violencia que implicó el 11 de marzo. Cerca de 100 estudiantes fueron agredidos gravemente, cerca de 100 a 150 estudiantes fueron arrestados, cerca de 25 o 30 estudiantes fueron torturados en los cuarteles de Río Piedras y de Hato Rey, y la Fuerza de Choque y la Policía tomaron toda el área de Río Piedras. Durante varias semanas, todo el que caminara por esa área era intervenido por la Policía. Las autoridades universitarias tomaron la determinación de cerrar por 30 días el Recinto y cuando lo abrieron, lo abrieron completamente lleno de verjas para que todo aquel que quisiera entrar a la Universidad tuviera que pasar por un proceso de registro a través de una serie de portones que se fueron estableciendo, para que entonces pudiera permitírsele la entrada. Y se hizo una lista de cerca de 200 estudiantes a los cuales se determinó que no se les iba a permitir la entrada. Se obligó a los estudiantes a sacar una nueva tarjeta de identificación para que así pudieran negarles el derecho a entrada a aquellos que ya tenían identificados. Y se prohibió durante 30 días cualquier actividad dentro del Recinto. Esos elementos nos dan una idea del impacto que tuvieron los sucesos del 11 de marzo en la Universidad de Puerto Rico donde, a pesar de las diferencias marcadas que teníamos, tanto entre el PIP, como el PSP, la FUPI, la Juventud Independentista Universitaria del PIP, todos los sectores participamos en ese proceso. Aunque eso nos trajo problemas con algunos sectores del liderato del PIP, para nosotros se trataba del derecho de autodefensa que tienen los estudiantes y que en ese sentido teníamos que defendernos. No podíamos abandonar a la masa estudiantil cuando la Fuerza de Choque estaba atacando. Teníamos que participar; estábamos obligados moralmente a participar en ese proceso. Éramos conscientes de que eso nos iba a traer problemas con algunos líderes del PIP que entendían que nosotros habíamos desbordado las posiciones políticas del PIP sobre la violencia, pero para nosotros era un compromiso con el que no podíamos fallar.

La campaña del '72 fue para nosotros una escuela porque por primera vez participamos en una campaña donde el socialismo es el sujeto y donde todas aquellas cosas que habíamos soñado que se podían tratar de impulsar en el PIP en la práctica se estaban logrando. Para que tengas una idea, el 9 de julio del 1972 en el Hiram Bithorn, se celebró la magna asamblea del PIP, donde se presentaron las candidaturas y donde se le informó al país y a la militancia allí presente del programa socialista del Partido y cómo el Partido había tomado la determinación de que más importante que los votos, era el contenido del programa y que estábamos apostando a que ese contenido, que reivindicaba el derecho fundamental de los trabajadores a hacer gobierno en Puerto Rico, iba a tener un impacto sumamente grande en la campaña e iba a provocar un crecimiento inusitado del Partido. En esa asamblea, entraron por el torno del Hiram Bithorn 45 mil personas. Nosotros pensamos que esa es la actividad más grande que el independentismo ha hecho. Y en la actividad de la juventud que se hizo en el terreno de juego nosotros calculamos entre unas trece mil a quince mil personas jóvenes que estábamos en esa actividad. Nosotros, coordinando con la dirección del Partido, establecimos un plan de movilización y como parte de los trabajos allí, en el día de la asamblea acordamos llevar unas pancartas gigantes. Esas pancartas tenían el dibujo o retrato de Ho Chi Minh, Marx, Engels, Lenin y el Che Guevara, entre otros. Y hago el relato porque va a ser importante sobre el futuro del Partido. La actividad fue un éxito y todo el mundo nos felicitó por la gran movilización que logró la juventud y al otro día de la actividad comenzaron a llegar unas cartas al Partido, donde se quejaban las personas provenientes de la pequeña burguesía, y la burguesía dentro del Partido, de que nosotros habíamos convertido al PIP en un partido comunista.

Comenzaron una intensa campaña internamente dentro del Partido para tratar de que los jóvenes abdicáramos de las ideas que habíamos venido planteando y, de hecho, el liderato del Partido dio un resbalón grande porque nos llamó a capítulo a nosotros, particularmente a mí que era el secretario general de la juventud, para que hiciéramos una autocrítica pública sobre las pancartas. Nosotros les planteamos que no, que el socialismo democrático que postulaba el Partido era un socialismo que permitía que los distintos sectores pudieran expresar sus puntos de vista. Nosotros expresamos nuestro punto de vista en la actividad en coordinación con el liderato del Partido, que ahora el liderato del Partido se estuviera echando hacia atrás eso era otra cosa, pero que lo positivo de que hubiese sucedido antes de las elecciones era que nos daba la oportunidad de profundizar ese debate y que el liderato del PIP, en vez de estar haciendo caso a cuatro o cinco cartas de personas pudientes de la burguesía independentista, que no habían hecho o habían hecho muy poco para el desarrollo del Partido, lo que debiera reivindicar el objetivo del programa socialista del Partido era decirles a esas personas que en el PIP cabían todos los sectores que estuvieran de acuerdo con ese programa y más o menos bajo esa óptica logramos que el asunto no pasara a mayores. Sin embargo, eso sirvió para darnos un mensaje de que había un sector importante dentro del Partido a nivel de liderato y a nivel de los colaboradores económicos de la organización que estaban en pie de lucha contra el socialismo y contra el programa, a veces tímido, de posiciones socialistas que el Partido está planteando.

Por otro lado, la campaña una vez se desarrolla, además de intensa, fue sumamente productiva. Yo creo que el PIP logró impactar todos los rincones de Puerto Rico. Hicimos campaña a un nivel como nunca antes en Puerto Rico, en sitios donde nunca antes se había llegado, hicimos miles de actividades, concentraciones, micromítines en las fábricas, actividades de discusión política, círculos de estudio, actividades de propaganda. Nosotros, para esa campaña, recibimos la colaboración del Taller Alacrán, que dirigía en ese momento el compañero Antonio Martorell, él nos dio varios seminarios a través del país para diseñar murales. Eran unas pinturas alegóricas a la independencia y al socialismo, que hacíamos en las grandes paredes que estaban disponibles en el Área Metropolitana y los distintos pueblos del país. Convertimos los murales en uno de los principales métodos o mecanismos de propaganda en Puerto Rico. Diseminamos ese método, ese mecanismo, de una manera increíble y la campaña del PIP se distinguió precisamente por ese método que era bastante barato, poco costoso, que nos permitía entonces expresar nuestro punto de vista de una manera sumamente bonita con unas características que motivaban hacia la lucha a distintos sectores. Yo creo que fue una campaña sumamente positiva, que a pesar de las diferencias que había en los diferentes sectores, logramos que el socialismo se difundiera a nivel nacional de una manera sumamente amplia y que le dio al Partido una militancia inusitada. Recuerdo que, en el área de San Juan, la juventud independentista creó las brigadas de la juventud para hacer propaganda. Todos los días, después de las 4 de la tarde, salíamos a hacer murales, poner pasquines, hacer distintas actividades en las comunidades y logramos movilizar a varios miles de jóvenes y personas de otros comités del PIP, que también eran jóvenes, para participar en esas tareas y cubrimos todo el país con esas brigadas. También el Partido desarrolló un concepto que se llamó "Arriba los de abajo". Era la caravana "Arriba los de abajo", que visitó casi todos los pueblos de Puerto Rico a través de un mecanismo, de un método de caravana que permitía difundir las distintas ideas socialistas del programa del Partido a nivel de todo el país. O sea, que me parece que la campaña fue muy positiva, que contribuyó a elevar los niveles de conciencia del pueblo, particularmente de los sectores trabajadores que habían recibido solidaridad del PIP y en ese momento, se mostraron muy solidarios con el Partido y se logró motorizar una militancia como nunca antes habíamos visto en el independentismo puertorriqueño.

Juan Mari Brás se dirige a la asamblea constituyente del Partido Socialista Puertorriqueño. A la derecha, Rubén Berríos Martínez quien encabezaba una delegación del PIP. (Archivo del periódico *Claridad*)

Asamblea del liderato del PIP en San Juan, en la cual participaron (entre otros), Aarón G. Ramos, Margarita Mergal, Norman Pietri, Carlos Gallisá, Rubén Berríos, David Noriega y Luis Alonso, (Periódico *La Hora*)

Cartel elaborado por la juventud del PIP que se desplegó en la Asamblea general del Partido en 1972. (Archivo del periódico *Claridad*)

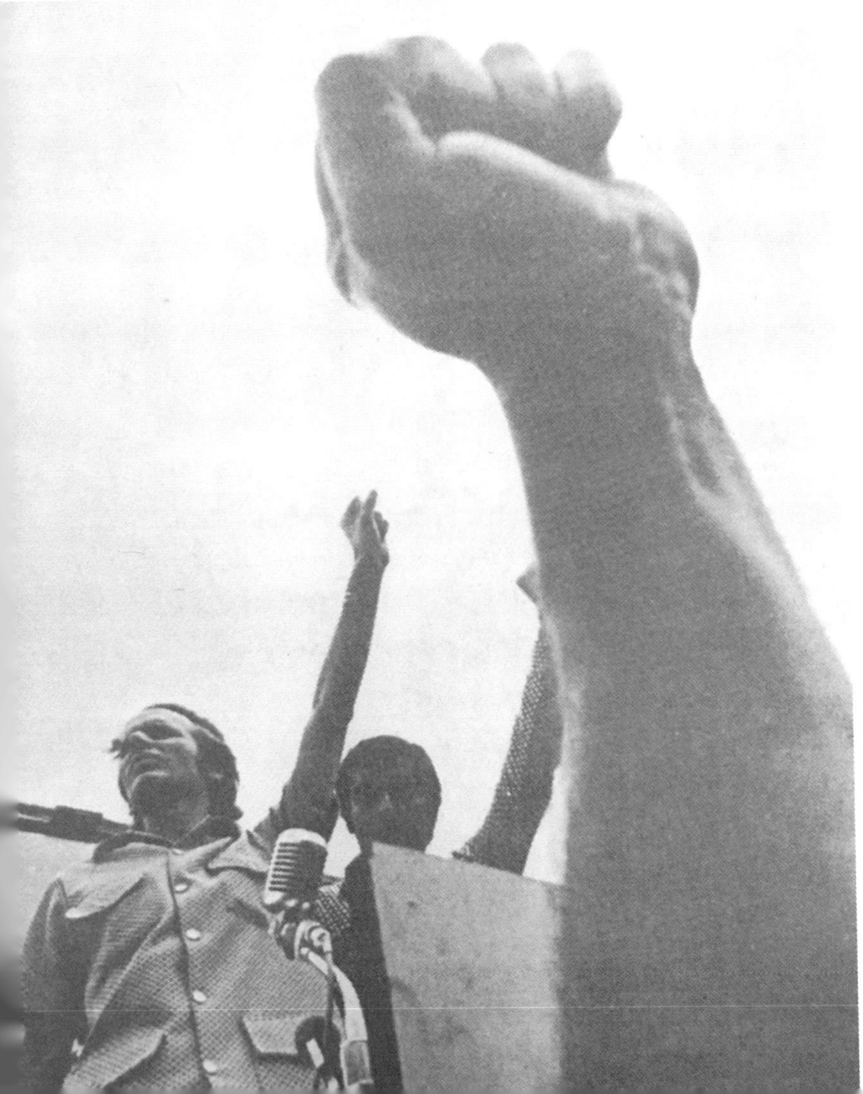

Rubén Berríos y
Carlos Gallisá
en la asamblea general del
PIP en 1972.
(Revista *Avance*)

Juan Mari Brás, encabezando una delegación del PSP, se dirige a la asamblea general del PIP en 1972. (Archivo del periódico *Claridad*)

Noel Colón Martínez, candidato a gobernador por el PIP en las elecciones del 1972. (Archivo Noel Colón Martínez)

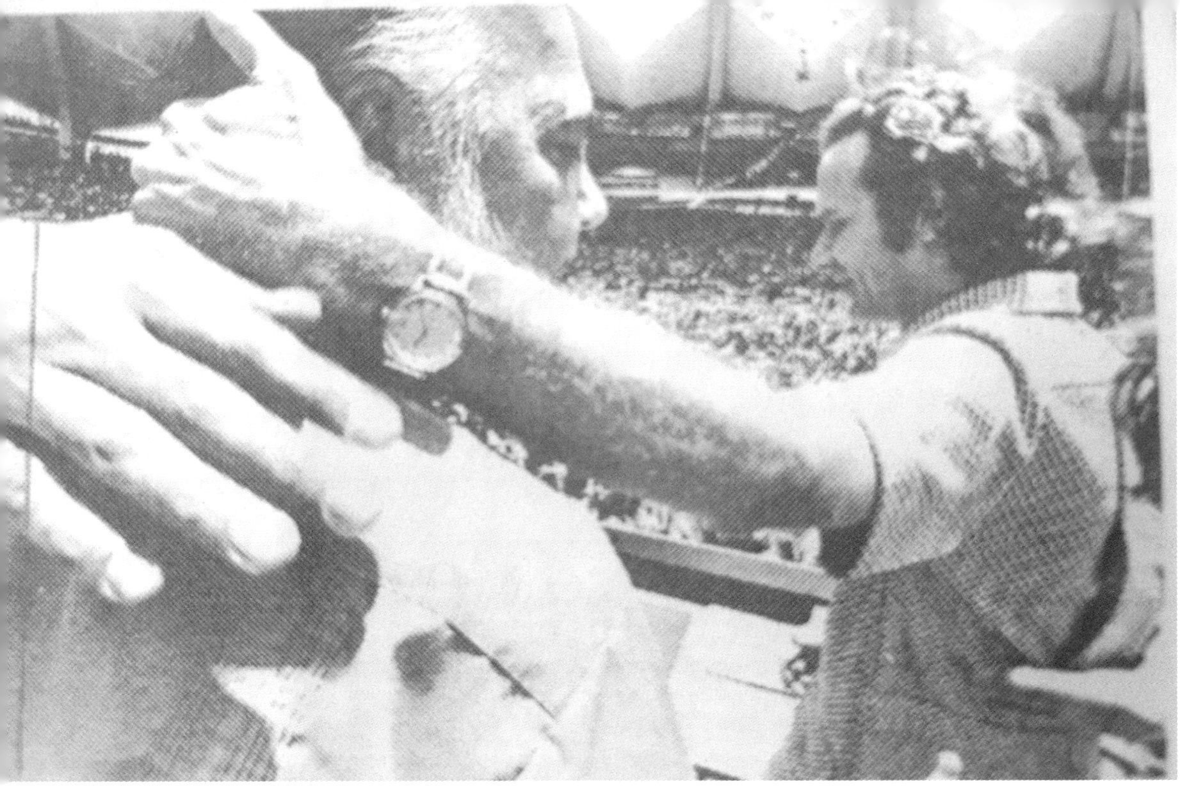

Rubén Berríos y Juan Mari Brás se abrazan durante la Asamblea general del PIP en 1972. (Revista *Avance*)

Caricatura publicada en la revista *Avance* en su edición del 3 al 10 de agosto de 1972, inmediatamente después de la Asamblea del PIP. (Revista *Avance*)

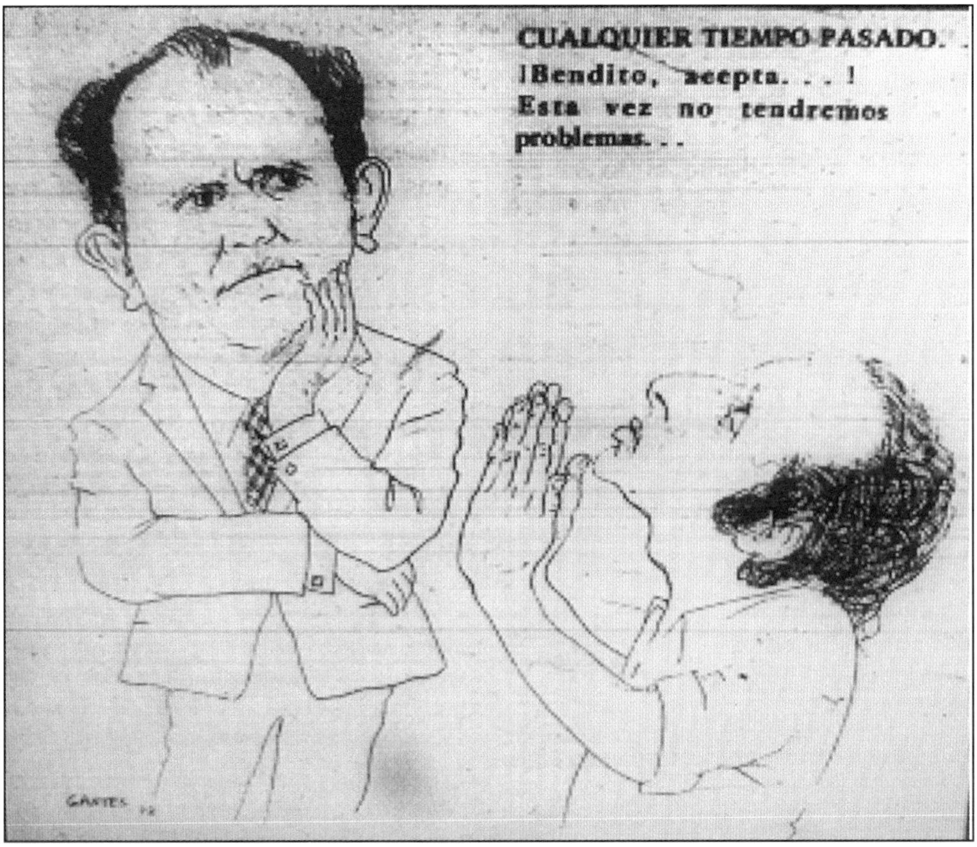

El PIP y el PSP comparecen conjuntamente ante el Comité de Descolonización de la ONU en 1972. Será la primera comparecencia formal ante el comité del independentismo. (Archivo del periódico *Claridad*)

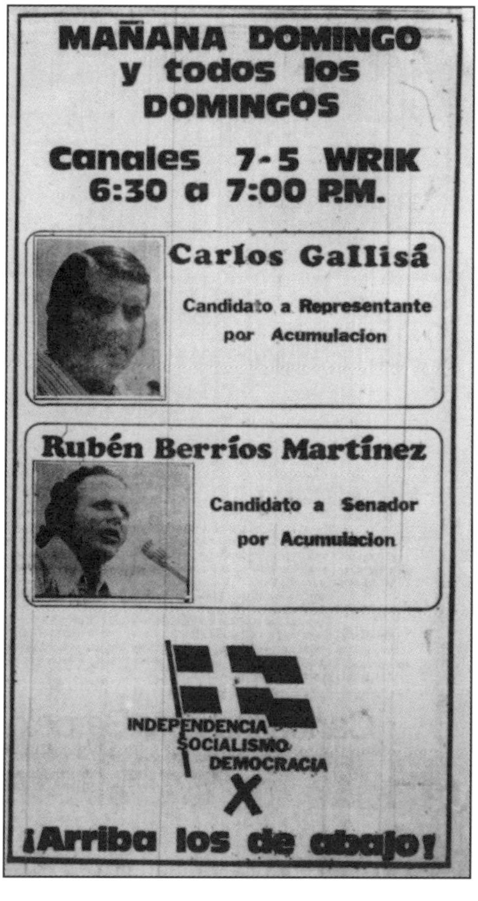

Anuncio de la campaña electoral del PIP de 1972. (Periódico *La Hora*)

EDITORIAL

EL FRENTE UNIDO VA

El Partido Independentista y el Movimiento Pro Independencia han iniciado conversaciones de alto nivel con miras a concretar las bases de un posible frente unido independentista que junte los esfuerzos de las dos principales organizaciones patrióticas del país.

El inicio de esas conversaciones no significa que se hayan superado todos los obstáculos hacia el logro de la unidad del independentismo pero ciertamente representa un gran paso de avance hacia ese objetivo.

No tenemos la menor duda que la gran masa del pueblo patriota acoge con entusiasmo las iniciativas unitarias del PIP y el MPI. La unidad es un clamor general de los independentistas puertorriqueños y así quedó demostrado en la gran marcha del doce de septiembre y en el acto conmemorativo del Grito de Lares el 23.

La integración de un frente unido independentista no significa que el PIP y el MPI se van a fundir en un solo partido. Tal aspiración sería ilusoria, por lo menos al presente. El PIP es un partido, que aunque renovado en ideología, militancia y liderato, tiene ya una larga historia de un cuarto de siglo en la política nacional. El MPI, con más de doce años de existencia ininterrumpida, se ha ido definiendo también como partido en la realidad de su desarrollo ideológico y organizativo. Ahora se propone formalizar esa concreción en su próxima asamblea constituyéndose en Partido Socialista Puertorriqueño.

La esfera de acción partidaria de ambas organizaciones responde a sus particulares ideologías, de las que fluyen sus concepciones estratégicas y organizativas, así como los énfasis de sus campañas. Esa acción partidaria no excluye la conjunción de esfuerzos por el objetivo común de la independencia nacional. Por el contrario, impone a ambos partidos la responsabilidad de buscar los puntos de convergencia de un trabajo concertado.

Eso es precisamente el frente unido. Y lo importante es que la acción conjunta de los dos partidos tiene un formidable efecto amplificador que conduce a la militancia independentista a las enormes reservas de las fuerzas patrióticas no afiliadas a ningún partido. Eso también quedó demostrado en la marcha del pasado 12 de septiembre.

Si el PIP y el MPI tienen éxito en conjugar sus fuerzas en un frente unido, se habrá logrado un paso trascendental hacia la unidad nacional del pueblo puertorriqueño. Impulsado por el proceso acelerado de polarización política que se desarrolla en el país como resultado de las crecientes contradicciones entre el interés del imperialismo y el de las grandes masas del pueblo puertorriqueño, ese logro jalonará metas mayores que sin duda acortarán grandemente el camino de la independencia.

Frente a un objetivo tan importante para nuestra causa no debe escatimarse esfuerzo alguno en el empeño de alcanzarlo. Las diferencias tácticas, los celos partidistas y aún los diferendos ideológicos a largo plazo pueden resolverse mediante la negociación franca y fraternal. Lo que no es negociable es la urgencia de acelerar la independencia como garantía de nuestra sobrevivencia nacional. Y esa urgencia le exige al liderato del PIP y el MPI que concluyan exitosamente las conversaciones de unidad. Por eso estamos seguros que el frente unido va.

CLARIDAD

aplaude

...a los empleados de Fomento Industrial por la combatividad demostrada frente a una gerencia que pretende anular arrogantemente el derecho de la clase trabajadora boricua a defender sus intereses.

CLARIDAD

censura

...a Manny Casiano, administrador de Fomento Industrial, por su actitud represiva y arrogante frente a los reclamos de los trabajadores de la agencia que él dirige.

COMENTARIO POLITICO

Propuesta Emepeísta De Frente Unido

Muchos independentistas de toda la isla nos han consultado sobre la propuesta de frente unido que el MPI le ha hecho al PIP. Aparentemente han estado circulando versiones equivocadas sobre la misma, que nos obligan a esclarecer públicamente el alcance de nuestra proposición. Así lo haremos en detalle en un acto en el Colegio de Abogados el próximo miércoles.

Antes de entrar en una discusión pública sobre los pormenores del plan esbozado por el MPI, será necesario profundizar un poco más la discusión bilateral que a nivel del liderato de los dos partidos viene realizándose. Por eso lo posponemos hasta el miércoles de la semana que viene.

Por el momento, no obstante, urge que hagamos unas cuantas aclaraciones generales.

En primer lugar, el MPI no ha planteado ni planteará como alternativa la fusión del PIP y el MPI en un solo partido. Nosotros estamos en vías de constituirnos formalmente en lo que en la práctica venimos siendo desde hace tiempo: un partido revolucionario de la clase obrera. Un partido revolucionario no se improvisa, ni puede hacerse de la noche a la mañana por fusiones artificiales con otros grupos de ideología ajena, en parte al menos, a la nuestra. Y para nosotros el desarrollo de un partido revolucionario es el elemento esencial, indispensable, para hacer frente a los grandes retos que tiene frente a sí tanto la clase obrera puertorriqueña como el independentismo en general.

Lo que planteamos es la formación de un frente unido, integrado por dos partidos: el PIP y el Partido Socialista Puertorriqueño. Los frentes unidos se establecen precisamente para determinados fines comunes de partidos diferentes, en el entendido de cada una de las colectividades que lo integran mantiene su identidad.

Hay que distinguir entre la existencia y funcionamiento independientes de los partidos como tales y la comparecencia electoral de éstos. Los partidos podrían comparecer independientemenete a unas elecciones, aunque sea con una candidatura común, o podrían decidir que no sean los partidos sino el frente unido el que comparezca a las elecciones. En caso de que la participación electoral sea uno de los objetivos acordados para el frente unido, nosotros entendemos que lo indicado es que sea el frente, y no los partidos, el que aparezca en la papeleta electoral. Eso no significa fusión de los partidos. Lo que significa es que la acción electoral se le delega por ambos partidos al frente. De la misma manera en que podría acordarse delegarle también al frente la campaña contra el servicio militar obligatorio, o la campaña contra la entrega del patrimonio minero, o las gestiones diplomáticas a nivel de Naciones Unidas, o una variedad de campañas específicas. Pero no importa cuántas cosas se le deleguen al frente, siempre quedarán una serie de aspectos de la lucha en que cada partido operará independientemente, que son precisamente las áreas de discrepancia entre los dos partidos,

En segundo lugar, el MPI no ha pedido ni pedirá que el PIP se haga cargo de inscribir el Partido Socialista. Si nosotros decidimos que es necesario inscribir electoralmente el Partido Socialista –y eso es una determinación que solamente una asamblea del MPI puede tomar– es para echarnos sobre nuestros hombros la tarea de la inscripción. Y no tenemos la menor duda de que, con acuerdo previo con el PIP o sin él, el Partido Socialista podría inscribirse rápidamente, desplegando a capacidad el extraordinario poder organizativo del MPI, que es sin duda la organización política más eficiente que ha tenido Puerto Rico en toda su historia.

Finalmente, quede claro que no existe la más remota posibilidad de que el MPI acuerde votar por el PIP. Entendemos que lo indicado es la unidad de todas las fuerzas patrióticas que cuaje el frente unido de las dos organizaciones, capaz de movilizar el enorme caudal político que esa conjunción puede producir. De no ser así, el MPI decidirá uno de dos cursos a seguir para 1972: o la huelga electoral o la participación independiente como partido en los comicios.

Claridad

EL PERIODICO DE LA INDEPENDENCIA

10 de octubre de 1971

Año XIII Núm 327

Juan Mari Brás
DIRECTOR

Raúl González
SUB-DIRECTOR

Domingo Vega
ADMINISTRADOR

REDACCION
Dixie Bayó, Mañi V. de González, Manuel de J. González, Jenaro Rentas, Raúl Vincenty Labiosa, Ricardo Ortiz, Doris Castañer, Martín González, Edwin Reyes, Héctor Emilio Ramos, Diego Ramírez.

CONTABILIDAD
Pablo Martínez Archilla

COMPOSICION
Amy M. de Merced
María del Carmen Rodríguez

EMPLANAJE
Rubén Ramírez
Jorge Plard – Leonides Mendoza
Rafael Rivera

CARICATURAS
Cesgo y Rubén

CORRESPONSALES
J.A. González González (Naciones Unidas); Sonia Marrero y Vanessa Pascual (Nueva York).

FOTOGRAFOS
Flavio Camero y Jorge Flores

OFICINAS EN
Toscania 1153
Urbanización Villa Capri
Río Piedras, P.R.
Teléfono 765-6157

8 CLARIDAD – 10 DE OCTUBRE DE 1971

"Propuesta Emepeísta de Frente Unido." Artículo de Juan Mari Brás. Periódico *Claridad*, 10 de octubre de 1971.

MPI Explica Posición Sobre Frente Unido

VEA COMENTARIO POLITICO

"El Che Guevara fue un claro y edificante testimonio de amor. Su acento esta iluminado por lo profetico de la historia. "Francisco Matos Paoli (vea página 22)

Claridad

EL PERIODICO DE LA INDEPENDENCIA

10¢

Núm. 327 - Año XIII – Semanal | San Juan, Puerto Rico, 10 de octubre de 1971 | 15 centavos fuera de Puerto Rico

REUNION EN PUERTO RICO

Planificará Represión En Todo El Hemisferio

Por Dixie Bayó
Redactora de CLARIDAD

SAN JUAN – Los principales funcionarios de las agencias represivas de todo el hemisferio se reunirán en el Hotel Sheraton de esta capital del 3 al 7 de noviembre para coordinar un plan continental contra "la subversión". El cónclave, disfrazado bajo el nombre de Conferencia Hemisférica de Criminología, está siendo organizado por la Agencia Central de Inteligencia de Estados Unidos, utilizando como frente al llamado Centro Norte Sur, que dirige el agente de la CIA Roland I. Perusse.

Recientemente la prensa del país informó que Perusse está ligado a la Agencia Central de Inteligencia. El Centro Norte Sur que él dirige está adscrito al Departamento de Estado y el Secretario de Prensa del gobernador, Antonio Quiñones Calderón, dijo desconocer el origen de los fondos de esta agencia.

El gobierno de Estados Unidos está planeando la reunión de alto nivel dentro de la mayor secretividad y con amplio asesoramiento técnico. Están invitados a participar todos los países del hemisferio desde Canadá hasta Argentina.

Bajo el tema de "planificación gubernamental" se discutirá lo concerniente al desarrollo de la lucha de los pueblos de América Latina. Se discutirán también los métodos para contrarrestar las guerrillas urbanas y otras formas de lucha revolucionaria que han surgido en nuestra América en los últimos años.

A cargo de las invitaciones a los gobiernos está Rosa del Olmo, quien dirige un Instituto de Criminología en Venezuela. Otro de los asesores es el conocido criminólogo fascista, Stephen Schaefer, profesor de la Universidad de Northeastern de Michigan.

En Puerto Rico está formalmente a cargo de la organización de los actos el profesor Jaime Toro Calder, del programa de Investigaciones Criminológicas del Centro de Investigaciones Sociales de la Universidad de Puerto Rico. A preguntas nuestras señaló el profesor desconocer algunos de los temas que le mencionamos ya que según él, el programa de la actividad está siendo preparado en Estados

(Vea–PLANIFICARA–Pág. 21)

Los empleados de Fomento Industrial han demostrado que la combatividad y la solidaridad obrera pueden más que la arrogancia y la fuerza bruta de los patronos. En este caso esto tiene mayor significación pues el patrono es el gobierno, que se empeña en crear una imagen para consumo de los inversionistas extranjeros de que en Puerto Rico los obreros no se respetan. ¡Que aprenda el gobierno la lección! (Foto CLARIDAD por Camero, Vea información en página 5).

Reina Hostigamiento Entre Líderes PNP

Por Diego Ramírez
Redactor de CLARIDAD

SAN JUAN – Una cacería de brujas se inició en el seno del alto liderato del PNP con motivo de la publicación en este semanario de los nombres de altos líderes de ese partido a quienes se acusa de financiar y apoyar al grupo "Acción Progresista" (a este grupo se le imputa la comisión de actos terroristas contra los independentistas). Así lo informó a CLARIDAD nuestra fuente en las altas esferas de ese partido.

Señaló nuestra fuente que los líderes penepeístas que fueron denunciados por este semanario como colaboradores de los "progresistas" han acusado a otros líderes de ese partido de ser los informantes de CLARIDAD.

Por otro lado, se nos informó que Hernán Padilla y Carlos Romero Barceló están histéricos tratando de averiguar "quien fue el chota que los descubrió". Asimismo nuestro informante aseguró que José Granados Navedo fue llamado desde Fortaleza y que se le exigió se cuidara más aunque el gobernador Luis Ferré le reiteró su apoyo como dirigente del partido que él

(Vea–HOSTIGAMIENTO–Pág. 21)

"El Frente Unido Electoral." Artículo de Juan Mari Brás.
Periódico *Claridad*, 10 de octubre de 1971.

DESDE EL TALLER

La Renuncia De Pietri

Por Raúl González Cruz
Columnista Huésped

Nos sorprenden las últimas colaboraciones del compañero Norman Pietri aparecidas en los dos números pasados del semanario del PIP (La Hora). Nos sorprenden porque en ella, principalmente en la primera de ellas, el compañero Pietri pretende establecer como issue fundamental y principalísimo de la pasada "crisis interna del MPI el asunto electoral. Norman sabe muy bien que esto no fue así. Norman sabe que lo que causó dicha "crisis" y su posterior retiro de la Comisión Política del MPI fue el debate sobre la posición que debía sostener nuestra organización con respecto a la lucha armada que se libra en Puerto Rico. Es más, la cuestión era aún más específica. Se discutía un acto particular de lucha armada: la muerte a tiros de dos marinos norteamericanos por parte de una organización clandestina; y la posición que asumió el Secretario General del MPI sobre este acto en su columna semanal de CLARIDAD. Fue eso y no otra cosa lo que causó la llamada crisis. También se discutió como issue secundario el procedimiento utilizado por el compañero Mari Brás en la publicación de dicha columna.

Que se sepa, y ahí están las actas de las reuniones de los distintos organismos de dirección del MPI, en ningún momento durante la "crisis", nadie planteó el issue electoral. Señaló esto porque me parece que la forma en que el compañero Pietri expone esta situación se presta a confusión.

Es luego de la llamada crisis de liderato que se inicia un rico debate interno sobre diferentes cuestiones. Se incluyen: la transformación del MPI de vanguardia patriótica a vanguardia revolucionaria, la política de unidad y la cuestión electoral; entre otras cosas. Y es en ese momento posterior a la llamada crisis en que Norman junto a un número de compañeros —entre ellos quien escribe— impulsamos la reevaluación de la política con respecto a las elecciones, a la unidad y otros asuntos. Vale señalar que es cierto que compañeros de la actual dirección del MPI estaban en esos momentos en contra de dicha reevaluación pero nunca en contra de que se discutiera. En aquellos momentos no nos cabe la menor duda que Norman asumió e impulsó las posiciones más correctas. Las posiciones que en este momento impulsa el MPI y su dirección. Quiero decir que esas posiciones de Norman resultaron triunfantes. No le debe dar coraje al compañero que ahora la compartan la totalidad de la dirección emepeísta.

También nos sorprende el que Norman no haya planteado en los momentos oportunos y en los lugares que correspondía hacerlo —ya que discrepa de los planteamientos de unidad hechos por el MPI— sus críticas o sus alternativas. Asimismo no entendemos por qué el compañero Pietri no exige que el PIP exponga alternativas a las ya expuestas por el MPI.

Por otro lado no entendemos por qué el compañero dice que las relaciones suyas con la dirección del MPI eran tan frágiles, cuando él acepta una encomienda de esa misma dirección para exponer ante diferentes delegaciones en la ONU las particularidades del "caso colonial de Puerto Rico". Esta era una tarea de confianza que le encargó dicha dirección. Si eran tan frágiles las relaciones de él con esa dirección en ningún momento debió aceptar la encomienda. Asimismo nadie con la "edad política" que tiene el compañero puede alegar razones sentimentales para quedarse en una organización. Uno se queda en una organización con la cual tiene profundas discrepancias para impulsar posiciones...

Tampoco entendemos la renuncia del compañero en estos momentos. Porque es en estos precisos momentos en que las posiciones del compañero Pietri están siendo impulsadas por el MPI. El compañero impulsó que se reevaluara la cuestión electoral... se reevaluó. El compañero impulsó que se reevaluara la política de unidad... se reevaluó. El compañero tenía diferencias sobre el trabajo entre la clase obrera... él mismo reconoce que es en estos momentos cuando mejor se está bregando con este asunto. Sobre las otras cuestiones en que el compañero tenía diferencias (lucha armada, etc.) él mismo ha dicho que eso se trascendió. Ciertamente no entendemos...

Por otro lado, si el compañero Pietri lo que pretende es que el MPI se convierta en rabiza del PIP en las elecciones, entonces se equivocó. Porque él sabe que el concenso de opinión de los emepeístas es de rechazo a esta alternativa. (Los emepeístas lo que proponen es un frente unido no la creación de una nueva organización, ni la liquidación de las actuales organizaciones).

Luego de la renuncia del compañero al MPI tiene tres posibles alternativas. Se queda como independentista realengo, organiza una nueva agrupación o se integra al PIP. Sabemos que no es tiempo para independentistas realengos... sabemos de la imposibilidad de una nueva organización... ¿Será el PIP el destino de Norman? Si esto es así, no sabemos cómo él compaginará su ideología marxista-leninista (comunista) con la ideología reformista del PIP. Lo mismo en el sentido contrario para el PIP. Ciertamente que si el compañero Pietri entra al PIP tendrá que hacer una enorme cantidad de transacciones y tendrá que abandonar una serie de posiciones... Y ahí es donde reside lo peligroso de todo este asunto... No podemos creer que Norman le siga los pasos a Kaustky.

6 CLARIDAD – 24 DE OCTUBRE DE 1971

"La renuncia de Pietri." Artículo de Raúl González. Periódico *Claridad*, 24 de octubre de 1971.

Miembros del cuerpo directivo del recién creado Partido Socialista Puertorriqueño, antes Movimiento Pro Independencia, al momento de iniciarse ayer domingo en la cancha Pepín Cestero de Bayamón su asamblea constituyente. De izquierda a derecha Julio Vives, presidente del partido; Juan Mari Bras, secretario, y Genaro Rentas, secretario de organización. Vea otras fotos en la página 3-A. (Foto EL MUNDO, por Juan Rivas).

PSP Iría a Urnas Con Frente Unido

Por Nilda Rodríguez
United Press International

El secretario general del recién creado Partido Socialista Puertorriqueño (Movimiento Pro Independencia), licenciado Juan Mari Bras, aseguró el domingo que esa colectividad concurrirá a las próximas elecciones solamente si se consolida un frente unido entre todas las organizaciones independentistas.

Hablando en la asamblea constituyente que celebró el PSP en la cancha Pepín Cestero de Bayamón, Mari Bras indicó que si no se logra el frente unido para las elecciones de 1972, su partido proclamará la táctica de boicot electoral no participando en las urnas.

Por su parte, el Presidente del Partido Independentista, licenciado Rubén Berríos, quien asistió a la asamblea como observador, pronunció un breve mensaje de solidaridad hacia lo que llamó "un partido que al igual que el PIP lucha por la independencia de Puerto Rico".

En su discurso, Mari Bras afirmó que "para ser socialista en Puerto Rico hay que ser independentista, pues ya se trascendió con el socialismo amarillo de los años 30".

Por otro lado declaró que "el Partido Socialista acoge con beneplácito el saludo del licenciado Rubén Berríos acordando que ambas organizaciones son los pilares de la consecución de la república de Puerto Rico".

Añadió Mari Bras que el partido cree que no se han agotado las posibilidades para formar un frente unido electoral para el 1972 y que aunque para él el problema electoral es secundario y debe resolverse a la luz de cada momento electoral", si el frente unido no se da, el partido proclama su táctica de boicot electoral

(Continúa en la pág. 18-A)

18-A EL MUNDO Lunes, 29 de Nov. de 1971

PSP Iría a Urnas Con...

De la Primera Página

para las próximas elecciones".

Señaló que el 1972, nombrado el "Año de la Organización del Partido Socialista", dedicará el tiempo necesario a la organización de las células del partido.

Terminó diciendo que "aunque hay discrepancias entre el PIP y el PSP en cuanto a las formas de la consecución del frente unido, lo importante es que las discrepancias se mantengan en el plano fraternal de respeto a las posiciones de ambos partidos".

El Partido Socialista Puertorriqueño quedó constituido formalmente por aclamación en la asamblea general que se celebró ayer.

Durante la asamblea constituyente se dirigieron a los presentes el secretario de asuntos obreros, Angel Agosto; el secretario de organización, Jenaro Rentas; el presidente Julio Vives Vázquez y el secretario general Juan Mari Bras.

Entre los presentes se encontraba una representación de la Prensa izquierdista norteamericana, una delegación de "Casa las Américas," de Nueva York y varias representaciones de diferentes organizaciones obreras del país.

Al comenzar el acto se dio lectura a varios comunicados de solidaridad y entre otros figuraban un comunicado del Partido Socialista Chileno, un mensaje de el Partido Comunista de Cuba y de otros países de América Latina.

Los organizadores del acto estimaron la asistencia en siete mil personas, a base de la capacidad de la cancha que es de ocho mil. No se pudo conseguir un estimado de la Policía.

En la Declaración General del partido, señaló el licenciado Mari Bras que existen cuatro derechos básicos que declaran y proclaman ante el pueblo:

1—El derecho inalienable de nuestra patria la independencia y plena soberanía;

"2— El derecho, también inalienable, del pueblo puertorriqueño a la recuperación completa de todo patrimonio enajenado por personas, corporaciones, gobiernos o fuerzas extranjeras cualesquiera;

"3—El derecho de los trabajadores puertorriqueños a la socialización progresiva de todos los medios de producción, estén estos en manos extranjeras o nacionales, y a la construcción de una sociedad socialista donde finalmente no haya explotados ni explotadores;

"4—El derecho de los trabajadores y el resto del pueblo patriota a utilizar todas las formas de lucha a su alcance, incluyendo todas las formas incluyendo la violencia revolucionaria frente a la violencia represiva del sistema, para hacer válidos los fundamentales derechos enumerados".

Entre los once principios programáticos, Mari Bras destacó el último que señala que no tomarán partido en las disputas de poder dentro del campo socialista y del llamado "Tercer Mundo", pero que tampoco aceptarán "tutorías" ni reconocerán centros hegemónicos que dicten pautas al partido.

"PSP iría a urnas con Frente Unido."
Periódico *El Mundo*, 29 de noviembre de 1971.

EL NUEVO DIA – Lunes 29 de Noviembre de 1971

'Unidad o cero voto'

POR WILDA RODRIGUEZ
DE EL NUEVO DIA

007302

LA PRESENCIA de Rubén Berríos en la asamblea constituyente del Partido Socialista Puertorriqueño

Mari Bras: 'votos o balas'

reavivó ayer las esperanzas de los miembros del nuevo partido en lograr un frente unido electoral con el Partido Independentista Puertorriqueño.

No obstante, los estruendosos aplausos y gritos de "Unidad" que recibieron a Berríos en la cancha Pepín Cestero de Bayamón, decayeron un tanto luego de que el presidente del PIP se reafirmó cordialmente en la oposición de su partido al frente unido.

El Secretario General del PSP, Juan Mari Bras, por su parte, reveló que la nueva colectividad ha decidido que si no se logra el frente unido en un tiempo razonable, boycoteará las próximas elecciones.

"Frente unido o cero voto" es la nueva consigna del ex Movimiento Pro Independencia.

Sin embargo, los dos máximos líderes del PIP y el PSP se intercambiaron expresiones de solidaridad, por encima de las discrepancias que puedan existir entre ambos grupos.

LA OCTAVA asamblea del MPI, constituyente del PSP, obtuvo casa llena ayer en la cancha de Bayamón.

Saludos y mensajes de solidaridad llegaron al PSP desde varios lugares del mundo, destacándose los enviados por los Partidos Comunistas de Cuba, Socialista de Chile y Socialista Obrero de los Estados Unidos.

El PSP adoptó todas las resoluciones que a través de sus años de existencia había formulado el MPI.

La entrada del presidente del PIP a la cancha constituyó el momento culminante de la asamblea. Los pedidos de "unidad" por parte de los asistentes, jóvenes en su mayoría, precedieron a un estado de expectación en el que se especulaba cuál sería el propósito de la presencia del presidente del PIP, Berríos y el vicepresidente Carlos Gallizá en la asamblea.

En una entrevista, Berríos indicó que su presencia sólo era una expresión de solidaridad con un grupo que lucha por la libertad de Puerto Rico, al igual que el PIP, pero que la misma no tenía el propósito de declarar su aceptación del frente unido propuesto por el PSP.

ESA FUE confirmado ante la asamblea por Berríos más tarde cuando expresó:

"Estoy seguro de que los triunfos y esperanzas del PSP son los triunfos y esperanzas del PIP. Pero es natural, lógico y saludable que existan diversidad de métodos y pautas a seguir. A pesar de las discrepancias entre hermanos nos une la lucha por el socialismo y la independencia. Sepa el enemigo común, el Imperialismo americano, que pese a las diferencias en enfoques métodos y tácticas, el PIP recibe como suyos todos los atropellos que se cometan contra el PSP".

Mari Bras, dijo que la nueva colectividad apoyará la violencia revolucionaria como un modo de conseguir la independencia.

Enumeró cuatro derechos fundamentales que procura el partido: derecho a la independencia, a la recuperación del patrimonio nacional; derecho de los trabajadores a la socialización progresiva; y por último el derecho del pueblo a valerse de todos los métodos de

Berríos: juntos pero no revueltos

lucha para lograr la independencoa.

El nuevo partido adoptó una bandera roja con estrella "solitaria" blanca en el extremo superior izquierdo del pendón.

La asamblea no logró una nutrida asistencia como se anticipó y los pripios líderes del partido dijeron que habían esperado que acudiera mayor número de seguidores. En la cancha Pepín Cestero habían unas mil personas reunidas.

"Unidad o cero votos."
Periódico *El Nuevo Día*, 29 de noviembre de 1971.

PARTIDO SOCIALISTA PUERTORRIQUEÑO
Movimiento Pro Independencia

PSP Lanza Consigna Frente Unido O Cero Voto

VEA INFORMACION EN PAGINAS 4 Y 11

El Partido ahora, y la República Socialista en el futuro, garantizará la igualdad de la mujer para asumir tareas y responsabilidades en el proceso revolucionario y en la edificación de la sociedad socialista. (Vea –Declaración General– Pág. 11)

Claridad 10¢

EL PERIODICO DE LA INDEPENDENCIA

Núm. 335 –Año XIII– Semanal | San Juan, Puerto Rico, 5 de diciembre de 1971 | 15 centavos fuera de Puerto Rico

Vida Escandalosa Obliga Destitución Blas Herrero

Por Martín González
Redactor de CLARIDAD

SAN JUAN – El Secretario de Justicia, Lic. Blás C. Herrero, uno de los más connotados dirigentes de la represión política contra el independentismo en Puerto Rico fue expulsado de su cargo por llevar una vida pública sumamente escandalosa. Una fuente de entero crédito, allegada a las altas esferas de "La Fortaleza", admitió a este redactor que Herrero es una víctima del alcoholismo.

Trascendió además que el titular de justicia ha sido el promotor de varios incidentes que han estado a punto de degenerar en serias reyertas. A tales efectos se nos indicó que recientemente, tanto en el restaurante Swiss Chalet de Santurce como en el Hotel San Juan de Isla Verde, ha tenido que mediar la policía para opacar la conducta escandalosa del Lic. Herrero, quien fuera definido por nuestro informante como "un borracho consuetudinario."

Incapacitado para continuar dirigiendo esa instrumentalidad gubernamental, Herrero se veía obligado a ausentarse de su trabajo por largas temporadas. De hecho, era el hijo del connotado jurista Santos P. Amadeo —quien posiblemente ocupará la Secretaría de Justicia— el que verdaderamente estaba dirigiendo ese Departamento.

La llamada "renuncia" del titular de justicia se dió a conocer recientemente en Ponce donde se confirmó que la misma será efectiva el próximo 10 de diciembre. Sin embargo, el propio gobernador Luis A. Ferré ha querido públicamente darle visos de "promoción" a lo que ha sido una expulsión directa a causa de incumplimiento de las funciones públicas.

Trascendió además que el nombramiento federal que le hicieron al Lic. Blás C. Herrero, fue con el avieso propósito de "sacarle de circulación" enviándolo a un puesto "más alto" donde mayormente tendrá que bregar con relaciones públicas. Se admitió además que "estas son consideraciones muy efectivas para los funcionarios federales en Puerto Rico."

Abundando sobre tales consideraciones se

(Vea—DESTITUCION DE BLAS HERRERO—Pág. 20)

GOBIERNO IMPOTENTE ANTE SITUACION

Aumento Fletes Marítimos Agrava Escasez

Por Mari V. de González
Redactora de CLARIDAD

SAN JUAN – Una grave escasez de alimentos y otros productos importados provocará el aumento en los fletes marítimos, anticipó un vocero de la Cámara de Comercio, ya que los comerciantes al no poder pasarle al consumidor la totalidad del aumento en los costos de transportación porque las reglamentaciones de la fase dos del programa de Nixon lo prohiben, dejarán de traer ciertos productos y traerán menos cantidad de los que sigan importando.

Las compañías navieras aumentaron sus fletes en un 18 por ciento para la carga en furgones y en un 28 por ciento para la carga suelta a pesar de la prohibición expresa de la Comisión Marítima Federal.

"La Comisión Marítima bregará con el problema administrativamente. Evitará llevar a las cortes el problema y definitivamente es poco probable que solicite un interdicto contra las navieras. La Comisión siempre ha sido un instrumento de las navieras y esto lo han reconocido hasta los propios abogados del Estado Libre Asociado. Durante los meses que los abogados de ambas discutan el problema, el pueblo de Puerto Rico tendrá que pagar los aumentos en los fletes. Esta ha sido siempre la experiencia," informó una fuente consultada.

Un vocero de la Asociación de Industriales confirmó que las compañías navieras están cobrando ya las nuevas tarifas. Informó que el secretario ejecutivo de la Asociación, Amadeo Francis, está en Estados Unidos para tratar de evitar que se le conceda el aumento. Añadió que lo único que ha hecho hasta ahora la Asociación es recomendarle a los industriales afectados que no paguen el aumento.

Puerto Rico, debido a las leyes de cabotaje impuestas por el Congreso norteamericano, está obligado a realizar todo su tráfico comercial marítimo en barcos de matrícula norteamericana. Esto deja a los comerciantes puertorriqueños sin ninguna posibilidad de defensa frente a las decisiones que las propias navieras o la Comisión Marítima de Estados Unidos, impongan.

"PSP lanza campaña Frente unido o cero voto."
Portada, Periódico *Claridad*, 5 de diciembre de 1971.

La Declaración General Del PSP

BAYAMON – La Declaración aprobada por la Asamblea Constituyente del Partido Socialista Puertorriqueño empieza definiendo a Puerto Rico como "una nación latinoamericana con cuatro y medio millones de nacionales, de los cuales 2,700,000 viven en la isla y el resto (más de una tercera parte) se concentra en Nueva York y otros lugares de Estados Unidos."

Sostiene que "la intervención norteamericana en Puerto Rico ha representado uno de los peores casos de opresión colonial que se conocen en el mundo actual" y describe once aspectos de la explotación colonial, a saber, 1) el tráfico de obreros entre Puerto Rico y Estados Unidos, 2) la ruina de la agricultura, 3) fortaleza militar, 4) el programa de industrialización, 5) la industria pesada: la era petroquímica, 6) el turismo, 7) la explotación minera, 8) monopolio de mercado, 9) las finanzas: deuda pública y privada, 10) desplazamiento de boricuas por extranjeros y 11) control de los medios de comunicación.

Al analizar la estructura de clases en el Puerto Rico contemporaneo, la Declaración señala que "la sociedad puertorriqueña ha sido progresivamente polarizada en términos económicos: de un lado la burguesía intermediaria y sus sectores afines y del otro la gran masa de trabajadores puertorriqueños." Afirma que "en esa gran masa humana que sufre la explotación y la enajenación de este sistema, los bajos salarios, el alto costo de la vida, el desempleo, las malas viviendas, etc., está presente una gran fuerza política y somos nosotros los llamados a labrar un futuro digno para este pueblo donde los trabajadores somos la abrumadora mayoría."

Luego de analizar la super-estructura política del país, en que se establece que "los partidos políticos coloniales representan variantes de una misma ideología capitalista y colonialista," concluye que "el camino del autonomismo colonial se ha ido extinguiendo por completo. El futuro patrio verá abrirse más marcadamente en el espectro político nacional el abismo entre asimilismo e independentismo. Las ilusorias alternativas terciarias se van desvaneciendo. La suprema definición que señaló el maestro Pedro Albizu Campos va tomando concreción: 'o yanquis o puertorriqueños'."

La declaración sigue analizando la situación política presente y afirma que el independentismo puertorriqueño ha entrado en una fase de auge. Señala a continuación diez signos que indican el auge independentista, destacando entre ellos el "desarrollo de los grandes organizaciones políticas: el Movimiento Pro Independencia y el Partido Independentista, el desarrollo de una periferia patriótica muy amplia y dentro de la misma una multiplicidad de organizaciones con fines específicos, como el CRASMO y el desarrollo de una intensa actividad patriótica y social dentro del movimiento obrero.

La Declaración entra luego en una descripción del "Panorama Internacional", sosteniendo que "cada vez se fortalece más el campo anti-imperialista y se debilita más el del imperialismo. En perspectiva histórica," advierte, "el imperialismo norteamericano ha entrado definitivamente en el período de decadencia. Pero de eso no puede saltarse a la conclusión de que está próxima, ni será fácil, su destrucción. Por el contrario, todavía el imperialismo representa una fuerza sumamente poderosa." Analiza algunos problemas del campo socialista, resume los logros y signos negativos en la lucha por la liberación de la América Latina y concluye que "para Puerto Rico la solidaridad mundial con su lucha de independencia –que sigue siendo un factor clave de nuestra estrategia libertadora– ha mostrado marcado incremento durante los últimos años."

Sobre el planteamiento del caso colonial de Puerto Rico en las Naciones Unidas, afirma que "ahora, el ingreso a la ONU de la República Popular China abona al cambio acelerado de la co-relación de fuerzas en relación a nuestro caso. Es de esperarse que el próximo año vuelva a plantearse el caso de Puerto Rico, se amplíe el núcleo de proponentes, se profundice el debate y aumente dramáticamente la votación favorable a nuestro planteamiento."

PROGRAMA

La declaración sostiene que "en Puerto Rico hoy, el independentismo tiene que ser socialista y el socialismo independentista". Y luego expone el siguiente esbozo programático para la República Socialista:

"Es en virtud de la anterior conclusión que el Movimiento Pro Independencia de Puerto Rico, en esta Octava Asamblea Nacional, y tras casi trece años de desarrollo ideológico, organizativo y práctico, resuelve constituirse en Partido Socialista Puertorriqueño, como señal inequívoca de su firme determinación de continuar su acelerado desarrollo hacia la meta de cumplir cabalmente su función como vanguardia de la clase obrera, de las clases trabajadoras todas y del pueblo de Puerto Rico en lucha por la independencia, la liberación nacional y el socialismo.

Cuatro Derechos Básicos

"Al así hacerlo, declaramos y proclamamos ante el pueblo de Puerto Rico y el mundo entero:

1) El derecho inalienable de nuestra patria a la independencia y plena soberanía;
2) el derecho, también inalienable, del pueblo puertorriqueño a la recuperación completa de todo el patrimonio enajenado por personas, corporaciones, gobiernos o fuerzas extranjeras cualesquiera;
3) el derecho de los trabajadores puertorriqueños a la socialización progresiva de todos los medios de producción, estén éstos en manos extranjeros o nacionales, y a la construcción de una sociedad socialista donde finalmente no haya explotados ni explotadores;
4) el derecho de los trabajadores y el resto del pueblo patriota de Puerto Rico a utilizar todas las formas de lucha a su alcance, incluyendo la violencia revolucionaria frente a la violencia represiva del sistema, para hacer válidos los fundamentales derechos anteriormente enumerados.

Tesis Socialista

"Esta Octava Asamblea del Movimiento Pro Independencia y Asamblea Constituyente del Partido Socialista Puertorriqueño mandata por la presente al Comité Central que aquí hemos electo a que –a más tardar dentro de un año– elabore y publique la Tesis Política del Partido Socialista, la cual deberá contener todo un programa dirigido a darle plena vigencia a los cuatro derechos básicos arriba proclamados. Dicha tesis deberá fundarse en el contenido de la tesis Política del MPI (**Presente y Futuro de Puerto Rico**, 1969), que por la presente declaramos que continúa vigente en todas sus partes que no sean contradictorias con esta Declaración, y en este documento.

Once Principios Programáticos

"Los siguientes principios servirán de guía en las formulaciones programáticas de la Tesis del Partido:

I. Nuestro objetivo fundamental es la transformación de la estructura colonial-capitalista existente en Puerto Rico por una República Socialista y Democrática de los trabajadores puertorriqueños. Para nosotros, socialismo es el sistema político-económico mediante el cuál la clase obrera, en alianza con todas las clases explotadas, ejerce el poder, mediante la dictadura del proletariado, destruye la burguesía y obtiene completo control de todos los bienes de producción para organizar y desarrollar el crecimiento económico del país y redistribuir la riqueza sobre la base "a cada cuál según su trabajo".

II. Dentro del objetivo fundamental anteriormente señalado, la conquista de la independencia nacional –no importa cuáles sean sus limitaciones estructurales– será no sólo un objetivo esencial hacia el cumplimiento de nuestra meta socialista sino también el logro de una aspiración sustantiva, ya que la independencia es indispensable para garantizar la sobrevivencia de la nacionalidad puertorriqueña. Nosotros, socialistas puertorriqueños, declaramos que la reservación, desarrollo pleno e independencia completa de la nación es consustancial a la ideología socialista.

III. El Partido basará su programa, organización, análisis teóricos y práctica en la ciencia marxista-leninista, aplicándola soberanamente a las condiciones particulares de nuestro país. Nutriremos nuestra ideología socialista tanto del extraordinario caudal teórico y práctico que representan las grandes revoluciones sociales de este siglo como del rico bagaje histórico de la lucha revolucionaria por la independencia en la América Latina –de la que formamos parte– y nuestro propio forcejeo libertario de más de un siglo. Las enseñanzas encarnadas en la obra revolucionaria de Marx, Engels, Lenin, Bolívar, Martí, Betances, Hostos, Mao, Ho Chi Minh, Ernesto (Che) Guevara, Fidel Castro, Camilo Torres, Fanon, Sandino y Albizu Campos, se conjugan como gran marco teórico del socialismo puertorriqueño, en el contexto del materialismo histórico. —

Gran animación reinaba entre los asistentes a la Octava Asamblea. (Foto CLARIDAD por Camero).

(En la próxima edición continuaremos reseñando las partes de "Programa, Estrategía y Táctica" de la Declaración General del Partido Socialista Puertorriqueño).

5 de diciembre de 1971 -- CLARIDAD 11

"La Declaración General del PSP."
Periódico *Claridad*, 5 de diciembre de 1971.

La Declaración General Del PSP

Continuamos reseñando en esta edición la "Declaración General" aprobada por la Asamblea Constituyente del Partido Socialista Puertorriqueño (Movimiento Pro Independencia). En la pasada edición llegamos a reseñar los primeros tres principios programáticos esbozados en la declaración. Ahora reseñamos el resto de dichos principios programáticos. En la próxima edición reseñaremos las partes sobre estrategia y táctica del documento. La declaración completa, en edición preliminar, puede conseguirse en la Librería Puerto Rico por el precio de 25 centavos.

IV. La República Socialista a que aspiramos garantizará el poder hegemónico de la clase obrera y la más amplia democracia para todos los trabajadores. Mediante la dictadura del proletariado, a la burguesía, como clase, no se le reconocerán derechos ni atribuciones de ninguna índole, pero en la medida en que sus integrantes se incorporen como trabajadores en la sociedad socialista, participarán igual que éstos de todo el proceso democrático.

Entendemos por democracia socialista la más amplia participación del pueblo trabajador en todos los niveles de decisión y trabajo. Establecido el marco de la legalidad socialista, éste debe garantizar esa participación de los trabajadores en el aparato estatal mediante elecciones libres, periódicas y voto secreto.

Los rasgos de la modalidad puertorriqueña del socialismo, y sobre todo durante el período de transición revolucionaria anterior al establecimiento de una legalidad socialista, dependerán fundamentalmente de las características peculiares de la realidad nacional, y en particular del curso que se siga hacia la toma del poder y la composición de fuerzas políticas que logren la victoria y la formación del poder revolucionario.

El poder político que se establezca en la República Socialista de Puerto Rico no tiene necesariamente que ser uni-partidista, en sus comienzos. Si en el curso concreto de nuestra lucha revolucionaria, diversas fuerzas políticas concurren a la determinación de la victoria, es probable que una dirección plural asuma el comando de la construcción socialista. En última instancia, lo que determina si el régimen socialista es uni-partidista o multi-partidista en sus comienzos es si, al nivel de la situación revolucionaria que precede a la toma del poder, la vanguardia está dispersa en diferentes organizaciones o concentrada en una sola.

V. El poder revolucionario, al enfrentarse con la resistencia al cambio del imperialismo y de la burguesía desplazada, y conforme a la magnitud y naturaleza de tal resistencia, deberá tomar las medidas necesarias para la supresión de la contrarrevolución, pero estas medidas no se prolongarán más allá de lo indispensable y en ningún caso se tolerarán violaciones a la democracia de las masas trabajadoras. Desarrollará; también una intensa campaña de educación para erradicar actitudes pequeño burguesas en el seno de las clases trabajadoras.

En función de utilizar y desarrollar a plenitud las fuerzas productivas de la sociedad se establecerá la planificación de la economía. Pero ésta no habrá de identificarse con el ultra-centralismo y conllevará la existencia, en manos de los trabajadores, de facultades reales para intervenir, administrar, tomar decisiones a nivel de la base y participar plenamente en las unidades productivas.

Se deberá establecer, asímismo, un poder y una dirección política centrales, que presidan la construcción multilateral en función de los intereses fundamentales de los trabajadores y del pueblo en general. Pero esto no significará el monopolio del estado o de un partido sobre toda la vida de la sociedad. Ni tampoco la adopción de controles administrativos sobre la actividad artística, el trabajo intelectual y la vida cultural en general, siempre y cuando que éstos no sean contrarrevolucionarios.

VI. En la sociedad socialista puertorriqueña, los trabajadores de la ciudad y del campo tomarán en sus manos la dirección de la economía, de la política, de la educación, de la defensa nacional basada en el desarrollo de milicias revolucionarias y un ejército popular y de los asuntos internacionales.

El desempleo desaparecerá y los salarios y beneficios sociales serán objeto fundamental de la planificación económica.

El excedente que crean los trabajadores con su esfuerzo productivo no pasará a engrosar la riqueza de unos pocos sino que será destinado a mayores inversiones para el desarrollo y a resolver los problemas sociales del pueblo, conforme a un orden de prioridades realista y balanceado.

Los desposeídos de hoy, los marginados, los que habitan en los cinturones de miseria en las ciudades o soportan condiciones infra-humanas en las zonas rurales, tendrán trabajo, acceso a la educación y a la cultura en general, oportunidades para capacitarse y para participar plenamente de la vida social, como todos los puertorriqueños.

Los trabajadores en general tendrán oportunidad para su calificación y desarrollo intelectual mediante el acceso a la educación técnica y superior. Se irá cerrando el abismo entre el trabajo intelectual y el manual, promoviéndose el desarrollo integral y armonioso del hombre mediante la aplicación del principio de hacer de cada obrero un intelectual y de cada intelectual un obrero.

Los campesinos y trabajadores agrícolas tendrán tierra para trabajarla cooperativamente o mediante fincas estatales. La República Socialista dará prioridad al desarrollo del potencial agrícola de nuestra tierra. Se promoverá el desarrolló multilateral del campo, llevando todos los servicios sociales básicos, adelantos de la civilización y programas de recreación y educación al mismo, en la perspectiva de superar la contradicción que siempre ha existido entre las zonas urbanas y rurales.

VII. La juventud constituirá un pilar fundamental de la nueva sociedad. Se promoverá fecundamente su espíritu combativo e innovador, su actitud crítica, su alta disposición para el sacrificio y la lucha.

Se abrirán para los jóvenes las más amplias oportunidades para el acceso a la educación, a la cultura en general y a la recreación. Ellos serán el centro de una rica y profunda actividad formativa, para erigirlos en constructores del comunismo e ir forjando en ellos al hombre nuevo de la sociedad sin clases.

VIII. La República Socialista respetará las creencias religiosas de todos sus ciudadanos y garantizará su ejercicio. Los cristianos y otros religiosos de ideas avanzadas y revolucionarias, sacerdotes y seglares, podrán participar plenamente, a todos los niveles, y con igualdad de oportunidades, en el esfuerzo del pueblo trabajador por establecer el nuevo orden social, así como en el proceso revolucionario para la conquista de la independencia y la toma del poder por los trabajadores. El Partido Socialista Puertorriqueño no discriminará contra nadie por virtud de sus ideas religiosas.

IX. El Partido ahora, y la República Socialista en el futuro, garantizará la igualdad de la mujer para asumir tareas y responsabilidades en el proceso revolucionario y en la edificación de la sociedad socialista. La diferenciación, entre hombre y mujer en las tareas revolucionarias, no sólo parte de una concepción completamente ajena a la ideología socialista, sino que atrasa el desarrollo de la lucha por la independencia y el socialismo.

El papel de la mujer en la lucha, sus particulares problemas en la sociedad presente y futura y los vicios en la relación hombre-mujer en nuestra cultura, deben ser objeto de continua y amplia discusión en seminarios de capacitación, así como en los órganos de difusión del Partido. Deben estructurarse los mecanismos necesarios que fomenten la participación cada vez mayor de la mujer en la lucha revolucionaria, ahora, y en la construcción del socialismo, en el futuro.

El Partido no debe conformarse con aclarar su posición sobre la mujer y ponerla en práctica a nivel interno. Tarea suya será irradiar su influencia hacia la completa liberación de la mujer en todos los sectores de la sociedad puertorriqueña, con plena comprensión de que ésta no podrá lograrse plenamente hasta tanto se destruya la estructura capitalista y se dé cauce a la sociedad socialista.

X. En cuanto a la porción de la nación puertorriqueña que vive dentro de Estados Unidos, el Partido deberá elaborar una tesis que recoja su problemática particular, su común denominador de problemas y aspiraciones con el resto de la nación puertorriqueña y con los distintos sectores marginados y las clases explotadas dentro de la sociedad norteamericana.

En la misma se tendrá en cuenta: 1) los indisolubles lazos que unen a los boricuas de allá y de acá, 2) el reconocimiento del derecho que tienen los puertorriqueños todos –no importa dónde residan– a integrarse al proceso revolucionario de su patria, 3) la necesidad de definir objetivos, estrategia y tácticas de la emigración boricua en Norteamérica en cuanto al cambio social en Estados Unidos, 4) la conveniencia de que la organización regional del Partido Socialista Puertorriqueño en Estados Unidos obtenga la indispensable autonomía organizativa para entrar en las alianzas que requieran los objetivos concretos de la lucha allá, 5) el derecho del pueblo puertorriqueño residente en Estados Unidos a mantener su identidad, cultivar su patrimonio cultural y utilizar su idioma vernáculo en la educación, trabajos y todo tipo de comunicación; 6) la contribución específica que la emigración puertorriqueña en Estados Unidos puede hacer a la lucha de independencia y por el socialismo en nuestra patria, y 7) el derecho de los puertorriqueños residentes en Estados Unidos a iguales oportunidades de empleo, condiciones de vida, de trabajo, políticas educativas y de acceso a la cultura –en su idioma– con relación a los demás integrantes de la sociedad norteamericana o de las comunidades en que éstos conviven.

Reconociendo que la vanguardia de la clase obrera puertorriqueña tiene que operar tanto en el territorio nacional como en el que residen casi dos millones de boricuas ubicados en Estados Unidos, el Partido y su liderato nacional le darán la atención correspondiente –dentro de sus limitaciones– al objetivo de organizar y desarrollar su regional en territorio norteamericano, donde está en la actualidad la tercera parte de la población nacional.

XI. Afirmamos el principio del internacionalismo proletario y la necesidad de la mutua solidaridad entre los gobiernos, pueblos, partidos y organizaciones revolucionarias y anti-imperialistas del mundo. Nuestras posiciones de principios, que surgen de estos once apartados de la Declaración presente y la tesis política vigente, las sostendremos en todo momento y en cualquier sitio donde estemos. No tomaremos partido en las disputas de poder dentro del campo socialista y del llamado tercer mundo. Tampoco aceptaremos tutorías ni reconoceremos centros hegemónicos que dicten pautas a nuestro partido. Estamos abiertos a enriquecer nuestra doctrina aprovechando todas las corrientes del pensamiento y la práctica revolucionaria del mundo entero, pero éstos serán filtrados por nosotros a la luz de las realidades específicas de Puerto Rico, tal como nosotros soberanamente las entendamos.

Consideramos necesario reconstruir la unidad revolucionaria y anti-imperialista de la América Latina y que ésta sólo puede lograrse a base de tres principios básicos: 1) reconocimiento de la diversidad de formas de lucha, 2) independencia estratégica, táctica, organizativa e ideológica de todos los movimientos y partidos nacionales dentro del vasto campo de la lucha anti-imperialista y 3) rechazo de todo poder hegemónico.

El Partido concede prioridad al trabajo internacional dirigido a contribuir a la unidad revolucionaria y anti-imperialista del mundo entero y especialmente de la América Latina.

12 de diciembre de 1971 – CLARIDAD 11

"La Declaración..." (continuación)

por haber éstos reiterado el derecho de nuestro pueblo a la lucha armada por la independencia. Borracho no vale.

Claridad
EL PERIODICO DE LA INDEPENDENCIA
5 de diciembre de 1971
Año XIII Núm. 335

Juan Mari Brás
DIRECTOR
Manuel de J. González
DIRECTOR ASOCIADO
Raúl González
SUB-DIRECTOR
Domingo Vega
ADMINISTRADOR
REDACCION
Dixie Bayó, Mari V. de González, Jenaro Rentas, Raúl Vincenty Labiosa, Ricardo Ortiz, Doris Castañer, Martín González, Edwin Reyes, Héctor Emilio Ramos, Diego Ramírez, Félix Ojeda.
CONTABILIDAD
Pablo Martínez Archilla
COMPOSICION
Amy M. de Merced
María del Carmen Rodríguez
Bernardo López
EMPLANAJE
Rubén Ramírez
Jorge Piard – Leonides Mendoza
Rafael Rivera
CARICATURAS
Cesgo y Rubén
CORRESPONSALES
J.A. González González (Naciones Unidas); Sonia Marrero y Vanessa Pascual (Nueva York).
FOTOGRAFOS
Flavio Camero y Jorge Flores
OFICINAS EN
Toscania 1153
Urbanización Villa Capri
Río Piedras, P.R.
764-8709

COMENTARIO POLITICO por Juan Mari Brás

Frente Unido O Cero Voto

La Asamblea Constituyente del Partido Socialista Puertorriqueño (Movimiento Pro Independencia) aprobó por unanimidad en su fase deliberativa la consigna de "frente unido o cero votos" con respecto a las elecciones de 1972. La estruendosa ovación con que los miles de socialistas asistentes al acto de clausura de la asamblea, el domingo pasado, acogieron la consigna indica la cohesiva convicción de nuestra militancia sobre la justeza y corrección del planteamiento.

Una consigna es un programa táctico resumido en una frase para su divulgación masiva. Tanto en la resolución sobre las próximas elecciones como en la Declaración General aprobadas por la asamblea se analizan las razones políticas que llevan al partido al planteamiento de frente unido o cero votos. Queda claro en el análisis que los socialistas sostenemos que el frente unido es una necesidad del independentismo ahora, que no debe limitarse a la cuestión electoral pero que debe incluir la participación conjunta de las fuerzas patrióticas en los comicios de 1972. Queda claro también que nuestro partido no tiene la menor intención de fundirse con ninguno otro y que se considera suficientemente fuerte, ideológica y organizativamente, para entrar en un frente unido o alianza con el PIP y otros partidos patrióticos sin que tal actividad conjunta afecte en lo más mínimo el propósito que tenemos de desarrollar al máximo al Partido Socialista como vanguardia revolucionaria de la clase obrera.

Queda igualmente claro que estamos dispuestos a considerar cualquier proposición alterna a las que nosotros hicimos al PIP que haga posible la conjunción de fuerzas independentistas en las elecciones próximas.

Entendemos que el PIP no es un instrumento adecuado para canalizar electoralmente la pujante fuerza independentista de hoy y que –de no lograrse la creación de ese instrumento adecuado a tiempo para realizar la campaña masiva que requiere el momento– es contrario a los mejores intereses de la independencia que participemos en las próximas elecciones. Nosotros no vamos a ayudar a que la independencia haga el ridículo en los comicios. Nada que no sea un aumento significativo, dramático, en el endoso electoral a la independencia, puede ser suficiente como meta de los independentistas con respecto a los comicios de 1972.

Si el Partido Independentista, por las razones que sea, no está en condiciones de participar en un frente unido patriótico en las próximas elecciones, nosotros respetamos su decisión. Pero nuestra función de vanguardia nos impone señalarle al pueblo patriota que no es correcto llevar la independencia a una aventura electoral más, sobre bases precarias y en condiciones que no son las mejores para la causa.

No tenemos duda de que la unidad de las fuerzas patrióticas se irá cuajando en la medida en que se vaya consolidando el desarrollo ideológico y organizativo del independentismo. Si el PIP no puede integrarse a un frente unitario ahora es principalmente porque no ha alcanzado el grado de desarrollo que le permita hacerlo. Nuestra función es ayudarle a que lo alcance. Ya en el futuro, más tarde o más temprano, el PIP superará los temores y aprehensiones que hoy refrenan acciones audaces de su liderato.

Lo importante es que estemos claros en que la unidad es un proceso mucho más complejo que lo que a nosotros nos parece de primera instancia. Para nosotros todo es muy sencillo pero no somos nosotros los únicos que decidimos la unidad. Requiere la participación de otros. Y por algo estos compañeros no están en la vanguardia. Si estuvieran tan claros como nosotros serían socialistas. No lo son porque aún les falta entender la problemática nacional e internacional en toda su radicalidad.

Desafortunadamente, la humanidad no ha logrado aún superar el aprendizaje por la experiencia del error. El PIP tendrá que pasar por la experiencia de un error muy grave para aprender la necesidad de abrirse a una política verdaderamente unitaria.

Eso significa más trabajo para nosotros. Porque como vanguardia, tenemos que garantizar que el error de un partido no se convierta en revés fundamental para la lucha de independencia en general. A eso se dirige la consigna de "frente unido o cero votos". Ciertamente, el independentismo no va a echar todos los huevos en la canasta del PIP en 1972. Y la historia dirá quienes tuvieron la razón.

8 CLARIDAD – 5 de diciembre de 1971

"Frente Unido o cero votos."
Periódico *Claridad*, 5 de diciembre de 1971.

PSP DICE FRENTE UNIDO O CERO VOTO

Miles Aclaman Decisición Asamblea

Por Diego Ramírez
Redactor de CLARIDAD

BAYAMON – Los miles de independentistas reunidos en la Clausura de la Octava Asamblea del MPI y constituyente del Partido Socialista Puertorriqueño aclamaron la decisión de dicho partido de boicotear las elecciones de no cuajarse el frente unido electoral para los comicios de 1972. En dos ocasiones, durante la asamblea del pasado domingo, tanto en la intervención del Secretario General de dicho partido como cuando se leyeron las resoluciones, el público presente aclamó de pie los pronunciamientos coreando la consigna de FRENTE UNIDO O CERO VOTO.

VER PAGINA 4

La concurrencia a dicho acto de clausura, calculada en cerca de 7,000 personas, también aclamó la resolución del PSP donde se consagró el derecho a la utilización "de la violencia revolucionaria en respuesta a la violencia represiva." En dicha resolución el PSP afirma que la lucha armada en Puerto Rico ayuda y profundiza la lucha de masas.

Otras resoluciones de importancia leídas durante el acto fueron las pertinentes a la mujer y las relacionadas con Humberto Pagán y William Tapia. En cuanto a la primera, el PSP consagra que la mujer tiene los mismos derechos que el hombre y que es contrario a la ideología socialista poner trabas a las mujeres para desarrollar la lucha revolucionaria. En cuanto a Humberto Pagán y William Tapia se reafirma el partido en su dispocisión de ofrecer el máximo de solidaridad y apoyo a los compañeros encarcelados víctimas de la represión imperialista. En el caso específico de Pagán, el partido acordó ofrecer toda la ayuda legal y moral necesaria para que el joven sea deportado de Canadá, donde está encarcelado, al país de su preferencia.

En cuanto a William Tapia, el partido denunció que dicho joven está encarcelado siendo inocente ya que los casos por los que se le juzgó fueron burdamente fabricados por las autoridades judiciales. Se acordó a su vez desarrollar una intensa campaña exigiendo la libertad del militante del PSP.

Durante el acto se dió lectura a numerosos mensajes de solidaridad enviados con motivo de la asamblea; entre los que se destacan los enviados por el Partido Socialista Chileno, el Partido Comunista Cubano, el Partido Socialista Uruguayo y uno enviado por el diputado venezolano, José Herrera Oropeza. Asimismo, se recibieron mensajes de diferentes organizaciones con sede en Estados Unidos. La Organización Latinoamericana de Solidaridad con los Pueblos de Asia, Africa y América Latina envió un extenso mensaje de solidaridad con la lucha del pueblo puertorriqueño y felicitando al recién constituído Partido Socialista.

Numerosos invitados, tanto del extranjero como nacionales, estuvieron presentes en el acto. Se incluyen entre estos a: William Kunstler, del Law Center for Constitutional Rights de Nueva York; Roque Ristorucci, de la Federación Mundial de Juventudes Democráticas; Rubén Montaré, del National Peace Action Coalition de Estados Unidos y Linda Jealnness, del "Socialist Workers Party" de Estados Unidos. Los invitados especiales Carlos Altamirano, Secretario General del Partido Socialista Chileno, y José Herrera Oropeza, diputado venezolano, no pudieron estar presentes porque el gobierno yanqui les negó las visas de entrada a este país. Una nutrida delegación de cubanos revolucionarios residentes en Estados Unidos presidida por el Sr. Eusebio Valdés también participó en los actos de clausura de dicha asamblea.

Una delegación del Partido Independentista Puertorriqueño, encabezada por el presidente de dicho partido, Lic. Rubén Berríos, se unió al grupo de invitados nacionales que se encontraba presente. Se incluyen al Dr. José Milton Soltero, del Comité de Resistencia al Servicio Militar Obligatorio, el Presidente del Partido Comunista Puertorriqueño, Sr. Félix Ojeda; el Lic. Emilio Soler, Presidente del Instituto Legal de Puerto Rico, don Héctor Cestero y otros.

Una nota muy significativa fue el nutrido grupo de dirigentes obreros presentes en la asamblea. Entre otros se encontraban Sergio Kentish, Rafael González Vega, Juan Reyes, José Marrero, Santos Colón, Francisco García y Luis M. Escribano. Otros líderes obreros presentes allí fueron Benjamín Ortiz Belaval, Arturo Grant, Osiris Sánchez, William Valentín Cancel, Inocencio Montalvo, Pedro Grant, David Ortiz, Víctor Rodríguez y Moisés Lebrón.

El presidente del PIP, Rubén Berríos, se dirigió a la concurrencia y explicó que a pesar de las diferencias de criterios entre el PIP y el PSP su partido estaba dispuesto a seguir actuando en conjunto en las cuestiones en que hubiera consenso entre ambas organizaciones. Señaló Berríos que su partido sentía como suyas las medidas represivas que se tomaran contra el PSP.

Por su parte, el Secretario General del PSP, Juan Mari Brás, reiteró la posición del PSP de actuar unitariamente. Señaló que a pesar de que la dirección del PIP rechazó la propuesta de frente unido electoral para 1972 presentada por el antes MPI todavía hay posibilidades para lograrlo antes de las próximas elecciones.

Afirmó Mari Brás, que de no concretarse el frente unido para las próximas elecciones el Partido Socialista se lanzará a una campaña intensa de abstención electoral. "De esto surgir así la consigna que impulsará el PSP será la de FRENTE UNIDO O CERO VOTO." Seguidamente Mari Brás concluyó: "Con frente unido o sin frente unido el 1972 será el año de la organización del partido", haciendo pública de esta manera la decisión tomada al efecto por la Asamblea.

El acto contó con la participación de numerosos cantantes de protesta y fue cerrado con un coro masivo entonando el himno nacional y La Internacional.

Con la imagen de Don Bernardo Vega al fondo, el Secretario General del Partido Socialista Puertorriqueño se dispone a dirigirse a la Asamblea. (Foto CLARIDAD por Camero).

Departamento Justicia Yanqui Desautoriza Fiscales Federales

SAN JUAN – El Departamento de Justicia del Gobierno norteamericano negó autorización a la fiscalía federal en San Juan para solicitar el archivo de varios casos de violación a la ley de Servicio Militar Obligatorio contra cuatro jóvenes puertorriqueños. En un quinto caso, el de el dirigente del Partido Socialista, Manuel de J. González, el Departamento de Justicia de Estados Unidos no ha contestado la solicitud de la fiscalía.

Los casos contra José Angel La Torre Ginés, Angel G. Ferrer Arrocho, Antonio Sánchez Pagani, William Vázquez y Manuel de J. González serán llevados ante la Corte Federal debido a esta nueva actitud del gobierno norteamericano. El fiscal federal señaló que tenía instrucciones de continuar con los casos y enjuiciar a los acusados.

La vista contra los cuatro acusados comenzó el pasado 26 de noviembre ante el juez Hiram Cancio y fue suspendida hasta el próximo 10 de diciembre por acuerdo de las partes.

Por otra parte, el licenciado Luis F. Abreu, quien está a cargo de la defensa, manifestó que solicitó a la corte el archivo de todos los casos. Señaló Abreu que el llevar a juicio a estos acusados ahora es una violación del derecho a juicio rápido que garantizan las leyes. "Aquí hay casos, señaló Abreu, en que el acusado se negó a ingresar al ejército hace más de cuatro años y es ahora que pretenden enjuiciarlo."

El joven Angel Gabriel Ferrer se negó a ingresar en el ejército en 1965. La acusación radicada en aquel momento fue archivada. Luego fue llamado a ingreso de nuevo en 1967, volviéndose a negar, y es por ese caso que pretenden enjuiciarlo ahora. Todos los demás casos también datan desde 1967.

5 de diciembre de 1971 – CLARIDAD 5

"Miles aclaman decisión de asamblea."
Periódico *Claridad*, 5 de diciembre de 1971.

ACUERDO PSP EN ASAMBLEA

No Votar En 72 Si No Hay Frente Unido

Debido a la importancia que reviste para todos los independentistas la discusión sobre el Frente Unido Electoral, CLARIDAD publica para beneficio de nuestros lectores la totalidad de la resolución sobre este tema aprobada en la última asamblea del MPI y Constituyente del Partido Socialista Puertorriqueño. Creemos que la lectura de este documento ayuda al esclarecimiento de las dudas que todavía puedan existir en la mente de algunos. Esperamos que la lectura de la resolución provoque un rico debate que ayude a la formación del Frente Unido Electoral y a afianzar la unidad hasta ahora lograda.

Desde su fundación el Movimiento Pro Independencia de Puerto Rico ha insistido en la necesidad de la unidad de las fuerzas independentistas. Al paso de los años se ha ido comprobando la corrección de nuestras posiciones. La unidad en un bloque anti-imperialista para llevar adelante el proceso de toma de conciencia del pueblo puertorriqueño y la organización de los sectores más alertas y combativos de éste va cobrando concreción cada día.

La unidad de las fuerzas independentistas puede hallar su base de desarrollo en problemas como el servicio militar obligatorio, las pretensiones del gobierno de entregar nuestra riqueza minera, el rescate de Culebra, el reclamo de solidaridad internacional para con la independencia de Puerto Rico incluyendo las gestiones que está realizando el M.P.I. en la ONU y otros.

La cuestión electoral ha sido en el pasado uno de los principales factores que han obstruido el proceso de unidad de las organizaciones patrióticas. Pero las condiciones actuales nos llevan a reconsiderar nuestra posición sobre la cuestión electoral, con lo que se allana más el camino hacia la forjación de la unidad independentista.

Las elecciones han sido y siguen siendo un instrumento del imperialismo y sus sectores aliados para darle formalidad y oficialidad a su atropello, dominio y expoliación de nuestro pueblo. A la vez que han servido al propósito de los extranjeros que dominan el país para consolidarse en el poder a través de la burguesía parasitaria e importadora como sus aliados del patio, han logrado por medio de las elecciones mantener dividido al independentismo.

En el pasado las campañas emepeístas de boicot electoral han sido factor determinante en el proceso de concientización política de las masas puertorriqueñas, en la consolidación de la vanguardia y en el desarrollo de una multiplicidad de métodos y frentes de lucha contra los males específicos del sistema colonial, en torno a los cuales se ha logrado movilizar un amplio sector de dichas masas.

De la lucha patriótica al margen del proceso electoral fue que surgió la vanguardia patriótica que hoy camina hacia su consolidación en vanguardia revolucionaria de las clases trabajadoras. También dentro del mismo proceso se ha desarrollado el Partido Independentista Puertorriqueño, que indiscutiblemente creció y se desarrolló dentro de la lucha vanguardista.

Hoy las condiciones han variado con relación a los pasados dos períodos electorales. Se han agudizado los problemas socio-económicos del país; se ha intensificado el proceso de polarización política; ha crecido numérica y cualitativamente la lucha de independencia; se han consolidado organizativa e ideológicamente las organizaciones principales de esta lucha; está en avanzado proceso de desarrollo la vanguardia revolucionaria del pueblo de Puerto Rico; aumenta la conciencia de clase de las clases trabajadoras; aumenta la combatividad de los sindicatos obreros progresistas y muchos otros factores.

Tales condiciones distintas al pasado nos conducen a una reevaluación de la posición que hemos mantenido con respecto a las elecciones. La no participación o participación, y en qué forma, en los comicios se habrá de determinar a la luz de los objetivos que se persigan en un momento dado. La

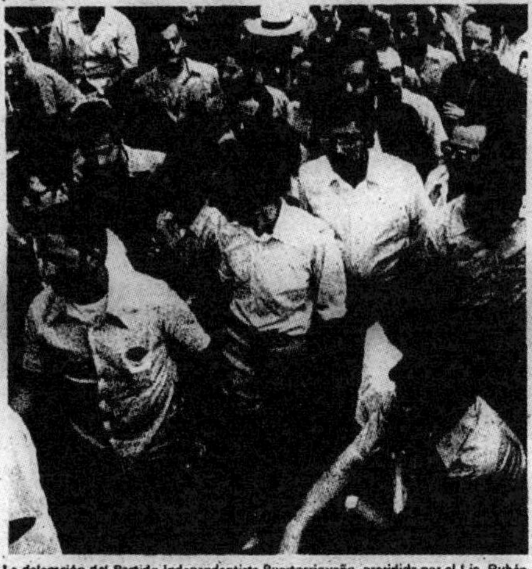

La delegación del Partido Independentista Puertorriqueño, presidida por el Lic. Rubén Berríos (al centro), hace su entrada a la Octava Asamblea del MPI. (Foto CLARIDAD por Camero)

participación electoral puede ser, bajo determinadas circunstancias, uno de los métodos de lucha de las organizaciones revolucionarias. Pero dentro de cualquier circunstancia que se produzca, las elecciones **coloniales** no pueden ser adecuado instrumento de expresión del sentir de las masas trabajadoras y marginadas del país. Esto es debido a que nuestro pueblo carece de poder jurídico y político para poner en vigor los cambios estructurales que exigen los intereses de dichas masas explotadas y marginadas.

No obstante, cabe la posibilidad de que los independentistas puedan aprovechar eficazmente el período de intensa politización que existe en los meses antes de las elecciones para canalizar la protesta popular a favor de la independencia. Lo anterior serviría para ampliar la base independentista y consolidar sus organizaciones.

Al calor de la lucha vanguardista se ha producido un crecimiento extraordinario de las fuerzas independentistas. Las simpatías que éstas han generado para con la causa de la independencia es mayor que la capacidad individual de cada una de ellas para encauzarla eficazmente. Ninguna de las organizaciones de independencia existentes son capaces de servir de instrumento efectivo para enfrentarse a las monstruosas maquinarias de los partidos políticos de derecha, que funcionan subsidiadas por las corporaciones y las agencias represivas extranjeras.

La participación unitaria del independentismo tendría un efecto multiplicador en el resultado de los comicios y serviría de alternativa a las amplias capas explotadas de nuestro pueblo. La agudización de las contradicciones en el seno de nuestra sociedad, el crecimiento de los problemas socio-económicos y su subsecuente polarización política, son factores que han acelerado el proceso de toma de conciencia de las masas y la búsqueda por éstas de nuevos instrumentos que le sirvan para la defensa de sus intereses. La participación conjunta de los independentistas en las próximas elecciones tendría como resultado la consecución de los siguientes objetivos:

1– Integración de miles de nuevos combatientes a la lucha de independencia, crecimiento y consolidación de las organizaciones independentistas integrantes del frente unido y politización y ampliación de la base general de nuestra lucha por el extraordinario crecimiento numérico que se produciría.

2– Anular toda posibilidad de triunfo del PPD, lo cual ayudaría a acelerar la polarización política que se ha venido produciendo en los últimos años, con lo que a su vez aumentaría la conciencia de nuestro pueblo, en la medida en que el frente unido pueda representar una alternativa a los puertorriqueños descontentos con la realidad imperante.

3– Desenmascarar la clara tendencia fascista, retrógrada y entregada a los intereses de las corporaciones y militares extranjeros del partido que actualmente administra la colonia, restándole la fuerza que actualmente tiene en importantes sectores de las masas explotadas y pobres de nuestro país.

El Partido Independentista Puertorriqueño, por sí solo, no es el instrumento adecuado para canalizar eficazmente el extraordinario potencial de nuestra lucha, como tampoco podría serlo el Partido Socialista Puertorriqueño en forma individual. Ninguna de ambas organizaciones por sí sola tiene la capacidad organizativa para movilizar los recursos necesarios para dar la demostración de fuerza de que es capaz el independentismo en este momento. No podemos darnos el lujo de conducir al independentismo en forma fragmentaria a las próximas elecciones y de que hagamos el ridículo en éstas. La participación independentista en las elecciones solo se justificaría en un frente unido.

El no frente unido para la participación unitaria de todo el independentismo en las elecciones de 1972 frustraría toda posibilidad de, aprovechando esta coyuntura histórica, producir un salto cualitativo de la lucha de independencia. Haría más doloroso y pedregoso el camino hacia la conquista de nuestra soberanía nacional.

Por lo tanto, la Octava Asamblea Nacional del Movimiento Pro Independencia de Puerto Rico, constituyente del Partido Socialista Puertorriqueño, resuelve:

1– Que la participación del independentismo en las elecciones de 1972 sólo se justificaría en un gran frente unido electoral del que formen parte las organizaciones políticas principales de la independencia, a saber, el Partido Independentista Puertorriqueño y el Partido Socialista Puertorriqueño.

2– Mandatar al Comité Central del Partido Socialista a continuar las gestiones de unidad para la participación conjunta de las fuerzas independentistas en los comicios de 1972.

3– Continuar la discusión política entre el pueblo independentista en torno al problema de la unidad patriótica y la necesidad y posibilidad de un frente unido electoral ahora.

4– Apoyar las gestiones de unidad que realizan distinguidos independentistas no afiliados, concientes de la corrección de nuestras posiciones.

5– De no cuajar la idea del frente unido electoral dentro del límite de tiempo necesario para su concreción real, desarrollar una campaña militante de boicot electoral al calor de la consigna **¡Frente Unido o Cero Votos!**

4 CLARIDAD – 5 de diciembre de 1971

"No votar en '72 si no hay Frente Unido."
Periódico *Claridad*, 5 de diciembre de 1971.

La Participación Electoral Como Método de Lucha en la Colonia

POR: CARLOS GALLISA

El éxito de la táctica y estrategia de los movimientos libertadores descansa fundamentalmente en la corrección con que se interprete la realidad política de un pueblo. Por tal razón, la discrepancia en el método surge básicamente de la interpretación de la realidad política. La confusión de los deseos subjetivos de los líderes independentistas con la realidad objetiva, puede llevar la lucha por la independencia al fracaso, o cuando menos al estancamiento. Analicemos la realidad política puertorriqueña de hoy y veamos si nuestras posiciones en cuanto a método de lucha, principalmente respecto al uso del proceso electoral, son válidas en este momento.

Consideramos que la situación política de nuestro país cambia radicalmente a partir de 1968.

1. El partido colonialista controlante de la vida política puertorriqueña por 28 años, cae del poder y junto a él, desaparece el control que sobre las masas puertorriqueñas había ejercido el líder de ese partido durante esos años.

2. Asciende al poder un partido asimilista y reaccionario más claramente distinguible por el pueblo como representante de los grandes intereses que lo explotan.

3. Se crea una crisis de liderato en los partidos colonialistas que lleva a grandes sectores de las masas a libertarse de la obediencia ciega que tradicionalmente le han profesado a sus líderes.

4. Las contradicciones del sistema se manifiestan con mayor claridad y el pueblo adquiere un mejor entendimiento de sus problemas. Esto explica en parte cómo se han logrado respaldos masivos a planteamientos independentistas tales como el rechazo al Servicio Militar Obligatorio y el problema de Culebra.

5. Se incorpora a llucha política en forma masiva una generación joven que en su gran mayoría rechaza las estructuras establecidas y que por su número, 475,000 entre 18 y 24 años, constituye una fuerza decisiva. La edad para votar se reduce a 18 años.

Lo anterior a grandes rasgos describe nuestra realidad objetiva. En adición a estos factores internos, la situación política en la metrópoli, que tan decisiva es en la colonia, sufre cambios importantes. En Estados Unidos el poder se va desplazando cada vez más a la extrema derecha; los síntomas de una explosión interna son mucho más marcados al acrecentarse le activismo de los negros y otros grupos minoritarios; los puertorriqueños en Estados Unidos adquieren una mayor conciencia de identidad nacional y proliferan entre ellos los grupos favorecedores de la independencia; en el plano internacional Estados Unidos está mucho más débil que antes por su envolvimiento en la guerra de Viet Nam que además de causar el rechazo mundial, le ha ocasionado grandes problemas económicos en el orden interno.

Todas estas condiciones auguran un crecimiento de las fuerzas independentistas. Tienden a debilitar el poder de la metrópoli y hacen de la contradicción que representa el sistema parlamentario en la colonia, pues la colonia es la negación de la democracia política, una situación explosiva para el régimen.

Más aún el sistema parlamentario, de por sí, puede ser un mecanismo para adelantar el proceso de cambio profundo que los hombres llamamos revolución, aún en condiciones objetivas más desfavorables que las actuales.

Esto es así por las siguientes razones:

1. El proceso electoral no es *inherentemente* revolucionario ni contrarevolucionario. Su carácter revolucionario dependerá de las circunstancias y de la ideología de quienes lo usen. Revolucionarios como Nkrumah y Allende lo han utilizado. Otros revolucionarios como Fidel Castro y Mao Tse Tung no lo han utilizado, aunque aceptan como revolucionaria su utilización en otros lugares del mundo. Lenin en ocasiones llevó su partido a las elecciones y en otras a la lucha armada.

Creemos que el prejuicio anti–electoral en Puerto Rico obedece más a condiciones emocionales muy personales que a un análisis político de carácter científico. Algunos parecen creer que una condición indispensable para ser revolucionario es no ir a elecciones.

2. El Partido Independentista Puertorriqueño concibe las elecciones principalmente como un instrumento de organización de fuerzas para reclutar, capacitar y ejercer presión sobre el régimen. En esta forma se permite aglutinar en el trabajo independentista a individuos con diversos grados de militancia, lo cual se limita en movimientos de otra naturaleza. El que está dispuesto a servir como funcionario de colegio o simplemente a votar es en muchos casos una persona distinta al que está dispuesto a montar un piquete, pegar un pasquín o arriesgarse a ir a la cárcel en un acto de desobediencia civil. Lo importante es mantenerlos juntos y dentro de la organización para levantar su capacidad ideológica, su sentido de identificación y por ende su militancia.

3. Aún cuando reconocemos las limitaciones que el sistema le impone a un partido libertador, las

"La participación electoral en la colonia." Artículo de Carlos Gallisá, Revista *La Escalera*, febrero-marzo 1971.

contradicciones del sistema abren un margen amplio donde se puede trabajar efectivamente. Al participar en el proceso electoral se abren canales de comunicación con el pueblo como programas de televisión y radio, publicaciones, periódicos y la disponibilidad de fondos públicos. Lo decisivo de todo este proceso es que haya la máxima y más efectiva utilización de estos recursos para adelantar la lucha.

4. El Partido Independentista Puertorriqueño al definirse como movimiento de liberación nacional participa en las elecciones y desarrolla su campaña no como un cazador de votos al estilo de los partidos clásicos en la colonia. La antigua creencia que la radicalización y el proceso electoral son contradictorios está superada ya. No tan sólo se ha probado la falsedad de este concepto, sino que hemos visto cómo el crecimiento del partido guarda una relación estrecha con las posiciones radicales que hemos asumido. Esta radicalización ha sido a pie y a paso firme. Hemos sabido guardar la justa proporción entre nuestra palabra y nuestra acción. No hay mayor muestra de seriedad y de conciencia en l lucha que mantener unidas las palabras y la acción; es la forma de ganarse la confianza de las masas para educarlas; es convertirse en un verdadero movimiento de masas y no quedarse reducido a un grupo apartado de las masas, o lo que es peor, un grupo enajenado de las masas. Por eso, cada reto al régimen debe conllevar la moralización de las masas y no quedarse como un acto aislado.

5. Algunos han descartado las elecciones y entienden que participar en ellas es "oportunismo político con el propósito de congraciarse con Wáshington o desconocer totalmente el fenómeno del imperialismo". A la misma vez nos dicen que su posición respecto a las elecciones no es una cuestión de principios. Francamente no entendemos esta posición.

La verdad es que estos compañeros han descartado las elecciones y han llevado la abstención electoral de una táctica a un dogma sagrado. Volvemos a apuntar la gravedad de confundir el deseo de los dirigentes con la verdadera condición de las masas. Lo descartado por los dirigentes está muy lejos de haber sido descartado por las masas puertorriqueñas. Afirmar que el porciento de abstención en las elecciones y en el referendum de los 18 años es un rechazo del pueblo al proceso electoral es engañarnos a nosotros mismos.

Lo dicho anteriormente tampoco debe interpretarse como una propuesta para que los dirigentes bajen al nivel de las masas.

Lenin, haciendo referencia a este punto y enjuiciando la posición de los comunistas alemanes respecto a las elecciones escribió:

"Como es natural, para los comunistas de Alemania el parlamentarismo 'ha caducado políticamente', pero se trata precisamente de no creer que lo caduco para nosotros haya caducado para la clase, para la masa. Un vez más vemos aquí que los 'izquierdistas' no saben razonar, no saben

"La participación electoral..." (continuación)

conducirse como el partido de la clase, como el partido de las masas. Vuestro deber consiste en no descender al nivel de las masas, al nivel de los sectores atrasados en la clase. Esto es indiscutible. Tenéis la obligación de decirles la amarga verdad; de decirles que sus prejuicios democrático–burgueses y parlamentarios son eso, prejuicios. Pero al mismo tiempo, debéis observar con serenidad el estado real de conciencia y de preparación precisamente de toda la clase (y no sólo de su vanguardia comunista), de toda la masa trabajadora (y no sólo de sus elementos avanzados).

"Aunque no fueran 'millones' y 'legiones' sino una simple minoría bastante considerable de obreros industriales la que siguiese a los curas católicos, y de obreros agrícolas la que suguiera a los terratenientes y campesinos ricos (Grossbauern), podría asegurarse ya sin vacilar que el parlamentarismo en Alemania no ha caducado todavía políticamente, que la participación en las elecciones parlamentarias y en la lucha desde la tribuna parlamentaria es obligatoria para el partido del proletariado revolucionario precisamente para educar a los sectores atrasados de su clase, precisamente para despertar e instruir a la masa aldeana inculta, oprimida e ignorante. Mientras no tengáis fuerza para disolver el parlamento burgués y cualquiera otra institución reaccionaria estáis obligados a actuar en el seno de dichas instituciones precisamente porque hay todavía en ellas obreros idiotizados por el clero y por la vida en los rincones más perdidos del campo. De lo contrario corréis el riesgo de convertiros en simples charlatanes".

6. Otros se preguntan: ¿Para qué buscar un triunfo electoral si aún en el caso de que se logre estaríamos "impedidos por las limitaciones del orden colonial para tomar *legalmente* (subrayado nuestro) las medidas conducentes a la independencia?" Afirman también que aún después del triunfo electoral habría que "abrirse paso por la fuerza para hacer las transformaciones planteadas en su programa".

Este es un argumento de tipo superestructural jurídico que peca de lo peor de la tradición juridicista de carácter pequeño burgués tantas veces utilizada en la lucha por la independencia. Es un argumento falaz desde el punto de vista teórico y es a su vez contradictorio de por sí.

En primer lugar, el PIP no descansa únicamente en un triunfo electoral para traer la independencia. Esta ha de venir como consecuencia de una serie de factores y de presiones que le hagan más conveniente al imperio americano irse que quedarse en Puerto Rico, independientemente de las cuestiones legales envueltas. Un factor de suma importancia para lograr este objetivo es la participación electoral según la hemos descrito en este trabajo.

Aún asumiendo que necesariamente hubiera que abrirse paso por la fuerza, lo cual no es cierto ni desde el punto de vista de la historia del colonialismo ni desde el punto de vista de la lógica, no es lo mismo abrirse paso por la fuerza después de un triunfo electoral que antes de él. Sin lugar a dudas, sería mucho más fácil hacerlo después de un triunfo electoral, ya que existiría un pueblo organizado con el recortado poder colonial en sus manos y conciente de que de no cumplirse su voluntad se justificarían otros tipos de acción. De más está decir que todos los otros factores y presiones que gravitarían sobre los Estados Unidos, tanto internos como externos, se agudizarían después de un triunfo electoral.

7. Tanto el ir a elecciones como la abstención electoral son métodos de lucha y como tales deben ser revisados periódicamente. Su utilización depende del análisis que se haga de las realidades objetivas del momento. Descartar las elecciones o aferrarse a ellas al infinito es caer en el mismo vicio o error.

Iremos a las elecciones del 1972 porque en adición a todos los factores enumerados que propician el concurrir estamos preparados para ello. Estamos organizados a nivel nacional en casi todos los precintos y municipios del país, en los recintos universitarios y en más de la mitad de las escuelas superiores.

Tendremos representación en las cámaras legislativas para desde allí fiscalizar, denunciar y desenmascarar toda la podredumbre del sistema. El propósito no es envolverse en un proceso legislativo colonial que sabemos de antemano no

20

"La participación electoral..." (continuación)

puede resolver los problemas básicos del país. Nuestra presencia allí será precisamente para probarle al pueblo que esas cámaras no tienen poderes reales y que éstos radican en el Congreso Norteamericano y en el ejecutivo de ese país. Nuestro centro de acción tampoco serán las cámaras ya que sabemos que el trabajo directo con el pueblo es el factor determinante en la lucha por la independencia.

Esta es en síntesis nuestra visión del por qué y para qué de las elecciones.

Nuevamente recordamos a Lenin:

"La crítica — la más violenta, implacable e intransigente — debe dirigirse no contra el parlamentarismo o la acción parlamentaria, sino contra los jefes que no saben — y más aún contra los que *no quieren* — utilizar las elecciones parlamentarias y la tribuna parlamentaria a la manera revolucionaria. . .

"Manifester el 'revolucionarismo' sólo con injurias al oportunismo parlamentario, sólo condenando la participación en los parlamentos, resulta facilísimo; pero precisamente porque es demasiado fácil no es la solución de un problema difícil, dificilísimo".

Ilustración cortesía de Taller Alacrán.

¿Qué pasa... no consigue LA ESCALERA?

Es muy fácil: suscríbase. Basta con que nos envíe $4.00 ($10.00 si es por correo aéreo) y recibirá LA ESCALERA en su casa cómodamente.

Y si se siente particularmente generoso, nos puede hacer un donativo de $10.00, con lo que adquiere el título de Amigo de LA ESCALERA. O de más de $10.00 y entonces podrá llamarse ¡Asociado de LA ESCALERA!

Ve qué fácil... ahora sólo falta que llene el cupón (y que firme el cheque).

LA ESCALERA
Apartado 22576
Estación UPR
Río Piedras, P.R. 00931

Por favor incluyame en la lista de envios como:

___Suscriptor por un año ($4.00)
___Amigo de LA ESCALERA ($5.00 a $10.00
___Asociado de LA ESCALERA ($11.00.....)

____
(nombre)

____
(calle y húmero o apartado postal)

____
(pueblo y ZIP)

"La participación electoral..." (continuación)

La Huelga Electoral Como Método de Lucha en la Colonia

POR: JUAN MARI BRAS

Hemos dicho que para los independentistas, la determinación de votar o no votar en elecciones, referéndums o plebiscitos dentro del actual sistema colonial no es una cuestión de principios, sino de táctica. Tal afirmación sería casi una perogrullada, a no ser por la confusión que creó la comparación de nuestra postura sobre las elecciones con la de los nacionalistas.

La diferencia es obvia, pero debe destacarse para que no dé lugar a equívocos. Los nacionalistas parten de una concepción idealista de la lucha, que los coloca en posiciones rígidas, inflexibles, y en muchas ocasiones chocantes con la realidad.

Nosotros partimos de un análisis materialista-dialéctico, que no reconoce vacas sagradas. Lo importante es decidir si tal o cuál curso de acción adelanta, estanca o hace retroceder la lucha de independencia.

En el pasado, la acción electoral de los independentistas representó un estancamiento de la lucha. Por décadas enteras, el sector cuantitativamente más grande del independentismo estuvo estacionado en la fijación electoral. Esto le restó vuelo a la lucha, la burocratizó, la anquilosó. Fue un factor decisivo de nuestro crónico sub–desarrollo político.

La nueva lucha de independencia, impulsada por el MPI, empezó a liberar al independentismo de esa fijación asfixiante. La campaña de huelga electoral de 1964 – que logró llevar a l inmensa mayoría de los independentistas activos del momento a la abstneción – tuvo como resultado específico cambiar la co–relación de fuerzas entre los independentistas electoralistas y los abstencionistas. Por primera vez, la mayoría de los patriotas dejó de votar.

De habernos quedado en la negación de las elecciones, no habríamos adelantado gran cosa. El progreso consistió en encontrar una variedad de formas de lucha dirigidas todas a librar un forcejeo constante contra el colonialismo aquí. En pocos años se han visto los resultados positivos de ese nuevo curso de acción.

Hemos logrado unas victorias parciales que han colocado al independentismo en la ofensiva.

En el curso de este siglo ha habido en Puerto Rico cuatro partidos electorales de programa independentista (excluyendo al Partido Nacionalista, cuya participación electoral fue muy breve, y a los micro-grupos pasados y presentes): Unión de Puerto Rico, Partido Liberal, Partido Popular Democrático y Partido Independentista Puertorriqueño.

Ninguno de estos partidos logró una sola victoria significativa para el independentismo. Por el contrario, la Unión de Puerto Rico – a pesar de los esfuerzos de José De Diego – ayudó a remachar el coloniaje con la extensión de la ciudadanía yanqui a los puertorriqueños en 1917. El Partido Popular, que nació con un programa independentista y lo mantuvo teóricamente hasta 1948, se convirtió en el principal instrumento político con que ha contado el imperialismo para convertir a Puerto Rico en una fortaleza económica, política y militar del imperialismo yanqui. La creación del estado libre asociado en 1952, su convalidación internacional por la ONU en 1953, y el llamado programa de Fomento Industrial fueron los factores claves en el proceso de absorción que caracterizó al último cuarto de siglo de nuestra historia.

Los otros dos partidos, el Liberal y el Independentista, se descompusieron y disolvieron sin jamás alcanzar el poder. El dato histórico escueto, irrefutable, es, pues, que de cuatro partidos independentistas, dos alcanzaron el poder, renegando de su plataforma independentista y convirtiéndose en los mejores aliados del régimen interventor, mientras los otros dos jamás llegaron al poder, y todavía en minoría se burocratizaron, se corrompieron y terminaron disolviéndose.

Contrario al círculo vicioso de frustraciones que señala el independentismo electoral, la nueva lucha de independencia, situada al margen del electoralismo, ha logrado en una década victorias significativas para la causa. Por solo mencionar algunas, veamos éstas:

a) Hemos desarrollado una fuerza independentista que lucha día por día, ininterrumpidamente, en una multiplicidad de frentes y tareas, produciendo periódicos, boletines, programas de radio, conferencias, cine–mítines, exposiciones, música revolucionaria, piquetes, marchas, cursos de capacitación, etc., permeándose grandes sectores de la sociedad puertorriqueña con la presencia cada vez más ostensible del independentismo en la vida nacional.

b) Hemos internacionalizado nuestra querella contra Estados Unidos, promoviendo la solidaridad de gobiernos, partidos, movimientos estudiantiles, cónclaves internacionales y pueblos en todas partes del mundo con la lucha de independencia de Puerto Rico. Por primera vez, la independencia de Puerto Rico cuenta con aliados poderosos, capaces de ofrecer solidaridad específica.

c) Hemos detenido por más de cinco años la explotación de los recursos minerales de Puerto Rico por compañías

"La huelga electoral como método de lucha en la colonia." Artículo de Juan Mari Brás. Revista *La Escalera*, febrero-marzo 1971.

norteamericanas, logrando así plantar el primer gran muro de contención contra el desenfrenado proceso de absorción y saqueo que ha impulsado el imperialismo en nuestra patria.

d) Se han sentado las bases para una proliferación de los frentes de lucha, que ya empieza a manifestarse en términos de desafíos como los de Culebra, las playas de San Juan, comunidades que se niegan a sucumbir para dar paso a la absorción – como Piñones – huelgas obreras, profundización y multiplicación masiva del movimiento estudiantil, etc.

Nada de lo anterior se habría logrado si el independentismo se hubiera quedado amarrado dentro de la estrategia electoral. La amplitud de perspectivas de la nueva lucha, su audacia, combatividad y eficacia se fundan en el principio de que somos nosotros los que escogemos el campo de pelea, las reglas del juego y los momentos de acelerar la ofensiva. En el chiquero electoral, es el enemigo quien determina de todo ésto.

Uno de los resultados más positivos de la nueva lucha ha sido sepultar la ilusión electoralista entre los independentistas. El nuevo Partido Independentista, que – dicho sea de paso – tiene muy poca relación de continuidad con el viejo PIP, tanto en ideología, como en composición de base, liderato y métodos de lucha, ha comenzado a salir del chiquero electoral. NO plantea que las elecciones son un "camino" hacia la independencia. Visualiza la lucha en una multiplicidad de frentes. Subraya la militancia, aunque la apellida "pacífica" (como si el carácter violento y represivo del imperialismo se pudiera cambiar por *fiat* de quienes deseen que llucha sea pacífica) y ve las elecciones como uno de los muchos frentes de lucha.

Esa visión del nuevo PIP es resultado directo de la influencia emepeísta, aunque a algunos de sus líderes les perturbe esa realidad.

Ahora nuestra disyuntiva es qué hacer frente a la realidad de un nuevo PIP, más ágil, flexible, moderno y combativo que aquel partido de viejo molde. El hecho de que el nuevo PIP tenga esas características positivas no debe llevarnos a pasar por alto sus reminicencias negativas del antiguo pipiolismo. Entre éstas, destaca la participación electoral.

Nos consta que dentro del PIP se desarrolla en estos momentos una fuerte corriente de opinión, desde la base al liderato, que cada día se aleja más de la posición electoral. La rica discusión interna que tuvo lugar en el seminario recientemente celebrado por el liderato del PIP en San Sebastián atestigua sobre la honda preocupación existente entre muchos cuadros del partido en relación a los peligros de volver a caer en la rutina electoralista.

Es relativamente fácil para el PIP caer de nuevo en el tedio anquilosante de la pugna electorera. En la misma medida en que se ilusionen con la posibilidad de acumular miles de votos en los comicios de 1972, van a reducir su militancia y combatividad.

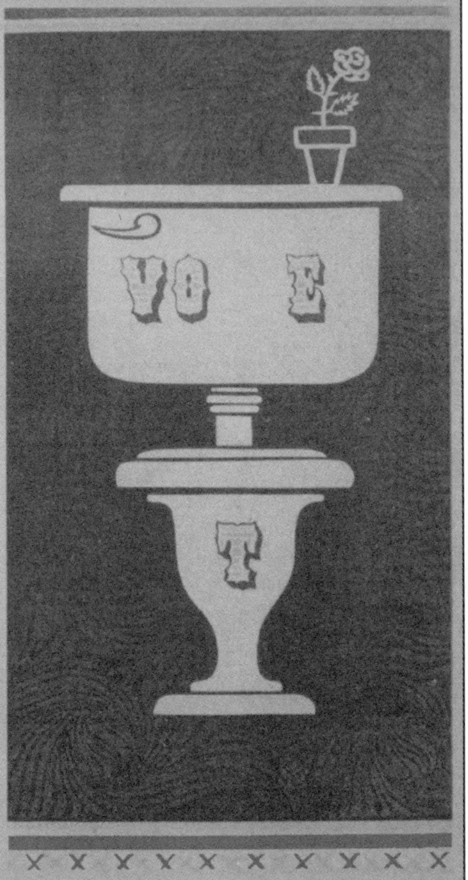

Serigrafía de Antonio Martorell, cortesía de Taller Alacrán.

Lo primero que surge a clara vista es un propósito de "emanciparse" ideológicamente del MPI. Esto les lleva a rehuir las acciones unitarias, el debate ideológico y la coordinación con nosotros. La preocupación por los votos les hace preocuparse por su imagen pública. Y, como caen en la trampa del enemigo que presenta al MPI como una minoría aislada (sin darse cuenta de que si cada vez somos menos minoría los independentistas, se debe fundamentalmente al MPI) buscan desesperadamente signos que les diferecien del MPI.

Lo peor del caso es que estas actitudes les llevan a cometer errores garrafales que menguan el impulso que va cobrando el nuevo Partido Independentista.

Lo único que garantiza que el nuevo PIP continúe su

"La huelga electoral..." (continuación)

desarrollo, cuantitativo y cualitativo, en un curso ascendente, y se convierta en un movimiento revolucionario de masas, es el continuo aguijoneo nuestro, la confrontación constante en que se diluciden las diferencias ideológicas y tácticas, de modo que mutuamente nos influyamos para alcanzar un consenso positivo.

Por otro lado, el MPI ha comprobado en la práctica la efectividad de sus tácticas y su curso estratégico. Hemos señalado en nuestra tesis que ningún acontecimiento menor a una crisis del régimen colonial será capaz de impulsar la independencia de Puerto Rico. Precipitar esa crisis es nuestro objetivo estratégico para la conquista de la independencia.

Obviamente, el sistema electoral prevaleciente en Puerto Rico está dirigido a mantener la estabilidad del *status quo*. Cada vez se hace menos posible para un partido de minoría competir en elecciones. Estas se deciden por la apabullante propaganda pagada en millones de dólares por los partidos aliados del imperialismo.

Si las circunstancias de Puerto Rico fueran las de Chile, sería razonable plantear una tesis electoralista como forma de darle impulso al cambio revolucionario. Si fueran las de otros países de Europa Occidental y Norteamérica, sería cuestionable. Pero en las circunstancias del Puerto Rico colonial de 1971, ilusionarse con un tránsito electoral hacia la independencia es estar en babia.

Lo único que está en orden para el independentismo puertorriqueño de nuestro tiempo es empujar la acción diversa en múltiples frentes y variadas formas que convenja en el surgimiento masivo de una conciencia de clase de las grandes mayorías super–explotadas) -- que ponga en jaque al sistema colonial vigente. Cuando se haya alcanzado esa situación revolucionaria, ya buscaremos en la realidad del momento los canales por donde esa conciencia ha de traducirse para producir la independencia. Podría ser la Asamblea Constituyente precedida de una huelga electoral, o de una huelga general de trabajadores. O podría ser que entonces la fuerza independentista sea tan obviamente determinante que el propio imperialismo se adelante a producir, por plebiscito o referéndum, los canales del cambio. Por ahora, especular sobre cómo llegaremos a la indepedencia en ese tramo final es pura elucubración.

Lo importante, por ahora, es trabajar afanosamente para hacer posible que lleguemos a ese tramo final. Por más de una década hemos avanzado bastante hacia ese objetivo. No hay razón para aventurarnos a cambiar el curso hacia viejos caminos trillados de frustración, que quedaron superados por la nueva lucha.

"La huelga electoral..." (continuación)

Líderes Socialistas Hablarán Con Fidel

RIO PIEDRAS – El Secretario General y el Presidente del Partido Socialista Puertorriqueño (Movimiento Pro Independencia), Juan Mari Brás y Julio Vives Vázquez, se encuentran en La Habana, Cuba, desde el pasado 29 de diciembre donde han comenzado a sostener conversaciones de alto nivel con el Partido y el gobierno revolucionario de la hermana república. En los próximos días, los dirigentes puertorriqueños, se entrevistarán con el Primer Ministro de ese país, Comandante Fidel Castro Ruz.

Conforme a un comunicado de prensa emitido por el Secretario de Prensa y Propaganda del P.S.P., Manuel de J. González, se señala que "Mari Brás y Vives Vázquez

Juan Mari Brás

visitan Cuba como parte de una jira por tres continentes que realizan por encomienda del Comité Central del P.S.P.".

Se informó además que el propósito cardinal del viaje es el de "estrechar relaciones con Partidos y gobiernos amigos de la lucha de independencia del pueblo puertorriqueño y recabar apoyo internacional para nuestra causa." Asimismo se dijo que "los compañeros solicitarán solidaridad en la campaña internacional para que las Naciones Unidas discuta el caso colonial de Puerto Rico."

La jira programada para tres continentes dio comienzo en Estados Unidos donde Mari Brás dictó una serie de conferencias en diferentes universidades.

humanidad y compañerismo" llamó a los demás medios informativos para comunicarle el deceso de su compañero periodista. Una agencia competitiva tuvo casi exclusividad de la noticia, hecho que pasó a conocimiento de Prensa Asociada que decidió el fulminante despido de la reportera.

Una fuente consultada por este semanario indicó que el despido injusto y brusco, perpetrado por la agencia norteamericana en cuestión, es indicativo de que en estas grandes empresas "no existe el más mínimo sentimiento humano" y para ellos el competir es lo trascendental.

(Hartford, Connecticutt)

25 de diciembre y frííío a todo lo que da. Boricuitas hermanos en plena calle con abrigos que no lo son, bendito. Y esta isla acá, su isla, donde andarían corriendo cara al sol sino fuera porque papi, porque el trabajo, mijo, la necesidad... Esas manitas que aprietan ramas de aluminio encontradas tienen derecho al verde de su patria, a la hierba que sus hermanos ofrendan la Noche de Reyes, en una fiesta suya que nada tiene que ver con las calles heladas de un país extraño. Hacer a Puerto Rico libre es hacer la Navidad para todos los hijos del PUEBLO (Foto CLARIDAD por Charrón)

Ferré Niega Participación CLARIDAD En Conferencia De Prensa Semanal

SAN JUAN – El gobernador Luis A. Ferré negó enfáticamente, el pasado lunes, la admisión del semanario CLARIDAD a su programa de televisión "Conferencia de Prensa".

A preguntas de la prensa con relación a la posible integración de un representante de este periódico en el círculo de periodistas, Ferré declinó la posibilidad afirmando que su programa era uno de carácter legislativo y no político. Añadió que CLARIDAD, por ser un periódico con una línea política abierta, no debe participar en un programa de esa naturaleza.

El Gobernador ofrece estas Conferencias de Prensa semanalmente para levantar un gran caudal político durante este año de elecciones. En ellas participan periodistas que representan los distintos medios de comunicación. Incluso el periódico **El Día**, propiedad de las empresas Ferré y vocero incondicional de la línea política del Partido Nuevo Progresista, participa en tales programas que de acuerdo a sus anuncios de prensa **"se presentan como un servicio público de las televisoras y radioemisoras del país."**

Por su parte el Director-asociado de CLARIDAD ha enviado una carta de entrega personal al Secretario de Prensa del Gobernador, A. Quiñones Calderón, exigiendo la participación activa de CLARIDAD en tales programas.

Transforman Sociedad Amigos PR En Organización Sirve Al Pueblo

Por Pedro L. Aponte
Colaborador de CLARIDAD

NUEVA YORK – En borrascosa asamblea celebrada el 16 de diciembre pasado la Sociedad de Amigos de Puerto Rico, se propuso dejar de ser un instrumento de relaciones públicas de la alta burguesía para convertirse en una organización que sirva a la comunidad puertorriqueña que reside en la Ciudad de Nueva York.

Desde su fundación en el 1962 dicha organización cívico cultural há manifestado su carácter clasista entre otras cosas a través de las actividades que auspicia y en la composición de su Junta de Directores. Según declaraciones de su Presidenta la Sra. Amalia Guerrero, para ser miembro de la Junta hay que reunir los siguientes requisitos: "ser rico, famoso y haberle dedicado mucho esfuerzo a la institución."

Por otra parte la nueva Junta de Directores se propone establecer criterios adecuados para la adjudicación del premio Eugenio María de Hostos que en ocasiones anteriores ha sido otorgado a personajes tales como Luis Muñoz Marín, Teddy Moscoso y Pablo Casals.

La asamblea allí reunida se comprometió a hacer realidad cada uno de los objetivos para los cuales fué fundada y a no seguir sirviendo a un élite que nunca se ha acercado al verdadero pueblo excepto para explotarlo.

9 de enero de 1972 – CLARIDAD 5

"Líderes socialistas hablarán con Fidel."
Periódico *Claridad*, 3 de enero de 1972.

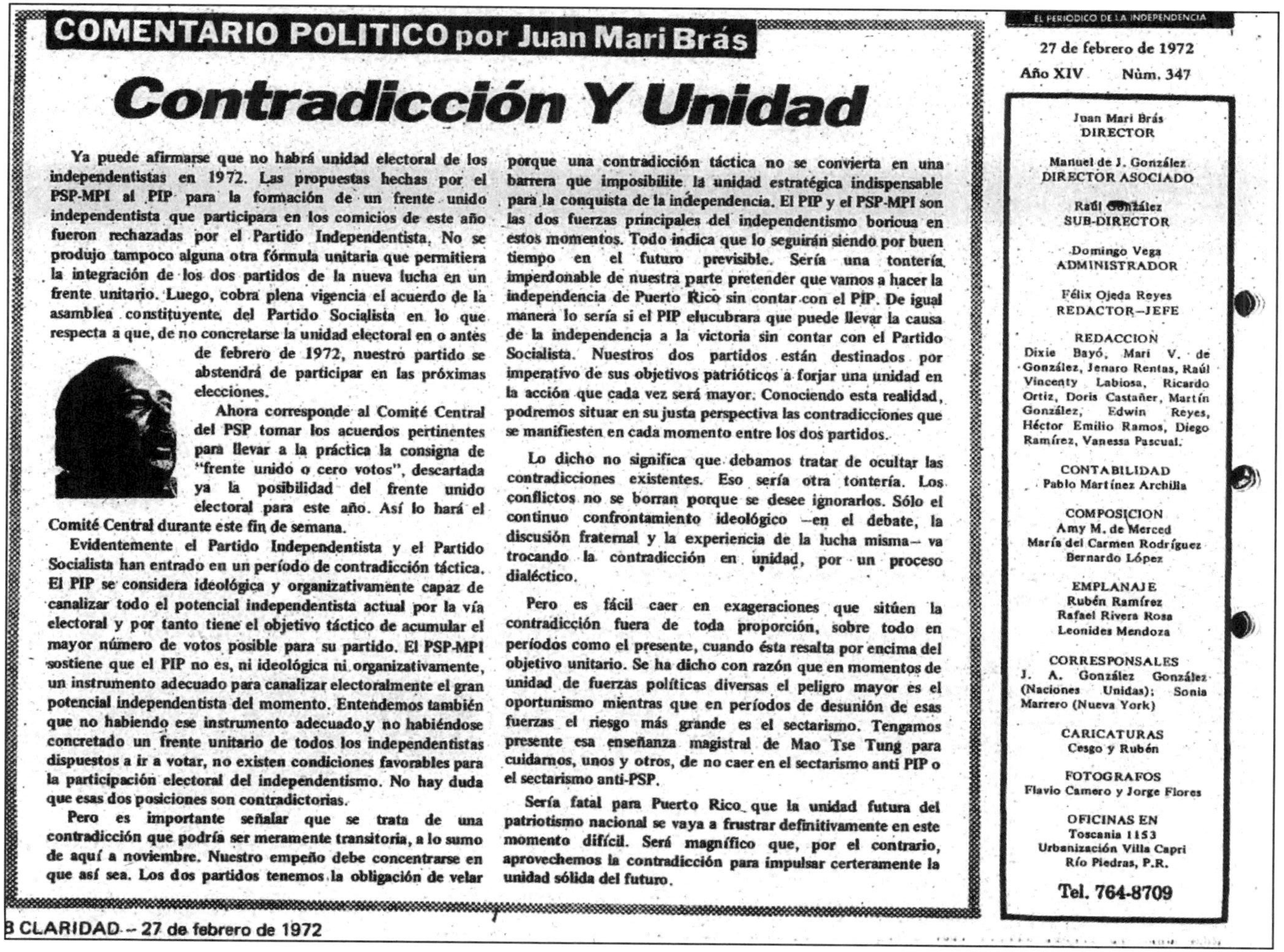

COMENTARIO POLITICO por Juan Mari Brás

Contradicción Y Unidad

Ya puede afirmarse que no habrá unidad electoral de los independentistas en 1972. Las propuestas hechas por el PSP-MPI al PIP para la formación de un frente unido independentista que participara en los comicios de este año fueron rechazadas por el Partido Independentista. No se produjo tampoco alguna otra fórmula unitaria que permitiera la integración de los dos partidos de la nueva lucha en un frente unitario. Luego, cobra plena vigencia el acuerdo de la asamblea constituyente del Partido Socialista en lo que respecta a que, de no concretarse la unidad electoral en o antes de febrero de 1972, nuestro partido se abstendrá de participar en las próximas elecciones.

Ahora corresponde al Comité Central del PSP tomar los acuerdos pertinentes para llevar a la práctica la consigna de "frente unido o cero votos", descartada ya la posibilidad del frente unido electoral para este año. Así lo hará el Comité Central durante este fin de semana.

Evidentemente el Partido Independentista y el Partido Socialista han entrado en un período de contradicción táctica. El PIP se considera ideológica y organizativamente capaz de canalizar todo el potencial independentista actual por la vía electoral y por tanto tiene el objetivo táctico de acumular el mayor número de votos posible para su partido. El PSP-MPI sostiene que el PIP no es, ni ideológica ni organizativamente, un instrumento adecuado para canalizar electoralmente el gran potencial independentista del momento. Entendemos también que no habiendo ese instrumento adecuado y no habiéndose concretado un frente unitario de todos los independentistas dispuestos a ir a votar, no existen condiciones favorables para la participación electoral del independentismo. No hay duda que esas dos posiciones son contradictorias.

Pero es importante señalar que se trata de una contradicción que podría ser meramente transitoria, a lo sumo de aquí a noviembre. Nuestro empeño debe concentrarse en que así sea. Los dos partidos tenemos la obligación de velar porque una contradicción táctica no se convierta en una barrera que imposibilite la unidad estratégica indispensable para la conquista de la independencia. El PIP y el PSP-MPI son las dos fuerzas principales del independentismo boricua en estos momentos. Todo indica que lo seguirán siendo por buen tiempo en el futuro previsible. Sería una tontería imperdonable de nuestra parte pretender que vamos a hacer la independencia de Puerto Rico sin contar con el PIP. De igual manera lo sería si el PIP elucubrara que puede llevar la causa de la independencia a la victoria sin contar con el Partido Socialista. Nuestros dos partidos están destinados por imperativo de sus objetivos patrióticos a forjar una unidad en la acción que cada vez será mayor. Conociendo esta realidad, podremos situar en su justa perspectiva las contradicciones que se manifiesten en cada momento entre los dos partidos.

Lo dicho no significa que debamos tratar de ocultar las contradicciones existentes. Eso sería otra tontería. Los conflictos no se borran porque se desee ignorarlos. Sólo el continuo confrontamiento ideológico —en el debate, la discusión fraternal y la experiencia de la lucha misma— va trocando la contradicción en unidad, por un proceso dialéctico.

Pero es fácil caer en exageraciones que sitúen la contradicción fuera de toda proporción, sobre todo en períodos como el presente, cuando ésta resalta por encima del objetivo unitario. Se ha dicho con razón que en momentos de unidad de fuerzas políticas diversas el peligro mayor es el oportunismo mientras que en períodos de desunión de esas fuerzas el riesgo más grande es el sectarismo. Tengamos presente esa enseñanza magistral de Mao Tse Tung para cuidarnos, unos y otros, de no caer en el sectarismo anti PIP o el sectarismo anti-PSP.

Sería fatal para Puerto Rico que la unidad futura del patriotismo nacional se vaya a frustrar definitivamente en este momento difícil. Será magnífico que, por el contrario, aprovechemos la contradicción para impulsar certeramente la unidad sólida del futuro.

8 CLARIDAD – 27 de febrero de 1972

EL PERIODICO DE LA INDEPENDENCIA

27 de febrero de 1972

Año XIV Núm. 347

Juan Mari Brás
DIRECTOR

Manuel de J. González
DIRECTOR ASOCIADO

Raúl González
SUB-DIRECTOR

Domingo Vega
ADMINISTRADOR

Félix Ojeda Reyes
REDACTOR–JEFE

REDACCION
Dixie Bayó, Mari V. de González, Jenaro Rentas, Raúl Vincenty Labiosa, Ricardo Ortiz, Doris Castañer, Martín González, Edwin Reyes, Héctor Emilio Ramos, Diego Ramírez, Vanessa Pascual.

CONTABILIDAD
Pablo Martínez Archilla

COMPOSICION
Amy M. de Merced
María del Carmen Rodríguez
Bernardo López

EMPLANAJE
Rubén Ramírez
Rafael Rivera Rosa
Leonides Mendoza

CORRESPONSALES
J. A. González González (Naciones Unidas); Sonia Marrero (Nueva York)

CARICATURAS
Cesgo y Rubén

FOTOGRAFOS
Flavio Camero y Jorge Flores

OFICINAS EN
Toscania 1153
Urbanización Villa Capri
Río Piedras, P.R.

Tel. 764-8709

"Contradicción y unidad." Artículo de Juan Mari Brás. Periódico *Claridad*, 27 de febrero de 1972.

El PSP Ante Las Elecciones

(A los fines de que todos los que no tuvieron oportunidad de leer nuestra edición del pasado martes puedan leer este documento, reproducimos a continuación el Pronunciamiento acordado por el Comité Central del Partido Socialista Puertorriqueño (Movimiento Pro Independencia) el pasado domingo 27 de febrero de 1972.)

El Comité Central del Partido Socialista Puertorriqueño tiene la encomienda de la asamblea constituyente de nuestro partido de implementar dos campañas fundamentales durante el presente año. Una es la campaña de organización del partido y la otra la de abstención electoral en los comicios de 1972.

La primera es fundamental para el cumplimiento de los principales objetivos tácticos y estratégicos que se definen en la Declaración General, base programática del PSP-MPI. Supone una gran concentración e intensificación de esfuerzos de toda nuestra militancia en el trabajo político y organizativo dirigido a incorporar al partido a los sectores más firmes, capaces e ideológicamente adelantados del proletariado y las clases trabajadoras en general. Esto a su vez supone una creciente ligazón del partido con las grandes masas explotadas del país y un esfuerzo cada vez mayor por desarrollar los programas de educación política que hagan viable la comprensión de nuestra realidad por los trabajadores y el pueblo en general y la consecuente toma de conciencia de clase y conciencia nacional.

La segunda campaña fue acordada por la asamblea constituyente del partido ante la imposibilidad de que se lograra la unidad electoral de los independentistas y en particular el frente unido entre el PIP y el PSP-MPI propuesto por nuestro partido. Las mismas razones que nos llevaron a plantear la necesidad del frente unido nos señalan el camino de la abstención electoral en 1972 como el único curso correcto para los socialistas puertorriqueños frente a la realidad, ya definitiva, de que no habrá unidad electoral independentista en las próximas elecciones.

Consideramos que solamente cuando se de una de dos condiciones se justificaría la participación de nuestro partido en las elecciones: 1) que el proletariado cuente ya con un partido revolucionario suficientemente masivo para garantizar la convergencia de sectores sustanciales de las clases trabajadoras que respalden electoralmente un programa definidamente socialista y revolucionario o 2) que el pueblo patriota cuente con un amplio frente, instrumento adecuado para canalizar eficazmente todo el respaldo creciente que la causa de independencia es capaz de generar entre toda la puertorriqueñidad.

Sostenemos que ninguna de esas dos condiciones se dan en estos momentos.

Nuestro partido es, sin duda, el más eficaz instrumento de lucha con que ha contado la clase obrera puertorriqueña a través de toda nuestra historia. Pero no ha alcanzado aún la masividad imprescindible para una confrontación electoral beneficiosa a los objetivos revolucionarios de los trabajadores.

Descartada la posibilidad de un frente unido patriótico, el único instrumento electoral de alguna efectividad que tiene el independentismo en los próximos comicios es el Partido Independentista Puertorriqueño (PIP). Ese partido solo puede dar expresión electoral a su particular ideología política, tal como se define en su programa. Y solo podrá hacerlo en la medida de sus limitaciones organizativas. Como cuestión de realidad, el PIP solo representa una parte del independentismo puertorriqueño. Hay otros sectores diversos del independentismo que no pueden enmarcarse dentro de las concepciones ideológicas y organizativas del PIP. Entre estos estamos los socialistas (marxistas-leninistas) del Puerto Rico de hoy que no podríamos respaldar electoralmente al PIP sin renegar de nuestra ideología.

De todo lo dicho queda claro que no existen condiciones favorables para la participación de nuestro partido en las próximas elecciones.

Por otro lado, tampoco existen condiciones favorables para el desarrollo de una huelga electoral patriótica. La huelga electoral, al igual que la participación electoral, podría ser una táctica acertada en un momento dado frente a determinadas condiciones. Tanto para la huelga electoral como para la participación electoral, en las presentes circunstancias, se necesitaría el respaldo unitario de las principales organizaciones patrióticas.

Consideramos que ha sido un error del Partido Independentista ir a las próximas elecciones fragmentadamente, sin contar con la participación de nuestro partido. Por las mismas razones, sería un error de nuestra parte pretender llamar a una huelga electoral sin contar con el respaldo del Partido Independentista.

El Partido Socialista Puertorriqueño entiende que sus principales objetivos durante el presente año son desarrollar la lucha de masas revolucionaria y consolidar la organización de nuestro partido. Nos hemos trazado unas metas organizativas que, al cumplirse, sentarán las bases para motorizar una lucha más amplia y profunda por la independencia y el socialismo que serán a su vez el cimiento sólido de la futura unidad patriótica de todas las fuerzas independentistas.

Como parte de nuestra lucha revolucionaria de masas y de nuestra campaña de organización del partido, discutiremos con los trabajadores, los estudiantes y el pueblo en general todas nuestras posiciones programáticas: ideológicas, estratégicas y tácticas. Analizaremos, por tanto, en esas discusiones porqué los socialistas no vamos a votar en 1972. Pero no desviaremos nuestra atención de los objetivos señalados para entrar en una polémica proselitista con el PIP respecto a las elecciones. El PIP le concede gran importancia a las próximas elecciones para el desarrollo de dicho partido y de la lucha de independencia en general. Nosotros creemos que, frustrado el frente unido, las próximas elecciones no van a tener esa importancia para el independentismo. Ahí reside la contradicción entre el PIP y nosotros en lo que respecta a los comicios próximos. Consecuentemente, el PIP aspira sacar el mayor número de votos posibles en esas elecciones. Y nosotros, aunque vamos a abstenernos, no tenemos interés político alguno en reducirle la cantidad de votos que el PIP pueda sacar. Por tanto, evitaremos hasta donde sea posible toda fricción con el PIP sobre la cuestión electoral. Y en todo caso, la discusión estará siempre presidida por un espíritu fraternal, ya que visualizamos al PIP como nuestro aliado en los comunes objetivos patrióticos de ambas organizaciones.

En los primeros dos meses del presente año, Puerto Rico ha entrado en un período de profundización y aceleración de la lucha revolucionaria de masas. Ese ascenso reflejado en la combatividad demostrada en las recientes huelgas obreras y en las audaces acciones de rescate de tierras impulsadas por los desposeídos, es el centro alrededor del cual está girando la dinámica político-social del país en estos momentos.

Nuestro partido está totalmente inmerso dentro de ese proceso en función vanguardista. Los frutos de ese trabajo ya empiezan a manifestarse. El partido ha logrado un crecimiento dramático durante los primeros tres meses desde su fundación. Continuaremos concentrando nuestro esfuerzo en hacer avanzar esa lucha, por donde despunta la mayor esperanza para la patria. Y esperamos confiados que, pasada la escaramuza electoral de este año, la unidad patriótica de nuestro pueblo encontrará los cauces definitivos que nos conduzcan a la más rápida conquista de la independencia nacional.

5 de marzo de 1972 — CLARIDAD 11

"EL PSP ante las elecciones." Declaración. Periódico *Claridad*, 5 de marzo de 1972.

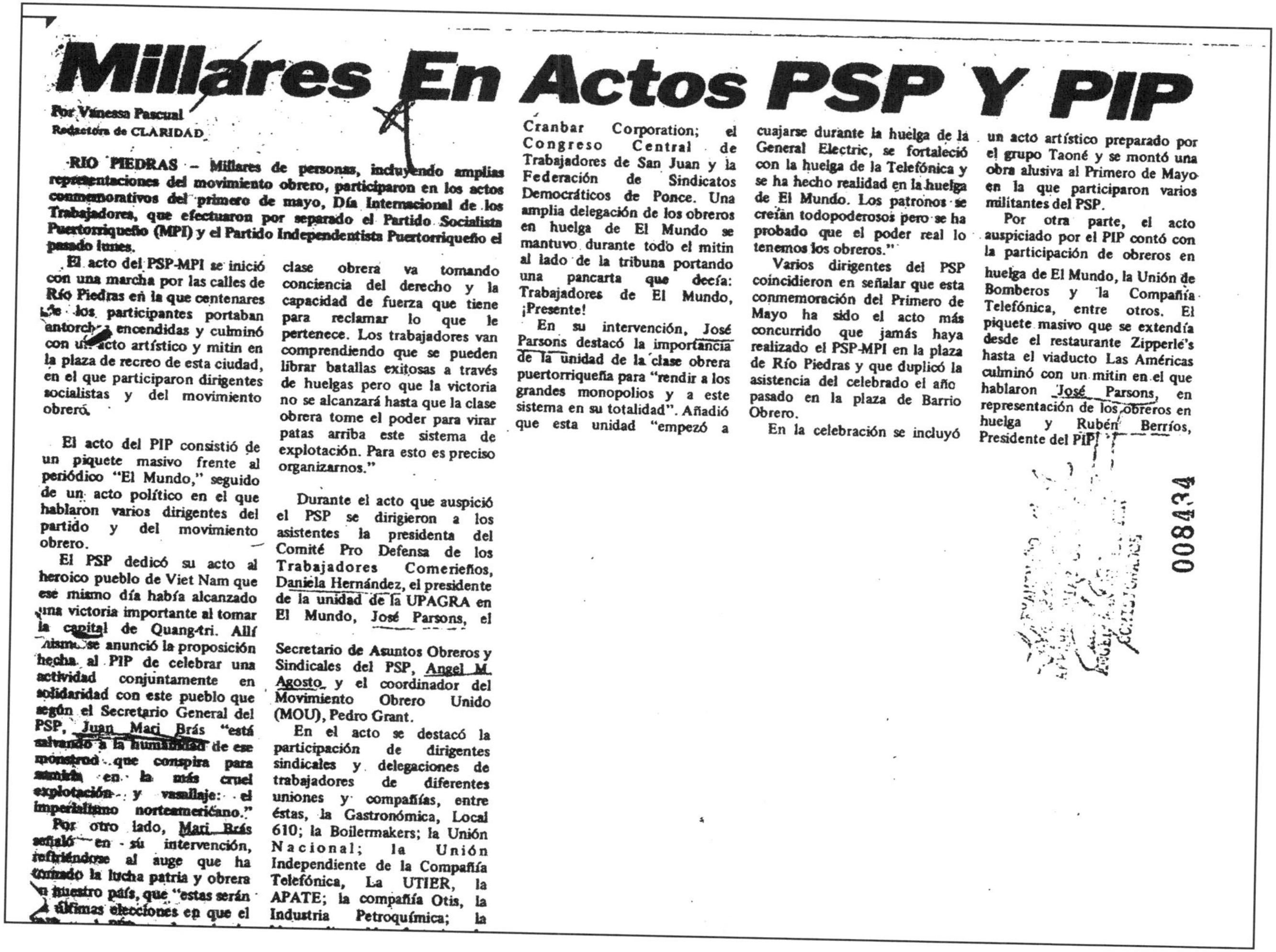

Millares En Actos PSP Y PIP

Por Vanessa Pascual
Redactora de CLARIDAD

RIO PIEDRAS – **Millares de personas, incluyendo amplias representaciones del movimiento obrero, participaron en los actos conmemorativos del primero de mayo, Día Internacional de los Trabajadores, que efectuaron por separado el Partido Socialista Puertorriqueño (MPI) y el Partido Independentista Puertorriqueño el pasado lunes.**

El acto del PSP-MPI se inició con una marcha por las calles de Río Piedras en la que centenares de los participantes portaban antorchas encendidas y culminó con un acto artístico y mitin en la plaza de recreo de esta ciudad, en el que participaron dirigentes socialistas y del movimiento obrero.

El acto del PIP consistió de un piquete masivo frente al periódico "El Mundo," seguido de un acto político en el que hablaron varios dirigentes del partido y del movimiento obrero.

El PSP dedicó su acto al heroico pueblo de Viet Nam que ese mismo día había alcanzado una victoria importante al tomar la capital de Quang-tri. Allí mismo se anunció la proposición hecha al PIP de celebrar una actividad conjuntamente en solidaridad con este pueblo que según el Secretario General del PSP, Juan Mari Brás "está salvando a la humanidad de ese monstruo que conspira para sumirla en la más cruel explotación y vasallaje: el imperialismo norteamericano."

Por otro lado, Mari Brás señaló en su intervención, refiriéndose al auge que ha tomado la lucha patria y obrera en nuestro país, que "estas serán las últimas elecciones en que el

clase obrera va tomando conciencia del derecho y la capacidad de fuerza que tiene para reclamar lo que le pertenece. Los trabajadores van comprendiendo que se pueden librar batallas exitosas a través de huelgas pero que la victoria no se alcanzará hasta que la clase obrera tome el poder para virar patas arriba este sistema de explotación. Para esto es preciso organizarnos."

Durante el acto que auspició el PSP se dirigieron a los asistentes la presidenta del Comité Pro Defensa de los Trabajadores Comerieños, Daniela Hernández, el presidente de la unidad de la UPAGRA en El Mundo, José Parsons, el

Secretario de Asuntos Obreros y Sindicales del PSP, Angel M. Agosto, y el coordinador del Movimiento Obrero Unido (MOU), Pedro Grant.

En el acto se destacó la participación de dirigentes sindicales y delegaciones de trabajadores de diferentes uniones y compañías, entre éstas, la Gastronómica, Local 610; la Boilermakers; la Unión Nacional; la Unión Independiente de la Compañía Telefónica, La UTIER, la APATE; la compañía Otis, la Industria Petroquímica; la

Cranbar Corporation; el Congreso Central de Trabajadores de San Juan y la Federación de Sindicatos Democráticos de Ponce. Una amplia delegación de los obreros en huelga de El Mundo se mantuvo durante todo el mitin al lado de la tribuna portando una pancarta que decía: Trabajadores de El Mundo, ¡Presente!

En su intervención, José Parsons destacó la importancia de la unidad de la clase obrera puertorriqueña para "rendir a los grandes monopolios y a este sistema en su totalidad". Añadió que esta unidad "empezó a

cuajarse durante la huelga de la General Electric, se fortaleció con la huelga de la Telefónica y se ha hecho realidad en la huelga de El Mundo. Los patronos se creían todopoderosos pero se ha probado que el poder real lo tenemos los obreros."

Varios dirigentes del PSP coincidieron en señalar que esta conmemoración del Primero de Mayo ha sido el acto más concurrido que jamás haya realizado el PSP-MPI en la plaza de Río Piedras y que duplicó la asistencia del celebrado el año pasado en la plaza de Barrio Obrero.

En la celebración se incluyó

un acto artístico preparado por el grupo Taoné y se montó una obra alusiva al Primero de Mayo en la que participaron varios militantes del PSP.

Por otra parte, el acto auspiciado por el PIP contó con la participación de obreros en huelga de El Mundo, la Unión de Bomberos y la Compañía Telefónica, entre otros. El piquete masivo que se extendía desde el restaurante Zipperle's hasta el viaducto Las Américas culminó con un mitin en el que hablaron José Parsons, en representación de los obreros en huelga y Rubén Berríos, Presidente del PIP.

008434

"Millares en actos PSP y PIP."
Periódico *Claridad*, 2 de mayo de 1972.

Miles En Acto De Apoyo A Vietnam

Por Laura Lebrón
Redactora de CLARIDAD

RIO PIEDRAS – El presidente del Partido Independentista Rubén Berríos calificó a Ho Chi Minh, el fenecido líder vietnamita, como uno de los personajes históricos de mayor trascendencia en este siglo y afirmó que era "mil veces más puertorriqueño que cualquiera de los políticos coloniales de aquí". Refiriéndose a la guerra de Vietnam, Berríos señaló que "los independentistas y los socialistas no somos neutrales, estamos de parte de Vietnam y en contra del imperio yanqui."

Las anteriores declaraciones las hizo el dirigente del PIP en el discurso de clausura del acto conjunto celebrado el pasado sábado por el Partido Independentista y el Partido Socialista en solidaridad con Vietnam y contra la intervención norteamericana en ese país.

Los millares de puertorriqueños reunidos en la plaza de recreo de Río Piedras el sábado pasado aplaudieron con gran entusiasmo la afirmación de Berríos de que "el honor más grande que le podemos rendir al pueblo vietnamita es aprender de su ejemplo para conducir nuestra lucha. Vietnam es una escuela para todos los aspirantes a revolucionarios". Al hacer el elogio de Ho Chi Minh, el presidente del PIP enumeró algunas de sus grandes aportaciones a la humanidad, destacando entre ellas su capacidad para dirigir a un pueblo sin hacerse indispensable, lo que quedó demostrado –dijo– cuando a su muerte los vietnamitas continuaron su lucha con mayor determinación de victoria. También señaló la gran flexibilidad táctica y estratégica de los luchadores vietnamitas, afirmando que el ejemplo de amplitud y diversidad de medios de lucha que han dado tanto la República Democrática de Vietnam del Norte como el Frente Nacional de Liberación de Vietnam del Sur debe ser emulado por los independentistas y socialistas en Puerto Rico.

El acto político, en el que participaron solo dos oradores, fue iniciado por el Secretario General del Partido Socialista Puertorriqueño (MPI) Juan Mari Brás, quien dio lectura al mensaje del Gobierno Revolucionario Provisional de Vietnam del Sur que se reproduce en otra página de esta misma edición de CLARIDAD.

Mari Brás respaldó la posición fijada por los vietnamitas en su mensaje en el sentido de que el bombardeo de ciudades de Vietnam del Norte y la colocación de minas en sus principales puertos por parte de Estados Unidos constituye un reto a los países del campo socialista, a los pueblos progresistas del mundo y a todas las fuerzas anti-imperialistas. Atacó duramente al presidente Richard Nixon, de Estados Unidos, cuyas protestas de que busca la paz, hechas en Moscú en estos días, calificó de hipócritas y cínicas. Señaló que la victoria del pueblo vietnamita es un objetivo de toda la humanidad y afirmó que el principio del internacionalismo proletario obliga a todos los socialistas y comunistas del mundo, incluyendo sus gobiernos y en particular a las dos grandes potencias socialistas, a escalonar su ayuda a Vietnam en la misma medida en que, el imperialismo escalona su agresión. Se refirió a las similaridades existentes entre la situación de Vietnam y la de Puerto Rico que, dijo, no se limitan al hecho de que luchamos contra un mismo enemigo. Advirtió que Puerto Rico, por estar en el Caribe, que es –al igual que el Sudeste asiático– una de las zonas de mayor fricción entre el imperialismo y los pueblos en el mundo de hoy, tiene que contar, como Vietnam, con la más cohesiva unidad del campo socialista y los pueblos anti-imperialistas del mundo en su apoyo a nuestra lucha de independencia.

La artista Myrna Vázquez y el actor Miguel Angel Suárez sirvieron de moderadores en el acto, en el que participaron también Andrés Jiménez (el jíbaro de Orocovis) y Willie Padín, ambos cantantes de música del pueblo, así como el guitarrista Pepe Sánchez. Compartieron la tribuna como invitados de honor Doña Providencia Berríos, madre del fenecido dirigente fupista José Rafael (Fefel) Varona, asesinado por la aviación yanqui en Vietnam en 1967, el jovencito José Antonio Varona, hermano de Fefel y el dirigente de los huelguistas de "El Mundo" José Parsons.

Juan Mari Brás, Secretario General del Partido Socialista Puertorriqueño, mientras se dirige a la gran masa de patriotas que colmó la plaza de recreo de Río Piedras para el acto en solidaridad con Vietnam que auspiciara la mencionada organización junto al Partido Independentista Puertorriqueño, el sábado pasado. (Foto CLARIDAD por Camero)

Ha Muerto Un Compañero

Ante la muerte de un compañero no debe decirse sino lo imprescindible. Que se llamaba Leonides Mendoza, que era emplanador de CLARIDAD, que murió el sábado en la noche víctima de un accidente automovilístico. Lo demás, el dolor de haberlo perdido no es cosa de tratarse con palabras. Su recuerdo debe ser transformado en actos. Sólo así seremos dignos del sueño que lo trajo hasta nosotros.

Leonides será enterrado el martes a las 10 de la mañana en el cementerio de Aguada. Se agradecerá la presencia de todos.

COLEGIO ABOGADOS

Renuncias En Comisión Derechos Civiles; Exigían Sanción A Corrada Del Rio

Por Vanessa Pascual
Redactora de CLARIDAD

SAN JUAN – Por considerar que la Junta de Gobierno ha puesto en duda la confiabilidad de la Comisión de Derechos Civiles del Colegio de Abogados, varios de sus miembros han renunciado a sus cargos, marcando un precedente en toda la historia de dicha Comisión.

Esta renuncia fue provocada por la actitud que asumió la Junta de Gobierno ante una carta enviada por la Comisión de Derechos Civiles del Colegio de Abogados sobre la participación de Baltazar Corrada del Río en un foro político auspiciado por la Delegación del Colegio de Abogados San Juan I a principios de año. Alega la Comisión que al sustituir a Carlos Romero Barceló en ese foro sobre el status de Puerto Rico, Corrada del Río, Presidente de la Comisión de Derechos Civiles del Gobierno, podía afectar el clima de objetividad que debe caracterizar a dicha dependencia.

Añaden los abogados que en el foro además participaron José Enrique Arrarás, Otis Oliver quienes posteriormente fueran postulados como candidatos a alcalde de San Juan por el PPD y el PUP respectivamente.

La Junta de Gobierno procedió a citar a las dos partes envueltas en el asunto. En las vistas Corrada del Río planteó que el no había incurrido en falta alguna, alegando que ese era un foro profesional y no político, que el vino como individuo y no como presidente de la Comisión de Derechos Civiles del Gobierno y que por último él participó en sustitución y no en representación de Carlos Romero Barceló. Luego, de acuerdo a declaraciones hechas por el licenciado Francisco Ariel Avilés Rodríguez, uno de los miembros renunciantes de la CDCCA, Corrada del Río intentó coaccionar a la Junta de Gobierno planteando que renunciaría a su cargo si la Junta validaba las acusaciones de la CDCCA.

"Ante esta presión de Corrada" señaló Avilés Rodríguez, **"la Junta decidió nombrar una comisión para determinar si el foro en cuestión fue uno de carácter político o profesional. Nuestro planteamiento es claro en cuanto a los criterios utilizados para denunciar el carácter político de dicha actividad y cómo el mismo afectaría la objetividad de la función que ejerce Corrada del Río."**

"Luego de conocer la decisión de la Junta de Gobierno, nuestro planteamiento va más allá del mero señalamiento de que Corrada sustituyó a Romero Barceló, y de que la discusión del status fue hecha por candidatos políticos. **Nosotros hemos planteado la renuncia por considerar que la Junta ha desconfiado de nuestra imparcialidad y buen juicio en el ejercicio de nuestra función que, sobre todas las cosas, está encaminada a proteger los derechos civiles del pueblo puertorriqueño"** terminó diciendo.

Además de Avilés Rodríguez otros dos miembros de la CDCCA que hasta la fecha han renunciado a sus cargos lo son Eudaldo Báez Galib y Beatriz Vázquez Acarón. De acuerdo a declaraciones de Avilés, es muy probable que los doce miembros restantes renuncien próximamente.

Recientemente CLARIDAD denunció el hecho de que Corrada del Río actúa como abogado de la International Telephone and Telegraph Company (ITT), lo cual plantea un serio conflicto de intereses con su cargo dentro de la Comisión de Derechos Civiles del Gobierno. Trascendió además, que Corrada es uno de los candidatos para sustituir a Juan B. Fernández Badillo como juez federal.

31 de mayo de 1972 – CLARIDAD 3

"Miles en acto de apoyo a Vietnam."
Periódico *Claridad*, 3 de mayo de 1972.

LA HORA – 10 DE MAYO – 23

¿Qué hora es?

Por Pepe Minutero

De Albonito nos informan de las vicisitudes de un comerciante de esa-localidad que intentó comprar unas mercancías directamente desde Taiwan (Formosa). Le escribió una carta a la Taiwan Textile Trading pidiendo cotizaciones y los chinos le contestaron que lo sentían mucho. No tenían la cuota necesaria para importar los materiales textiles a Puerto Rico porque este país es *una colonia* de los Estados Unidos. El material importado desde Taiwan, para que pueda llegar a Puerto Rico, tiene que ser como parte de la cuota de Estados Unidos....

***

La Asociación de Residentes de Caseríos Públicos envió una comunicación a los 135,000 miembros que la componen en la que bajan con casi todos los "hierros". La directiva de la Asociación acusó al PNP de engañar a los residentes de caseríos. Lo que no hizo la directiva fue co/responsabilizar al PPD de la situación en que se encuentran.

***

El colmo de los colmos lo provee el General-Senador-Reaccionario Juan A. Palerm. Cuando los líderes de la Asociación fueron a verle para pedirle que apoyara una medida que autorizaba la venta de algunos apartamientos a sus residentes Palerm les dijo que esos eran proyectos de los Populares, que ahora no se iban a pasar. Con un cinismo del que se es capaz sólamente en los partidos mafiosos les indicó que esperaran a 1973 cuando los del PNP copen la Cámara y el Senado. Entonces les pasarán los proyectos.

***

El Rector de los Colegios Regionales, doctor Sulsona, invitó a Marisol a que diera una conferencia en la Universidad. Marisol fué y dió la conferencia. Lo que es índice del nivel educativo de los colegios regionales de Bobby Rexach, Freddie Soltero y Sulsonas.

***

LA HORA reveló cómo el gobierno de Ferré ha venido actuando para proteger a los evasores de la contribución sobre ingresos. Ahora Severo Colberg trae un documento en el que se involucra a dos de los más íntimos ayudantes de Ferré: Tomás Torres Muñoz y Santiago (Sirve de todo) Soler Favale. Soler tan sirve para todo que según el memorando de marras estaba ejerciendo presión sobre el Secretario de Hacienda para lograr el archivo de casos graves relacionados con la evasión contributiva.

***

Chú Hernández Sánchez estuvo el tiempo suficiente para coger otra buena abucheada. ¡Como la de Romero Barceló!

LA HORA

Publicado todos los martes por
EDITORIAL LA HORA, Inc.

Redacción y Administración
Ave. Eduardo Conde Núm. 2252
Villa Palmeras, Santurce
Puerto Rico 00915
Teléfonos: 723-5580 723-5589
Dirección Postal:
Apartado 7446, Estación Barrio Obrero
Santurce, Puerto Rico 00915

CESAR ANDREU IGLESIAS
Director
SAMUEL A. APONTE
Subdirector-Gerente

REDACTORES.
Roamé Torres–Hiram Torres
Francisco Andino Rodríguez
Manuel Camuñas–Artemio Torres

REINALDO RIOS
Director Artístico
JAIME RODRIGUEZ CALAF
Fotografía
JORGE MORALES YORDAN
Reportajes especiales
JOSE BAUZA
Agente de anuncios

La campaña electoral

Las encuestas que supuestamente miden el estado de la opinión pública (pagadas –cosa que nadie debe olvidar– por los propios partidos gobernantes) conceden todavía al gobernador Ferré las mayoresprobabilidades de reelección.

El análisis de esas encuestas tiende a demostrar que, proporcionalmente, el PIP resulta ser el partido de mayor crecimiento. Se concede que tiene una base sustancial en el electorado y, especialmente, se le reconoce un considerable apoyo entre los electores de 18 a 24 años. años!

Los seis meses que comenzamos a recorrer el 1ro. de mayo, que cierran con las elecciones en noviembre, constituyen un período de gran importancia para el futuro de la lucha de independencia. No es que minimicemos otras tareas, sino que todas ellas en este momento deben realizarse en armonía con el objetivo táctico inmediato: acumular la mayor votación posible para el PIP.

Si juzgamos la situación actual con visión histórica, el triunfo del PNP y derrota del PPD o, al revés, el triunfo del PPD y derrota del PNP, es cuestión secundaria. Ni lo uno ni lo otro es augurio de cambio verdadero, que es lo que se necesita en Puerto Rico. Y si eso es lo que se desea –como sin duda lo quiere la mayoría del pueblo–, más se contribuye a ese cambio sumando votos que hagan posible una formidable oposición independentista y socialista en la Legislatura.

Eso siempre ha sido una necesidad para el desarrollo de la lucha de independencia. Pero es ahora cuando se ha hecho posible lograrlo.

Justo es que se aproveche la campaña electoral para consolidar el partido revolucionario de masas que necesita nuestro pueblo. Eso requiere trabajo partidario; trabajo, por decirlo así, interno, de capacitación de cuadros, etc. Pero más que hacia dentro hay que trabajar hacia afuera: en las barriadas, en las fábricas, en los campos. Esta es la hora del propagandista político, del agitador y del organizador de masas. La prioridad de tareas demanda que se difunda el mensaje del partido en todas las direcciones, de todas las maneras imaginables.

El primer objetivo de la campaña culmina con la gran asamblea del PIP señalada para tener lugar en el Hiram Bithorn el 9 de julio. Es claro que ese stadium debe llenarse a reventar ese día. Y luego, los 25 mil independentistas que allí se darán cita, se botarán a la calle en la segunda etapa de la campaña para sumar y sumar y sumar votos. Si lo que decide la victoria en las guerras es el exterminio de las tropas enemigas, la suma de votos es lo decisivo en las elecciones. ¡Y los votos se cuentan uno a uno!

Se augura que a las próximas elecciones concurrirán 1,200,000 electores. Debido a los cambios de población, media docena de ciudades (San Juan, Bayamón, Carolina, Ponce, Mayagüez, Caguas) serán decisivas en el resultado electoral.

La situación política en Estados Unidos influye en la manera de pensar del puertorriqueño. Allí perdura la inflación y el desempleo, y ahora, con la intensificación de la guerra en Vietnam, tienden a bajar los valores políticos del Presidente Nixon. Esto afecta negativamente a su representante republicano en Puerto Rico, el gobernador Ferré.

La ficticia imagen del jefe del PNP, creada a golpes de propaganda, se empaña a ojos vistas. Nuestra agricultura sigue en ruinas –esto abre grandes posibilidades a la campaña independentista en las regiones agrícolas–, el desempleo sigue creciendo, el problema de la vivienda se agudiza, la epidemia de las drogas continúa, la falta de transportación masiva en las zonas metropolitanas afecta a todo el pueblo... Una campaña inteligente, centrada en esos y otros problemas similares, dará óptimos frutos.

A diferencia de campañas anteriores, los independentistas entran en la presente campaña electoral con una brillante hoja de servicios y con triunfos reconocidos. Es a los independentistas a quienes las madres puertorriqueñas deben la vida de muchos de sus hijos. La lucha desplegada contra el Servicio Militar Obligatorio ha reducido el uso de nuestra juventud como carne de cañón. Es a los independentistas a quienes se debe el haber puesto sobre el tapete el grave problema de la vivienda. Los rescates de terrenos, la toma de apartamentos, las marchas y piquetes, han obligado a acelerar programas de viviendas, además de haber resuelto en lo inmediato, por medio de la resistencia pacífica, el problema del techo a innumerables familias. Ha sido la militante lucha de los independentistas lo que evitó el robo del siglo: la venta vergonzosa del patrimonio minero de nuestro país. Y si aún se mantiene a salvo esa riqueza, se debe a la constante militancia de las fuerzas de la independencia.

Definitivamente la lucha de independencia se ha fundido a la lucha inmediata y diaria por la solución de los problemas del pueblo. Las demostraciones del Primero de Mayo así lo dramatizaron, destacando la fraternal alianza de los independentistas de todas las clases con los trabajadores.

El triunfo de las justas demandas de los camioneros patentiza una vez más que el bienestar de los diversos sectores sociales de Puerto Rico –obreros, agricultores, campesinos, clases medias, comerciantes, estudiantes–, más que de la espera por lo que pueden hacer los partidos gobernantes, se logra de lo que realizan los independentistas a través de múltiples frentes de lucha.

Esa moral de victoria, ese espíritu de servicio, esa prueba de que no es preciso esperar a la independencia para obligar a la solución de problemas actuales y esa demostración de que los independentistas son los que verdaderamente pueden ayudar y ayudan al pueblo a superar los males presentes, conducirá a una arrolladora votación a favor del PIP...

Todo dependerá del trabajo diario que en el curso de estos próximos meses realicen millares y millares de puertorriqueños conscientes que militan en los distintos organismos del partido a través de todo Puerto Rico.

"La campaña electoral." Editorial.
Periódico *La Hora*, 10 de mayo de 1972.

12 – LA HORA – 10 DE MAYO

LA HORA – 10 DE MAYO – 13

Primero de Mayo: de nuevo fiesta nacional

Por Mario Caballero
Redactor de LA HORA

El Primero de Mayo, Día Internacional de los Trabajadores, ha vuelto a ser fecha nacional en Puerto Rico, cosa que no era desde la década del cuarenta.

Y reviste aun mayor importancia este hecho porque en esta ocasión, contrario a la década del cuarenta, dicha celebración es patrocinada e impulsada por el movimiento independentista. Se marca así la vinculación profunda de dicho movimiento con la lucha obrera, única que puede llevar el país a su liberación y a la construcción del Socialismo.

Marcaron este nuevo giro dos estupendas y masivas manifestaciones celebradas simultáneamente la noche del lunes Primero de Mayo, encabezada una por el Partido Socialista Puertorriqueño (antes MPI), y la otra por el Partido Independentista Puertorriqueño. En cada una de ellas participaron millares de personas.

El PSP-MPI dedicó su acto al heroico pueblo vietnamita y lo celebró en la Plaza de Recreo de Río Piedras, la cual colmó la manifestación que comenzó en el portón principal de la Universidad de Puerto Rico y recogió el sector estudiantil de Santa Rita. Los manifestantes portaban antorchas encendidas. En el acto hablaron varios representantes de uniones obreros y Secretario General del PSP-MPI, respectivamente.

El PIP realizó un impresionante piquete frente al edificio del periódico *El Mundoo*, el cual culminó con un mitin en el que hablaron también representantes de uniones obreras y el Presidente, el Vicepresidente y el Secretario de Organización del partido, Rubén Berríos, Carlos Gallisá y David Noriega, respectivamente.

El piquete llegó a contar con tanta gente que cubría la mitad de la Avenida Roosevelt, desde el Restaurante Zipperle hasta el Viaducto Las Américas. Sirvió de tribuna para el mitin el camión de uno de los camioneros independientes que desde el 3 de abril están en huelga para lograr que se reglamente el acarreo de carga por las grandes compañías de construcción. Uno de los momentos dramáticos de la manifestación fue la llegada de un gran número de los camioneros tocando las bocinas de sus enormes camiones.

El camión de uno de los camioneros en huelga sirvió de tribuna en la demostración del Primero de Mayo organizada por el PIP frente a la empresa en huelga de *El Mundo*. Arriba, el Presidente del partido, RubénBerríos, se dirige a la multitud. A su lado, la candidata a Alacalde de San Juan, Sra. Margarita Mergal, quien sirvió de maestra de ceremonia... Abajo, una vista de la entusiasta multitud.

Juan Mari Brás, Secretario General, dirigiéndose al acto de Primero de Mayo celebrado por el Partido Socialista en la Plaza de Río Piedras.

David Noriega, Secretario de Organización del PIP, en momentos en que pronuncia su discurso en la celebración del Primero de Mayo. A la derecha, uno de los líderes de los trabajadores de la Telefónica en momentos en que hablaba en el acto.

Una vista de la multitud reunida en la Plaza de Río Piedras frente a la tribuna del Primero de Mayo levantada por el PSP.

En el Primero de Mayo se subrayó la nota de la alianza fraternal de los independentistas y trabajadores en las luchas por el bienestar del pueblo.

Julio Parsons, representante de la Unión de Periodistas, Artes Gráficas y Ramas Anexas en momentos en que hablaba en el acto del PIP.

El Presidente del Sindicato de Bomberos, Vicente Meléndez Borges, se dirigió también al acto de Primero de Mayo celebrado por el PIP.

"Primero de mayo, de nuevo fiesta nacional."
Periódico *La Hora*, 10 de mayo de 1972.

8 – LA HORA – 15 DE MARZO

Por Rubén Berríos

Una aclararación necesaria

El compañero Juan Mari Bras, Secretario General del PSP, acaba de publicar en el Claridad del 12 de marzo un comentario político sobre un documento de la Comisión Ejecutiva del PIP referente a la posición del PSP sobre las próximas elecciones.

Tanto el compañero Juan como los demás compañeros del PSP conocen de mi renuencia personal y la del Partido a entrar en polémica que en forma alguna pueda interpretarse como abriendo una brecha entre el PSP y el PIP. En muchas ocasiones hemos preferido no contestar ataques equivocados, viciosos y personalistas publicados en el periodico Claridad en ánimo de estrechar los lazos entre ambas organizaciones fraternas. Ante artículos del compañero Juan Mari como "Los pájaros le tiran a las escopetas" (en donde por supuesto el PIP eran los pájaros y el MPI las "escopetas") preferimos callar. Ante artículo como "Gato macho se capa una sola vez" y que constituye un exabrupto personalista e insultante en contra de mi persona al compararseme con Muñoz Marín, optamos por olvidar. Estos y muchos ataques más los dejamos pasar siempre pensando que eran más bien el producto de la desesperación momentanea o de un ajuste interno por el que pasan muchas veces los partidos en el proceso de buscar el camino sensato y efectivo del verdadero proceso revolucionario. Fueron muchos los artículos escritos en contestación a éstos que se quedaron en las gavetas de nuestras oficinas; fueron muchos los artículos de otra naturaleza en contra del PSP (como la de Humberto Pagán publicada por el periódico comunista PUEBLO y en donde se hacen imputaciones graves al PSP) que rehusamos publicar en el periódico LA HORA. Todo esto en ánimo del compañerismo patriótico y de fomentar los más estrechos lazos de amistad y coordinación entre ambas organizaciones. Creímos y creemos que los dimes y diretes no podrían conducir a nada bueno en la lucha por la independencia y el socialismo.

Nuestra posición es todavía la misma. Mas sin embargo, el último artículo del compañero Juan Mari merece un comentario de mi parte no con el propósito de cambiar la trayectoria del Partido con respecto a nuestras relaciones con el PSP, sino con el ánimo de advertir a los compañeros del PSP y a los compañeros del PIP sobre un grave peligro que se cierne sobre la lucha por la independencia y el socialismo: el grave peligro de caer en el subjetivismo, en el emocionalismo, en el personalismo y en el efecto lógico de estos tres vicios: el aventurerismo.

El compañero Juan Mari Bras es sin lugar a dudas uno de los líderes que más ha contribuido a la lucha por la independencia. Sus virtudes como hombre político son y deben ser respetadas por todos los independentistas que se precien de serlo. Su vida ha sido un ejemplo de dedicación y de sacrificio.

Por éstas y por muchas razones que van sin decirse, ya que conozco que los hombres se hacen por sus acciones y no por las alabanzas que se les dispensen, es que la palabra y el ejemplo del compañero Juan Mari Bras sirven de inspiración y de orientación para muchos independentistas. El error que cometa cualquier otro independentista puede pasar desapercibido pero el error grave que cometa el compañero Secretario General del PSP puede tener graves consecuencias para nuestra lucha. Creo que la columna del compañero Mari Bras, como analizaré a continuación, abre a individuos menos capacitados y menos probados que él, tanto en el PSP como en el PIP, una dimensión de pseudo análisis y ataque que puede traer graves prejuicios a nuestra lucha, al igual que estoy seguro que esta no es la intención del compañero Juan. Al escribir esta columna lo hago con humildad pero esperando que el compañero Mari Bras se dé cuenta del error cometido, no para que rectifique públicamente, lo que también sería de revolucionario, sino con la esperanza de que estas observaciones que hago sirvan para que las acciones del compañero y del PSP no se desvíen de la trayectoria real de la revolución a la trayectoria subjetiva de la tropa perdida, lo cual tendría efectos desastrosos en toda la lucha.

Juan Mari Bras

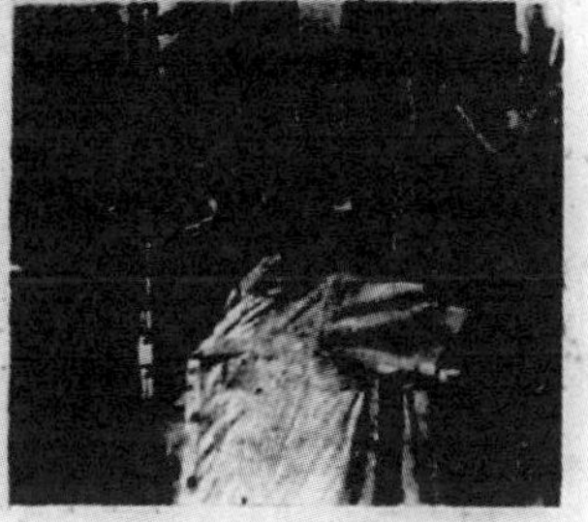
Rubén Berríos

Ante el análisis de la Comisión Ejecutiva del Partido Independentista hecho desde un plano de altura y con el afán de fomentar el debate ideológico, es decir, el debate de ideas, el compañero Juan Mari, además de no analizar ninguno de los argumentos del Partido, contesta lo siguiente:

Primero, dice que nuestra contestación no es verdadero debate ideologico ya que no es el PIP quien contesta la columna sino un ex-MPI, el compañero Norman Pietri.

Segundo, dice en su columna que el PIP es un "instrumento" o un "parapeto" para los propósitos, de dos ex-emepeistas que están militando en las filas del Partido. Esto constituye un insulto al Partido Independentista Puertorriqueño ya que después de alabar personalmente a "Carlos, Rubén y a David", considera al Partido como instrumento o parapeto sin voluntad en las manos de dos ex-emepeistas.

Tercero, insulta gratuitamente al compañero Norman Pietri al decir que " el Movimiento hizo una enorme inversión para prepararlo como cuadro dirigente de la revolución proletaria" como si las categorías mercantilistas de la plusvalía se aplicaran a un hombre del calibre, la dedicación y la entereza patriótica del compañero Pietri y como si el compañero Pietri no estuviera trabajando por la revolución puertorriqueña.

Cuarto, dice que los que retrocedieron no fueron Carlos, Rubén y David, sino Norman y los otros ex-emepeistas que están en el Partido ahora. Al hacer esa aseveración el compañero Juan Mari obviamente considera a Carlos, Rubén y David y al Partido Independentista como atrasados, ya que para llegar a donde estamos nosotros el compañero Norman Pietri tuvo que retroceder.

Quinto, cita su propia versión de conversaciones privadas que se sostuvieron entre el liderato del PSP y del PIP y que constituían sólo la primera de otras conversaciones a celebrarse. De más está decir que esta actitud podría socavar la confianza y la discreción que es necesaria e imprescindible en cualquier conversación de esta naturaleza.

En otras palabras, sin contestar ninguna de las ideas que la Comisión Ejecutiva del PIP expuso en su documento, el compañero Juan Mari Bras le llama al Partido "instrumento" y "parapeto", insulta personalmente a uno de los miembros de su Comisión Ejecutiva, considera al Partido como atrasado, considera sus dirigentes como tontos, en las manos de dos ex-emepeistas y hace referencia a conversaciones entre ambas agrupaciones que constituían el inicio de un diálogo productivo. Y todo esto aparentemente sin razón alguna o porque la Comisión Ejecutiva del Partido –después de analizarlo– considera el documento del PSP ante las elecciones como una "rectificación".

El compañero Mari Bras sabe que rectificar es de revolucionarios. El PIP ha rectificado muchas veces; sólo no rectifican los dogmáticos o los soberbios. La táctica correcta es la acertada y la rectificada al servicio de la lucha de los trabajadores. Si el compañero Juan Mari Bras entra en este campo de los insultos e inuendos por más adornados que están, tanto personales como a nuestra organización, ¿qué se podrá esperar de la reacción de los elementos con menos experiencia y menos educación revolucionaria de ambas organizaciones? No se puede llamar a la unidad o a la coordinación por un lado y socavar las bases de esa unidad o de esa coordinación por el otro, aunque esta no sea la intención del compañero Mari Bras.

Considero mi deber hacer estas aclaraciones por el bien de la lucha. Creo sinceramente que si este tipo de reaccion emocional y subjetiva y esta ausencia de análisis que refleja el artículo del compañero Mari Bras se sustituyen por el respeto, la cordialidad y el análisis revolucionario que son capaces de hacer los compañeros del PSP, podemos hacer borrón y cuenta nueva con todo lo sucedido.

La invitación que se hiciera en nuestra Junta de Directores de hace unos meses y que volviéramos a repetir en el documento de la Comisión Ejecutiva publicado el 7 de marzo para coordinar esfuerzos en aras de común interés a la lucha está abierta. Los debates entre hermanos deber servir para cimentar las bases de la fraternidad pero ésta sólo puede basarse en el mutuo respeto. Quiero pedirle tanto a los compañeros del PSP como a los del PIP que se dediquen a fomentar entre ellos el compañerismo, el respeto y la fraternidad patriótica y socialista. Estoy seguro que es éste también el deseo del compañero Juan Mari Bras.

"Una aclaración necesaria." Artículo de Rubén Berríos Martínez. Periódico *La Hora*, 12 de mayo de 1972.

LA HORA – 15 DE MARZO – 9

A pesar de ley represiva

PIP defenderá rescatadores de tierras

Unas 400 personas desafiaron la inclemencia del tiempo en el acto celebrado frente al Capitolio al cual el presidente del PIP definió con estas palabras "Lo que ustedes ven (señalando hacia el edificio), es un chiquero pintado de blanco. Ahí no están los verdaderos representativos de las clases pobres. Eso es la Legislatura de Puerta de Tierra. El capitolio verdadero de Puerto Rico tiene sede en Washington."

Para explicar su aseveración, Berríos Martínez afirmó que el PNP y el PPD están supeditados en lo económico y político a la filosofía capitalista norteamericana. Pronosticó que muy pronto ambos partidos tendrían que salir del gobierno de la Isla para darle paso a la inminente revolución social que se avecina.

Rubén se refirió a la nueva ley aprobada que establece severas penalidades contra los que irrumpan en propiedades "ajenas". Sintetizó la medida de esta manera: "Esas tierras pertenecen al pueblo –a la clase empobrecida de Puerto Rico. Exhorto a que continuen haciéndolo. Se ha acusado al PIP de instigar el rescate de tierras. Como presidente del PIP, personalmete acepto ese cargo de instigador. Pero, no sólo eso. No vamos a obedecer esa ley. El rescate de tierras continuará en todo Puerto Rico como otra prueba física de desobediencia civil".

¿Quién le teme al rescate de tierras? El presidente del PIP acusó a los partidos de gobierno de cobardía ante el reclamo de la clase pobre que se está haciendo justicia por sus propios medios, después de muchos años de abuso y de promesas falsas. Dijo que "esos representantes oficiales del latifundio, del monopolio y la subordinación política están ahora asustados por lo que recurren a leyes injustas, arbitrarias y unilaterales.

El público no se achantó con la lluvia; aquí aparecen oyendo a Rubén.

GALLISA: "No nos atendieron"

El vicepresidente del Partido Independentista Puertorriqueño, Lic. Carlos Gallisá, dijo a la audiencia que los senadores del PPD no contestaron sus llamadas telefónicas para pedir turno y deponer en la *vista pública* del Senado. "Después de muchas horas e inumerables llamadas –señaló Gallisá– finalmente el senador Miguel Hernández Agosto me dijo que ya tenían toda la información necesaria para poder legislar y que no necesitaban oir los planteamientos del PIP".

Gallisá recalcó que el Senado tuvo miedo de que el pueblo conociese la verdad a través del Partido Independentista Puertorriqueño y por eso intentaron silenciarlo. De ahí, según agregó, surgió la necesidad de celebrar una vista pública afuera del Capitolio.

"OTROS SON INVASORES, NOSOTROS NO"

Carlos Laboy, presidente de la nueva comunidad en tierra rescatada llamada "Villa San José" dijo que esas familias llevaban 7 años esperando para ser atendidos en sus necesidades de tierra y hogar. Afirmó que no podía esperar más y decidieron el rescate de tierras en Gurabo. "Le decimos al gobierno que preparen muchas cárceles porque el rescate de tierras continuará", aseguró el líder comunitario. Denunció que el día del rescate, la Policía ya los esperaba y la Fuerza procedió a destruirlo todo pero ellos no se fueron y volvieron a erigir sus viviendas. Denunció que ese día un niño resultó lesionado y que la Policía era dirigida por el Comandante Cintrón.

"A nosotros nos llaman invasores, agregó Laboy, y no es así. Lo que hemos rescatado pertenece a Puerto Rico: los invasores son otros y son extranjeros, a esos el Gobierno los proteje y les entrega todo. Si el gobierno no puede cumplir con el pueblo, que se quite".

POLITIQUERIA CON PARCELAS

Otro deponente, Gil Flores, en representación de la comunidad Candelaria Arenas en Toa Alta, mostró cartas firmadas por el representante Domingo Ríos Román y Guillermo Campos, alcalde de Bayamón, recomendando a amiguitos políticos para que Programas Sociales les diesen parcelas.

Explicando su caso de rescate de tierra, Flores dijo que la CRUV llevaba 9 años engañándolos con falsas promesas y que no podía esperar más para encontrar un lugar donde establecer un hogar para su familia.

Otros deponentes de Villa Justicia (Carolina) donde viven 1,400 personas en tierras rescatadas y de Añasco donde Israel Abrahante ha organizado el Movimiento de Rescate de Tierras del Oeste también declararon en la vista pública celebrada por el Partido Independentista Puertorriqueña frente al capitolio insular.

Toman CRUV en represalia

Unos 80 militantes de la Juventud Independentista Universitaria (JIU) y del Partido Independentista Puertorriqueño (PIP) ocuparon las oficinas del director ejecutivo de la CRUV, Miguel Santiago Meléndez por espacio de una hora el miércoles 8 de marzo.

La ocupación fue en protesta por la destrucción de la comunidad de rescatadores Villa Hostos en Mayaguez, donde mas de 150 familias perdieron sus recién adquiridos hogares, en madrugada del mismo miércoles.

Gilda Lugo, rescatadora de Villa Justicia, participó también en la acción. Santiago Meléndez fue visto saliendo de la oficina en los momentos en que llegaban los jóvenes, pero sin embargo, se negó a dialogar con el grupo.

Cinco minutos antes de las 4:00 p.m. cuando estaba señalada la terminación de la actividad, tres oficiales de la policía entraron en la oficina, pero no se produjo ningún incidente, ya que el grupo dejó el lugar poco después.

Por otra parte, en Mayaguez, militantes de la JIU y el PIP ocuparon las oficinas del alcalde Benjamín Cole, también en represalia simbólica por la destrucción de Villa Hostos.

"PIP defenderá rescate de tierras."
Periódico *La Hora*, 12 de mayo de 1972.

4 – LA HORA – 16 DE MAYO

Lecciones de la huelga

Aprendimos mucho, dicen camioneros

Por Hiram A. Sánchez
Redactor de LA HORA

La lucha librada por los camioneros independientes en huelga se vio coronada con el triunfo el pasado martes 9 de mayo al ser aprobado por unanimidad en la Cámara y el Senado el proyecto que reglamentaría el acarreo de agregados de la construcción, ya sea para uso industrial o privado. De esa forma terminó la huelga que se había prolongado por espacio de 36 días y que paralizó la industrias de la construcción en todo el país.

Mientras se discutía el proyecto en el Senado hubo manifestaciones de parte de algunos senadores. Severo Colberg, repitiendo los argumentos de Carlos Gallisá, asesor legal de los camioneros y Vicepresidente del PIP, expresó que el Proyecto de la Cámara 1773, y que finalmente se aprobó, era una copia refraseada del Proyecto del Senado 1145 que fuera engavetado en la Cámara durante la pasada sesión legislativa.

Añadió Colberg, que los camioneros habían demostrado una paciencia enorme en el reclamo de la justicia y que fueron otros (aludiendo obviamente a Viera Martínez y a Urbina) los que echaron la fuerza de choque de la Policía contra ellos.

LOS CAMIONEROS APRENDIERON

Entrevistado por LA HORA, el asesor legal de los camioneros, Licenciado Carlos Gallisá, declaró que "después de esta lucha los camioneros se han dado cuenta de la fuerza que tienen en el país y que esa fuerza ha sido reconocida por el gobierno y por las empresas privadas. A ellos, estos 36 días de huelga tienen que haberlos puesto a pensar sobre una serie de cosas. Una de ellas se ver un proceso legislativo en un momento dado guiado por una presión de los grandes intereses y ver cómo un Departamento de Justicia, ante esa presión, dice una cosa hoy y otra mañana.

Los camioneros vivieron la represión y el atropello policíaco por el mero hecho de protestar contra una injusticia y algunos de ellos están acusados ante los tribunales por esa razón. Después de toda esta experiencia, la conciencia sobre sus problemas y la relación que tienen estos con los problemas que tiene el pueblo de Puerto Rico, le harán mucho más difícil a los politiqueros en el poder engañarlos.

"Los camioneros han dado un ejemplo a la clase obrera puertorriqueña de lo que es pelear con firmeza y valor en la defensa de sus derechos" concluyó diciendo Gallisá.

Carlos Gallisá se dirige a los camioneros.

Los camioneros salen jubilosos del Capitolio una vez fue aprobado el proyecto por el que tanto han luchado.

LA LUCHA CONTINUA

Por su parte, el señor Jesus Vargas, presidente de la Federación de Camioneros, Capítulo de Cupey–Trujillo Alto, declaró a LA HORA que el triunfo de los camioneros "ha sido una victoria dentro de una lucha que continúa. Solicito que en proyectos del gobierno, se le exija al contratista que se lleve la subasta, que el acarreo de agregados tenga que hacerse mediante los camioneros independientes. Solicitó además, que las conceciones de extracción de arena le sean dadas a las Federaciones y Cooperativas de camioneros en vez de a individuos que se enriquecen con una arena que es del pueblo".

Sobre la lucha librada por los camioneros, expresó el señor Vargas que "hemos aprendido mucho de la experiencia del paro. Hemos sido víctimas del atropello policiaco y sabemos que fue Viera Martínez quien dio la orden del macaneo. Este señor nos engañó mientras nos hizo esperar horas y horas para luego en un ultimatun dado a las seis de la tarde decirnos que el proyecto era anticonstitucional. Sin embargo, el proyecto que finalmente aprobaron era el mismo que en la pasada sesión legislativa habían colgado. Lo único que hicieron fue copiarlo en otro papel y cambiarle el número."

Jesús Vargas, presidente de la Federación de Camioneros, se dirige a sus compañeros frente al Capitolio.

Añadió el Señor Vargas, que todo eso fue una treta de Viera Martínez y Urbina a presiones desde Fortaleza "Nosotros sabemos que el Gobernador Ferré había hecho un compromiso con los industriales y que también tenía compromiso con dos compañías norteamericanas que traían 1,500 camiones para Puerto Rico. Nuestra lucha es justa. Tratamos de impedir nuestro desplazamiento por los pulpos norteamericanos."

Agregó que de no haberse aprobado el proyecto en la Legislatura "hubiésemos vuelto a atravesar nuestros camiones en las avenidas y ni la Policía le hubiese impedido. De no ser por nuestras acciones decididas y por el apoyo recibido, todavía Viera Martínez estuviera sentado encima del proyecto".

CONFIA EN INDEPENDENTISTAS

En un gesto de agradecimiento, Vargas expresó que "debemos darle las gracias a nuestro asesor legal, Licenciado Carlos Gallizá, quien luchó junto a nosotros hombro con hombro y lo abandonó todo en ese momento para acompañarnos a la victoria final. El fue un factor muy decisivo en nuestra lucha. En cuanto a esto algo hemos aprendido y es que si en alguien podemos confiar es en los abogados independentistas y no en los abogados politiqueros que tenemos en la Legislatura" terminó diciendo el líder camionero.

Sacerdotes entrarán en política

En documento fechado el 8 de mayo del año en curso, la Asociación de Sacerdotes de Puerto Rico lanza un compromiso para la defensa de los valores del Reino de Dios para que éstos comienzen a vivirse también en el aquí y el ahora de Puerto Rico, 1972.

Los valores trascendentales de ese Reino son, de acuerdo a los sacerdotes, "la fraternidad, la igualdad auténtica, el diálogo respetuoso, la defensa del pobre y el oprimido, la justicia que a cada uno procura lo que se le debe como persona humana, el bien común entendido dinámicamente, la liberación integral" y otros que se consiguen con fidelidad y sacrifico.

En uno de sus aspectos más interesantes, señala el documento que "es imposible la neutralidad, porque nuestras acciones u omisiones indican siempre algo para el conjunto. Con la complicación adicional de que sin quererlo o queriéndolo, nuestras opciones pueden coincidir con o rechazar lo que determinados partidos políticos llevan en sus programas. En una palabra, nuesta acción lleva implícitos "juicios políticos".

Según se desprende de otras partes del documento, el sacerdote no está exento de una vida como un todo donde también convergen las ideas políticas y más aún cuando el crisitano y el sacerdote está inmersos en un sistema político. Defiende el punto de que la Iglesia como institución n puede comprometerse con ningún partido, aunque ciertamente posee una misión "que consiste en predicar, iluminar, aclarar, concretar, y persuadir los valores del reino". Señala además, que la Iglesia se mueve en un plano por encima de los procesos políticos; es decir, los supera.

En otra parte del documento se afirma que "citar la frase "Dar al César"... para prohibir al cristiano su vertiente política tampoco es conclusivo. Jesús no quiso con esto colocar al César y a su régimen fuera o al margen del proceso histórico en que Dios interviene para salvar al hombre. La frase se entiende en su contexto polémico, y tampoco pretende ser un tratado de Teología Política."

El compromiso que tendra la Asociación de Sacerdotes de Puerto Rico, contendrá un juicio sobre el rescate de terrenos, sobre la distribución de las partidas del presupuesto, sobre la filosofía educacional, sobre la propaganda o el consumerismo, sobre los impuestos, sobre la contaminación ambiental, sobre el neocolonialismo, sobre nuestro destino político, sobre las leyes de divorcio o contra drogas, sobre los monopolios o ganancias injustas, sobre los conflictos obrero-patronales, etc., etc.

"Aprendimos mucho, dicen camioneros."
Periódico *La Hora*, 16 de mayo de 1972.

Centenares Participan Protesta Contra Concurso Señorita EU

Por Vanessa Pascual
Redactora de CLARIDAD

DORADO – Cientos de militantes socialistas montaron una demostración en frente al Hotel Cerromar el pasado sábado en la tarde en protesta por la celebración del concurso "Miss U.S.A." en Puerto Rico. Los manifestantes repudiaban tal evento porque el mismo representa una afrenta a la mujer y un acto de agresión cultural a nuestro pueblo, según declararon.

La actividad de protesta, organizada por el Partido Socialista Puertorriqueño (MPI), consistió de un piquete masivo seguido por un mitin en el cual se dirigieron a los presentes la líder socialista Flavia Rivera y el Secretario General del PSP (MPI), Juan Mari Brás.

En su intervención, Flavia Rivera explicó el motivo de la protesta, señalando que el concurso de belleza representa un insulto a la mujer puertorriqueña y a todas las mujeres del mundo. "En el mismo," señaló, "se utiliza a la mujer como un objeto sexual y comercial y a quien beneficia es a las grandes corporaciones que auspician el evento. Mientras tanto, nuestro pueblo permanece sumido en la pobreza. No podemos permitir que se continúe utilizando nuestra tierra para todo tipo de carnavales como éste y el Festival Mar y Sol que representan viles actos de agresión cultural."

Refiriéndose a la participación de una representante de Vietnam del Sur y otra de Africa del Sur en el concurso "Srta. Universo" a celebrarse próximamente en nuestra Isla, la líder socialista señaló que "vienen a exhibirse aquí como si en sus pueblos no estuviera pasando nada". Afirmó que eso mismo quisieron hacer con Marisol Malaret al proclamarla "Srta. Universo", "para desviar la atención de la situación de explotación que padece nuestro pueblo."

Por último aseguró que "no vamos a permitir la explotación de la mujer, pero tampoco vamos a responder al juego del imperialismo que nos quiere poner a pelear a hombres y mujeres, sino que ambos nos vamos a unir para derrotar a los explotadores".

Juan Mari Brás, Secretario General del PSP catalogó de "insulto", el hecho de que se tomara nuestro territorio como sede de este evento. Luego procedió a dirigirse "a los señores que nos escuchan desde el hotel" y en el "idioma de los invasores" manifestó lo siguiente: "Nosotros el pueblo de Puerto Rico, repudiamos la celebración del concurso en nuestra tierra por considerar el mismo un insulto. Han venido a nuestra Isla a comerciar con el cuerpo de la mujer. Este acto es ajeno a nuestro país que actualmente se encuentra intervenido, invadido por las fuerzas armadas norteamericanas. Mientras nosotros continuemos padeciendo esta agresión, ninguno de ustedes, norteamericanos, será bienvenido a nuestra patria."

Mari Brás reafirmó la solidaridad del pueblo puertorriqueño con el pueblo vietnamita y le señaló a los norteamericanos allí reunidos que mientras ellos pasaban un buen rato, miles de personas en Vietnam están sufriendo los actos de agresión de las fuerzas armadas de Estados Unidos. "Estos criminales," concluyó, "están bombardeando a un pueblo que como el nuestro expresa su mayor repudio al imperialismo."

Los manifestantes desfilaron desde la carretera hasta frente al vestíbulo del hotel, dónde mantuvieron una larga línea de piquetes por más de una hora.

23 de mayo de 1972 – CLARIDAD 3

"Centenares participan protesta contra concurso señorita EEUU."
Periódico *Claridad*, 23 de mayo de 1972.

¿Qué hora es?

Por Pepe Minutero

Para los empleados del Departamento de Instrucción, el 23 de mayo se conocerá como "Día de la Liberación"... ¡Ese día se va Mellado!

***

Ni los maestros penepeístas quieren a Mellado Parsons para senador. De los otros, ni hablar... Si no le salen dientes de aquí a la asamblea del PNP, Mellado se queda idem.

***

Dicen que la corporación española a quien Dora Matos le quiere regalar 27 cuerdas del Parque Las Américas pertenece al Opus Dei. Si ese otro imperio nos cae encima... ¡apaga y vámonos!

***

Tomarán más tiempo para "evaluar" la labor realizada por el Rector del Recinto de Ciencias Médicas, Adán Nigaglioni, dijo un portavoz del Consejo de Educación Superior. Pues, aquí va un problemita: Si a Dios le tomó equis tiempo expulsar a Adán del paraíso, cuánto le tomará al PNP... Un pirulí para el primero que nos envíe la contestación correcta.

***

Heriberto Nieves, el de Carolina, es el Alcalde ejemplar del PNP. De él hablan mal nada más que sus enemigos... ¡que son todos los que le conocen!

***

Un columnista de El Nuevo Día, Ismaro Velázquez, reveló que Cantaclaro, el de la conocida columna de El Imparcial, no es otro queSamuel Badillo. Ya ves, Samuel, no hay quien guarde un secreto... ¡Tú tampoco!

***

El senador Chú Hernández Sánchez ha dicho que si su partido lo cuelga, él parte a su partido. No se conforma con sus cuatro años de cenador sin hacer nada... ¡Qué malagradecido!

***

En julio todos los partidos deberán haber celebrado sus asambleas para designar candidatos... Si de verdad existe un consuelo de viudas, no veo por qué no inventan un consuelo de colgados.

***

La Telefónica ha habilitado tres casetas de teléfonos públicos para convenciones de partidos políticos. Adivine cuáles... Daré otro pirulí a la primera contestación correcta que reciba.

LA HORA
Publicado todos los martes por
EDITORIAL LA HORA, INC.

Redacción y Administración:
Ave. Eduardo Conde, Núm. 2252
Villa Palmeras, Santurce
Puerto Rico - 00915
Teléfonos: 723-5580 - 723-5589

Dirección Postal:
Apartado 7446, Estación Barrio Obrero
Santurce, Puerto Rico, 00915

CESAR ANDREU IGLESIAS
Director

SAMUEL A. APONTE
Subdirector-Gerente

OLGA M. VELEZ
Administradora

JOSE BAUZA
Agente de Anuncios

CARLOS VILLAFAÑE
Agente de Distribución

Respuesta a un atentado

Por tercera vez en corto tiempo nuestro colega *Claridad* ha sido víctima de un atentado terrorista. Sin ser mago ni clarividente, cualquiera puede señalar a los promotores, cuando no a los autores de la cobarde fechoría. Y si bien es hora de que la mano de la justicia --si se contara aquí con verdadera justicia-- impusiera la sanción que merecen, lo cierto es que eso es lo de menos... ¡Lo que realmente importa es que ya el pueblo los tiene condenados!

A ese terrorismo colonialista y ultrareaccionario el independentismo responde con su arma más certera: el trabajo de masas. Porque como es sabido, la mejor defensa es la ofensiva, y ésta se lleva a cabo en las líneas de combate del pueblo.

Existe, claro está, un derecho irrenunciable a la autodefensa. Eso va por descontado. Pero si los promotores del terrorismo creen que el independentismo va a desviarse hacia la guerrita estéril a la que esos agentes del imperialismo quisieran conducirlo, se equivocan de medio a medio. La lucha de independencia ha trascendido el nivel de las simples rebeldías y ha madurado en la comprensión de que la revolución no se hace al libre antojo de nadie, sino que la revolución se organiza. Y en esa tarea están enfrascados los militantes de la independencia y el socialismo puertorriqueños y ninguna provocación ha de desviarlos de ese camino.

Ya es cosa pasada aquello de que, ante la quema de un periódico independentista por agentes del imperialismo, algún militante propusiera, como represalia, quemar un periódico reaccionario. Esa ley del talión es totalmente ajena a la verdadera práctica revolucionaria. Lo dicta así experiencia. Cuando la primera destrucción física de *Claridad*, lo que marcó el cambio cualitativo y cuantitativo de ese periódico fue el inmediato anuncio: "A pesar del fuego, *Claridad* saldrá el viernes." Aun antes de apagarse las llamas, allí mismo se recurrió al pueblo para que contribuyera con sus vellones y sus pesetas a su inmediata reaparición. Y ese apoyo popular, encarnado en una colecta súbita de más de 25 mil dólares, puso de nuevo a ese periódico en la calle sin perder una sola semana.

Esa lección ha sido asimilada, y eso ha contribuído a dar a laprensa independentista, constituída hoy por *LA HORA*, además de *Claridad*, y por decenas de periódicos locales en distintos pueblos, su alcance de masas. Esto ha convencido al creciente núcleo de militantes y a muchos millares de patriotas, del importante papel --informativo, propagandístico y educativo (y también organizativo)-- de la prensa revolucionaria... ¡Ninguna clase de terrorismo nos desviará de ese camino!

Cada día las fuerzas de la independencia y del socialismo demuestran un mayor grado de madurez política. Motivos de grandes confusiones hasta ayer, como la cuestión de la violencia, la participación electoral, etc. se aprecian hoy con mayor claridad. Ya se acepta que la crítica y la autocrítica son inseparables de la capacitación política. Se comienza a entender que el mejor revolucionario no es aquel que pretende librar, a golpe de palabras, las posibles batallas de mañana, sino quien le mete el pecho a las tareas de hoy, aun las más simples y las menos dramáticas. Y es através de éstas nuevas comprensiones que se van creando, más allá de las transitorias denominaciones, la vanguardia de hoy y de mañana.

Se trata de un proceso. Sus antecedentes en los 74 años de coloniaje yanqui, se encuentran en los discípulos de De Diego y su tránsito del autonomismo unionista al independentismo nacionalista. Se halla en la cumbre que representa Albizu Campos. Pero también --no lo olvidenemos--, en la fusión de conciencia de clase y conciencia nacional que se manifiesta en algunos de los primeros obreros socialistas, como Manuel Rojas. Se halla, claro, en los comunistas de los últimos años de la década del treinta y primeros años de la década del cuarenta. En la ampliación de la lucha que representó el Partido Independentista Puertorriqueño en su primer período. Y luego, en la alianza de las diversas tendencias que en el sesenta cobró cuerpo en el Movimiento ProIndependencia. En fin de cuentas, todos formamos parte de un proceso y lo que subjetivamente nos corresponde, si queremos adelantar la lucha de independencia y conducirla al triunfo, es contribuir a que ese proceso se desenvuelva a la par con el desenvolvimiento objetivo de la historia.

Ese proceso está bien impulsado por el Partido Independentista Puertorriqueño. Abona a este criterio la labor que realiza en la campaña electoral, tarea de primer orden en el momento actual. Esa labor contribuye al desarrollo organizativo y a la vasta y creciente unidad de las fuerzas de independencia.

Mitin pro Vietnam

LA HORA expresa su completo respaldo al acto que en solidaridad con el heroico pueblo de Vietnam habrán de celebrar en la Plaza de Recreo de Río Piedras, a las ocho de la noche del sábado, 27 de mayo, conjuntamente, el Partido Independentista Puertorriqueño y el Partido Socialista Puertorriqueño.

En toda la historia de la humanidad, pocos son los pueblos que pueden haber superado la lucha de liberación nacional que libra Vietnam. Durante más de 25 años ese pueblo, vinculado a Laos y Camboya en lo que se ha conocido como Indochina, ha librado batalla contra los poderosos imperios de Japón, Francia y Estados Unidos.

Habiendo vencido al primero y al segundo, cuando parecía que al fin gozaría de la independencia y de la paz por las que ha estado dispuesto a pagar tan alto precio, se vió obligado a empuñar de nuevo las armas frente al tercero. Y ahora, cuando se hace evidente su bien ganada victoria, ante la desesperación de su inevitable derrota, el Presidente Nixon desencadena sus bombardeos vengativos y recurre al bloqueo marítimo.

Esos nuevos actos guerreristas de Nixon son condenados por todos los pueblos del mundo, incluyendo el propio pueblo norteamericano.

El pueblo puertorriqueño debe expresar su mayor apoyo al heroicopueblo de Vietnam. ¡Fuera yanquis de Vietnam!

"Respuesta a un atentado."
Editorial, Periódico *La Hora*, 24 de mayo de 1972.

Margarita Mergal, Danny Rivera, Miguel Angel Suárez y Rubén Berríos entonan la Borinqueña en la letra revolucionaria de Lola Rodríguez de Tió.

Los artistas tienen el corazón a la izquierda

Un gran número de artistas puertorriqueños fue homenajeado el miércoles 17 de mayo por la noche por una multitud que colmó la enorme cancha de Country Club en un acto patrocinado por el Comité Central de San Juan del Partido Independentista Puertorriqueño.

Lucesita Benítez, Danny Rivera, Jacobo Morales, Miguel Angel Suárez, Ivonne Coll, el Grupo Taoné, Abelardo Díaz Alfaro, Sharon Riley, Tuti Umbierre, Carlos Bousquets, Rosita Velázquez, Myrna Vázquez y Jaime Ruíz Escobar, entre otros, asistieron al acto a recibir el homenaje y recalcaron su adhesión a la causa independentista.

"Esta noche yo yengo en calidad de un puertorriqueño más que tiene que engancharse el fusil y pelear por su tierra'', dijo Lucesita al recibir la bandera de Puerto Rico que se le obsequió en homenaje. Y añadió: "Lo único que verdaderamente quiero es que se enganchen el fusil y por balas lleven un puñado de nuestra tierra y por corazón nuestra bandera".

Jacobo Morales, el afamado cómico que recientemente triunfara en Hollywood, señaló que está seguro de que está "viviendo la época del gran compromiso para el artisita puertorriqueño". Calificó la época de maravillosa y recalcó que el compromiso en la lucha independentista "deja de ser compromiso para convertirse en el más profundo y sagrado de los placeres: ¡ el placer inconmensurable de servirle a la Patria! "

Por su parte, Danny Rivera instó a las miles de personas presentes a asistir a la Asamblea Nacional de PIP que se celebrará en el estadio Hiram Bithorn el 9 de julio y al recibir la bandera de homenaje dijo: "Este es uno de los regalos más bellos que han hecho en mi vida". Agregó que quería dedicarla a Puerto Rico, a los que han muerto en Vietnam, a Camilo Torres, Pedro Albizu Campos y el Comandante Ché Guevara.

Todos los artistas homenajeados hicieron expresiones similares y la mayoría ofreció su arte al público presente, que aplaudió con entusiasmo tanto los actos de farándula como las canciones de protesta.

El Presidente del PIP, Rubén Berríos Martínez hizo entrega de las banderas de homenaje y, en un breve discurso, recalcó la importancia de los artistas y el arte en la vida de un pueblo. Asimismo expresó su admiración y regocijo por el creciente patriotismo de los artistas puertorriqueños.

Similares expresiones hizo Margarita Mergal, candidata a alcaldesa de San Juan, quien también participó en el acto.

FOTOGRAFIAS LA HORA POR JORGE BAYRAN Y JAIME RODRIGUEZ CALAF
Diseño gráfico por Hiram Torres

Jacobo Morales en un momento de humor con Rubén Berríos.

"Los artistas tiene el corazón a la izquierda."
Periódico *La Hora*, 24 de mayo de 1972.

CAL Se Acredita Acción Contra Concurso Miss USA

Por Martín González
Redactor de CLARIDAD

SAN JUAN – Los Comandos Armados de Liberación (CAL) se adjudicaron, mediante comunicado recibido en esta redacción el pasado martes 23, el operativo que contra el hotel Cerromar, de Dorado, se practicó en la noche del sábado ocasionando más de 800 mil dólares en pérdidas mientras se celebraba la selección de la señorita Estados Unidos.

"Burlamos todo el despliegue de fuerza que hizo la policía que pretendía mantener a salvo de la indignación del pueblo esa actividad repudiada por todo el que se sienta puertorriqueño," testimoniaron los audaces comandos en su proclama explicativa al pueblo.

Una de las dos explosiones que sacudieron el hotel Cerromar durante esa noche, ocasionó daños a más de siete automóviles aparcados en el área de estacionamiento. El segundo de los artefactos impactó violentamente el sexto piso del hotel causándole serios daños a más de 30 habitaciones en la estructura interna de la hospedería.

Reproducimos a continuación, íntegramente, el documento de los Comandos Armados de Liberación (CAL), suscrito por el jefe de la organización, Alfonso Beal.

"Nuestros combatientes atacaron el pasado sábado por la noche el Hotel Cerromar en Dorado, donde se celebraba el llamado concurso de señorita Estados Unidos. Burlamos todo el despliegue de fuerza que hizo la policía que pretendía mantener a salvo de la indignación del pueblo esa actividad repudiada por todo el que se sienta puertorriqueño.

"Todavía estaban disfrutando de la bebelata los yanquis y los seudo puertorriqueños que fueron a hacerles coro, cuando se sintió el repudio del pueblo a través de nuestra acción de guerra. Que les sirva de advertencia, si es que no tenían suficiente, para que sepan a qué atenerse cuando planeen otras agresiones culturales e insultos a nuestro pueblo. Ya Puerto Rico no está indefenso para ver pasar abusos con la cabeza baja. Nuestro instituto, que es el ejército popular en desarrollo, sabrá contestar a cada insulto con un golpe de guerra.

"Saludamos y aplaudimos las actividades de masa que en repudio a esa agresión cultural realizaron organizaciones independentistas. También cumplieron con su deber, y una vez más logramos, sin pretenderlo, coordinar nuestros golpes contra el yanqui invasor.

"¡Viva Puerto Rico Libre!"
"¡Independencia o Muerte!"

Vietnam Agradece Acciones Solidarias

RIO PIEDRAS – La Unión Nacional de Estudiantes Vietnamitas envió un cable a la Federación de Universitarios Pro Independencia (FUPI) agradeciendo las acciones de solidaridad que está desarrollando el estudiantado puertorriqueño con su lucha por derrotar la agresión yanqui.

El cable recibido el pasado miércoles 24 de mayo dice textualmente: "Estamos informados de las diferentes acciones de solidaridad con Vietnam. Expresamos nuestro caluroso agradecimiento. Estamos confiados que el estudiantado puertorriqueño junto al estudiantado progresista mundial intensificará acciones exigiendo que la administración de Nixon suspenda inmediatamente el bombardeo sobre la República Democrática de Vietnam, retire todas las tropas yanquis de Vietnam del Sur, cese su respaldo al régimen títere de Thieu, regrese a las conversaciones de París y respalde la propuesta de siete puntos del Gobierno Revolucionario Provisional de Vietnam del Sur. Saludos fraternales."

La huelga de la Unión Insular de Trabajadores de Construcciones Eléctricas estuvo matizada desde el principio por una gran combatividad. Los obreros hicieron clara su disposición de ir hasta el final en sus demandas. Al cierre de esta edición continuaban las negociaciones con la Autoridad de las Fuentes Fluviales. (Foto CLARIDAD por Charrón).

28 de mayo de 1972 -- CLARIDAD 3

"CAL se acredita acción contra concurso Miss USA."
Periódico *Claridad*, 28 de mayo de 1972.

Estancadas Negociaciones "El Mundo"

VEA INFORMACION EN LA PAGINA 21

EDICION FIN de SEMANA

Claridad

EL PERIODICO DE LA INDEPENDENCIA

10¢

Núm. 373 – Año XIV – Bisemanal | San Juan, Puerto Rico, 28 de mayo de 1972 | 15 centavos fuera de Puerto Rico

Planeaban Asesinato Berríos Y Mari Brás

Por Dixie Bayó
Redactora de CLARIDAD

SAN JUAN -- Un grupo de 20 prominentes ricachos, casi todos miembros del PNP, que se reunieron en esta ciudad el año pasado para planear el asesinato del liderato independentista, tenían ya contratado a un pistolero norteamericano y habían levantado entre ellos $35,000.00 para pagar sus servicios de asesinar a Rubén Berríos, presidente del PIP y Juan Mari Brás, Secretario General del PSP-MPI.

Aunque los conspiradores suspendieron "por el momento" el plan homicida, no han descartado el mismo. La información la obtuvo CLARIDAD a raíz de la denuncia hecha por el licenciado Bennie Frankie Cerezo en el programa Cara a Cara Ante el País del pasado domingo, donde explicó la existencia

(Vea–PLANEABAN–Pág. 20)

Graduanda Abofetea Romero Barceló

Por Héctor Emilio Ramos
Redactor de CLARIDAD

HATO REY -- Una bofetada le fue propinada al alcalde de San Juan, Carlos Romero Barceló, por parte de una jovencita, en momentos en que abandonaba la actividad de graduación de la escuela superior Gabriela Mistral, celebrada el miércoles pasado en un teatro de Plaza Las Américas.

La bofetada se produjo como culminación a una situación explosiva provocada por la presencia de Romero en la actividad.

"Ya desde su entrada al teatro," declaró uno de los presentes a CLARIDAD, "Romero Barceló fue abucheado. Era evidente que su presencia

(Vea–ABOFETEAN–Pág. 20)

Romero Barceló, alcalde de San Juan, se queda perplejo cuando los estudiantes de la escuela Gabriela Mistral repudiaron su presencia durante los ejercicios de graduación el pasado miércoles. Romero, en abierta campaña política está señalado para hablar en casi todas las graduaciones de San Juan. Aquí lo recibieron con abucheos, la bandera nacional... y una bofetada. (Foto CLARIDAD por Camero).

TRAS NOTICIA CLARIDAD

Hacen Regresar Agente Acusado

Por Doris Castañer
Redactora de CLARIDAD

BAYAMON -- Pablo Padilla, agente de la División de Drogas y Narcóticos recientemente acusado de hurto en los tribunales del país, regresó a Puerto Rico, inmediatamente después que CLARIDAD publicó la noticia donde señalaba que por órdenes expresas del superintendente de la policía, Luis Torres Massa, éste había sido enviado a Nueva York con el propósito de evadir el juicio al cual tiene que someterse próximamente.

Una fuente ligada a las altas esferas gubernamentales informó a CLARIDAD que Padilla fue llevado al aeropuerto internacional por altos oficiales de la policía y enviado al 110 de la avenida Lexington en Nueva York en un avión de la línea aérea Pan American el pasado 15 de mayo a primeras horas de la

(Vea–PADILLA–Pág. 21)

"Planeaban asesinato Berríos y Mari Brás."
Periódico *Claridad*, 28 de mayo de 1972.

PLANEABAN ASESINAR LIDERES

viene de la página 1

del notorio grupo.

Nuestra fuente señaló que en dicha reunión se recolectó de contado la cantidad de 35 mil dólares. En la misma participaron conocidos ricachos afiliados al Partido Nuevo Progresista. Alegó nuestra fuente que un pistolero norteamericano ya se había contratado, pero que cuando se tomaban los últimos detalles para llevar a cabo los asesinatos uno de los participantes "se rajó".

Después de una violenta discusión se decidió cancelar el plan temporeramente por temor a que "alguien puede hablar" ya que uno se había acobardado a última hora.

Los participantes del macabro plan asistieron a la reunión encapuchados al estilo del notorio grupo ultra-derechista norteamericano conocido como Ku Klux Klan. El grupo se organizó en tal forma que los asistentes a las reuniones únicamente conocían a la persona que los invitó a la misma. No obstante, CLARIDAD está realizando una minuciosa investigación y ha logrado identificar algunos de los participantes. Estos se darán a conocer una vez se tenga la lista completa.

Alegó nuestra fuente que este grupo de malhechores ultra-derechistas no ha desistido de su plan original y que "sencillamente lo pospusieron y están reorganizándose."

"Planeaban asesinato..." (continuación)

¿Qué hora es?

Por Pepe Minutero

El llamado Patrimonio Para el Progreso del gobernador Ferré no encuentra apoyo entre los líderes obreros. Hace unas dos semanas que anda por ahí circulando una declaración de respaldo... Ni con promesas (ni ofreciendo chavos) han consiguido firmas los líderes del PNP.

***

Lafitte, el campeón de los abogados antiobreros, lo tiene el gobierno de Ferré de candidato para Juez Federal... Eso sería igual que entregar ese tribunal al Presidente de la Asociación de Industriales.

***

Lo productores de leche piden ahora un aumento de cuatro centavos por litro... Señores, qué cara se está poniendo el agua!

***

Efraín Santiago, el de Servicios Sociales, sigue gastando mil dólares para salir en todos los noticieros que se pasan por los cines. Exige aparecer no menos de cuatro veces... Es el que paga (con dinero del pueblo), como él mismo dice: "el cheche de esta película soy yo".

***

El alcalde Romero Barceló estaba señalado para hablar en 17 graduaciones en San Juan. El mismo discursito, la misma propaganda. Pero desistió despues de las primeras... No pudo resistir los abucheos.

***

La senadora Sila Nazario acusó a José E. Arrarás de estar "aliado con los extremistas". ¿Qué extremistas, señora? Porque los hay en todos los campos... ¡No más insinuaciones personales!

***

"Aquí en Puerto Rico, al igual que en Estados Unidos, el que quiere porgresar progresa", dice en un artículo el senador del PNP Menéndez Monroig. Sí, vendiendo terrenos al gobierno a un precio exhorbitante y cobrando $25,000 por una sindicatura de una empresa en quiebra, como el hábil senador... ¡Así progresa cualquiera!

***

Luis Muñoz Arjona, nieto de Muñoz Marín quien aspira a una candidatura por el PPD, dice que está de acuerdo con el Servicio Militar Obligatorio. Tiene 26 años... Claro, el nuevo aspirante al trono no ha olido la pólvora en Vietnam.

LA HORA
Publicado todos los martes por
EDITORIAL LA HORA, INC.

Redacción y Administración:
Ave. Eduardo Conde, Núm. 2252
Villa Palmeras, Santurce
Puerto Rico - 00915
Teléfonos: 723-5580 - 723-5589

Dirección Postal:
Apartado 7440, Estación Barrio Obrero
Santurce, Puerto Rico, 00915

CESAR ANDREU IGLESIAS
Director

SAMUEL A. APONTE
Subdirector-Gerente

OLGA M. VELEZ
Administradora

JOSE BAUZA
Agente de Anuncios

CARLOS VILLAFAÑE
Agente de Distribución

Editorial

Las bombas del Cerromar

Como cuestión de principio, *LA HORA* no vacila en defender, incondicionalmente, a todo militante de la independencia que sea víctima de la persecución del gobierno. La historia nos enseña que las acciones represivas comienzan contra un sector, aquel que la reacción considere más vulnerable en un momento dado, pero una vez la represión se desarrolla con relativo éxito, nadie queda a salvo. De ahí nuestra posición: una agresión contra cualquiera de los sectores de la independencia la tomaremos como una agresión contra todo el independentismo.

Sin embargo, eso no significa que estemos obligados a sancionar, con nuestra palabra o con nuestro silencio, todas y cada una de las acciones que realicen, o puedan realizar, los distintos sectores que luchan por la independencia. Cada quien responde por sus actos ante su conciencia y ante la historia. Sea ésta la que absuelva a aquellos a quienes nos vemos obligados a condenar ahora, si es que en el curso del tiempo se prueba incorrecta nuestra posición.

Los llamados CAL, o Comandos Armados de Liberación, en comunicado enviado a la prensa, asumen plena responsabilidad por las bombas que estallaron el sábado, 20 de mayo, en el Hotel Cerromar en momentos en que se llevaba a cabo el Concurso de Miss USA. *LA HORA* condena esa acción por tratarse de un acto de terrorismo individual contrario a los mejores intereses de la lucha de independencia.

Ciertamente, esos "concursos de belleza" son una burda expresión de la comercialización a que el capitalismo reduce todo. En este caso, el sistema rebaja a la mujer a mera mercancía, y eso es repudiable. Pero sólo un enajenado puede pensar que eso se contrarresta con bombas.

Sin embargo, lo más probable es que el concurso en sí no fuera la motivación de las bombas. El verdadero propósito puede haber sido el empeño de obstruir la transmisión de televisión a Estados Unidos para que repercutiera, de costa a costa, la causa de Puerto Rico. Y para lograr ese objetivo de simple relumbrón, ¿se justifica poner en peligro de muerte a los millares de personas allí reunidos?

Según informaciones periodística, las bombas se colocaron para estallar después de las 11 de la noche, a intervalos de diez a quince minutos. Una de ellas estalló en el área de parqueo y destruyó varios automóviles. Aun suponiendo que uno de éstos fuera de un agente encubierto, lo cierto es que el resto, hasta 7, eran de empleados del hotel. ¿Habrán de querer más la independencia esos trabajadores ahora, si es que la querían antes; y si no la querían, la querrán ahora, después que la CAL les destruyó sus automóviles, que en verdad son instrumentos de trabajo, puesto que los utilizan para concurrir a su lugar de empleo?

La otra bomba, de mayor potencia, al parecer, fue colocada en una de las habitaciones, y al estallar, causó daños en 30 habitaciones. Por suerte, no hubo que lamentar desgracias personales... No por precaución de quienes colocaron las bombas –¿qué diablos de precaución puede ser posible en tales circunstancias? –, sino por simple milagro.

La CAL puede vanagloriarse de haber burlado la vigilancia policíaca. ¿Y que ha logrado con ello: hacer más independentistas entre los empleados de Cerromar y en Puerto Rico en general? O, acaso, ¿amedrentar con tal acción al gobierno?

Estamos absolutamente convencidos que el estallido de tales bombas no produjo ni lo uno ni lo otro. Quien no lo crea, que vaya a preguntarle a los empleados del propio Hotel Cerromar y a los trabajadores en general... Sólo individuos con capacidad política de cero o, sencillamente, enajenados, pueden aplaudir tal acción de terrorismo.

El solo hecho de gritar *fuego* en un teatro atestado de gente puede detener un espectáculo y causar un pánico. Es lo que pudo haber ocurrido esa noche en el Cerromar. Y si se justificaba colocar allí dos bombas de alta potencia, ¿no se podría alegar, con los mismos argumentos, que todavía mejor para la independencia hubiera sido colocar tres, colocar cuatro, colocar cinco...?

Las armas, y en particular las bombas, se han desarrollado de manera superlativa en nuestro tiempo. El peso y dimensión de artefactos de muerte se ha reducido en proporción inversa a su radio de fuego. Esto hace posible, desde un punto de vista técnico, que un reducido número de hombres – y hasta un hombre solo– pueda llevar a cabo actos de terrorismo que en el pasado hubiera requerido la participación de un número considerable de personas. Esto puede llevar a algunos a sobreponer la técnica sobre la política, pretendiendo trasladar a la lucha revolucionaria los patrones que se imponen en la sociedad industrial: la subordinación del pensamiento a la técnica.

Si esto se permitiera, el factor determinante para justificar una acción revolucionaria sería, no su validez política sino su posibilidad de realización técnica. El disparate es obvio, porque no importa cuánto pueda desarrollarse la técnica revolucionaria, siempre la contrarevolución podrá contar con mayores recursos técnicos para intensificar la violencia represiva. No puede ser, por tanto, en ese terreno que la lucha de independencia asegure su victoria.

No hay terrorismo, ni acción individual, por dramática que se conciba, que ahorre a un pueblo el tiempo de lucha que la misma historia le impone. Sin embargo, nada de esto debe interpretarse como un veto a la iniciativa individual. Menos aún debe tomarse como menosprecio al papel del individuo en la lucha revolucionaria. La pasión y el heroísmo del patriota, muchas veces solo, son ingredientes indispensables de la lucha nacional. Y nosotros sabemos, como el que más, que también es ingrediente de la revolución la violencia. Pero eso es una cosa y otra, muy otra, es el terrorismo.

Quien recurre al terrorismo individual carece de toda comprensión de la historia de las revoluciones socialistas, incluyendo la última de ellas: la victoriosa Revolución Cubana. Evidentemente, no entiende ni el A B C del marxismo-leninismo. Porque en toda la historia de la humanidad, nunca –¡nunca! – el terrorismo ha conducido a la revolución socialista.

La idea de que un pequeño número de personas, valerosas y arriesgadas, puede acelerar la revolución con actos espectaculares ejerce alguna tentación sobre ciertos jóvenes. Pero, ¿cuáles fueron los resultados del nihilismo ruso del siglo 19? ¿Y qué resultados concretos produjo el anarquismo en Italia, en Cataluña y en España toda, en nuestro siglo? ¿Es que acaso el movimiento revolucionario puertorriqueño tiene que vivir todos los errores condenados por la historia en innumerables países?

El terrorismo individual nunca ha estimulado a las masas a adoptar posiciones revolucionarias. Por lo regular ocurre lo contrario y es por esto que tenemos que repudiarlo. Pero entiéndase que no estamos atados a ningún pacifismo asustadizo o pusilánime. El sabotaje y las acciones concertadas, en determinados momentos y subordinadas siempre a los objetivos políticos, no son ajenas a la lucha de masas que propulsamos.

Es esa lucha de masas y no ningún acto esporádico de terrorismo individual, lo que pone en jaque al gobierno. Ese es el camino de la lucha de independencia y quien quiera que pretenda desviarnos le presta un mal servicio a la independencia, no importa los sanos propósitos que le muevan... Por eso condenamos las bombas del Cerromar.

"Las bombas del Cerromar." Editorial.
Periódico *La Hora*, 31 de mayo de 1972.

LA HORA – 14 DE JUNIO – 11

Jefe CAL comenta editorial LA HORA

Una carta contestando nuestro editorial *Las bombas del Cerromar* (Vol.2, Núm.40, 31 de mayo de 1972) y firmada en maquinilla por Alfonso Beal, Jefe de los Comandos Armados de Liberación (CAL), fue recibida en nuestra redacción por correo.

A continuación el texto de la carta que presumimos es auténtica:

"El editorial de *LA HORA* (31 de mayo /72) que se titula "Las Bombas del Cerromar" es un ataque a nuestro instituto armado. Quien lo escribió ignora el papel de la violencia en la lucha revolucionaria y desconoce por completo lo que es una operación guerrillera como la que efectuamos en el Hotel Cerromar el sábado 20 de mayo.

"Las bombas, explosivas e incendiarias, han sido armas efectivas de guerra. Sobre todo en la guerrilla urbana y en las acciones de sabotaje que el editorial dice favorecer, la utilización de artefactos explosivos es indispensable. Se utilizan en Vietnam continuamente por los guerrilleros del FNL. ¿Están enajenados los heroicos combatientes vietnamitas? Se utilizaron en la Revolución Cubana. Como se sabe por cualquiera que se haya tomado el trabajo de estudiar la guerra contra el Bastistato de 1956 a 1958, los combates no se libraron únicamente en la Sierra Maestra y en los focos guerrilleros rurales. Había una amplia red operando en las ciudades, en coordinación con la comandancia en la Sierra, que hizo explotar muchos centenares de bombas, siempre con algún objetivo táctico.

"La táctica, en lo militar como en lo político, busca un objetivo limitado. Dos bombas en el Hotel Cerromar la noche del primer concurso de la señorita Estados Unidos no van a acabar con el concurso, pero van a tambalearlo, como en efecto lo tambalearon.

"Nosotros estamos librando una guerra contra la intervención yanqui en Puerto Rico. Creemos en la necesidad de la guerra y en la justeza de la guerra. Creemos, además, que hay condiciones para la guerra de liberación en nuestro país y, por lo tanto, ésta es posible además de justa y necesaria. Nuestra guerra será prolongada, sumamente difícil y según se vaya desarrollando tendrá carácter cruento. Pero si queremos independencia y liberación nacional tenemos que prepararnos para ella. La única manera de prepararnos para la guerra es empezando a hacer la guerra, en la dimensión en que sea posible dentro de las circunstancias.

"Cuando estudiamos un objetivo militar dentro de nuestra guerra en gestación, analizamos sus consecuencias, no solamente en términos de nuestro instituto, sino en relación con las organizaciones legales de la lucha patriótica y del pueblo puertorriqueño en general.

"Ustedes plantean que no se justifica poner en peligro de muerte a millares de personas allí reunidas por el objetivo de atacar el concurso de señorita Estados Unidos. Tienen razón. Si hubiéramos puesto en peligro de muerte a millares de personas para ese objetivo seríamos, de verdad, unos enajenados. Lo que pasa es que ustedes se fundan en una premisa totalmente falsa que nace de vuestra ignorancia absoluta sobre cómo opera un comando militar en una acción guerrillera como la indicada. Ustedes dicen que allí no murió nadie por "simple milagro". Nosotros, que no creemos en milagros, sabemos que no murió nadie porque lo planeamos y ejecutamos de tal forma que no muriera nadie. Por eso nunca ha muerto nadie en ninguna de las acciones con explosivos que hemos llevado a cabo por años, y que ya suman más de cien.

"Toda acción de guerra conlleva riesgos de que con ella se afecten personas inocentes. Pero cuando se domina la ciencia militar éstos pueden reducirse grandemente.

"Tomemos como ejemplo la acción que ustedes condenan, la del Hotel Cerromar. Nuestro objetivo militar y político era sacudir aquel hotel, causarle daños físicos que produjeran inconveniencias a los huéspedes para que éstos propaguen por Estados Unidos la realidad de que éste no es un paraíso turístico donde puedan venir a darse buena vida con absoluto desdén de los problemas y querencias de nuestro pueblo. Produjimos esos inconvenientes en el jamaqueón de las explosiones, los más de treinta cuartos averiados, la rotura de las cañerías de agua y el corre corre que se armó. El acto tuvo toda la repercusión prevista. Creemos que el inconveniente causado guarda justa proporción con el objetivo.

"Si alguien hubiera planeado la matanza de los turistas concursantes, tal acto sería muy condenable, sería un asesinato. Eso fue lo que hicieron los tres japoneses que masacraron a nuestros compatriotas en el aeropuerto Lod de Tel Aviv. Ciertamente que ese acto afecta el turismo en Israel. Pero el objetivo de afectar el turismo en territorio controlado por el enemigo no guarda proporción con la matanza de tantos inocentes.

"En nuestro caso, tal cosa no se hará jamás, no importa el estado de desarrollo que haya alcanzado nuestra guerra.

"Nuestra acción aludida conllevó riesgos de perjudicar inocentes. Ustedes lo señalan. Algunos compatriotas trabajadores del Hotel Cerromar sufrieron daños en sus automóviles. Nosotros lamentamos muchísimo que estos amigos haya sido perjudicados. Pero ciertamente este es un tipo de daño que sí guarda justa proporción con el objetivo de la acción realizada. Es la cuota de sacrificio que todo puertorriqueño tiene que estar dispuesto a ofrecer en la lucha por la liberación de nuestra patria.

"Lamentamos mucho que *LA HORA* se haya declarado enemigo de la lucha armada por la independencia. Es una gravísima equivocación. Confiamos en que ese editorial exprese solamente el criterio de su autor, debido a su ignorancia de nuestra realidad operativa, y que no sea el sentir del Partido Independentista por cuyo liderato y miembros tenemos el más profundo respeto y la máxima admiración. En esta lucha de independencia cada organización tiene su deber que cumplir. Nosotros cumplimos el nuestro, sin pretender que somos los únicos patriotas y revolucionarios. Pero nadie nos va a sacar del cumplimiento estricto de nuestro deber".

Directores LA HORA contestan

Sin ánimo de entablar debate sobre el tema, no podemos pasar por alto la carta que ha tenido a bien dirigir a *LA HORA* el señor Alfonso Beal, jefe de la organización clandestina conocida por Comandos Armados de Liberación. La misma repudia en todos sus términos el editorial de *LA HORA* escrito el 26 de mayo y publicado en la edición número 40, semana 31 de mayo al 6 de junio de 1972, titulado **Las bombas del Cerromar.**

Reconocemos el derecho del señor Alfonso Beal a defender sus acciones y confiamos que él reconozca igualmente el derecho que nos asiste a criticarlas y aun condenarlas, de entender honestamente que perjudican o pueden perjudicar, la causa por la que ambos luchamos, aunque en terrenos distintos. Y nos expresamos así porque no rehusamos responsabilidades, ni abjuramos de la defensa del hermano; porque, como en el decir bíblico, nos consideramos guardián de todo hermano puertorriqueño que lucha por la independencia.

No pretendemos, sin embargo, erigirnos en juez de las acciones de nadie, y así lo hicimos constar en el editorial de referencia, al que remitimos a los lectores. Reléase nuestro editorial y súmense estos breves comentarios que motivan ahora la comunicación que publicamos:

1. Creemos honestamente que es estirar la nota calificar de "operación guerrillera" lo que a nuestro juicio fue una acción de terrorismo individual. El nombre no hace la cosa sino la naturaleza misma del hecho. El que se utilicen bombas en las guerras no transforma en un acto de guerra al estallido de una bomba cualquiera.

2. Ciertamente, en la lucha contra la tiranía de Batista en Cuba se hicieron estallar bombas en La Habana. No todas constituyeron verdaderos golpes contra el régimen. Muchas sirvieron al régimen, sin intención de los que las colocaron, para enardecer la propaganda contrarrevolucionaria. Las bombas, ni arma alguna de por sí, poseen la virtud de la revolución.

3. Las acciones de sabotaje revolucionario en la retaguardia de la contrarrevolución contribuyen a la causa revolucionaria. Así ocurrió en Cuba bajo la dictadura de Batista. Se trataba de acciones de apoyo a una guerra revolucionaria creciente. Lo principal no eran las acciones de respaldo sino la guerra en la Sierra. Y la existencia de ésta le daba sentido y razón a aquellas acciones.

4. La época de Batista, especialmente en sus últimos años, se reconoce como un ejemplo de situación revolucionaria. Era evidente hasta para la clase a la que servía el dictador, que cada día se hacía más difícil gobernar por los mismos medios. El terror de la tiranía (se calculan en 20,000 las víctimas, más miliares de exilados) resultaba ya repulsivo hasta entre los círculos que respaldaban a Batista. El pueblo se manifestaba contra la dictadura de múltiples maneras. No fueron las bombas, ni los actos individuales de terrorismo (llámeseles "selectivos" o "indiscriminados") los que crearon la oposición masiva a la dictadura. Mas bien fue lo contrario: la oposición masiva generó múltiples formas de lucha popular, lo que al fin desembocó en la guerra revolucionaria. Y en su proceso de desarrollo, desde la guerrilla inicial de la Sierra hasta el combate abierto en el llano, fue el trabajo entre los campesinos y, luego, la acción persistente entre los obreros con vistas a una huelga general, lo que hizo posible la victoria.

5. Nuestro editorial no pasa a formular juicio sobre los CAL como tales, ni sobre el conjunto de sus acciones y menos sobre su historia. Eso trasciende sus fines, ya que su único propósito fue discutir una acción en sí --el estallido de unas bombas-- en un lugar --el Hotel Cerromar-- en un particular momento --el Concurso de Miss USA-- y nada más. El señor Alfonso Beal defiende la acción y reitera que su objetivo fue "atacar el concurso de señorita Estados Unidos". Y nosotros disentimos, porque aun a base de su propia teoría de la "lucha armada", mal puede justificarse como blanco de bombas un concurso de belleza.

6. El jefe de los CAL dice creer en "la necesidad de la guerra y en la justeza de la guerra" de Puerto Rico contra Estados Unidos. Bien. Toda persona tiene derecho a creer en lo que le dé la gana. Pero pretender convencernos de que en estos momentos "hay condiciones para la guerra de liberación en nuestro país", eso es cosa distinta. Más grave todavía es no admitir que esa apreciación puede ser impugnada y rehusar aceptar el derecho a poner en duda tal juicio, y declarar que quien así lo haga es "enemigo de la lucha armada por la independencia", cuando no enemigo de la independencia misma.

7. El señor Alfonso Beal entiende que la "única manera de prepararnos para la guerra es empezando a hacer la guerra". Como se ha dicho antes, las condiciones existen y de hecho, la guerra misma existe ya. Claro, se trata de una "guerra en gestación". Tenemos, pues, una nueva definición del fenómeno de la guerra. Esta se concibe como una suma aritmética de acciones: se comienza con una acción chiquita, se sigue luego con acciones más grandes hasta que, finalmente, la guerra (que siempre ha existido) cobra estatura de guerra. A nuestro juicio, eso es lo más antidialéctico que concebirse puede. Porque si bien la guerra, incluyendo la guerra revolucionaria, es producto de múltiples factores acumulativos, es sólo cuando ocurre el salto dialéctico en que las armas asumen la hegemonía sobre toda otra clase de acción, cuando la guerra cobra existencia y como tal se le reconoce. Antes de ese punto, podrán darse acciones de violencia, pero ello no afecta nuestra argumentación por la sencilla razón de que la suma de tales actos aislados no hace guerra donde existe paz.

8. Las malhadadas teorías del "foquismo" y otras especulaciones ultraizquierdistas de cuño latinoamericano no desmienten lo dicho. Las experiencias de Venezuela, Guatemala, Perú, Bolivia y otros países han obligado a reevaluar muchas de las teorías que momentáneamente cobraron algún cartel después del triunfo de la Revolución Cubana. Lo menos que revolucionarios serios y conscientes pueden hacer es reevaluarlas. En cuanto a su aplicación indiscriminada a Puerto Rico, ni hablar.

9. Condenar *LA HORA* dizque por haberse "declarado enemiga de la lucha armada por la independencia" es un absurdo. No somos, y así lo proclamamos abiertamente, ni enemigos ni amigos de la lucha armada. Nosotros sencillamente creemos que ningún pueblo recurre a la lucha armada por decreto. Creemos que Puerto Rico, al igual que todo pueblo, tiene derecho a apelar a las armas que sean necesarias (¡y efectivas!) para conquistar su independencia, cuando se cree indispensable y posible. Y creemos que en un momento dado esa lucha armada puede ser tan posible como indispensable. Pero de eso a creer en la lucha armada como se cree en la Divina Providencia, hay un gran trecho. En cuanto al culto a la lucha armada como panacea, nos confesamos herejes.

10. En nuestro editorial nosotros calificamos de "milagro" el hecho de que no hubiera habido que lamentar la

(pasa a la página 19)

"Jefe CAL contesta editorial de La Hora."
Periódico *La Hora*, 14 de junio de 1972.

Directores LA HORA contestan

Sin ánimo de entablar debate sobre el tema, no podemos pasar por alto la carta que ha tenido a bien dirigir a *LA HORA* el señor Alfonso Beal, jefe de la organización clandestina conocida por Comandos Armados de Liberación. La misma repudia en todos sus términos el editorial de *LA HORA* escrito el 26 de mayo y publicado en la edición número 40, semana 31 de mayo al 6 de junio de 1972, titulado **Las bombas del Cerromar.**

Reconocemos el derecho del señor Alfonso Beal a defender sus acciones y confiamos que él reconozca igualmente el derecho que nos asiste a criticarlas y aun condenarlas, de entender honestamente que perjudican o pueden perjudicar, la causa por la que ambos luchamos, aunque en terrenos distintos. Y nos expresamos así porque no rehusamos responsabilidades, ni abjuramos de la defensa del hermano; porque, como en el decir bíblico, nos consideramos guardián de todo hermano puertorriqueño que lucha por la independencia.

No pretendemos, sin embargo, erigirnos en juez de las acciones de nadie, y así lo hicimos constar en el editorial de referencia, al que remitimos a los lectores. Reléase nuestro editorial y súmense estos breves comentarios que motivan ahora la comunicación que publicamos:

1. Creemos honestamente que es estirar la nota calificar de "operación guerrillera" lo que a nuestro juicio fue una acción de terrorismo individual. El nombre no hace la cosa sino la naturaleza misma del hecho. El que se utilicen bombas en las guerras no transforma en un acto de guerra al estallido de una bomba cualquiera.

2. Ciertamente, en la lucha contra la tiranía de Batista en Cuba se hicieron estallar bombas en La Habana. No todas constituyeron verdaderos golpes contra el régimen. Muchas sirvieron al régimen, sin intención de los que las colocaron, para enardecer la propaganda contrarrevolucionaria. Las bombas, ni arma alguna de por sí, poseen la virtud de la revolución.

3. Las acciones de sabotaje revolucionario en la retaguardia de la contrarrevolución contribuyen a la causa revolucionaria. Así ocurrió en Cuba bajo la dictadura de Batista. Se trataba de acciones de apoyo a una guerra revolucionaria creciente. Lo principal no eran las acciones de respaldo sino la guerra en la Sierra. Y la existencia de ésta le daba sentido y razón a aquellas acciones.

4. La época de Batista, especialmente en sus últimos años, se reconoce como un ejemplo de situación revolucionaria. Era evidente hasta para la clase a la que servía el dictador, que cada día se hacía más difícil gobernar por los mismos medios. El terror de la tiranía (se calculan en 20,000 las víctimas, más millares de exilados) resultaba ya repulsivo hasta entre los círculos que respaldaban a Batista. El pueblo se manifestaba contra la dictadura de múltiples maneras. No fueron las bombas, ni los actos individuales de terrorismo (llámeseles "selectivos" o "indiscriminados") los que crearon la oposición masiva a la dictadura. Mas bien fue lo contrario: la oposición masiva generó múltiples formas de lucha popular, lo que al fin desembocó en la guerra revolucionaria. Y en su proceso de desarrollo, desde la guerrilla inicial de la Sierra hasta el combate abierto en el llano, fue el trabajo entre los campesinos y, luego, la acción persistente entre los obreros con vistas a una huelga general, lo que hizo posible la victoria.

5. Nuestro editorial no pasa a formular juicio sobre los CAL como tales, ni sobre el conjunto de sus acciones y menos sobre su historia. Eso trasciende sus fines, ya que su único propósito fue discutir una acción en sí --el estallido de unas bombas-- en un lugar --el Hotel Cerromar-- en un particular momento --el Concurso de Miss USA-- y nada más. El señor Alfonso Beal defiende la acción y reitera que su objetivo fue "atacar el concurso de señorita Estados Unidos". Y nosotros disentimos, porque aun a base de su propia teoría de la "lucha armada", mal puede justificarse como blanco de bombas un concurso de belleza.

6. El jefe de los CAL dice creer en "la necesidad de la guerra y en la justeza de la guerra" de Puerto Rico contra Estados Unidos. Bien. Toda persona tiene derecho a creer en lo que le dé la gana. Pero pretender convencernos de que en estos momentos "hay condiciones para la guerra de liberación en nuestro país", eso es cosa distinta. Más grave todavía es no admitir que esa apreciación puede ser impugnada y rehusar aceptar el derecho a poner en duda tal juicio, y declarar que quien así lo haga es "enemigo de la lucha armada por la independencia", cuando no enemigo de la independencia misma.

7. El señor Alfonso Beal entiende que la "única manera de prepararnos para la guerra es empezando a hacer la guerra". Como se ha dicho antes, las condiciones existen y de hecho, la guerra misma existe ya. Claro, se trata de una "guerra en gestación". Tenemos, pues, una nueva definición del fenómeno de la guerra. Esta se concibe como una suma aritmética de acciones: se comienza con una acción chiquita, se sigue luego con acciones más grandes hasta que, finalmente, la guerra (que siempre ha existido) cobra estatura de guerra. A nuestro juicio, eso es lo más antidialéctico que concebirse puede. Porque si bien la guerra, incluyendo la guerra revolucionaria, es producto de múltiples factores acumulativos, es sólo cuando ocurre el salto dialéctico en que las armas asumen la hegemonía sobre toda otra clase de acción, cuando la guerra cobra existencia y como tal se le reconoce. Antes de ese punto, podrán darse acciones de violencia, pero ello no afecta nuestra argumentación por la sencilla razón de que la suma de tales actos aislados no hace guerra donde existe paz.

8. Las malhadadas teorías del "foquismo" y otras especulaciones ultraizquierdistas de cuño latinoamericano no desmienten lo dicho. Las experiencias de Venezuela, Guatemala, Perú, Bolivia y otros países han obligado a reevaluar muchas de las teorías que momentáneamente cobraron algún cartel después del triunfo de la Revolución Cubana. Lo menos que revolucionarios serios y conscientes pueden hacer es reevaluarlas. En cuanto a su aplicación indiscriminada a Puerto Rico, ni hablar.

9. Condenar *LA HORA* dizque por haberse "declarado enemiga de la lucha armada por la independencia" es un absurdo. No somos, y así lo proclamamos abiertamente, ni enemigos ni amigos de la lucha armada. Nosotros sencillamente creemos que ningún pueblo recurre a la lucha armada por decreto. Creemos que Puerto Rico, al igual que todo pueblo, tiene derecho a apelar a las armas que sean necesarias (¡y efectivas!) para conquistar su independencia, cuando se cree indispensable y posible. Y creemos que en un momento dado esa lucha armada puede ser tan posible como indispensable. Pero de eso a creer en la lucha armada como se cree en la Divina Providencia, hay un gran trecho. En cuanto al culto a la lucha armada como panacea, nos confesamos herejes.

10. En nuestro editorial nosotros calificamos de "milagro" el hecho de que no hubiera habido que lamentar la

(pasa a la página 19)

"Directores de La Hora contestan."
Periódico *La Hora*, 14 de junio de 1972.

Directores LA HORA contestan...

(viene de la página 11)

muerte de nadie por las bombas del Cerromar. Ni eso siquiera nos admite el señor Alfonso Beal. Afirma que "no murió nadie porque lo planeamos y ejecutamos de tal forma que no muriera nadie". Como si de antemano se pudiera predecir dónde va a estar cada una de las personas que forman una multitud (esa noche había más de mil personas en el Cerromar) y cómo habrán de reaccionar ante el estallido de unas bombas. Nosotros, contrario al jefe de los CAL que afirma no creer en "milagros", sí creemos en milagros. Porque éstos no son otra cosa que una conjunción de factores, entre los cuales los hay visibles y captables y los hay también imponderables. Por eso el materialismo histórico y el materialismo dialéctico no es totalmente extraño a los "milagros". Pero, por ello mismo, no creemos en jugar con milagros y, ciertamente, somos reacios a arriesgar el futuro de la lucha de independencia con acciones de relumbrón. No de otra manera podemos calificar lo que el propio jefe de los CAL llama "objetivo militar" y pasa a describir como "sacudir aquel hotel, causarle daños físicos que produjeran inconveniencias a los huéspedes para que éstos propaguen por Estados Unidos la realidad de que éste no es un paraíso turístico".

11. No hay discrepancias entre *LA HORA* y la dirección del Partido Independentista Puertorriqueño, como parece desear el señor Alfonso Beal y alguna otra persona. La opinión del PIP la expresan sus máximos dirigentes a través de sus propias declaraciones oficiales. Nosotros coincidimos y remitimos a los lectores al programa *Independencia, Socialismo y Democracia* y especialmente a sus secciones *Objetivos Fundamentales y Métodos de Lucha*, páginas 12 a 16, inclusive.

Fieles a ese programa, *LA HORA* manifiesta que la primera prioridad que la lucha exige a todos los independentistas en estos momentos es concentrar esfuerzo, dedicación y entusiasmo en la presente campaña electoral con el objetivo de llevar una oposición revolucionaria a las cámaras legislativas. Las múltiples actividades que informan nuestro programa --reforma universitaria, derechos estudiantiles, organización obrera, oposición al servicio militar obligatorio, apoyo a la heroica lucha de Vietnam, respaldo al planteamiento del caso de Puerto Rico en la ONU-- todo, absolutamente todo, debe girar alrededor de ese objetivo táctico fundamental. Quien en estos momentos pretende desviar a las masas independentistas de la campaña electoral, no importa cuán altos propósitos le muevan, le haría un flaco servicio a la causa de la independencia.

César Andreu Iglesias
Director

Samuel A. Aponte
Subdirector

"Directores..." (continuación)

ESTADO LIBRE ASOCIADO DE PUERTO RICO

POLICIA DE PUERTO RICO

OFICINA DE INTELIGENCIA

Claridad

18 junio 1972

ORK TIMES

UAN STAR

ARIBE . D.

PIP y PSP coordinan acción en caso ONU

SAN JUAN – El Partido Socialista Puertorriqueño (MPI) y el Partido Independentista Puertorriqueño acordaron coordinar la acción a seguir en relación con la próxima discusión del caso colonial de Puerto Rico en el Comité de Descolonización de las Naciones Unidas.

En reunión celebrada el pasado martes entre líderes de ambos partidos se llegó a varios acuerdos sobre iniciativas a tomar conjuntamente en preparación para el debate sobre Puerto Rico que se espera en el organismo mundial durante la segunda semana de agosto.

Un portavoz del PSP-MPI informó a CLARIDAD que se espera que una comisión unida del liderato máximo de ambos partidos irá a la sede de las Naciones Unidas en agosto para estar presente en las deliberaciones del comité y entrevistarse con los miembros del mismo. También se hará circular previamente un documento en el que se analizarán las bases jurídicas y políticas del planteamiento independentista puertorriqueño.

En la reunión indicada estuvieron presentes, entre otros, el presidente del PIP, Rubén Berríos, y el Secretario General del PSP-MPI, Juan Mari Brás.

008353

"PIP y PSP coordinan acción en caso ONU."
Periódico *Claridad*, 18 de junio de 1972

Claridad
20 junio 1972

ESTADO LIBRE ASOCIADO DE PUERTO RICO

POLICIA DE PUERTO RICO

OFICINA DE INTELIGENCIA

DELEGACION

Viene de la pág. 1

a realizar y se acordó seguir celebrando reuniones similares durante los próximos dos meses para evaluar el trabajo realizado y discutir los nuevos acontecimientos que ocurran en relación con el planteamiento en la ONU.

Carlos Gallisá actuó como portavoz del PIP en la reunión y Juan Mari Brás habló a nombre del PSP-MPI. Asistieron representantes del profesorado universitario, de logias masónicas, movimiento obrero, dirigentes estudiantiles y varios grupos profesionales. Entre ésos estuvieron el presidente de la Asociación Nacional de Abogados Independentistas, Lic. Ferdinand Rivera Ortega y la presidenta de la Asociación Nacional de Trabajadores Sociales, profesora Raquel Seda de Calderón. También participó una delegación del Comité de Resistencia al Servicio Militar Obligatorio, presidida por el Doctor Héctor Dávila Alonso. El Lic. Emilio Soler, Presidente del Instituto Legal, representó a dicha entidad. El presidente del Consejo General de Estudiantes de la Universidad, recinto de Río Piedras, Hiram Lozada, que estuvo presente, se encargó de coordinar las actividades a nivel universitario.

El obispo Antulio Parrilla Bonilla se excusó por enfermedad de la reunión pero dijo que está dispuesto a ofrecer la máxima cooperación en los trabajos unitarios ... sobre este asunto.

Delegación unitaria irá a ONU en agosto

SAN JUAN – Una delegación conjunta de los partidos de la independencia e integrada, además, por representantes de diversos sectores obreros, estudiantiles, profesionales y cívicos acudirá a la sede de la Organización de Naciones Unidas en agosto próximo para presenciar el debate sobre la inclusión del caso de Puerto Rico en la lista de territorios coloniales a los que debe otorgárseles la independencia. Dicho debate se espera que tenga lugar durante la segunda semana de agosto en el Comité de Descolonización de la ONU.

El acuerdo fue tomado en una reunión celebrada el jueves pasado en esta ciudad en la que participaron líderes del Partido Socialista y del Partido Independentista, así como de varias organizaciones patrióticas no-partidistas.

En la reunión, los portavoces del PSP y el PIP explicaron los acuerdos políticos tomados por los dos partidos en cuanto a coordinar una campaña a nivel nacional e internacional en preparación para el debate en la ONU. Se discutieron trabajos

(Vea–DELEGACION pág. 14)

Héctor Dávila Alonso

008346

"Delegación unitaria irá a la ONU en agosto."
Periódico *Claridad,* 20 de junio de 1972.

CONCLUSIONES DEL DOCUMENTO PRESENTADO POR EL PARTIDO INDEPENDENTISTA PUERTORRIQUEÑO Y EL PARTIDO SOCIALISTA PUERTORRIQUEÑO ANTE LAS NACIONES UNIDAS. . .

La historia colonialista norteamericana, curiosamente ignorada o negada por muchos, es antigua y extensa; con Puerto Rico logró pie en el Caribe y desde entonces ha hecho todo lo posible por retenerlo. Hasta tanto Puerto Rico no obtenga su libertad completa, el colonialismo norteamericano no será exterminado.

En este escrito hemos probado lo siguiente:

1. Bajo el llamado Estado Libre Asociado el pueblo puertorriqueño está sometido a un régimen colonial, pues toda su vida está controlada por el Congreso y el Presidente de los Estados Unidos.

2. Con este poder imperialista los norteamericanos controlan, entre otras cosas, el comercio, las aduanas, la inmigración y emigración, la moneda, servicio postal, ciudadanía, relaciones exteriores, defensa militar, transporte marítimo y aéreo, radio y televisión. De igual manera, imponen el servicio militar obligatorio, la legislación obrero-patronal, ocupan grandes áreas del territorio nacional para bases atómicas, y detentan el poder de expropiación forzosa.

3. La Ley de Relaciones Federales entre Puerto Rico y Estados Unidos, la llamada Constitución de Puerto Rico y la Ley 447 del Congreso norteamericano que aprueba ésta última, son leyes del Congreso de Estados Unidos que sojuzgan a Puerto Rico al sistema norteamericano.

4. El pueblo de Puerto Rico no ejercitó su derecho de libre determinación al crearse el Estado Libre Asociado, ya que no tuvo otra alternativa que aceptar o rechazar la Ley 600.

5. En los veinte años de su existencia, el Estado Libre Asociado no ha podido, ni podrá, desarrollarse como lo expresó la Asamblea General de las Naciones Unidas en el 1953 debido a la intransigencia del Congreso de los Estados Unidos.

6. La independencia es la única solución al problema colonial de Puerto Rico.

POR TODO LO CUAL, se solicita del Comité Encargado de Implementar la Declaración de Concesión de Independencia que ejercite su jurisdicción y estudie el caso de Puerto Rico informando finalmente a la Asamblea General que Puerto Rico continúa viviendo un status colonial bajo el Estado Libre Asociado y recomendando a la Asamblea General que:

1. El Gobierno de Estados Unidos sea censurado por ello, y

2. Se tomen inmediatamente medidas para traspasar al pueblo de Puerto Rico todos los poderes que le corresponden, sin condiciones ni reservas, de acuerdo a la Resolución 1514 (XV) de 1960.

Respetuosamente sometido,

Partido Independentista Puertorriqueño

Partido Socialista Puertorriqueño.

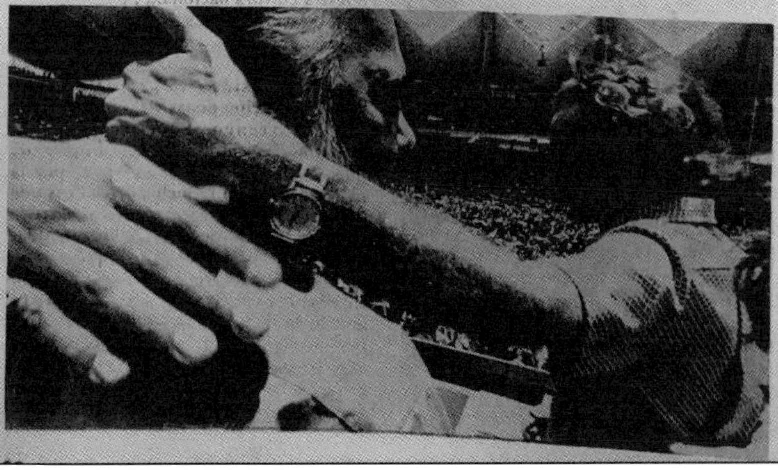

"Conclusiones del documento presentado por el Partido Independentista Puertorriqueño y el Partido Socialista Puertorriqueño ante las Naciones Unidas." Revista *Avance,* 3 al 10 de agosto 1972.

DICE GALLISA

Elecciones No Impiden Unidad

Por Vanessa Pascual
Redactora de CLARIDAD

SAN JUAN – "El hecho de que el PIP y el PSP no se hayan puesto de acuerdo en relación al frente electoral no puede entenderse como una política de no unidad en cuanto a otros issues importantes como lo es la solidaridad con la lucha del pueblo vietnamita," declaró Carlos Gallisá, vice-presidente del Partido Independentista Puertorriqueño en conferencia de prensa conjunta citada por el PIP y el PSP el pasado miércoles en el Colegio de Abogados.

"Los enemigos de la independencia esperaban que se desarrollara una lucha entre el PSP y el PIP y parte de sus planes consiste en sembrar cizaña para lograr dividirnos. Esto les facilitaría en gran medida la represión del pueblo independentista," advirtió Gallisá en la rueda de periodistas donde se anunció la celebración de una actividad unitaria en solidaridad con el pueblo de Vietnam.

El acto se llevará a cabo el sábado 27 de mayo a las ocho de la noche en la plaza de Río Piedras. El mismo consistirá de una presentación teatral, música de protesta, y un acto político donde participarán el presidente del Partido Independentista Puertorriqueño, Rubén Berríos y el Secretario General del PSP, Juan Mari Brás.

Florencio Merced, Secretario de la Zona de San Juan del PSP y miembro de la Comisión Política señaló que "las dos principales organizaciones independentistas del país unen sus esfuerzos para afirmar que el pueblo patriota puertorriqueño está en solidaridad militante con el pueblo vietnamita. Es sumamente significativo que es la primera vez que se hace un acto conjunto de solidaridad con ese pueblo en lucha y en protesta por la escalada de la guerra de agresión que está llevando a cabo el gobierno norteamericano. Posteriormente llevaremos a cabo otras actividades de esta misma índole."

Merced añadió que el Partido Socialista Puertorriqueño está haciendo gestiones para enviar una delegación de independentistas a París con el propósito de entrevistarse con el comité de negociaciones vietnamita para concretar cualquier otro tipo de acto solidario que se requiera. Estos trámites se llevarán a cabo durante el próximo verano.

En términos del apoyo que ha recibido el pueblo vietnamita por parte de otros partidos políticos en Puerto Rico, los líderes independentistas respondieron a la prensa que ninguno de ellos ha hecho declaración alguna de solidaridad y que contrario a esto han endosado la intervención de Estados Unidos. Específicamente se señaló la resolución de apoyo a la guerra aprobada en la legislatura por el Partido Popular, las declaraciones hechas por el ex-gobernador y hoy líder del Partido del Pueblo, Roberto Sánchez Vilella en la conferencia de gobernadores celebrada en las Islas Vírgenes y las repetidas manifestaciones del actual gobernador en favor de la guerra de agresión de Estados Unidos.

A pregunta de la prensa sobre las declaraciones hechas por Luis A. Ferré, Manny Casiano y Wallace González Oliver en relación a la detonación de varios artefactos explosivos en el Hotel Cerromar el sábado pasado mientras se celebraba el concurso Miss U.S.A. el vice-presidente del PIP, afirmó que "el intento de establecer relación entre el piquete auspiciado por el PSP y los artefactos explosivos es descarado. Todo parece indicar que este es el comienzo de una serie de acusaciones con el fin de salvar la cara del gobierno. Esta investigación ya está prejuiciada.

...O LIBRE ASOCIADO DE PUERTO RICO
POLICIA DE PUERTO RICO
OFICINA DE INTELIGENCIA

...UNDO / NEW YORK TIMES
...PARCIAL / SAN JUAN STAR
DIA / EL CARIBE ...D.

008405

"Dice Gallisá elecciones no impiden unidad."
Periódico *Claridad*, 28 de mayo de 1972.

Asamblea 9 de julio escogerá...

Militancia PIP propulsa ocho candidatos a puestos electivos

Noel Colón Martínez

Rubén Berríos

Carlos Gallisá

Jorge Morales Yordán

Luis Rivera Lacourt

Luis Angel Torres

Víctor Guillermo Fernández

Luis Rivera Pagán

LA HORA saldrá los viernes

¡Ahora LA HORA saldrá los viernes!

“Militancia PIP propulsa 8 candidatos a puestos electivos.”
Periódico *La Hora*, 5 de julio de 1972.

Asistencia récord en asamblea PIP

Por Vanessa Pascual
Redactora de CLARIDAD

SAN JUAN – Señalando que la presente será la década de la liberación nacional, Rubén Berríos clausuró la asamblea nacional del Partido Independentista Puertorriqueño (PIP) celebrada en el Estadio Municipal Hiram Bithorn el pasado domingo a la cual asistieron cerca de 30,000 mil personas.

Berríos, presidente del PIP quien fuera electo por dicha asamblea para la candidatura a senador por acumulacióm, afirmó que aún los enemigos de la independencia respetan a los integrantes de su partido porque son **"hombres y mujeres que no están sujetos a prebendas ni chanchullos, como sucede en los partidos coloniales".**

Indicó que hay tres factores que distinguen al PIP: su ideología clara, su imagen de respeto, y su organización científica. Agregó el líder independentista que utilizando estos instrumentos el PIP ha sentado las pautas que han llevado a que hoy en día nadie se atreva decir que defiende el capitalismo.

En la asamblea además de la elección de Berríos a la candidatura del partido a senador por acumulación fueron seleccionados para igual candidatura Luis Rivera Pagán y Luis Rivera Lacourt.

Noel Colón Martínez fue electo candidato a la gobernación y Jorge Morales Yordán a comisionado Residente.

Las tres candidaturas para representantes por acumulación fueron cubiertas por Carlos Gallizá, vice-presidente del partido, Luis Angel Torres, presidente de la Juventud Independentista Universitaria (JIU) y Víctor Guillermo Fernández.

La asamblea, que también conmemoraba el natalicio del que fuera líder máximo del PIP, Gilberto Concepción de Gracia, fue dedicada al movimiento obrero puertorriqueño y a los rescatadores de terrenos. A la misma asistieron varias delegaciones en representación de ambos sectores, entre las que se destacó la de los obreros en huelga del periódico El Mundo.

Los héroes nacionalistas Blanca Canales y Juan Jaca Hernández fueron invitados de honor al acto junto a Jacinto Rivera Pérez, presidente del Partido Nacionalista Puertorriqueño.

También fue invitada al acto una delegación del Partido Socialista Puertorriqueño (PSP) compuesta por los integrantes de su comisión política. Juan Mari Brás, Secretario General del PSP, se dirigió a los presentes que

Rubén Berríos

para la militancia del PSP constituía una satisfacción inmensa constatar el desarrollo extraordinario en cantidad y calidad alcanzado por el PIP. Calificó de **"la más gigantesca asamblea independentista de todos los tiempos"**, la que celebró el PIP el domingo. Añadió que más importante aún que el número de asistentes es la profundización de la nueva lucha que reflejara dicho acto.

Por otra parte felicitó al PIP a nombre del PSP, señalando que **"los triunfos del PIP, son triunfos de la patria, son los triunfos de la izquierda puertorriqueña y de todo el movimiento libertador y socialista en que está envuelta la humanidad entera."**

Explicó el líder socialista que a medida que la realidad de la lucha lo requiera, serán mayores las áreas de entendimiento común entre ambos partidos, hasta que se **"amase la unidad definitiva del pueblo puertorriqueño"**.

Por su parte Carlos Gallisá manifestó que el PIP logró cumplir con la consigna del libertador José Martí, esto es, **"hacer en cada momento lo que en cada momento es necesario hacer"**. Como ejemplo de esto mencionó la intervención del PIP en Culebra, en los rescates de terrenos, en las huelgas y en los centros estudiantiles. Apuntó hacia el hecho que en éstas y otras ocasiones se le había acusado de subvertir el orden. **"Claro que queremos subvertir el orden"**, afirmó Gallisá, **"un orden oprobioso de tiranía y explotación"**.

Durante la asamblea se aprobaron varias resoluciones referentes al programa y reglamento del partido; reafirmando el apoyo a los conflictos huelgarios y actividades sindicales en general; de solidaridad y apoyo al movimiento de rescatadores de terrenos y declarando nula la resolución de la Asamblea General de las Naciones Unidas de 1953, calificándola de engaño por parte de Estados Unidos. Al respecto se consignó que el Comité de los 24 incluya el caso colonial de Puerto Rico en su agenda. También se expresó reconocimiento a los países que como Cuba realizan gestiones relacionadas con el caso de la isla en la ONU.

En el acto también se dirigieron a los presentes Margarita Mergal, candidata a alcaldesa de San Juan y el presidente del Partido Nacionalista, Jacinto Rivera Pérez. Todos los candidatos electos hicieron breves intervenciones. En el acto también participaron los artistas Danny Rivera, Willy Padín y Carlos Bousquets.

Durante toda la asamblea reinó un gran entusiasmo por parte de los miles de delegados que acudieron de todos los rincones de la isla.

"La justicia se logrará con movilización de explotados"

SAN JUAN – Al aceptar la nominación del Partido Independentista Puertorriqueño (PIP) al cargo de gobernador, Noel Colón Martínez señaló que lo hacía guiado por el interés de colocarse "allí donde mis recursos y posibilidades adelanten ese proceso de reinvindicación de los derechos de Puerto Rico y sobre todo de sus masas trabajadoras y asalariadas." La nominación fue hecha en asamblea celebrada el pasado domingo en el Parque Hiram Bithorn de Hato Rey.

"Yo les prometo que hasta el silencio final le daré mi valor y sacrificio a la causa de la libertad política y la liberación económica de nuestro amado Puerto Rico", agregó Colón Martínez.

Apuntó el líder independentista hacia la importancia de ubicarnos en Puerto Rico, mientras se lleva a cabo el debate y la lucha que requiere lograr esas metas de libertad y de igualdad. Indicó que tenemos que ser flexibles en la táctica política e inflexibles en el objetivo final de crear una sociedad sin clases. Al respecto mencionó que la lucha no puede amarrarse al nacionalismo, ni al marxismo, ni a la teología sino estudiar cada uno y aplicarlo debidamente.

Añadió que cuando se dan las condiciones objetivas la teoría se **hace en la acción. "Tenemos que**

Noel Colón Martínez

acoplar y hermanar la teoría y una práctica revolucionaria dentro del examen de nuestras realidades y problemas puertorriqueños. Así es el programa del Partido Independentista Puertorriqueño," manifestó el candidato a gobernador.

Continuó diciendo que el control político de Puerto Rico por parte de Estados Unidos es un arma para el control y la explotación económica. Según Colón Martínez, la sustancia de la lucha en estos momentos se dirige a quebrarle el espinazo al capitalismo en este país. El impulso para esa lucha, de acuerdo a lo manifestado por el dirigente independentista, reside en la injusticia que padecen nuestras vastas mayorías.

"Esa justicia que se irá *produciendo cuando* se movilicen los grandes sectores explotados", afirmó Colón Martínez, "cuando su acción política sea concertada, cuando esa acción concertada a pesar del gobierno colonial y de sus leyes la acción del pueblo haga cada día más difícil la vida al explotador."

Por último exhortó a los allí presentes a votar por el PIP el día 7 de noviembre. "Pero al otro día", concluyó diciendo, "vamos a empezar a legislar en la calle porque es tarde, estamos en la Víspera del Pueblo".

Vedan entrada CLARIDAD a Fortaleza

Por Martín González
Redactor de CLARIDAD

SAN JUAN -- Dixie Bayó y Félix Ojeda, redactores de este bisemanario fueron impedidos de entrar a La Fortaleza el pasado viernes en la noche cuando se celebraba un encuentro con la prensa en la mansión ejecutiva.

Durante esa mañana la oficina de prensa del gobernador Luis A. Ferré indicó a CLARIDAD que no surgiría ningún incidente que entorpeciera la entrada a los dos redactores a cubrir el evento.

El teniente Berríos, oficial de la uniformada a cargo de los portones de la mansión del gobernador, le indicó a los redactores de CLARIDAD que no podían cubrir la actividad "por órdenes del comandante Sánchez".

Sánchez se desempeña como guardaespaldas del gobernador Ferré y su gloria en la policía se remonta a cuando actuó como "chota" para la uniformada mientras era un agente infiltrado en las filas de la Federación de Universitarios Pro Independencia (FUPI) a principios de la década pasada.

Sin embargo no es ésta la primera ocasión en que se le coarta la libertad a los periodistas de este bisemanario. En anteriores ocasiones la policía ha pretendido arrestar fotógrafos de este periódico mientras cubren noticias de interés general.

Recientemente un reportero de CLARIDAD fue agredido por el subsecretario del Departamento del Trabajo, Enrique E. Lespier, mientras cubría una noticia relacionada con la huelga de los trabajadores de la Autoridad Metropolitana de Autobuses

En otras ocasiones el cuerpo de la uniformada le niega entrada a los círculos noticiosos a los periodistas de CLARIDAD provocando situaciones de gran tensión entre las partes envueltas.

Por su parte el cuerpo de redacción de este bisemanario dará a la publicidad proximamente un comunicado a los medios noticiosos fijando la posición del colectivo ante estas violaciones a la libertad de prensa.

11 de julio de 1972 -- CLARIDAD 3

"Asistencia récord en asamblea PIP."
Periódico *Claridad*, 11 de julio de 1972.

DISCURSO PRONUNCIADO POR NOEL COLÓN MARTÍNEZ EN LA ASAMBLEA DEL PIP DEL 9 DE JULIO DE 1972, ACEPTANDO LA CANDIDATURA A LA GOBERNACIÓN PARA LAS ELECCIONES GENERALES DE ESE AÑO, PUBLICADO POR EL PERIÓDICO LA HORA DEL 14 DE JULIO DE 1972

Amigos y compañeros Puertorriqueños:

Acepto la nominación de nuestro Partido al cargo de Gobernador porque desde mi ingreso a este instrumento político de acción revolucionaria sólo he pensado en dónde puedo ser útil, qué trabajo requiere el Partido y la lucha independentista que yo haga, y qué puedo hacer de tal modo que adelante la causa de nuestra liberación política y económica. No me guiaré en el futuro, como no me guiara en el pasado otro interés que no sea el de colocarme allí donde mis recursos y posibilidades adelanten ese proceso de reivindicación de los derechos de Puerto Rico y sobre todo de sus masas trabajadoras. De modo que a nadie se le ocurra pensar que éste es momento de fiesta para mi espíritu, ni que recibo esta pesada responsabilidad como quien recibe un diploma de mérito. Ustedes me ofrecen una oportunidad de continuar trabajando, yo la acepto como tal y desde lo más profundo de mi espíritu y de mis convicciones les digo ahora: la Patria, la de ayer y la de hoy, nos pide en la voz de Pedro Albizu Campos, valor y sacrificio.

Discurso de Noel Colón Martínez a la Asamblea del PIP aceptando la nominación a la gobernación, 9 de julio de 1972.

Yo les prometo que hasta el silencio final le daré mi valor y mi sacrificio a la causa de la libertad política y la liberación económica de nuestro amado Puerto Rico.

En el debate y la lucha que requiere lograr esas metas de libertad y de igualdad tendremos siempre que afincarnos, ubicarnos y localizarnos en Puerto Rico. Tendremos que ser tan flexibles en la táctica política como inflexibles en la meta y el objetivo final de crear una sociedad sin clases, donde las contradicciones milenarias operen con mínima intensidad.

La flexibilidad táctica nos exige no imponernos camisas de fuerzas ideológicas ni convertirnos en doctrinarios que dialoguemos con la luna en largas noches de reflexiones inútiles. El estudio del nacionalismo es necesario para todo independentista, como lo es el conocimiento del análisis marxista y como lo es el del estudio de la influencia teológica en la conducta de las masas. Pero nuestra lucha no puede amarrarse ni al nacionalismo, ni al marxismo, ni a la teología. El Partido Independentista Puertorriqueño es un partido de acción y nosotros somos hombres de acción. Debemos serlo con el sentido trascendente que inspiró el Ché cuando nos decía:

> "... la única forma de impulsar las tareas es yendo adelante
> de las tareas, es mostrando con el ejemplo cómo se hacen,
> no diciendo desde atrás cómo se deben hacer".

"Discurso de Noel Colón..." (continuación)

Tenemos que eliminar la noción superficial de que la teoría tiene que preceder siempre y necesariamente la acción cuando estamos envueltos en un proceso racional y deliberado de forzar cambios en las estructuras tradicionales. Cuando se dan las condiciones objetivas la teoría se hace en la acción.

Ángela Davis, esa expresión altísima de la mujer norteamericana nos ha dicho:

"No considero que el análisis marxista de la sociedad sea la expresión final de una labor concluida. Yo lo utilizo más bien como un instrumento para llegar más lejos. El marxismo para mí no es una Biblia, pero es una dirección. A partir de allí, quedarán por forjarse teorías adaptadas a las condiciones históricas actuales..."

Las teorías y las prácticas de la lucha de liberación en Puerto Rico tienen que estar no como una mesa sobre el suelo puertorriqueño sino como un árbol de profundas raíces que se incorpore a nuestro barro y encuentre su sustancia en el sedimento de la fecundidad existente y por descubrirse. Tenemos que acoplar y hermanar una teoría y una práctica revolucionaria dentro del examen de nuestras realidades y problemas puertorriqueños.

Así es el Programa del Partido Independentista Puertorriqueño que habré de defender como la expresión máxima de nuestra organización.

Analicemos unos problemas muy brevemente: En Puerto Rico y en toda la teoría política liberal se tiende a establecer una diferencia marcada entre el control

"Discurso de Noel Colón..." (continuación)

colonial de los poderes políticos y el control colonial de los poderes económicos. La lucha por la edificación de una sociedad socialista nos va enseñando que en la colonia la dicotomía no existe y que el control político se ejerce para garantizar la explotación económica y para garantizar la estabilidad del sistema que mantiene esa explotación y que asegura ganancias excesivas, concentración de capital y monopolios. Ese control político garantiza además el mantenimiento y fomento de las clases oprimidas y productoras. De ahí que la presencia política de Estados Unidos en Puerto Rico no podemos verla como un hecho aislado de la seguridad y ventaja económica que para ellos presenta el uso y el abuso de Puerto Rico como centro comercial exclusivo de donde se derivan enormes ganancias.

Si Estados Unidos pudiera producir la fórmula que le permitiera conceder muchas libertades políticas a Puerto Rico sin que existiera a la vez el peligro de que desapareciera su privilegiada posición de explotador, ellos no tendrían reparos en allanar el camino para mayores libertades. De ahí que en este momento nos permitan elegir al Gobernador pero nos controlan la aduana, nos permiten hacer un Código Penal, pero nos mantienen las leyes de cabotaje; existe una Asamblea Legislativa coja, pero ellos mantienen todo el control sobre tratados comerciales y relaciones exteriores; nos permiten crear industrias, pero nos reglamentan el salario y nos condicionan el derecho a la huelga; nos permiten expedir pasaportes, pero tenemos que usar la moneda; nos dan alguna ayuda federal, pero sacan de Puerto Rico más

"Discurso de Noel Colón..." (continuación)

de $575,000,000 en ganancias de sus empresas y más de $800,000,000 como superávit en la balanza comercial anualmente; nos conceden un libre tránsito entre Puerto Rico y Estados Unidos, pero nos han llevado nuestros hijos a morir por la causa del expansionismo y de la agresión capitalista a casi todos los puntos del mundo; nos permiten crear bancos, pero ellos deciden el interés a cobrarse; estimulan el control de la natalidad y por otro lado nos llenan el país de cubanos y americanos leales a los principios del capitalismo.

Podríamos seguir haciendo señalamientos. Lo importante es reconocer que ese control político es un arma para el control y la explotación económica.

De ahí que la sustancia de nuestra lucha se dirija ahora a quebrarle el espinazo al capitalismo en Puerto Rico. Empezaremos por el capitalismo estrangulador de afuera, pero ninguna empresa económica que afecte socialmente a nuestra comunidad estará exenta de nuestra acción política si esa empresa está dedicada al mantenimiento y fomento de la explotación del hombre por el hombre.

Y es que nuestra lucha va dirigida a levantar al hombre, a las mayorías explotadas de su desvalimiento, a incorporarla a la verdadera igualdad, a levantar su cabeza y su espíritu. Hay un profundo humanismo en aquellas palabras de don Domingo Marrero Navarro, ese ilustre humanista y luchador independentista fenecido, cuando nos decía, mucho antes de nosotros emprender esta nueva jornada:

"Discurso de Noel Colón..." (continuación)

"El hombre es posibilidad pura. El hombre vale, no por lo que es sino por lo que puede llegar a ser. Vale no por el sentido de su propia justicia o de sus propios méritos. Vale pecador como es, no por su pecado, vale amarillo como es, no por su raza. Vale desamparado como está, no por su desamparo. Vale porque es en esencia posibilidad de ser. Vale porque es persona".

Pero las personas son explotadoras o explotadas y para que lleguen a ser hombres en el sentido de Don Domingo Marrero Navarro es necesario que nos ubiquemos en unas posiciones de lucha y nos definamos con claridad.

Aquí hay hombres y mujeres que queremos valer como hombres y mujeres. No podemos valer como hombres estando con los explotadores y con los explotados. No podemos soplar frío y caliente. No se puede ser independentista con trago de alcohol en la cabeza y ser a la vez avestruz en la vida diaria y colonialista en la caseta electoral. Tenemos que ser independentistas todo el tiempo; en la oficina, en la fábrica, en la finca, en la calle, sudando la revolución con los de abajo que serán los que enterrarán al imperialismo, el capitalismo y a los políticos de oficio que traicionan el destino de Puerto Rico todos los días por un presupuesto colonial.

Esos políticos blandengues e insensibles que le han permitido a Estados Unidos ese saqueo inmoral de nuestros recursos y que se contentan con estar redactando proyectos de pactos y pronunciamientos para afianzar en vez de resolver los problemas que el propio colonialismo externo e interno crea; a sabiendas de que

"Discurso de Noel Colón..." (continuación)

en Puerto Rico no pueden resolverse nuestros problemas más graves mientras la voluntad del pueblo no sea la fuente del poder político y el orden político esté subordinado a los derechos del hombre y donde se asegure la libre participación del ciudadano en las decisiones colectivas, como dice farisaicamente la constitución que rige esta colonia.

El impulso para nuestra lucha reside en la injusticia que padecen nuestras vastas mayorías. La fuerza de nuestra liberación la compondrán en su día, como ya han empezado a componerla, los trabajadores puertorriqueños que ven su dolor convertido en ganancias excesivas para el capitalista, los 300,000 desempleados y las familias indignadas de esos desempleados, las 650,000 que reciben la humillación de tener que vivir de la asistencia pública; el millón y medio de personas que en este momento están recibiendo asistencia médica de cuarta clase, sin medicinas, con personal mal entrenado, con carencia de equipo, dentro de un proceso y unos criterios que deshumanizan por igual al paciente y al que presta los malos servicios; a la fuerza de nuestra liberación se incorporarán también cuando cobren conciencia de su posición como clase explotada ese 90 por ciento de graduados pobres y ese 75 por ciento de graduados de clase media baja que no logra acceso a nuestras universidades; se unirán como ya están uniéndose, esas 250.000 personas con viviendas inadecuadas; se unirán a la lucha muchos más de esos 2,000,000 de puertorriqueños para quien el alto costo de la vida significa estrechez, desesperación

"Discurso de Noel Colón..." (continuación)

y amargura y para quienes el hambre y la mala nutrición es problema de todos los días; se unirá la gente de toda Guayanilla y Peñuelas y Cataño cuando se continúen viento víctimas de una contaminación producida por un progreso que no es de ellos, pero que les vicia y daña el aire que sí es de ellos; cuando los compañeros puertorriqueños de Yabucoa perciban que la pestilencia resulta ser la aportación más importante de la petroquímica instalada allí; cuando el asma y las enfermedades bronquiales saturen la comunidad de Barcelonesa y Florida; cuando el cáncer continúe su ascenso en Rincón; cuando todo esto sea divulgado y conocido la fuerza grande de nuestra liberación se producirá en el seno de nuestro propio pueblo, para proteger su propia salud porque entenderán que los capitalistas y los políticos no están al lado de la salud del pueblo sino al lado de sus ganancias y sus posiciones; esa fuerza grande que se liberará a sí misma porque estará constituida por el propio pueblo, le meterá mano con vigor a los problemas de la delincuencia y de la drogadicción que el propio sistema patrocina y fomenta con sus patrones de mantenimiento de pobreza, marginación y enajenación; entonces bregaremos con nuestra crisis agrícola y con la energía de nuestras determinaciones iremos reorientando nuestra riqueza agrícola hoy en crisis.

Movilizaremos al país para decir -Basta- a la entrada de tanto extranjero-innecesaria a veces, indeseable otras. Ejerceremos toda presión para hacer del médico un servidor de la salud y al abogado un jornalero de la justicia. Orientaremos

"Discurso de Noel Colón..." (continuación)

nuestra industria para que sea obra del trabajador y atienda sus necesidades. La industria hoy agudiza el problema del desempleo y no se orienta hacia la protección del derecho al trabajo de todo puertorriqueño. El sistema educativo debe servir de instrumento para eliminar las desigualdades entre los que se educan para explotar y los que no se educan y son explotados. Esa gran fuerza que será el pueblo explotado y perseguido creará un sistema judicial donde no prevalezca la represión y el abuso de las minorías y donde el policía sea un trabajador más de la comunidad, hermano de los otros trabajadores y no su opresor y no el abusador de los derechos de su hermano.

De la tradición puertorriqueña, de su cultura, de su ansia de solidaridad habremos de sacar los ingredientes para crear un sistema de verdadera democracia, de verdadero respeto al hombre, a sus libertades personales, a su derecho a participar y contribuir y que devuelva al puertorriqueño la dignidad tan lesionada durante el proceso colonial por la persecución, la coacción, el soborno, el miedo y la consecuente interiorización psicológica.

Se trata de un proyecto realizable. Sería irrealizable si no existiera la voluntad de lucha y no fuera noble y justa la aspiración. Sería irrealizable además si la actual sociedad fuera justa y garantizara igualdad de oportunidades y justicia. Será realizable porque las semillas de la revolución que producirá la sacudida y el cambio radical no lo sembramos nosotros sino que lo hacen los ricos con su avaricia y su

"Discurso de Noel Colón..." (continuación)

falta de conciencia; la semilla la siembra la minoría dominante de ricos con sus leyes que llenan las cárceles de pobres y explotados o cuando la tierra es acaparada por un grupo de especuladores o cuando el Senado y la Cámara se convierten en cuadriláteros o en asamblea de gritos, difamación y leyes contra pobres; la semilla del cambio revolucionario la siembran todos los días los poderosos para quienes las leyes no existen y los que casi nunca vienen a ser delincuentes; la semilla del cambio radical la siembra el control que ejerce el capitalista norteamericano sobre nuestro país, la jugosa ganancia que se lleva, los bajos salarios que paga, la poca contribución que hace al bienestar de nuestra comunidad. Ellos habrán sembrado vientos y ellos cosecharán la tempestad. La injusticia de los pocos producirá la justicia de los muchos.

Esa justicia se irá produciendo cuando se movilicen los grandes sectores explotados, cuando su acción política sea concertada, cuando esa acción concertada se dirija a redistribuir el ingreso y la riqueza que ellos fundamentalmente producen, cuando se produzca entre los sectores explotados el convencimiento de que la producción social debe tener como consecuencia natural el uso y disfrute colectivo de la ganancia, cuando la movilización de estos sectores paren la avaricia de los que interesan explotar nuestros recursos naturales, cuando el piquete masivo y la manifestación y la huelga y el boicot y la desobediencia civil empiecen, como ya han empezado a producir en Puerto Rico mejores salarios, mejores viviendas, la

"Discurso de Noel Colón..." (continuación)

expropiación de las fuentes básicas de producción, cuando el explotador extranjero que tiene la inversión se dé cuenta de que el apoyo de la clase gobernante ya no es suficiente protección para él porque el pueblo anda por la calle buscando su justicia y su salud y su verdadera participación en las riquezas de su país.

Cuando a pesar del gobierno colonial y de sus leyes la acción del pueblo haga cada día más difícil la vida al explotador y se le empiece a devolver a los nuestros lo suyo, lo que siempre ha debido corresponderle, entonces ya estaremos en los albores de profunda transformación que hemos llamado revolución, pero que se trata de cosa simple y sencilla como lo es la verdadera participación del pueblo en sus asuntos, su verdadera democracia, su justicia, su igualdad. Pero ya esas palabras no serán recipientes vacíos como ahora si no realidades vitales en la vida de todos los puertorriqueños.

Y todo eso lo vamos a hacer a pesar de y dentro del régimen colonial; usándolo para destruirlo, usándolo para que ningún colonialista lo use más. De ahí que una de las esperanzas de todo candidato a Gobernador por nuestro Partido sea llegar a serlo y que le quepa el honor de terminar este odioso sistema que todavía conserva esa posición colonial. Nada más honroso que llegar a ser Gobernador para barrer esa palabra del vocabulario político puertorriqueño.

Amigos, les pido apoyo, solidaridad y estímulo en esta lucha electoral que inicia hoy el Partido Independentista Puertorriqueño y que termina el 7 de

"Discurso de Noel Colón..." (continuación)

noviembre. Estoy seguro que tras tres años de lucha en la calle con los trabajadores, a quienes dedicamos esta Asamblea, nos hemos ganado el respeto y la adhesión de esas masas trabajadoras, de esa clase media oprimida y de esa juventud que enaltece a Puerto Rico con su dedicación, entusiasmo y patriotismo.

Cuando le pedimos en la campaña que voten por el Partido Independentista Puertorriqueño y cuando alguien le pida que voten por mí piensen que nuestro Partido es la palanca y el instrumento para propulsar y acelerar los cambios necesarios de que he hablado aquí. De modo que a fin de cuentas no voten por mí, voten por ustedes mismos, voten por su libertad política y económica. Nosotros somos Puerto Rico. Lo que hagamos por Puerto Rico lo hacemos por nosotros mismos. El Partido Independentista Puertorriqueño es el agente catalítico. El provocador y canalizador de las ideas de cambio radical, pero nuestro Partido sólo será grande si todos los puertorriqueños son sus constructores.

Amigos: El Partido Independentista Puertorriqueño es un Partido de base amplia donde un programa excelente de acción política nos permite a gente comprometida con la independencia, el socialismo y la verdadera democracia aunar esfuerzos para ir mejorando cada día un instrumento político que finalmente ponga a la clase trabajadora y asalariada a gobernar en Puerto Rico.

Vamos a votar el día 7 de noviembre, vamos a hacer una Cruz bajo la Cruz Blanca, evocando a Gilberto Concepción de Gracia. Pero al día siguiente vamos a empezar a legislar en la calle porque es tarde – estamos en la Víspera del Pueblo.

Gracias.

"Discurso de Noel Colón..." (continuación)

...y llegó el 9 de julio
PIP: Una Asamblea y un Candidato a Gobernador

"Pa'l Bithorn el 9 de Julio" decían los enormes letreros y los numeros pasquines que inundaban las vías públicas de Puerto Rico antes de ese domingo. La campaña de promoción de la asamblea del PIP había sido intensa y había abarcado también los distintos medios de comunicación en Puerto Rico.

Aquel domingo 9 de julio desde temprano en la mañana miles de independentistas de diferentes puntos de la isla comenzaron a converger temprano en el Stadium Hiram Bithorn en el mismo centro geográfico de la capital. Allí el Partido Independentista Puertorriqueño escogería sus candidatos a Gobernador, Comisionado Residente, Senadores y Representantes por acumulación. También daría oficialmente inicio a la campaña con vistas a las elecciones de noviembre de este año.

La asamblea se desarrolló tal y como se había anunciado. Además de las personas que fueron víctimas de mareos, normal en este tipo de reuniones multitudinarias, sólo se registró un herido durante la actividad. Fue un joven identificado como Javier González a quien le explotó en la cara un cohete que trataba de prender. El joven, que estaba en las inmediaciones del center field cuando ocurrió el accidente, fue llevado urgentemente por varias personas al Dispensario Médico ubicado en esa misma zona del parque donde se le prestó atención médica, y posteriormente trasladado en un ambulancia al Centro Médico de Río Piedras. Sangraba profusamente en la cara cerca de un ojo.

Ya a las once el parque estaba prácticamente lleno y poco después entro al Stadium la marcha obrero-estudiantil anunciada. Desfilaron obreros de la construcción, de Fuentes Fluviales, de varios pueblos y del periódico El Mundo. También los miembros de la JIU (Juventud Independentista Universitaria), los de la JIE (Juventud Independentista Estudiantil) y "rescatadores de terrenos" de varios puntos de la isla.

Después de la marcha dio comienzo al acto artístico que precedía la asamblea. Fue iniciado por Danny Rivera con "Yo quiero un pueblo que ríe y que cante", y participando durante el mismo pocos de los artistas presentes ya que se acortó esta parte de la actividad para que la misma no se extendiese demasiado.

Después de dedicarse la asamblea al "movimiento obrero puertorriqueño y a los rescatadores de terrenos", el Presidente del PIP, Rubén Berríos pidió un minuto de silencio a la memoria del fundador del partido, Dr. Gilberto Concepción de Gracia. La viuda del desaparecido líder dirigió unas breves palabras a los presentes señalando su alborozo por ver "más que nunca triunfar los ideales a los que él dedicó su

AVANCE informará detalladamente al pueblo puertorriqueño de las asambleas de los distintos partidos que asistirán a las elecciones de noviembre de este año. En este número inicial lo hacemos con la asamblea del Partido Independentista Puertorriqueño celebrada el domingo 9 de julio. En nuestra segunda edición lo haremos con la asamblea del Partido Unión Puertorriqueña señalada para celebrarse el domingo 16 de julio en el parque atlético de Maunabo, y así sucesivamente con las asambleas del Partido Nuevo Progresista (julio 23 en el Coliseo en Ponce), Partido Popular Democrático (julio 25 en el Stadium Hiram Bithorn), Partido del Pueblo (en agosto) y Partidò Auténtico Soberanista.

Jorge Morales Yordán, Candidato a Comisionado Residente. Abogado, Graduado de la Universidad George Washington, Catedrático de la Escuela de Administración Pública de la UPR, ex-Subsecretario de Estado de Puerto Rico. De estudiante militó en la Sociedad Independentista Universitaria, posteriormente estuvo en el Partido Popular Democrático y desde 1970 trabaja activamente con el PIP donde es miembro de la Comisión Ejecutiva del partido.

Luis Rivera Pagán, Candidato a Senador por acumulación. Profesor de Teología en el Seminario Evangélico de Río Piedras, Graduado de Teología de la Universidad de Yale y en Tubingen, Alemania. Dirige la Secretaría Nacional de Educación Política del PIP, es miembro de la Comisión Ejecutiva y fue uno de los 13 que juntó a Rubén Berríos sufrió cárcel por los sucesos de Culebra.

6 avance

"... y llegó el 9 de julio PIP: Una asamblea y un candidato a Gobernador." Revista *Avance* 13-19 de julio de 1972.

vida entera".

La presencia del Presidente del Partido Nacionalista de Puerto Rico, Jacinto Rivera Pérez —uno de los pocos asistentes a la asamblea que vestía de traje, cuello y corbata—, de la líder nacionalista que estuvo varios años presa, Blanca Canales, y del Secretario General del Partido Socialista Puertorriqueño, Juan Mari Bras, subrayaba las actuales relaciones del PIP con esas dos tendencias dentro del independentismo.

EL DISCURSO DE MARI BRAS

El Secretario General del Partido Socialista Puertorriqueño, Juan Mari Bras, recibió un gran aplauso de la multitud cuando afirmaba que la asamblea del PIP era "la más grande asamblea independentista de todos los tiempos de la historia". De algunos sectores del público surgían gritos de "unidad" mientras Mari Bras hacía estas afirmaciones. El líder del PSP (antes MPI) elogiaba el "crecimiento" del Partido Independentista "tanto en calidad como en cantidad" y subrayaba que la asamblea reflejaba "una profundización de la calidad de la lucha que es síntoma de los nuevos rumbos por donde camina el patriotismo puertorriqueño".

En la parte final de su discurso, Mari Bras deseó "grandes éxitos" al PIP, "que para bien de Puerto Rico merece vuestra lucha que es la nuestra", y se refirió a que cada vez serán mayores las áreas de trabajo y entendimiento común entre ambos partidos, el PIP y el PSP. "Los triunfos de ustedes son los triunfos de la patria" expresó el líder del PSP en un discurso que sorprendió a algunos por lo muy efusivo del tono.

Aprobado el informe del Comité de Resoluciones que presidía el profesor Milton Pabón, se entró en las nominaciones a cargos electivos. Primeramente fue electo por aclamación candidato a gobernador el licenciado Noel Colón Martínez, ex-Presidente del Colegio de Abogados de Puerto Rico y ex-miembro de la Junta Presidencial del PIP.

EL DISCURSO DE NOEL COLON MARTINEZ

Colón Martínez produjo el discurso más extenso de la asamblea. En el transcurso del mismo, que llevaba escrito con anticipación, adelantó los lineamientos generales de su campaña. Del discurso reproducimos algunos párrafos importantes:

*Acepto la nominación de nuestro partido al cargo de Gobernador porque desde mi ingreso a este instrumento político de acción revolucionaria sólo he pensado en dónde puedo ser útil, qué trabajo requiere el partido y la lucha independentista que yo haga, y qué puedo hacer de tal modo que adelante la causa de nuestra liberación política y económica. No me guiará en el futuro, como no me ha guiado en el pasado otro interés que no sea el de colocarme allí donde mis recursos y posibilidades adelanten ese proceso de reinvidicación de los derechos de Puerto Rico y sobre todo de sus masas trabajadoras y asalariadas.

Luis Rivera Lacourt, Candidato a Senador por acumulación. Abogado, Graduado de la Universidad de Puerto Rico. Participó en la fundación del PIP en 1946. Desde 1963 es el representante del partido ~~ante~~ la Junta Estatal de Elecciones. También es miembro —desde 1960— de la Comisión Ejecutiva del Partido Independentista.

Víctor Guillermo Fernández. Candidato a Representante por acumulación. Trabaja en la Autoridad de las Fuentes Fluviales desde hace 23 años. Presidió el Consejo Estatal de la Unión de Trabajadores de la Industria Eléctrica y Riego (UTIER) de 1964 a 1969. Es miembro de la Comisión Ejecutiva del PIP desde 1961.

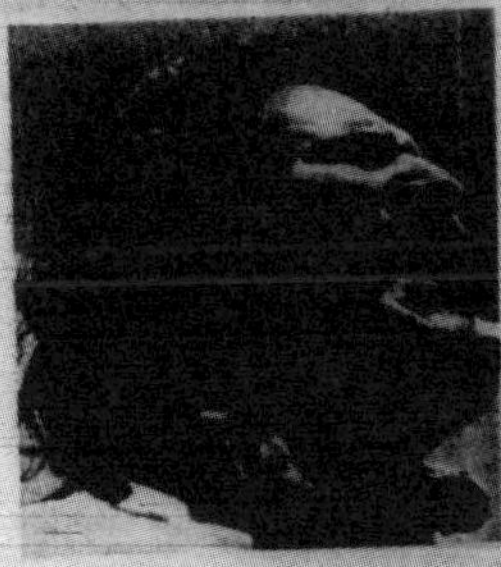

Luis Angel Torres, Candidato a Representante por acumulación. A los 23 años cursa el cuarto año en la Facultad de Ciencias Sociales de la Universidad de Puerto Rico. Preside la Juventud Independentista Universitaria (JIU).

avance 7

"... y llegó el ..." (continuación)

*La Flexibilidad táctica nos exige no imponernos camisas de fuerza ideológicas ni convertirnos en doctrinarios que dialoguemos con la luna en largas noches de reflexiones inútiles. El estudio del nacionalismo es necesario para todo independentista, como lo es el conocimiento del análisis marxista y como lo es el estudio de la influencia teológica en la conducta de las masas, pero nuestra lucha no puede amarrarse ni al nacionalismo, ni al marxismo, ni a la teología. El Partido Independentista Puertorriqueño es un partido de acción y nosotros somos hombres de acción.

*De ahí que la sustancia de nuestra lucha se dirija ahora a quebrarle el espinazo al capitalismo en Puerto Rico. Empezaremos por el capitalismo estrangulador de afuera, pero ninguna empresa económica que afecte socialmente a nuestra comunidad estará exenta de nuestra acción política si esa empresa está dedicada al mantenimiento y fomento de la explotación del hombre por el hombre.

OTROS CANDIDATOS

El Dr. Jorge Morales Yordán, Ex-Subsecretario de Estado de Puerto Rico y miembro de la Comisión Política del PIP, fue electo candidato a Comisionado Residente de Puerto Rico en Washington.

Para candidatos a senadores por acumulación fueron electos el Presidente del Partido, Rubén Berríos, el representante del PIP ante la Junta Estatal de Elecciones, Luis Rivera Lacourt y el profesor de teología Luis Rivera Pagán.

Para candidatos a representantes por acumulación los elegidos fueron el Vicepresidente del Partido, Carlos Gallisá, el Presidente de la Juventud Independentista Universitaria (JIU), Luis Angel Torres, y el líder obrero Víctor Guillermo Fernández.

La elección de todos estos candidados ya había sido anticipada días antes. Todos fueron electos por aclamación.

EL DISCURSO DE CARLOS GALLISA

El Vicepresidente del PIP tuvo a su cargo el penúltimo discurso de la asamblea. Dijo que con la concentración del Bithorn "hemos alcanzado una victoria parcial en la lucha por la República socialista", agregando a renglón seguido, "aún quedan muchas batallas para obtener el triunfo del socialismo en Puerto Rico y para llegar a la República socialista."

Gallisá resumió la actual filosofía de lucha del PIP en la frase del prócer cubano José Martí: "Hacer en cada momento lo que en cada momento es necesario hacer". "Por eso —dijo— hemos estado en Culebra, con los rescatadores de terrenos, en las huelgas, con los estudiantes".

Sobre la posibilidad de que el PIP tenga representación en la legislatura como consecuencia de las próximas elecciones, Gallisá señaló: "Sabemos que vamos a una legislatura colonial, pero desde la legislatura le enseñaremos a Puerto Rico que esa legislatura colonial no hace nada por el pueblo. Cuando estemos allí los alcahuetes del régimen no tendrán descanso. Seremos minoría en la legislatura pero mayoría en el pueblo."

EL DISCURSO DE RUBEN BERRIOS

A cargo del Presidente del Partido, Rubén Berríos, estuvo el discurso final de la asamblea del PIP del nueve de julio. Berríos pronosticó que la de 1970 será "la década de la liberación nacional de Puerto Rico." Enumeró lo que él considera los tres grandes logros del Partido Independentista en los últimos tres años: "Un Partido Revolucionario de masas, una organización científica y el respeto del pueblo de Puerto Rico, incluso de los enemigos del partido". Durante esta parte del discurso Berríos explicó que el PIP se había enfrentado con éxito al reto de radicalizar su ideología sin convertirse en "una pequeña secta" y tornándose en "un partido de masas".

Otra parte importante de su discurso fue en la que pronosticó que el PNP se convertirá en poco tiempo en "un partido autonomista estadolibrista, porque a los que crearon el Estado Libre Asociado no les conviene que éste desaparezca.

"El PIP ha convertido la palabra capitalista en una mala palabra en Puerto Rico y aquí nadie se atreve a decir que es capitalista" señaló Rubén Berríos en las postrimerías de sus palabras que pusieron fin a la asamblea del PIP a la que asistieron sobre 30,000 personas según los cálculos de la mayoría de los periodistas que cubrieron la actividad.

8 avance

"... y llegó el ..." (continuación)

El Candidato a Gobernador

El licenciado Noel Colón Martínez, recién electo candidato a Gobernador de Puerto Rico por el Partido Independentista Puertorriqueño, es natural de Moca, donde nació en el año 1927. Allí cursó sus grados primarios en la escuela pública elemental, y luego realizó estudios secundarios en el pueblo de Aguadilla. Obtuvo su Bachillerato en Artes en la Universidad de Puerto Rico en 1948 y en 1951 se graduó de Baciller en Leyes de la misma Universidad.

Durante el curso de sus estudios universitarios, el licenciado Colón Martínez fue premiado como mejor editorialista del año en el 1947, mientras dirigía el periódico "El Universitario", que él mismo fundó en el recinto riopiedrense. Esta fue la primera publicación de su tipo en la Universidad sin subsidio de la administración.

Su carrera profesional le llevó a ocupar el cargo de Juez de Distrito entre 1951-53. Actuó como Fiscal desde 1953 hasta el 1960 y al renunciar era Subdirector de la División de Investigaciones Criminales. Desde entonces se ha dedicado a la práctica privada de su profesión.

En el 1962, el licenciado Colón Martínez entró de lleno en el plano político, dentro del Partido Popular Democrático, ayudando en la organización del grupo llamado "Los 22", que trataron de "democratizar" el PPD, según explica él mismo, agregando que la intención era "institucionalizar ese partido y darle dirección ideológica". Integraban el grupo, entre otros, los señores José Arsenio Torres, Juan M. García Passalacqua, Enrique Laguerre, Miguel Velázquez Rivera, Enrique Bird y Aida Montilla.

"El grupo propulsaba que el PPD adoptara la asociación política con los Estados Unidos como la solución al status, pero que fuera una verdadera asociación política sin rezagos coloniales; en otras palabras, la total autonomía", explicó Colón Martínez.

Agregó que uno de los logros de aquel movimiento fue conseguir que el entonces gobernador Luis Muñoz Marín se retirara de la gobernación dando paso a Roberto Sánchez Vilella, y que se reconociera la necesidad de sustituir el viejo liderato del PPD por un liderato joven. La lucha posterior de Sánchez Vilella con el Senado Popular hizo imposible el logro del objetivo básico del grupo, manifestó Colón Martínez.

Para 1967 el abogado puertorriqueño fue uno de los organizadores del Congreso Antiplebiscitario. En 1968 hizo su ingreso en el Partido Independentista Puertorriqueño donde fue electo al siguiente año miembro de la Junta Presidencial.

Describiendo su plan de campaña para la consecución de la gobernación del país, el candidato a Gobernador por el PIP manifestó que la guía fundamental para la discusión de los problemas públicos de Puerto Rico lo será el programa político del PIP, que describió como "programa de largo alcance que tiene como base la defensa de la independencia, del socialismo y la democracia".

"Mi campaña estará dirigida a intensificar la discusión de los problemas básicos de Puerto Rico y su vinculación con la dominación política ejercida por los Estados Unidos y, sobre todo, por la explotación económica que divide el país entre un pequeño nucleo de ricos y una amplia base de pobreza", expresó.

Manifestó que esa labor de conscientización irá acompañada de unas ofertas específicas de solución a corto y largo plazo, pero sobre todo dominará la idea de que la solución de los problemas requiere cambios radicales y profundos en las estructuras creadas por las clases que ostentan el poder en estos momentos.

En opinión del nuevo candidato gubernatorial, el Partido Independentista Puertorriqueño tiene una verdadera oportunidad de hacer un balance de poder en el período 1972-76 porque, según él las tendencias que revelan encuestas de opinión recientes señalan hacia una merma en la fuerza electoral del Partido Nuevo Progresista, un fortalecimiento relativo del Partido Popular Democrático y un acrescentamiento claro de las fuerzas del PIP.

"Aunque todavía creo que el PNP puede ganar las elecciones", dice Colón Martínez, "La minoría independentista será la que trazará las pautas en el próximo cuatrienio, en preparación para una victoria electoral que debe producirse en 1976".

El nuevo aspirante a la gobernación de Puerto Rico es casado y padre de seis hijos. Reside en Río Piedras.

avance 9

"El Candidato a gobernador"
Revista *Avance*, 13-19 de julio de 1972

TRES MOMENTOS DE
LA ASAMBLEA DEL PIP

La escena se repitió varias veces durante la asamblea: Rubén Berríos y Carlos Gallisá con los puños en alto.

Cordialidad era la palabra de orden entre Rubén Berríos y Juan Mari Bras.

La masa, el líder y una sonrisa.

10 avance

"El Candidato..." (continuación)

10 de julio de 1972

ASAMBLEA GENERAL DEL P.I.P.
PARQUE HIRAM BITHORN

Durante la mañana del 9 de julio de 1972, se podían observar por las calles y carreteras de la isla un gran número de caravanas de automóviles que se dirigían al Estadio Municipal Hiram Bithorn en Hato Rey, Como se trataba de la Asamblea General del P.I.P., Motivó gran interés dentro de las filas de ese partido.

La asamblea dió comienzo a las 10:30 A.M., con una presentación de artistas puertorriqueños. A esa hora de la mañana, no se habían organizado las personas que allí asistieron.

El propósito de ésta Asamblea era, elegir las personas que ocuparían los puestos políticos de ese Partido.

Al frente del parque un grupo de jovenes vendían libros de autores independentistas y nacionalistas. Además hacían colectas para ayudar a Humberto Pagán.

A las 11:00 a.m., llegó al parque el presidente del P.I.P., Lic. Rubén Berrios Martínez. El Público se puso de pié y aplaudió al Sr. Berrios. Luego se dió comienzo al acto con la canción de la Borinqueña.

Luego el Sr. Rubén Berrios, se dirigió al público e hizo la presentación de las personas que tomarían parte en dicho acto. Luego hizo su entrada al parque el Secretario General del P.S.P., Juan Marí Bras, con un grupo de simpatizantes de dicho partido. Este se dirigió al público tan pronto hizo su entrada. Luego hizo uso de la palabra el presidente del Partido Nacionalista, Sr. Jacinto Rivera Pérez. Otras personas hicieron uso de la palabra, con mensajes de protesta en contra del Imperialismo Yankee.

Después de esto se guardó un minuto de silencio por las personas de ideales independentistas fallecidos y en especial por Gilberto Concepción de Gracia.

EXAMINADO
ANGEL MANUEL MARTIN
COMISIONADOS

Luego vino la nominación de los candidatos puestos políticos que quedaron como sigue:

008309

Candidato a Gogernador	Noel Colón Martinez
Can, a Com, Res. en Washington	Jorge Morales Yordán
Candidatos a Repesentantes	Carlos Gallizá
	Luis A. Torres
	Victor G. Fernández

Cont....

Memorando de la División de Inteligencia de la Policía de Puerto Rico sobre la Asamblea General del PIP, 10 de julio de 1972.

LA HORA – 14 DE JULIO – 9

LA HORA/Roamé Torres

Habla Noel Colón Martínez

"Los trabajadores se harán sentir"

Por César Andreu Iglesias
Director de LA HORA

Noel Colón Martínez, candidato del Partido Independentista Puertorriqueño para Gobernador de Puerto Rico, considera que el socialismo es "la vertebra" del programa del PIP que él difundirá en su campaña de aquí a las elecciones de noviembre. Asimismo considera Noel que, a través del PIP, "las mayorías trabajadoras, que son las más explotadas, se harán sentir en estas elecciones".

El prestigioso expresidente del Colegio de Abogados, ex-juez y destacado miembro de la dirección del PIP hizo estas declaraciones en una entrevista exclusiva para *LA HORA* al día siguiente de ser nominado candidato a Gobernador por la gigantesca asamblea del PIP que se celebró en el estadio Hiram Bithorn, el 9 de julio.

A continuación el texto íntegro de la entrevista con Noel Colón Martínez.

LA HORA: ¿Cuál es tu apreciación de las próximas elecciones?

COLON MARTINEZ: Las mayorías trabajadoras, que son las explotadas, se harán sentir en estas elecciones. Los de abajo pueden convertirse en balance de poder en 1972. El PIP, con su Representación en Cámara y Senado, será instrumento efectivo para denunciar las injusticias y para dramatizar la falta de poderes de nuestro pueblo, así como la entrega de los otros dos partidos a los grandes intereses económicos. Las próximas elecciones abrirán una nueva brecha en la lucha por la liberación económica y política al ubicarla en el parlamento para utilizarlo como frente revolucionario.

LA HORA: ¿Qué significación le ves a la participación del PIP?

COLON MARTINEZ: El PIP no es un partido político corriente. Es un instrumento de lucha de las mayorías oprimidas y su objetivo es poner a la clase trabajadora a gobernar. Su actual crecimiento demuestra que la lucha de independencia y de liberación económica está entrando en un proceso de masificación que es indudablemente preludio del cambio radical que queremos que ocurra en el país.

LA HORA: ¿Darás algún enfasis particular a tu campaña como candidato a Gobernador?

COLON MARTINEZ: Daré enfasis a los problemas derivados de la mala distribución del ingreso y la riqueza y de la explotación económica y política. Entre esos problemas preocupan a nuestro pueblo el desempleo, el alto costo de la vida, la salud pública, el problema de la vivienda, el acaparamiento y la especulación con la tierra, el desplazamiento de mano de obra nuestra por extranjeros, el control económico que ejerce Estados Unidos, la equivocada orientación del desarrollo económico, la crisis agrícola, el problema de las drogas, [illegible] policiaca contra trabajadores y estudiantes. Ciertamente discutiremos todos aquellos problemas que sean considerados por nuestro país como merecedores de debate público.

LA HORA: ¿Cómo crees que influirá el hecho de que por primera vez el PIP libra una campaña electoral con un programa socialista?

COLON MARTINEZ: Creo que la orientación socialista y democrática del programa influirá decisiva y positivamente porque moverá la esperanza y los recursos de la mayoría de nuestro país. El socialismo es la vertebra del programa de nuestro Partido; es lo que le da vigencia al mismo entre nuestra mayoría trabajadora.

LA HORA: ¿Cómo juzgas a tu propia profesión de abogado dentro de ese contexto general socialista?

COLON MARTINEZ: Creo firmemente que todos los profesionales que rendimos un servicio a la comunidad, nos debemos a la ciudadanía más que a nosotros mismos. Por eso creo en la socialización de la medicina, e igualmente creo en la socialización de la profesión legal.

LA HORA: ¿Por qué crees en la socialización de la profesión legal?

COLON MARTINEZ: Porque el derecho es parte fundamental de la superestructura de la sociedad. Ha sido creado especialmente para defender la [illegible] de la clase dominante y, claro está, para defender también sus opiniones y sus ideas. Esto no lo percibe al iniciarse en la profesión, pero a medida que va cobrando experiencia y, al mismo tiempo, se va educando políticamente, se da cuenta que una de las grandes armas de defensa del sistema es el derecho. Todo el sistema jurídico está orientado hacia el mantenimiento del status-quo. Basta pensar en el derecho penal. Al presidio van los pobres. Esa es la "justicia" de este sistema. Los ricos son exhonerados... De otro lado, en lo político, el derecho es un instrumento de persecución de las minorías. Existen, ciertamente, unos derechos ciudadanos, pero en términos prácticos no pasan de ser derechos nominales.... En fin, creo que debemos re-estructurar todo el sistema. El abogado debe jugar un papel menos relevante como persona. Como profesional debe jugar un papel enteramente social.

LA HORA: ¿Podrían los abogados hacer algo, desde el punto de vista social, aun bajo este sistema?

COLON MARTINEZ: Claro que podrían... No hay que sentarse a esperar a que se implanten esos cambios fundamentales. Ahora mismo los abogados podemos concentrarnos más en la defensa de los consumidores. El pueblo, y en particular las masas trabajadoras, está siendo contínuamente víctima de innumerables atropellos.

"Habla Noel Colón Martínez."
Periódico *La Hora*, 14 de julio de 1972.

El PPD traicionó al pueblo

"El PPD traicionó al pueblo"
Periódico *La Hora*, 14 de julio de 1972

Las lecciones de la Asamblea

La Asamblea del Bithorn del 9 de julio superó todos los cálculos. Hasta los estimados más conservadores fijan en no menos de 30 mil los asistentes. A nuestro juicio, y esto es un cálculo razonable, ese día hicieron acto de presencia en el Bithorn de 35 a 40 mil personas.

Pero no es sólo la cantidad lo que se destaca en esa Asamblea del Partido Independentista Puertorriqueño. Es cantidad sumada a la combatividad. Y en eso hay que hacer hincapié, porque no bastan ni la cantidad sóla ni la combatividad sola... ¡La ecuación de la victoria descansa sobre la fusión de cantidad y combatividad!

De la Asamblea del Bithorn podemos derivar una serie de lecciones. Ninguna de ellas es realmente nueva. Pero la experiencia del 9 de julio da a esas lecciones más honda veracidad.

El triunfo de la Asamblea comprueba que es correcta la política seguida por el PIP. La acción electoral y la lucha parlamentaria, tal y como han sido expuestas por el liderato del partido, han recibido el mayor apoyo del pueblo independentista. No es ésta una política sacada de la cabeza de nadie, sino una política que emana de las masas y que se lleva a la práctica con la participación activa de decenas de miles de militantes. A la corrección de esa política se debe, en primera instancia, el éxito de la Asamblea del Bithorn.

El triunfo de la Asamblea demostró que el contenido socialista de la nueva lucha de independencia no resta sino que suma pueblo. Esto podría, quizá, ponerse en duda antes, pero ya no cabe duda posible. Este es el siglo del socialismo y, como dijera el apóstol De Diego, Puerto Rico es parte de la bola del mundo. El independentismo ha dado al traste con el insularismo. Somos nacionalistas y por el hecho mismo de serlo, somos internacionalistas. La independencia no es un fin sino un medio indispensable para adquirir los atributos de soberanía que harán posible al pueblo puertorriqueño gobernarse a sí mismo y forjar su propia liberación.

La creación de un partido revolucionario no excluye la naturaleza de masas que debe tener ese mismo partido. Ciertamente, la conquista de la independencia en el mundo de hoy requiere un partido con espíritu revolucionario. Pero sería grave error contraponer ese objetivo justo al no menos justo de ganar las masas a la militancia o apoyo del partido. De nada vale lo uno sin lo otro. Porque si bien un partido de multitudes sin programa, ni ideología, ni ideales, no pasaría de un conjunto amorfo y sin vida, y por ello mismo ineficaz en la lucha de independencia, igual o peor, desde otro extremo, sería un partido de rasgos conspirativos, cerrado y sectario.

Después del programa correcto del partido de la independencia todo lo decide la organización. Hay que estar claros en cuanto a los objetivos que se persiguen, tanto a corto como a largo plazo. Pero nada se logra con esfuerzos individuales y dispersos. La organización es la madre del éxito. Puede decirse, y con razón, que más valen una docena de militantes trabajando coordinadamente que decenas de miles desparramados, hijos de la espontaneidad y la improvisación. En política, como en toda lucha popular, no hay sustituto para el trabajo planificado.

Para que la organización sea eficaz tiene que estar edificada sobre cuadros capacitados. El trabajo de organización es tarea diaria y constante. Se requiere, ciertamente, trabajo voluntario y parcial. Pero es indispensable contar con organizadores profesionales. Estos son los cuadros que mantienen en constante movimiento el aparato organizativo del partido. Se trata de una forma de especialización, pero hay que cuidarse de pretender usurpar los poderes y monopolizar el mando. Los cuadros trabajan al servicio de las masas y no al revés. Valen mientras más fundidos están a la base del partido y mientras menos se diferencian de los miembros y afiliados corrientes.

El liderato colectivo y el trabajo colectivo multiplican las fuerzas del partido. En cada hombre y en cada mujer hay una gran capacidad de dirección. La mayoría de las personas no desarrolla esa capacidad porque se la tronchan. En sustitución, se impone en esos individuos la tendencia a subordinarse ciegamente al líder. Pero no es uno, sino una multiplicidad de líderes lo que imprime las mayores dimensiones a la lucha de independencia.

La disciplina es parte indispensable de las acciones del partido. Toda movilización de masas requiere un ingrediente de disciplina. No ciega disciplina de ejército, ni férrea disciplina de partido impuesta desde arriba, sino la autodisciplina que produce la comprensión y la convicción propia.

La juventud, las mujeres y los trabajadores son los tres elementos que constituyen y engrandecen al Partido Independentista Puertorriqueño. Y es natural que sea así. Porque el Partido es un instrumento de cambio social y éstos forzosamente fluyen de las generaciones que advienen a la vida política. No se trata, claro está, de juventud como una categoría especial. Los pocos años, como los muchos años, por sí solos no conllevan nada. Es la actitud ante los poderes constituídos lo que cuenta. Por eso se trata de la juventud unida a las mujeres, que es un sector discriminado de la población, y unida a los trabajadores, que es el sector de la población más explotado y oprimido.

Esas son algunas de las lecciones que se derivan de la Asamblea del Bithorn. Con ese acto se cerraron las jornadas preparatorias de la campaña electoral. Han de iniciarse ahora las nuevas jornadas de la campaña, propiamente. No cabe duda que la Asamblea fue una inyección de entusiasmo para cada uno de sus participantes. Pero no hay que dormirse en las pajas. Por el contrario, el éxito logrado llama a redoblar esfuerzos para alcanzar éxitos aún mayores.

Y ese redoblar de esfuerzos tiene que hacerlo cada uno de los independentistas; desde el afiliado que hasta ahora se había mantenido más o menos alejado de la lucha diaria hasta los más dedicados militantes y líderes nacionales.

El papel de los líderes en el partido es de valor incalculable. No puede haber verdadero movimiento de masas sin líderes que encarnen en sus personas el sentir y la aspiración del pueblo. Por eso es preciso cuidar de los líderes, porque los líderes no se improvisan.

Los líderes del partido, tanto nacionales como locales, realizaron un trabajo encomiable en la organización de la Asamblea del Bithorn. Pero si algo prueba el éxito de esa Asamblea, es que los líderes solos no pueden nada. Es la participación de decenas, de centenas, y aun de miles de personas, lo que asegura la realización de las tareas, cada día mayores, que se impone el partido de la independencia. Si ello fue así con respecto a la organización de una Asamblea, ¡cuánto más se requiere para llevar con éxito la gran tarea de la campaña electoral!

Esa es, en fin de cuentas, la más significativa de las lecciones que podemos derivar de la Asamblea del Bithorn. Si a la calle se botan los que asistieron y dedican su mayor esfuerzo a llevar el mensaje del Partido Independentista Puertorriqueño a todos los rincones de nuestra tierra, y si de ahora al 7 de noviembre se habla con cada hermano y hermana en el amor patrio y se le reclama su voto, se llevará a cabo la más fructífera de las campañas electorales en bien de la lucha de independencia.

Ya se sabe cuáles son las tareas... ¡Cumpla cada uno con su deber!

LA HORA
Publicado todos los viernes por
EDITORIAL LA HORA, INC.
CESAR ANDREU IGLESIAS
Director
SAMUEL A. APONTE
Subdirector—Gerente
OLGA M. VELEZ
Administradora
JOSE BAUZA
Agente de Anuncios
CARLOS VILLAFAÑE
Agente de Distribución
Redacción y Administración:
Ave. Eduardo Conde, Núm. 2252
Villa Palmeras, Santurce
Puerto Rico — 00915
Dirección Postal:
Apartado 7446, Estación Barrio Obrero
Santurce, Puerto Rico, 00915
Teléfonos: 723-5580 - 723-5589

"Las lecciones de la asamblea." Editorial.
Periódico *La Hora*, 10 de julio de 1972.

LA HORA—28 DE JULIO—11

Hacia una verdadera democracia

Lo que sigue es el mensaje al pueblo que pronunció Rubén Berríos, Presidente del Partido Independentista Puertorriqueño, el jueves 27 de julio de 1972, a través de una cadena de radio y televisión.

*****

Queridos compatriotas,

El pasado 9 de julio nuestro Partido, el Partido Independentista Puertorriqueño, celebró su Asamblea General en el Parque Hiram Bithorn. Nuestra Asamblea fue la asamblea más grande en toda la historia de la lucha por la independencia. Aun nuestros enemigos políticos aceptan que habían más independentistas en la Asamblea del 9 de julio que el número de votos totales que obtuvo nuestro Partido en las elecciones de 1968.

La Asamblea demostró, primero, el crecimiento enorme del independentismo. Segundo, que nuestro Partido cuenta hoy con la organización más efectiva y militante de todos los partidos de Puerto Rico. Fueron los 86 comités de precinto, los más de 400 subcomités urbanos y rurales, las más de 200 células de trabajo, y las juventudes universitarias y de escuelas superiores, los que con su militancia y su esfuerzo demostraron cómo un partido de escasos recursos económicos, cuando está científicamente organizado, es capaz de competir aun con los partidos de los millonarios. Tercero, la Asamblea ha demostrado que nuestra prédica de Socialismo Democrático encuentra respaldo en la gran masa del pueblo puertorriqueño. El pueblo necesitaba saber para qué es la independencia y ahora lo sabe: es para construir una sociedad justa, libre y democrática, en donde se le ponga fin a la explotación de los muchos –los de abajo– por los pocos –los de arriba–.

La Asamblea fue, además, un ejemplo de orden y de civismo. No había policías en el estadio y no ocurrió un sólo incidente. Se palpaba en el ambiente el compañerismo, la cordialidad y el respeto que son marcas características de este partido. El pueblo puertorriqueño pudo observar allí el partido que por su limpia y honesta trayectoria se ha sabido ganar el respeto de todo el pueblo; el partido que siempre dice la verdad y que pone la acción en donde pone la palabra; el partido de hombres y mujeres que han probado que están dispuestos a afrontar todos los sacrificios necesarios en aras del bienestar de nuestro pueblo sufrido.

Pero la Asamblea sirvió, además, de inspiración y esperanza para todo un pueblo. El significado más importante de la Asamblea es que ahora el pueblo tiene una alternativa real ante los partidos de los ricos: ante el PNP y el Partido Popular. El pueblo no quiere estar ni con los malos ni con los peores. El pueblo necesitaba una alternativa y la Asamblea del PIP demostró que el Partido Independentista, el Partido de los de Abajo, es la alternativa.

Sin embargo, echando a un lado el verdadero significado de la Asamblea, ya descrito, los enemigos de la independencia se han dedicado a escribir y a hablar sobre tres retratos: uno de Marx, uno de Lenin y uno de Ho Chi Mihn, que aparecieron en la Asamblea del partido. Esto lo han hecho con toda la intención de asociar al Partido Independentista con el cuco del comunismo. Esta es la misma táctica que han usado contra el PIP antes de la Asamblea, y antes de los retratos. La que usó el Partido Popular contra el PIP y Don Gilberto Concepción de Gracia en el 1956. La que usaron los republicanos contra Muñoz Marín y el Partido Popular en las elecciones de 1940. Esta es la táctica del miedo, la táctica de los partidos que no tienen ideas y que se dedican a la triste misión de [illegible] los ricos.

El Partido Independentista Puertorriqueño colocó oficialmente en la tribuna de la Asamblea solamente tres retratos: los retratos de Don Ramón Emeterio Betances, Don Pedro Albizu Campos y Don Gilberto Concepción de Gracia. Pero los meta miedo y parte de la prensa del país, han ocultado deliberadamente este hecho. Lo que sucedió allí fue lo siguiente: en la Asamblea desfiló una gran cantidad de símbolos, retratos y cartelones. Entre ellos se encontraban tres retratos: uno de Marx, uno de Lenin y uno de Ho Chi Mihn, que fueron llevados por unas personas que desfilaron en la Asamblea.

Utilizando como pretexto el despliegue de estos retratos por esas personas, los enemigos de la independencia han pretendido crear una confusión en el pueblo con el propósito de identificar el PIP con el cuco del comunismo. ¿Qué es lo que se persigue con esta confusión? Con esta confusión se pretende borrar el impacto producido por el enorme crecimiento del PIP. Con esta confusión se quiere ocultar la verdad de que el PIP se ha convertido en la única esperanza ante los graves problemas que afectan nuestra patria. Con esta confusión se quiere proteger a los intereses de los ricos –los de arriba– que se sienten hoy amenazados por el despertar del pueblo puertorriqueño. Y con esta confusión pretenden de nuevo cogerle el voto prestado, como lo han hecho en tantas ocasiones, para engañarlos. Pretenden hacerle creer al pueblo que para que exista libertad individual tiene que existir el capitalismo, es decir, la esclavitud económica de unos hombres por otros, y que la libertad económica, es decir, el socialismo, es sólo posible en una dictadura. Esto, como veremos más adelante, es totalmente falso.

Compatriotas, frente a estos intentos de confusión y de meter miedo, el PIP comparece ante ustedes con la seriedad y honestidad que ha caracterizado nuestra lucha para decirles que repudien y rechacen a estos traficantes del miedo.

Los principios básicos que guían a este partido están contenidos en el Programa ratificado por la misma Asamblea del 9 de julio. El PIP no es un partido comunista. El PIP no es un Partido marxista-leninista. El PIP es un partido Socialista y Democrático. Y por ser un partido socialista y democrático repudia la falsa democracia de los ricos y cree en la verdadera democracia del pueblo.

No se dejen confundir por aquellos que han dedicado su vida a meter miedo para mantener sus posiciones de privilegio. Estos que hoy les meten miedo a ustedes, y que se proclaman todos los días como los defensores de la democracia, son los enemigos de la verdadera democracia. Vamos a aclarar esta noche ciertas ideas básicas para que nuestro pueblo pueda juzgar quiénes son los verdaderos defensores de la democracia y quiénes son sus enemigos.

En primer lugar, ¿Qué es la democracia? La democracia es el gobierno del pueblo. Sólo cuando el pueblo tiene el poder para gobernarse a sí mismo, sólo cuando el pueblo puede tomar las decisiones fundamentales que afectan su vida, es que ese pueblo es verdaderamente democrático. Democracia es el derecho a participar en todas las decisiones que afectan nuestra vida.

Para que exista la verdadera democracia tiene que existir, primero, la democracia política; segundo, la democracia económica; y, tercero, la libertad individual.

¿Existe en Puerto Rico la democracia política? No. No existe porque las leyes y decisiones básicas que controlan la vida de nuestro pueblo son impuestas por el Congreso de los Estados Unidos y sus agencias federales.

Determinan, mediante esas leyes, la vida misma del joven puertorriqueño, a través de la ley de servicio militar obligatorio que lo lleva a pelear en guerras extrañas. Determinan el costo de la vida de los puertorriqueños a través de leyes federales que controlan nuestro comercio, nuestra transportación y las aduanas. A través de las leyes de inmigración son ellos los que deciden quiénes entran a Puerto Rico, desplazando a los puertorriqueños de su trabajo y apropiándose de nuestra riqueza. Establecen con sus leyes, entre ellas la odiosa ley Taft-Hartley, la relación entre los obreros y los patronos. Tienen sus propias leyes para expropiar nuestra tierra y hoy controlan en nuestra Patria 290,000 cuerdas de terreno de las cuales 85,000 están dedicadas a bases militares. Controlan desde lo más grande hasta lo más pequeño en la vida nuestra y llegan hasta determinar el costo de enviar una carta de San Juan a Ponce a través del correo.

Esto es coloniaje, que no es otra que la negación de la democracia política.

En Puerto Rico sólo elegimos unos gobernantes para resolver problemas de poca importancia y nunca elegimos a la gente que en verdad nos gobierna.

Para corregir esta ausencia de democracia política el PIP sostiene en su Programa: "La Independencia es condición indispensable para que el pueblo puertorriqueño pueda tomar sus propias decisiones colectivas encaminadas al logro de su bienestar general . . . a través de la participación democrática".

En resumen, para que exista la democracia política es necesario que las decisiones políticas que afectan a nuestro pueblo las tomen los representantes de los puertorriqueños y no el Congreso de los Estados Unidos. En estas circunstancias no puede haber libertad política sin independencia. Por eso, el PNP y el Partido Popular, que mantienen este sistema, no creen en la democracia política.

Para que haya una verdadera democracia es necesario que exista, además de la democracia política ya discutida, la democracia económica.

Democracia económica quiere decir que los trabajadores participen en la dirección y administración de las empresas y reciban el fruto completo de su trabajo a través de una justa distribución de la riqueza que produce ese trabajo.

¿Existe en Puerto Rico la democracia económica? NO. Si no existe democracia política, como hemos visto, menos democracia económica existe en nuestra patria. Esto es así porque los pocos, los de arriba, los millonarios, los dueños del PNP y del Partido Popular, son los mismos dueños de las fábricas, de las grandes fincas, de los bancos, del gran comercio. Son ellos los que lo deciden todo y se llevan las ganancias que producen los trabajadores. Los trabajadores, que son la inmensa mayoría, solamente se limitan a recibir órdenes y a recibir bajos salarios. Sólo les queda la posibilidad, limitada por las trabas legales y por la represión del propio sistema, de organizarse en uniones obreras para obtener un poquito más de lo mucho que les roban los capitalistas.

Es decir, que para los de abajo, para los trabajadores, sean de c[illegible] de clase media, no hay ninguna democracia económica en Puerto Rico. Este sistema de opresión económica se llama el capitalismo.

Para corregir esta ausencia de democracia económica el PIP propone en su programa la eliminación del sistema capitalista y la construcción de un sistema socialista. El sistema socialista para Puerto Rico significa lo siguiente:

Primero, pasar a manos del pueblo las grandes fábricas, los monopolios, los bancos, las grandes extensiones de tierra, y el gran comercio. Segundo, significa que una vez pasen a manos del pueblo estos medios de producción, los trabajadores participarán en la dirección y administración de esas empresas. Esto permitirá la distribución entre los trabajadores de las ganancias que producen esas empresas.

Todo lo anterior demuestra que sólo en un sistema socialista puede existir la democracia económica. El PNP y el Partido Popular, al defender el capitalismo, son los enemigos de la democracia económica y el PIP al defender el socialismo es su único defensor en Puerto Rico. Debemos recordar que en el socialismo que propulsamos, contrario a lo que dicen nuestros enemigos, la pequeña propiedad, y la propiedad personal, por ejemplo, la casa, el carro, la pequeña finca, la pequeña industria y el pequeño comercio permanecerán en manos privadas.

Finalmente, para que exista la verdadera democracia tienen que existir unas libertades individuales, conocidas como derechos civiles, tales como: la libertad de palabra, de prensa, de asociación, y de religión; la igual protección de las leyes, el debido procedimiento de ley, los derechos de los acusados y el derecho al voto libre y secreto.

Pregúntense ustedes: ¿Existen de verdad en Puerto Rico las libertades individuales o los derechos civiles? Sólo existen a medias. Los derechos civiles son, la mayoría de las veces, letra muerta escrita en la constitución los cuales la inmensa mayoría de los pobres jamás pueden ejercer. La libertad de prensa sólo es la libertad de los dueños de los periódicos. La libertad de expresión se convierte para los pobres en el derecho para contarse las penas los unos a los otros, como decía Lloréns Torres. Solamente los ricos pueden pagar para expresarse cuando lo deseen por radio y televisión.

Esta noche dar este mensaje nos cuesta miles de dólares, los cuales se han tenido que recoger peseta a peseta en las calles de Puerto Rico.

En Puerto Rico hay una gran diferencia en el ejercicio de estos derechos entre los ricos y los pobres. Por ejemplo, aunque la constitución garantiza el derecho a fianza del acusado, ese derecho se convierte en letra muerta para los pobres porque no tienen los medios económicos para prestar la fianza. Hoy tenemos las cárceles llenas de pobres, privados de su libertad porque no tienen los medios económicos para prestar una fianza. Los ricos siempre ejercen ese de- [illegible]

"Hacia una verdadera democracia." Discurso de Rubén Berríos Martínez. Periódico *La Hora*, 28 de julio de 1972.

22–LA HORA–28 DE JULIO

Hacia una verdadera...

(Viene de la página 11)

recho.

También el derecho a la huelga garantizado por la Constitución se convierte, la mayoría de las veces, en letra muerta porque la fuerza policíaca al servicio de los capitalistas impide el libre ejercicio de ese derecho. Otras veces los capitalistas alquilan rompehuelgas para vencer por hambre a los obreros. Estos derechos civiles para los pobres son letra muerta porque derechos que no se ejercen no son derechos. Para los ricos sí existen estos derechos.

Aquí, aunque se habla mucho de que todos los hombres son iguales ante la ley, sabemos que esto es falso. Que los ricos por su control de los medios de información, su capacidad económica para contratar los mejores abogados, y sus poderosas influencias políticas, tienen un trato privilegiado ante la ley.

Más aún, la llamada Constitución de Puerto Rico, ni siquiera incluye en papel mucho de los derechos económicos y sociales del mundo moderno. Algunos de ellos se incorporaron originalmente en esa Constitución, pero el Congreso de Estados Unidos los eliminó, probándose una vez más nuestra condición de colonia.

Todo lo que hemos indicado demuestra que en Puerto Rico la mayor parte de la población, los pobres, los de abajo, no pueden ejercer los derechos civiles, y que sólo los ricos, los de arriba, son los que los disfrutan.

Para corregir esta ausencia de derechos individuales, el PIP en su Programa declara lo siguiente en la sección de derechos humanos:

"La nación democrática moderna tiene como uno de sus pilares principales un grupo de garantías básicas –llamadas derechos humanos o civiles– que protegen a todas las personas contra acciones arbitrarias o tiránicas del gobierno o de la mayoría. El claro entendimiento y el ejercicio vigoroso y continuado de esos derechos, junto a una equitativa distribución de la riqueza nacional y de todos los beneficios sociales constituyen las principales bases de la libertad humana.

"El Partido Independentista Puertorriqueño se compromete solemnemente a crear una república socialista y democrática que conserve, fortalezca y amplíe los derechos humanos y extienda su pleno disfrute a todos los ciudadanos."

Nuestro Programa contiene una larga y detallada enumeración de los derechos civiles que incluye todos los que hoy conocemos, más muchos otros de carácter económico y social originados en la Declaración de Derechos del Hombre de las Naciones Unidas –tales como el derecho al trabajo, a la educación, a la vivienda, a la salud, a la seguridad social y al ingreso familiar mínimo–. Complemento indispensable de estos derechos es el establecer un sistema de justicia independiente, imparcial y eficaz y concederle a los jueces el poder de que se anulen las leyes y los actos de los funcionarios públicos que sean contrarios a esos derechos.

Es, además, complemento de los derechos individuales, la existencia de partidos políticos, los cuales se garantizan en nuestro Programa. Se garantizan además, la celebración de elecciones libres, periódicas y secretas, en las que el pueblo pueda elegir a sus representantes.

Sólo será bajo la República Socialista y Democrática que todos los puertorriqueños en realidad conoceremos y ejerceremos a cabalidad los derechos humanos y, por tanto, la verdadera democracia.

En resumen, en Puerto Rico no existe la verdadera democracia porque no hay ni democracia política ni democracia económica y las libertades individuales sólo existen a medias.

Compatriotas, como ustedes podrán comprender, el programa de verdadera democracia que defiende el PIP, constituye una amenaza para los ricos, de los grandes bancos, de los grandes latifundios de terreno. Sin duda alguna somos una amenaza para los ricos puertorriqueños y para los ricos americanos que con sus compañías se lucran en Puerto Rico. Y por esa misma razón somos una garantía para nuestro pueblo. Los ricos norteamericanos en Puerto Rico, el gobierno de los Estados Unidos y los ricos puertorriqueños que son dueños del PNP y del Partido Popular, saben ésto. Y por esa razón le seguirán metiendo miedo al pueblo con el Partido Independentista.

Pero ya está pasando la época del miedo y el puertorriqueño está ganando todos los días más confianza en sí mismo. Si los de abajo, los trabajadores, pertenezcan a la clase media o a la clase pobre, son los que trabajan, ¿Por qué no han de disfrutar ellos de los frutos de su trabajo? ¿Por qué han be trabajar los pobres, los de abajo, para que disfruten los de arriba? Hace tiempo me hice la pregunta, ¿hasta cuándo le estarán creyendo los trabajadores de esta tierra a los partidos de los ricos? Y nuestra Asamblea del Parque Hiram Bithorn dio la contestación: no por mucho tiempo más.

Durante los próximos meses desarrollaremos una intensa campaña en todo Puerto Rico una campaña de un nuevo tipo. Una campaña cuya base fundamental consistirá en tocar al hogar de todos los puertorriqueños, en llevar personalmente el mensaje de esperanza. Seguiremos, además, con nuestra táctica de desenmascarar mediante la acción, los graves problemas que afectan a nuestro pueblo. Estaremos siempre dispuestos al diálogo con nuestros adversarios. En estos momentos, para que esta invitación al diálogo no se quede en meras palabras, quiero formalmente hacer la siguiente invitación al candidato a gobernador del PNP y al candidato a gobernador del Partido Popular. El Partido Independentista está dispuesto a costear cinco programas de televisión, el dinero para los cualés se está recogiendo este fin de semana en todas las calles de Puerto Rico, en donde puedan dialogar ante el pueblo nuestro candidato a gobernador, compañero Noel Colón Martínez, con el candidato a gobernador del PNP, el señor Luis A. Ferré y con el candidato a gobernador del Partido Popular, el señor Rafael Hernández Colón. Si cada uno de estos dos partidos a su vez está dispuesto a costear igual número de programas, el pueblo de Puerto Rico tendrá la oportunidad objetiva de tomar una decisión mucho más inteligente y más serena el día de las elecciones.

Anticipo, además, que nuestra campaña será la más militante que jamás se ha conocido en toda la historia de Puerto Rico. Para eso contamos con la juventud puertorriqueña y con una militancia de siempre, que ha dejado toda su vida en esta lucha.

Nuestro mensaje triunferá porque la verdad siempre se impone a la larga. Los puertorriqueños ya están cansados de que se les mande de afuera. Los puertorriqueños ya están cansados de arrodillarse frente a sus amos, ya sean éstos loa americanos, o los patronos en las fábricas, o en los bancos o en las fincas. Este es un pueblo en protesta. Un pueblo que sabe que los problemas de Puerto Rico se deben a la colonia y al capitalismo, que es lo que existe, y no a la república y al socialismo, que es su única esperanza. Un pueblo que se cansó ya de la explotación y que ha dicho basta ya.

Compatriotas, temer a la República y al Socialismo es temerse a uno mismo. No confíes en los mercaderes del miedo. Confía en ti mismo.

Compatriota, acompáñanos al futuro. Vamos a construir juntos la verdadera democracia en Puerto Rico.

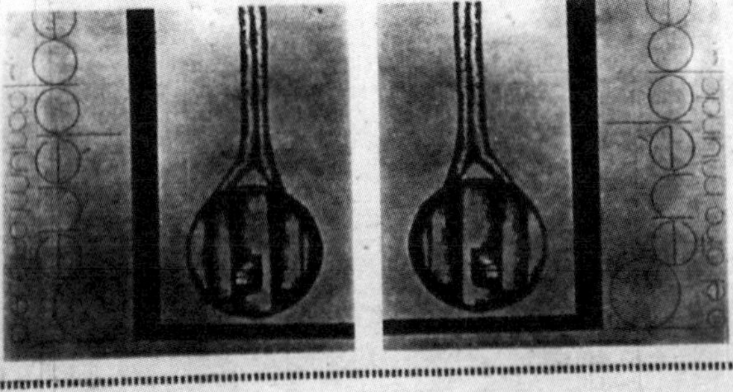

"Hacia una verdadera..." (continuación)

7078

Claridad 3 sept 72

Miles ovacionan a Mari Brás en acto PIP en Bayamón

Por Pablo Martínez Archilla
Redactor de CLARIDAD

BAYAMON – Rubén Berríos, Presidente del Partido Independentista Puertorriqueño, destacó públicamente las gestiones personales de Juan Mari Brás, Secretario General del Partido Socialista Puertorriqueño, ante la Organización de Naciones Unidas que culminaron con una declaración del Comité de Descolonización de la ONU en el sentido de que Puerto Rico es una colonia con derecho inalienable a la autodeterminación y a la

(Vea –ACTO P.I.P.– Pág. 11)

ACTO PIP EN BAYAMON

viene de la página 1

independencia.

Las declaraciones de Berríos se produjeron en un acto artístico auspiciado por el PIP en la cancha Pepín Cestero de este municipio. Al concluir las manifestaciones del Presidente del PIP una multitud estimada en tres mil personas ovacionó, puesta de pie, al Secretario General del PSP (MPI).

Manifestó Berríos que "la victoria de la ONU hubiera sido imposible si no llega a ser por la dedicación y el esfuerzo de un compañero que año tras año, desde 1959, viene batallando en el foro internacional, haciendo los contactos, las relaciones y la solidaridad necesaria para con nuestra lucha, sin lo cual hubiera sido imposible esta batalla. En el día de hoy el pueblo de Puerto Rico entero, particularmente los independentistas, tenemos una deuda de gratitud muy grande con el compañero Juan Mari Brás.

Inmediatamente después, Berríos reveló que "la idea de amagar con la izquierda y pegar con la derecha, que consistió en someter una resolución primero y otra que fue mucho más allá después, fue idea personal, dirigida y (las resoluciones) redactadas por el compañero Juan Mari Brás. Estas son cosas que no se dicen pero que el pueblo tiene que saberlas," concluyó el presidente del PIP.

Rubén Berríos se refería primero a las gestiones que, desde su fundación, viene realizando el anterior Movimiento Pro Independencia, hoy Partido Socialista Puertorriqueño en el importante foro internacional.

Luego el Presidente del PIP hizo alusión a las resoluciones presentadas por Cuba e Iraq ante el Comité de 24. Fue la resolución de Iraq, declarando a Puerto Rico colonia, la que resultó aprobada con doce votos a favor y ninguno en contra.

Por su parte el Secretario General del PSP (MPI) declaró que el triunfo en la ONU se debía al esfuerzo de millares de independentistas que militan en la nueva lucha.

Mari Brás manifestó: "Lo que sucedió en la ONU el martes no hubiera podido ocurrir si en Puerto Rico no se hubiese desarrollado una lucha del calibre de la que hoy llevan a cabo millares de independentistas de la nueva lucha en todos los rincones del país. No hubiera podido ocurrir si no hubiesen unas organizaciones y si el independentismo no hubiese trascendido la etapa de una mera expresión sentimental de patriotismo. No hubiese podido ocurrir si el independentismo no hubiese alcanzado la madurez que ya tiene para canalizar masivamente el esfuerzo conjunto de los seres humanos en organizaciones que multiplican el trabajo del hombre por la libertad"

008953

"Miles ovacionan a Mari Brás en acto PIP Bayamón."
Periódico *Claridad*, 3 de septiembre de 1972.

7008

ESTADO LIBRE ASOCIADO DE PUERTO RICO

POLICIA DE PUERTO RICO

OFICINA DE INTELIGENCIA

El Mundo
24-9-72

Realizan Actos Sin Incidentes

LARES— Hablando ante más de 5,000 personas, el secretario general del Partido Socialista Puertorriqueño abogó ayer por la unidad de todos los grupos independentistas de la Isla.

En particular, Juan Mari Bras invitó a los líderes y afiliados del Partido Independentista a volver a la mesa de negociaciones para lograr un frente unido independentista.

Las manifestaciones de Mari Bras fueron hechas durante los actos del 104 aniversario del Grito de Lares, en la Plaza de la Revolución de Lares, donde se congregaron, según estimados de la Policía, entre 5 y 6,000 personas.

A principios de este año, el PIP y el PSP habían sostenido una serie de reuniones destinadas a formar un frente unido para las elecciones de noviembre 7, pero las negociaciones resultaron infructuosas.

Ayer, Mari Bras indicó que las elecciones en sí habían sido el punto principal de desacuerdo.

Mari Bras dijo que al pasar las elecciones "habrá muchos años de lucha", por lo que invitó al PIP a volver a la mesa de negociaciones nuevamente para "llegar a la unidad de todos los grupos independentistas de Puerto Rico".

Las manifestaciones de Mari Bras, el último orador de las celebraciones, que comenzaron a las 10:30 de la mañana y terminaron poco después de las 3 de la tarde, fueron aclamadas por la multitud presente.

No se informaron incidentes durante los actos de ayer, que dieron comienzo con una misa, oficiada por Monseñor Antulio Parrilla Bonilla, en la Iglesia de Lares.

Después de la misa se

(Continúa en la Pág. 21-A)

Realizan Actos Sin...

De la Primera Pagina

presentó una obra dramática, por el grupo de teatro de Félix Monclova, seguida de una presentación de canciones de protesta con la participación de Roy Brown y Pepe y Flora.

Mientras se llevaban a cabo las presentaciones artísticas, un grupo estimado en alrededor de 500 personas se trasladó en peregrinación al cementerio municipal para colocar ofrendas florales en las tumbas de los caídos en la revolución de 1868 contra el gobierno español.

Entre los oradores del día se encontraban el presidente del Partido Nacionalista Puertorriqueño, Jacinto Rivera Pérez; el poeta José Enamorado Cuesta y el coordinador del Movimiento Obrero Unido, Pedro Grant.

En su discurso, Grant acusó al gobernador Ferré de ser uno de los "grandes explotadores" del obrero puertorriqueño.

En una clara referencia a Rosarito Ferré de Trigo y a su padre el gobernador Ferré, Grant dijo que la adhesión de "la hija" al movimiento independentista cobraba suma importancia ya que su padre "ha sido uno de los grandes explotadores, dedicado a robarle al trabajador puertorriqueño, haciéndose así millonario."

El presidente del Partido Independentista, Rubén Berríos, quien recibió la ovación más grande de la tarde, atacó al Partido Popular y al Partido Nuevo Progresista, tildando a sus líderes de "traficantes y embusteros."

Según Berríos, la estadidad propulsada por el PNP sólo le conviene a los grandes intereses de Estados Unidos y de Puerto Rico.

"La estadidad," dijo Berríos, "es una aberración de algunos que se arrastran en vez de andar de pie."

Berríos calificó al Estado Libre Asociado defendido por el Partido Popular como "un trampolín" dirigido por "una momia que ahora viene de Roma", aludiendo al ex gobernador Luis Muñoz Marín.

"Ya es hora," dijo Berríos, "de decidir si vamos a seguir de rodillas o [illegible] de pie."

ORK TIMES

JAN STAR

ARIBE ... D.

008906

"Realizan actos sin incidentes."
Periódico *El Mundo*, 24 de septiembre de 1972.

2–LA HORA–13 DE OCTUBRE DE 1972

Rubén Berrios desenmascara a Muñoz Marín

También PPD es presa de millonarios

Por Mario Caballero
Redactor de LA HORA

El Partido Popular Democrático es tan prisionero de los millonarios como el Partido Nuevo Progresista y por tanto Luis Muñoz Marín debe renunciar al PPD si va a ser fiel a sus más recientes declaraciones.

Opinó Rubén Berríos Martínez, Presidente del Partido Independentista Puertorriqueño y candidato a Senador por acumulación, al tiempo que ofrecía evidencia del control que sobre el PPD tienen los ricos de Puerto Rico.

Las declaraciones de Berríos las suscitó un declaración de Muñoz Marín durante una conferencia de prensa celebrada el martes10 de octubre en su residencia. Interrogado por *LA HORA* sobre si el PPD no representa a la misma clase que el PNP (los ricos), Muñoz dijo con gran dramatismo en la conferencia de prensa:

"Yo denunciaría al Partido Popular si legislara para beneficio de los ricos en Puerto Rico".

Según Berríos, "Si Muñoz es la pizarra y la tiza y los jíbaros del 40 los maestros, como dijo él en Plaza Las Américas, entonces Jorge Bird, Teodoro Moscoso, Rafael Picó, Harold Toppel, Rafael Carrión, Arturo Díaz y otros son los borradores". Las personas mencionadas por Berríos son miembros prominentes del PPD y se cuentan entre las más acaudaladas del país.

Muñoz Marín también se salió de la cola y saltó a Seven Up... pero siempre bajo la bandera americana.

Recalcó Berríos que a Muñoz no lo fue a recibir al aeropuerto su maestro del barrio Almirante Cruz de Vega Baja, sino "su discípulo Jorge Bird, millonario puertorriqueño".

Asimismo dijo Berríos que Rafael Hernández Colón, el candidato a Gobernador del PPD, "es dueño de un bufete de abogados que defiende a compañías de seguros y grandes corporaciones, no a los pobres." El director de campaña del PPD, Víctor Pons, fue abogado de las compañías mineras y es socio de un bufete multimillonario de San Juan.

Insistió el Presidente del PIP en que el gobierno del PPD favoreció a "los de arriba". Tanto, dijo, "que el pueblo optó por entregarle el gobierno a un multimillonario".

Puntualizó Berríos durante los 28 años de régimen popular se abrió la brecha de ingresos entre los de arriba y los de abajo; aumentó el número de viviendas inadecuadas; el desempleo se mantuvo en los mismos niveles catastróficos de siempre y se intentó amaestrar las uniones obreras.

De otra parte, sobre la hipótesis de Muñoz Marín de que debe devolverse al PPD al poder para que se preserve el ELA y se establezca un buen gobierno, Berríos dijo:

"Ya en Puerto Rico sabemos que han sido los populares y el ELA los responsables máximos de haber creado el Puerto Rico de hoy en donde más de 600,000 personas dependen del

mantengo, en donde 30 de cada 100 trabajadores no encuentran trabajo y en donde una tercera parte de nuestros hermanos ha tenido que exilarse a los arrabales de Nueva York."

Esto último sucede, según Berríos, "mientras Muñoz acoge con beneplácito a decenas de miles de extranjeros en Puerto Rico." Se refiere el líder pipiolo a que, en contestación a una pregunta, Muñoz Marín dijo que Puerto Rico podría seguir recibiendo extranjeros.

Interrogado sobre por qué contestaba las declaraciones que hizo Muñoz Marín en la conferencia de prensa, Berríos dijo que lo hacía porque es su deber como Presidente del PIP "orientar a nuestro pueblo sobre las opiniones de este pontífice de la confusión y del miedo".

Acto seguido añadió: "Y lo hago no sólo porque tengo el deber de orientar, sino también porque contesto a Muñoz como Presidente real del Partido Popular, ya que para todos los efectos prácticos de Muñoz se ha convertido en el presidente de ese partido y ha transformado al presidente de nombre Rafael Hernández García.

El líder pipiolo hace referencia al error cometido por Muñoz Marín durante su discurso en Plaza Las Américas cuando al referirse a Hernández Colón lo llamó Hernández García.

Conferencia de prensa de Muñoz

Politiquería, repetición y alcahuetería

Por Samuel A. Aponte
Subdirector de LA HORA

Politiquería, repetición y alcahuetería fueron los elementos sobresalientes de la primera conferencia de prensa de Luis Muñoz Marín después de cerca de dos años de ausencia de Puerto Rico. Y así lo reflejó la diversidad de asuntos que escogieron como principales los reporteros de los diarios.

COMENTARIO DE NOTICIAS

Cuando en una conferencia de prensa hay alguna noticia, cuando se dice algo nuevo y de importancia, los reportajes de todos los periódicos coinciden en lo fundamental, los titulares tocan el mismo tema. Ese no fue el caso con la conferencia de prensa de Muñoz Marín el 10 de octubre.

Ismael Fernández, miembro confeso del PNP y excelente reportero, destaca en *El Nuevo Día* que Muñoz Marín no será neutral en la campaña; que hará campaña pore PD.d'ccontestación de Muñoz Marín a una pregunta del compañero Hiram Torres, redactor y fotógrafo 9e este semanario, formulada ya terminada la conferencia de prensa en un aparte al que se acercó Fernández.

Efrén Rivera destacó en *El Imparcial* que Muñoz Marín dijo que hacía falta un cambio y que por tanto había que reinstalar al PPD en el poder. Frank Ramos destacó een el *San Juan Star* las declaraciones de Muñzo sobre la corrupción del gobierno del PNP. Ambas cosas surgieron de preguntas en la conferencia y ciertamente no son noticias.

El Mundo tuvo, sin duda el peor reportaje, de la pluma de Alba Raquel Cabrera, quien en un momento cayó en las redes que Muñoz Marín tendió –hacer un comentario en broma y al margen– para evitar contestar una pregunta difícil para él. Demostrando la mayor miopía, esta reportera destacó lo que Muñoz Marín anunció como cuestión oficial en la conferencia de prensa: la defensa del ELA es un issue en estas elecciones.

LA HORA/Hiram Torres

EL POR QUE DE LA CONFERENCIA

La conferencia se cita para darle seguimiento al impacto que causara la multitud congregada el domingo 8 de octubre en Plaza Las Amércias a escuchar el discurso de campaña de Muñoz Marín, y para mantener el ojo público sobre el caudillo del PPD. Lo último va dirigido a remediar la falta que le hace al PPD un líder destacable a Hernández Colón lo han tenido que soslayar en la campaña y Arrarás no da el grado.

Por ende, la solución es Muñoz Marín. Traerlo de Roma a un mes de las elecciones y utilizar su innegable carisma para atraer la atención del electorado y de la prensa. Como comentaba Ismael Fernández cuando salíamos todos de la conferencia de prensa: "Aquí no hubo nada, pero Muñoz siempre es noticia".

EL AMBIENTE EN LA CONFERENCIA

Las conferencias de prensa de Muñoz Marín, y esta no fue excepción, son muy divertidas si se toman los asuntos superficialmente. Pero cuando se mantiene en mente la problemática que sufre el pueblo de Puerto Rico, son desesperantes. Muñoz Marín recurre en cada ocasión a magníficamente articuladas naderías, salpicadas de un humorismo agudo que halla coro en un grupo de alcahuetes –algunos de ellos periodistas– que acuden a esas conferencias de prensa.

Hacía cuatro años que yo no acudía a una conferencia de prensa en la residencia de Muñoz Marín. La vez anterior fue al otro día de la derrota electoral de 1968 donde Muñoz Marín hizo enormes esfuerzos por hacernos creer que el PPD no había perdido, sino que Ferré había ganado La Fortaleza y la Cámara. Pero recordaba que en esas conferencias, si se quiere lograr que Muñoz Marín conteste alguna pregunta en términos específicos, hay que tener mucha paciencia y preguntar con mucha insistencia.

¿Qué comentario tiene al reto que le hiciera en carta pública Noel Colón Martínez, candidato del PIP a la

(Pasa a la página 8)

"También PPD es presa de millonarios."
Periódico *La Hora*, 13 de octubre de 1972.

LA HORA—13 DE OCTUBRE DE 1972—3

En Oficina de Transporte
Gerencia prolonga huelga y conflicto

Por Carlos Yamil Otero
Redactor de LA HORA

La gerencia de la Oficina de Transporte y su director Manuel Martínez Suárez en particular, mantienen una actitud intransigente y hostil a las demandas de los trabajadores de esa agencia gubernamental que pararon sus labores el pasado jueves 5 del corriente mes de octubre. Los trabajadores manifestaron que la misma actitud que tiene la gerencia para con ellos es guardada igualmente para sus asesores legales.

Miguel Angel Rivera, presidente de la Asociación de Empleados de la Oficina de Transporte, dijo a *LA HORA* que el director de la agencia, Martínez Suárez, se ha negado consistentemente a conversar con ellos para resolver el conflicto laboral. De hecho, dijo Rivera, el director de la Oficina de Transporte ha apostado a la policía frente a la entrada de la agencia con el objeto de no dejarnos entrar a establecer el diálogo. Manifestó que varias veces la policía ha impedido la entrada a trabajadores que intentaban entrar a la OT con el objeto de hablar con Martínez Suárez.

Por otro lado, los trabajadores dijeron que en la

Los obreros de la Oficina de Transporte pararon en sus labores el pasado jueves 5 de octubre demandando mejores salarios y condiciones de trabajo. El paro es el primero que ocurre en esa agencia gubernamental.

Oficina de Transporte existen una serie de irregularidades, tales como los dos automóviles que tiene el director de la agencia para su uso personal que son propiedad del gobierno. Igualmente señalaron que la familia de Martínez Suárez tiene un carro con chófer asignado por el director de la agencia.

Miguel Angel Rivera puntualizó en el hecho de que a los empleados no se les permite adquirir los vehículos confiscados que son subastados o vendidos por esa agencia en clara discriminación contra ellos. Los carros, dijo Rivera, se le subastan al Partido Nuevo Progresista; señalando a continuación que un gran número de los automóviles que tiene ese partido en la presente campaña electoral han salido de la Oficina de Transporte.

Los trabajadores de la Oficina de Transporte, afiliados a la Asociación de empleados de esa agencia, pararon sus labores el pasado jueves 5 de octubre demandando mejores salarios, condiciones de trabajo y el reconocimiento de la Asociación por parte de la gerencia. Este es el primer paro que ocurre en esa agencia gubernamental.

Rivera manifestó que como primer demanda se encuentra el aumento salarial. Igualmente exigen del director general de la OT el reconocimiento de la Asociación que fue certificada por el Departamento del Trabajo, mejores condiciones higiénicas en su trabajo y un plan médico.

Los obreros, en su mayoría mecánicos, hojalateros y trabajadores de almacén y mantenimiento del Taller de Operaciones de la Oficina de Transporte, demandan una jornada de trabajo de siete horas y media al igual que el resto del personal de esa agencia gubernamental.

Requieren además clasificaciones de empleo para los empleados que hace años tienen status probatorio en la OT; y que se reclasifiquen las plazas de empleo del resto de los obreros. El objetivo es, según expresó el presidente de la Asociación, detener la práctica de la gerencia que dá un nombramiento específico a los obreros y luego los pone a hacer labores ajenas a las plazas de empleo con el objetivo de pagar un salario menor del que corresponde a la plaza.

Los huelguistas declararon además que en la mañana del 6 de octubre un policía, a quien identificaron como el comandante Collazo los maltrató. Máximo Morales dijo a *LA HORA* lo siguiente:

"El Comandante vino mientras estábamos piqueteando, se bajó de un carro "brown" y empujó a Luis Muñoz, uno de los muchachos, el cual se cayó y luego lo echó para el lado". "El Comandante Collazo nos empujó a todos", añadió otro manifestante.

El Lcdo. Clemente Morales en representación de los huelguistas radicó una querella en el Tribunal Superior denunciando el incidente, según se informó.

Los de Noel Colón Martinez
Bienes serían para la República

Por Saúl Solís
Colaborador de LA HORA

"Si fuera electo Gobernador de Puerto Rico mis bienes personales estarían a la disposición de la República de la nueva sociedad puertorriqueña".

Así se pronunció Noel Colón Martínez, candidato del Partido Independentista Puertorriqueño a la gobernación, en comunicado de prensa motivado por las acusaciones que le lanzara Severo Colberg, candidato del Partido Popular a miembro por acumulación en la Cámara de Representantes.

En un mitin en Arecibo, Colberg retó a Noel Colón a que hiciera público un estado de situación económica y lo acusó de ser dueño de una cadena de supermercados. Sobre esto último, dijo Noel Colón en entrevista a *LA HORA*:

"Las acciones minoritarias que poseía en Supermercados Amigos las vendí mucho antes de adoptar la nominación de candidato del PIP a la gobernación. Y es más, quienes adquirieron mis acciones, que nunca pasaron del siete por ciento, son miembros destacados del PPD".

En el mitin Colberg hizo igual reto al Vicepresidente del PIP y candidato a

Carlos Gallisá

Noel Colón Martínez

Representante por acumulación, Carlos Gallisá, a quien también acusó de poseer grandes riquezas y terrenos.

Interrogado sobre el particular, Gallisá dijo que "nunca he poseído terrenos, ni acciones en fábricas o empresas de clase alguna". Agregó que "esta es otra acusación a las que nos tiene acostumbrados Severo Colberg".

Señaló Gallisá que "mi única propiedad es la casa que vivo, que tiene dos hipotecas, y la casa de mi abuela. Lo que sucede es que en ausencia de ideas y argumentos para el debate sobre los problemas de Puerto Rico, Severo Colberg recurre a los ataques personales viciosos".

Concluyó Gallisá observando que "da lástima el deterioro moral e intelectual que ha alcanzado una persona que una vez tuvo un talento que pudo haber utilizado para beneficio del pueblo de Puerto Rico".

En su comunicado de prensa, Noel Colón Martínez, acepta que no pertenece a la clase pobre y que tiene bienes materiales. Sin embargo, añade que se siente comprometido con los de abajo aunque su lucha conduzca a la pérdida de sus "privilegios" y de su "exceso de bienes".

A continuación el texto íntegro del comunicado de prensa del candidato del PIP a la gobernación de Puerto Rico:

"No soy pobre, no soy de los abajo. Pertenezco a una clase profesional que concede muchos privilegios. Económicamente estoy bien. Me sobran las cosas necesarias para vivir.

"Teniendo todo lo que tengo pienso en los cientos de miles de puertorriqueños que carecen del mínimo. Por eso, estando arriba me siento comprometido con los de abajo y sus aspiraciones aunque esto represente la pérdida de mis privilegios y de mi exceso de bienes. Otros, que no tienen nada y son de abajo, se convierten sin embargo en fotutos de los de arriba defendiendo y protegiendo a sus explotadores."

"Y no soy un resentido o un oportunista. Si fuera electo Gobernador de Puerto Rico mis bienes personales estarían a la disposición de la República y la a nueva sociedad puertorriqueña. Ese es mi compromiso de honor, ante mi pueblo".

"Mientras eso no ocurra mis bienes continuarán siendo instrumentos de la lucha independentista y socialista en el país."

"Bienes serían para la República."
Periódico *La Hora*, 13 de octubre de 1972.

12—LA HORA—10 DE NOVIEMBRE

LA HORA—10 DE NOVIEMBRE—13

PIP 1972: Una campaña nueva

Por César Andreu Iglesias
Director de LA HORA

Independencia, Socialismo y Democracia–Unico Camino

"PIP 1972: Una campaña nueva."
Periódico *La Hora*, 10 de noviembre de 1972.

LA HORA—10 DE NOVIEMBRE—23

Editorial

Los resultados de las elecciones

A nuestro juicio, y como periódico honesto y responsable no vacilamos en decirlo, el resultado de las elecciones, en lo que al Partido Independentista Puertorriqueño se refiere, no llenó nuestras expectativas. Se han reportado alrededor de 52 mil votos íntegros. Vale añadir que se informan entre 100 a 130 mil votos mixtos, buena parte de los cuales son para Noel, Carlos y Rubén. Se considera que es probable que se elija senador a Rubén. De ocurrir así, se habría logrado uno de los objetivos de campaña.

No pretendemos dar a nuestros lectores un análisis concluyente del resultado de las elecciones. Por lo pronto, sólo nos proponemos adelantar algunas obervaciones generales que contribuyan al más certero juicio. En general, la línea seguida por el PIP en la campaña fue correcta. El partido más que duplicó su votación en comparación con las elecciones anteriores, y en no pocos pueblos triplicó su electorado. El gran número de votos mixtos para sus tres principales candidatos es barómetro incuestionable de la creciente influencia de sus líderes.

Vale recordar que el PIP no abogó por votos mixtos. Al contrario, llamó expresamente contra esa práctica y abogó por voto completo al partido. Es evidente que muchos electores de otros partidos partieron su voto para manifestar su preferencia por los candidatos Noel, Carlos y Rubén, o por alguno de ellos. Consideramos igualmente evidente que muchos miles independentistas, electores que se consideran "del PIP", resolvieron a última hora dar su voto al Partido Popular . . . ¡Nuevamente nos encontramos con el fenómeno de los votos prestados!

¿Cómo fué posible esto? ¿Dónde se falló en llevar el mensaje a los independentistas de "cero votos prestados"?

No es el momento de responder, pero sí es el momento de plantearse la interrogante y buscar la respuesta.

Si algo resalta del resultado de estas elecciones, es que la mayoría del pueblo estaba resuelto a poner fin al gobierno de Ferré. Este propósito empañó cualesquiera otras consideraciones. Aun cuando no les satisfaciera del todo el PPD –y menos todavía en el caso de independentistas profesos–, frente a lo que el pueblo consideró el peor de los partidos (partido de las empresas Ferré, de los escándalos y de los atropellos al pueblo), prefirió al menos malo. De ahí que esa victoria del Partido Popular se parece, como la otra cara de la moneda, a la victoria del Partido Nuevo Progresista en 1968. Y así, en efecto, resultará.

También resulta claro que el PIP logró convencer a un número mayor de electores de la necesidad y la deseabilidad de dar el voto a la independencia y al socialismo, pero que no logró traducir en apoyo electoral, en votos, el respaldo y las simpatías que se le manifestaron en el último año.

De nuevo cabe preguntar: ¿por qué? ¿Fue insuficiente el esfuerzo? ¿Fueron desacertadas las consignas de campaña? ¿Se erró en las formas de transmisión del mensaje? Y de nuevo cabe señalar que no es el momento para dar las contestaciones; sí es el momento de escudriñar esas interrogantes.

El pueblo votó por el cambio porque le bastó cuatro años para saber lo que representa un gobierno encaberado por el millonario Luis A. Ferré. Lo hizo por impulso igual al que le llevó, cansado de 28 años de gobierno popular-democrático, a echar del poder colonial al partido de Muñoz Marín, heredado ahora por Rafael Hernández Colón. Pero además de ese simple móvil del cambio, esa mayoría del electorado cae en brazos del PPD ofuscada por la ilusión de posibles nuevos encauzamientos.

Sería simplismo pensar que por el hecho de haber recuperado el poder tenemos por delante 28 nuevos años de Partido Popular. De la época anterior a ésta, ha llovido mucho. Ni estamos en el Puerto Rico de entonces, ni nuestro pueblo es el de entonces, ni las condiciones internas y externas son las de entonces . . . ¡No pasará mucho tiempo sin que la desilusión más completa reine en las filas popular-democráticas!

Y ahí precisamente es donde entra en juego el destino del partido de la independencia y del socialismo. Constituye éste la verdadera oposición y es, y lo será cada vez en mayor grado, el partido que representa los intereses presentes y futuros de los trabajadores puertorriqueños. Aun cuando no se alcanzaren todas las metas, lo cierto es que a través de la campaña electoral el PIP llegó a todos los confines del país y se sentaron las bases del partido revolucionario de masas. Su mensaje de independencia y socialismo fue acogido con extraordinarias simpatías por el pueblo, especialmente los hombres y mujeres trabajadores y la juventud obrera y estudiantil. Toca ahora llevar a cabo una campaña de acción intensiva exigiendo soluciones prácticas e inmediatas a los graves problemas del pueblo: la vivienda, el desempleo, el tráfico de drogas, el alto costo de la vida, los servicios médico-hospitalarios, etc. Es la hora de obligar a Hernández Colón, y a los hombres que formen su gobierno, a que traduzcan en acción sus promesas. Digamos, a través de la lucha en la calle, al liberalismo y reformismo colonial: ¡Cero bembeteo! ¡El pueblo quiere acción!

El resultado será más de lo mismo . . . Al final de cuentas, el gobierno de Hernández Colón se desenmascarará igual que se desenmascaró el gobierno de Ferré.

Si a los recursos de esa oposición independentista y socialista –contamos con partido organizado, con prensa, con apoyo de sectores del movimiento obrero y con respaldo de trabajadores, mujeres, jóvenes obreros, estudiantes y solidaridad internacional–, se le suma una representación en la Legislatura (pero también, aunque no la tengamos), entonces se verán los fructíferos resultados de la lucha múltiple de independencia y socialismo en los más variados frentes . . . Como dijimos en nuestro editorial antes del 7 de noviembre: estamos recien comenzado, y la palabra de orden es: ¡lucha y trabajo!

El resultado de estas elecciones puede tener más de un significado. Para nosotros está claro y hasta podemos decir que muy poco ha sucedido. Ciertamente, no puede ser mucho lo que suceda en ésta o en cualquiera elección colonial. Pero para el pueblo estas elecciones han tenido una significación: Ferré, y todo lo que Ferré representa, ha sido repudiado. Desde ese punto de vista, incuestionablemente, el resultado de las elecciones constituye una derrota para el más extremado asimilismo, para la estadidad de los puertorriqueños renegados, de los americanos ciento por ciento, de la morralla que integran los Palerm, Viera Martínez, Efraín Santiago, y demás lumpen perfumado. Así lo entiende el pueblo. Y el pueblo cree que esa derrota de los vende-patria republicanos encabezados por Ferré, es un triunfo del puertorriqueñismo.

Sin ilusiones de ninguna clase, interpretando la realidad tal cual es, y ajustándonos a ella como cumple a políticos revolucionarios, debemos integrarnos más al pueblo. Independencia, Socialismo y Democracia es, y seguirá siendo, el único camino.

LA HORA
Publicado todos los viernes por
EDITORIAL LA HORA, INC.

CESAR ANDREU IGLESIAS
Director
SAMUEL A. APONTE
Subdirector—Gerente
OLGA M. VELEZ
Administradora
CARLOS VILLAFAÑE
Agente de Distribución

Redacción y Administración:
Ave. Eduardo Conde, Núm. 2252
Villa Palmeras, Santurce
Puerto Rico — 00915

Dirección Postal:
Apartado 7446, Estación Barrio Obrero
Santurce, Puerto Rico, 00915
Teléfonos: 723-6580 · 723-6589

"Los resultados de las elecciones." Editorial.
Periódico *La Hora*, 10 de noviembre de 1972.

¿Quienes votaron PIP?

Encuesta revela diversas razones

Por Luis Nieves Falcón
Colaborador de LA HORA

Le pedimos a 45 puertorriqueños que nos indicaran las razones que tuvieron para respaldar al P.I.P. en las elecciones que acaban de pasar. Entre los compañeros que nos dieron su opinión había jóvenes y viejos; hombres y mujeres; profesionales y obreros; militantes del P.I.P. de toda la vida y otros que recién habían ingresado al Partido. Este grupo de personas ofreció 124 razones para justificar su respaldo al P.I.P. La composición de sus respuestas nos revela sus espectativas y sus convicciones.

Nos informan que el nuevo juego de circunstancias históricas hace urgente la definición del mayor número de puertorriqueños y seguidamente proceden a señalar que no sólo es su derecho a votar por el P.I.P. sino que lo consideran una obligación de conciencia tanto de carácter cristiano como para con los padres de la Patria. Otros indican que les daría vergüenza ser otra cosa.

El grupo destaca que su lealtad primaria es "a mi patria y a mi gente" y visualizan al P.I.P. como el instrumento efectivo para forjar anhelos personales sobre ellos. Dichos anhelos se expresan en críticas agudas a la marginación social actual y a la subordinación de los valores humanos a los valores económicos.

Se recalca, además, la necesidad de iniciar el rescate del yo colectivo antes de que los daños sean irreversibles y se tronche el desarrollo espiritual de los puertorriqueños. A tales efectos se ve en el voto por el P.I.P. uno en contra de la asimilación y la anexión; uno que "nos libre de la opresión cultural y permita salvaguardar nuestra propia cultura, nuestra tradición e idiosincracia de pueblo y nuestra identidad nacional".

Los factores culturales [illegible] queden entrelazados con los políticos y los sociales. Entre los políticos el que más se destaca es la defensa de la independencia. Esta se exterioriza como algo que se lleva en el alma y el corazón y como el instrumento emancipador de nuestro pueblo.

La independencia es absolutamente necesaria porque el P.N.P. representa, el suicidio colectivo con su asimilismo mientras el P.P.D. es la pérdida de la patria o retazos con su colonialismo. Estiman que sólo la independencia hará posible la libre y plena manifestación de la nacionalidad puertorriqueña y la terminación de la opresión política. El P.I.P. es el instrumento más eficaz para alcanzar la liberación nacional por ser el partido que mejor puede mejorar y acrecentar en [illegible] pueblo la [illegible] concientización que conduzca a la suprema descolonización: la liberación total del pueblo.

Entre los factores sociales que más frecuentemente se mencionan para explicar los votos por el P.I.P. está el de la desigualdad social. Se menciona la falta de igualdad para todos bajo la pava y la palma, la mala distribución de la riqueza y la extrema pobreza.

En estos aspectos el P.I.P. surge como el partido que representa la justicia para el pueblo; el que aspira a la formación de un hombre libre de la opresión y la pobreza; el único que representa una alternativa esperanzadora para acabar con la desigualdad social; el que se ha identificado con los sectores más duramente castigados por el sistema en que vivimos; y, el que reúne lo que debe ser el ideal y los anhelos de todo ser que se considera amante de la [illegible] libertad, la justicia y la igualdad. Todo lo cual hace que se vea un voto por el P.I.P. como uno a favor del pueblo, para ayudar a subir a los de abajo.

El socialismo democrático es un factor decisivo entre estos puertorriqueños que respaldan al P.I.P. Ven al capitalismo como algo intensamente malo y al socialismo como la única alternativa para cambiar la sociedad actual a una sociedad más justa, más decente, más humana y más cristiana que significa, principalmente, la creación de un hombre nuevo. El P.I.P. señala caminos originales para crear una república democrática y socialista en la que el ser humano sea lo más importante y haya verdadera paz, progreso, dignidad y libertad.

En adición a los factores culturales, políticos y sociales los elementos inmediatos de la política actual también juegan un papel importante en la decisión de estas personas. Comienzan por indicar que aborrecen la mentira, la injusticia, la impotencia colectiva y la castración emocional del ser humano que permea hoy día.

Dentro de ese contexto ven al P.I.P. como la única fuerza que se enfrenta a la corriente actual de hacer moral lo inmoral; una fuerza contraria a la deshonestidad y desmoralización presentes en la vida pública del país; una fuerza fiscalizadora de confianza, sin compromisos de intereses creados; una tribuna revolucionaria y honrada como todo buen cristiano. El P.I.P. constituye no sólo la única alternativa de un buen gobierno sino el único partido capaz de detener el rápido deterioro moral en la administración pública y la inmoralidad gubernamental; es "el único que puede terminar con la pudrición actual".

Finalmente, hay otros factores que afectan la decisión de votar a favor del P.I.P.: la ampliada conciencia que ha evidenciado su liderato de los problemas del país y del papel que las clases no privilegiadas tienen en la solución de esos problemas; su liderato joven, vigoroso, sacrificado y dedicado; el respeto que demuestran; su actividad educativa continúa; y, porque hacen suyo el dolor de los de abajo.

Puede concluirse a base del análisis previo que la persona que selecciones al P.I.P. es, antes que nada, una persona de profundas preocupaciones sociales que sostiene la independencia y el socialismo. Es una persona que ve en su voto independentista la esperanza de darle al P.I.P. la oportunidad que él mismo no ha tenido en la vida; una esperanza cuya concreción ha de requerir gran amor y sacrificio.

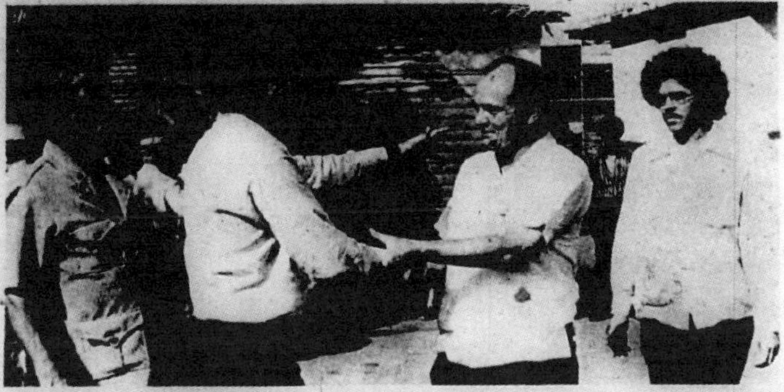

Gallisá y Noel se encuentran jubilosos en el patio de la Escuela Buena Vista de Santurce. Les acompañan Manuel Vázquez, del comité local, y Luis Torres de la Secretaría Nacional de Propaganda.

LA HORA/J. Antonio Torres

Se trabajó fuerte para proveer comidas a los funcionarios de colegio. En el comité de Ponce un compañero ejecuta su labor sobre nuestro delicioso pan.

"¿Quiénes votaron PIP?"
Periódico *La Hora*, 10 de noviembre de 1972.

Hubo sorpresas en las elecciones

LA HORA–10 DE NOVIEMBRE–5

"Hubo sorpresas en las elecciones." Artículo de Samuel Aponte.
Periódico *La Hora*, 10 de noviembre de 1972.

7608

ESTADO LIBRE ASOCIADO DE PUERTO RICO

POLICIA DE PUERTO RICO

OFICINA DE INTELIGENCIA

11-NOV-72

EL MUNDO ____ NEW YORK TIMES

PSP Admite Independentismo Experimentó Revés Electoral

Por Juan Cepero

El Partido Socialista Puertorriqueño (PSP), por voz de su Secretario General Juan Mari Bras, dijo que estaba consciente de que el independentismo, representado por "el fraterno Partido Independentista" había sufrido un revés electoral al no cumplir con las metas que se había propuesto en las pasadas elecciones.

Agregó que tenía la confianza de que el PIP "lograra transformar ese revés en victoria mediante un serio análisis autocrítico de sus posiciones".

Afirmó que el llamado a unidad que hicieron en Lares estaba en pie y que "nosotros (el PSP) estaba listo para reiniciar las conversaciones cuando ellos así lo quieran"

El licenciado Maris Bras arguyó sobre el triunfo del Partido Popular aduciendo que, "el liderato del PPD representado en el gobernador electo Rafael Hernández Colón, tiene la más formidable oportunidad y posibilidad de obtener la soberanía para Puerto Rico si logra que se transfieran la totalidad de poderes a la isla. Agregó que esto "en español se llama independencia pero que los colonialista le llaman soberanía".

Afirmó que Hernández Colón debe buscar el concenso nacional para liquidar la colonia y conseguir la soberanía. "El puede exigir la eliminación de la Ley Taft-Hartley, el Servicio Militar Obligatorio, el problema del alto costo de la vida, los bajos salarios, [illegible] adicción", afirmó, al mismo tiempo que, a preguntas de la prensa dijo, "al juzgar por la historia del PPD no es probable que lo haga".

Añadió también Mari Bras que su partido está dispuesto a colaborar con el gobierno si éste se da a la tarea de sacar a Puerto Rico de la colonia pero de lo contrario seguirá presionando a nivel nacional como internacional para que se le reconozca a Puerto Rico su derecho a la autodeterminación.

Dijo también que el gobierno del PPD va a enfrentarse al reto histórico del derecho a la libertad porque el resultado de las elecciones había sido un rechazo a la estadidad que es la asimilación

Anunció el secretario general del MPI-PSP junto a Florencio Merced, Pedro Baigés Chapell y el licenciado Fermín Arraiza los planes inmediatos de la colectividad así como el resultado de la autoevaluación de los primeros diez meses de haberse transformado el Movimiento en Partido.

Señalaron que: El Partido Socialista Puertorriqueño (Movimiento Pro Independencia) iniciará durante las próximas semanas una intensa campaña para su expansión masiva. La misma comenzará con la celebración de una marcha y concentración el próximo 26 de noviembre en San Juan. El acto será en solaridad con los presos políticos puertorriqueños, en celebración del primer aniversario de la fundación del Partido y para anunciar al país importantes proyectos en relación con la próxima fase de nuestra lucha.

En la última reunión del Comité Central de nuestro Partido hicimos una evaluación completa de los logros obtenidos durante los primeros diez meses del Año de la Organización del Partido. Nos habíamos trazado la meta para este año de duplicar en cantidad y calidad todas las bases organizativas de la colectividad. De la evaluación hecha, surgieron las siguientes conclusiones:

1) Se triplicó el número de organismos de base del Partido. 2) se triplicó el número de círculos de estudios, 3) se triplicó el número de militantes. 4) se cuadruplicó el número de afiliados, 5) se triplicó el número de aspirantes. 6) se duplicó la tirada semanal de Claridad, 7) se aumentó, y en varios casos se duplicó, el número de fábricas, comunidades [illegible] con los que se viene realizando trabajo (8) se aumentó considerablemente el número de seminarios, tertulias, foros y conferencias, 9) se pusieron a funcionar todas las secretarías a nivel nacional, 10) se multiplicó, en más de cuatro veces, el número de boletines y otras publicaciones del Partido, así como su tirada total.

"La evaluación, en cuanto al aspecto cualitativo, reveló que se ha mejorado mucho más allá de nuestras propias expectativas.

"El impacto que va teniendo el Partido Socialista entre las clase obrera se traduce en la multiplicidad de círculos de estudios y núcleos que tenemos organizados en fábricas, centros de trabajo y comunidades obreras".

008795

"PSP admite independentismo experimentó revés electoral."
Periódico *El Mundo*, 11 de noviembre de 1972.

LA HORA—17 DE NOVIEMBRE—3

Por Salvador Rodríguez Aponte

Surge conflicto de interés a Hernández Colón

Por Francisco Andino
Redactor de LA HORA

Un grave conflicto de intereses se vislumbra con el recién anunciado nombramiento de Salvador Rodríguez Aponte como principal ayudante de Rafael Hernández Colón cuando éste comience su gestión como nuevo Gobernador de Puerto Rico.

Rodríguez Aponte fué Superintendente de la Policía bajo la administración de Roberto Sánchez Vilella y antes había sido Vicepresidente Ejecutivo del Banco Gubernamental de Fomento. Tanto en una agencia como en la otra tuvo serias dificultades con el personal y se rumora que su renuncia de la Policía fué a causa de desavenencias con miembros prominentes de esa fuerza.

Luego de abandonar el servicio público pasó a formar parte de las empresas de Henry Gutiérrez, el financiero y constructor cubano que ha sido un prominente contribuyente a los fondos electorales del Partido Popular Democrático. Según un anuncio que publicó un líder del PNP en la reciente campaña eleccionaria, Gutiérrez contribuyó la suma de $20,000 para el PPD en la campaña de 1968, y se estima que su contribución a la de 1972 ha de haber sido cuantiosa.

Con el nombramiento de Salvador Rodríguez Aponte como Ayudante Ejecutivo del nuevo Gobernador de Puerto Rico, y habiendo éste desempeñado un puesto de Vicepresidente en las empresas de Henry Gutiérrez, se ha especulado que la firma cubana pueda tener acceso privilegiado a información que le sea beneficiosa en sus negocios. Esto podría ser de grave daño a las empresas puertorriqueñes que compiten con este cubano.

Se recordará que en fecha reciente la prensa comercial reveló que Henry Gutiérrez había sido el beneficiario de una venta de una agencia gubernamental que envolvía la propiedad conocida como Laguna Gardens. Según lo aparecido en la prensa, Gutiérrez adquirió un predio de terreno del gobierno a un precio que era más de medio millón de dólares menor al valor estimado en el mercado.

Durante la administración de Luis A. Ferré se levantaron acusaciones similares ya que su hijo Antonio Luis Ferré era el principal asesor del Gobernador en asuntos públicos, con acceso privilegiado a información que luego podía usar en sus empresas privadas.

Fuentes de entero crédito en las esferas gubernamentales comentaron que con Rodríguez Aponte se puede estar comenzando a repetir la misma situación que prevaleció durante la administración de Ferré.

En viviendas

Preferencia para policías

Por Manuel Camuñas
Redactor de LA HORA

Un plan para darle preferencia a los miembros de la Policía en el alquiler y compra de viviendas de la Corporación de Renovación Urbana y Vivienda fue concertado entre el Director Miguel Santiago Meléndez y el Superintendente de la Policía Luis Torres Massa.

A juicio de abogados que hemos consultado, el acuerdo era a todas luces ilegal, pero a pesar de ello fue comunicado a la fuerza policiaca por un memorando de fecha 18 de mayo suscrito por el propio Torres Massa.

El documento en cuestión llama a los miembros de la Policía para que presenten solicitudes de viviendas al Jefe del Negociado de Operaciones de Campo de la Policía. Este tramitaría las viviendas directamente con el jefe de la CRUV Santiago Meléndez.

La ley que creó la CRUV hace mandatorio que, para conceder en alquiler o venta una vivienda, ésta debe ser solicitada en persona por el ciudadano interesado. De haberse puesto en práctica el acuerdo concertado entre Santiago Meléndez y Torres Massa, ello hubiera significado una preferencia especial para los miembros de la Policía en perjuicio del resto de la ciudadanía.

"Es evidente", manifestó a *LA HORA* una fuente allegada a la Policía, "que miembros del gobierno de Ferré acariciaban planes para hacer de la Policía un instrumento al servicio del PNP. Entre esos planes se contaba la ampliación de los servicios de espionaje civil, con propósitos políticos. Para asegurar una mayor lealtad a esos ojetivos, pensaban darle primera opción a los policías en la distribución de viviendas públicas. Ya habían impuesto, como requisito para ascenso, el ser PNP, como lo es el Superintendente Torres Massa. Igualmente consideraban dar mayores privilegios y concesiones especiales a los oficiales."

Parece inofensiva la guagua Volkswagen. Pero no lo es. Es un instrumento de espionaje civil de la Policía. Desde ella fotógrafos de la uniformada toman fotos de huelgas, piquetes y manifestaciones. Cuando se tomó esta foto, la guagua estaba estacionada en un parking privado cerca de uno de los recintos de la Universidad Interamericana, cuyos trabajadores secretariales y de mantenimiento estaban en huelga. (Foto LA HORA por Helen T. Claro).

Dice Mari Bras

Elección de Rubén no es importante

Por Carlos Yamil Otero
Redactor de LA HORA

A juicio de Juan Mari Brás, Secretario General del Partido Socialista Puertorriqueño, la probable elección de Rubén Berríos para un escaño senatorial por el Partido Indepesdentista Puertorriqueño no es muy importante en la lucha de independencia de Puerto Rico. No obstante, Mari Bras señaló que un independentista podría hacer uso revolucionario de la tribuna parlamentaria y que su partido se alegraría mucho si el Presidente del PIP, Rubén Berríos, saliese electo.

Las anteriores manifestaciones las hizo Mari Bras en respuesta a preguntas de *LA HORA* en rueda de prensa auspiciada por el PSP en un restorán de la capital el pasado viernes 10 de este mes donde se aunció una campaña para expandir ese partido. Mari Bras anunció que esa campaña comenzará en el presente mes de noviembre con una marcha en solidaridad con los presos políticos y en celebración del primer aniversario de la fundación del PSP.

Asimismo, el Secretario General del Partido Socialista, dijo que en la última reunión del Comité Central de esa colectividad se evaluaron los logros alcanzados por la misma hasta el presente y que estos sobrepasaron las expectativas pesepeístas para el primer año del PSP.

A continuación Mari Brás señaló algunas de las metas alcanzadas, aduciendo que el aspecto cualitativo se había mejorado notablemente.

Por otro lado, dijo que su partido confiaba en que el Partido Independentista Puertorriqueño transformaría el revés electoral que sufrió en las recientes elecciones en una victoria mediante el análisis de sus posiciones. Señaló como una de las causas de la "menguada votación pipiola" el hecho de que los independentistas prestaron el voto.

Además expresó que su partido está en la disposición de dialogar con los dirigentes del PIP. Y que en las reuniones de áreas que el PSP celebró el domingo 13 del corriente, se sometería a los pesepeístas la inscripción de ese partido.

Hablando sobre la victoria electoral del Partido Popular Democrático, el Secretario General del PSP dijo que la primera medida que ese partido debe tomar es lograr el consenso nacional para buscar la soberanía de Puerto Rico.

Igualmente, señaló que si el PPD logra la eliminación de la ley Taft Harley, del SMO, del alto costo de la vida y los bajos salarios, los populares contarán con el apoyo del PSP. Lo mismo expresó en cuanto al problema de la vivienda, la adición a drogas narcóticas y otros males que sufre Puerto Rico.

Véa en página 23:

UN DEBATE FRUCTIFERO

DESPUES DE LAS FLORES, LAS VAINAS

"Dice Mari Brás elección de Rubén no es importante."
Periódico *La Hora*, 17 de noviembre de 1972.

V.
Palmarinas y la expulsión de Noel Colón Martínez

Entre noviembre de 1972 y septiembre de 1973, el PIP vivirá meses de intenso debate sobre el modelo de partido y cuán a la izquierda debe girar la ideología socialista democrática pipiola. El primer saldo de esa confrontación al interior de la colectividad será la expulsión de su candidato a gobernador, Noel Colón Martínez, luego de este último, criticar tanto la campaña como el liderato de Berríos.

Cronología

1972

24, 25 y 26 de noviembre- Se celebra en el hotel Palmarinas de Isabela un seminario para líderes del PIP a diferentes niveles y en el que se discutiría la actuación del Partido en las elecciones de ese año. Noel Colón Martínez llegó a Palmarinas, pero después de un intento de reunir solo a los líderes, Noel Colón no estuvo de acuerdo y se marchó del seminario. Esto produjo una avalancha de comentarios en los periódicos que tendría repercusiones más adelante para Colón Martínez.

26 de noviembre- En una marcha organizada para exigir la liberación de los presos políticos, el PSP anuncia que se inscribirá como partido para las elecciones de 1976.

27 de noviembre- Reacción de Rubén Berríos Martínez y Gilberto Concepción Suárez a la inscripción del PSP.

29 de noviembre- Noel Colón Martínez publica, en la revista *Avance,* la columna "La inscripción del PIP", donde hace una crítica a la dirección del Partido diciendo: "En el PIP en este momento todo está en *issue.* Descontando la hostilidad del medio circundante, el PIP no puede salir de nuevo a la lucha con serios problemas internos" (*Avance* #20).

Diciembre- Un incendio destruye instalaciones del periódico *Claridad*.

1973

11 de febrero- La Junta de Directores del PIP determinó expulsar de la colectividad al Lic. Noel Colón Martínez por actos de indisciplina. Esta expulsión fue el comienzo de una crisis dentro del Partido que, cuando las aguas llegaron a su nivel, dejaron un Partido profundamente dividido y con la renuncia de más de un centenar de sus afiliados, incluyendo dos de sus tres legisladores.

Testimonios

1. Carlos Gallisá
Con Rubén, contra Noel

José Sánchez Jorge: ¿La crisis [del PIP] se da directamente por las elecciones del '72 o las elecciones del '72 fueron solamente el agente catalítico? ¿Fueron la bujía que prendió la crisis?

Carlos Gallisá Bisbal: Ya había una llama de descontento con los estilos de Rubén. Yo era el parachoques...

JSJ: ¿El "shock absorber"?

CGB: Sí, y el único que Rubén oía de verdad. Y entonces eso estaba ahí, pero no se expresaba totalmente. Y cogió fuerzas después de las elecciones por el resultado. Hicimos lo de Noel... fue un disparate cuando botamos a Noel en Mayagüez...

JSJ: ¿Quién toma la decisión?

CGB: La Junta de Gobierno. Es que Noel, también, se mantuvo en todas las elecciones como separado del PIP; hizo unas elecciones de él. Entonces, cuando termina la cuestión electoral, vamos a hacer una evaluación de qué ha pasado, y Noel habló por su cuenta por allá, sin el organismo del Partido.

JSJ: ¿Ustedes no intentaron traer a Noel de nuevo al redil durante la campaña?

CGB: Yo era el contacto entre Noel y la campaña. Yo era un "amansaguapo"; tenía una buena relación con Noel. De hecho, Noel me daba el turno de él en [el programa] *Cara a Cara* y, entonces, yo coordinaba con Noel cosas y había un fondo que se le dio a Noel, que fue para su campaña y sus cosas... pues, pero eran dos carriles, ¿tú sabes?

JSJ: O sea, que había dos campañas, por decirlo así. ¿Ustedes todavía tenían la esperanza de quedar inscritos, por lo menos?

CGB: Sí, y quedamos inscritos.

JSJ: Pero no sacaron los votos que estaban esperando.

CGB: Sacamos el 20%, por lo menos, o el 15% de lo que esperábamos. Entonces, cuando botamos a Noel, se encendió aquello. Los que estaban a favor de botar a Noel en Mayagüez ya habían llegado a San Juan y ya estaban detrás de Noel, a favor de Noel... Norman Pietri y toda esa gente que habían fomentado eso. Y dos días más tarde, estaban en San Juan con Noel. Y ahí se forma un movimiento para tumbar a Rubén dirigido por Noel, Norman Pietri, César Andreu. Y ahí es que se coge ese movimiento. Entonces llegan ahí; César Andreu y Norman eran los dirigentes de eso. Noel, entonces, le da un ultimátum al PIP de que lo repongan o si no se cierra el periódico *La Hora*, que era el que dirigía César [Andreu]. Y ahí pues, se encendió más todavía. Entonces, cuando todo eso está ahí echando fuego, ahora mismo no recuerdo cómo se logra que nos fuéramos a Palmarinas. Palmarinas era un hotelito que había, de un independentista en Isabela. Allí llegamos la Comisión Política. Y ahí fueron Noel, César Andreu, Rubén, Raúl Serrano Geyls. Bueno, estábamos todos. Y vamos allí a hablar y a hacer lo que se tenía que hacer, de buscar los consensos... Y la noche antes, cuando estamos ya todos allí, Rubén me llama y me dice: "Mira, antes de la reunión de mañana, yo creo que David, tú, Noel y yo debemos hablar." Yo dije: "No, no. No tengo problema". "Pues mira a ver, qué tú vas a hacer con Noel." Yo voy donde Noel y le digo: "Mira, Noel. Esto es lo que hay. Rubén quiere que hablemos nosotros cuatro qué se yo qué, para proponer por lo menos algún tipo de propuesta que podamos-." Noel me dice: "No. Yo no voy a chanchullar aquí." Yo le digo: "No, yo tampoco. Lo que tú estás planteando, yo lo planteo también, de los estilos de la presidencia. Con eso no hay ningún problema, así que vas a tener el respaldo mío. Me dijo: "No, mira, Carlos es que ya yo sé lo que quiere Rubén..." Y no lo pude convencer y Noel se fue. Entonces, ahí empieza el rompimiento mío con Rubén porque yo tengo que, en esa reunión, asumir la posición que yo compartía con Noel y con algunos disidentes. Y ahí pues, Rubén me ve entonces ya como un adversario.

JSJ: Que en el caso suyo era un poco diferente porque Noel estaba fuera y los demás estaban fuera, pero usted es el vicepresidente.

CGB: Sí, seguro.

JSJ: Usted es el que está debajo de la persona.

CGB: Realmente no tenía problemas grandes. Sí le decía a Rubén que tenía que moderar su forma... de decir las cosas, a veces, en reuniones y de atacar, a veces, gente allá adentro. Y él me oía, me oía. O sea, yo no tenía problemas. Él sabía que yo no estaba en aras de buscar poder, ni nada, porque yo con él, con Rubén, tenía una comunicación abierta siempre. Pero ahí empezó la cosa también. Entonces, ¿qué pasa? El movimiento que querían hacer con Noel, no pudieron hacerlo. No tenía fuerzas.

JSJ: Ah, usted dice los que después se llamaban los terceristas, ¿no?

CGB: Exacto. Como Noel no estaba metido en las estructuras del Partido, pues, no tenía agarre en la base. Era una figura buena del independentismo, pero no tenía agarre.

JSJ: ¿Cuál era la posición de Rubén antes de la reunión? O sea, ¿cuál era la mentalidad de Rubén entrando a esa reunión?

CGB: ¿Lo que él quería? Él quería que nosotros cuatro lleváramos algún tipo de propuesta de unidad a la reunión. Que reflejara que había entendidos, más o menos. Yo creo que era correcto, si podíamos, nosotros cuatro que éramos los dirigentes de verdad, llegar allí y decir: "Pues, mire. En esto estamos de acuerdo y en esto no." Y minimizar nuestras diferencias o anotarlas y entonces, vamos a hablar de las diferencias. Pero, no. No había confianza ya entre Rubén y Noel, por lo que había pasado en el triunvirato.

2. Rubén Berríos Martínez
Batalla ideológica y expulsión de Noel Colón Martínez

Rubén Berríos Martínez: Pero esa campaña del 1972 es preludio a lo que pasó del '72 al '76. En el '76, es que viene el plebiscito. El plebiscito entre el PSP y el PIP. Sí, porque, ahora te digo yo, de la teoría a la práctica...

Néstor Duprey Salgado: Antes de eso, para que lleguemos ahí, que ahí es que culmina esta parte de la historia; de acuerdo a ti, a Rubén Berríos Martínez, ¿qué pasó después de las elecciones del '72? ¿Qué pasó? Ahora viéndolo a la distancia del tiempo... ¿qué fue lo que pasó?

RBM: Bueno, yo pienso que había alguna gente en el Partido que pensaba que el marxismo-leninismo dentro del PIP no tenía futuro si Rubén Berríos era presidente. Un grupo de gente que creía que nosotros nos teníamos que decantar con la Revolución Cubana y esa no era la línea mía. Pero, como no me podían sustituir como presidente, pues, optaron por tratar de reducir las funciones creando una Secretaría General tipo PC. La presidencia sería, entonces, protocolaria. Además, pienso, por supuesto, que habría algunos que pensaban, por las más diversas razones, que yo no debía presidir el Partido.

NDS: Vamos a diluir el poder.

RBM: Sí.

NDS: Pero lo curioso de esto, cuando uno lo ve a la distancia del tiempo, es que son gente que entran al PIP contigo...

RBM: Algunos. Especialmente de la juventud. Sí, señor.

NDS: Y un grupo de profesores universitarios.

RBM: Así es.

NDS: Además de lo ideológico, ¿qué pasó?

RBM: Bueno, mucha gente tiene distintas teorías... Yo no sé...

NDS: ¿Cómo lo ves tú a la distancia del tiempo?

RBM: Pues, yo no tengo prueba alguna, pero posiblemente... En aquel momento, hubo un operativo de los enemigos de la independencia y sería tonto pensar que no hubo un operativo para tratar de mancar el movimiento independentista en aquel momento y ponernos a pelear a todos. Me imagino.

NDS: Y fue una operación dura. Porque incluye lo personal. O sea, se rompieron amistades. Se destruyeron familias.

RBM: Así mismo, sí. Se mandaron magacines sucios...

Pablo Ortiz Ramos: Cartas anónimas.

NDS: Cartas anónimas. Fue un operativo muy duro.

RBM: Sí, sí. Yo no tengo la menor duda que existió. ¿Cuándo es CIA, FBI? ¿Cuándo la inteligencia de aquí? No sé, pero todo indica que existió.

NDS: Pero hubo un componente ideológico también.

RBM: Sí. En mi opinión el componente ideológico fue fundamental.

NDS: Eso da paso a la salida de dos figuras en aquel momento importantes como son Noel Colón y Carlos Gallisá del PIP.

RBM: Así es.

NDS: ¿Qué significó eso para ti, para Rubén Berríos, la persona?

RBM: Fue duro, particularmente porque estimaba mucho a Carlos. Más aún, los escaños de la Cámara, eran escaños por adición y eran escaños que pertenecían al Partido. En lo de Noel, al principio, Carlos y yo estuvimos juntos.

3. Luis Ángel Torres
Desilusión electoral y expulsión de Noel Colón Martínez

Entrevistador: ¿Cuál fue el resultado [de las elecciones de 1972]?

Luis Ángel Torres: El resultado en términos electorales fue agridulce, cuando recibimos los resultados nosotros celebramos, la Juventud. Nosotros nos habíamos citado en una casa bien amplia en Trujillo Alto. Allí hicimos una reunión, analizamos los resultados, vimos que el PIP había obtenido 69 mil votos, que un partido que había obtenido 23,900 en las elecciones anteriores, haya obtenido 69 mil o sea que había triplicado su votación, para nosotros fue exitoso. Más todos los elementos del apoyo y de los éxitos de la campaña. Sin embargo, en otro lugar el liderato nacional del PIP no estaba celebrando; estaban descontentos, estaban molestos porque no se habían logrado los 200 mil votos que ellos alegaban que se iban a lograr. Dentro del Partido, nosotros habíamos discutido y sabíamos que era imposible que un partido de 24 mil subiera a 200 mil, pero ellos estaban ilusionados con eso.

Y no conforme con que... se desilusionaron, comenzaron a buscar culpables de lo que ellos llamaron la debacle electoral del PIP. Citaron a una reunión, nosotros fuimos, les planteamos que fueran al sitio donde estábamos reunidos, allí nosotros teníamos trescientos y pico de estudiantes de escuela superior y de universidad que estábamos celebrando y Rubén fue, a regañadientes, porque inicialmente no quería ir pero fue, y cuando fue allí tuvo que aceptar que sí que había habido unos éxitos en la campaña y que lo que había que evaluar era ¿por qué era que no se había logrado la cantidad que ellos esperaban? Y que todos los partidos tienen que evaluar correctamente los procesos en los cuales participan y llega a ese compromiso con nosotros. Incluso sale de allí contento de la actitud en que estábamos los jóvenes sobre el resultado de la campaña. Pero posteriormente eso comienza a cambiar y la actitud entonces es de echarle la culpa al socialismo y a la juventud, como portadora principal del socialismo, de los exiguos resultados que ellos alegaban que habíamos obtenido.

Inicia entonces un proceso de evaluación interna dentro del Partido que, entre otras notas, además de tratar de buscar culpables o responsables de la debacle electoral, comienza a plantearse que había que tomar medidas contra aquellos culpables. Incluso se plantea que a Noel Colón Martínez hay que expulsarlo del Partido porque ha estado haciendo planteamientos públicos en contra del liderato del Partido. Noel Colón Martínez, para esas elecciones, fue el candidato a gobernador por el PIP y en su evaluación, bastante conservadora y bastante prejuiciada, Noel hace unas críticas. En algunas, nosotros le concedíamos que tenía razón. Había unas fallas inherentes al desarrollo organizativo del PIP y a las actitudes del liderato que había que criticar, pero se respiraba en sus posiciones unos planteamientos sumamente conservadores, donde el punto... uno de los puntos de ataque, además de críticas a Rubén Berríos como presidente del Partido, era a la juventud y las posiciones socialistas o marxistas. Ellos las identificaban como posiciones que habían causado, en cierto sentido, que el PIP no lograra sus objetivos electorales. Se desarrolla un proceso de discusión donde Noel Colón Martínez y todos nosotros participamos, pero fue muy atropellado y Noel, en una actitud sumamente equivocada, decide abandonar el proceso de evaluación. Se hizo en el hotel Palmarinas de Isabela; allí fue que se hizo esa primera sesión de evaluación y ya para la segunda sesión, él se había ido. Y eso permitió entonces que le tiraran... se volcara contra él una opinión negativa en el Partido. Que llevó entonces a que una asamblea de delegados del PIP lo expulsara de la organización.

El senador Rubén Berríos y el representante Carlos Gallisá al inicio de la sesión legislativa de 1973, donde el PIP tendría legisladores por primera vez desde 1960 (Archivo del periódico *Claridad*)

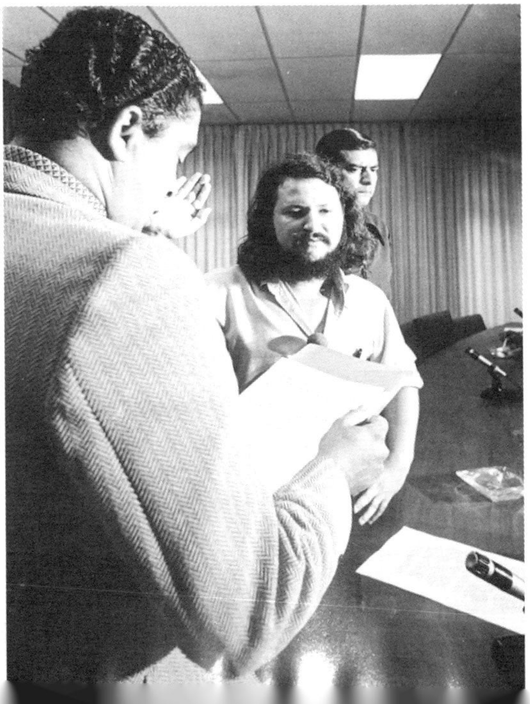

Luis Ángel Torres jura como representante a la Cámara por adición. Junto a él su compañero de delegación Pipiola en la Cámara, Carlos Gallisá. (Archivo del periódico *Claridad*)

Carlos Gallisá consume un turno en la Cámara. (Archivo del periódico *Claridad*)

Luis Ángel Torres participa del debate legislativo. (Archivo del periódico *Claridad*)

Luego de su expulsión de PIP, Noel Colón Martínez y Juan Mari Brás comparten previo a un viaje. (Archivo del periódico *Claridad*)

El poeta Juan Antonio Corretjer (con boina) participa de una protesta. (Fondo carpetas de la policía AGPR).

6—LA HORA—17 DE NOVIEMBRE

El PIP ahora

Por Norman Pietri

La campaña electoral que acaba de concluir constituyó para el Partido Independentista Puertorriqueño una rica cantera de experiencias. Los resultados electorales podrán ser calificados como una derrota tan sólo si se ven como eso: como resultados electorales. Pero lo que ha hecho el Partido Independentista Puertorriqueño en los últimos meses no se mide tan sólo por los 50,000 votos que obtuvo como partido y por los 100,000 votos que obtuvo su principal dirigente en su candidatura senatorial. A base de un juicio meramente electorero, nuestro Partido ha quedado mal parado. Pero a base de un juicio objetivo, esto es, revolucionario, la situación es más compleja y más halagadora para la organización a la cual estamos afiliados.

Nuestro Partido aprovechó la lucha electoral como nunca antes se había hecho en Puerto Rico. El mensaje de la independencia y el socialismo se llevó a todo Puerto Rico, en una campaña verdaderamente nacional llevada a cabo por un partido verdaderamente nacional. La organización de nuestro Partido está presente en todos y cada uno de los pueblos de Puerto Rico. La lucha electoral ayudó a consolidar esa organización, y al concluir ésta, vemos cómo la organización de nuestro Partido, no sólo está intacta, sino más fuerte que cuando comenzó la campaña. Esta afirmación no es un juicio subjetivo, sino el producto de la observación de la situación de nuestro Partido una semana después de conocerse el resultado electoral. Si nuestro Partido hubiera sido tan sólo una organización electoral, ya no sería la principal organización de la lucha de independencia. Si sigue siéndolo es porque contamos ya con un Partido que es realmente un vehículo de liberación para nuestro pueblo.

Nuestro Partido logró movilizar durante esta campaña enormes números de independentistas con los que desmostró su agilidad organizativa. Fue tan intenso el trabajo político de nuestro Partido durante los últimos meses que no tiene precedentes en la historia de la lucha de independencia. Si hubiéramos hecho poco, quizás podríamos hablar sólo de triunfos. Pero como se hizo tanto y la iniciativa de nuestro Partido se desbordó en tantos campos, podemos contar victorias y derrotas. Veamos si es cierto lo que aquí afirmamos.

Nuestro Partido usó la lucha electoral como una forma de la lucha de masas para adelantar la capacitación y la organización política del pueblo. Durante los últimos meses el interés político de las masas fue altísimo. Nosotros supimos aprovecharlo.

Nuestro partido intervino como uno de los actores principales en el intenso drama político que vivió nuestro pueblo. Hicimos del socialismo un elemento cotidiano en la discusión pública puertorriqueña. Nuestras consignas de carácter nacionalista y socialista son parte ya del léxico común del pueblo.

Ciertamente consignas como "Arriba los de abajo" pegaron en las masas. Igualmente pegó el saludo con el puño izquierdo que cientos de miles levantaron durante los últimos meses. Si la conducta electoral del pueblo no refleja en toda su magnitud los avances hechos por nuestro Partido, ello se debió a que en estas elecciones el objetivo modesto de tumbar el gobierno de Ferré prevaleció sobre cualquier otra consideración política. De todas maneras, nuestro Partido más que dúplicó el número de votos obtenidos en relación con las elecciones de 1968 y si no queda inscrito finalmente probablemente ello se deba a que faltó suficiente orientación electoral que hiciera claro que eran los votos para el candidato a gobernador los que realmente contaban para que el Partido quedara inscrito.

No sólo nuestro Partido, sino mucha gente falló en sus predicciones electorales. No observamos cómo la gran prensa del país ayudó a preparar el triunfo de los populares. Tampoco nos percatamos de que gran parte del electorado viejo, que no votó por los populares en las elecciones de 1968 salió a votar ahora por su partido, lo que no hizo antes porque no lo creyó necesario. En cuanto a nuestra posible votación, los peores profetas fueron aquellos que viviendo en nuestro país y siendo revolucionarios calificaron nuestros objetivos electorales como "modestos". El triunfo de los populares, así como la votación que obtuvo nuestro Partido fue una gran sorpresa para todos, lo que demuestra que no tomamos en cuenta debidamente en el análisis de la realidad objetiva de nuestro pueblo, la posible conducta electoral de grandes sectores, que aunque influídos por el independentismo socialista, concientemente votaron para derrotar al mal mayor ahora y bregar luego con el mal menor.

Veamos lo positivo de esta campaña electoral. La campaña ayudó a consolidar nuestro Partido como la principal fuerza organizada del independentismo. El Partido cuenta con organizaciones municipales en todos los pueblos de Puerto Rico. Cuenta además con grupos de militantes en todos los pueblos, que continúan realizando trabajo permanente para el Partido, tal como la distribución y venta del periódico *LA HORA*, del cual, dicho sea de paso, se vendieron 40,000 ejemplares de su edición post-electoral. El Partido cumplió fundamentalmente con su meta de llevar a los colegios electorales prácticamente la totalidad de los funcionarios que eran necesarios. En muchos colegios hubo más de un funcionario, aunque en algunos no hubo representación por diversas fallas, particularmente explicables si tomamos en cuenta que había alrededor de 15,000 colegios electorales abiertos. También gracias a esta campaña electoral el liderato de nuestro Partido se conoció nacionalmente e incluso surgieron muchos nuevos dirigentes. También es un signo positivo de la pasada campaña el que el independentismo burgués y conservador, representado por Toño González, demostró ser prácticamente inexistente. Ello sepulta las críticas de algunos reaccionarios en el sentido de que el independentismo no debe ligarse con el socialismo. Todo lo contrario, el independentismo ligado con el capitalismo tiene el valor de un cero a la izquierda. También podemos considerar como signo positivo el hecho bastante probable de que tendremos una representación en la legislatura colonial para convertir ésta en otro centro de agitación y trabajo revolucionarios.

Hay también factores negativos que debemos ver conjuntamente con los positivos como parte de la autocrítica que comenzamos a elaborar. La campaña electoral careció de acciones de confrontamiento al régimen, tales como la de Culebra, la de los rescates de terrenos y otras. La inexperiencia en asuntos electorales nos costó también muchos votos. El desconocimiento de la ley electoral también. No se logró envolver masivamente a la juventud en el acto electoral en sí. El enemigo imperialista aprovechó también nuestra vinculación con el socialismo marxista para acabar de empujar el cuco del anticomunismo, sin que supiéramos bregar con esto en la forma más acertada.

Ahora tenemos planteada como tarea básica el reexamen de la realidad nacional y de la realidad interna de nuestro Partido para hacer más efectiva nuestra lucha por la independencia y el socialismo. En cuanto al Partido, debemos empezar por examinar qué partido tenemos y discutir entonces qué partido queremos. Hay que definir revolucionariamente la relación que debe haber entre el marxismo y el Partido. Hay que reexaminar las estructuras internas del Partido y aprobar un nuevo reglamento. Hay que reexaminar el Programa del Partido. Hay que desarrollar la democracia interna en el Partido, el centralismo democrático, la crítica y la autocrítica, y la dirección colectiva. Hay que establecer las relaciones internacionales del Partido. Hay que definir cuál debe ser el papel de los militantes en el Partido, y más importante aún, el papel de la clase obrera en él. Hay que desarrollar unas finanzas realmente revolucionarias y modernas, a la altura de las necesidades de la lucha. Y hay que poner en práctica un intenso trabajo de capacitación política que convierta a nuestros militantes en auténticos cuadros de la revolución socialista. Hay que profundizar el trabajo sindical y obrero. En fin, con lo que tenemos, que es mucho pero no suficiente, continuaremos la construcción del partido revolucionario de masas necesario para la consecución de la independencia y el socialismo.

"El PIP ahora." Artículo de Norman Pietri.
Periódico *La Hora*, 17 de noviembre de 1972.

LA HORA–17 DE NOVIEMBRE–13

A todos los niveles

PIP comienza evaluación política y organizativa

"PIP comienza evaluación política y organizativa."
Periódico *La Hora*, 17 de noviembre de 1972.

LA HORA—17 DE NOVIEMBRE—15

cosas de aquí

Las elecciones, el PIP y el futuro

El Partido Independentista Puertorriqueño siguió una línea generalmente correcta en su campaña electoral. Se tuvo claro cuáles eran sus objetivos: fortalecer y ampliar el partido, asegurando su inscripción; alcanzar una representación legislativa; y difundir el mensaje de la independencia y el socialismo. No todo se logró en la medida deseada . . . ¿Por qué?

Se ha iniciado un proceso de reevaluación, y cuando finalmente se anuncie el balance, no tengo la menor duda de que será positivo. Para mi propósito, en este momento, huelga la enumeración detallada. Baste señalar que el capital político del partido de la independencia y el socialismo se ha acrecentado. Que nadie lo pase por alto.

Pero de las recién pasadas elecciones se pueden extraer algunas enseñanzas. Saldrán a luz a medida que se amplíe la discusión fraternal. Por mi parte, sin pretensiones de juicios definitivos, abordo el problema. Y lo primero que deseo destacar es que, a mi juicio, todavía no parece estar totalmente claro, entre independentistas, el por qué de la participación electoral. Vale preguntar: ¿Se participa, acaso, por la creencia en un triunfo electoral inmediato?

Pecaríamos de ilusos si creyéramos en un próximo desenlace favorable a la independencia y al socialismo.

Y si ello es así, ¿por qué entonces la participación electoral?

Pues, por la sencilla razón de que la independencia no es lo que verdaderamente se halla en debate en las eleccionees. Es más, aunque suene a paradoja: si la cuestión a decidir fuera el destino de la independencia, dudo que el Partido Independentista Puertorriqueño participaría. Me explico: mal podrían los independentistas comparecer a unas elecciones plebiscitarias, o referéndum, en que se sometiera a votación la independencia frente a la llamada estadidad y el mentado Estado Libre Asociado. Porque un plebiscito sólo sería aceptable en muy especiales circunstancias: reconocimiento expreso de la soberanía, retiro de bases militares, etc.

Y es que el derecho a la libertad de las nacionalidades, como el derecho a la libertad del hombre, no es cuestionable. Sólo en el ejercicio completo de la independencia puede un pueblo, si así lo decidiera de libre voluntad, renunciar a algún grado de soberanía (jamás a su totalidad) en aras de una federación o confederación de naciones . . . De ahí que un plebiscito, bajo condiciones coloniales, es inaceptable.

Esa diferencia entre las elecciones que cada cuatro años se celebran en Puerto Rico y el concepto de plebiscito que algunos pretenden imprimirle, no parece estar aún claro. De hecho el PIP, tradicionalmente, ha concurrido a las elecciones como si se tratara de un plebiscito. Esa actitud ha presidido su estrategia electoral. Y eso es lo que, a mi juicio, debe cambiar totalmente.

Volviendo a la paradoja: imprimirle a las elecciones ese carácter es revestirlas de una importancia trascendental. Como si dijéramos: el destino mismo de Puerto Rico depende del resultado de estas elecciones . . . Lo cierto es, sin embargo, que las elecciones regulares que se celebran cada cuatro años no son tan importantes!

¿Cuál es la finalidad de esas elecciones?

Pues, señores, no tienen otro propósito que elegir un Comisionado Residente de Puerto Rico en Washington, un gobernador, y un número de legisladores, alcaldes y asambleístas municipales. Esa es su finalidad, ni más ni menos . . . Pero no nos confundamos porque, precisamente, ahí radica su importancia.

Las elecciones que se celebran cada cuatro años (coloniales, y como quiera que se les llame) tienen sobrada importancia para que todos los que propulsan la independencia tomen parte activa en ellas. Porque en esas elecciones se decide quién, o quiénes, van a manejar los centros de poder (limitados, sí, pero centros de poder) que Washington permite en su colonia de Puerto Rico. Y eso importa mucho para el desarrollo de la lucha de independencia y socialismo . . . Importa quiénes mandan en esos centros de poder, aunque se trate de poderes coloniales, recortados y truncos.

Esa es la razón —la verdadera razón— de por qué participamos en las elecciones. Lo que se persigue es que representantes auténticos del pueblo lleguen a ciertos centros de poder en la colonia (especialmente la Legislatura y los Ayuntamientos), y se utilicen como tribunas revolucionarias y, en lo posible, como armas de guerra o, por lo menos, como puntos de apoyo para la lucha popular.

La representación de una oposición independentista y socialista en la Legislatura es de suma importancia. Quien la minimiza lo hace porque la piensa dentro de moldes tradicionales, cuando lo que se persigue es algo distinto: una oposición revolucionaria. Y esa conquista, de por sí, justifica con creces los esfuerzos y el trabajo de una campaña electoral.

Una vez concebida así la participación electoral, entonces la apreciación de muchas cosas cambia. Se ve claro que las elecciones constituyen un frente de lucha, ciertamente, de los más importantes, si no el más importante en las condiciones actuales en Puerto Rico. Entonces se comprende que se requiere una estrategia electoral a tono con las realidades del país y de común acuerdo con las circunstancias. Lo que en forma alguna significa la menor renuncia a cuestiones de principio. Pero sí exige flexibilidad en la actuación y reconocimiento de los sentires del pueblo.

El pueblo no se deja meter en ningún esquema preconcebido. Es éste el que tiene que ajustarse al nivel de conciencia de las masas. Los resultados dependerán de lo realista que sean los objetivos, de la correlación de éstos con las tácticas electorales, y del número de militantes que, convencidos de su corrección, luchan por alcanzarlos.

La recién pasada campaña del PIP, y esto es aceptado por todos, no tiene precedentes en cuanto a su difusión y hondura. Habrá quien pretenderá achacar sus fallas a la tradicional división en las filas de la independencia. Pero creer que la simple unidad constituye la varita mágica de las victorias es descubrir el Mediterráneo todos los días. Aquí hay sobra de napoleones y de toños y de landines y de estalines, y otros nuevos surgirán. Si bien todo puertorriqueño puede tener algo que aportar a la lucha de independencia, la suma de vanidades (y me refiero, claro está, a los toños y los landines) no arrojaría nada más que un total negativo. El fracaso de los minipartidos en las pasadas elecciones así lo demuestra . . . A pesar de su repudio al radicalismo y al socialismo, de sus enchaquetonadas campañas y de sus esfuerzos por ganarse la "respetabilidad" colonial.

A mi juicio, el resultado de las elecciones reafirma la pauta que ha seguido el PIP en su transformación como partido de la independencia. Debe ser amplio en su naturaleza y socialista, en su programa, métodos de organización y comportamiento de su liderato. Debe guardarse de los vicios del sectarismo y del doctrinalismo. Su dirección debe ser colectiva —¡cuidado con los líderes mesiánicos que se creen paridos por la Divina Providencia!—, y guerra a la vanidad, a la arrogancia y al bogapartismo. Sea la crítica y la autocrítica práctica corriente y aceptada. Y mientras más alto ascienda un líder en la estimación pública, mayor sea su responsabilidad, tanto en terreno político como personal. El hombre nuevo a que aspiramos, no es para el futuro sino para el presente, y hay que irlo forjando en nosotros con firmeza de principios, limpieza de actuaciones, visión política y moral revolucionaria.

Creo que el aspecto nuevo que resalta de las pasadas elecciones, y que se espera confirmen sus resultados, es el gran número de votos mixtos. Mal haríamos si nos pusiéramos a condenar al pueblo, y especialmente a los independentistas, por la forma que optaron al votar. Demás está decir que preferíamos el voto íntegro al PIP y deseríamos que el conteo final demostrara que esa era la alternativa y que los otros partidos se reducían a "malos" y "peores". Pero es evidente, a la luz de los resultados, que eso era preferencia y deseo nuestro, no conclusión emanada de verdadero análisis. Y de la peregrina teoría de la polarización, ni hablar . . . Si presumimos de análisis científico, hay que comenzar por distinguir entre realidades políticas y deseos individuales.

Con todo, más de cincuenta mil votos íntegros, más un respaldo casi igual en votos mixtos, un partido organizado en todo el país, un gran número de líderes de gran apoyo popular, una nutrida militancia, una prensa, y otros muchos factores adicionales, hacen hoy del PIP un partido de independencia y socialismo mucho más poderoso . . . Reiteramos nuestra convicción: la lucha recién comienza, pero ahora, a niveles más altos de conciencia y militancia.

Con todo, más de cincuenta mil votos íntegros, más un apoyo casi igual en votos mixtos, un partido organizado en todo el país, un gran número de líderes de gran apoyo popular, una nutrida militancia, una prensa, y otros muchos factores adicionales, hacen hoy del PIP un partido de independencia y socialismo mucho más poderoso . . . (Foto LA HORA de archivo.)

"Las elecciones del PIP y su futuro." Artículo de César Andreu Iglesias. Periódico *La Hora,* 17 de noviembre de 1972.

7008

ESTADO LIBRE ASOCIADO DE PUERTO RICO

POLICIA DE PUERTO RICO

El Mundo
27 Nov. 72

Socialistas Celebran Marcha; Piden Libertad Nacionalistas

Por [illegible]

El secretario general del Partido Socialista Puertorriqueño, Juan Mari Bras, anunció ayer, durante una concentración realizada frente al Correo de San Juan, que esa colectividad política se inscri- [illegible] "obtener la franquicia electoral" y utilizaría cuando fuera conveniente para los fines que persigue ese partido.

Por otro lado se anunció además el comienzo de una [illegible] local para solicitar el apoyo de los partidarios del socialismo a fin de lograr la libertad de los nacionalistas presos que cumplen condenas en presidios federales.

Luego de una marcha que se inició en el Capitolio al mediodía de ayer, varios miles de simpatizantes del PSP demandaron la libertad de los presos nacionalistas que están encarcelados en los Estados Unidos y además, celebraron el primer aniversario de la organización del PSP.

María Bras dijo que hoy se procedería a comunicar a la Junta Estatal de Elecciones el nombre de 40 notarios que trabajarán en el proceso de inscripción del PSP y a la vez registrarían la insignia de ese partido que será un puño cerrado en alto, rodeado por una rueda.

ES

Socialistas Celebran Marcha;...

De la Primera Página

dultados por el gobernador Ferré el Día de Acción de Gracias. Además, se invitó a subir al estrado a familiares de otros nacionalistas presos y entre ellos se contaba a la hija de Lolita Lebrón.

Uno de ellos, Manuel Méndez Gandía, al dirigirse a la concurrencia dijo que continuará la lucha por la independencia y que de no lograrse por la vía pacífica, "no vacilaría en empuñar otra vez las armas."

También hablaron los otros dos indultados que estaban presentes, José Antonio Cruz Colón y Rafael Molina Centeno quienes se adhirieron a los movimientos que luchan por la independencia.

Mari Bras se refirió al indulto de esos nacionalistas que estaban en las cárceles de San Juan y Arecibo, extinguiendo condenas de por vida, por participar en movimientos de rebelión para derrocar el gobierno.

Dijo que el gobernador Ferré al indultar a esos presos, "ha querido dar muestras de liberalidad y adelantarse al [illegible] gobierno para tomar para sí la gloria por haber hecho tal cosa".

Agregó el dirigente del PSP que "si Ferré quiere mostrar que ha cambiado el carácter troglodita de su efímero gobierno, no basta con la libertad de esos cuatro nacionalistas, sino que debe luchar por la libertad de los que están en las cárceles de los Estados Unidos.

Dijo además que había otros 200 casos en las cortes que eran "fabricados" y afectaban a nacionalistas e independentistas.

CAMPAÑA A NIVEL INTERNACIONAL

La campaña de solidaridad que ha iniciado el PSP para conseguir la libertad de los nacionalistas presos en las cárceles de los Estados Unidos desde la década del 50, se iniciará con una serie de cartas y mensajes que enviarán al presidente de los Estados Unidos y con visitas de líderes socialistas a países tales como Alemania, Cuba y Chile.

Los presos que se desea liberar son Rafael Cancel Miranda, Andrés Figueroa Cordero, Oscar Collazo, Lolita Lebrón e Irving Flores. También se mencionó a Francisco Cruz, quien cumple condena en una cárcel federal.

Juan Mari Bras ha sido designado por el PSP para ir a los Estados Unidos y visitar a los distintos presos. Mari Bras viajará el viernes a Nueva York, para luego viajar a los distintos estados donde cumplen sus condenas los nacionalistas.

Informaron además que organizarán piquetes masivos frente al Capitolio en Washington el 11 de diciembre.

Por otra parte, los dirigentes Florencio Merced y Flavia Rivera viajarán a La Habana, Cuba, para obtener el apoyo de ese gobierno para solicitar el indulto de esos presos.

Pedro Baigés Chapel ha sido designado para viajar a Europa, especialmente a Alemania para lograr ese apoyo. El dirigente Fermín Arraiza viajará a Chile con el mismo objeto.

Estos viajes a países socialistas han sido organizados por el PSP con el objeto de llamar la atención de todos esos países para presionar por la libertad de esos nacionalistas presos que expiran condenas por diversos delitos, cometidos en los Estados Unidos, durante las luchas nacionalistas por la independencia de Puerto Rico.

Además, durante los próximos días se procederá a inscribir el PSP en Comerío.

Afirmó Mari Bras que el hecho de inscribir el PSP no conllevaba el participar en los procesos eleccionarios, sino que se haría cuando aquello fuera conveniente a los ideales de ese partido.

Manifestó que la lucha por la independencia y el socialismo "no se rige por el calendario electoral".

En esa actividad estuvieron presentes tres de los cuatro nacionalistas que fueron in-

(Continúa en la Pág. 15-A)

008760

"Socialistas celebran marcha."
Periódico *El Mundo*, 27 de noviembre de 1972.

7808

ESTADO LIBRE ASOCIADO DE PUERTO RICO

POLICIA DE PUERTO RICO

OFICINA DE INTELIGENCIA

28 NOV - 72

EL MUNDO NEW YORK TIMES

Líder PIP Llama Oportunista Actuación de Juan Mari Bras

El licenciado Gilberto Concepción Suárez calificó de "oportunista" al Secretario general del Partido Socialista Puertorriqueño, Juan Mari Brás.

Por otro lado, a juicio del Presidente del Partido Independentista Puertorriqueño, la lucha por conseguir la liberación de los presos políticos no constituye la lucha de un partido o de un grupo en particular.

Rubén Berríos además exhortó a todos los miembros del PIP a que no den su firma para inscribir ningún partido, hasta no saber si finalmente el PIP quedó inscrito.

Concepción Suárez, hijo del fundador del PIP, el extinto Gilberto Concepción de Gracia, se refirió a los pronunciamientos hechos ayer por Mari Bras en relación con las proyecciones del PSP.

Según Concepción Suárez, Mari Bras "está jugando con ideas y conceptos, y no está hablando a base de realidades".

Dijo que con relación a la marcha del domingo, se está [illegible] un asunto sobre el cual nadie puede estar en contra, que es la libertad de los presos políticos. "Esta es una acción de politiquería, como lo es también el asunto de inscribir al PSP como partido político después de haber estado hablando por 16 años de abstención electoral", añadió.

Considera que la independencia no tiene que venir a través de la violencia, aunque indicó que la violencia no puede descartarse nunca, pero no que puede ser instrumento de lucha en este país y en este momento.

Por su parte Berríos respondió así al ser interrogado sobre expresiones en el sentido de que el secretario general del Partido Socialista, había "utilizado el issue de la libertad de los presos políticos para obtener ventaja política, calificándosele de oportunista".

Berríos dijo que el PSP tiene todo el derecho de luchar por la libertad de los presos políticos indicando que, el PIP a través de toda su historia ha hecho gestiones a tales efectos.

Señaló que esta acción del PSP es una obligación patriótica.

El presidente del PIP señaló que es obligación de cada miembro del PIP no darle la firma al PSP o a cualquier otro partido, hasta no confirmar si el PIP queda inscrito a raíz de las últimas elecciones.

Berríos comentó que esta es una advertencia a la militancia del PIP, ya que la ley prohibe que una persona que dé la firma para inscribir un partido, pueda darla para otro partido.

El Partido Socialista Puertorriqueño anunció que se inscribirá como partido electoral, a lo que Berríos dijo que tienen perfecto derecho a ello.

Por otra parte, interrogado sobre si considera que la violencia debe ser instrumento necesario para la lucha independentista en los próximos cuatro años, Berríos se remitió a los postulados del programa del PIP indicando que en los métodos de lucha no se incluye la violencia.

Por otra parte, el presidente del Ateneo Puertorriqueño, Eladio Rodríguez Otero, envió ayer al presidente de los Estados Unidos, Richard M. Nixon, un cablegrama en el que le solicita que se conceda el indulto a los nacionalistas presos en cárceles de los Estados Unidos.

El texto completo de la comunicación es el siguiente:

"El honorable gobernador de Puerto Rico, Luis A. Ferré, ha otorgado indulto a los últimos miembros del Partido Nacionalista que extinguían sentencias de prisión en Puerto Rico por haber participado en la revolución de mil novecientos cincuenta.

"Quedan todavía cinco nacionalistas puertorriqueños cumpliendo sentencias de reclusión perpetua en prisiones de los Estados Unidos desde hace veinte años por actos dirigidos exclusivamente a promover la independencia de su patria.

"Opinión pública puertorriqueña espera que su excelencia, actuando con no menos magnanimidad que el gobernador Ferré, conceda también el indulto a los prisioneros nacionalistas en los Estados Unidos."

008731

"Líder PIP llamó oportunista actitud de Juan Mari Brás."
Periódico *El Mundo*, 28 de noviembre de 1972.

'Aquí nadie se ha decepciona

Hemos perdido una batalla. . . pero ganaremos la guerra". Y Rubén Berríos Martínez, con toda su juventud, tiene la perseverancia y el espíritu de lucha que han caracterizado al liderato independentista del país a través de los años.

El Partido Independentista Puertorriqueño en los últimos cuatro años aglutinó una serie de fuerzas y presentó un nuevo programa ideológico: el socialismo junto a la consecución y construcción de una república independiente. La tesis política y económica del PIP (independencia y socialismo), y la consigna "arriba los de abajo" fueron presentados como una alternativa peligrosa y explosiva para la estabilidad del sistema económico y político que rige en Puerto Rico. Muchos expertos de nuestra situación política creyeron que en estas elecciones las cosas serían diferentes. El PIP, para muchos analistas políticos, tendría una gran probabilidad de recibir una hermorragia de votos en los comicios del 72. Los resultados electorales del siete de noviembre, aunque reflejaron un aumento en votos del PIP, también reflejaron que el crecimiento no era cuantitativamente lo que se había pronosticado. En esta entrevista el licenciado Rubén Berríos Martínez, Presidente del Partido Independentista Puertorriqueño, quien posiblmente obtenga un escaño en el Senado de Puerto Rico, nos habla de las consecuencias futuras del resultado de las elecciones y de la trayectoria a conseguir por el partido que fundara don Gilberto Concepción de Gracia. . .

12 avance

"Aquí nadie se ha decepcionado." Entrevista a Rubén Berríos Martínez. Revista *Avance,* vol. 20.

do' - Rubén Berríos

En que posición ha quedado la "tesis de la polarización" sostenida por el PIP con el triunfo del Partido Popular Democrático. . . ?

—Nosotros siempre hemos sostenido que la tesis de polarización tiene dos aspectos: el aspecto político y el aspecto económico.

En cuanto al aspecto político, el PIP proyectaba la tesis de la porización en términos de la estadidad bis a via independencia; pero el aspecto político es para la tesis de la polarización lo menos importante. . . Lo más importante para la tesis de polarización es la polarización entre izquierda y derecha, entre capitalismo y socialismo.

Definitivamente, en términos de la polarización entre capitalismo y socialismo estas elecciones han variado muy poco el aspecto fundamental de esa tesis. Esto es así porque la clase dominante, la clase capitalista ha triunfado con el Partido Popular en la misma forma que hubiese triunfado con el PNP. Esto lo demuestra la fotografía de los banqueros sonrientes en las páginas centrales del San Juan Star y la celebración, la misma noche de las elecciones, del alto liderato del PPD en el Caribe Hilton.

El Partido Popular no va a poder hacer nada para resolver los problema básicos económicos estructurales de esta sociedad, y como se debe al gran capital, seguirá gobernando para beneficio de los grandes intereses en Puerto Rico.

En cuanto a la tesis de la polarización en su aspecto político, el resultado de estas elecciones no demuestra la invalidez de esa tesis. Muy por el contrario, lo que ha sucedido es que el aspecto político de la polarización se refleja mucho más complicado ya que es de caracter ideológico super-estructural. . . Lo que ha sucedido con respecto a esta área es que hay un aspecto de la parte política que se subestimó al proyectar la tesis: entre independencia bis a vía asimilismo.

Lo que se subestimó fue el hecho de la diferencia entre un gobierno de carácter reaccionario, cuasi fascista, como el del PNP, y un gobierno de carácter liberal en lo político como el Partido Popular. En estas elecciones es claro lo que sucedió; la gente optó por quitarse de encima la persecución, la mala administración, los desmanes del gobierno del PNP en su aspecto político. . . O sea, administrativamente la gente entendió que los PNP eran peores que los populares y entre los malos y los peores obviamente escogió a los malos. . .

Y esa subestimación en la tesis de polarización en su aspecto político no fue hasta cierto punto una falla del liderato del Partido Independentista. . .

—Mira, lo que sucede con respecto al análisis de la sociedad en términos de clase, en términos estructurales, como lo hemos hecho nosotros, es que los socialistas no proyectan tesis eternas, sino que los socialistas lo que proyectan son tesis de trabajo. Y es la misma realidad política y económica la que va suplementando y escalonando a niveles más altos las tesis bajo las cuales se funciona. O sea, que básicamente la tesis de la polarización es correcta. Lo que sucede es que luego del resultado de estas elecciones se ve que había que

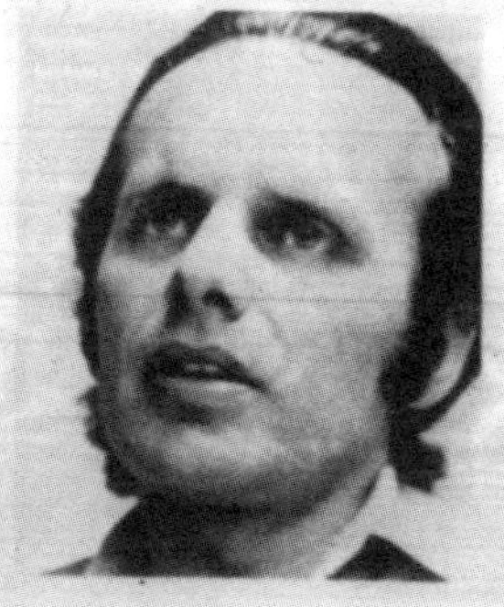

refinarla mucho más.

Y como yo lo estoy expresando para AVANCE, esto lo estamos analizando en el partido. . . pero tentativamente, que es como lo estoy explicando, se ve que la refinación nos lleva a un escalón más arriba en nuestro análisis de la situación puertorriqueña.

Económicamente en terminos generales los dos son iguales; el PNP y el PPD. . . Pero políticaticamente hay grandes diferencias en cuanto a la cuestión administrativa entre los dos y el pueblo reconoce eso, y opta en este momento por un cambio de gobierno en la cuestión meramente administrativa.

Al mismo tiempo le da un respaldo bien sólido al liderato de nuestro partido que es el que lleva la tesis fundamental del cambio político en Puerto Rico. Esto se demuestra por la cantidad de votos mixtos que le ha dado a los líderes de este partido, pero sin embargo opta a corto plazo por un cambio administrativo. . . Esta es una cuestión muy lógica, el pueblo actuó dentro de las circunstancias puertorriqueñas de una forma saludable; de una forma concienzuda. ¿Por qué? La pregunta que nos tenemos que hacer es; si nosotros no fuerámos independentistas ¿Por quién habríamos votado, por el PNP o por el PPD. . .? La contestación salta a la vista y eso es lo que ha hecho el pueblo que todavía no es independentista. . .

—Ahora bien, si el Gobernador electo Rafael Hernández Colón y el PPD logran culminar el Estado Libre Asociado, la relación de Puerto Rico y Estados Unidos, esto no sería un golpe quizás mortal para la causa de la independencia y el socialismo. . .?

—En términos estructurales económicos eso no altera en lo más mínimo la situación; y eso es lo importante. . . Lo más importante es que se resuelvan los problemas de la droga, del desempleo, de la mala distribución de la riqueza, del costo de la vida. Por más que culminen el ELA eso no corrige ninguno de los problemas de base. . .

Por otro lado, el hombre mientras más eleva sus niveles políticos y económicos, a más aspira, a más igualdad aspira, a más libertad aspira. O sea, que al tratar de conseguir mayores poderes para el ELA, si no se consiguen, pues, eso le rebota en contra porque se ve que no se puede. Y si se consiguen lo que hace es crear y ampliar más aun las espectativas del pueblo hacia una libertad más amplia. . .

avance 13

"Aquí nadie..." (continuación)

—A estas alturas ¿cómo explica el PIP el que un gran número de independentistas votaran mixto o por el Partido Popular. . . ?

Bueno, eso se explica primero por error. Mucha gente se creyó que votando bajo la bandera del PIP quedaba inscrito el partido. Esto es lógico pensarlo cuando no se conoce la ley electoral, y como gran parte del electorado del PIP era joven, no sabían que votando por el PIP y por Hernández Colón no se quedaba inscrito el Partido. . . Eso es lo primero.

Segundo, se explica en el hecho de que una parte de los independentistas estaban sujetos a la represión del Partido Nuevo Progresista especialmente en las agencias gubernamentales. Y algunos de ellos optaron por prestarle el voto a "Cuchín" Hernández Colón para tumbar el cuasi fascismo que estaba en el poder y así tener un desahogo a corto plazo. . .

Tercero, se explica en personas que analizando la realidad puertorriqueña entendieron que era más conveniente quitar el mal gobierno semi fascista para luego luchar por la independencia en los próximos cuatro años. . . Eso, en mi opinión, es un error de cálculo, pero es un error meditado y pensado por estas personas que me parece que llegaron a una conclusión errónea.

Esas son las tres razones por las cuales algunos independentistas en ese momento votaron por Hernández Colón.,. .

¿No se ilusionó el liderato del PIP con una serie de concentraciones en las que se reunieron miles de personas para esperar obtener mayor respaldo en las urnas electorales. . . ?

No. . . Yo creo que no. Por supuesto, el partido se trazó unas metas. Se esperaban unas cosas. Se esperaba que el PIP quedará inscrito, que Carlos Gallisá llegara a la Cámara y que yo llegara al Senado. La cuarta meta del PIP era organizar un partido de masas én todo Puerto Rico.

De esas metas, hasta el momento de esta entrevista parece que se han logrado dos: la primera es la organización del partido en todos los niveles que nunca había estado organizado y para lograr este objetivo utilizamos el proceso electoral revolucionariamente. . . La meta del Senado parece que si se cuentan los votos bien también la alcanzaremos.

Están en duda la de Carlos a la Cámara y la de la inscripción del Partido. . . O sea, que dos de las cuatro metas que se trazó el PIP para estas elecciones se cumplieron o están en vía de cumplirse. . . Nosotros nunca esperábamos una cantidad exhorbitante de votos. Y es más, si los independentistas que en nuestra opinión por las razones que te di no analizaron bien la situación del '72, hubiesen votado con el PIP, todas las metas se hubiesen cumplido.

En otras palabras, en un sentido bien real estas elecciones lo que han hecho es tirar un inventario de una situación que existía antes de las elecciones y que, en términos reales prácticos, los logros para el partido han sido mucho más grandes que la aparente derrota que se ha sufrido. . .

Estas elecciones nos han enseñado bastante porque los Partido, como el hombre que nunca se ha caído, jamás aprenden a levantarse sin estas experiencias. La lucha contra el imperialismo no es fácil y por eso lo que ha pasado en estas elecciones nos da una serie de lecciones internas y de análisis de la realidad puertorriqueña que constituyen logros para el Partido. . .

Además de esos logros hay otros para el PIP muy específicos, como que el pueblo ha captado el mensaje de "arriba los de abajo"; como que el pueblo puertorriqueño respeta este partido por

14 avance

"Aquí nadie..." (continuación)

la campaña seria que llevó; que se ha desarrollado un liderato nacional y local que no existía desde la muerte del Doctor Concepción de Gracia y como la organización de un partido de masas que mencioné anteriormente. . .

Todas estas son cosas muy positivas en la lucha por la independencia

¿Cómo afectaría al PIP el que se inscriba otro partido independentista como el Partido Socialista Puertorriqueño (PSP)?

—Nosotros creemos que al PIP no le afecta el que se inscriba o no el PSP. . . Nuestra lucha y nuestras metas están muy claramente trazadas y si el Partido Socialista se quiere inscribir eso es asunto del PSP, y nuestra determinación en cuanto a metas a seguir se hará al margen de esa decisión del PSP. . .

—Pero, ¿no llevaría a algunas personas decepcionadas de los resultados para el PIP en estas elecciones a abandonar las filas del partido y tal vez ingresar al PSP. . .

—Aquí nadie se ha decepcionado en estas elecciones para abandonar las filas del Partido Independentista Puertorriqueño. Este partido ha salido de estas elecciones más fuerte de lo que estaba antes. Aprendimos de estas elecciones. La Junta de Directores se reunió y todo el mundo estaba con los comités abiertos y se estaban recibiendo ingresos al PIP de diversos sectores del pueblo. . .

Nuestro Partido era firme y sigue siendo firme después de las elecciones. El independentista está acostumbrado a tanto recorrer los mares, a tener la frente acostumbrada a la tormenta, como decía De Diego, que este tipo de "caída en el primer asalto", especialmente cuando la caída es muy leve y se han realizado unos logros bien grandes; no ha decepcionado a nadie. . .

Aquí vamos a seguir luchando en la calle junto a los oprimidos como lo hemos hecho durante estos cuatro años. Si llegamos al parlamento seguiremos luchando allí junto con la lucha en la calle día a día. Por eso el pueblo nos respeta, nos quiere. Por eso el pueblo ha respondido en estas elecciones, no solamente dándole al PIP cincuenta y pico de mil votos Independentistas Socialistas, sino dándole más de 40 mil votos mixtos al liderato de este partido.

O sea, que el mensaje caló y se ha hecho una organización efectiva en todo Puerto Rico. Ese es el gran logro. . . Porque cuando el mensaje cala y la organización es efectiva, todas las perspectivas del futuro son muy lisonjeras para este partido. . .

A.N.G.

NOTICIAS, ENTREVISTAS, REPORTAJES

¡GRACIAS PUERTO RICO!

gracias

por haber colocado al

NOTICIERO DE ACCION

entre los favoritos

de la audiencia radial de la mañana.

NOTICIERO de ACCION

el más completo de la radio puertorriqueña

6:00 A 8:00 A.M.

lUNES A VIERNES POR

CADENA RADIO PUERTO RICO

WQBS SAN JUAN

WORA MAYAGUEZ

WPRP PONCE

avance 15

"Aquí nadie..." (continuación)

NOEL COLÓN MARTÍNEZ

LA INSCRIPCION DEL P.I.P.

El Partido Independentista Puertorriqueño ha vuelto a desaparecer como partido político. Con toda probabilidad no logrará el número de votos necesarios para quedar inscrito. El electorado ha vuelto a reaccionar en forma posibilitista. Como lo hace normalmente. A Ferré había que sacarlo y quien podía derrotarlo era Rafael Hernández Colón. Las ideas, los principios, las proyecciones, las esperanzas de cambio verdadero y permanente quedaban sepultadas por la necesidad de cambiar un gobierno malo.

Con esta visión a corto plazo es natural que un partido como el nuestro, que es ambicioso en sus ideas programáticas y que entraña un análisis profundo conducente a un cambio radical, quedara a un lado como factor electoral. El problema no reside en la comprensión de lo que pasó en 1972. El problema reside en que desde 1960 el pueblo de Puerto Rico ha estado oyendo y desoyendo el mensaje de nuestro partido. En cada elección en que nos sacan totalmente de la contienda electoral decimos —con el permiso— en los meses posteriores y allá vamos con otra inscripción y otra larga y dura lucha alrededor de la Junta Estatal de Elecciones.

He llegado a pensar que cuando un independentista vota con el P.P.D. o con el P.N.P. piensa que eso no tiene mucha importancia porque los "fieles" estaremos en la calle inscribiéndole el partido tres o cuatro meses después de las elecciones.

Me parece natural y obvio que en algún momento nos detengamos a reflexionar más profundamente sobre este problema. Si no hacemos del voto un dogma no debemos hacerlo tampoco de la inscripción post-elecciones.

Creo que no hemos sufrido cuatro derrotas en 1960–1964–1968–1972. Son mucho más que derrotas; son desplazamientos del proceso electoral; son interrogantes sobre si la lucha electoral es el método correcto en el esquema colonial puertorriqueño.

No tengo una contestación definitiva sobre este problema. No deseo comprometerme a no inscribir partidos de lucha independentista y socialista, pero no creo que nuestra decisión deba estar afectada decisivamente por lo que hagan otros líderes independentistas.

Este no es, a mi juicio, momento de inscribir el P.I.P. no importa que Toño González inscriba el P.U.P. o Juan Mari Bras decida inscribir el P.S.P.

Este es momento de que el P.I.P. haga una profunda introspección y vea sus debilidades como partido. No sé si existe clara conciencia de este problema en este momento. Entiendo que un proceso de evaluación tiene que ir al pueblo independentista más allá del liderato nacional o intermedio. En el liderato tenemos siempre la tendencia a actuar en defensa propia frente a la derrota porque las derrotas deben remitirse en primer lugar al liderato del Partido.

En el P.I.P. en este momento todo está en issue. Descontando la hostilidad del medio circundante, el P.I.P. no puede salir de nuevo a la lucha con serios problemas internos. Tiene que poner la casa en orden, tiene que unificar su propia masa votante, tiene que disciplinarla, tiene que democratizar sus procesos internos, tiene que dar participación y sentido de pertenencia a los afiliados, tiene que programar, tiene que evitar las improvisaciones. Tiene en fin que convertirse en un partido político eficiente antes de meterse en la Junta Estatal de Elecciones a someter Peticiones de Inscripción.

El Partido puede contar conmigo para el trabajo eficiente; no puede contar conmigo para dar cabezazos contra la pared.

avance 17

"La inscripción del PIP." Artículo de Noel Colón Martínez. Revista *Avance*, vol. 20.

LA HORA—1 DE DICIEMBRE—15

cosas de aquí

El seminario de Palmarinas

Fue una eleccionadora experiencia el Seminario de Palmarinas celebrado el pasado fin de semana por el Partido Independentista Puertorriqueño. Además de los miembros de su Comisión Ejecutiva, participaron en calidad de invitados, pero en igualdad de condiciones, representativos de distintas áreas de trabajo. No hubo la menor cortapisa a la expresión. La discusión, de honda calidad política, fue una de las más ricas en que he tenido el privilegio de participar.

Algunos han calificado de "derrota" lo ocurrido al PIP en las elecciones. No creo acertado el término. Mal puede serlo, cuando más que se duplicaron los votos del partido, a los que se suman los miles adicionales a sus candidatos principales. Pero si juicio tan negativo fuera cierto, mayor aún sería la significación del Seminario de Palmarinas. Porque si de los hombres se dice que es en la derrota donde se prueba su verdadera fibra, ¿qué decir entonces de un partido político?

Alguien dijo que la medida de un partido es la actitud que asume ante sus errores. Pues, en Palmarinas la dirección del PIP dio, ciertamente, una buena medida.

Creer que existen organizaciones humanas que no cometen errores es vivir fuera de este mundo. Estamos, naturalmente, comprometidos contra el error porque, en política como en la guerra, nos va en ello la vida. Pero algo peor que cometer errores es la pretensión de encubrirlos. De ahí la referencia apuntada antes: la actitud que asume ante sus errores es la medida suprema de todo partido político."

Lo característico de los partidos conservadores, liberales y reformistas, de conformación burguesa, es ocultar sus errores. Lo contrario caracteriza a los partidos revolucionarios. Estos, antes que nada, buscan en sí mismo la causa de sus fallas. Y después de ese examen realizan el análisis de la realidad en que viven . . . Importa guardar ese orden porque, de hacerse en sentido opuesto, se puede caer en la tentación de justificarnos.

La excusa de las debilidades propias es uno de los mayores obstáculos al desarrollo de los movimientos de avanzada. Esto no quiere decir que se pretenda adjudicar las fallas a una causa única. Ciertamente, no existen causas únicas, pero aunque sea sólo para motivos de exposición, cada momento tiene su orden de causas. Y esto obliga, al igual que en el campo de las acciones, a establecer un orden de prioridades.

No contribuye a la certeza del análisis aferrarnos a soluciones preconcebidas. Hay quienes creen que el mayor de los males de la lucha de independencia es la división de sus filas. Elemental, Mr. Watson: la unidad de todo movimiento es de capital importancia. Pero con el establecimiento del principio sólo se araña la superficie. Es la implementación práctica lo que importa y, ciertamente, el simple mangoneo de la palabra no adelanta, y menos el garrotazo. Porque sólo en términos de proceso puede verse el desarrollo de la lucha de independencia.

Si fuera a señalar un constante en el Seminario de Palmarinas diría que fue la preocupación por la elaboración de una línea de masas. La naturaleza misma del partido así lo exige. La experiencia de la campaña electoral contribuye a ello. Porque se aspira, no a un partido de estrecha concepción doctrinaria con pretensiones de puridad ideológica, sino a una amplia organización política revolucionaria de masas, sostenida por unos principios básicos, inspirada en un dinámico programa de acción. Sus puntos cardinales, aceptados por todo el mundo, son **independencia, socialismo y democracia**, concebidos en tal forma que dentro de su dilatada dimensión, pueden convivir distintas corrientes ideológicas. Esa enriquecedora diversidad, defendida por una legalidad socialista institucionalizada, da al PIP una unidad irrompible.

De lo que se trata es de seguir desarrollando una organización capaz de movilizar centenares de miles. No se me escapa, no señores que el PIP no es la única organización independentista. Existen --prueba de ello es su encomiable labor en distintos campos--, el Partido Socialista, además de otras agrupaciones menores. Pero con todo el trabajo realizado hasta ahora, los hechos demuestran que la potencialidad de movilización del PSP, hoy por hoy, está entre los ocho a diez mil; y la del PIP, también hoy por hoy, está entre los cuarenta a cincuenta mil . . . Desde esas realidades es que se debe hablar de perspectivas.

Lo correcto a deducir de lo anterior es lo ya apuntado: la clave para la solución de los problemas de la lucha de independencia radica en la aplicación de una línea de masas. La vía para lograrlo es la clarificación y el trabajo. No lo uno ni lo otro a solas, sino ambas cosas en dialéctica simultaneidad.

Si bien no se debe ensalzar el teoricismo, tampoco es cosa de caer en un practicismo ciego. Porque el futuro de la lucha de independencia descansa, en buena parte, en el desarrollo de una doctrina, que bebiendo de las experiencias autóctonas, refine y funda la más iluminadora teoría revolucionaria del mundo moderno: el marxismo-leninismo . . . Lo cual, claro está, es opinión personal que no forzosamente tiene que ser compartida por otros miembros del partido.

Habrá quien diga, como quien habla por boca de ganso, que esto es "revisionismo" y me arroje al rostro otros clisés similares. Pamplinas, amigos míos, como diría mi abuela. No ha habido en el mundo revolución alguna que no haya sido, por decirlo así, una revisión de experiencias revolucionarias anteriores, aún la encabezada por Lenin, quien escribió tanto contra el revisionismo. Y de los que le siguieron --Mao, Fidel--, ni hablar. Lo que prueba que hay revisionismo y revisionismo, y el que quiera entender que entienda.

Como partido de la independencia y el socialismo, el PIP es un partido electoral. Es, además, un partido revolucionario por sus principios, sus objetivos y sus estructuras. Su razón de ser radica en su ambición de transformarse en un partido de masas, verdadero representativo del pueblo puertorriqueño en sus más dilatadas clases sociales. Esto exige que se tenga una honda comprensión del papel de líderes, militantes y masas. Nada ayudará más a ese entendimiento que la aceptación del principio de liderato colectivo.

Eso está íntimamente relacionado con un estilo de trabajo, estimulante y fraternal, que destierra celos y desconfianza. Nada de tronchar alas. Los líderes, como los artistas, surgen y se destacan en un ambiente propicio de emulación. Vaya el mayor reconocimiento a quien más contribuye al triunfo. Pero no olvidemos que la historia no es obra de héroes aislados sino de pueblos en que juega papel, y no de poca monta, el líder que en un momento dado llega hasta a encarnar las aspiraciones más sentidas. Por eso debemos cuidar a nuestros líderes y contribuir a su mayor desarrollo. Porque no es en abstracto que las ideas mueven a las masas sino representadas por hombres que poseen la médula --la inteligencia y el sentimiento y la pasión, inclusive-- para encarnarlas.

Y acójase esto que escribo como lo que verdaderamente es: una glosa alrededor de impresiones personalísimas del Seminario de Palmarinas. Y si la misma experiencia produce impresiones distintas en otros, magnífico . . . Porque creo que todos coincidimos por lo menos en una cosa: que Palmarinas apunta hacia un mejor Partido Independentista Puertorriqueño.

Unidad y crítica en el PIP

Por Norman Pietri
Miembro Comisión Ejecutiva
Partido Independentista Puertorriqueño

Durante los últimos meses la lucha electoral requirió la máxima atención de toda la militancia del Partido Independentista Puertorriqueño. Librada la batalla de los votos (aunque no totalmente, debido al recuento), nuestro Partido comienza ahora un intenso proceso de autocrítica que lo llevará a desarrollar su presencia en otros importantes frentes de la lucha de liberación. De ahí que celebráramos hace unos días el Seminario de Palmarinas.

Los partidos de ideología revolucionaria necesitan cuestionárselo todo contínuamente. Su completa inmersión en la realidad los resguarda del sectarismo, del ilusionismo y de otros males políticos que los desvían de la lucha de masas. La adhesión al principio de la autocrítica es uno de los haberes del nuevo PIP.

No existe un modelo único de cómo debe ser un partido revolucionario. Países distintos y momentos históricos distintos no pueden producir partidos iguales. Sin embargo, hay ciertos elementos comunes a los partidos revolucionarios en esta época del surgimiento del socialismo como principal fuerza mundial. Muchos de estos elementos partidistas fueron puestos a la prueba de la práctica por Lenin y [illegible]

Norman Pietri

muchos partidos comunistas, socialistas y patrióticos.

El centralismo democrático, la supeditación de la minoría a la mayoría después de concluído un debate limpio, la contínua práctica de la crítica, la dirección colectiva, la rendición de cuentas a los organismos superiores, son algunos de los elementos que configuran un verdadero partido revolucionario. Todos ellos constituyen una especie de "legalidad socialista" en el partido. Y todos ellos se pueden desarrollar independientemente de que la organización se autoproclame o [illegible] marxista-leninista.

Algunos critican el proceso de crítica que se está desarrollando en nuestro partido. Afirman que hay una lucha de "tendencias" y que el PIP está convulsionado por ella. Y terminan diciéndonos qué debemos hacer para garantizar nada menos que "la sobrevivencia" del PIP.

Primeramente, debemos reiterar que el PIP no es un partido monolítico, ni aspira a serlo. Porque los partidos monolíticos, de tendencia única, están muy lejos del modelo leninista y demasiado cerca del modelo estalinista de partido revolucionario. Es totalmente legítimo que existan diversos puntos de vista en nuestro partido. Y es natural que sea así, dada la línea flexible del PIP y su concepción como partido amplio de la independencia y el socialismo.

Los marxistas que militamos en el PIP, por poseer un método común de análisis, podríamos ser vistos como una de esas "tendencias". Pero lo fundamental es que unos y otros en el PIP, marxistas y no marxistas, cristianos y ateos, idealistas y materialistas, convergimos en un mismo proceso unitario y en la firme adhesión a unos principios de funcionamiento democrático y a un programa común para la liberación de Puerto Rico.

Es legítimo que haya marxistas en el PIP, al igual que es legítimo que haya no marxistas. Todos estamos de acuerdo en una amplia gama de concordancias políticas, que incluyen la de que el PIP no tiene planteado el convertirse en "una organización marxista-leninista". En el PIP no se reniega de la ideología propia al trabajar en común y unitariamente diversos sectores ideológicos. Precisamente el desarrollo del partido es producto de esa unidad interna en el trabajo.

Esa unidad prevalece y prevalecerá por encima de las pretensiones de "Cantaclaro", que desde su Columna en *El Imparcial* no cesa de condenar la presencia de marxistas en el PIP. "Cantaclaro" pretende determinar, a pesar de ser un enemigo de la independencia, quiénes pueden ser miembros del PIP. Y eso no se lo vamos a permitir.

Es curioso que "Cantaclaro" y los compañeros del PSP coincidan en que el PIP debe estar libre de marxistas-leninistas. El primero defiende su tesis a base de que los marxistas somos malos, y le hacemos daño a la independencia. Los segundos a base de que los marxistas tienen su propio partido, que es el PSP.

Pero la realidad es más compleja que eso. Y esa realidad, que no se encajona en esquemas preconcebidos, hace del PIP un poderoso instrumento unitario para la consecusión de la liberación de la patria.

"El seminario de Palmarinas." Artículo de César Andreu Iglesias.
Periódico *La Hora*, 1 de diciembre de 1972.

14—LA HORA—15 DE DICIEMBRE

Hacia un mejor Partido:

Por una política de masas

Por Angel R. Villarini
Miembro de la Comisión Política
Partido Independentista Puertorriqueño

En el interior del Partido tiene que regir el centralismo democrático. Tenemos que ser capaces de dar expresión y participación a todas las opiniones y al choque o debate de ellas y tener una dirección central capaz de recoger el consenso mayoritario y convertirlo en la línea de dirección del Partido.

Este centralismo democrático significa también:

1) El carácter colectivo de todos los organismos de dirección del Partido;

2) Todo organismo mantiene informado al resto del Partido rindiendo cuentas periódicamente a los organismos superiores e inferiores;

3) Una vez obtenido el consenso, la minoría acata los acuerdos de la mayoría;

4) Los organismos superiores deben estar en estrecha comunicación con la base del Partido y con el pueblo, conocer sus limitaciones y sus necesidades para dirigir con acierto;

5) Toda decisión de importancia tomada por los organismos superiores debe ser trasmitida y discutida de inmediato ante los organismos inferiores y los militantes de base. Deben discutirse en detalle las directrices de los organismos superiores para comprender su significado y determinar los medios para llevarlas a cabo.

HACIA DONDE VAMOS

Durante los últimos dos años nuestro Partido realizó una intensa campaña de educación popular en las ideas de independencia y socialismo. Las personas de mentalidad electorera pretendían que el efecto de esa campaña se reflejara de inmediato en votos. Pero la educación revolucionaria de un pueblo es algo mucho más complejo. La necesidad de la independencia y el socialismo no se venden como la sonrisa de Hernández Colón o la quincalla del PPD. La aceptación de la independencia y el socialismo no es tan simple como un cambio del PNP al PPD sino que es un revolucionarse del pensamiento del pueblo.

Aceptar la independencia y el socialismo significa desprenderse de una ideología colonizante y opresora que se nos ha impuesto por siglos. La aceptación de la independencia y el socialismo a través del voto es ya un acto de descolonización. Los que pretendían o creían que después de sólo dos años de trabajo cientos de miles se pronunciarían por la independencia y el socialismo no han entendido la naturaleza del proceso revolucionario.

La toma de conciencia por parte del pueblo no depende sólo de la intensa labor que realice un partido. Depende fundamentalmente de lo correcto y lo consecuente de ese trabajo y del tiempo prolongado en que se haya realizado (la educación popular no puede combatir en uno o dos años lo que la propaganda y el sistema han formado en veinte). Y depende también de que existan unas condiciones objetivas en la realidad social que faciliten y aceleren el proceso de aprendizaje por parte del pueblo.

Cuando en 1968 cae el gobierno del PPD se debe antes que nada a la crísis política y económica por la que atravesaba el país y la incapacidad del partido dominante (PPD) para mantenerse en el poder debido a su crísis interna. En esa coyuntura histórica de un partido dividido y otro recién creado (PNP) era bastante fácil que el PIP mantuviera su electorado.

En el 1972 una nueva crísis política (corrupción, mediocridad, represión, etc.) y económica (alto costo de la vida, desempleo, etc.) precipita un nuevo cambio de gobierno. Pero esta vez encontramos un PPD revitalizado en su liderato y sus ideas y un PNP con cuatro años de experiencia política y una poderosa maquinaria. La fortaleza de estos dos partidos polarizó a los electores entre las alternativas PNP o PPD.

Frente a esta polarización un PIP trabajando a todo vapor, pero con las grandes dificultades y debilidades de todo joven partido revolucionario:

1) Falta de organización adecuada. La gran mayoría de los barrios rurales (que controla el PPD) sin organizar. Una gran parte de los comités municipales realizaron trabajo sólo pocos meses antes de las elecciones.

2) Falta de cuadros o líderes locales lo suficientemente capacitados para llevar el mensaje al pueblo y entender sus aspiraciones.

3) Falta de un liderato experimentado capaz de planificar una estrategia y una táctica electoral efectiva y adecuada a los objetivos del Partido.

Al concurrir a las elecciones el PIP tenía en su contra todas las condiciones objetivas y subjetivas. No debe sorprendernos, pues, el resultado de las elecciones. Por el contrario, debemos sentirnos plenamente satisfechos de que con tantos factores en contra hayamos conseguido el respaldo directo o indirecto de unos 100,000 puertorriqueños.

PONGAMOS EN ORDEN NUESTRA CASA

Las elecciones nos han enseñado que, en gran medida, el éxito o fracaso de nuestro Partido en dirigir la lucha de nuestro pueblo por su liberación dependerá de que construyamos en los próximos años un sólido partido que supere las faltas del de hoy. En la actualidad contamos con cientos de militantes y simpatizantes que no están lo suficientemente capacitados para dirigir la lucha. Muchos de nuestros afiliados, como se evidenció en la reuniones de evaluación y crítica, comparten aún los miedos y los mitos del hombre colonizado.

La orden del día tiene que ser **¡Pongamos en orden nuestra casa!** Construyamos la organización revolucionaria capaz de dirigir la lucha de nuestro pueblo.

La construcción de esa organización, el partido revolucionario de masa, la vanguardia de la lucha del pueblo, supone, antes que nada, la formación de miles de "cuadros" (líderes políticos de base) altamente capacitados para entender las aspiraciones del pueblo trabajador y convertirlas en grito de guerra para el derrumbe de la sociedad capitalista y la creación del socialismo. Sobre esa base tenemos que construir nuestro partido. Y esto implica un gran reto: se trata de crear al mismo tiempo un partido de cuadros sin dejar de ser un partido de masas. En la organización y la educación política tendremos que "resolver" esta doble exigencia aparentemente contradictoria.

POLITICA DE MASAS, POLITICA DE CUADROS

Culebra, las huelgas obreras, los rescates de terrenos son acciones a través de las cuales nos hemos ido convirtiendo en un partido que cuenta con una gran simpatía y respaldo en nuestro pueblo. Gracias a esa campaña somos hoy el Partido más importante de la lucha por la independencia y el socialismo.

Ahora bien, esa "política de masas" ha tenido dos aspectos negativos:

1) La falta de cuadros (líderes de base) la ha tornado inconsecuente y por lo tanto, en gran medida, ineficaz.

2) No ha permitido la consolidación de nuestro Partido. El estar vueltos todo el tiempo hacia el pueblo nos ha impedido volvernos sobre nosotros mismos, organizar nuestra propia casa.

Contamos con cientos de militantes que en los últimos meses se convirtieron en verdaderos líderes de pueblo al visitar y hablar con miles de puertorriqueños y que, sin embargo, no están suficientemente capacitados políticamente . Claro que lo mismo un líder que un partido no se fabrican o gradúan luego hacer su "despegue". El partido y el cuadro se forman dialécticamente en un proceso de praxis (estudio-trabajo con el pueblo-estudio). Pero nosotros hemos estado trabajando todo el tiempo con el pueblo y no hemos dedicado tiempo suficiente al estudio.

Nuestro Partido tiene la necesidad urgente de dedicar este año a su organización y, como base de ella a la formación de miles de cuadros en toda la isla. Esto supone dedicar todos nuestros recursos materiales y humanos a una política destinada a formar miles de líderes locales (cuadros). Una política en la que todo otro aspecto de la lucha gire en torno o en función de nuestra necesidad de formar cuadros. Sólo de ese modo podremos transformar a nuestros militantes en verdaderos líderes políticos, en verdaderos revolucionarios.

OBJETIVO PARA EL AÑO

Consideramos que el objetivo estratégico de nuestro Partido en 1973 debe ser la organización del partido revolucionario de masas sobre la formación de miles de cuadros. Estos serán los líderes políticos de ese partido de masas o frente amplio que aspiramos a ser. Hay que hacer claro que no se trata de que nos encerremos en seminarios y olvidemos el trabajo con el pueblo, el trabajo de masas. ¡No! Se trata de que el trabajo de masas se haga en función de, es decir, de modo que propicie la formación de nuestros cuadros. Después de todo no puede haber formación de cuadros sin trabajo de masas. Pero tampoco puede haber un efectivo trabajo de masas sin cuadros.

Sin lugar a dudas el trabajo de masas que realizaremos durante los próximos años dependerá directamente del uso revolucionario de la Legislatura por parte de nuestros representantes. La experiencia en las huelgas, rescates de terrenos y los camioneros ha demostrado que la táctica de presión a la Legislatura colonial mediante la movilización del pueblo es uno de las más efectivas acciones por la cual el pueblo adquiere o desarrolla su conciencia revolucionaria. El uso revolucionario de la Legislatura supone entonces una prensa, una organización, una educación, una agitación y una movilización constante del pueblo por parte de nuestros militantes.

Aparentemente el uso revolucionario de la Legislatura nos lanzaría de nuevo a un trabajo de masas que volvería a impedir o a retardar la formación de nuestros cuadros y el poner en orden nuestra casa. El grave problema que aquí se presenta es si va el Partido (su organización, su militancia) a girar en torno a la Legislatura o si va la Legislatura a girar en torno al partido. El gran reto que tenemos por delante es el establecer el justo balance entre la política de cuadros y la política legislativa de masas. ¡Marchemos hacia la construcción del partido revolucionario de masas!

"Por una política de masas." Artículo de Ángel Villarini.
Periódico *La Hora*, 15 de diciembre de 1972.

LA HORA–22 DE DICIEMBRE–17

Critica desde adentro y desde afuera

Por David Noriega Rodríguez
Secretario Nacional de Organización

Pasadas las elecciones, nuestro Partido ha entrado en un proceso de evaluación de toda su organización, metodología e ideología con el propósito de obtener de cada error cometido una lección y de cada logro un reto para mayor superación. El proceso se comenzó por iniciativa de la Comisión Ejecutiva en todos los comités locales y en los organismos intermedios del Partido. La propia Comisión Ejecutiva celebró un seminario de tres días en donde se recibieron por escrito y se discutieron las críticas y sugerencias que enviaron los comités.

Las recomendaciones que obtuvieron el consenso preliminar de la Comisión le fueron luego sometidas a la Junta de Directores para su análisis y aprobación. En este momento varias comisiones especiales trabajan en la redacción de informes específicos sobre áreas en que no se ha logrado un consenso por ser materias altamente técnicas o que requieren un mayor estudio. Luego de rendidos estos informes, la nueva Comisión Política pasará juicio sobre ellos y subsecuentemente se someterán para su consideración final a la Comisión Ejecutiva y a la Junta de Directores del Partido.

En todo este proceso, los que componemos la dirección del Partido, nos hemos abstenido deliberadamente de opinar públicamente sobre materias no discutidas para evitar influir en el juicio de la militancia. No obstante, creo que en este momento es necesario hacer unos comentarios sobre el proceso mismo que se está llevando a cabo porque es parte de nuestra función de dirigentes evitar o minimizar que se malogre consciente o inconscientemente la importante evaluación en la que estamos inmersos.

Recientemente distinguidos compañeros del Partido han hecho una serie de críticas al Partido y en particular a su liderato, a través de los medios comerciales de comunicación masiva. Independientemente del contenido substantivo de sus artículos, los cuales de haberse planteado en el foro apropiado, en el organismo apropiado, siguiendo el procedimiento apropiado, dentro de las estructuras formales del Partido, pudieron haber

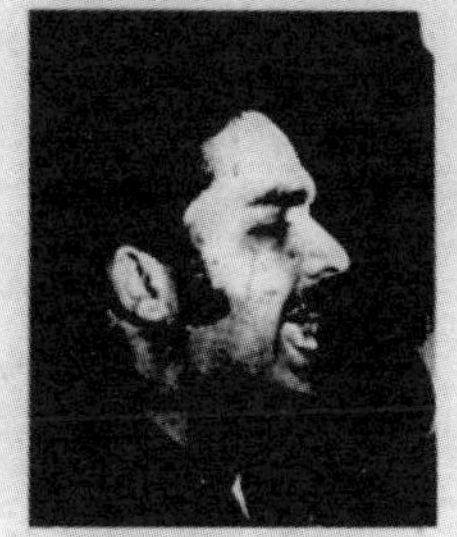

David Noriega

sido considerados en sus justos méritos o deméritos, creo que su publicación en foros ajenos al Partido e incluso enemigos, para consumo público, viola los más elementales principios de organización política.

Dice un viejo principio revolucionario que las diferencias en el seno del Partido se resuelven en el seno del Partido. Lo que en otras latitudes tomó mucho pensamiento y dedicación plasmar en un principio universal de organización política, nuestro pueblo lo ha cuajado en su esencia aunque en otro nivel y dimensión en la conocida expresión de que "los trapos sucios se lavan en casa".

Los fundamentos teóricos que sustentan el cardinal principio y la sabiduría popular detrás de la conocida frase de pueblo son muy parecidas: las naturales discrepancias de táctica o estrategia o incluso de ideología en el Partido tienen que ser discutidas y ponderadas entre compañeros para proteger siempre el instrumento de lucha de los enemigos que están en constante acecho para destruirlo, de la misma forma que las naturales discrepancias entre los miembros de una familia deben ser dilucidadas en la intimidad del hogar para proteger la unidad familiar de las interferencias de las múltiples variables del complejo mundo exterior.

Plantear las diferencias en el seno del Partido no quiere decir exclusivamente que las mismas se descarguen en los foros máximos del Partido como algunos compañeros entienden. El Partido cuenta con vastos foros a varios niveles y muchos recursos donde hacer sentir las diferencias. Los militantes plantean sus diferencias en el comité de su barrio o precinto, los presidentes de comités y coordinadores los plantean en el comité de área y en la Junta de Directores, los miembros de la Comisión Ejecutiva las plantean en la Comisión Ejecutiva y cuando algún miembro desea obviar uno de esos foros o niveles por la importancia de sus planteamientos, solicita audiencia ante el organismo pertinente y hasta el momento ninguna de dichas solicitudes se ha denegado.

Si no bastara con lo anterior, el Partido cuenta con otros recursos en donde se discuten y se analizan puntos de controversia en el Partido desde una perspectiva de debate entre compañeros, hecha con el único propósito de adelantar la lucha. Tenemos un periódico, docenas de comisiones de trabajo, programas de radio, cientos de boletines locales, un Boletín Nacional y otros medios a los cuales se debe recurrir antes de utilizar foros ajenos e incluso hostiles.

Ahora bien, para hacer la crítica desde el seno del Partido no basta con utilizar sus foros y organismos. Afirmar lo contrario, además de ser un simplismo, descartaría importantes elementos que deben ir de la mano con toda observación crítica: la presentación de alternativas, el diseño de métodos a corto y a largo plazo para implementarlas y sobre todo, la firme voluntad de envolvimiento de los proponentes en la defensa de los cambios que sugieren y en la tarea de implementarlos.

Lo anteriormente expresado es particularmente relevante porque enuncia una diferencia conceptual importante que aparentemente los críticos públicos del Partido no distinguen. Una cosa es la crítica y otra es la evaluación. La crítica es un medio no es un fin. La crítica es parte de la evaluación, pero no es el todo. El objetivo de toda crítica en el Partido es su eventual fortalecimiento y para ello necesita el concurso, trabajo y esfuerzo de sus críticas.

En las críticas públicas a que he hecho referencia resalta la ausencia de alternativas claras a las fallas que se señalan pues los compañeros se han limitado a insinuar en forma confusa algunos caminos a seguir, pero no han esbozado un esquema completo de su visión de partido. La única alternativa clara ha sido la de cambiar unos dirigentes por otros. Es clara esa alternativa porque es simplista.

Por obvias razones y porque ya el compañero Milton Pabón explicó en un artículo reciente las razones que sustentan la anterior afirmación, no voy a entrar en ella. Resalta también de esos artículos una actitud de no envolvimiento en este momento, de mantenerse fuera de la controversia, de dejar que otros realicen el trabajo duro de corregir las fallas y entonces, sólo entonces, contar con la participación de algunos.

Creo que los compañeros han cometido un grave error tanto procesal como substantivo en sus planteamientos externos al Partido. Entiendo que las diferencias hay que traerlas al seno del Partido porque el Partido como instrumento de lucha, como organismo rector, tiene que estar cobijado bajo una presunción de que siempre actúa correctamente, es decir, en adelanto de la lucha.

El Partido no es un hombre ni dos ni tres, el Partido es toda una militancia, cientos de comités, un periódico propio, docenas de programas de radio, miles de boletines, una juventud luchadora y una limpia trayectoria forjada al calor del combate.

Para finalizar y a manera de resumen, quiero dejar claro que como dirigentes de nuestro Partido tenemos la obligación de estimular y ser tolerantes con toda la crítica que provenga desde dentro del Partido por más incisivas o injustas que sean porque es la única forma de superación.

Pero a las críticas desde afuera, ya sea en términos de estructuras o anímicamente tenemos que desalentarlas y ser inflexibles por las funestas consecuencias que podrían causar. Las puertas siempre estarán como hasta ahora, abiertas para el debate interno, entre compañeros. Dentro del Partido todo está sujeto a discusión, fuera del Partido nada.

La evaluación y sus frutos...

(Viene de Pag. 4)
política. La comisión política será un cuerpo de análisis de la problemática puertorriqueña y de dirección frente a esa problemática". Además se señala que, "La comisión política fijará la línea de acción del partido siempre en acuerdo con la línea política fijada por los otros organismos superiores. Tendrá que rendir cuentas a estos organismos sobre el modo como ejecuta sus decisiones".

Entiendo que la creación de la comisión política es un paso adelante hacia el desarrollo del partido. Es un organismo permanente de debate y análisis político. Necesariamente esto tiene que apuntar a un ponerle término a la improvisación en la que en algunos momentos hemos caído en el pasado. Además, por su misma composición mediante la cual seis de sus miembros son electos por y de la Comisión Ejecutiva es un organismo que tiene una amplia representación de la base del Partido, pues la Comisión Ejecutiva la componen además del Presidente, Vicepresidente y el Secretario de Organización, los secretarios y coordinadores de área.

No obstante, las estructuras y los organismos sobre el papel pueden parecer excelentes y en la práctica resultar un desastre o mediocres. Sólo los hombres y mujeres que participan de las estructuras y los organismos pueden hacer que funcionen.

En el caso de la comisión política del Partido Independentista se dan todos los ingredientes y las circuntancias no sólo para que se cumplan los objetivos que motivan su creación sino para que se superen. Está en nuestras manos hacerlo. Es fundamental que sea realmente un cuerpo de análisis y debate político, en donde de las diferencias de criterio y opiniones y de un análisis exhaustivo, salgan las mejores recomendaciones de tipo político para el Partido.

Es fundamental que la Comisión Política como tal asuma una actitud dinámica, no meramente limitándose a discutir en su seno o dentro de la Comisión Ejecutiva, sino promoviendo el debate político si en algunos casos necesarios, el debate ideológico. Esta es una manera de robustecer el proceso de toma de decisiones en el Partido. No podemos limitarnos a tomar unas decisiones internas sin impulsarlas hacia afuera, sin promover la discusión y el diálogo.

Debemos también saber "pulsar el sentimiento de las masas para que las consignas que se lancen puedan elevarlas desde las luchas económicas y reinvindicativas a las más altas formas de la lucha política". (Nuñez Tenorio J.R., Lenin y la Revolución, pág. 76). De la misma manera que tenemos que saber pulsar el sentir de las masas, también tenemos que saber pulsar el sentir de la base del Partido y de la periferia independentista.

Esto está íntimamente ligado a lo que consideramos una responsabilidad de cualquier liderato político y es impulsar unos planteamientos, líneas de acción o ideológicas. Hay que establecer la distinción entre impulsar e imponer. Impulsar implica presentación, diálogo, debate crítica, aceptación o rechazo. El término imposición implica autoritarismo, centralismo y falta de convicción en la aceptación.

Precisamente esta es una de las vertientes fundamentales del arte de la dirección política. La comisión política, ya que una de sus funciones es de dirección política no puede soslayar esta responsabilidad. Se trata de un problema de dirección política y nuevamente hay que establecer una distinción entre dirección e imposición.

En estos momentos y como resultado en la evaluación, en el PIP se perfilan unos cambios organizativos así como en muchas otras áreas del Partido. Estos cambios deben y tienen que llegar a la base del Partido no meramente con informes o reuniones esporádicas sino con discusiones, planteamientos y análisis.

Ahora tenemos una gigantesca tarea por delante, tanto a corto como a largo plazo. Internamente, tenemos que ahondar en la evaluación y continuar implementando las recomendaciones que han ido surgiendo de la misma. Externamente, se abre todo un nuevo campo de acción política con nuestra representación legislativa. Tenemos un Partido y una militancia en pie de lucha. El futuro es de la independencia y el socialismo.

"Críticas desde dentro y desde fuera." Artículo de David Noriega.
Periódico *La Hora*, 22 de diciembre de 1972.

¿Por qué me fui de Palmarinas?

Por Noel Colón Martínez

Compañeros muy apreciados de la lucha por la independencia y el socialismo me han convencido que debo explicar públicamente por qué me retiré de Palmarinas luego de la primera sesión del seminario que celebrara el PIP durante el fin de semana de los días 24, 25 y 26 de diciembre de 1972. He aquí lo ocurrido.

Noel Colón Martínez

Llegué a Palmarinas entre los primeros, alrededor de las seis y treinta de la tarde del viernes. Luego de saludar a Martínez, dueño del Hotel me dirigí a la habitación que compartían César Andreu Iglesias, Samuel Aponte y Norman Pietri. Allí conversamos y de allí salimos para el lugar donde habría de comenzar la sesión de la noche, luego de comer. Comenzamos a oir a los coordinadores en sus reflexiones sobre la campaña y la situación política general alrededor de las nueve de la noche. Se expusieron ideas muy interesantes y apreciaciones muy correctas y francas sobre los logros y las fallas del partido. Como a las 10:30 de la noche consumió su turno Angel Ayala, coordinador de Bayamón quien hizo un análisis muy franco y objetivo sobre los problemas de dirección que exhibe el PIP. Ayala hizo unos provechosos señalamientos sobre las malas actitudes que prevalecen en algunos sectores de nuestro partido.

Como a las once y treinta se me acercó David Noriega y me habló del interés de Carlos Gallisá en que celebráramos una reunión en pequeño porque aquello estaba tomando un giro que era necesario discutir en privado en un grupo más reducido y de mayor responsabilidad. Recuerdo que usó una expresión pueblerina que no es conveniente reproducir aquí. Le manifesté a Noriega mi sorpresa y mi insatisfacción porque creí que debíamos continuar el diálogo como se había empezado. Me comunicó que Rubén interesaba celebrar una reunión con un grupo pequeño. A las doce de la noche Rubén decretó un receso hasta la mañana siguiente y al disolverse la reunión Carlos se me acercó para explicarme que allí se iban a discutir cuestiones relacionadas con actitudes de los líderes y que eso era peligroso y que debíamos tener una conversación en un grupo pequeño. Le reiteré a Carlos mi sorpresa y mi insatisfacción y ante la afirmación de Carlos de que yo había sugerido una reunión de ese tipo varios días antes le aclare que yo favorecía una reunión de grupo pequeño antes de empezar el seminario para planificarlo mejor pero no después de comenzado y cuando ya los coordinadores con su honestidad y su franqueza se estaban comprometiendo en un curso de acción muy claro para mí.

Carlos insistió y Rubén nos pidió que nos uniéramos a él en una habitación del Hotel. Accedí a acompañar a Carlos hasta la habitación pero le hice clara mi total desaprobación por el giro que estaba tomando el modo de conducir una sesión que yo entendía de autocrítica.

Cuando llegamos a la habitación Rubén inició diciendo que el de la idea de la reunión habia sido Carlos y que iba a dejarlo que él explicara su propósito. Carlos empezó diciendo que el creía que debido al grupo tan grande y debido además a la naturaleza de los problemas que se iban a discutir allí el consideraba que debía haber una discusión de los allí presentes antes porque se iban a discutir cuestiones de actitudes y que aunque él deseaba plantearlas esto podría producir una crisis y un caos en el partido.

David estuvo de acuerdo en que lo relativo a actitudes se discutiera en ese grupo pequeño. Luis Rivera Pagán fué mas lejos al añadir que las actitudes personales debían discutirse entre amigos. Raúl Serrano coincidió con la discusión de ese problema en ese grupo. Yo estuve en desacuerdo. Expresé que aquel grupo había ido a Palmarinas a oir y decir lo que se tuviera que decir y oir, que el grupo era un grupo selecto del partido y que no había necesidad de negarle una completa participación, que era injusto e incorrecto entrar en una discusión a espaldas de la Comisión Ejecutiva y que no teníamos tiempo para entrar en una provechosa discusión sobre las malas actitudes en el partido, allí, a la una de la mañana. Le recordé a Rubén que discutiendo problemas de actitudes él y yo habíamos estado en una ocasión más de doce horas conversando.

Allí eramos siete. Milton Pabón tuvo dudas sobre la utilidad de la reunión si la misma iba a ser un vivencial. Comentó algo sobre la falta de tiempo. En ese momento Carlos abundó sobre su deseo y necesidad de hacer los planteamientos pero reiteró sus dudas sobre si debían hacerse ante el grupo grande. Rubén expresó que era importante discutir el asunto allí y entonces insistí en que nadie tenía la intención de entrar en personalismos. Dije que cuando se discuten los problemas de actitudes en el contexto de un partido político nos referimos a aquellas actitudes que tienen relevancia política y que generan consecuencias políticas. Dije que una mala actitud política puede afectar el funcionamiento de las estructuras existentes y entonces hay que bregar con las actitudes para poder crear las estructuras necesarias o corregir las actitudes indeseables. Lo que no dije fue que cuando hablaba de actitudes incorrectas me refería a las de Rubén, a las mías y a las de todos los que estábamos allí. Sin embargo me pareció que en aquel grupo sólo se pensaba en las actitudes de Rubén. Cuando terminé Rubén me expresó que si esa era mi actitud no teníamos nada más que hablar. Si me lo dice estando yo en mi habitación me imagino que él se hubiera ido. Como yo estaba en su habitación me fui yo. Me fui a pensar solo y llegué a la conclusión de que en aquel cuarto estaban destruyendo el propósito que nos llevaba allí según yo lo entendía.

Yo fui allí a hablar claro, de buena fe y sin cortapisas. Ahora resultaba que el Presidente, el Vice Presidente, el Secretario de Organización Política, el Secretario de Educación Política, el Secretario de Programa y Reglamento y el máximo asesor del partido sustentaban dudas en cuanto a si era conveniente para el partido que hubiera un seminario que fuera una buena sesión de crítica interna y que esa crítica abarcara todo lo que tuviera consecuencias políticas. Yo no iba a transigir pero pensé que mis planteamientos se recibirían en la atmosfera del desacato. Aparecería yo como aquel que advertido del peligro de lo que su intervención va a causar insiste. Por otra parte desconocía lo que el pequeño

(Pasa a la página 20)

Noel, el seminario y el Partido

Por Carlos Gallisá
Vicepresidente
Partido Independentista Puertorriqueño

Es con gran sorpresa que he leído la versión del compañero Noel Colón Martínez sobre su retiro del seminario que celebramos en Palmarinas. La relación de hechos no es tan solo incompleta sino que parece ajustada para beneficio propio. La conclusión lógica del que no conozca los hechos de Palmarinas y los antecedentes es que Noel es una víctima del liderato del partido y que el único puro e inmaculado es él.

Es justo aclarar primero los hechos. La reunión de un grupo pequeño para discutir cuestiones de carácter personal que Noel señala como idea mía y a la que le atribuye un intento de cortar la discusión en el seminario dando la impresión de "chanchullo", no fue idea mía ni tuvo el propósito que le quiere adjudicar Noel. La idea de esa pequeña reunión fue del propio Noel, quien me la expresó dos días antes del seminario. Su propósito, me dijo entonces Noel en presencia de Norman Pietri y Jorge Segarra, era "darnos unos cuantos cascarazos", según palabras del propio Noel.

Esa reunión no se pudo celebrar antes de Palmarinas, por lo que traté de que se celebrara después de recesar la primera noche, ya que estaba de acuerdo con los propósitos de la misma. Recuerdo claramente cuando le dije a Noel: "eché pa'lante tu idea y vamos a celebrar la reunión que tú interesas". Su respuesta fue que era muy tarde y no había tiempo suficiente para discutir lo que había que discutir.

Aun así fuimos a la reunión donde él expresó su objeción a la misma por falta de tiempo. Señalando que la última vez que había discutido asuntos de esa naturaleza con Rubén, la sesión había durado doce horas.

Es después de su objeción por el factor tiempo que Noel levanta su preocupación de que esa reunión privara al seminario en pleno de una discusión completa. Le dije en dos ocasiones que en forma alguna discutir algo allí suponía que no se podía discutir en el pleno. Dije más: que personalmente no me comprometía a nada allí y que cada cual se debía sentir en libertad de discutir en el pleno lo que quisiera.

Esa misma seguridad se la había expresado antes David Noriega a Noel. Nunca estuvo en duda que en el pleno se iba a discutir todo lo que se quisiera. Ante la objeción de Noel a celebrar la reunión por el factor tiempo, Rubén dijo: "Entonces no tenemos nada que hablar". A esto Noel se levantó y se fue.

Para sorpresa de todos, Noel no se presentó más en el seminario.

Estos son los hechos y así los relaté en el mismo seminario, en la Junta de Directores y en la Comisión Ejecutiva.

Por eso, decir que "en aquel cuarto estaban destruyendo el propósito que nos había llevado allí" no es ajustarse a la verdad. El mentís mayor de esta conclusión de Noel fue el propio seminario. Allí se habló de todo y a

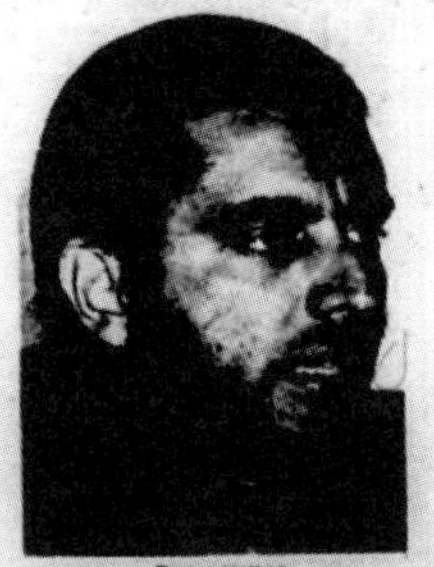

Carlos Gallisá

nadie se le negó un solo turno para expresarse. Testigos: los cerca de cincuenta participantes.

Ahora, si la conclusión de Noel es que se estaba tratando de destruir el propósito del seminario, ¿por qué no se quedó y denunció allí mismo esa acción? Sobre todo, ¿por qué no lo hizo si, según sus propias palabras, él fue allí a "hablar claro, de buena fe y sin cortapisas."?

Dice Noel que "en Palmarinas no se hizo la labor profunda de autocrítica que el Partido necesita". ¿En qué se basa Noel para tal conclusión si él solamente estuvo presente cuatro horas de cerca de treinta que duró la discusión? El sentir casi unánime de los participantes es totalmente contrario al de Noel.

Palmarinas fue el mejor seminario que ha tenido el Partido. La discusión fue franca y abierta y no hubo ningun cierre de filas en el liderato para protegerse. De hecho, la más fuerte discusión del seminario fue entre Rubén y yo y ocurrió en el pleno.

Ese seminario ha sido meramente el comienzo, pero un buen comienzo para corregir las fallas que tiene el Partido, tanto en sus estructuras como en actitudes. Dicho sea de paso, el problema de las actitudes fui yo quien lo trajo a discusión y fue lo que provocó el debate mayor.

Finalmente, estamos de acuerdo en que tenemos problemas en el Partido. Claro que sí. Pero vamos a discutir todo lo que haya que discutir dentro del Partido.

Esa oportunidad se le ofreción plenamente a Noel en Palmarinas y él no la utilizó. Tampoco ha aceptado las repetidas invitaciones para formar parte de la Comisión Ejecutiva y presentar allí todos sus puntos de vistas.

Hace tres días, antes de recibirse su artículo, una delegación de la Comisión Ejecutiva visitó a Noel para invitarlo una vez más a que venga a la Comisión Ejecutiva y exprese todo lo que sea necesario. Esperamos que acepte esta invitación y se integre al trabajo diario en el Partido, como es el deseo de todos.

"Por qué me fui de Palmarinas." Artículo de Noel Colón Martínez. Periódico *La Hora*, 22 de diciembre de 1972.

Noel

(viene de la página 3)

grupo iba a decidir y en estos casos suele crearse una línea de defensa de los intereses del partido que es infranqueable porque los que establecen la línea de defensa tienen el poder, la representación y la responsabilidad política. A ellos le era posible decidir en un pequeño grupo lo que era conveniente, prudente o deseable para el partido. Y a lo mejor en algún aspecto tenían razón desde el punto de vista de la estructura existente pero yo no quería compartir responsabilidades que no eran mías. Yo quería tener absoluta libertad en Palmarinas. La reunión del cuarto pequeño no fue una tentativa de amordazar a nadie pero tenía el efecto similar al llamar la atención sobre los peligros de la franqueza.

Creo que en Palmarinas no se hizo la labor profunda de auto-crítica que el partido necesita. Creo que es encomiable la actitud de los coordinadores pero a mi juicio su propia función en el partido está cuestionada en estos momentos. Mi ausencia de Palmarinas debe haber contribuído a una rigurosidad mayor en el análisis de los problemas. Estoy convencido que contribuí más alejándome de Palmarinas que quedándome con las sensación de que mis reflexiones hacían más daño que bién. Después de todo yo creo que las fallas de nuestro partido no tienen mucho que ver con las estructuras existentes sino con las actitudes de algunos compañeros que no entienden bién que sólo mediante procesos frecuentes de crítica interna sin trabas el partido logrará niveles adecuados de participación, de análisis y de democracia interna. Que solo el diálogo franco terminará el amiguismo, el autoritarismo, la formación de élites. Que los procesos decisionales no deben estar sujetos a la democracia burguesa ni a la manipulación tampoco. La búsqueda del concenso no puede estar siempre en manos de quienes creen ostentar el poder único porque ello producirá siempre la sensación de fustración y de impotencia que crean las oligarquías políticas.

Finalmente una buena interacción entre base y liderato no puede lograrse con evaluaciones hechas por el liderato con consultas infrecuentes y en momentos críticos.

Hasta aquí lo que creo debe ser mi aclaración. Espero que no sea necesario mi intervención posterior en relación con este asunto. Pronto escribiré sobre la Comisión Política.

"Por qué me... (continuación)

Diario de Sesiones Cámara de Representantes 8 de enero de 1973

22

SR. PRESIDENTE: Representante Carlos Gallisá.

SR. GALLISÁ: Señor Presidente, señores legisladores, en primer lugar quiero dar las gracias a nombre del Partido Independentista Puertorriqueño por las palabras de bienvenida que expresara la Portavoz Alterna del Partido Popular, doña Olga Cruz de Nigaglioni, y el Portavoz Alterno del Partido Nuevo Progresista, el doctor Hernán Padilla. He sido designado por mi Partido como Portavoz del Partido Independentista Puertorriqueño en esta Cámara. Al comenzar a cumplir esa misión lo hago con un profundo sentido histórico de una voz representando a una lucha centenaria que comenzó en el pueblo de Lares en el siglo pasado y que estuvo dirigida por el padre de la patria puertorriqueña, el doctor Ramón Emeterio Betances. Acepto esta misión como la continuación de una lucha que a principios de siglo y desde estas mismas Cámaras y desde su Presidencia le diera continuidad don José de Diego y Martínez. Acepto también esta misión de hoy como la misma lucha que en la década del 1930 y a principios del 1950 hiciera esta lucha frontal definitiva e irreversible, el maestro don Pedro Albizu Campos. Es parte, es parte de esa misma lucha la que continúo junto a mi Partido para traer aquí a estas Cámaras el mismo mensaje que trajo el fundador y líder ausente hoy a nuestro Partido. El doctor Gilberto Concepción de Gracia. Para nosotros en esta Cámara hoy, estos puertorriqueños, lo más alto, lo más noble, las conciencias más puras que ha dado nuestra Patria, son el ejemplo. Por eso, al venir hoy aquí a esta Cámara y oírse nuestra voz representativa de esa lucha, después de doce años de silencio, tenemos que mirar hacia ellos como la guía, como la dirección, como el ejemplo. Venimos aquí a defender la independencia de nuestro pueblo. No hay tarea más sagrada que pueda realizar hombre alguno que luchar por la libertad de su pueblo, la independencia, para que seamos nosotros los puertorriqueños los que tengamos en nuestras manos el destino final de nuestra patria, para que no haya interventor alguno en la vida de los puertorriqueños, para que ningún extranjero, sea quien sea y venga de donde venga, tenga que mandar y decidir por nosotros en nuestra tierra. Venimos aquí para junto con esa independencia luchar por el socialismo para acabar con la injusta distribución de la riqueza, para acabar con la explotación del hombre por el hombre, para acabar con la injusticia y la opresión de un grupito de arriba sobre la gran masa del pueblo que está abajo. Venimos aquí también a luchar por la democracia, pero no la democracia esa falsa y la democracia que se entiende que es la mera celebración de unas elecciones cada cuatro años; venimos a luchar por la verdadera democracia que es la participación diaria y continua de un pueblo abriéndose un futuro y decidiendo ese futuro. No venimos aquí al combate y al enfrentamiento por el enfrentamiento mismo y en busca de una publicidad porque nunca hemos actuado de esa forma. Por eso, hoy llegamos aquí vestidos con corbata y gabán, no porque el reglamento lo imponga sino porque lastimosamente el mero hecho de que si veníamos con una guayabera o en camisa deportiva estaba distrayendo la atención de los verdaderos y reales problemas de este pueblo. Vamos a trabajar aquí para beneficio de nuestro pueblo, y tal vez estas palabras las hayan oído antes, pero

Primer discurso de Carlos Gallisá en la Cámara de Representantes de Puerto Rico, 8 de enero de 1973.

nosotros y de nuestros labios salen con la profunda convicción de un puertorriqueño y de un Partido que realmente está comprometido con nuestro pueblo. Venimos a esta Legislatura aún sabiendo que es una Legislatura recortada de poderes, que es una Legislatura manca por su misma naturaleza de Legislatura colonial. Sabemos que en esta Legislatura no importa la buena fe, no importa el interés que tengamos todos los que estamos sentados en esta Legislatura no podemos legislar aquí para resolver muchos de los problemas principales de nuestro pueblo porque somos un país intervenido, porque el gobierno "yanqui" ha retenido para su jurisdicción las áreas económicas básicas de nuestro pueblo. Pero aún así, hay muchas cosas que se pueden hacer en esta Legislatura colonial, aún así tenemos mucho trabajo que realizar y lo podemos realizar si no hay ataduras con grandes intereses, si no hay ataduras con nada ni nadie que no sea únicamente el verdadero pueblo puertorriqueño. Si ese camino lo hemos de recorrer, el Partido Independentista Puertorriqueño está dispuesto a recorrerlo, independientemente de quien sea el que favorezca estas medidas. En el día de hoy hemos comenzado este trabajo, en el día de hoy hemos radicado ante esta Cámara de Representantes tres resoluciones y un proyecto de ley. Nuestra primera Resolución obedece a una obligación moral que tiene el Partido Independentista Puertorriqueño y esa resolución primera radicada ante este Cuerpo por nuestro Partido es para que estas Cámaras Legislativas exijan la libertad de los presos políticos. La libertad de unos patriotas puertorriqueños que por más de veinte años ha sufrido prisión y cuyo único delito ha sido luchar por la independencia de su patria. Junto con esa Resolución hemos radicado otra Resolución ante esta Cámara para exigir el retiro inmediato de la Marina "yanqui" de la Isla de Culebra. Y junto con esas dos resoluciones hemos radicado una tercera Resolución que creo que le corresponde a esta Cámara rectificar, y es una Resolución para condenar la guerra injusta e inmoral y atroz que ha desatado sobre el pueblo Vietnamita el imperio norteamericano y que esta Cámara de Representantes en el 1965 de una manera inexplicable apoyó esa guerra atroz , y ha sido la única Cámara de Representantes o Cuerpo Legislativo del mundo entero que se ha atrevido a apoyar la inmoralidad de la guerra de Vietnam. Y junto con esas tres resoluciones hemos radicado nuestro primer Proyecto de Ley, que es para expropiar la Compañía Telefónica de Puerto Rico que tanto ha abusado con el pueblo puertorriqueño. Señores Legisladores: le hemos dado un anticipo del trabajo que venimos a realizar. No nos corresponde a nosotros decidir en estas Cámaras. La decisión en estas Cámaras está sobre el Partido Popular, que es la Mayoría, que es la que aprueba y desaprueba. Sobre nosotros recae la responsabilidad de traer ente este Cuerpo los profundos problemas que sufre el pueblo puertorriqueño; y no quiere decir que no llevemos a ese mismo pueblo la solución a esos problemas cuando el Partido Popular, que es la Mayoría en este Cuerpo, se niegue a bregar con esos problemas en la forma que tiene que bregarse. Estaremos dentro y fuera de la Legislatura. Legislaremos aquí adentro y legislaremos en la calle. Señores Legisladores: venimos aquí a trabajar; venimos aquí profundamente comprometidos con el pueblo de Puerto Rico. A ustedes les corresponde comenzar ese trabajo. En ustedes está lo que podamos hacer en el futuro. Muchas gracias.

"Primer discurso..." (continuación)

Dos alternativas: legislatura o sello de goma

(Extracto de discurso de RBM ante el Senado, enero de 1973)

He pedido la oportunidad para dirigirme a ustedes en la tarde de hoy porque pienso que este Senado de Puerto Rico tiene ante sí un gran reto y del enfrentamiento audaz y valeroso a ese reto dependerá, no solamente el prestigio de este Cuerpo, sino la existencia misma de este Cuerpo.

Recordarán los distinguidos Senadores que en mis primeras palabras ante este Cuerpo hice una advertencia, una advertencia que no iba dirigida a nadie en particular, una advertencia que iba dirigida a todos nosotros, como miembros de este Cuerpo. Adelanté en aquel entonces que existía la tendencia, al parecer inexorable, de que en las legislaturas del mundo Occidental ocurriera el fenómeno del desplazamiento del Poder Legislativo hacia la Rama Ejecutiva, particularmente en sus funciones de tipo administrativo. Y advertí en aquel entonces que ese era un peligro real que se cernía sobre este Cuerpo y sobre la Cámara de Representantes también.

No voy a entrar en este momento a considerar los méritos o deméritos de ese desplazamiento del Poder Legislativo hacia el Ejecutivo. De lo que sí no tengo duda alguna es del hecho de que la Constitución de Puerto Rico garantiza la separación de poderes y que le da al legislativo la facultad y el poder para legislar. Siendo esa la realidad sobre la cual se cimiento todo el ordenamiento teórico-jurídico de Puerto Rico, en ese momento es necesario que hagamos un alto en el camino de nuestros trabajos, no solamente en mis palabras en el día de hoy, sino en la conciencia de cada uno de ustedes de ahora en adelante, para enfrentarnos a lo que he llamado al principio de mis palabras "el reto".

Primer discurso de Rubén Berríos en el Senado de Puerto Rico, 8 de enero de 1973.

Las dudas que en teoría tenía sobre esa materia se han ido confirmando al pasar de los días. Las acaba de confirmar fuera de toda duda, el mensaje del Gobernador ante el Senado y Cámara unos días atrás. Tenía sospechas ya, al ver cómo se trajeron a este honorable Cuerpo unos nombramientos que definitivamente no eran cónsonos con el sentir de los que hicieron la campaña y la política del Partido Popular en 1972.

Un Teodoro Moscoso, tres abogados de bufete de corporaciones y de bancos, no representaban el sentir genuino de la inmensa mayoría de los Senadores Populares que aquí se encuentran en este momento, no representaban el programa del Partido Popular y no representaban el alma genuinamente progresista de la inmensa mayoría de los Senadores del Partido Popular que aquí se encuentran. Pero esa sospecha pasó por mi lado y no quise hacer juicios finales. Vino entonces la sospecha confirmada. Y la sospecha confirmada es el tipo de actuación ejecutiva que vemos ceñirse como un águila sobre este Senado, como un águila sobre un polluelo a punto de devorarlo.

El Gobierno del señor gobernador Rafael Hernández Colón en su Rama Ejecutiva se propone, a todas luces, legislar desde La Fortaleza con una especie de tecnocracia, con una especie de areópago irresponsable, que no depende de los votos del pueblo y, por lo tanto, no tiene que ser responsable ante ese pueblo. Esto se ha confirmado plenamente con la intentona de legislar por Comisiones Ejecutivas en Puerto Rico. ¿Cuántas Comisiones han sido referidas a este Senado para su aprobación y cuántas Comisiones en los últimos días este Senado ha confirmado, ha aprobado? Quizás por no haber habido tiempo de pensar sobre lo que yo estoy diciendo aquí en el día de hoy.

¿Quién va a hacer la Reforma Electoral en Puerto Rico? No nos engañemos, compañeros Senadores Populares. La reforma electoral la van a hacer los tecnócratas

"Primer discurso de Rubén Berríos..." (continuación)

que el señor Rafael Hernández Colón, Gobernador de Puerto Rico, especifique a esos fines. ¿Quién va a hacer la reforma contributiva? La van a hacer los tecnócratas que el señor Gobernador especifique para esos fines. ¿Quién va a hacer el seguro universal de salud? Lo van a hacer los tecnócratas que el señor Gobernador especifique para esos fines. ¿Y nosotros, para qué nos eligieron en este Senado?

Esos está mal de por sí. El legislar desde Fortaleza es un pecado dentro del derecho constitucional nuestro que nosotros no podemos con dignidad y con decoro permitir. Pero si no bastara con el pecado de violar lo inviolable para los miembros del Partido Popular, la Constitución de Puerto Rico, el pecado llega más allá. Y es que no solamente se va a legislar desde La Fortaleza, sino que se va a legislar mal. Porque yo miraba la cara de los señores Senadores del Partido Popular, a muchos de los cuales aprecio y estimo como seres humanos que tienen múltiples preocupaciones, que ven la solución de los problemas a su manera, que en la mayoría de los casos no es la mía, pero que son dignos de respeto y que tienen la gentileza y la cordialidad que caracteriza tanto a este buen pueblo nuestro, y miraba sus caras y veía una decepción oculta, una ausencia de sonrisa franca.

¿Dónde están las promesas que los trajeron a ustedes al poder? ¿Las promesas de reforma social verdadera, el meterle mano a los problemas del status, como valientemente dijera uno de los compañeros senadores del Partido Popular? ¿Dónde está el gobierno de cambio para que los de abajo, por lo menos, puedan tener el ***módicum*** de justicia que se puede tener dentro de este sistema de opresión?

Ustedes subieron al poder aquí a esta Legislatura con los votos de un pueblo con promesas rectilíneas de cambios verdaderos en Puerto Rico. ¿Dónde está ese contenido

"Primer discurso de Rubén Berríos..." (continuación)

social, en la burocracia tecnocrática, en ese areópago irresponsable que se propone el Gobernador crear?

Ustedes no están aquí por el Gobernador. El Gobernador está allí por ustedes. Y ustedes se deben dar cuenta de eso. Ustedes deben acatar la voluntad del Gobernador como Presidente de su Partido y como Gobernador de Puerto Rico en la medida en que él se encamine a corregir con legislación verdadera los verdaderos problemas de este pueblo. Se ha tomado indebidamente la prerrogativa de legislar y la va a ejercer, según su propio discurso, no cónsona con las promesas de cambio que ustedes le hicieron a este pueblo.

El reto es el siguiente: O legislamos desde aquí, desde el Senado, o no habrá legislación en favor de nuestro pueblo en los próximos cuatro años. Los Teodoro Moscoso, los Salvador Casellas, los de Jesús, los Víctor Pons, los que están al servicio de los pulpos corporacionistas en Puerto Rico no permitirán en ese areópago irresponsable legislación progresista a favor de nuestro pueblo. ¿Dónde se va a legislar en Puerto Rico, en donde ordena la Constitución de Puerto Rico, que es aquí, o en una oficina de algún secretario de alguna agencia gubernamental?

Compañeros, si yo digo hoy estas palabras aquí les aseguro con toda entereza de corazón –y ustedes me conocen bien– que no lo digo para que mañana en tal sitio se diga Berríos dijo que el Senado era un sello de goma. No. Lo digo porque, aunque algunos de ustedes no lo crean, tengo confianza en la integridad personal y moral de muchos de ustedes y sé que si piensan sobre mis palabras, a lo mejor no podrán aceptarlo públicamente con la misma vehemencia con que lo dice un miembro de partido

"Primer discurso de Rubén Berríos..." (continuación)

de oposición, pero allá, corazón adentro, ustedes saben que lo que les estoy diciendo tiene mucho de verdad.

Y allá en su caucus o en su reunión interna o donde ustedes deseen, tienen que empezar a bregar con este problema. Si no, compañeros, nos mirarán en Caguas y en Carolina y en Humacao y allá en Yauco y en Mayagüez y tendremos que bajar la vista porque sabrán que somos sellos de goma en nuestros pupitres, respondiendo a la tecnografía, que nadie eligió, que no le es responsable a nadie. O salvamos el sistema legislativo en Puerto Rico o nos dejamos llevar por ese ***maremagum*** de la tecnocracia moderna, y ustedes son los que tienen la contestación porque ustedes son la mayoría.

Mi invitación, compañeros, es vamos a legislar, vamos a tratar de hacer justicia desde este Senado y si el Gobernador no se mueve, vamos a empujar al Gobernador. Muchas gracias a ustedes.

"Primer discurso de Rubén Berríos..." (continuación)

8—LA HORA—19 DE ENERO

En San Juan
Conversando con militantes del PIP

Por Carmen Teresa Del Toro
Redactora de LA HORA

La actividad de todo partido político descansa más que en su alto liderato, en el trabajo persistente de sus líderes municipales. Ese liderato intermedio es todavía más importante en el caso de partidos como el Partido Independentista Puertorriqueño. No teniendo a su alcance la utilización de los grandes

Aarón Ramos

medios de difusión –la prensa diaria, la radio y la televisión–, la vida misma del partido depende del trabajo desinteresado de centenares de militantes ... ¿Quiénes son y cómo juzgan la labor realizada, y qué proyectan para éste año?

Para cobrar una idea de la clase de individuos que componen la militancia del PIP, abordamos a los que tenemos más cercanos: algunos de los líderes que encabezan la organización del partido en San Juan.

UN PARTIDO JOVEN

Lo primero que nos señaló Luis Alonso, Coordinador del Area I, de San Juan, que incluye los primeros 4 precintos de la Capital, es que el PIP, de hecho, es hoy un partido joven. Se explica:

–Todo el mundo sabe que el PIP se fundó hace 26 años. Pero la verdad es que nuestro partido se renovó casi por completo. En el curso de los últimos cuatro años, más bien en los últimos dos, la juventud pasó a ocupar casi todas las posiciones de responsabilidad, tanto a nivel local como nacional. Esa renovación honra a los viejos militantes, quienes abrieron paso a la nueva generación de independentistas. Esa renovación, al mismo tiempo, representa un gran reto para nosotros. Pero lo de partido joven no lo digo sólo por el promedio de edad de los que hoy integran la militancia del PIP. Lo digo también por el hecho de que hemos venido aplicando nuevas formas de trabajo y nuevos métodos de organización.

Alonso es, sin duda, un representativo típico de esa nueva generación de militantes que se han dado a la tarea de forjar un amplio partido, al mismo tiempo que se forje con espíritu revolucionario, estrecha aun más sus ligazones con el pueblo en su afán de transformarse en un gran partido de masas. Luis tiene 25 años de edad y durante dos últimos años y medio se ha destacado en las tareas diarias del partido en San Juan. Le interrogamos sobre esto, y responde:

–Yo coordino las actividades políticas en los primeros 4 Precintos, desde el viejo San Juan hasta Manuel A. Pérez. Como Coordinador soy miembro del Comité Central del Area Metropolitana. En todos los 4 Precintos contamos con una activa militancia. Además de los comités de precinto, tenemos funcionando unas 30 células o grupos de trabajo en distintos lugares, tales como Las Margaritas, Llorens Torres, Manuel A. Pérez, Las Monjas, etc. Pasadas las elecciones, iniciamos discusiones de evaluación. Nuestro trabajo no se ha detenido. Estamos seguros que en los primeros meses de este año mejoraremos la organización de nuestro partido en San Juan.

NUEVOS CRISTIANOS

Por Luis Alonso y por otros militantes nos enteramos que en estos momentos se aplica un llamado "Plan de San Juan". Recurrimos a Aarón Ramos para que nos explique en qué consiste. Pero antes, algunos datos sobre este militante independentista. Coordinador del Area 2 de la Capital, recientemente electo miembro de la Comisión Política del PIP.

Aarón, quien tiene 27 años de edad, milita en el partido desde 1963. Estudió Teología, sobre lo cual, dice:

–Para 1967 se fortalece la tendencia de compromiso con la realidad social en la Iglesia. Es el momento del Padre Camilo Torres. Los cristianos en el mundo entero cuestionan las estructuras de la Iglesia en un mundo de opresión. Esa nueva visión me llevó al estudio de la Teología.

Como consecuencia, Aarón Ramos pasó a ser uno de los dirigentes del Movimiento Estudiantil Cristiano (MEC). Como miembro de su Comisión Ejecutiva, asistió a distintos congresos crisitianos internacionales. Ha viajado extensamente, habiendo tenido la oportunidad de estudiar en Argentina y Brasil. Pertenece a una nueva generación de líderes religiosos puertorriqueños, entre los cuales se destaca junto a Luis Rivera Pagán, Germán Díaz y Juan Antonio Franco.

En 1969 Aarón visitó a Cuba, y de ese viaje nos dice:

–Fue una experiencia culminante que contribuyó a esclarecer en mí la visión política del socialismo. A mi juicio, en Cuba se forja un hombre nuevo que trabaja y construye una patria que vive en una sociedad libre de opresión.

EL PLAN DE SAN JUAN

El Area 2, de la cual Aarón Ramos es Coordinador, abarca Puerto Nuevo, Río Piedras y un vasto

Norman Pietri

territorio de urbanizaciones. Le pedimos que nos explique su trabajo, y seguidamente responde:

"Uno de los problemas organizativos del PIP era superar la estructura simplemente electoral del partido. A eso ha contribuido el programa de capacitación política. Pero se requería algo más, y esa cuestión adicional es la que hemos dado en llamar "Plan de San Juan". Fundamentalmente consiste en fomentar un estilo nuevo de trabajo. El pivote principal es la integración de todos los precintos en áreas comunes de trabajo. A ese fin, se ha incluido en el Comité Central una representación de todas las áreas: educación, asuntos obreros, finanzas, propaganda, y también asuntos electorales. Y ya la experiencia demuestra que la división de trabajo y la estructura organizativa no pueden reducirse a un esquema. El esquema es útil sólo como bosquejo de orientación.

–¿Cómo se ha traducido éso a la realidad de San Juan?

–Lo primero que hay que tomar en cuenta es que la Capital abarca un vasto territorio con una población muy grande dividida en múltiples barriadas y urbanizaciones. Se trata de una zona urbana, pero contamos aquí, incluso, con una zona rural. Existe, sobre todo, una marcada división de clases. Hay sectores donde predominan los ricos mientras en otros la población la constituyen obreros casi en su totalidad. Estamos tomando en cuenta todas estas características. De ahí surgió la idea de las células.

–¿Qué me puedes decir sobre ese particular?

–El propósito de las células es llevar el mensaje de nuestro partido a la comunidad. En mi área hemos logrado organizar unas 15 células por Precinto. Es decir, contamos en total con unas 40 células. Funcionan en Nemesio Canales, Buen Consejo, Villa Andalucía, Monte Hatillo, Caimito, etc. Ahora, pasada la campaña electoral, estamos insistiendo en la educación política de los miembros de las células, en actividades de organización comunal alrededor de problemas de la comunidad, en la distribución del periódico *LA HORA*, y en levantar las finanzas.

Preguntamos a Aarón sobre el funcionamiento del Comité Central de San Juan, y éste responde:

–El Comité Central trabaja bajo la dirección inmediata de Norman Pietri, desde su propio local en la avenida Roosevelt, en Puerto Nuevo. Posee distintos equipos que facilitan su trabajo. Diversos militantes tienen a su cargo el desempeño de las tareas de dirección en distintas áreas de trabajo. Por ejemplo, en asuntos obreros, trabajan Pedro Rivera y Tito Drouyn. En tareas de organización, Madelyn Custodio y Edwin Avilés. En cuestiones de propaganda, Jorge Colberg junto a otros compañeros más de San Juan. A este trabajo se suman las secretarias, ocupadas por compañeras como Ada Pérez y Margarita Mergal ... En total componen el equipo de trabajo del Comité Central. Nos queda mucho por hacer y más aun por superar, pero habremos de iniciar durante este año actividades que nos lleven al cumplimiento de estos trabajos y a la superación.

OTROS MILITANTES

Imposible presentar todo el cuadro de militantes del PIP en San Juan en una sola entrevista. Pero, aunque brevemente, veamos lo que dicen algunos otros. Edwin Avilés, por ejemplo, Organizador del Precinto 38, antiguo Precinto 7. Se trata de un joven de 24 años de edad. Nos dice:

–En nuestro Precinto hemos bregado con la organización de células y, a mi juicio, está dando un buen resultado. Actualmente contamos con 10 células en los barrios Venezuela, Concordia Gardens, Hill Brothers, etc. Estamos en estos momentos en un proceso de reevaluación. No dudo que, como resultado, en los primeros meses de este año contaremos con un mejor partido.

Elliot Castro, joven de 23 años de edad, se desempeña como Secretario de Organización del Precinto 3, antiguo Precinto 5. Respondiendo a nuestras preguntas, dice:

–Nuestra militancia necesita más capacitación. En cuanto a la organización en general, necesitamos más planificación. Contamos con varias celulas, entre las que se destaca la de Las Monjas, que es una de las mejores de todo el partido en San Juan.

Del Precinto 5, antiguo Precinto 8, entrevistamos al joven militante de 27 años de edad, Frank Elías. Sobre su propia persona nos dice:

–La militancia en el PIP me ha dado una mayor seguridad como individuo. El tiempo que me deja libre mi trabajo, lo dedico al partido en la medida mayor que puedo. Para mí, la lucha nunca se ha detenido. Trabajo directamente con el pueblo. Creo que ahí está la fuente del crecimiento y desarrollo de nuestro partido.

Luis Alonso

"Conversando con militantes del PIP."
Periódico *La Hora*, 19 de enero de 1973.

LA HORA—19 DE ENERO—15

cosas de aquí

CESAR ANDREU IGLESIAS

Rubén y Carlos frente a Moscoso

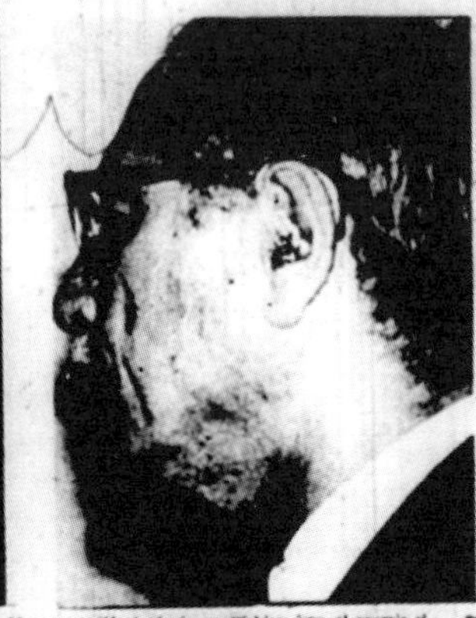

No van más de dos semanas desde la apertura de la Legislatura y ya se nota la diferencia, pensé al abandonar el Capitolio el otro día. Había subido sus gradas por primera vez en muchos años. Presencié las vistas públicas de la Comisión de Nombramientos del Senado mientras se cuestionaba a Teodoro Moscoso . . . No va a serle tan fácil ahora seguir entregando Puerto Rico a la voracidad de las coporaciones nortaamericanas.

¿Y qué es lo que hace esa diferencia?

Pues, la diferencia la hace la presencia de la oposición independentista en la Legislatura.

Hago esa afirmación con plena conciencia de que puede sonar exagerada. Pero no hay tal. Nótese que no afirmo que la entrega del país habrá de detenerse. Digo que se hará más difícil. Y en eso precisamente consiste el papel de una oposición revolucionaria en un parlamento burgués y, por añadidura, en nuestro caso, colonial.

Hacerle la vida difícil a los reaccionarios, a los reformistas, a los agentes del imperialismo, eso será parte –a mi juicio, importantísima parte– de la labor de Rubén Berríos, Carlos Gallisá y Luis Angel Torres en la Legislatura. Y en tan corto tiempo desde el día de la apertura, ya se han dado excelentes ejemplos.

No se trata de hacer ostentación de lenguaje estridente (como decían nuestros abuelos: lo cortés no quita lo valiente), sino el poner al descubierto las llagas del sistema. No porque se tenga la ilusión de convencer o educar a los legisladores pepedeístas y penepistas, sino porque se tiene el convencimiento de que a través de las medidas en discusión se ayuda al desarrollo político del pueblo. Quede sobrentendido, claro, qûe lo que allí se diga tiene que trascender las paredes del Capitolio . . . Esa es labor de los medios de difusión --prensa, radio, televisión-- y especialmente de *LA HORA* por su estrecha vinculación con el Partido Independentista Puertorriqueño.

Un buen ejemplo de una correcta actuación de la oposición independentista lo dieron Rubén y Carlos en las vistas de la citada Comisión de Nombramientos. Primero tocó el turno a Rubén y éste, ejerciendo su función de miembro deesa comisióndel senado, tuvo la oportunidad de interrogar a Teodoro Moscoso.

Ni siquiera el individuo políticamente más atrasado puede dejar de comprender la diferencia entre un interrogatorio a Moscoso llevado a cabo por senadores pepedeístas o penepistas y uno efectuado por el líder del PIP en ejercicio de sus prerrogativas como senador . . . Los primeros son fiscales de los de arriba interrogando a uno de los suyos, mientras el segundo es un fiscal de los de abajo que interroga a uno de los de arriba.

Y así fue, efectivamente. Del interrogatorio a Moscoso salió a relucir que si bien éste, al asumir el cargo de Administrador de Fomento, cesará en sus funciones de miembro de la Junta de Directores de la Commonwealth Oil Refining Corp., esa corporación le seguirá gratificando con 20 mil dólares anuales . . . ¡Díganme si, para todos los efectos prácticos, eso no es como tener a la CORCO al frente de la Administración de Fomento!

Pero aun cuando ésa habrá de ser la realidad, el capitalismo, mientras respeta los procedimientos de la democracia burguesa (aunque se trate de meras formalidades), no actúa de manera burda. De ahí que Moscoso declarara que ese dinero iría a un fideicomiso que administraría el Banco de Ponce. Es decir, la CORCO le abre esa cuentecita a Moscoso y él no hará uso de ese dinero mientras ejerza su puesto en Fomento . . . ¡Qué sacrificio, paisano!

Pero hay algo más que salió a relucir a través del interrogatorio de Rubén: el dinerito en cuestión se depósitará en el Banco de Ponce, y resulta que Mosocoso es accionista y miembro de su Junta de Directores. ¡Carambola perfecta!, como diría un buen jugador de billar.

Además de su íntima relación con CORCO y con el Banco be Ponce, Moscoso tiene intereses en otras empresas, tales como Arthur D. Little, Inc., Farmacias Moscoso, Rexco, Inc., que es una subsidiaria de la Rexach Corp., y en varias plantas satélites de la CORCO. Todo lo cual salió a relucir en el interrogatorio, apuntando, incuestionablemente, hacia un grave conflicto de intereses, por aquello de usar la frases más o menos eufemística, tan en boga durante los cuatro años de gobierno de Ferré.

Basta con lo dicho para cobrar una más clara idea de la significación de una oposición revolucionaria independentista en la Legislatura. Pero, entiéndaseme bien: no es que yo pretenda hacer creer que jamás se había hecho tal cosa. Ciertamente, actos similares se realizaron en el pasado, especialmente por la antigua representación legislativa del PIP en tiempos de Gilberto Concepción de Gracia. En justicia, puede decirse que los líderes actuales son herederos de esa tradición patriótica, habiéndole inyectado un contenido nuevo: el sentido clasista y revolucionario. Y ahí radica su significación.

Aun cuando la Cámara, por disposición constitucional, no interviene en la ratificación de los nombramientos del Gobernador, Carlos Gallisá compareció y declaró ante la Comisión de Nombramientos. Estuvo acompañado por Luis Rivera Pagán, miembro de la Comisión Ejecutiva del PIP y de su Comisión Política, quien a nombre de esos organismos depuso también.

Hablando con el conocimiento propio que le dan los años que trabajó en Fomento, Carlos denunció las posiciones antipuertorriqueñas de Teodoro Moscoso. Su desprecio por el talento puertorriqueño lo dejó demostrado al señalar que todos los puestos ejecutivos de esa importante agencia gubernamental los puso en manos de norteamericanos. Moscoso fue el originador del gobierno de los "consultant", norteamericanos en su gran mayoría, que de entonces acá son los que de hecho dictan la política en innumerables esferas del gobierno de Puerto Rico.

Expuso Carlos lo grave que ha resultado para el país el enfoque de desarrollo económico, más bien de simple crecimiento económico, en que se inspiró Moscoso. Se trata de una orientación totalmente subordinada a los intereses de los inversionistas extranjeros. La exención contributiva unida a una política de bajos salarios es obligar a los obreros puertorriqueños a subvencionar la industrialización.

Impugnó Carlos la falsa teoría de establecer fábricas a base de que mejor es un salario bajo que ningún salario. Bajo esas condiciones no se realiza ninguna industrialización de verdad, y señaló, entre otras pruebas, la crisis actual de la industria de fabricación de zapatos como consecuencia de la baja de tarifas. Planteó que era indispensable darle a Fomento una orientación nueva, donde plevaleciera el interés de la industria genuinamente del país.

Levantó Carlos el grave problema de la contaminación ambiental, siendo la compañía de Moscoso, la CORCO, una de las empresas más condenables. Denunció la posición de entrega total de la minas que ha asumido Moscoso. Señaló que éste se ha distinguido por su parcialidad hacia la gran empresa corporativa y su menosprecio por las pequeñas empresas. Recordó que fue Moscoso quien abrió las puertas del país a la penetración de las cadenas de supermercados norteamericanos cuando facilitó el establecimiento de los supermercados *Todos*, una empresa de los Rockefeller, a los que siguieron los Grand Union, causando la desaparición de miles de pequeños comercios.

Abordó Carlos el problema del turismo. Denunció la orientación seguida bajo la administración de Moscoso. Así mismo, señaló como se respaldaba a la empresa privada en perjuicio de los mejores intereses de Puerto Rico y de su gobierno. Apuntó que Moscoso favorecía la emigración de los trabajadores puertorriqueños y sustentaba una política antiobrera contraria al desarrollo del movimiento obrero . . . En fin, el representante Carlos Gallisá coronó brillantemente la obra iniciada por el senador Rubén Berríos.

Y se trata sólo de un comienzo. Por lo que me ratifico en la oración con que inicié este artículo. Indudablemente, se nota una diferencia en la Legislatura . . . ¡Vida esa diferencia!

"Rubén y Carlos frente a Moscoso."
Periódico *La Hora*, 19 de enero de 1973.

6—LA HORA—26 DE ENERO

Militantes no darán firmas
PIP no obstruirá inscripción PSP

Por Samuel A. Aponte
Subdirector de LA HORA

La militancia del Partido Independentista Puertorriqueño no ofrecerá sus firmas para la inscripción del Partido Socialista Puertorriqueño, pero el PIP no hará campaña entre sus simpatizantes contra la inscripción del PSP.

Así lo afirma una declaración oficial de la Comisión Ejecutiva del PIP en la que además se deja a la discreción personal de los simpatizantes del PIP la decisión de dar o no su firma para inscribir el PSP.

"Nunca pensamos inscribirnos con las firmas de la militancia del PIP", comentó Manuel de J. González, Secretario de Prensa y Propaganda y miembro de la Comisión Política del PSP al pedírsele un comentario sobre la declaración pipiola. Sin embargo, González dijo que no podía dar una declaración oficial del PSP en cuanto a la posición del PIP hasta que se reuniera la Comisión Política de su partido.

Abundando en su comentario, González dijo que el PSP considera que tiene "suficiente apoyo en el pueblo trabajador para lograr la inscripción". Y añadió: "Eso se está demostrando a la saciedad en todos los pueblos donde hemos realizado la inscripción".

Según él, el PSP ha conseguido más firmas que las necesarias "y en menos tiempo de lo planeado" en todos los pueblos que han visitado con propósitos inscripcionarios, entre los que mencionó a Comerío, Vieques, Vega Alta, Isabela y Santa Isabel.

De otra parte González dijo que el PSP continúa su lucha contra "las arbitrariedades" de la Junta Estatal de Elecciones la cual le ha negado la certificación de 20 de los 40 notarios cuyos nombres sometió el PSP para actuar en la inscripción.

Dijo el dirigente pesepeísta que el martes 23 se sometió a la JEE una moción de reconsideración. De ser denegada, dijo González, el PSP apelará la decisión al Juez Presidente del Tribunal Supremo.

Simultáneamente, señaló González, se están haciendo denuncias políticas de la actitud de la JEE. El PSP proyectaba realizar un piquete frente a la sede de dicho organismo el jueves 25.

Sobre la actitud de la JEE en cuanto al PSP, la declaración del PIP es condenatoria. A continuación el texto íntegro de la declaración del PIP en cuanto a la inscripción del PSP:

"Nuestra militancia tiene ya un partido independentista y socialista inscrito y con tribuna parlamentaria que le sirve de instrumento de lucha. Por lo tanto, la militancia del PIP no ofrecerá sus firmas para la inscripción del Partido Socialista Puertorriqueño.

"No obstante, la amplia periferia de simpatizantes de nuestro Partido puede utilizar su discreción personal para hacer su decisión en cuanto a este asunto.

"La posición del Partido Independentista Puertorriqueño ante la inscripción del PSP es totalmente congruente con declaraciones recientes del propio Partido Socialista en donde hacen constar que no están interesados en las firmas de los militantes pipiolos y es similar a su postura frente a las elecciones pasadas cuando instruyeron a su militancia a abstenerse de votar por el PIP aunque no hicieron campaña masiva a los efectos entre sus simpatizantes.

"El Partido Independentista Puertorriqueño divulgará y explicará esta posición entre sus militantes pero no realizará ningún tipo de campaña entre sus simpatizantes encaminada a socavar el intento de inscripción del PSP y por el contrario condena las tácticas dilatorias que realiza la Junta Estatal de Elecciones para evitar su inscripción".

En huelga los que hacen la guía

Por Carlos Yamil Otero
Redactor de LA HORA

Cerca de ochenta trabajadores de la sección de páginas amarillas de las guías telefónicas de la International Telephone & Telegraph (ITT) pararon el lunes 22 sus labores exigiendo la restitución en sus puestos de dos empleados botados por actividades gremiales y las garantías necesarias para que la empresa no obstruya las elecciones de sindicalización que han solicitado los empleados.

Un vocero de los trabajadores señaló que el viernes 19 fueron despedidos José Rivera y Rafael Mercado, vendedores de la sección de páginas amarillas, quienes han desplegado una intensa actividad en torno a la sindicalización de los empleados.

La gerencia, a través del ex-agente policíaco y actual jefe de personal de la ITT, Jaime Loyola, alegó como excusa que la empresa necesita reducir su personal. Esto, señalaron, es falso ya que dentro de poco la compañía hará la guías telefónicas de Aruba y Haití, por lo cual necesita su actual personal.

Trabajadores de la ITT pararon sus labores protestando por el despido de dos vendedores de la empresa hecho por un ex-agente de la policía empleado actualmente en la ITT, y demandando la celebración de elecciones obreras.

Por su parte, uno de los despedidos, Rafael Mercado, quien además es líder del grupo, dijo que los trabajadores planeaban sindicalizarse independientemente desde hace meses.

Los comentarios, señaló, llegaron a oídos de la gerencia y del jefe de personal Loyola, con quien habíamos hablado desde un principio, tomando este en seguida una actitud hostil y negativa hacia los planes de sindicalización de los empleados.

"De primer momento, dijo Mercado, la gerencia de la ITT se negó a transar con sus empleados por lo cual los trabajadores se reunieron y acordaron parar sus funciones y exigir, además la restitución en sus puestos de los despedidos.

Los trabajadores de la ITT han recibido el apoyo de varias organizaciones obreras, entre éstas, el Movimiento Obrero Unido y la Unión Independiente de Empleados de la "Compañía Telefónica. Igualmente, el pasado martes radicaron la solicitud de elecciones sindicales en la Junta de Relaciones del Trabajo.

Otras huelgas siguen
Terminó paro Servicios Sociales

Por Ferdinand Torres
Redactor de LA HORA

Dos huelgas se mantenían activas al cierre de esta edición y otra que llevaba dos semanas se solucionó resultando en un reconocimiento de sindicato y una promesa de proveer empleos a un grupo de obreros.

Las huelgas activas se mantenían contra la ITT y contra la Sunland Biscuit, fabricante de galletas. La huelga solucionada fue la los trabajadores de construcción y arquitectura del Departamento de Servicios Sociales.

Según informó Juan B. Emmanuelli, Presidente del Sindicato Obrero Insular, los trabajadores de Servicios Sociales cesaron la huelga luego de que dicha agencia reconociera al referido sindicato y respetara los derechos de antigüedad al decidir cuáles trabajadores no serían reclutados nuevamente por falta de fondos.

Dijo Emmanuelli que el Secretario de Trabajo, Luis Silva Recio, prometió emplear a los obreros que se quedaron cesantes por la falta de fondos en Servicios Sociales. Los obreros trabajaban en las obras del Hogar del Niño en Guaynabo.

Por otra parte los trabajadores de la Sunland Biscuits en Hato Rey mantienen su huelga que es respaldada por la Seafarers International Union.

Dicha huelga lleva cerca de cinco meses y empezó cuando los trabajadores exigieron que el dueño de esa planta reconociera a la Unión y negociara un convenio colectivo.

Luis Nigaglioni, uno de los trabajadores, explicó que ellos hicieron elecciones para entrar a la Unión y que todos menos dos de los trabajadores respaldaron a la SIU.

A pesar del apoyo masivo de los trabajadores a la Unión los patronos se niegan a negociar pero los trabajadores dijeron estar dispuestos a continuar la huelga.

Nigaglioni, quien ayudó a organizar la Unión, explicó que en la Sunland se le paga lo mismo a todos y que a pesar de algunos llevar hasta 30 años ganan solamente $1.60 la hora.

"Eso no es lo único malo", señaló Nigaglioni sino que no hay plan médico y los días feriados son cosa desconocida para los patronos de dicha fábrica.

La fábrica es propiedad de un español con residencia en Yauco y produce varios tipos de galletas entre ellas las galletas Rica.

Unión en San Carlos

Los trabajadores de oficina del Hospital San Carlos de Santurce decidieron poner fin el mediodía del martes al paro que habían decretado el lunes 22, luego de acordar en la Junta Federal de Relaciones del Trabajo que ese organismo federal adelantará la celebración de elecciones sindicales en dicho hospital.

Los trabajadores, unos 35, habían parado sus labores protestando por el despido de dos empleados de mantenimiento —Angel Luis Agosto e Israel Rivera— que fueron despedidos por la monja Ana María del Campo, administradora de la institución, por supuestas razones de economía.

Sin embargo, José Luis Vélez, vocero de los trabajadores, señaló que los despedidos laboraron fuertemente por la sindicalización de los empleados del San Carlos.

Otro vocero, Ana Cruz, dijo que los trabajadores se reunirán para garantizar la defensa de los despedidos y tomar acciones al respecto, ya que aunque la mayoría está nuevamente en su trabajo, los despedidos continúan fuera del hospital.

El gremio que brega con el San Carlos es Misión Sindical, nueva unión que intenta representar los empleados del hospital. Las elecciones de representación obrera se efectuarán el 5 de febrero, según lo acordado en la Junta Federal de retornar al trabajo si se adelantaba la fecha de las elecciones.

"PIP no obstruirá inscripción del PSP."
Periódico *La Hora*, 26 de enero de 1973.

LA HORA—16 DE FEBRERO—9

De Colón Martínez a Junta de Directores

*** El siguiente documento que a continuación se transcribe textualmente y que el licenciado Noel Colón Martínez ha hecho circular públicamente con anterioridad y posterioridad al domingo 3 de febrero de 1973, fue el escrito que sometió el Lcdo. Colón Martínez a la Junta de Directores en la reunión donde se decidió que el Lcdo. Colón Martínez se había puesto al margen del partido.**

Se hará un análisis del documento, luego de la exposición del mismo. El documento dice como sigue:"

A: Junta de Directores
Partido Independentista Puertorriqueño
De: Lcdo. Noel Colón Martínez
Fecha: 8 de febrero de 1973.

De acuerdo con mi promesa contenida en carta de fecha reciente tengo a bien someter las notas presentes con el único propósito de que, no importa el resultado final, puedan servir a mejorar el instrumento político que en este momento comparte la responsabilidad de conducir la lucha por la independencia en Puerto Rico.

El 9 de julio de 1972 acepté con profundo sentido de responsabilidad la nominación para el cargo de Gobernador por el Partido Independentista Puertorriqueño. Desplegué una campaña activa y creo que en términos generales siguiendo estrictamente las normas y principios programáticos del Partido.

En el *San Juan Star* del día 2 de febrero de 1973 apareció una información en la que se anuncia que la Comisión Ejecutiva me ha censurado severamente por violar la disciplina del Partido. Posteriormente se me ha comunicado que el Presidente del Partido en Arecibo y con motivo de la reorganización del Comité de ese principio expresó que yo había sido expulsado por la Comisión Ejecutiva, que tal expulsión había sido por unanimidad y que la Junta de Directores se reuniría en Mayaguez el día 11 de febrero para confirmar la expulsión y que él esperaba que tal acción se produjera por unanimidad también. Añadió que faltando cuatro años para las próximas elecciones este era el momento para hacerlo pues todo se olvidaría antes de las próximas elecciones. Berríos prometió en el *Star* de fecha 2 de febrero hacer unas manifestaciones públicas a mi regreso del exterior explicando las relaciones del Partido conmigo. Le pedí al compañero Berríos que me notificara la acción que se había llevado o que se proponía llevar el Partido contra mí, pero no recibía contestación a mi telegrama.

¿Qué ha pasado desde el 9 de julio hasta el presente? Cuando acepté la nominación al cargo de Gobernador encontré un partido que no estaba preparado para conducir una campaña política sistemática y organizada. No había ni hubo nunca un Comité de Campaña. No había planificación y causaba resentimiento que se insistiera en la necesidad de tal planificación. A pesar de habérseme concedido el honor de ser candidato notaba que persistía en el Partido lo que yo he calificado "el síndrome Toño González", o sea, que se recela toda iniciativa porque se cree que la actividad que se despliega no se hace para promover los intereses del Partido sino la imagen personal del candidato. Discutí varias veces este problema con Berríos.

El Partido no me proveyó de una oficina ni de ningún material de trabajo ni se me indicó nada al respecto. Yo hube de utilizar una propiedad mía, pedir al inquilino la desocupación para establecer una oficina de trabajo. No se me asignó personal alguno para tareas clericales excepto una secretaria durante los meses de agosto, septiembre y octubre. En ocasiones se me negó el uso de la copiadora del comité nacional y de éste nunca se me proveyó ningún material para la campaña. Pedí al Presidente y al Vicepresidente del Partido ayuda económica para iniciar una serie de proyectos y gestionar la recaudación de fondos de esa primera ayuda económica se me negó diz que porque más adelante habría una distribución de fondos que nunca hubo.

No empece las graves dificultades iniciales comencé a solicitar ayuda económica de personas que en su mayoría aunque independentistas no eran colaboradores corrientes del Partido. Con esos fondos que se recaudaban o se prometían contraté en WAPA Radio un programa diario que fue el único programa radial que tuvo el Partido a nivel nacional y que yo pagué en su casi totalidad; contraté además 10 programas de media hora en la televisora Canal 11, que fue el único programa sistemático que tuvo el Partido durante la campaña. Posteriormente, en vista de que el Partido no había planificado

Noel Colón Martínez

ningún programa regular televisado para Rubén y para Carlos, yo los invité a que compartieran conmigo el programa de media hora. Pagué parte de estos programas y el Partido pagó parte, pero es curioso que aquellos en que aparecí yo solo hube de pagarlos yo. Como no había programa de trabajo electoral sometí un plan de visitas a la isla a los fines de que tanto Rubén, Carlos y yo pudiéramos visitar la mayor cantidad de precintos antes de las elecciones. Este plan de visitas fue el único plan de visitas que realizó el Partido. Como el plan de visitas nos mantenía a cada uno separado del otro, podía darse la impresión de que no deseábamos estar juntos y de ahí que yo sometiera la idea de una caravana por toda la isla, que se llevó a cabo y que considero que ayudó durante la campaña a difundir el mensaje.

Como una encuesta reveló que un por ciento relativamente alto del electorado no nos conocía a los candidatos principales sugería que hubiera pasquines con el retrato de Rubén de Carlos y mío. La idea fue aceptada en principio, pero el único pasquín que se preparó fue el mío y para ello tuve que acudir a un artista amigo para recabar su cooperación. El programa televisado con los artistas puertorriqueños fue una iniciativa mía y su costo fue afrontado por mí. (Tengo comprobación de todos los gastos y los pagos que realicé durante la campaña).

Junto a compañeros interesados hicimos una encuesta de opinión cuyos resultados ayudaron considerablemente a encauzar la campaña. El propósito era hacer varias encuestas pero la poca colaboración del Partido hizo que el compañero Luis Nieves Falcón desistiera de su idea y planteara el problema a Rubén.

El Comité de Propaganda del Partido no podía llevar a cabo su función en el período electoral por las intervenciones continuas de Rubén. Claro ejemplo de lo anterior es el hecho de que se decidió hacer una campaña de radio a base de cuñas sistemáticas durante un cierto período con anterioridad a las elecciones pero Rubén monopolizó las mismas e impidió que pasaran los mensajes políticos que debíamos difundir Carlos y yo. En mi caso recuerdo que a pesar de haber grabado más de un mensaje el único que se difundió fue una invitación para el acto del 22 de octubre en Bayamón.

En el curso de la campaña el Partido publicó muy poca propaganda escrita. Diría que solo se distribuyó un folleto; sobre las veinte medidas o propuestas a corto plazo del Partido. En vista de la ausencia de este tipo de propaganda preparé y publiqué dos folletos con fotografías sobre los problemas del país que hacían necesarias las veinte medidas. El Partido a todo lo largo de la campaña demostraba no estar capacitado para bregar con la publicidad y la propaganda y yo tengo que atribuirlo a la contínua y sistemática intervención con las funciones de la Secretaría de propaganda.

A pesar de las limitaciones económicas con que me desenvolví en la campaña electoral ello no impidió que hiciera reuniones en mi casa para recaudar fondos, no para mí, sino para el Partido. Rubén estuvo presente y de esa gestión el Partido recibió cerca de $12,000.00.

Podría seguir haciendo señalamientos de mi intervención y mi actividad en la campaña frente a la inactividad y falta de preparación y planificación del Partido para desarrollar una campaña. Bastará que cada uno piense en lo que se hizo a nivel nacional para que compruebe lo poco que pudo hacerse en los organismos del Partido.

Debo reiterar que lo anterior señala las debilidades organizativas y de dirección del Partido, pero debe cuidadosamente señalarse que las dificultades tienen que ver con cuestiones procesales no con cuestiones sustantivas. Durante la campaña no se suscitó ningún problema de tipo ideológico en lo que a mí concierne. Me atuve a los principios programáticos del Partido, los seguí fielmente porque creo en ellos y los he defendido públicamente en más ocasiones y con más ardor que cualquiera de los otros líderes de nuestro Partido. Creo firmemente que las diferencias procesales no deben dar lugar a expulsiones; las diferencias de carácter ideológico, de carácter fundamental, donde no se acepten los rumbos y los objetivos, esas sí pueden o deben dar lugar a separación. Esto lo afirmo como si no estuviera envuelto en problemas con mi Partido.

LA SITUACION POST ELECTORAL

El resultado de las elecciones fue sorprendente para mí. El pueblo no respaldó nuestro mensaje con el mínimo entusiasmo que justificaba nuestro esfuerzo. Se habló inmediatamente de salir al día siguiente a inscribir el Partido. En plan de que no continuara la era de improvisaciones escribí en *Avance* una columna señalando que no todas las dificultades y no todos nuestros problemas se remitían al medio circundante y a las realidades objetivas: que era necesario hacer una labor de introspección y ver nuestras faltas. Sugería una intensa evaluación en la base del Partido que nos diera una idea de lo que pensaban aquellos que habían confiado en nosotros sobre la tarea que habíamos realizado y los errores cometidos. El artículo irritó a muchas personas en nuestro Partido, pero fue bien acogido por la mayoría salvo que recibió la más o menos uniforme crítica de que debió utilizarse el periódico *LA HORA* para su publicación y no una revista ajena al Partido.

Mi experiencia posterior me demostró que el Partido por medio de su liderato quería hacer la evaluación básica en sus propios organismos. De ahí surgió Palmarinas y la posterior Comisión Política. Sobre Palmarinas ya se conoce mi posición. Sobre la Comisión Política solo apuntaré en la brevedad de este escrito que me parece limitada por el método seguido en su selección. La Comisión Ejecutiva separó de su seno a 9 de sus 27 miembros y los constituyó en un Buró Político con funciones muy indefinidas. Su creación a mi juicio adolece del problema crónico de la improvisación. Sin menoscabo de la integridad de sus componentes tengo la firme convicción de que el propósito para el cual se creó el organismo no podrá realizarse porque eran necesarias otras medidas que no se han tomado para que pueda realizarse una verdadera dirección colectiva.

COMPARECENCIA ANTE EL PARTIDO

Dos compañeros de la Comisión Política me invitaron a comparecer ante la Comisión Ejecutiva para que expusiera mis puntos de vistas sobre el Partido. Les prometí que iría a la reunión de la Junta señalada para el día 3 de enero de 1973. A fines de diciembre sin embargo ocurrió un hecho significativo e inesperado. La Junta Estatal de Elecciones certificó al Partido como un partido principal. Conozco lo que ocurrió en la Junta de Elecciones y sé las razones que se dan para realizar acciones que yo condeno y rechazo. Creo que no fue revolucionario el silencio que ha tenido que guardar el Partido ante las imputaciones de fraude electoral que se han hecho. Mi repudio se lo expresé a la delegación de la Comisión Política que me visitó en diciembre para que compareciera a la Comisión Ejecutiva.

Al anunciarse la certificación del Partido comprendí que mi comparecencia ante la Comisión Ejecutiva resultaba anticlimática, pues yo haría señalamientos sobre la conducta de un partido que estaba celebrando "su gran victoria". Pensé que no sería escuchado porque no se entendería ni mis motivaciones ni mi apreciación de la realidad. Pedí prórroga para comparecer y se me concedieron 5 días de prórroga, o sea hasta el día después del Día de Reyes. Escribí nuevamente planteando lo desusada que me parecía la inflexibilidad de mis compañeros y mi necesidad de salir de Puerto Rico el día 10 de enero en viaje que ya había planeado. Al regreso me encuentro con las noticias sobre censura y expulsión.

MOTIVOS DE EXPULSION

Se me informa extraoficialmente que los motivos de expulsión son los

(Pasa a la página 10)

"De Colón Martínez a Junta de Directores del PIP."
Periódico *La Hora*, 16 de febrero de 1973.

10—LA HORA—16 DE FEBRERO

Diferencias con algunos líderes

(Viene de la página 9)

siguientes.

Reuniones secretas - Se dice que he celebrado reuniones secretas aunque no conozco cual es la imputación específica. Sobre lo anterior, solo diré que me reuní con un grupo de amigos y compañeros en el Colegio de Abogados para auscultar el parecer de cada uno sobre los logros y fallas durante y después de la campaña. Fue una reunión privada, pero se hizo claro que nada de lo que allí se hablara era confidencial. LA tónica que allí prevaleció fue una de altura y cualquiera de las personas que estuvo presente esta en libertad de relatar lo que allí se habló. Reinó un espíritu positivo y yo hice claro que quedaba fuera de toda discusión cualquier idea divisionista y sectaria.

Idea de formar otro Partido: Se dice que las reuniones tienen que ver con el propósito de formar un nuevo partido. En primer lugar no ha habido reuniones, hubo una reunión en el Colegio de Abogados. La persona que afirme que yo me he reunido en Barranquitas o en Camuy o en Quebradillas o en cualquier otro lugar para discutir estos problemas con afiliados o militantes, miente. Nunca he hablado de formar partidos, por el contrario he discutido contra la idea siempre que la misma ha surgido. Mis señalamientos han sido dirigidos a mejorar nuestro Partido, no ha debilitarlo y menos a destruirlo.

Escritos críticos del Partido: Escribí un artículo en *Avance*, que ya mencioné y escribí una reseña explicando por qué abandoné la reunión en Palmarinas. En Palmarinas tuve serias diferencias con unos líderes de nuestro Partido por que quería proteger el derecho a otros líderes a recibir el beneficio de una discusión sin ninguna traba ni cortapisa. Creo que mi ausencia de Palmarinas contribuyó al diálogo que yo deseaba que se produjera, pero es claro que la controversia entre miembros del Partido por razones válidas no puede confundirse con deslealtad al Partido. Aunque reconozco diferencias con algunos líderes no tengo diferencias fundamentales con el Partido como instrumento de acción política.

Problemas con los Fondos para la Campaña: Se dice que incurrí en indisciplina durante la campaña porque realicé una recaudación de fondos por mi cuenta y porque no estuve de acuerdo con las cantidades asignadas por el Partido para ayudar en mi campaña. Lo primero no es cierto porque se hizo de acuerdo con el Presidente del Partido y para ayudar a éste en su crisis económica. No estuve de acuerdo con las cantidades asignadas porque se violó un acuerdo del cual tiene conocimiento el compañero Gallisá. El Partido se negó a facilitarme cantidad alguna a pesar de una promesa en contrario de Carlos. Mi petición para que se me asignara fondos se hizo en forma respetuosa y luego de una clara explicación en carta que dirigí a Carlos con fecha 15 de julio de 1972. Carlos no contestó la carta. Prevalecía la idea de que debía hacerse una sola campaña y que debían desalentarse las iniciativas mías. El problema real con esto es que el Partido no producía ideas porque nunca permitieron la creación de un comité de campaña que planificara la misma. Yo envié a Carlos un plan de campaña completo que cubría todos los aspectos de la misma y el plan ni siquiera le fue sometido a la Comisión Ejecutiva. En las reuniones del grupo de trabajo que se reunió durante el período electoral se discutió a veces superficialmente el problema de las finanzas del Partido. Lo que para mí resultaba claro es que era un perfecto misterio como el Partido invertía su presupuesto. Nunca tuve ocasión de ver un desglose de desembolsos para saber donde se podía recortar para ayudar la campaña del candidato a Gobernador.

El Programa Cara a Cara Ante el País: Se dice que no he puesto este programa al servicio del Partido. Tal cosa no se ha hecho porque no debe ni puede hacerse. El día que el Programa dependa de los partidos políticos perderá su efectividad. No es menos cierto sin embargo que fue desde ese programa que Carlos recibió la mayor exposición antes de ser nominado y es cierto que siempre he tratado y seguiré tratando de que me sustituya un miembro de nuestro Partido aunque recientemente se le ha ofrecido la oportunidad de comparecer y no lo han hecho a varios de los miembros de la Comisión Política. Aparentemente mis diferencias con algunos líderes se ha considerado como impedimento para que otros defiendan la independencia y el socialismo en *Cara a Cara*. Es necesario recalcar otra vez que debe haber diferencias cuando se trata de controversias personales o procesales y controversias que envuelvan la ideología del Partido.

Diferencias con algunos líderes: En el fondo de un movimiento para expulsarme ahora no alcanzo a ver otra motivación que no sea la que nazca de diferencias personales, de enfoque, de método y de actitudes con algunos líderes del Partido.

Tengo serias diferencias con algunos líderes que tienen en este momento la responsabilidad de dirigir y encauzar nuestro Partido. Encuentro con demasiada frecuencia señales innecesarias de mal trato, de faltas de respeto personal, de arrogancia, de incapacidad para dirigir e ir creando a la vez un sentido de pertenencia en el afiliado o el militante; encuentro que en muchas ocasiones se subestima la capacidad del compañero y se sospecha de la crítica y la autocrítica que son pilares de la democracia y del humanismo socialista. Creo que hay mucha severidad en los juicios, mucho autoritarismo, poco sentido humano y mucha desconfianza. Asoman además muchos prejuicios, pequeños burgueses y a veces se exhibe poca fortaleza ideológica.

Insisto en que estas apreciaciones son de carácter adjetivos. Ellas no representan un choque con el Partido. Pueden impedirme una colaboración temporal con unas personas pero no me impiden la defensa de los ideales que le dan vida al Partido y a su programa y a su programa y sus orientaciones básicas.

De ahí que insista en que no deben mezclarse cuestiones fundamentales con cuestiones accesorias, no deben tomarse decisiones que me impiden la colaboración que puedo prestar en el futuro y que no tiene necesariamente que consistir en mi total inmersión en las estructuras del Partido.

Finalmente deseo señalar que no entiendo cómo el Partido puede censurar o expulsar a un afiliado que no tiene posiciones de responsabilidad en este, por cuestiones que no entrañan graves problemas de carácter ideológico o de naturaleza fundamental.

Aclaraciones al documento anterior

El documento antes transcrito fue discutido ampliamente por todos los miembros de la Junta de Directores. La inmensa mayoría de los miembros de la Junta levantaron cerca de una veintena de falsedades contenidas en el documento, las cuales, junto a las demás razones hartamente conocidas por los allí presentes, motivaron la decisión que se tomó. A continuación, presentamos algunas de las falsedades vertidas en el documento de Colón Martínez, las mismas son:

1) Hace una velada acusación de fraude a nuestro Partido en el proceso electoral. El compañero Carlos Gallisá tuvo que denunciar a Angel Viera Martínez por tales imputaciones y los emplazó para que lo probase. Hasta la fecha, el PNP no ha podido aprobar tal acusación. La historia se encargará de juzgar a Noel Colón Martínez.

2) Expresa Colón Martínez en su documento que "...cuando acepté la nominación al cargo de gobernador encontré un partido que no estaba preparado para conducir una campaña política sistemática y organizada. No había ni hubo nunca un Comité de Campaña".

Tal aseveración es falsa. Los miembros de la Junta de Directores saben que es así ya que participaron durante un fin de semana en Saint Just, seis meses antes de las elecciones, preparando un programa de campaña para las elecciones. Dicho programa fue también discutido a todos los niveles del Partido.

La Comisión Ejecutiva delegó en un Grupo de Trabajo para que este grupo sirviera de Comité de Campaña y el Lcdo. Colón Martínez formó parte de ese Comité y trabajó en el mismo.

3) El documento expresa que "...el Partido no me proveyó de una oficina ni de ningún material ni se me indicó nada al respecto".

Tal expresión es completamente falsa. Debido a las limitaciones presupuestarias que tenía el Partido, se le ofreció parte del espacio que ocupaba el Precinto 3 de San Juan y se hicieron otras gestiones. Pero el Lcdo. Colón Martínez insistió en tener sus oficinas separadas de cualquier organismo del Partido.

4) Dice el Lcdo. Colón Martínez que "...en ocasiones se me negó el uso de la copiadora del comité nacional (sic) y de éste nunca se me proveyó ningún material para la campaña". Eso es falso. Noel Colón Martínez recibió toda la ayuda humanamente posible para darle todo lo que fuese necesario, tanto en materiales como en equipo, del Comité Nacional. La Directora Ejecutiva del Comité Nacional y aquellas personas que allí trabajaban son testigos de esto.

5) Refiriéndose al plan de visitas ha ser realizado por el liderato nacional durante las elecciones dice Colón Martínez en su documento que "...como el plan de visitas nos mantenía a cada uno separado del otro, podía darse la impresión de que no deseábamos estar juntos y de ahí que yo sometiera la idea de una caravana por toda la isla..."

Tal aseveración es completamente falsa. Con anterioridad a la aceptación por Noel Colón Martínez de la candidatura a gobernador, se había formulado un plan de visitas conjuntas el cual tuvo que ser alterado para acceder a la petición de visitas separadas insistida por Noel Colón Martínez. Fue luego que se integraron con la actividad de la Caravana "Arriba los de Abajo".

6) En relación con el programa televisado *Puertorriqueño como tú*, el Lcdo. Colón Martínez dice que "...su costo fue afrontado por mí". Tal alegación es falsa, el Partido contribuyó con $3,900.00 y el Comité de Noel contribuyó con $1,600.00.

7) Expresó que durante la campaña electoral Rubén impidió que Carlos y Colón Martínez "...pasarán los mensajes políticos que debíamos de difundir Carlos y yo". Tal aseveración es falsa. Quizás hubo malentendidos entre los tres respecto al uso de las cuñas, pero jamás se impidió el que grabaser las mismas.

8) Dice Colón Martínez que "...en vista de que el Partido no había planificado ningún programa regular..." "yo los invité a que compartieran conmigo el programa de media hora".

Tal alegación es falsa. El Partido estaba haciendo gestiones para contratar tiempo en una televisora local. Pero Colón Martínez recibió una oferta de WKVM-Canal 11, la cual resultaba beneficiosa y fue aceptada. Por otro lado, el Partido pagó la gran parte de los programas de televisión.

9) Dice Colón Martínez que "...bastará que cada uno piense en lo que se hizo a nivel nacional para que compruebe lo poco que pudo hacerse en los organismos del Partido".

Una aseveración de esta naturaleza, en contra de una militancia que trabajó y se sacrificó durante la pasada campaña electoral en los distintos comités en toda la isla, no merece comentario alguno.

10) El Lcdo. Colón Martínez expresa en su documento que ha defendido públicamente los principios programáticos del PPIP. "...en más ocasiones y con mas ardor que cualquiera de los otros líderes de nuestro Partido".

Cabe preguntarse, ¿en dónde, aparte de *Cara a Cara*? ¿Cuántas veces se ha visto a Colón Martínez participando en huelgas, en rescates de terrenos, organizaciones de comunidades y reuniones de comités?

11) Colón Martínez expresa que luego de las elecciones "...se habló inmediatamente de salir al día siguiente a inscribir el Partido".

Eso es completamente falso. La decisión del Partido fue a los efectos de esperar el recuento de las elecciones y que simultaneamente había que hacer una profunda evaluación de lo que había ocurrido, como se hizo.

12) Hablando de las finanzas del Partido, Colón Martínez expresa que "...en las reuniones del grupo de trabajo que se reunió durante el período electoral se discutieron a veces y superficialmente el problema de las finanzas del Partido. Lo que para mí resultaba claro es que era un perfecto misterio como el Partido invertía su presupuesto".

Aquí Colón Martínez hace otra velada acusación de fraude al Partido y a algunos de sus miembros. Todavía no ha traído la prueba. Pero que no es necesario, ya la historia lo juzgó.

"Aclaración al documento anterior." Expresiones Junta de Directores del PIP. Periódico *La Hora*, 16 de febrero de 1973.

El caso de Noel Colón Martínez

Cunde el desasosiego y la incertidumbre

"El caso de Noel Colón Martínez." Artículo de Carlos Gallisá. Periódico *La Hora*, 16 de febrero de 1973.

6—LA HORA—16 DE FEBRERO

El partido; las estructuras y el personalismo

Por Rubén Berríos Martínez

La Junta de Directores del Partido Independentista Puertorriqueño, compuesta por los Presidentes de todos los Comités Locales y de Capítulos Universitarios del Partido, determinó que el Licenciado Noel Colón Martínez, por sus propias actuaciones y actitudes, se ha puesto fuera del Partido.

Esta decisión quizás haya tomado por sorpresa a muchos puertorriqueños. Esto se debe a que el Partido, en su interés por mantener la concordia con el Lic. Noel Colón Martínez, ha hecho lo indecible por zanjar las diferencias dentro de nuestros organismos dirigentes. Pero considerando el Partido que la situación ya había llegado a un nivel en que se había hecho perjudicial a la lucha, decidió de una vez y para siempre resolver este problema. No tomar la decisión en este momento sólo hubiera significado el postergarla para una fecha futura. Esto es así ya que, como veremos más adelante, el problema de Noel Colón Martínez era una bomba de tiempo en manos de enemigos de nuestro Partido.

Bastaría con el documento del Lic. Noel Colón Martínez que se publica hoy en *LA HORA* y con la acusación falsa, irresponsable y antipatriótica que en él se contiene, acusando veladamente al Partido de fraude electoral, para acabar de una vez y para siempre entre los independentistas con la discusión del caso Noel Colón Martínez. Ninguna persona capaz de este vejámen se merece la atención de los independentistas.

Pero siendo el PIP un Partido que brega con principios y estructuras y no con personalismos, es necesario que analicemos detenidamente los vicios ideológicos que han llevado al Lic. Noel Colón Martínez a cometer éste y otros atropellos contra el Partido. Los partidos burgueses se debilitan con los problemas internos; los partidos revolucionarios que aprenden de ellos salen más fortalecidos.

El problema de Noel Colón Martínez es fundamentalmente un problema de carácter ideológico con consecuentes matices de tipo personalista. Se trata de una persona que desconoce la naturaleza de un Partido Revolucionario, que desacata y le falta el respeto a las Instituciones y a los Organismos de ese Partido y que viola su disciplina: En el plano de las actitudes, esto se refleja en la sobre-estimación de él mismo como más grande que el Partido.

Sus comentarios anteriores a su separación del Partido, en un momento difícil para este, cuando decía que "El Partido puede contar conmigo para el trabajo eficiente; no puede contar conmigo para dar cabezasos contra la pared", acusaciones contra la integridad del Partido que formula por escrito a la Junta de Directores, y sus comentarios con posterioridad a su separación del Partido a los efectos de que este es "Un organismo político represivo de corte fascista que no merece la confianza pública" son muestras de lo anterior. Noel Colón Martínez pretende ser el juez respecto a cual debe ser la postura revolucionaria del Partido; si se siguen sus dictámenes, entonces el Partido no da cabezasos en contra de la pared. Con Noel Colón Martínez en el Partido, el Partido es él instrumento que merece la confianza pública: sin Noel Colón Martínez, el Partido no merece la confianza pública. Con Noel Colón Martínez el Partido sirve: sin Noel Colón Martínez el Partido no sirve.

Este concepto del Lic. Noel Colón Martínez, es el concepto personalista del Partido Político, no el concepto Revolucionario. Es el concepto de los que creen que los Partidos son como los elevadores, instrumentos para subir y bajar a los hombres. Por eso compara Colón Martínez su caso con los líderes del P.N.P. y del P.P.D., porque confunde el rol de los individuos en los partidos burgueses con el rol de los individuos en los partidos Revolucionarios. Contra esto nos había ya advertido el apóstol Martí, al enseñarnos que "La patria es ara, no pedestal". La primacía del individuo sobre el Partido, puede quizás ser cierta en un partido burgués, colonialista y sin ideología. Pero en un Partido Revolucionario eso no puede ser cierto jamás; la primacía compete a los organismos de dirección del Partido Revolucionario.

En un Partido Revolucionario imperan unos principios y una disciplina que tienen que ser observados por todos sus militantes y más aún por aquellos que pretenden ser líderes, sean estos quienes fueran. Sin una estricta disciplina aplicable por igual a todos, no puede existir un Partido Revolucionario.

Rubén Berríos

En un Partido Revolucionario se utilizan los mecanismos internos para hacer las críticas y no las revistas, ni las reuniones con grupos de amigos. En inumerables ocasiones se invitó al Lic. Noel Colón Martínez para que hiciera sus críticas u observaciones dentro de las estructuras del Partido. Jamás compareció a formularlas, bajo la teoría, ahora pública y antes expresada por él en privado, de que los organismos del Partido son "Pelotones de fusilamiento" ¿Se convirtieron en tales despues de las elecciones?

No conformándose con esta falta de respeto y este menosprecio a los organismos del Partido, que constituyen de por sí una falta disciplinaria, prefirió actuar por medio de facciones, es decir, a través de grupos pequeños que al margen de las estructuras del Partido tratan de imponerle a éste sus propias y personales opiniones. En un Partido Revolucionario se impulsan las opiniones propias a través de los organismos del Partido, a la luz del día, no en cuartos obscuros o reuniones secretas. Y cuando se quiere cuestionar, en un Partido Revolucionario, las instituciones o el liderato del mismo, esto se hace através de los organismos del Partido y no a través de facciones.

Si por ejemplo uno cree que el Partido está siendo mal presidido y que uno podría hacerlo mejor, uno se postula abiertamente para Presidente y no permite que un colaborador escriba un artículo en un periódico, en el cual al mismo tiempo que se postula a Noel Colón Martínez para Presidente se echa fuego sobre todo el liderato del Partido.

El faccionalismo es una falta capital en los Partidos Revolucionarios y el Lic. Noel Colón Martínez incurrió en ella. Es principio básico de todo Partido Revolucionario que a las facciones se las elimina, no se entra en diálogo con ellas. Si en algo falló el Partido en todo este proceso fue en no aplicar en todo momento esta norma básica, y al no hacerlo pecamos con Colón Martínez del vicio de liberalismo que nos llevó a ponerlo de candidato de Gobernador por su "Buena Imagen en Televisión". Con Noel Colón Martínez estuvimos dispuestos no sólamente a dialogar y a brindarle múltiples oportunidades, sino que llegamos prácticamente a arrodillarnos frente a su facción.

Y se preguntarán los lectores a qué se debe que el Lic. Noel Colón Martínez haya incurrido en estas faltas de respeto a los organismos directores del Partido y en este faccionalismo. La razón no es difícil de descubirlo. Se debe a que las actuaciones del Lic. Colón Martínez, desde que la Asamblea de Bayamón determinó terminar con la Junta Presidencial de tres miembros de la cual él era miembro, y sustituirla por la presidencia única, han estado dirigidas directa o indirectamente a sentar las bases para él convertirse en Presidente. Esto de por sí es válido y aspirar a la dirección es prerrogativa y derecho de todos los militantes de este Partido. Pero este derecho no ha estado dispuesto Noel Colón Martínez a hacerlo valer en una lucha frontal y democrática, quizás por temor a no tener éxito en su gestión. Ha tratado de lograr su meta a través de la facción y bajo la teoría de que si socababa suficientemente el prestigio de la Comisión Ejecutiva y del liderato del Partido, se le ofrecería a él en bandeja de plata la dirección del Partido. Y a todo esto utilizando él a terceras personas y siempre reservándose como el hombre inmaculado que no entra en disputas. Tenía todos los privilegios que otorga ser líder del Partido pero ninguna de las enormes responsabilidades. Para Noel Colón Martínez el problema de integrarse a trabajar en el Partido siempre fue sencillo, "o soy Presidente o no soy nada." Y por eso rehusó integrarse constantemente a las estructuras del Partido. En la asamblea de Bayamón rehusó ser nominado con actitud que ahora se comprende, la vicepresidencia del Partido. Uno de sus colaboradores más íntimos, el Lic. Gilberto Concepción Suárez, comete un indiscreto desliz en sus declaraciones del lunes 3 de enero, cuando le dice al país que no se ha convocado a la Asamblea General del Partido, por temor de que el Lic. Noel Colón Martínez saliera Presidente. He ahí el problema. La renuencia de estos señores para luchar abiertamente por la dirección del Partido y su temor de ser derrotado los llevó a los cuartos oscuros, a la intriga, y por ende a la facción. Las luchas en los partidos se dan de frente como la dimos muchos compañeros en Caguas en el 1964 y en Ponce en el 1967, ante un patriota con el cual teníamos diferencias pero para el cual teníamos la más profunda admiración y respeto, nuestro fundador Gilberto Concepción de Gracia. Esa es la verdad y ya es tiempo de que se diga.

Este plan del Lic. Noel Colón Martínez le falló en un solo pero importante detalle: en no darse cuenta de que éste es un Partido Revolucionario para el cual lo importante no son los hombres en su capacidad individual, sino los hombres en colectividad, los hombres en sus instituciones de participación democrática. Pero las lagunas ideológicas del Lic. Noel Colón Martínez le hicieron creer que éste era un Partido de corte colonialista al cual se podía empujar, maltratar, injuriar y menospreciar bajo la amenaza de que si se le trataba mal a él, que tiene "una imagen pública", el Partido sufriría. Pero a la larga lo cierto es lo contrario, el Partido sufriría si no se respetara a sí mismo y si se doblegara ante este tipo de chantaje político.

Las manifestaciones del Lic. Noel Colón Martínez con posterioridad a la determinación del Partido sirven para confirmar lo acertado de nuestra decisión. Su falla ideológica de desconocimiento de la naturaleza de un partido revolucionario y su incapacidad para ver más allá del personalismo va tan lejos, que en una decisión de la Junta de Directores no puede él ver nada más que "Justicia a lo Rubén Berríos", insultando y subestimando de esta forma la capacidad de la Junta de Directores al calificar a los hombres y mujeres que la integran, los que a través de todos los pueblos han levantado este Partido con su sudor y sacrificio como un "Pelotón de Fusilamiento". Pero va más allá aún el Lic. Noel Colón Martínez. Llevando el personalismo hasta rayar en la arrogancia, no se conforma con amenazar y menospreciar a la Comisión Ejecutiva y con insultar a la Junta de Directores sino que arremete contra el propio partido como Institución al considerar como su "deber", el "desenmascarar en lo que pueda al Partido Independentista Puertorriqueño como un organismo represivo de corte fascista que no merece la confianza del Pueblo". Triste deber y vano empeño el de un independentista de corta historia que pretende acabar con un Partido de histórica y prolongada trayectoria patriotica sin mancha. Esta actitud solo comprobará una vez más que el que intenta tirar lodo a las estrellas solo consigue enlodarse a sí mismo. Y luego de estos vejámenes al Partido no se le ocurre en su "Liberalismo" al Lic. Noel Colón Martínez otra cosa que decir que no se le dió oportunidad de defenderse, sabiendo él que esto es falso y que tuvo docenas de oportunidades para hacer sus planteamientos, por invitación directa de los organismos del Partido, y que no las utilizó.

El caso de Noel Colón Martínez cierra un ciclo en el independentismo. Con Noel Colón Martínez se acaba la deformación ideológica de que los hombres son más grandes que el Partido y que le pueden dictar pautas a éste.

Y surge con todo vigor el concepto de que aun el Partido Independentista Socialista tiene que ser reflejo de la aspirada Sociedad Socialista, un sistema donde todos los hombres sean juzgados con la misma vara y en donde las decisiones de la sociedad, al igual que hoy las del Partido, sean el fruto de la participación de sus componentes y no de personalismos e intrigas.

"El partido, las estructuras y el personalismo." Artículo de Rubén Berríos Martínez. Periódico *La Hora*, 16 de febrero de 1973.

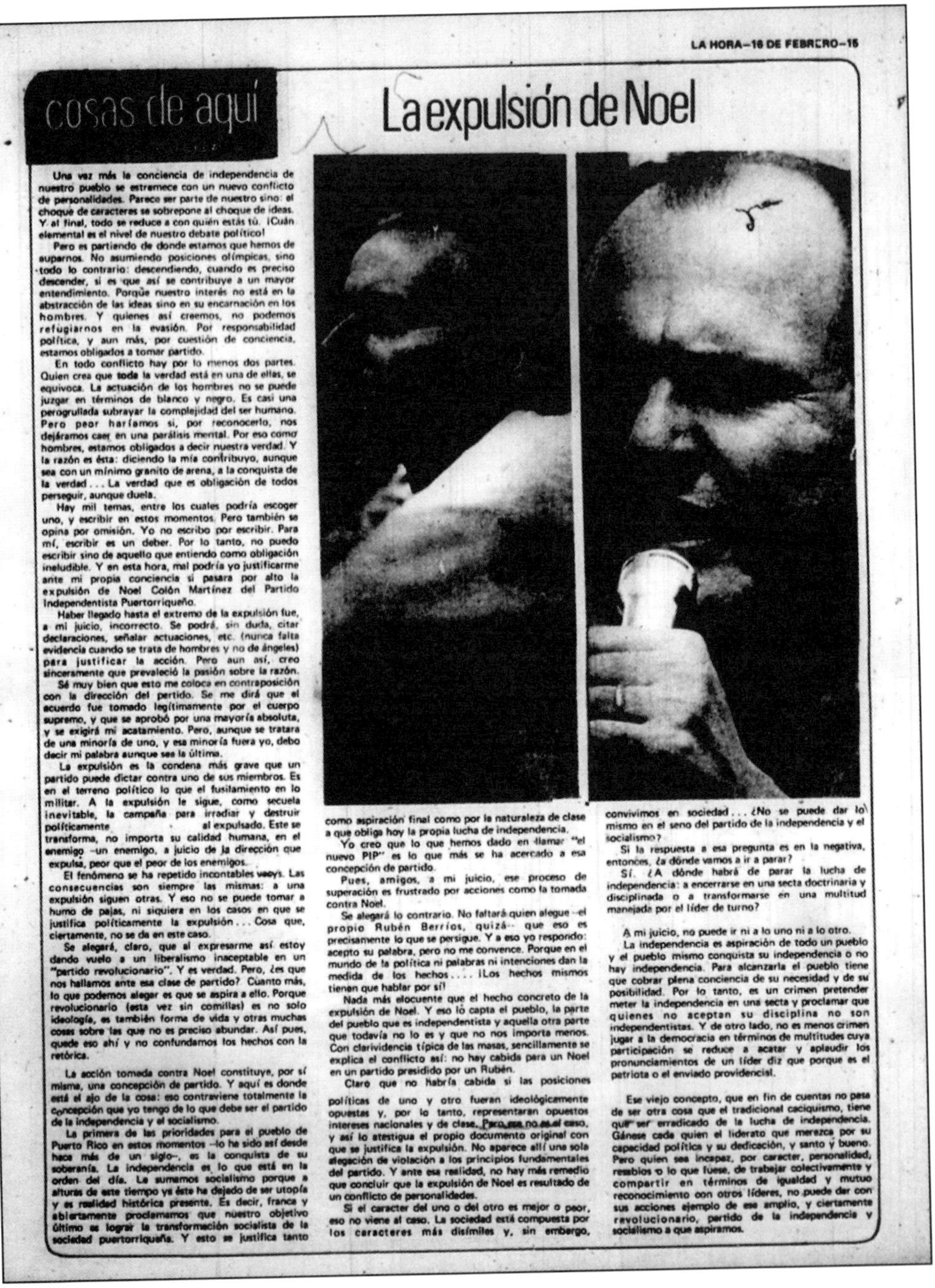

LA HORA—16 DE FEBRERO—15

cosas de aquí

La expulsión de Noel

Una vez más la conciencia de independencia de nuestro pueblo se estremece con un nuevo conflicto de personalidades. Parece ser parte de nuestro sino: el choque de caracteres se sobrepone al choque de ideas. Y al final, todo se reduce a con quién estás tú. ¡Cuán elemental es el nivel de nuestro debate político!

Pero es partiendo de donde estamos que hemos de superarnos. No asumiendo posiciones olímpicas, sino todo lo contrario: descendiendo, cuando es preciso descender, si es que así se contribuye a un mayor entendimiento. Porque nuestro interés no está en la abstracción de las ideas sino en su encarnación en los hombres. Y quienes así creemos, no podemos refugiarnos en la evasión. Por responsabilidad política, y aun más, por cuestión de conciencia, estamos obligados a tomar partido.

En todo conflicto hay por lo menos dos partes. Quien crea que **toda** la verdad está en una de ellas, se equivoca. La actuación de los hombres no se puede juzgar en términos de blanco y negro. Es casi una perogrullada subrayar la complejidad del ser humano. Pero peor haríamos si, por reconocerlo, nos dejáramos caer en una parálisis mental. Por eso como hombres, estamos obligados a decir nuestra verdad. Y la razón es ésta: diciendo la mía contribuyo, aunque sea con un mínimo granito de arena, a la conquista de la verdad . . . La verdad que es obligación de todos perseguir, aunque duela.

Hay mil temas, entre los cuales podría escoger uno, y escribir en estos momentos. Pero también se opina por omisión. Yo no escribo por escribir. Para mí, escribir es un deber. Por lo tanto, no puedo escribir sino de aquello que entiendo como obligación ineludible. Y en esta hora, mal podría yo justificarme ante mi propia conciencia si pasara por alto la expulsión de Noel Colón Martínez del Partido Independentista Puertorriqueño.

Haber llegado hasta el extremo de la expulsión fue, a mi juicio, incorrecto. Se podrá, sin duda, citar declaraciones, señalar actuaciones, etc. (nunca falta evidencia cuando se trata de hombres y no de ángeles) para justificar la acción. Pero aun así, creo sinceramente que prevaleció la pasión sobre la razón.

Sé muy bien que esto me coloca en contraposición con la dirección del partido. Se me dirá que el acuerdo fue tomado legítimamente por el cuerpo supremo, y que se aprobó por una mayoría absoluta, y se exigirá mi acatamiento. Pero, aunque se tratara de una minoría de uno, y esa minoría fuera yo, debo decir mi palabra aunque sea la última.

La expulsión es la condena más grave que un partido puede dictar contra uno de sus miembros. Es en el terreno político lo que el fusilamiento en lo militar. A la expulsión le sigue, como secuela inevitable, la campaña para irradiar y destruir políticamente al expulsado. Este se transforma, no importa su calidad humana, en el enemigo —un enemigo, a juicio de la dirección que expulsa, peor que el peor de los enemigos.

El fenómeno se ha repetido incontables veeys. Las consecuencias son siempre las mismas: a una expulsión siguen otras. Y eso no se puede tomar a humo de pajas, ni siquiera en los casos en que se justifica políticamente la expulsión . . . Cosa que, ciertamente, no se da en este caso.

Se alegará, claro, que al expresarme así estoy dando vuelo a un liberalismo inaceptable en un "partido revolucionario". Y es verdad. Pero, ¿es que nos hallamos ante esa clase de partido? Cuanto más, lo que podemos alegar es que se aspira a ello. Porque revolucionario (esta vez sin comillas) es no solo ideología, es también forma de vida y otras muchas cosas sobre las que no es preciso abundar. Así pues, quede eso ahí y no confundamos los hechos con la retórica.

La acción tomada contra Noel constituye, por sí misma, una concepción de partido. Y aquí es donde está el ajo de la cosa: eso contraviene totalmente la concepción que yo tengo de lo que debe ser el partido de la independencia y el socialismo.

La primera de las prioridades para el pueblo de Puerto Rico en estos momentos —lo ha sido así desde hace más de un siglo—, es la conquista de su soberanía. La independencia es lo que está en la orden del día. Le sumamos socialismo porque a alturas de este tiempo ya éste ha dejado de ser utopía y es realidad histórica presente. Es decir, franca y abiertamente proclamamos que nuestro objetivo último es lograr la transformación socialista de la sociedad puertorriqueña. Y esto se justifica tanto como aspiración final como por la naturaleza de clase a que obliga hoy la propia lucha de independencia.

Yo creo que lo que hemos dado en llamar "el nuevo PIP" es lo que más se ha acercado a esa concepción de partido.

Pues, amigos, a mi juicio, ese proceso de superación es frustrado por acciones como la tomada contra Noel.

Se alegará lo contrario. No faltará quien alegue —el propio Rubén Berríos, quizá— que eso es precisamente lo que se persigue. Y a eso yo respondo: acepto su palabra, pero no me convence. Porque en el mundo de la política ni palabras ni intenciones dan la medida de los hechos . . . . ¡Los hechos mismos tienen que hablar por sí!

Nada más elocuente que el hecho concreto de la expulsión de Noel. Y eso lo capta el pueblo, la parte del pueblo que es independentista y aquella otra parte que todavía no lo es y que no nos importa menos. Con clarividencia típica de las masas, sencillamente se explica el conflicto así: no hay cabida para un Noel en un partido presidido por un Rubén.

Claro que no habría cabida si las posiciones políticas de uno y otro fueran ideológicamente opuestas y, por lo tanto, representaran opuestos intereses nacionales y de clase. Pero ese no es el caso, y así lo atestigua el propio documento original con que se justifica la expulsión. No aparece allí una sola alegación de violación a los principios fundamentales del partido. Y ante esa realidad, no hay más remedio que concluir que la expulsión de Noel es resultado de un conflicto de personalidades.

Si el caracter del uno o del otro es mejor o peor, eso no viene al caso. La sociedad está compuesta por los caracteres más disímiles y, sin embargo, convivimos en sociedad . . . ¿No se puede dar lo mismo en el seno del partido de la independencia y el socialismo?

Si la respuesta a esa pregunta es en la negativa, entonces, ¿a dónde vamos a ir a parar?

Sí. ¿A dónde habrá de parar la lucha de independencia: a encerrarse en una secta doctrinaria y disciplinada o a transformarse en una multitud manejada por el líder de turno?

A mi juicio, no puede ir ni a lo uno ni a lo otro.

La independencia es aspiración de todo un pueblo y el pueblo mismo conquista su independencia o no hay independencia. Para alcanzarla el pueblo tiene que cobrar plena conciencia de su necesidad y de su posibilidad. Por lo tanto, es un crimen pretender meter la independencia en una secta y proclamar que quienes no aceptan su disciplina no son independentistas. Y de otro lado, no es menos crimen jugar a la democracia en términos de multitudes cuya participación se reduce a acatar y aplaudir los pronunciamientos de un líder diz que porque es el patriota o el enviado providencial.

Ese viejo concepto, que en fin de cuentas no pasa de ser otra cosa que el tradicional caciquismo, tiene que ser erradicado de la lucha de independencia. Gánese cada quien el liderato que merezca por su capacidad política y su dedicación, y santo y bueno. Pero quien sea incapaz, por caracter, personalidad, resabios o lo que fuese, de trabajar colectivamente y compartir en términos de igualdad y mutuo reconocimiento con otros líderes, no puede dar con sus acciones ejemplo de ese amplio, y ciertamente revolucionario, partido de la independencia y socialismo a que aspiramos.

"La expulsión de Noel. Artículo de César Andreu Iglesias."
Periódico *La Hora*, 16 de febrero de 1973.

La emboscada de Mayagüez

Por René Igartúa Martínez
Militante PIP—S.J.—4

RIO PIEDRAS – De lo que más se puede acusar en estos momentos a la dirección del Partido Independentista Puertorriqueño es de no descubrir a tiempo los planes del "golpe de estado" que se le intentaba dar al partido y contribuir así a que la militancia saliera confusa de la emboscada que se le tendió a la directiva del partido en Mayagüez. Que la situación actual fue planeada de antemano para crear crisis en el partido no hay lugar a dudas. Personas que en la Comisión Ejecutiva participaron en la creación del informe y luego votaron a favor de éste en la Junta de Directores, están ahora pidiendo las cabezas de Rubén Berríos y Carlos Gallisá como los únicos responsables; e insultan a la Junta diciendo que se dejaron amañar.

Los Poncio Pilatos del nuevo PIP pretenden ser ahora santos redentores inmaculados y como si estuvieran libres de todo pecado arrojan una avalancha de piedras contra los dirigentes nacionales a la par que tratan de convertirse en los canales que conduzcan y controlen los deseos de la militancia de hacer cambios en las estructuras del partido. Los cambios vendrán. De esó estábamos hablando antes de la "emboscada de Mayagüez", pero serán los cambios que desee la militancia y no los que la "tercera (léase quinta) columna" determine.

La división la hay en el partido a nivel de militancia aunque casi exclusivamente en San Juan. Hay compañeros equivocados y confundidos. El método en Mayagüez no fue el mejor. Pero no les quedó otra salida, todo estuvo demasiado bien planeado. El método no es los hechos. Noel no es una víctima inocente de la acusación que se le hace (ponerse al margen del partido). Veamos esto.

En la revista *Avance* Noel plantea unos supuestos motivos para "expulsarlo" del partido basado en informantes extraoficiales. Dice que se le acusa de haber tenido reuniones cuando solo hubo una. Eso es lo que dice el Informe de la Comisión Ejecutiva, que hubo una reunión el el Colegio de Abogados donde un grupo de miembros del PIP fueron citados con el propósito de compartir con Noel una serie de críticas al partido y ayudarle a definir sus relaciones con él. Noel reafirma a la Comisión Ejecutiva cuando dice que hubo esa reunión. Se desprende de sus palabras que en esa reunión hubo personas de fuerte tendencia separatista cuando Noel tiene que hacer claro "que quedaba fuera de discusión cualquier idea divisionista o sectaria" y discutir contra la idea de fundar otro partido "cada vez que la misma ha surgido".

No se le acusa ni se le podría acusar de querer fundar otro partido. En el informe de la C. E. no aparece esa acusación. El no desea fundar otro partido, lo que él desea es quedarse con el actual con todo y franquicia electoral y los puestos en la legislatura (obtenidos con fraude según él y su camarilla). Mal aconsejado por sus amigos liberaluchos de "Cara a Cara", sus socios de *Avance* y/o por los que lo planearon todo dentro del partido tomó una actitud arrogante, irresponsable e irrespetuosa hacia la Comisión Ejecutiva al decir que los hace "responsables de cualquier consecuencia que esta acción tenga para el partido en el futuro" en una carta el 8 de enero de 1973. Los directores cayeron en la emboscada sin

Rubén Berríos

descubrir a tiempo la trampa.

Sobre el método de la campaña todos sabemos que se prefería una de ideas y no de candidatos. Aunque se estuviese consciente de la necesidad de las ventajas de la TV. Pretender hacer una campaña de candidatos era ir en contra de los deseos de la militancia.

Pero lo que más resalta del memorándum de Noel son los dos últimos párrafos. Dice en el penúltimo que no deben tomarse decisiones que le impidan la colaboración que el pueda prestar en el futuro, pero que no consistirá necesariamente en su total inmersión en las estructuras del partido. (¿¡! ?) Tras que la colaboración es futura será desde los márgenes. Sin inmersión . . .

El último párrafo dice textualmente: "Finalmente deseo señalar que no entiendo cómo el partido puede censurar o expulsar a un afiliado que no tiene posiciones de responsabilidad en este, por cuestiones que no entrañan graves problemas de carácter ideológico o de naturaleza fundamental."

El no entiende, expliquémosle. Compañeros, el que no está inmerso en el partido, está al margen, tan simple como eso. En el partido que queremos no caben los irresponsables, eso es si queremos un partido revolucionario. De hecho, el partido no puede expulsar a nadie de sus márgenes, pero es su obligación informar sobre sus miembros al pueblo. Además, el solo compartir los ideales del partido no basta, hay que asumir responsabilidades. Tenemos que exigir responsabilidades a todos los miembros del partido (militantes o afiliados) de acuerdo a sus posibilidades. Esto no es un partido de realengos irresponsables, así no es el partido que queremos.

La Comisión Ejecutiva informó y la Junta de Directores aprobó "que el compañero Noel Colón Martínez se ha puesto por sus propias actuaciones al margen del partido". El mismo Noel dice eso en su memorándum al declararse afiliado sin posiciones de responsabilidad.

A pesar de todo en el momento en que Noel decida asumir responsabilidades y

(Vea —EMBOSCADA— Pág. 21)

A un señor llamado Labiosa

Por Héctor Latorre
Sec. Educación Política
Comité Central, S.J.

Hace ya muchos años que soy lector de CLARIDAD y nunca se me había ocurrido escribir para el mismo, pero me fue imposible pasar por alto el artículo "La Lucha Interna del P.I.P." escrito por ese "profundo" ideólogo y analista que se suele llamar de vez en cuando Raúl Vincenty Labiosa. Al leer el mencionado artículo comprendí que todo puede ser posible. ¡Se imaginan tratar de elevar el chisme a nivel de análisis y discusión ideológica! El Sr. Labiosa, si es experto en algo, es en el arte de la sofisticación; porque sofisticar el chisme para hacerlo parecer análisis es dura empresa.

Pero vamos al punto. Al margen de los grandes sistemas filosóficos y políticos siempre han surgido apéndices parasitarios que quieren existir en el cuadro de la totalidad del sistema. Muchas veces tratando de influenciarlos y otras tratando de socavarlos, pero siempre manteniendo unas peculiaridades propias. Del primer caso, o sea, de los que tratan de influenciar, tenemos el caso del existencialismo Sartreiano. Sartre en su obra *En Busca de un Nuevo Método* nos dice de su existencialismo: "Este es un sistema parasítico viviendo al margen del conocimiento." Nos dice luego que el único sistema filosófico capaz de amparar todas las fases del conocimiento es el marxismo y que su existencialismo solo trata de trabajar dentro de esta filosofía tratando de influenciar el futuro y el desarrollo de la misma.

En Puerto Rico tenemos ahora una caricatura de estas tendencias parasitarias. Pero esta vez, dentro del "marxismo-leninismo", así se autodetermina el partido donde milita el Sr. Labiosa. Esta nueva tendencia parasitaria es el paternalismo como

Norman Pietri

instrumento ideológico en el análisis y la crítica a los otros grupos independentistas que estén al margen de la "iluminación" ideológica del P.S.P. Esta nueva tendencia que surge al margen del marxismo-leninismo dentro de un partido que se auto-determina como tal, se le puede dar el nombre de "paternalismo ideológico". Y, como uno de sus principales exponentes, el Sr. Raúl Vincenty Labiosa. Cabe aquí aclarar que las raíces de este paternalismo ideológico, tienen profundas raíces en nuestra historia y en nuestra actitud como pueblo. Este paternalismo há sido la expresión en nuestra vida de pueblo de esa colonizante actitud que se manifiesta en el mundo liberal del opresor como "the white man burden's". Esta actitud colonizante la recoge el colonizado, al servicio del colonizador y la empléa en la política puertorriqueña, siendo Luis Muñoz Marín su mayor y más importante exponente; pero aparece ahora con tono diferente como método de crítica a nivel ideológico, en manos de quienes creen estar en la vanguardia de nuestra descolonización. ¡Pura ironía!

Vamos, señor Labiosa, a analizar las características de este paternalismo ideológico, analizando los planteamientos que usted hace en su artículo. Es lógico suponer que usted, siendo un militante de un partido que se llama a sí mismo "marxista-leninista", al analizar el problema interno del PIP lo haga mediante el método dialéctico marxista. ¿Si usted como marxista consideró al PIP como un todo único en sus estructuras, donde sus partes y dinámicas dependen unos de otras y se condicionan recíprocamente en su interrelación, ¡cómo es posible que se le escaparan dos realidades políticas dentro del PIP, la JIU y la JIE, de lo cual usted no menciona absolutamente nada en su artículo! ? Sería interesante saber si usted desconoce estas dos organizaciones o es que no tienen ninguna importancia para usted. Parece ser que el miopismo es una de las características del paternalismo ideológico.

Siendo el Sr. Labiosa marxista supongo que consideró en su análisis el hecho de que las contradicciones internas tienen su lado negativo y su lado positivo, y que se va construyendo a la vez la transformación de lo cuantitativo a lo cualitativo; todo es un proceso que se va ampliando. Sin embargo, de Noel se hace una casta y casi inocente presentación en este proceso de crisis. Lo libera del "embarre" post-electoral en la Junta Estatal de Elecciones, le apunta unas debilidades por dejarse asesorar por elementos derechistas dentro del PIP y lo aplaude por su postura unitaria; y luego como por arte de magia lo deja fuera del timón que él cree deben compartir Rubén y Gallisá. Es de suponer que Noel en el proceso de las contradicciones internas, se desvanece como el éter. Esa es otra de las características del paternalismo ideológico, el arte de la magia. Noel es una realidad política que se tiene que considerar en el presente y el futuro de este partido.

Donde Labiosa surge sumamente interesante es en la conclusión de su artículo: usted plantea que si Rubén y Gallisá hacen una cabal auto-crítica de sus errores, "estarán en condiciones de timonear adecuadamente el rumbo hacia la reconstrucción del partido". ¿Quiere esto decir que con un "mea culpa" todo el proceso dialéctico que lleva al partido a la crisis desaparece? ¿No puede imaginar su mente marxista el hecho de que la tesis de todo este proceso de crisis es precisamente el estilo, las actitudes y la función como líderes de estos dos compañeros? ¿No tendría que concluir

(Vea —LABIOSA— Pág. 21)

18 de marzo de 1973 – CLARIDAD 11

"La emboscada de Mayagüez." Artículo de René Igartúa Martínez
Periódico *Claridad*, 18 de marzo de 1973.

VI.
Los terceristas

Tras la expulsión de Noel Colón Martínez, en el intenso conflicto surgirá un tercer sector al interior del PIP. Los llamados "terceristas", esta vez acaudillados por el vicepresidente del Partido, el representante a la Cámara, Carlos Gallisá, cuestionarán el estilo de liderato y modelo de presidencia única personificado por Rubén Berríos, electo senador en 1972, así como la visión ideológica de este. Tras meses de discusión pública, asambleas, reuniones de los organismos directivos del PIP y una asamblea general donde prevalece la posición del presidente Berríos, quien verá así consolidado su liderato y visión política en el PIP, los terceristas abandonarán el Partido, dando paso a la fundación del Movimiento Socialista Popular (MSP).

Cronología

1973

8 de abril- Se celebra una asamblea del PIP en Ponce, donde Rubén Berríos Martínez es reelecto presidente del Partido. Con esa reelección, es claro que Berríos tiene el apoyo de la base del Partido y que si sus detractores querían hacer cambios debían retar su liderato por otros canales.

7 de junio- Rubén Berríos Martínez y Juan Mari Brás envían una carta al presidente del Comité de Descolonización de la ONU, donde exponen las intenciones de Estados Unidos de convertir a Puerto Rico en un puerto de manejo de petróleo y otros materiales. Además, piden que intervengan para que EU se abstenga de dichos planes hasta tanto se resuelva el caso colonial.

8, 9 y 10 de junio- En el hotel Normandie, se celebró un Seminario de la Junta de Directores del PIP. En este, un grupo de líderes, encabezados por Carlos Gallisá, proponen hacer cambios al reglamento del Partido para que el presidente sea elegido por un Comité Central y no por la Asamblea General. La propuesta incluye que la Asamblea sea quien elija los miembros del Comité.

4 de julio- Marcha conjunta del PIP y el PSP contra el establecimiento de un Superpuerto petrolero en Aguadilla.

4 de agosto- Se celebra una Asamblea de Programa y Reglamento del PIP en Mayagüez, que intenta limitar los poderes del presidente de la colectividad.

21 de agosto- Declaraciones de Rubén Berríos Martínez sobre la Junta de Directores convocada por "terceristas".

22 de agosto- Juan Mari Brás y Rubén Berríos hablan ante el Comité de Descolonización de la ONU después que el Comité acordara escuchar a los líderes puertorriqueños en votación de 12-0.

30 de agosto- Se aprueba la segunda resolución sobre Puerto Rico en el Comité de los 24 en la ONU.

3 de septiembre- La Junta de Directores del PIP se reúne en el Colegio de Abogados (sin la participación de Rubén Berríos), donde aprobaron un documento titulado "El desenlace de una crisis". En el mismo, se enumeran las causas de la crisis y una lista de cambios que solucionarían el problema para mantener vivo al Partido.

8 de septiembre- Juan Mari Brás pronuncia un discurso ante la Sesión Plenaria de la VI Conferencia en la Cumbre de Jefes de Estado y Gobierno de los Países No Alineados en Argelia.

9 de septiembre- Se celebra una Asamblea del PIP en Ponce, que produce el rompimiento final. Renuncian más de un centenar de miembros del Partido y se acuerda por la asamblea que los escaños de Carlos Gallisá y Luis Ángel Torres debían ser dejados por estos, ya que esos escaños eran por adición y le pertenecían al Partido.

21 de octubre- Los dirigentes terceristas celebran el Segundo Seminario de la Izquierda Socialista "Hacia la creación del nuevo movimiento". En el mismo, se constituye el Movimiento Socialista Popular (MSP).

Testimonios

1. Rubén Berríos Martínez
División y recomposición del PIP; los escaños legislativos

Néstor Duprey Salgado: ¿Cómo lograste recomponer el PIP?

Rubén Berríos Martínez: Porque ese grupo, dentro del PIP, tenía poco arraigo; y yo nunca tuve duda cuál iba a ser el resultado de las asambleas. Yo sabía cómo estaba la cosa.

NDS: ¿Por eso tú insistías en las asambleas generales?

RBM: Sí, seguro. Yo insistía en las asambleas generales. Algunos de ellos, al unirse más tarde con el PSP, hicieron más evidente su objetivo. Otros montaron tienda aparte, y otros se mantuvieron desafiliados.

NDS: Tú mencionas que el PIP ha logrado prevalecer en términos de su estrategia y en términos de preservar su espacio electoral, pero a mí me resulta curioso que, en distintas etapas, particularmente la etapa esta de los '70 que estamos discutiendo, los críticos del PIP, desde fuera del PIP, en algún momento intentan apoderarse del PIP. ¿Por qué esa obsesión con el objetivo de apoderarse de un instrumento que en algún momento critican como ineficaz?

RBM: Yo creo que porque, en el fondo, muchos se fueron dando cuenta de la corrección de la estrategia del PIP y de que el PIP contaba con una base firme de apoyo en el pueblo independentista.

NDS: ¿Pero a ti no te es curioso? ¿Por qué los que critican al PIP desde afuera en algún momento intentan quedarse con él?

RBM: Así es. Eso es al principio. Así es, pero luego intentan suplantarlo.

NDS: Siempre el objetivo es ese, o lo trato de cooptar o lo trato de suplantar.

RBM: Eso lo que demuestra es la corrección de la visión estratégica de don Gilberto Concepción de Gracia. Aquí la independencia se adelanta, en una circunstancia de desproporción de fuerzas enorme, creando una institución independentista con una ideología socioeconómica cónsona con nuestras realidades, intransigente con la colonia y abierta al diálogo con Estados Unidos. Además, don Gilberto siempre nos repetía que, mientras no se cierren los caminos de la legalidad, hay que escoger el camino menos doloroso. Así de sencillo es y esa es la línea de don Gilberto.

NDS: En ese periodo del '70, '72, 73, hay un grupo que viene del MPI que ingresa al PIP. César Andreu, George Fromm. Y un poco se concentran en el periódico La Hora. ¿Cómo tú ves desde ahora ese proceso? ¿Por qué se le da espacio a ese grupo dentro del PIP? ¿Cómo era tu relación con ese grupo? Y, ¿cómo se da ese proceso de ruptura? Porque a veces da la impresión, por ejemplo, de que las posturas de Rubén Berríos en ese momento eran más coincidentes con ese grupo que con la vieja guardia del PIP que no se va con Toño González y permanece en el PIP, ¿no?

RBM: Eso depende de la perspectiva de la cual uno lo analice; y, añado, la falta de experiencia mía y el creerme que la gente se convierte así de la noche a la mañana.

NDS: ¿Había ingenuidad, Rubén?

RBM: Sí. Yo creo que en ese momento había cierto grado de ingenuidad de mi parte.

NDS: O idealismo o...

RBM: Sí, o pensar en que lo de San Pablo camino de Damasco se da regularmente, y eso no se da regularmente ni en la Biblia. Yo creo que había una dosis de eso. Y la otra razón es que yo quizás caía en las mismas teorías, en las que caen todavía algunos, de que el problema del independentismo era que estaba desunido. El independentismo de Puerto Rico es uno de los movimientos, en mi opinión, menos desunido que ha habido en la historia de la liberación nacional. Y aquí las discrepancias que se dan son secundarias comparadas con las de otros lugares en donde hasta se matan entre ellos. El hecho de que haya varios grupos independentistas, después de que no se cancelen, no es negativo, sino que cada uno contribuye lo que pueda. Caminar separado y golpear juntos cuando se pueda.

NDS: ¿Cómo tú te explicas que gente que no era marxista, como el caso de Carlos Gallisá, terminan de la noche a la mañana asumiendo una postura marxista-leninista, ingresan a un partido marxista-leninista? De momento, es una especie como de, para usar la parábola que hemos estado usando en la conversación sobre San Pablo, es como una caída en el camino a

Damasco de momento y, pues, ahora descubrí las virtudes del marxismo-leninismo, ¿no? ¿Fue justificación para ti?

RBM: Los únicos que pudieran contestar serían las personas que pasaron por ese proceso.

NDS: Tú no tenías la formación típica del liderato independentista de aquel momento.

RBM: Yo me había dado cuenta de que esas teorías... Para mí la cuestión ética, filosófica, de los orígenes y el destino de la humanidad, del más allá, (como se titula un curso en Georgetown "El problema de Dios"), es tan importante y me parecía que el materialismo histórico es una ideología demasiado limitante, quizás por mi formación desde mi infancia en Aibonito hasta mi educación posterior con los jesuitas en San Ignacio y Georgetown. Y, por lo tanto, pues yo nunca pensé caer en... Sin embargo, entiendo las aportaciones del análisis marxista. O sea, que creo que yo nunca pude haber caminado en esa senda del llamado "socialismo científico" porque era demasiado contrario a las cosas que yo creía que tenían valor. Por eso me acusaban de que primero era socialista-cristiano, lo cual como si fuera un insulto, después de fabiano, de socialdemócrata línea sueca, etcétera. Además, había una razón bien sencilla y práctica. En el pueblo puertorriqueño, ese tipo de prédica no se entendía. Pero ¿de qué tú estás hablando? O sea, si además de que nos vamos a morir de hambre y vamos a ser como Santo Domingo y Haití, ahora tenemos que aceptar un régimen que se parezca al soviético o al chino, pero ¿de qué tú estás hablando? Me parecía contradictorio con la praxis política, además de filosóficamente inaceptable y, por lo tanto, yo nunca me sentí tentado por el marxismo-leninismo. Ahora, los que dieron ese paso, yo no sé por qué lo dieron y qué razonamiento tendrían.

2. Carlos Gallisá
Ruptura con Rubén y salida del PIP

Carlos Gallisá Bisbal: Entonces, ¿qué pasa? Que cuando esta gente se da cuenta que Noel no tiene el agarre en la base, entonces vienen donde mí a reclutarme como el portavoz de ellos. Con los que ya tenía cierta coincidencia. Y ahí, poco a poco, pues se da el distanciamiento mío con Rubén porque ya Rubén me empieza a ver como enemigo. Entonces, Rubén viene un día y me dice: "Mira, Carlos, vamos a hacer una cosa. No metas la presidencia... deja los poderes presidenciales en el reglamento." Porque las discusiones sobre los poderes presidenciales, eso era en el reglamento. Eso era, a fin de cuentas.

José Sánchez Jorge: ¿Eso fue en el [Hotel] Normandie?

CGB: En el Normandie. Toda esa discusión que había allí era la discusión del reglamento. Entonces me dijo: "Deja la presidencia como está y yo te entrego el resto del reglamento". Yo digo: "Rubén, no puede ser, si esa es la discusión, chico. La presidencia."

JSJ: Entonces, ¿cuál fue la reacción de Norman Pietri, de César Andreu cuando se da entonces este episodio en el hotel, en Palmarinas?

CGB: Estaban allí y, pues, se les dijo que Noel se había ido. Ahí yo creo que ellos empezaron a separarse o a distanciarse de Noel. Siempre recuerdo a César Andreu y a Norman que van a casa a reclutarme, ya formalmente. Y yo, pues, ya había tenido mis problemas con ellos. Tampoco había mucha confianza. Y yo hice mi cosa, con ellos al lado, pero sin confianza. Fue un proceso que hay que dejarlo para la historia. Yo creo que allí se liquidó una lucha que no debió haberse liquidado. Ese PIP que nosotros hicimos del '70 al '72, '73. Hicimos muchas cosas. Y sembramos bastante en aquel entonces.

JSJ: Bueno, con lo que usted menciona del impacto que tenía Rubén entre los jóvenes, yo creo que sí, o sea, pudo haber sido un error todo el proceso de la crisis, como quedaron parados.

CGB: Ah, no, se jod... por 50 años aquello.

JSJ: Porque la FUPI empezó a mirar más al PSP y al MPI. Pero que Rubén tenía parte, algo de los oídos de los jóvenes que pertenecen a la FUPI.

CGB: Rubén, a esos jóvenes ahí, no los impactaba como impactaba a los otros... Por eso es que se crea la JIU, que es un estudiantado que rechaza a la FUPI. Entonces la JIU es el brazo estudiantil del PIP, que hicieron un trabajo del carajo. Digo, a todo esto, hay que ver todo lo que pasó con la inteligencia americana que nos vio a nosotros como un peligro, por decirlo así, o algo que podría... y está en nuestras carpetas y todas esas cosas, todo el trabajo de inteligencia que nos hicieron. Esta división, esta pelea estuvo bien impactada por un trabajo de inteligencia americana. Ahí es que se da COINTELPRO y se dan todas esas cosas. Y las cosas más sucias se hacían. Decían, si tú estabas con una compañera, te mandaban una carta que tu compañera estaba metiendo mano con fulano de tal. Se crea... Bueno aquello fue de espectáculo.

JSJ: Entonces, ¿qué está pasando por la mente de Carlos Gallisá cuando ya se está acercando el momento de salirse del PIP?

CGB: Pues, en aquel entonces estuve de acuerdo con Norman Pietri, que fue el que planteó no ir por lo que podía pasar allí. Y ya esto no tiene remedio; que se quede Rubén. Y yo estaba en la legislatura; yo tenía ya tarea que hacer en la lucha de independencia. Ya tenía una opinión muy buena a favor del PSP. Y dentro de toda esa guerra en el PIP, que fue como un año, yo mantenía informado a Mari Brás. "Mira, lo que está pasando es esto. Esto es lo que hay. Fulano está aquí..." Y tenía pues, unos vínculos muy estrechos con Mari Brás, que después empieza un reclutamiento a mí. Bueno, estuve un año desafiliado, pero muy cercano ya.

3. Luis Ángel Torres
Papel de la juventud, modelo de Partido; salida del PIP y creación del MSP

Luis Ángel Torres: Nosotros [la juventud del PIP] logramos entonces que el proceso de discusión no se detuviera y que se iniciara un proceso de estudio y evaluación de los lineamientos políticos y estratégicos, los reglamentos de la organización, para profundizar el desarrollo de la organización, pero el liderato del Partido no estaba interesado en eso. Ellos [en] lo que estaban interesados eran en cerrar ese capítulo, responsabilizar unos sectores entre los cuales estábamos nosotros y volver otra vez a lo mismo, pero esta vez con una campaña interna en contra del socialismo, planteando que la definición socialista del Partido había sido la responsable de que el PIP no hubiese logrado los 200 mil votos que ilusoriamente ellos pensaban que se podían obtener en esas elecciones. Ante la crudeza del debate, que incluso llegó a la violencia, a que en la asamblea del PIP nos sacaran armas y nos amenazaran incluso de muerte a muchos de nosotros, a que en una asamblea que se hizo en Ponce, para más o menos evaluar la situación, fuimos agredidos algunos de nosotros o hubo casi un motín en la asamblea, pues nosotros decidimos crear un grupo interno de oposición para provocar la democratización del PIP.

Ese grupo se denominó los terceristas y surgió de una... Nosotros enviamos un comunicado de prensa firmado por mí, donde planteábamos que no éramos "rubencistas" ni "noelistas", representábamos una tercera opción para resolver la crisis interna del PIP. Y la prensa utilizó lo de tercera opción y nos denominó terceristas y de ahí en adelante, se siguió utilizando ese nombre como el nombre de cuño de ese grupo. Y logramos impulsar un proceso sumamente amplio. En ese grupo, estaban César Andreu Iglesias, Samuel Aponte, Norman Pietri, Michel Godreau y toda la juventud del Partido. Y entonces, cuando yo digo "logramos", me refiero, por ejemplo, a que se hicieron tres asambleas de programa y reglamento y las ganamos las tres. Y el proyecto de reglamento que nosotros preparamos, que nos ayudó a preparar el compañero Milton Pabón, fue el que se aprobó a todos los niveles en la organización y el hecho de que Rubén no pudo revertir ese triunfo nuestro a nivel reglamentario provocó que eliminó la comisión que preparó el reglamento, eliminó las comisiones sobre la aprobación de ese reglamento y citó a otra asamblea donde decidieron expulsarnos a todos nosotros.

Y eso provoca entonces que cerca de 930 a 940 militantes del PIP renunciáramos o fuéramos expulsados del Partido. O sea que un proceso que para nosotros fue positivo, porque triplicamos los votos, sacamos dos representantes por ley de minoría, el compañero Carlos Gallisá y yo y un senador, el compañero Rubén Berríos, o sea que por primera vez desde mil novecientos cincuenta y pico o sesenta, el PIP tenía representación legislativa otra vez. Lo importante era evaluar, para que entonces se profundizara sobre las causas de los problemas que obviamente teníamos y que eso sirviera de catapulta para que el Partido resolviera los problemas internos que tenía. Pero ellos no, ellos optaron por cerrarse a la banda y cerrar toda posibilidad de diálogo con los distintos sectores y obviamente eso implicó que un sector considerable de la militancia del Partido abandonara la organización, implicó entonces y yo creo que quizás el... Tuvo dos consecuencias fundamentales: número uno, el Partido se cierra a una posición conservadora donde comienza a tomar todas las medidas para eliminar todo vestigio de socialismo dentro de la organización, proceso que le va a tomar varios años. Y, en segundo lugar, que el grueso de los que abandonamos el PIP nos constituimos posteriormente en una tendencia organizada fuera del PIP y creamos posteriormente el Movimiento Socialista Popular (MSP) el 21 de octubre de 1973. Tomamos nosotros esa determinación y ya en enero del '74 estábamos funcionando como organización independiente del PIP.

Entrevistador: Dentro de todos esos miembros que se fueron de la política del liderato del PIP, ¿cuántos eran? O sea, el PIP tenía una comisión directiva, tenía un liderato de política, ¿eso también se dividió?

LAT: Sí, los efectos sobre la militancia de la dirección fueron muy graves. Por ejemplo, había una Comisión Política, de esa comisión más del

60% se fue con los terceristas. Ahí estaba Carlos Gallisá, que aunque inicialmente fue el principal verdugo contra nosotros, al final del proceso se fue con los terceristas, César Andreu Iglesias, Norman Pietri, una serie de compañeros que mayoritariamente componían la Comisión Política del PIP. Eran unos 11 o 12 miembros y la mayoría se fue con nosotros. El otro cuerpo era la Junta de Directores del PIP. En esa junta, más de la mitad, eran los presidentes y vicepresidentes. Más de la mitad de los presidentes y vicepresidentes se fueron con nosotros también. Pero según fue bajando a nivel de la asamblea de delegados, que también nosotros logramos ganar todas las decisiones, pero ya eran decisiones un poco más... más reñidas. Ahí también muchos delegados se fueron con nosotros y a nivel de la militancia, de los miembros del Partido, se quedó en el Partido. Pero de los militantes, yo creo que nosotros nos llevamos cerca del 70-80% de los militantes de la organización que abandonaron el Partido. O sea que, definitivamente, tuvo unos efectos serios sobre la dirección del Partido. Hubo algunos que posteriormente regresaron, como fue el caso de David Noriega. Él se va con nosotros en el '73, pero luego, 4 o 5 años después, regresa arrepentido de lo que había hecho y se integra nuevamente al PIP. De hecho, se integra y cayó en el liderato del Partido casi inmediatamente.

Ent: Y en el Senado y la Cámara, ¿qué estaba pasando?

LAT: Pues teníamos una situación bastante problemática porque Rubén se quedaba con el PIP. Carlos Gallisá y yo no renunciamos. Yo soy parte de la fundación del MSP y Carlos Gallisá posteriormente, aunque él fue parte de la fundación del MSP también, pero después nos envió una carta diciendo que él no iba a formar parte de la organización y se integra al PSP. Entonces teníamos, como quien dice, tres organizaciones distintas en el trabajo legislativo. Se hizo un leve intento de tratar de coordinar, promovido por Gallisá, pero no fue posible porque Rubén Berríos asumió la alternativa de que esos escaños eran del PIP y si nosotros no le dábamos los escaños al PIP, él no tenía nada que discutir con nosotros. Y en realidad lo que hizo fue recrudecer el proceso de diferencia por virtud del trabajo legislativo y no, nunca pudo haber coordinación. Inicialmente también hubo alguna coordinación entre Carlos Gallisá y yo, pero posteriormente esa coordinación desapareció también. O sea que cada cual siguió trabajando según su perspectiva y la importancia que cada sector le fuera dando a esa tribuna parlamentaria.

Vista de la asamblea del PIP de abril de 1973. (Archivo del periódico *Claridad)*

Rubén Berríos se dirige a la asamblea del PIP en la cual resulta electo presidente de la colectividad. (Archivo del periódico *Claridad)*)

Michael Godreau y un grupo de dirigentes del sector tercerista intentan dirigirse a la asamblea del PIP de abril de 1973. (Archivo del periódico *Claridad)*)

Una imagen del acalorado debate durante la asamblea del PIP de abril de 1973. (Periódico *Claridad* Núm. 459 10 de abril de 1973)

Luis Ángel Torres -a la izquierda - entre otros y otras, participa del segundo seminario de la Izquierda Socialista en octubre de 1973. (Archivo del periódico *Claridad)*)

Carlos Galiisá participa en una marcha. Nótese los números en las camisas que era la manera de la policía identifar a las personas. (Fondo carpetas de la policía AGPR).

LA HORA– 23 DE FEBRERO–5

Pide convoquen asamblea general

Angel L. Vázquez
Coordinador Area de Manatí

Después de pasadas las elecciones ha ido creciendo la atención del pueblo sobre el modo en que la nueva administración se presenta a atender los problemas graves del país. Cada día se hace el pueblo más consciente de la imposibilidad de dar soluciones efectivas en el actual status político, en el modo en que se produce y en la injusticia de la distribución de las riquezas. Ante esto, el Programa del PIP se empieza a comprender y se comienza a observar por muchos como la esperanza del país.

En la legislatura, nuestros legisladores asumen posiciones revolucionarias demostrando en ellas el radical sentido de justicia que se le debe al pueblo. Entre otras cosas: Demandan el respeto a la dignidad colectiva puertorriqueña que viola el imperio, denuncian la explotación capitalista que aprueba el sistema y presentan medidas posibles que contribuyen a mejorar sustancialmente la condición de los de abajo. El Partido se convierte en la atención del país, se observa como la verdadera oposición legislativa. Eso deja ver la eventualidad de un crecimiento geométirco que le garantiza una buena posición en términos de las próximas elecciones.

Ante la especulación de ese futuro electoral los que en el pasado carecieron de la visión para sacar el Partido del camino a la desaparición, se empieza a organizar para apoderarse del poder. Como nada han hecho en la organización tienen que destruir lo logrado en términos organizativos para poder tener acceso a posiciones desde donde sea posible efectuar su "golpe de estado". Con este propósito arremeten contra las estructuras del Partido y muy especialmente contra el presidente y vicepresidente.

Su campaña la dirigen al pueblo contra el Partido, contra el presidente y vicepresidente con la intención de crear una opinión pública hostil a la dirección del Partido.

En esta lucha por el poder sobrecargan a Noel en virtudes acreditándole dotes infalibles mientras acusan de totalitarios, absolutistas, fascistas y camarilleros a los compañeros dirigentes nacionales.

No soy "rubencista" o antinoelista porque entiendo que el Partido es la colectividad en busca siempre de hacer menos necesaria la dependencia de los líderes. Hay, sin embargo, la necesidad de definirse cuando unas personas dejan ver su marcada intención contra el Partido en su composición y la dirección ideológica que ha producido eficiencia y atención pública. No es por haber sido fundado en 1946 que las atenciones y las esperanzas giran hacia este Partido, es por haber abierto la conciencia a los clamores de justicia en la inmensa mayoría de la humanidad que padece la explotación, habiendo ya en más de la mitad del mundo logrado su objetivo. Los pueblos que han logrado el poder de los de abajo no lo han hecho con democratismos ridículos; lo han logrado en la democracia revolucionaria de sus estructuras políticas.

Noel aparece hoy como el todopoderoso que puede acusar, difamar, criticar sin ser criticado y hacer todo cuanto quiera y como quiera. Si el Partido le exige, es tirano. Coloca al Partido en la difícil posición de permitirle hacer lo que quiera o expulsarlo. Jamás permitió una crítica porque su sensibilidad no la resiste. Por eso no aceptó presentarse a ninguna de las citas que se le hizo en la Comisión Ejecutiva. Era obligación de él explicar su conducta a los cuadros directores del Partido.

Cuando amenaza al Partido con paralizarlo señala que tiene con él la militancia, sin embargo, cuando se lanza en su "*Avance*" trae en su ejercito toda la prensa reaccionaria y la militancia de todos sus distinguidos admiradores populares, penepistas y otros istas. Toma como trincheras los programas "*Cara a Cara*", "Dialogando con Benny" y las páginas de "*Avance*", revista de la que es condueño. En "Cara A Cara" presenta como sus "gunners" principales a José Arsenio Torres y Gilberto Concepción Suárez. En "Dialogando con Benny" dirige su propia escuadra en la que se destaca el militante de su sello Miguel Ri[illegible]a. Por otro lado se escuchan las guerrilladas de José A. Ortiz, Jorge L. Landing y otros.

Es curioso que un periodista reconocido marxista-leninista de muchos años haya analizado en favor de la indisciplina. Lamento que frustraran mis aspiraciones al análisis marxista-leninista porque mi torpe capacidad no entiende las contradicciones ideológicas en el análisis de César Andreu Iglesias. Son tan contradictorias que la prensa burguesa le honorifica y José A[illegible] Torres le cita con la pasión con que cita a Ortega y Gasset.

Ante todo el conflicto unos compañeros publican unas declaraciones y junto a ellas proponen la celebración de una Junta de Directores y junto a ellas proponen la celebración de una Junta de Directores para discutir el asunto. No se si los compañeros esperan que Noel y sus seguidores acepten reconocerle autoridad a la Junta de Directores. La verdad es que su embestida no la detiene ese organismo. Personalmente creo que ni la Asamblea General puede impedir su guerra. Si para ellos la Junta de Directores es manejable no veo que les impide plantear lo mismo sobre la Asamblea General, (estuvo amañada para proclamarlo a él candidato a gobernador). Aun así considero que es la Asamblea General la que tiene que decidir en este caso todo sobre el Partido. Al decir todo me refiero a lo siguiente: Pasar juicio sobre la decisión de la Junta de Directores; Determinar el grado de elasticidad sobre la disciplina; elegir la presidencia y la vicepresidencia y definir el miembro militante y afiliado. Ese es el poder máximo del Partido. Lo que ahí se decida tiene que ser aceptado por todos. Que se convoque prontamente a Asamblea General.

Falsedad, dice Noriega

El Secretario de Organización del Partido Independentista Puertorriqueño, David Noriega, catalogó de "falsedad congruente con su menosprecio sistemático de las estructuras formales del Partido" las recientes declaraciones del Lcdo. Noel Colón Martínez en que éste afirma que la pasada Junta de Directores del PIP fue "amañada" por el liderato del Partido mediante reorganizaciones de Comités abruptas con el único fin de lograr su expulsión.

Indicó Noriega que como consecuencia de la renuencia de Colón Martínez a aceptar la invitación abierta y permanente que tenía a participar en los organismos de dirección del Partido, obviamente desconocía la política organizativa adoptada en una anterior Junta de Directores de que no se reorganizarían los Comités hasta tanto se establecieran unos nuevos criterios organizativos excepto en aquellos Comités que existieran vacantes o que fuera absolutamente necesario para poder realizar las tareas mínimas que se le exigen. A la luz de esa política solamente fueron reorganizados desde principios de diciembre hasta principios de febrero los Comités de Cabo Rojo, Aguadilla, Caguas, Juncos, Cayey, Cidra y Maunabo.

David Noriega

Sigió diciendo Noriega que "llamar amañadas estas reorganizaciones de Comités no solamente denotan un menosprecio a las estructuras de Partido, sino que constituyen también una falta de respeto a la integridad de los Coordinadores, Presidentes y Militantes de dichos Comités.

"La expulsión de Noel es producto de sus propias acciones y omisiones, no de reorganizaciones". "De hecho", terminó diciendo Noriega, "casi la totalidad de los Comités se han reafirmado en su decisión anterior".

Izquierdistas ganaran

PARIS (Francia) - Las fuerzas izquierdistas de este país tienen grandes posibilidades de ganar las elecciones que se celebrarán en marzo próximo, según demuestran resultados de encuesta recientemente efectuada en la cual los entrevistados manifestaron tal convicción, además de sus respectivas posiciones políticas.

De acuerdo a la encuesta efectuada a principios de este mes, los socialistas, dirigidos por Francois Mitterrand, quienes han establecido una alianza con los comunistas que dirige George Marchais, pueden triunfar sobre el partido que actualmente se encuentra en el poder, el del extinto militar Charles De Gaulle, que ahora capitanea Pompidou.

El diario francés *L'Aurore* publicó los resultados de dicha encuesta y los mismos le atribuyen el 47 por ciento de los votos a la alianza Socialista-Comunista, frente a un 35 por ciento que obtendrían los Degaullistas.

La encuesta demuestra además que la mayoría de los entrevistados están convencidos de que la izquierda ganará. Por otro lado, el 47 por ciento representa un aumento de 4 puntos sobre el porcentaje que obtuvo la alianza en una encuesta que se efectuó en el mes de enero. Además, constituye la puntuación más alta que obtiene la alianza desde octubre de 1972 cuando comenzarón a hacerse encuestas.

Manifestantes franceses

En las próximas elecciones se elegirán los miembros del Parlamento entre los cuales se escogerán los integrantes del gobierno del país. Como en todo sistema parlamentario, –a distinción de los sistemas republicanos de gobierno–, no existe separación de poderes entre la rama ejecutiva y la legislativa escogiéndose al ejecutivo y su gabinete de entre los legisladores electos por el pueblo.

EDICTO

EN EL TRIBUNAL SUPERIOR DE PUERTO RICO, SALA DE MAYAGUEZ, NELSON JUSINO FELIU, Peticionario-Ex-parte. CIVIL NUM. CS 73-461, SOBRE: RENOVACION DE LICENCIA PARA PORTAR ARMAS. ESTADOS UNIDOS DE AMERICA. EL PRESIDENTE DE LOS ESTADOS UNIDOS, EL ESTADO LIBRE ASOCIADO DE PUERTO RICO. Por el presente se hace saber al público en general, que Nelson Jusino Feliú, vecino de San Germán, Puerto Rico, ha radicado en este Tribunal una solicitud de Renovación de Licencia para portar armas. Toda persona que desee hacer oposición a dicha petición deberá hacerlo dentro de diez días a partir del último Edicto que se publicará TRES (3) veces en el término de quince (15) días. Mayaguez, Puerto Rico a 13 de febrero de 1973. SECRETARIO. POR: SUB-SECRETARIO.

EDICTO

EN EL TRIBUNAL SUPERIOR DE PUERTO RICO. SALA DE MAYAGUEZ. Benito Santiago Ojeda PETICIONARIO-Ex-parte. CIVIL NUM. CS 73-444 SOBRE: RENOVACION DE LICENCIA PARA PORTAR ARMAS. ESTADOS UNIDOS DE AMERICA, EL PRESIDENTE DE LOS ESTADOS UNIDOS, EL ESTADO LIBRE ASOCIADO DE PUERTO RICO. Por el presente se hace saber al público en general, que Benito Santiago Ojeda, vecino de San Germán, Puerto Rico, ha radicado en este Tribunal una solicitud de Renovación de Licencia para portar armas. Toda persona que desee hacer oposición a dicha petición deberá hacerlo dentro de diez días a partir del último Edicto que se publicará TRES (3) veces en el término de quince (15) días. Mayaguez, Puerto Rico a 12 de febrero de 1973. SECRETARIO. POR: SUB-SECRETARIO.

"Piden convoquen asamblea general."
Periódico *La Hora*, 23 de febrero de 1973.

4– LA HORA– 23 DE FEBRERO

Comisión ejecutiva del PIP
Ratifica autonomía de *LA HORA*

Por Mario Caballero
Redactor de LA HORA

La Comisión Ejecutiva del Partido Independentista Puertorriqueño reiteró el lunes 19 de febrero de 1973 que la dirección de *LA HORA* tiene amplia autonomía editorial.

La decisión se produjo luego que la dirección del semanario sometiera un documento de siete puntos donde reafirman los postulados bajo los cuales están dispuestos a continuar dirigiendo el periódico. La decisión de la Comisión Ejecutiva se revisará tan pronto rinda un informe, dentro de 15 días, un comité de evaluación nombrado por el PIP para estudiar la relación entre *LA HORA* y dicha colectividad.

Así lo informó César Andreu Iglesias, Director de *LA HORA* quien afirmó que él hizo claro en la Comisión Ejecutiva que los planteamientos de la dirección del periódico responden "al concepto de la forma que del mismo tenemos y del papel que entendemos que debe jugar".

Por otra parte, Andreu Iglesias informó que mientras dure la crisis en el PIP el periódico dedicará la mayor parte, de sus páginas a la discusión de la misma "con el propósito de ayudar a clarificar esta situación para bien de la lucha de independencia y el socialismo."

A ese fin Andreu Iglesias instó a todos los lectores a someter sus opiniones y garantizó que "se presentarán todas las posiciones en la medida y proporción en que se reciben en nuestra redacción".

De otra parte, Andreu Iglesias dijo que es preciso notificar que la nota introductoria al memorandum de Noel Colón Martínez, la cual aparece en negritas en la página 9 de la edición número 75 de *LA HORA*, correspondiente al 16 de febrero de 1973, no es nota de redacción, sino del Partido Independentista Puertorriqueño.

Indicó el Director de *LA HORA* que tanto esa nota como las "aclaraciones" a dicho memorandum que aparecen en la página 10 al final del mismo, fueron entregadas a *LA HORA* por el Tesorero del PIP y ayudante legislativo de Rubén Berríos, Pedro Varela.

A continuación los siete puntos sometidos por la dirección de *LA HORA* y aceptados por la Comisión Ejecutiva:

BASES DE RELACION ENTRE LA DIRECCION DE "LA HORA" Y LA DIRECCION DEL PARTIDO:

1. La dirección de *LA HORA* reconoce que es responsabilidad de los organismos de dirección del Partido dirigir el Partido.

2. Parte de esa responsabilidad de la dirección del Partido es ayudar a la clarificación de los problemas de la lucha por la independencia y el socialismo. En el desempeño de esa tarea, *LA HORA* es de primordial importancia como instrumento de propaganda, educación y organización de las masas independentistas. De ahí que entre la dirección del Partido y la dirección de *LA HORA* debe existir la mayor colaboración.

3. Se reconoce que el Partido atraviesa en estos momentos por un período de reevaluación que se espera culmine en mayor clarificación sobre postulados programáticos, estrategia y tácticas, y estructuras del Partido. Es indispensable que este período, preparatorio de la próxima Asamblea General del Partido, se corone exitosamente. Hacia ese logro, todos los que sustentamos los ideales de independencia y el socialismo empeñamos nuestra mayor claridad mental y nuestro más hondo sentimiento patriótico.

4. Entre los temas políticos y organizativos que exigen clarificación, están los siguientes, sin pretender una enumeración total: los conceptos de partido de la independencia y el socialismo y partido revolucionario de masas; papel de los líderes nacionales, de los militantes y de los votantes; naturaleza de los organismos dirigentes y relación de éstos con los organismos municipales y de precintos; democracia, disciplina partidaria y relaciones humanas.

5. Será misión de *LA HORA* contribuir la clarificación de los anteriores conceptos y de todos los temas políticos y organizativos que se planteen a la luz de los mejores interes del Partido y de la lucha por la independencia y el socialismo.

6. La dirección de *LA HORA* dará preeminencia a las informaciones del Partido, a la labor de su representante en las cámaras de la Legislatura, a las declaraciones oficiales de sus organismos dirigentes y a las opiniones de sus líderes. Sin embargo, no se excluirán opiniones discrepantes con acuerdos de organismos de la dirección del Partido o de sus miembros en particular. Las formas y estilo de presentación de lo anterior serán aquellas que se practican en le periodismo profesional ajustadas, naturalmente, al periodismo revolucionario.

7. La dirección de *LA HORA* tendrá responsabilidad exclusiva en las diarias tareas de redacción y selección de material para su publicación. Desempeñará sus deberes con discreción, ecuanimidad y corrección política, velando porque *LA HORA* sea trinchera de ideas dentro del campo de la independencia y el socialismo. Se esforzará por no dar base a acusaciones de dogmatismo, sectarismo y personalismo. El lenguaje escrito estará ajustado al respeto humano que se deben entre sí todos los hombres y a buenas y aceptables normas periodísticas.

Rectificaciones a un artículo

Por Miguel Riestra

En la edición del periódico *LA HORA* correspondiente a la semana del 16 al 22 de febrero de 1973, el señor Carlos Gallisá da cierta información sobre la coordinación de la campaña de Noel Colón Martínez, y del Partido Independentista Puertorriqueño durante la pasada contienda electoral la cual es totalmente falsa.

El señor Gallisá dice "que el Secretario de Organización Política, David Noriega, se reúne con un representante de Noel, Miguel Riestra, para coordinar la campaña de Noel y del Partido, dado el caso que había una gran confusión y no se sabía lo que estaba haciendo el uno y el otro".

"El representante de Noel, Miguel Riestra, informa a David que la posición de Noel es hacer una campaña por separado; esto es, no participar en los actos en que participen Carlos y Rubén".

Veamos cuáles son los verdaderos datos.

Primero, el licenciado William Fred Santiago y yo nos comunicamos con David para enterarnos del Plan de Campaña del PIP, y saber qué pueblos y en qué fechas le correspondía visitar a Noel. Descubrimos un plan desarticulado donde a veces se ubicaba a Rubén en Mayaguez el sábado, y el domingo en Fajardo. Eso sucedía igual con todos los candidatos.

Además, en la forma que se había estructurado aquel plan, solo se visitaba alrededor de una tercera parte de los pueblos de la isla.

Segunda, ante este hecho, reconocido por el mismo David, William Fred Santiago preparó un plan tentativo de campaña que eliminaba estos errores.

Durante cuatro días David, Germán Díaz y yo nos reunimos en el patio de mi hogar donde, utilizando el plan de William Fred como base, estructuramos un plan de campaña integral.

Tercero, el plan de campaña no surgió por "confusión sobre lo que estaba haciendo el uno y el otro", como dice Gallisá. Esto es totalmente falso por la sencilla razón que la campaña todavía no había empezado. Todavía no se había iniciado ningún plan sistemático de visitas. Esto lo saben muy bien David, Germán y Carlos.

En cuatro lugar, en ningún momento le manifesté yo al Sr. Noriega que Noel deseaba realizar una campaña por separado. El hecho de que fuésemos David, Germán y yo los que trabajáramos en el plan final demuestra el deseo de coordinación. La única razón por la cual se hicieron tres grupos de trabajo fue para así poder visitar un mayor número de pueblos.

De hecho, fue David quien escogió las personas quienes integrarían estos equipos. Un dato adicional que demuestra el deseo de Noel para integrar su campaña con Rubén lo constituye el hecho de que la idea de la caravana donde estuviesen los tres líderes juntos, fue una idea del propio Noel. En quinto lugar, las reuniones de trabajo en mi hogar se realizaron en un ambiente familiar de profunda cordialidad donde tanto David como yo salimos muy satisfechos con nuestro trabajo.

Sin embargo, Carlos pretende dar la impresión que mis reuniones con David fueron predicadas en un ambiente de reclamos y pugnas entre dos sectores.

Carlos sabe que lo que dice en su artículo es falso. David lo sabe también. Mentir de esta forma con el propósito inmediato de ganar una disputa puede traer triunfos efímeros. Pero con esta forma de actuar, tanto Carlos como David, si no rectifican total y públicamente, perderán algo más profundo. Esto es, el respeto personal y patriótico que tanto mi esposa, quien estuvo presente y es testigo de esos días de trabajo fraternal, como yo le hemos tenido a ambos.

Sé que Carlos y David rectificarán ya que ambos saben que perder el respeto de los demás es algo tan valioso que solamente olvidan quienes desconocen el significado de lo que es honor.

Por último, quiero hacer un reclamo a la conciencia de Germán Díaz, hombre de profundas convicciones cristianas, para que, en honor a la verdad, desmienta esta información falsa publicada por el señor Carlos Gallisá.

Carta a LA HORA

César Andreu Iglesias
Director
LA HORA

Estimado compañero:

Quisiera felicitarlo por su magnífico artículo en *LA HORA* sobre la expulsión de Noel Colón.

Su análisis del partido, tal como éste se manifiesta ante nosotros con esta decisión, es particularmente acertada. Yo creo que la mayoría del pueblo independentista quiere un partido en que haya margen para distintos enfoques sobre estrategia y organización. Más aún, queremos un partido donde la lucha por el poder pueda desenvolverse con la más amplia participación posible dentro del partido, sin que se tronche o frustre todo intento de renovación de estructuras por los órganos directivos del momento.

Quisiera que esta fuera una de muchísimas cartas que lo alentaran a integrar, junto con otros independentistas de prestigio, una solución a esta crisis.

Ya la prensa de hoy lunes nos muestra los primeros indicios de un movimiento para rescatar los partidos de los errores de sus máximos líderes. Ya no cabe más que esperar que tanto Rubén como Noel sabrán reaccionar con la noblaza que no dudamos poseen ante los planteamientos y las críticas que lleguen a hacerse, y que nuestro partido saldrá victorioso de tan dura prueba.

Rosa Velasco Vda. de Pérez
Guaynabo

"Comisión Ejecutiva del PIP ratifica autonomía de La Hora."
Periódico *La Hora*, 23 de febrero de 1973.

LA HORA—23 DE FEBRERO—7

Nueva reunión

Pide PIP área de Arecibo

Por José López del Campo
Colaborador de LA HORA

ARECIBO - El Area de Arecibo del Partido Independentista Puertorriqueño acordó solicitar que se cite a la Junta de Directores de dicha colectividad para discutir "toda la problemática de dirección, la organización, las estructuras y la democracia interna en nuestro Partido".

Dicha Junta de Directores, entienden los militantes del Area de Arecibo que incluye los pueblos de Barceloneta, Hatillo, Arecibo, Hatillo y Camuy, debe realizarse tras "un intenso proceso de crítica y evaluación en todos los comités".

Así lo informó la resolución aprobada en reunión extraordinaria celebrada en Arecibo el domingo 18 de febrero de 1973, copia de la cual fue enviada a *LA HORA*.

Angel Villarini, Coordinador del Area, informó que citó a reunión extraordinaria porque "muchos militantes se me acercaron para expresarme las dudas y el descontento que les habían quedado luego de la reunión del jueves 15 de febrero a la cual asistió el compañero Presidente, Rubén Berríos".

En la primera reunión, dijo Villarini, se discutió el problema de la expulsión de Noel Colón Martínez, pero no se tomo ningún acuerdo.

Firman la resolución aprobada por el Area de Arecibo los cuatro presidentes de comités del Area que estaban presentes en la reunión, a saber: Raúl Plá, de Hatillo; Héctor Otero, de Arecibo; Francisco Jiménez, de Camuy; y Demetrio Morales, de Quebradillas.

A continuación el texto de la resolución:

"Nosotros los miembros de directivas y militantes del Area de Arecibo (Arecibo, Hatillo, Camuy y Quebradillas) preocupados por la grave crisis externa e interna por la que atraviesa nuestro Partido, consideramos que es necesario:

1) Que se convoque a la mayor brevedad posible una junta de Directores para discutir toda la problemática de la dirección, la organización, las estructuras y la democracia interna en nuestro Partido. Previo a la Junta deberá realizarse un intenso proceso de crítica y evaluación en todos los comités. Los delegados a la Junta llevarán las recomendaciones que recojan de las reuniones de comités. (Por unanimidad).

"2). Que en esa misma Junta se discuta la revocación de la decisión de expulsar a Noel Colón Martínez tomada por la Junta de Directores en Mayaguez. Al igual que en el caso anterior el delegado a la Junta de Directores llevara su recomendación tras un proceso de crítica y evaluación en los comités. (Por votación de 19 a favor, 17 en contra y 22 abstenidos).

Pietri–Ramos–Villarini

Está en juego futuro PIP

Tres miembros de la Comisión Política del Partido Independentista Puertorriqueño afirmaron que en la actualidad "el futuro del PIP como partido amplio y revolucionario de la independencia y el socialismo es lo que está en juego".

La declaración de los miembros de la Comisión Política, Norman Pietri, Angel Villarini y Aarón Ramos fue dado a la prensa el domingo 18 de febrero. A continuación publicamos el texto íntegro de la declaración según copia enviada a *LA HORA*:

El Partido Independentista Puertorriqueño se enfrenta ahora a difíciles problemas. Su eficacia como instrumento de liberación nacional de nuestro pueblo está en discusión. La expulsión del Partido de Noel Colón Martínez ha servido para que salga a la luz pública y para que se desarrolle internamente la lucha política que se está librando dentro de las filas del Partido.

Los que firmamos esta declaración somos miembros de la Comisión Política del PIP, creada hace sólo unos meses. Pero a pesar de ello, debemos denunciar que ni nosotros ni la militancia del PIP participamos plenamente en el gobierno del Partido. La falta de verdadera participación democrática en nuestro Partido es el origen de la situación referente a Colón Martínez. Su expulsión es sólo un síntoma, una expresión, de esa crisis de partido.

No somos antinoelistas ni antirubencistas. Tampoco somos noelistas o rubencistas. Lo importante ahora es ser independentistas y socialistas conscientes, por encima y en contra de las luchas internas personalistas por el poder en el Partido. Aún más importante que determinar quiénes deben ser los compañeros que se elijan a los máximos puestos de dirección en la próxima asamblea general, es determinar desde ahora bajo qué condiciones y controles ejercerán éstos el liderato.

Nosotros creemos que debe existir una verdadera dirección colectiva en el PIP, que ahora no tenemos. El Partido, que aspira a ser socialista y revolucionario, debe aprobar un nuevo reglamento y establecer unas nuevas instituciones que garanticen su democracia interna y su efectividad para la lucha antimperialista. Además, debe extirpar el estilo autoritario, la arrogancia y todas las otras expresiones del reformismo burgués.

Esta declaración la hacemos pública hoy por dos razones. En primer lugar, porque los mecanismos internos del Partido no son suficientes para discutir en ellos en su totalidad los problemas que aquí planteamos. El centralismo democrático, la disciplina de partido y otros atributos de un verdadero partido revolucionario no son una realidad en el PIP.

En segundo lugar, hacemos esta declaración para que la militancia y el pueblo independentista sepan que nada tenemos que ver con el ultimatum de una paralización que se ha lanzado contra el Partido. Estamos contra la disolución del Partido lo mismo que contra la consolidación del autoritarismo. Nos consideramos portadores de una tercera posición, socialista, democrática y revolucionaria, con la cual creemos que coincide la inmensa mayoría de los independentistas.

Los firmantes de este documento apoyamos el planteamiento que ha hecho la Juventud Independentista Universitaria (JIU) para que se convoque rápidamente a la Junta de Directores del PIP. En dicha reunión deben plantearse todos los problemas del Partido y aprobarse las nuevas bases de su futuro funcionamiento También debe discutirse en esa reunión el caso de Colón Martínez para dilucidar en forma legal, revolucionaria y patriótica, todo lo concerniante al mismo. El futuro del PIP como partido amplio y revolucionario de la independencia y el socialismo es lo que está en juego ahora mismo.

Norman Pietri
Aarón Ramos
Angel Villarini

El siguiente telegrama fue recibido por Pietri en la tarde del martes 20 y entregado a *LA HORA* para su publicación:

"Repudiamos intentos destruir partido. Yauco quiere partido con cabeza. No acéfalo. (firmado) Noel Pacheco Fraticelli".

Quieren rescatar Partido

Germán Díaz, propuesto subsecretario de organización, y Michel Godreau, miembro de la Secretaría de Relaciones Exteriores, afirmaron que "la crisis actual del partido (Independentista Puertorriqueño) se debe a lo que la Juventud Independentista Universitaria llamó falta de dirección".

Así lo expresaron en comunicado de prensa en el cual además se solidarizan con la posición adoptada por Norman Pietri, Aarón Ramos y Angel Villarini, miembros de la Comisión Política del PIP.

Godreau, quien fuera candidato a representante a la Cámara por el PIP, y Díaz, quien fuera el Coordinador General de la Asamblea que celebró el PIP el 9 de julio pasado, afirmaron que respaldan especialmente lo que se refiere a que "el partido tiene que extirpar el estilo autoritario, la arrogancia y todas las otras expresiones del reformismo burgués".

Esto tiene que ser así, señalan Godreau y Díaz, "si es que el PIP aspira a ser un partido revolucionario".

Ambos líderes hicieron un llamado a la unidad interna en el PIP señalando que "en este momento es necesario rescatar al partido de quienes pretenden desunirlo y paralizarlo con ataques desde afuera".

También es necesario rescatarlo, señalaron Godreau y Díaz, "del liderato máximo que, por el ejercicio de un autoritarismo excesivo y violando los más sanos principios de participación democrática dentro de la organización, ha causado un estado de desasosiego dentro de un importantísimo sector de la militancia".

Marcha contra alza precios

El liderato del Movimiento Obrero Unido exhortó a sus afiliados y a todo el pueblo trabajador a participar en los piquetes que efectuarán el miércoles 28 de febrero frente a La Fortaleza en apoyo al control de precios.

El piquete, que empezará a las once de la mañana tiene como finalidad evitar que el gobernador Hernández Colón, se retracte ante la presión de los importadores de arroz y de otros artículos de primera necesidad.

El Movimiento Obrero Unido, a través de su coordinador Pedro Grant, anunció recientemente que ellos llevarán a cabo una campaña extensa para evitar que siga aumentando el costo de vida en Puerto Rico.

"Está en juego futuro PIP." Documento de Norman Pietri, Aarón Ramos y Ángel Villarini. Periódico *La Hora*, 23 de febrero de 1973.

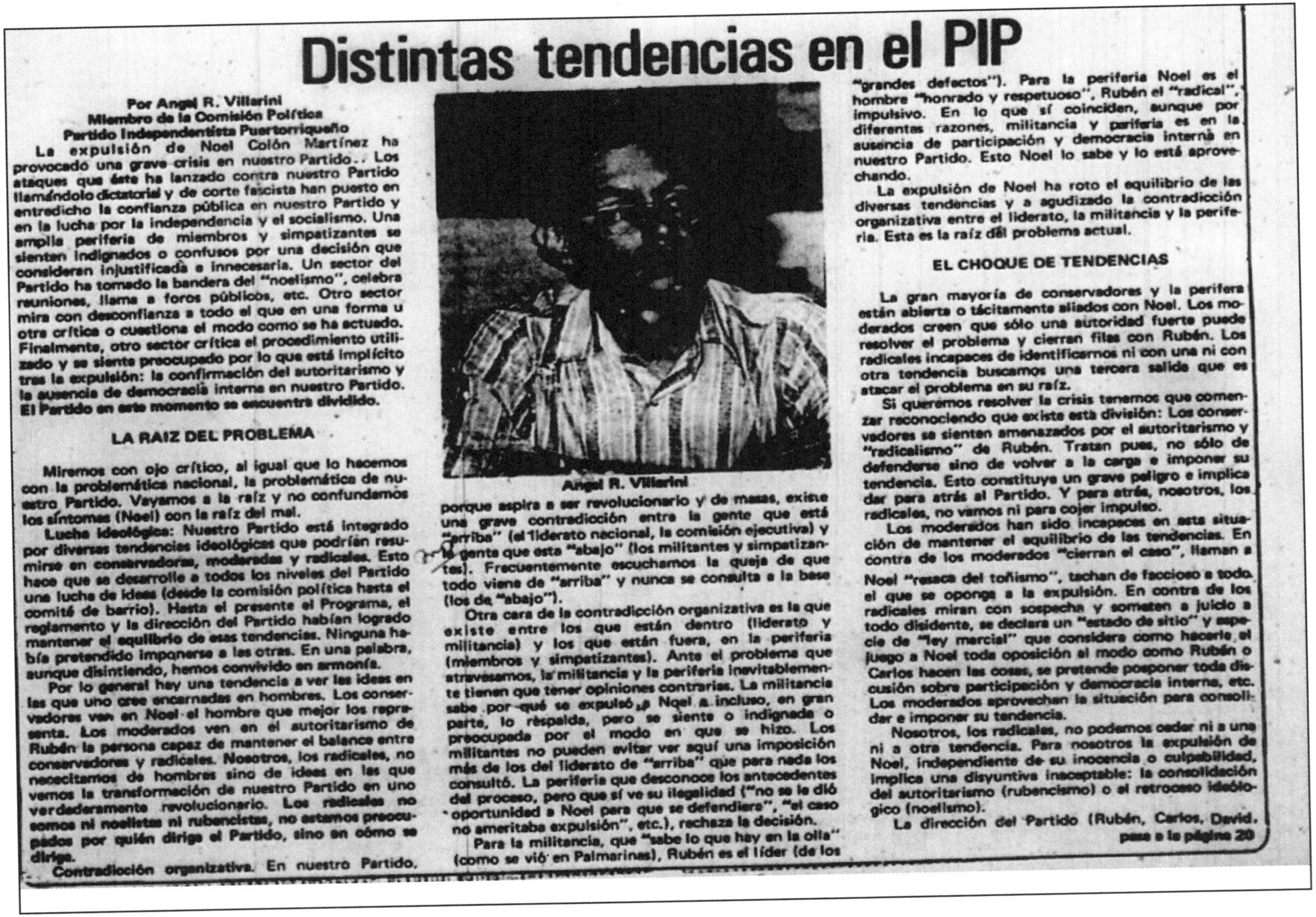

Distintas tendencias en el PIP

Por Angel R. Villarini
Miembro de la Comisión Política
Partido Independentista Puertorriqueño

La expulsión de Noel Colón Martínez ha provocado una grave crisis en nuestro Partido.. Los ataques que éste ha lanzado contra nuestro Partido llamándolo dictatorial y de corte fascista han puesto en entredicho la confianza pública en nuestro Partido y en la lucha por la independencia y el socialismo. Una amplia periferia de miembros y simpatizantes se sienten indignados o confusos por una decisión que consideran injustificada e innecesaria. Un sector del Partido ha tomado la bandera del "noelismo", celebra reuniones, llama a foros públicos, etc. Otro sector mira con desconfianza a todo el que en una forma u otra critica o cuestiona el modo como se ha actuado. Finalmente, otro sector critica el procedimiento utilizado y se siente preocupado por lo que está implícito tras la expulsión: la confirmación del autoritarismo y la ausencia de democracia interna en nuestro Partido. El Partido en este momento se encuentra dividido.

LA RAIZ DEL PROBLEMA

Miremos con ojo crítico, al igual que lo hacemos con la problemática nacional, la problemática de nuestro Partido. Vayamos a la raíz y no confundamos los síntomas (Noel) con la raíz del mal.

Lucha ideológica: Nuestro Partido está integrado por diversas tendencias ideológicas que podrían resumirse en conservadoras, moderadas y radicales. Esto hace que se desarrolle a todos los niveles del Partido una lucha de ideas (desde la comisión política hasta el comité de barrio). Hasta el presente el Programa, el reglamento y la dirección del Partido habían logrado mantener el equilibrio de esas tendencias. Ninguna había pretendido imponerse a las otras. En una palabra, aunque disintiendo, hemos convivido en armonía.

Por lo general hay una tendencia a ver las ideas en las que uno cree encarnadas en hombres. Los conservadores ven en Noel el hombre que mejor los representa. Los moderados ven en el autoritarismo de Rubén la persona capaz de mantener el balance entre conservadores y radicales. Nosotros, los radicales, no necesitamos de hombres sino de ideas en las que vemos la transformación de nuestro Partido en uno verdaderamente revolucionario. Los radicales no somos ni noelistas ni rubencistas, no estamos preocupados por quién dirige el Partido, sino en cómo se dirige.

Contradicción organizativa. En nuestro Partido, porque aspira a ser revolucionario y de masas, existe una grave contradicción entre la gente que está "arriba" (el liderato nacional, la comisión ejecutiva) y la gente que esta "abajo" (los militantes y simpatizantes). Frecuentemente escuchamos la queja de que todo viene de "arriba" y nunca se consulta a la base (los de "abajo").

Angel R. Villarini

Otra cara de la contradicción organizativa es la que existe entre los que están dentro (liderato y militancia) y los que están fuera, en la periferia (miembros y simpatizantes). Ante el problema que atravesamos, la militancia y la periferia inevitablemente tienen que tener opiniones contrarias. La militancia sabe por qué se expulsó a Noel a incluso, en gran parte, lo respalda, pero se siente o indignada o preocupada por el modo en que se hizo. Los militantes no pueden evitar ver aquí una imposición más de los del liderato de "arriba" que para nada los consultó. La periferia que desconoce los antecedentes del proceso, pero que sí ve su ilegalidad ("no se le dió oportunidad a Noel para que se defendiera", "el caso no ameritaba expulsión", etc.), rechaza la decisión.

Para la militancia, que "sabe lo que hay en la olla" (como se vió en Palmarinas), Rubén es el líder (de los "grandes defectos"). Para la periferia Noel es el hombre "honrado y respetuoso", Rubén el "radical", impulsivo. En lo que sí coinciden, aunque por diferentes razones, militancia y periferia es en la ausencia de participación y democracia interna en nuestro Partido. Esto Noel lo sabe y lo está aprovechando.

La expulsión de Noel ha roto el equilibrio de las diversas tendencias y a agudizado la contradicción organizativa entre el liderato, la militancia y la periferia. Esta es la raíz del problema actual.

EL CHOQUE DE TENDENCIAS

La gran mayoría de conservadores y la perifera están abierta o tácitamente aliados con Noel. Los moderados creen que sólo una autoridad fuerte puede resolver el problema y cierran filas con Rubén. Los radicales incapaces de identificarnos ni con una ni con otra tendencia buscamos una tercera salida que es atacar el problema en su raíz.

Si queremos resolver la crisis tenemos que comenzar reconociendo que existe está división: Los conservadores se sienten amenazados por el autoritarismo y "radicalismo" de Rubén. Tratan pues, no sólo de defenderse sino de volver a la carga e imponer su tendencia. Esto constituye un grave peligro e implica dar para atrás al Partido. Y para atrás, nosotros, los radicales, no vamos ni para cojer impulso.

Los moderados han sido incapaces en esta situación de mantener el equilibrio de las tendencias. En contra de los moderados "cierran el caso", llaman a Noel "resaca del toñismo", tachan de faccioso a todo el que se oponga a la expulsión. En contra de los radicales miran con sospecha y someten a juicio a todo disidente, se declara un "estado de sitio" y especie de "ley marcial" que considera como hacerle el juego a Noel toda oposición al modo como Rubén o Carlos hacen las cosas, se pretende posponer toda discusión sobre participación y democracia interna, etc. Los moderados aprovechan la situación para consolidar e imponer su tendencia.

Nosotros, los radicales, no podemos ceder ni a una ni a otra tendencia. Para nosotros la expulsión de Noel, independiente de su inocencia o culpabilidad, implica una disyuntiva inaceptable: la consolidación del autoritarismo (rubencismo) o el retroceso ideológico (noelismo).

La dirección del Partido (Rubén, Carlos, David.

pasa a la página 20

"Distintas tendencias en el PIP." Artículo de Ángel Villarini.
Periódico *La Hora*, 23 de febrero de 1973.

Distintas tendencias en el PIP

Viene de la página 11

Luis Rivera, comisión política y comisión ejecutiva) han respondido, hasta ahora, a esta grave crisis con el autoritarismo: "caso cerrado", "estado de sitio", "ninguna crítica puede salir a la prensa", hay que encargar telegramas respaldando decisión, hay que dar incluso la imagen de que no existe el problema. Esta actitud perjudica a los intereses del Partido en favor de una tendencia pues se cierran al diálogo con la tendencia noelista ("a las facciones se las aplasta no se dialoga con ellas") y pretende al mismo tiempo parar la tendencia radical de transformar al Partido que viene triunfando desde Palmerinas. De este modo la dirección divide al Partido y le hace el juego a Noel que atrae tanto a conservadores como radicales.

NUESTRA ALTERNATIVA

Nosotros, los radicales, consideramos que cerrar el caso Noel y detener el proceso de transformación del Partido, evitando todo choque de ideas porque supuestamente estamos en "estado de sitio", es un grave error político de dirección. Creemos por el contrario, que para restablecer la unidad, es decir, el equilibrio de las tendencias en el Partido, es necesario:

Sacar el Partido de la controversia noeleistas vs. rubencistas. Vamos a elevarnos al choque de ideas, no de personalidades. Emprendamos un intenso proceso de discusión, crítica, evaluación a todos los niveles para que afloren y armonizen todas las tendencias. Proponemos en concreto:

1. La celebración de seminarios de áreas en donde se discuta toda la problemática actual. Las reuniones deben estar dirigidas por personas que representen las diferentes tendencias de modo que no haya cortapisas al diálogo.

2. Recoger recomendenciones de los seminarios y discutirlas en una Junta de Directores de tres días que estudie en grupos la diferente problemática.

3. A la luz de las recomendaciones de la Junta de Directores, nombrar dos comisiones que prepararán proyectos sobre el modo en que debe dirigirse el Partido (estructuras, organismos, estilos de trabajo, democracia interna, disciplina, etc.) y la estrategia y táctica política de nuestra lucha (hacia dónde vamos y qué hacer para conseguirlo).

4. Esos proyectos, serán discutidos a todos los niveles, incluyendo foros públicos.

5. Se convocará a una Asamblea de Programa y Reglamento que dará aprobación a los proyectos.

6. Se convocará a una asamblea general, que, a la luz de lo aprobado por la asamblea de programa y reglamento, elegirá la dirección del Partido.

Lo importante en este momento no es quién dirige el partido sino cómo se dirige. Superemos la lucha de la cosa pequeña, pensemos en grande. Sólo así recobraremos la confianza pública y pondremos de nuevo en marcha, con más vigor que nunca, este poderoso instrumento que es nuestro Partido Independentista Puertorriqueño.

"Distintas tendencias..." (continuación)

14—LA HORA—23 DE FEBRERO—

El debate político del PIP

Por Norman Pietri
Miembro de la Comisión Política
Partido Independentista Puertorriqueño

Hace varios días tres miembros de la Comisión Política del PIP y la JIU expresamos públicamente nuestra posición sobre la crisis del Partido. Hicimos dicha expresión pública como una forma de defender efectivamente la independencia y el socialismo, criticando constructivamente al Partido en el que militamos y que es uno de los instrumentos de acción liberadora con que cuenta la lucha. Nuestra crítica pública ha traído una crítica privada de algunos compañeros del Partido, que hubieran preferido que nos limitáramos a hacer nuestros planteamientos en forma privada. Consideramos que las críticas de esos compañeros son totalmente equivocadas.

Norman Pietri

En primer lugar, nada existe en los reglamentos del PIP que impida la expresión pública de posiciones de miembros del Partido. Nosotros hemos defendido constantemente que el PIP se transforme en un partido socialista y que acepte principios organizativos como el centralismo democrático. Este principio proclama que las decisiones del Paritdo deben acatarse, incluso por la minoría, si es que se han tomado en la forma correcta. Dicho principio incluiría el que no se impugnarán públicamente las decisiones del Partido.

Pero los principios del centralismo democrático, al igual que otros principios socialistas, no forman parte del reglamento presente del Partido. Además, muchos miembros de la dirección del Partido ni creen en ellos ni los practican. Más aun, aunque dicho principio estuviera allí expresado, en el caso del compañero Noel Colón Martínez hubo tantas violaciones, no a las formas meramente, sino al contenido de principios de lo que debe ser un partido socialista, que eso también nos da derecho a hacer públicas nuestras expresiones.

Que no se diga que nuestra posición pública le hace daño al PIP. Han sido las actuaciones ilegales y antisocialistas de la dirección del Partido lo que ha precipitado la presente crisis del Partido. El Partido está impugnado públicamente. Su defensa pública se convierte, por lo tanto, en una obligación. Pero debe hacerse claro que la defensa del Partido tiene que basarse en la autocrítica y el reconocimiento de los errores cometidos. Eso es lo que tratamos de hacer los que estamos defendiendo esta posición.

Lo que se debate es una cuestión de principios. Hay cuestiones de procedimiento que son importantes y otras que no lo son. En el caso del compañero Colón Martínez hay envueltas cuestiones de procedimiento que son importantes, cuestiones de procedimientos que no son importantes y cuestiones de principio que siempre son importantes. No se trata meramente de juzgar de nuevo al compañero Colón Martínez siguiendo unos procedimientos de apariencia correcta en la forma, si la decisión en el caso ya le es adversa. Ese planteamiento lo hemos escuchado de miembros de la dirección del Partido. Estos lo que pretenden es hacer un simulacro de nuevo juicio político, empleando ciertas formas jurídicas, pero ya con la decisión hecha de condenarlo. Nada de eso tiene que ver con el socialismo.

Hay escasez de debate político en los organismos del Partido. Esa es otra razón que nos obliga a debatir públicamente las cuestiones fundamentales de la lucha independencia y socialista. Por ejemplo, hace unos días fuimos sometidos a un mini-juicio político por miembros de la Comisión Ejecutiva del PIP en relación con el documento publicado por Aarón Ramos, por Angel Viñarini y por mí en días pasados. Expresando la mentalidad de abogado, que nada tiene que ver con el espíritu revolucionario, se me hicieron preguntas como las siguientes: "¿Diga si es o no cierto que usted votó a favor de la resolución de la Comisión Ejecutiva en Mayaguez?" "¿Estaba usted consciente de tal o cual consecuencia?" "¿Qué quiere usted decir cuando alega que no son suficientes los mecanismos, etc.?" "Diga el día y la hora en que se hizo esto o lo otro?

La legalidad socialista en la vida del Partido es una cuestión básica, de principios. En toda la discusión del caso de Noel Colón Martínez está envuelto un problema de concepción de partido. Lo ideológico está en el fondo de todas estas discrepancias. La situación presente del partido demuestra que en la lucha de independencia hay mucho que construir y mucho que reconstruir. Si no lo hacemos, jamás ganaremos la confianza de las grandes masas del pueblo, que no se pueden explicar por qué los independentistas hacen cosas de tan difícil explicación.

"El debate político del PIP." Artículo de Norman Pietri.
Periódico *La Hora*, 23 de febrero de 1973.

LA HORA—23 DE FEBRERO—15

cosas de aquí

Naturaleza de la crisis

El conflicto con Noel Colón Martínez "es fundamentalmente un problema de carácter ideológico", afirma Rubén Berríos en artículo publicado en la pasada edición de *LA HORA*. Tras esa afirmación, es lógico esperar que se expongan las ideas que Rubén, como Presidente del Partido Independentista Puertorriqueño, encarna y defiende, y que Noel contradice y repudia. Pero ni por asomos aparecen en el artículo *El partido, las estructuras y el personalismo*.

En todo conflicto ideológico, si ciertamente existe, es responsabilidad ineludible del presidente de cualquier partido, máxime si éste se proclama socialista, hacer una clara exposición de las ideas en debate. Ese es el material con que hay que bregar. Y si esto no se hace, inevitablemente se cae en un simple alegato abogadil.

Ese, precisamente, es el carácter del artículo de Carlos Gallisá que se publica en la misma edición de *LA HORA* con el título *El caso de Noel Colón Martínez*. A mi juicio, su contenido no merece mayor discusión, dicho sea sin el menor propósito de ofensa.

Esa clase de alegato (o aleperro, que diría Santos Amadeo), posiblemente brillante desde el punto de vista de un abogado, y excelente para presentarse ante una corte burguesa de justicia, es de ninguna o de secundaria importancia en un caso como el que nos ocupa. Porque la cuestión decisiva desde el punto de vista socialista, no es acumular una montaña de evidencia para lograr la condena o absolución de un acusado, sino exponer y clarificar las posiciones políticas que se sustentan: si correctas o incorrectas, a la luz de los intereses de la lucha por la independencia y el socialismo. Y eso es lo que está totalmente ausente del artículo de Carlos . . . . Por eso es que, a mi juicio, no merece discusión.

Otra cosa es el artículo de Rubén. Este presume de que entre él, como representante del Partido, y Noel, existe una muy grave e irreconciliable diferencia de ideas. Tenemos, por tanto, que examinar esa presunción y descubrir cuáles son las ideas en conflicto. Pero, como ya adelanté, si de algo adolece ese artículo, es de ideas socialistas.

Lo anterior obliga, forzosamente, a preguntarnos: ¿si no es por conflicto de ideas, cuál es la verdadera razón para botar a Noel Colón Martínez del Partido?

Pues, según Rubén en el artículo de marras, porque "se trata de una persona que desconoce la naturaleza de un partido revolucionario". A esa ignorancia de Noel se suma su "falta de respeto a las instituciones y a los organismos de ese Partido y que viola su disciplina". Todo lo cual "se refleja en la sobre-estimación de él mismo como más grande que el Partido".

Como se puede apreciar, lo único que destila algún problema ideológico es lo referente a la naturaleza revolucionaria del Partido. Pero lo cierto es que no ha habido polémica alguna sobre ese tema y hasta donde sabemos, ambos hacen profesión de fe en el PIP como partido revolucionario. Luego, nos hallamos en el mismo punto de partida . . . Con una diferencia: que habiendo Rubén levantado esa cuestión en su artículo como base para la expulsión de Noel, no explica, ni siquiera describe, cómo él entiende que debe ser y debe funcionar esa clase de partido.

Sobre ese particular, lo único que nos dice es que Noel Colón Martínez sustenta "el concepto personalista del partido político, no el concepto revolucionario". Así que tenemos que Rubén repudia el concepto de un partido personalista.

En eso concordamos. Pero me asalta la duda, porque el repudio de ese tipo de partido, que es el que ha predominado en Puerto Rico (el partido del líder único, en el que el resto de los dirigentes juega papel de asesores subordinados, cuyo centro de dirección es mero organismo consultivo, y la democracia interna es igual a acatamiento), presupone la defensa del principio del liderato colectivo. Y esto no entra dentro del concepto de "partido revolucionario" que parece sustentar Rubén Berríos.

En ninguna ocasión he oído a Rubén defender ese ingrediente fundamental de todo partido revolucionario. Por el contrario, cuando en su presencia se ha defendido ese principio indispensable, que tiene que ser consustancial del amplio y democrático partido de la independencia y del socialismo que postulamos, Rubén calla. Y callar frente a ese concepto es repudiarlo en la práctica.

Las críticas a su "autoritarismo", expresadas por la generalidad de los comités que sometieron informes en el reciente período de reevaluación, lejos de apuntar hacia alguien que sustenta el principio del liderato colectivo, parecen denunciar resabios de alguien que se comporta como jefe de un partido personalista. Y esto me trae, inevitablemente, al concepto socialista del líder.

Está reñido con el socialismo el concepto de líder providencial, mesiánico, etc. Sin embargo, ese parece ser el concepto que tiene Rubén Berríos de su papel. Claro que él, personalmente, no lo expone. Pero sí su más respetado asesor y consejero a quien da más oído: el exjuez de la Corte Suprema licenciado Raúl Serrano Geyls.

Serrano combatió en el seminario de Palmarinas la idea de que la Comisión Ejecutiva designara una Comisión Política integrada por diversos compañeros,

entre los cuales se contarían, naturalmente, el Presidente Rubén Berríos, el Vicepresidente Carlos Gallisá y el Secretario de Organización David Noriega. ¿Y cuáles fueron sus argumentos? Pues, sencillamente, que eso no debía hacerse porque era reducir la autoridad del "líder máximo", coartar sus iniciativas, obstruir la expresión de sus intuiciones como líder carismático . . . No pretendo citar textualmente, pero ese fue el sentido de su oposición al planteamiento, añadiendo, y esto sí es cita textual: "¡no debemos cortarle las alas al líder! "

De manera que, a juicio de Serrano, establecer una Comisión Política y asignar a ésta la misión de elaborar la línea del Partido y trabajar colectivamente en la aplicación diaria de la política del Partido, es pretender "cortarle las alas" a Rubén . . . He ahí otro ejemplo de la mentalidad de abogado que tanto daño ha hecho al desarrollo de la lucha de independencia.

Esa perniciosa mentalidad de abogado es totalmente ajena a la mentalidad socialista. Lo cual no quiere decir que se veda la participación de abogados en los más altos niveles de dirección. Abogado fue Lenin y abogado lo es Fidel Castro. Pero no hay ni un ápice de mentalidad de abogado en la obra revolucionaria de esos grandes líderes socialistas.

Esa mentalidad de abogado, que no es exclusiva de los abogados con título (todavía más que los titulados, en nuestro país abundan los abogados sin título), se refleja en la afirmación de que, si hubo error en la expulsión de Noel, fue tan sólo de procedimiento. De ahí que ya se habla de rectificar la cuestión procesal . . . Así funciona la mentalidad de abogado, producto por excelencia de una educación cuya finalidad no es defender la justicia sino la superestructura de una sociedad basada en la explotación del hombre por el hombre.

Por eso, lo primero que ha de hacer cualquiera que aspire a compartir la dirección de un partido que evoluciona hacia el socialismo, es someterse a un autoproceso que lo libere de la basura ideológica que le metieron en la cabeza en el curso de sus estudios universitarios. Porque no se nace socialista, ni se sale socialista de ninguna universidad burguesa, y menos de las mejores dirigidas hacia la formación de un elitismo intelectual de clase, ni se forja el líder socialista con la simple lectura de Marx, de Lenin o de Mao. Eso último es necesario, ciertamente, pero más necesario aún es desarrollar la capacidad de aprender de los trabajadores, interpretando la sabiduría yacente tras la ignorancia a que los tienen condenados, sintiendo en lo más hondo la diaria tragedia de sus vidas, identificándose con el mundo de sus experiencias hasta el punto de hacerlas suyas, y de esa manera, transformando la personalidad propia.

De no ocurrir así, se puede caer en la tentación de justificar con métodos socialistas (algunos buenos, pero otros que se han probado muy malos) la expulsión de líderes y militantes del partido, la violación de la legalidad partidaria, la abolición de la democracia interna y otros vicios de los que pugnan hoy por liberarse partidos socialistas y comunistas, aun en aquellos países donde ejercen el poder. Hay que guardarse de la repetición de frases —"las facciones se les elimina, no se entra en diálogo con ellas", etc. —extraídas fuera de su contexto histórico.

En medio de una revolución, cuando priva la guerra civil, puede que la frase de corte stalinista, "el partido se fortalece depurándose", fuera acertada dentro del lugar y tiempo en que se pronunció. Pero aún aceptándola para efectos de argumentación, eso no quiere decir que sea también correcta en una situación que está muy lejos de ser revolucionaria, máxime cuando se pretende aplicarla a un partido que todavía no ha digerido los más elementales principios socialistas.

La verdad histórica es que las llamadas depuraciones políticas, con su secuela de corte de cabezas, ambiente de guerra civil, animosidades personales, etc., lejos de fortalecer al partido, lo debilitan, y en la mayoría de los casos, detiene por años, cuando no frustran por completo, la evolución normal del partido hacia niveles más altos de capacidad política y conciencia revolucionaria. Porque así como la enfermedad no está en la sábana, el problema no radica simplemente en la personalidad de los individuos sino en su manera de pensar. Y no se ayuda a transformar a las personas liquidándolas. De ahí que pueda afirmar sin temor a equivocarme que las purgas han resultado siempre contraproducentes . . . Dicho en lenguaje más popular: son un remedio peor que la enfermedad.

De esta crisis, en la que la más alta dirección ha metido a todo el Partido Independentista Puertorriqueño, no se sale sumando nuevos errores al error cometido. Hay que hallar una embocadura hacia la salida de la crisis, y para eso, de nada sirven los métodos característicos de la mentalidad de abogado —simples rectificaciones de procedimiento, etc.

Hay que encararse a la crisis con mentalidad de socialistas. Y entonces se verá claro que la rectificación total, tanto de lo sustantivo como de lo procesal, para usar una frase —típicamente de abogado, es inevitable. Porque lo que aquí está en juego en el fondo de este conflicto, es el concepto de partido a que aspiramos: un partido amplio de lucha por la independencia y el socialismo, con conciencia revolucionaria y flexibilidad estratégica y táctica . . . . Y es inconcebible que en esa clase de partido no quepan hombres como Rubén Berríos Martínez y Noel Colón Martínez.

"Naturaleza de la crisis." Artículo de César Andreu Iglesias.
Periódico *La Hora*, 23 de febrero de 1973.

NOEL COLÓN MARTÍNEZ

LA INSCRIPCION DEL PSP

El Partido Socialista Puertorriqueño celebró el día 26 de noviembre una marcha que tenía tres propósitos: primero, anunciar el propósito de inscribir ese partido en la Junta Estatal de Elecciones; segundo, celebrar el primer aniversario de la fundación del P.S.P. y tercero, apoyar la causa de la liberación de nuestros presos políticos. Envié un mensaje de solidaridad apoyando el último de los propósitos, pero me abstuve de mencionar los primeros dos.

Me parecía obvio que cualquier agrupación que realice actos conducentes a dramatizar el abuso que se comete contra nuestros presos políticos merece nuestro endoso. El hecho de que se escoja para tal demostración el día en que habían de anunciar su inscripción como partido en nada afecta el valor intrínseco del esfuerzo. El PIP escogió para su concentración el día 20 de octubre, aniversario del Partido, anunciamos el acto como un homenaje a la juventud y llevamos allí a los artistas más connotados incluyendo a los compañeros Danny Rivera e Iris Chacón porque sabíamos que todo ello nos ayudaría a llenar el sitio como lo llenamos. De ahí que para mi no era difícil separar una de otras cosas.

No felicité a los líderes del PSP por su decisión de inscribir ese partido porque creo que fue una decisión errónea, que no podrá ser satisfactoriamente explicada ni desde el punto de vista de la táctica o estrategia de esa organización. El MPI sostuvo siempre que nuestra legislación congelaba el proceso electoral en la colonia de modo que el mismo fuera monopolizado por los dos partidos que integran la coalición colonialista, "apéndices de las dos corporaciones que en Estados Unidos fungen de partidos políticos". A raíz de su nacimiento, el MPI sostenía que luego del "colapso final" del PIP en 1960, el país veía el renacer de una nueva vanguardia patriótica con "más amplias perspectivas y enfoques más prácticos y correctos". Condenó el MPI la inscripción del PIP luego de la derrota en 1960 y repudió entonces "todo intento de utilizar la sagrada causa de la independencia como señuelo para atraer a las elecciones a un sector de nuestro pueblo". La posición del MPI era clara: "Repudiamos las elecciones, no por tratarse de elecciones, sino por ser coloniales. . . Participar o no participar en elecciones, referendums, plebiscitos o cualquier otro medio de consulta, para un movimiento de liberación colonial, es una cuestión procesal. Y las cuestiones procesales, a diferencia de las cuestiones de principios, son materia de la estrategia y la táctica". Para 1964 el MPI predicó la huelga electoral. ¿Por qué? El análisis fue el siguiente: en nuestro país existe un sistema de dos partidos que han secuestrado la voluntad popular. Mientras prevalezca tal situación, ningún "verdadero creyente de la democracia" debe prestarse a ser cómplice de "tamaño crimen contra la democracia". De ahí concretaron unas consignas: ¡No más votos que nada deciden! ¡Votemos en la calle por un voto completo! El objetivo era "desenmascarar el carácter puramente colonial de las elecciones". La forma más efectiva de lograrlo era "rehusando participar en la maquinaria oficial que tiene conculcado el sufragio". A este lo llamaron correctamente "voto recortado, voto tullido, el voto que no es expresión de la soberanía del pueblo". Se sostenía insistentemente que los problemas del país no encontraban solución por la carencia de voluntad en los partidos viejos y por la carencia de poderes públicos en Puerto Rico. "Si así se reconoce, entonces se comprenderá que la única salida inmediata a que puede recurrir nuestro pueblo para demandar la solución de sus más perentorios problemas, es la que señala su vanguardia patriótica, el Movimiento Pro Independencia: repudiar las elecciones por estar viciadas de impotencia colonial. Y al así hacerlo, se estará abogando por elecciones libres y democráticas, las cuales sólo pueden ser posibles cuando un pueblo goza de los poderes y atributos de la soberanía".

¿Se ha producido cambio alguno que permita justificar la intervención en el proceso electoral ahora? Creo que no. No gozamos aún de los poderes y atributos de la soberanía, no hemos superado la impotencia colonial, no hemos superado la carencia de poderes públicos, los partidos viejos no tienen hoy mayor voluntad y disposición para resolver los problemas del país que los que tuvieron en 1960, todavía existe una maquinaria oficial que conculca el sufragio, un "verdadero creyente de la democracia" todavía se encuentra con que dos partidos pueden secuestrar su voluntad y están en favor de mantener un régimen político que no es democrático en Puerto Rico y en fin las repudiables elecciones que no se repudian por ser elecciones, si no por ser coloniales, siguen siendo coloniales.

El PSP–MPI nació con la intención de dar a la lucha por la independencia "más amplias perspectivas y enfoques más prácticos y correctos". Creo que si realizó una buena labor de discusión interna para llevar a cabo su transformación en partido político electoral, le debe al pueblo independentista el beneficio de los procesos de análisis que lo llevaron a esa decisión. Mientras sólo produzcan el resultado y la decisión final, habremos muchos puertorriqueños que justificadamente nos continuaremos preguntando si todo esto no es parte de un sectarismo aniquilante y de un canibalismo destructor.

avance 13

"La inscripción del PSP." Artículo de Noel Colón Martínez. Revista *Avance*, Vol. 22.

CONTESTACION A NOEL COLON SOBRE LA INSCRIPCION DEL PSP

Por Manuel de J. González
Miembro de la Comisión Política PSP

En su columna publicada en la edición anterior de AVANCE, el compañero Noel Colón Martínez manifiesta una serie de preocupaciones sobre lo que realmente ha movido al PSP a decidir inscribirse de acuerdo a las leyes electorales de Puerto Rico. Tras hacer referencia a declaraciones anteriores nuestras, termina sugiriendo que lo que nos mueve no es otra cosa que "un sectarismo aniquilante o un canibalismo destructor". Esperamos que los párrafos que siguen sirvan para esclarecer los objetivos reales de la tarea que iniciamos la semana pasada en Comerío.

La decisión de inscribir el Partido Socialista Puertorriqueño se concibió, fundamentalmente, como una de las medidas necesarias para lograr el cumplimiento de lo que será la principal meta de nuestro trabajo organizativo durante el próximo año: el despegue masivo del partido de la clase obrera es la única medida tomada para alcanzar ese objetivo central, pero sí es una de las más importantes. Con el proceso mismo de inscripción, y una vez lograda esta, nos proponemos lograr varios objetivos específicos:

1. Medir la periferia de simpatía de nuestro Partido y ampliar el contacto con ella. Durante los últimos años, principalmente en el 1972, nuestro Partido realizó un trabajo regular con decenas de miles de trabajadores. Fueron los que recibieron regularmente nuestra publicaciones y el mensaje contenido en el trabajo diario de nuestros militantes en la fábrica o en la comunidad obrera. Con ese trabajo buscábamos dejar un germen de conciencia de clase y de conciencia nacional. Aquilatar hasta dónde ha germinado esa semilla es uno de los objetivos de la inscripción. Buscamos, además, darle a esos miles de trabajadores la oportunidad de aumentar su vinculación con el Partido que representa sus intereses objetivos de clase.

Por eso es que nuestro proceso de inscripción es radicalmente distinto al que hasta ahora habían usado todos los demás partidos políticos. No vamos a pedir firmas al azar frente al centro comercial o en la luz de tránsito. Tampoco pretendemos engañarnos a nosotros mismos inscribiéndonos con fraude. Vamos a ir a la fábrica o a la comunidad a ver hasta dónde llegó nuestro mensaje. Si un trabajador está dispuesto a dar su firma para inscribir el primer partido marxista-leninista de Puerto Rico, allí caló en alguna medida nuestro mensaje de conciencia proletaria.

Por eso es que nunca pensamos incribirnos con las firmas de los compañeros afiliados o militantes del PIP. Porque iría contra nuestros objetivos y porque tampoco nos interesa lesionar organizativamente a ese otro partido de la independencia, ni crearle problemas de disciplina en su base.

2. Otro de los objetivos de la inscripción es lograr una participación más amplia de nuestro partido en la discusión pública en Puerto Rico, teniendo más acceso a los medios masivos de comunicación. Ese objetivo, que se empezó a cumplir desde el mismo momento en que anunciamos la inscripción, es también importante. Esos medios regularmente se nos vedan gracias a nuestras limitaciones económicas y a los prejuicios políticos. Si al meternos dentro de la estructura electoral logramos ese acceso, que siempre será limitado, no lo usaremos para coquetear con el sistema, sino para denunciar son injusticias y ayudar a destruirlo. La destrucción de este sistema colonial capitalista es nuestro principal objetivo y para lograrlo utilizaremos todo lo que esté a nuestro alcance que creamos nos pueda ayudar.

3. Por último, cuando la asamblea de fundación del Partido decidió que ante cada elección, plebiscito o referéndum, el Partido decidiría a la luz de las circunstancias, si participar o no, estaba señalando que deberíamos contar con los mecanismos necesarios para que tal decisión no fuera académica. Poder cumplir con ese mandato de nuestra asamblea, si llega el momento, es otro de los objetivos de la inscripción.

El compañero Noel Colón hace referencia en su artículo a declaraciones anteriores del Partido. La gran mayoría de esas tienen perfecta vigencia en el momento actual y las otras fueron particulares respuesta que el Partido o MPI dio a determinadas circunstancias históricas. Las elecciones siguen siendo coloniales y el hecho de que decidamos inscribirnos como partido electoral no le cambia su esencia. Siguen también monopolizadas por dos partidos "que son apéndices de corporaciones que en Estados Unidos fungen de partidos políticos". Eso seguirá siendo cierto no solo si se inscribe el PSP, sino incluso si participamos en ellas. En un país intervenido militarmente y que carece de los atributos esenciales de la soberanía, el calificativo de colonial es el único que le cabe al proceso electoral.

Igualmente la posición de que participar en cualquier elección o referendum "es cuestión procesal y no

16 avance

"A Noel Colón sobre la inscripción del PSP." Artículo de Manuel de J. González. Revista *Avance*. Vol. 23.

de principios", sigue siendo la nuestra. Al amparo de esa decisión fue que consideramos necesario llamar a la huelga electoral en el 1964 y el 1968 convocando al independentismo a votar en la calle. Amparados en esa petición fue que planteamos que el PIP le hacia un flaco servicio a la causa de la independencia participando en aquellas elecciones. Amparados también en esa posición y tras hacer el análisis del momento histórico, fue que planteamos que se justificaba participar en las elecciones en 1972 pero solo a través de un frente unido.

Esa fue y es todavía la posición del PSP ante las elecciones. Por eso el primer señalamiento que hicimos cuando anunciamos la inscripción fue que bajo ninguna circunstancia nos está comprometiendo a participar en las elecciones de 1976. Eso dependerá de lo que suceda en este pais durante los próximos cuatro años.

Igualmente sigue vigente nuestro llamado a la unidad patriótica. Eso para nosotros no es una cuestión meramente táctica. Entendemos la unidad como una necesidad estratégica de la lucha de independencia. Por eso es que hablamos tanto de ella. Por eso es que siempre estamos dispuestos a entrar en cualquier momento en el proceso de discusión necesario que nos acerque a esa unidad.

Esa posición se funda en la realidad de que en Puerto Rico existen dos partidos de la independencia que responden a particulares manifestaciones de la expresión social de nuestro pueblo y a particulares manifestaciones ideológicas. Todo indica que seguirán existiendo esos dos partidos y que es beneficioso para la lucha de independencia que ambos se desarrollen al máximo. Todo indica también que no solo es beneficioso para la lucha de independencia, sino urgentemente necesario, que ambos articulen su trabajo en una unidad de acción dirigida al logro inmediato de la independencia. Desgraciadamente esa unidad no ha podido concretarse hasta ahora y todo indica que no podrá lograrse en el futuro inmediato, contrario a nuestros deseos.

Esa visión estratégica es la que siempre preside nuestros actos. Por eso es erróneo creer que nuestra decisión de inscribirnos responde a un "sectarismo aniquilante o un canibalismo destructor."

Inmediatamente después que iniciarámos la inscrpición advertimos contra esa interpretación errónea. En la edición de CLARIDAD que circuló la semana siguiente a la concentración del 26 de noviembre, el compañero Juan Mari Bras, portavoz político de nuestro Partido, señaló lo siguiente, "...debe entenderse bien que no vamos a entrar en una competencia canibalista con el Partido Independentista ni con ningún otro grupo patriótico. El PIP tiene su propia base y nosotros interesamos que la desarrollen al máximo. Nunca hemos planteado que nuestro crecimiento deba fundarse en el debilitamiento del otro partido de la independencia. Por el contrario, hemos sostenido y creemos firmemente que es necesario el desarrollo de ambos partidos, su mayor fortalecimiento, como bases sólidas para el logro de la unidad patriótica. La unidad a que aspiramos no es la que se funde en la precariedad de ambos sino en la solidez de los dos partidos".

Esperamos que este artículo clarifique las dudas expresadas por el compañero Noel, aunque quede claro que siempre estamos dispuestos a dialogar con cualquier independentista que honestamente se preocupe por alguna de nuestras posiciones.

avance 17

"A Noel Colón..." (continuación)

Eligen Berríos Pres. PIP

Por Roberto Delgado
Corresponsal de CLARIDAD

PONCE – El senador Rubén Berríos fue electo presidente del Partido Independentista Puertorriqueño con el respaldo de mil veintisiete delegados de un posible total de mil cuatrocientos ocho que participaron en la asamblea de esa colectividad celebrada el domingo pasado en esta ciudad.

La oposición de los llamados terceristas obtuvo trescientos cuarentinueve abstenciones. Así decidieron manifestar su descontento los militantes del PIP que encabezan Noel Colón Martínez, Norman Pietri, Michel Godreau y Luis Angel Torres, entre otros. Once papeletas fueron entregadas en blanco y Damián Marrero el otro candidato a

(Vea –ELIGEN– Pág. 14)

"Eligen Berríos presidente PIP."
Periódico *Claridad*, 10 de abril de 1973.

ELIGEN

viene de la página 1
presidente obtuvo 21 votos.

La delegación de Gurabo se retiró de la asamblea y la de Camuy no se presentó al acto. Ambas delegaciones estaban compuestas por doce delegados.

La candidatura del licenciado Berríos Martínez fue presentada por la delegación de San Sebastián y fue recibida con una gran ovación que eclipsó los abucheos emitidos por la oposición tercerista.

Por su parte la delegación del Comité de Salinas propuso la moción de abstención siendo recibida con aplausos y abucheos indistintamente.

El licenciado Carlos Gallisá se negó a aceptar nominación alguna tanto para esta asamblea como para cualquier otra.

Antes de la elección del presidente se propuso una moción para que se aumentara el número de delegados de la Juventud Independentista Universitaria. La proposición la hizo Luis Angel Torres, líder de la JIU y representante a la Cámara por ese partido.

La moción causó un acalorado debate que culminó en una votación de cuatrocientos dos delegados a favor, ochocientos setentaitrés en contra y ciento veintinueve delegados se abstuvieron.

La asamblea que estaba programada para comenzar a las 10:00 A.M. inició los trabajos a las 3:00 P.M. y se caracterizó por los agrios debates que se produjeron. Además, ocurrieron numerosos incidentes productos de la pugna interna que existe en dicho partido.

Durante todo el proceso los dirigentes y portavoces de las distintas posiciones se manifestaron ampliamente, esto retrasó los procedimientos.

En la próxima edición de CLARIDAD ampliaremos sobre el debate que se produjo en el acto del domingo pasado y entrevistaremos a los líderes de los grupos en pugna.

1975 la Marina no cesa de utilizar a Culebra como tarjeta de tiro al blanco.

Los culebrenses aseguraron que la Marina continúa utilizando bala viva en sus prácticas. Agregaron que esta rama militar norteamericana están en plena campaña de propaganda y para ello utiliza a dos culebrenses empleados suyos de nombre Taso Peña y Julián Ayala, agregaron.

Luego de informarles a los presentes la decisión de la Marina, el alcalde Feliciano exhibió una película sobre Culebra preparada por la empresa norteamericana CBS. Esta película está en poder de la televisora WIPR, pero el gobierno se ha negado a transmitirla hasta estos momentos.

EMPLAZA

viene de la página 5
es propiamente el bióxido de azufre sino los compuestos de azufre que se crean al entrar éste en contacto con condiciones específicas en el ambiente.

En experimentos en conejillos de india se encontró que al ponerlos a respirar aire con una parte de bióxido de azufre por millón, aumentaron los problemas respiratorios en un 15 por ciento. La misma cantidad de azufre en la forma de ácido sulfúrico aumentó los problemas respiratorios en un 60 por ciento. Esa misma cantidad en la forma de sulfato de amonia provocó un aumento de 300 por ciento en los problemas respiratorios.

El estudio, recogido en forma de libro bajo el título "Toxicology of Atmospheric Sulfur Dioxide Decay Products" sugiere que en presencia de materia particulada y de otros contaminantes el bióxido de azufre continua reaccionando y formando otros compuestos que son más peligrosos a la salud del hombre. También relaciona esta situación con condiciones atmosféricas tales como humedad.

Entrevistado por CLARIDAD sobre la relación de este estudio con los problemas respiratorios de Guayanilla y Cataño, el Dr. Tomás Morales declaró que "debido a las condiciones climatológicas de alto grado de humedad qué son comunes en Puerto Rico, el bióxido de azufre con toda seguridad se cambia en formas de sulfatos rápidamente." Agregó que a la luz de estos estudios necesariamente hay que cambiar la forma de medir la contaminación por azufre en Puerto Rico por unas medidas que revelen el estado real del problema.

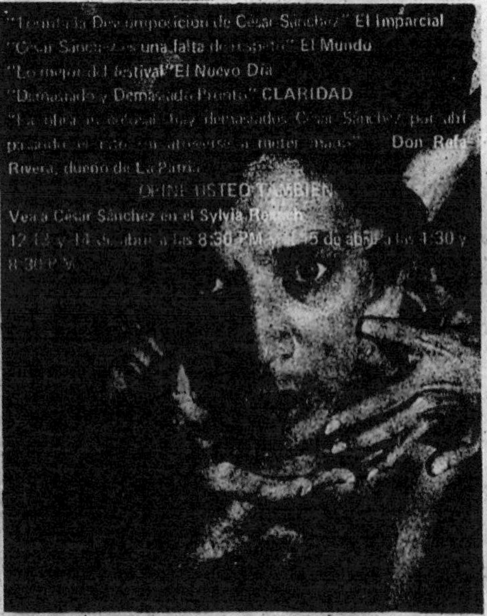

"Eligen Berríos..." (continuación)

Por Félix Ojeda Reyes
Sub-director de CLARIDAD

SAN JUAN -- La crisis interna que sacude al Partido Independentista Puertorriqueño trasciende las filas de esa colectividad y abarca a todos los que en una u otra forma luchan por la liberación nacional. El diferendo, lejos de irse resolviendo, asume nuevas proporciones. La asamblea extraordinaria celebrada por el PIP el pasado domingo en la ciudad de Ponce dramatizó esta dura realidad. CLARIDAD, el Periódico de la Independencia, entrevistó a cuatro dirigentes del PIP y les solicitó analizaran lo acontecido en Ponce y las proyecciones que a corto plazo vislumbran para resolver el diferendo. He aquí las contestaciones:

RUBEN BERRIOS MARTINEZ PRESIDENTE DEL PARTIDO INDEPENDENTISTA PUERTORRIQUEÑO

(Rubén Berríos Martínez hizo llegar a nuestra redacción el discurso que pronunció ante la asamblea extraordinaria del PIP, celebrada el domingo pasado en la ciudad de Ponce. El dirigente independentista informó que en su intervención estaban contenidas las contestaciones a nuestro requerimiento. De su comparescencia reproducimos los siguientes párrafos:).

Los últimos meses hán sido meses de prueba para nuestro partido. Meses que a veces la palabra agria y el gesto ha llegado a causar en muchos corazones el desasosiego...

Pero no podemos conformarnos con corregir solamente las fallas del partido. Tenemos que mirar en el espíritu de cada uno de nosotros, hacer un profundo y sincero examen de conciencia y corregir cada uno de nosotros aquellas actitudes, aquellas formas de sentir y actuar que no contribuyen a la lucha por la libertad política y económica de nuestro pueblo. Tenemos que reunirnos con amabilidad, cordura y responsabilidad, dando lo mejor que tenemos para corregir las fallas que poseemos y para con ello hacer del partido un mejor instrumento de lucha. Ese debe ser el propósito que inspire nuestras actuaciones en estos próximos meses que son muy importantes en la vida de nuestro partido.

Tenemos que darnos cuenta que el partido no es de ningún grupo, ni de ninguna persona en particular. El partido es de todos los independentistas. Tenemos que ahondarnos en un profundo proceso en el cúal cada uno de nosotros participe y desemboque en una estructura de partido que provea para la plena participación de todos los independentistas a todos los niveles.

Tenemos que guardarnos ante todo de los dos vicios fundamentales de la llamada democracia capitalista. Primero, la democracia socialista no consiste en la delegación a un señor o a una serie de señores de unos poderes para que estos señores los ejerciten en forma permanente... Consiste en la creación de unos mecanismos –compatibles con la flexibilidad de un movimiento de liberación– que permitan la más plena participación contínua de todos los miembros del partido y no solo de un sector o grupo suelto.

Nos tenemos que cuidar del otro vicio de la democracia capitalista y ese otro vicio de la democracia capitalista consiste en entenderla como la mera libertad para oponerse. La democracia socialista es mucho más que la libertad para oponerse; es la libertad para participar en el proceso de decisión.

En ese proceso de verdadera participación es que cobra significado la verdadera dirección colectiva, que significa la dirección de todos los miembros de este partido...

En ese partido (que tenemos que construir) tiene que jugar un rol fundamental el movimiento obrero puertorriqueño... la mujer... y la juventud...

Tenemos que destertar todos los vicios personales y colectivos que nos impidan esa comunicación con ese pueblo que queremos alcanzar. Si no corregimos la arrogancia que tenemos y que no es patrimonio de nadie, si no eliminamos la palabrería pseudo-revolucionaria de la cual todos pecamos y que no es privilegio de nadie, y si no vamos con palabras sencillas y gesto humilde y generoso, el pueblo de Puerto Rico jamás será independiente y jamás será socialista.

Tenemos que rescatar la calidad humana en este partido de arriba a abajo, desde el Presidente hasta el militante del comité local. Sin esa calidad humana no hay revoluciones, sin esa calidad humana no se puede convencer a nadie, porque el pueblo capta la honradez de esa caldidad humana. Esa calidad es a la que se han referido los grandes revolucionarios del mundo cuando han hecho hincapié en que las revoluciones las une y las guían grandes sentimientos de amor. Por eso era que Don Pedro Albizu Campos aún detrás de las rejas de la cárcel en donde había sido escupido y pisoteado por sus enemigos siempre nos decía a los puertorriqueños que el que vive de odios se embrutece.

NOEL COLON MARTINEZ EX-CANDIDATO A LA GOBERNACION POR EL PIP EN LAS PASADAS ELECCIONES

En este momento no estoy inclinado a hacer análisis en cuanto a lo sucedido en Ponce.

La proyección sobre lo que debe hacerse está limitada por las actividades que desarrolle el partido para reestructurarse a sí mismo. Hasta ahora noto que el partido no está en disposición de hacer una verdadera reestructuración. Si la dirigencia del partido mantiene su interés en mantener el reglamento y las estructuras existentes yo estoy muy pesimista en cuanto al futuro del partido. Si el partido se abre y acepta una dirección colectiva yo estoy optimista:

Primero debe hacerse, a mi juicio, un nuevo reglamento porque el actual es de tipo monárquico debido a que pone todo el poder en manos del Presidente. Esta es la causa principal de la crisis en el PIP. El reglamento le da al Presidente el poder de nombrar las comisiones especiales. Hace de la Comisión Ejecutiva un cuerpo asesor del Presidente... nada más. Le da al Presidente facultad para nombrar secretarios en la Comisión Ejecutiva. Hace del secretario de organización, David Noriega, un secretario del Presidente y centraliza el poder del partido básicamente en la presidencia.

La dirección colectiva que aspiramos puede contener una Comisión Política o un Buró Político –como se entienda más conveniente llamarlo– que sea un organismo central designado lo más directamente posible por la base y que tenga a su cargo la dirección de las distintas áreas del partido. Donde haya necesariamente un presidente o un portavoz que sea el que se comunique con el pueblo; pero que este presidente o portavoz esté limitado por las funciones que le asigna el colectivo. Es un organismo de dirección de modo que cada miembro tiene funciones claramente delineadas y cada miembro responde al colectivo y no al presidente.

El reglamento tiene que tener presente el tipo de dirección que se quiere y el tipo de partido que se quiere reglamentar, cosa que no existe en este momento porque el reglamento se hizo antes que el programa del partido. Creo que debemos revisar ambas cosas, el reglamento y el programa. El programa debe ser revisado y los objetivos y la estrategia del partido debe surgir más clara de lo que surge en este momento.

CARLOS GALLISA VICE-PRESIDENTE DEL PARTIDO INDEPENDENTISTA PUERTORRIQUEÑO

Los militantes del PIP hemos iniciado un proceso de diálogo interno sobre el Partido que queremos. Dentro de todas las estructuras del Partido se debe estar debatiendo sobre qué estructuras, qué reglamento y qué clase de partido necesita nuestra lucha.

Todos este proceso está siendo dirigido por una Comisión de Programa y Reglamento donde participan compañeros representativos de todas las tendencias en el partido. Los comités de base están en un período de discusión amplia de unas propuestas formuladas por un grupo de la Comisión Ejecutiva y celebrando foros y conferencias donde hay absoluta libertad para invitar ponentes a estas actividades.

Todo este proceso deliberativo debe concluir con la Asamblea de Programa y Reglamento donde los militantes definemos el tipo de partido que queremos y el tipo de dirección que más se ajuste a las necesidades de la revolución puertorriqueña. Confiamos en que todos colaboraremos en esta empresa de lograr un mejor partido para la independencia y el socialismo. El debate ideológico bien encauzado y la participación democrática de todos los militantes es la mejor arma para superar la crisis en la que se debate nuestro partido. Es deber de todo militante pipiolo aportar sus ideas sobre como mejorar nuestro Partido. Pero este proceso sería imposible si no aceptamos que el Partido y nosotros como dirigentes tenemos fallas. A superar estas fallas y a democratizar el partido deben estar dirigidos nuestros esfuerzos. Unidad, diálogo y participación en todo este proceso són la clave del éxito del mismo. A eso vamos.

NORMAN PIETRI CASTELLON MIEMBRO DE LA COMISION POLITICA DEL PARTIDO INDEPENDENTISTA PUERTORRIQUEÑO

La asamblea del PIP del pasado domingo demostró que el partido está dividido en dos tendencias: la caudillista y la de la dirección colectiva. La primera es apoyada por Berríos y la mayoría de la Comisión Ejecutiva y ahora mismo es mayoritaria entre los comités municipales del partido. La segunda tiene el apoyo de la JIU y de un gran número de los comités más militantes y politizados en toda la isla. La oposición al caudillismo cuenta ya con una tercera parte del partido incluyendo la totalidad de la JIU. La oposición al caudillismo es la izquierda del partido.

En 1970 fue la juventud universitaria el principal apoyo de Rubén para que este fuera presidente; ahora es todo lo contrario. Rubén se apoya ahora en los sectores más conservadores del partido. En un partido caudillista esto tiene que reflejarse necesariamente en la política del partido frente al imperialismo y en particular en su política obrera y estudiantil y también en cuanto a la capacitación política de los militantes. La izquierda del PIP es básica para su desarrollo como movimiento de liberación nacional.

Pese a la dirección oficialista del PIP, existe un creciente movimiento de renovación del partido. La lucha por una dirección colectiva no terminó en la asamblea de Ponce, más bien tuvo allí su bautismo de fuego. Ahora se impone un amplio debate político en el partido para salir de verdad de la presente crisis. Estamos dispuestos a debatir nuestras ideas y confiamos en que la base del partido se convencerá mayoritariamente de que el curso que proponemos para el PIP es el que realmente conduce a la independencia y el socialismo. Si la dirección oficialista sigue eludiendo el debate político y tratando de reprimirnos y de sacárnos del partido, le está haciendo un daño irreparable al PIP.

4 CLARIDAD -- 15 de abril de 1973

"Noel, Rubén, Gallisá y Pietri opinan."
Periódico *Claridad*, 16 de abril de 1973.

Planteamiento PSP-PIP ante ONU

Piden Comité Descolonización celebre vistas públicas aquí

Su Excelencia Salim Ahmed Salim
Presidente
Comité de Descolonización
Naciones Unidas

Excelencia:

Nos dirijimos a usted con un planteamiento de carácter urgente a nombre del pueblo de Puerto Rico, en lucha por la independencia nacional.

El gobierno de Estados Unidos de América, en combinación con los gobernantes coloniales de turno en Puerto Rico y varias compañías norteamericanas y multi-nacionales dedicadas al negocio petrolero y de otros minerales, planean convertir a Puerto Rico en una estación para el desembarque, refinamiento y re-embarque de petróleo, aluminio y otros minerales.

El plan responde a la alegada crisis de energía en Estados Unidos y la necesidad que tiene ese país de aumentar la importación de petróleo de países extranjeros. Para transportar esas enormes cantidades de petróleo del Golfo Pérsico, el Norte de Africa, América del Sur y otros sitios del planeta hacia el territorio norteamericano, se proponen establecer una flota de supertanqueros de hasta un millón de toneladas cada uno. Esas gigantescas embarcaciones no pueden llegar a los puertos ordinarios existentes en las costas norteamericanas. Necesitan, por tanto, establecer unos super-puertos de calado profundo donde anclar las mismas. La inversión necesaria para el dragado y demás facilidades de esos super-puertos es enorme. Para que éstos sean económicamente factibles, planean la construcción de grandes complejos industriales de refinerías de petróleo, plantas químicas, metalúrgicas y petroquímicas alrededor de los puertos en cuestión. Claro está, los norteamericanos rechazan el establecimiento de un superpuerto en su estado particularmente en su costa del Atlántico, ya que debido a la alta densidad poblacional surgirían graves problemas de contaminación y de otra naturaleza. Ejemplo de esto es la tajante oposición al establecimiento de un super-puerto en su estado por parte del Gobernador de New Jersey. Por estas razones, los norteamericanos quieren establecer en Puerto Rico un super-puerto que sirva para suplir las necesidades energéticas de su Costa Este.

En Puerto Rico hay varias localizaciones que tienen condiciones naturales propicias para estos proyectos. La más importante de estas condiciones es la existencia de grandes profundidades en las aguas costaneras, principalmente en el Oeste de la isla y en la isla puertorriqueña de Mona, ubicada entre Puerto Rico y la República Dominicana. Al establecer super-puertos en esos lugares se economizan centenares de millones de dólares ya que evitan el dragado.

La prensa puertorriqueña ha informado sobre los planes del gobierno de Puerto Rico de establecer el primero de esos super-puertos en las inmediaciones de la ciudad de Aguadilla, al noroeste de la isla. Según el informe rendido al gobernador colonial por el Administrador de Fomento Económico, Teodoro Moscoso, se planea que el complejo original alrededor del primero de estos super-puertos a establecerse en Puerto Rico importará dos millones de barriles de petróleo crudo diariamente, principalmente del Golfo Pérsico. La mitad de la importación se refinará en dos grandes refinerías a instalarse en el área del super-puerto y en refinerías ya establecidas, y la otra mitad se trasbordará crudo hacia el mercado del Este de Estados Unidos. Según estudios hechos en Estados Unidos, cada uno de estos complejos portuarios e industriales abarcará de 20,000 a 50,000 acres de terreno.

El establecimiento de este super-puerto y complejo industrial en Puerto Rico representaría un golpe mortal a la ecología, absorvería las reservas de nuestros acuíferos en menoscabo del potencial agrícola de la región, afectaría fatalmente la flora, la fauna, la vida marina y la vida humana en todo el territorio occidental de nuestra patria y —lo que es peor— constituiría un paso irreversible hacia la conversión de Puerto Rico en una estación de trasiego petrolero de Estados Unidos.

No es concebible que en un pequeño país tan densamente poblado como Puerto Rico se pueda establecer el volumen proyectado de tráfico petrolero sin desquiciar por completo toda la fisonomía del país. El curso dictado por esta propuesta vía de desarrollo llevaría inexorablemente a la destrucción final de nuestra agricultura, la desaparición de ciudades y pueblos y la emigración forzada de la gran parte de la población nacional. Se sabe que este tipo de industria se caracteriza por su alto desarrollo tecnológico, avanzada automatización y escaso empleo de mano de obra.

En la actualidad, existen en Puerto Rico tres refinerías de petróleo —todas de capital extranjero— que en conjunto, importan diariamente 250,000 barriles de petróleo crudo, más de 150,000 barriles de nafta. Ello ha bastado para producir problemas de contaminación y envenenamiento alarmantes. Dichas petroleras y petroquímicas produjeron la destrucción de la industria pesquera en el área sur de la isla. Cientos de familias perdieron su fuente de ingreso. Un derrame reciente de petróleo en la costa suroeste provocó el desempleo temporero de centenares de personas y daños irreparables a la vida marina. Diecinueve de cada cien habitantes de la Playa Guayanilla, donde está ubicada una de estas petroleras, tienen los pulmones dañados como consecuencia de la contaminación atmosférica que producen las emanaciones de estas plantas. Más de quinientas personas se han envenenado con las emanaciones de cloro gaseoso de una planta petroquímica en el Sur. En Yabucoa, al Este de la isla, otra planta petrolera ha destruido ya prácticamente, uno de los valles más ricos de producción agrícola del país.

Todas estas industrias, que tanto daño han causado, producen solamente un máximo de 8,000 empleos en conjunto. De ésos, solamente 5,000 son trabajadores de producción. Los demás son ejecutivos y burócratas, la mayor parte extranjeros.

La muestra que ha tenido nuestro país con esa incipiente industria pesada de capital extranjero es suficiente para darnos una idea clara de cuán catastrófico sería si la misma se multiplicara de un volumen de 400,000 barriles diarios, a 6,000,000 de barriles diarios, que son las proyecciones del gobierno para 1980.

Todo ese plan macabro se realiza unilateralmente por el gobierno de Wáshington y su régimen títere en Puerto Rico, de espaldas al pueblo puertorriqueño.

Ante una propuesta legislativa de la representación independentista en el Senado y la Cámara para instruir al gobernador que no hiciera ningún compromiso para el establecimiento de super-puertos y proyectos complementarios sin previa autorización de la Asamblea Legislativa, el ejecutivo colonial amenazó con vedar dicho proyecto.

El funcionarios a cargo de impulsar este proyecto, Teodoro Moscoso, se ha estado reuniendo en sesiones secretas con el Comité sobre Política Petrolera de Estados Unidos en Wáshington para concertar todas las negociaciones conducentes al establecimiento de este super-puerto. Moscoso es persona vinculada al negocio del petróleo, habiendo sido presidente de la Junta de Directores de la CORCO, una de las compañías petroleras establecidas en la isla. Fue Embajador de Estados Unidos en Venezuela, Coordinador de la llamada Alianza para el Progreso y uno de los elementos más notorios en el plan general de dominación imperialista de Estados Unidos sobre nuestro país y la América Latina en general.

Toda esta conspiración se realiza por el gobierno de Estados Unidos en abierta violación a la legislación internacional vigente, y en particular a la Resolución 1514 (XV) de la Asamblea General de las Naciones Unidas y demás resoluciones aprobadas por dicho cuerpo en el curso de la última década relacionadas con el problema colonial. Específicamente, viola la prohibición de que los poderes administradores tomen medidas que afecten la integridad territorial, la unidad nacional o que frustren el proceso de descolonización en los territorios no autónomos, territorios en fideicomiso o cualesquiera otros territorios que no hayan alcanzado aún, la independencia.

El año pasado el Comité Especial que preside su Excelencia aprobó una resolución sobre Puerto Rico en que se reconoce el derecho inalienable del pueblo puertorriqueño a su auto-determinación e independencia, de conformidad con la Resolución 1514 (XV) y se mandata al grupo de trabajo para que temprano este año rinda un informe en que se especifiquen los procedimientos para la implementación de la Resolución 1514 (XV) en el caso de Puerto Rico.

El informe que rinda dicho grupo de trabajo tendrá que ser discutido por el pleno del Comité en algún momento de este año (se supone que sea temprano) y deberá luego someterse a la Asamblea General en su

(VEA PAGINA SIGUIENTE)

17 de junio de 1973 – CLARIDAD 11

"Piden Comité Descolonización celebre vista pública aquí."
Periódico *Claridad*, 17 de junio de 1973.

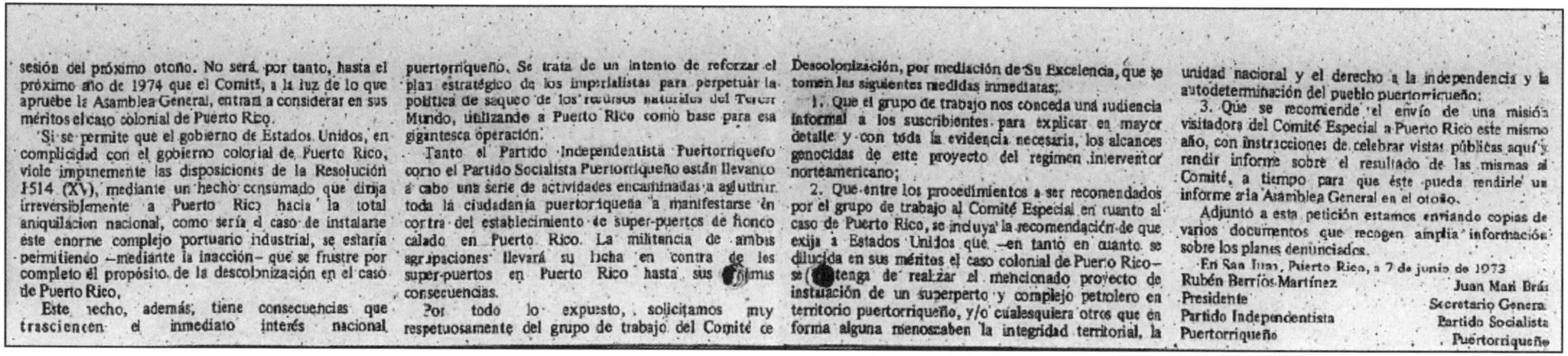

sesión del próximo otoño. No será por tanto, hasta el próximo año de 1974 que el Comité, a la luz de lo que apruebe la Asamblea General, entrará a considerar en sus méritos el caso colonial de Puerto Rico.

Si se permite que el gobierno de Estados Unidos, en complicidad con el gobierno colonial de Puerto Rico, viole impunemente las disposiciones de la Resolución 1514 (XV), mediante un hecho consumado que dirija irreversiblemente a Puerto Rico hacia la total aniquilación nacional, como sería el caso de instalarse este enorme complejo portuario industrial, se estaría permitiendo —mediante la inacción— que se frustre por completo el propósito de la descolonización en el caso de Puerto Rico.

Este hecho, además, tiene consecuencias que trascienden el inmediato interés nacional puertorriqueño. Se trata de un intento de reforzar el plan estratégico de los imperialistas para perpetuar la política de saqueo de los recursos naturales del Tercer Mundo, utilizando a Puerto Rico como base para esa gigantesca operación.

Tanto el Partido Independentista Puertorriqueño como el Partido Socialista Puertorriqueño están llevando a cabo una serie de actividades encaminadas a aglutinar toda la ciudadanía puertorriqueña a manifestarse en contra del establecimiento de super-puertos de hondo calado en Puerto Rico. La militancia de ambas agrupaciones llevará su lucha en contra de los super-puertos en Puerto Rico hasta sus últimas consecuencias.

Por todo lo expuesto, solicitamos muy respetuosamente del grupo de trabajo del Comité de Descolonización, por mediación de Su Excelencia, que se tomen las siguientes medidas inmediatas:

1. Que el grupo de trabajo nos conceda una audiencia informal a los suscribientes para explicar en mayor detalle y con toda la evidencia necesaria, los alcances genocidas de este proyecto del regimen interventor norteamericano;

2. Que entre los procedimientos a ser recomendados por el grupo de trabajo al Comité Especial en cuanto al caso de Puerto Rico, se incluya la recomendación de que exija a Estados Unidos que —en tanto en cuanto se dilucida en sus méritos el caso colonial de Puerto Rico— se abstenga de realizar el mencionado proyecto de instalación de un superpuerto y complejo petrolero en territorio puertorriqueño, y/o cualesquiera otros que en forma alguna menoscaben la integridad territorial, la unidad nacional y el derecho a la independencia y la autodeterminación del pueblo puertorriqueño;

3. Que se recomiende el envío de una misión visitadora del Comité Especial a Puerto Rico este mismo año, con instrucciones de celebrar vistas públicas aquí y rendir informe sobre el resultado de las mismas al Comité, a tiempo para que éste pueda rendirle un informe a la Asamblea General en el otoño.

Adjunto a esta petición estamos enviando copias de varios documentos que recogen amplia información sobre los planes denunciados.

En San Juan, Puerto Rico, a 7 de junio de 1973

Rubén Berríos Martínez
Presidente
Partido Independentista
Puertorriqueño

Juan Mari Brás
Secretario General
Partido Socialista
Puertorriqueño

"Piden Comité Descolonización..." (continuación)

De la crisis a la unidad

Por Norman Pietri

Miembro del Partido Independentista Puertorriqueño

La crisis del Partido Independentista Puertorriqueño se origina en su propia concepción como partido policlasista dirigido por la pequeña burguesía patriótica. Un partido como éste, para poder resolver las contínuas contradicciones en las que se debate, requiere unas estructuras democráticas y un liderato colectivo que garanticen la plena participación de todos sus miembros y el libre juego de las tendencias ideológicas. La práctica del PIP demuestra que la tendencia de izquierda ha sido perseguida y calumniada por la dirección, hasta el punto de que se ha abierto la posibilidad de desprendimiento del Partido.

Una manifestación de esta crisis fue lo que ocurrió el pasado fin de semana en el seminario de la Junta de Directores del PIP, celebrado en el Hotel Normandie. En esta reunión Carlos Gallisá, Luis Rivera Pagán, Miltón Pabón, Jorge Morales Yordán y otros importantes líderes del PIP se enfrentaron a Rubén Berríos.

Ese grupo de líderes, en unión a unos cuarenta delegados terceristas y a algunos de otros delegados, defendieron el punto de que el presidente del partido sea electo por un Comité Central, y no por la Asamblea General, como es ahora. También defendieron el punto de que la Asamblea General elija un grupo de treinta personas para integrar el Comité Central, junto a unos 80 representantes directos de los comités de base. El Comité Central, además de elegir al Presidente elegiría al Secretario General y a una Comisión Política de 11 miembros. A todo esto se opusieron tenazmente Rubén Berríos y algunos dirigentes intermedios y de base.

Berríos atacó la elección de los 30 por la asamblea a base de que saldrían electos los "sabios anarquistas" del Partido. Gallisá, al igual que Villarini y otros delegados, impugnó la argumentación de Berríos basándose en que la estructura propuesta contribuiría a la democratización del Partido y habría un mayor control de los dirigentes por la base. Fue evidente en este nuevo episodio de la crisis del PIP que sin la participación de los terceristas en el Partido, el nuevo grupo que discrepa de Berríos sería derrotado. Berríos tendría una clara mayoría en la Junta de Directores de abandonar los terceristas el Partido.

Una fragmentación adicional del movimiento independentista, en un momento histórico en que el imperialismo norteamericano está en plena ofensiva contra Puerto Rico, empujando el plan del superpuerto y una mayor petrolización del país, sería desastrosa para la lucha. Por otro lado, la situación presente en el PIP impide la plena participación de la izquierda en el trabajo del Partido, lo que también es altamente perjudicial para la lucha.

Es un hecho que la lucha de independencia está encauzada en dos organizaciones principales: el propio PIP y el Partido Socialista Puertorriqueño. Ambos son parte del movimiento general de independencia que incluye amplios sectores no organizados. Incorporar éstos a la lucha fomentando la acción común de todos los sectores es tarea impostergable.

Al PIP le debe interesar llegar a acuerdos políticos con el PSP y a éste, igualmente, le interesa, máxime cuando lo ha favorecido en el pasado. Los oposicionistas en el PIP, que constituyen la izquierda, en la que se cuenta gran número de militantes y organizaciones en las principales ciudades, la Juventud Independentista Universitaria, la Juventud Independentista Estudiantil y uno de los tres legisladores, también propician ese proceso de unidad. Entendemos que así podríamos continuar haciendo nuestra aportación a la lucha, evitando cualquier nuevo fraccionamiento del movimiento patriótico. Pero, sobre todo, estamos conscientes que la presente situación política en el país es tan grave que requiere la unión de todas las fuerzas independentistas y socialistas.

(Vea —CRISIS— Pág. 20)

"De la crisis a la unidad." Artículo de Norman Pietri.
Periódico *Claridad*, 17 de junio de 1973.

La unidad ahora

Ayer estaba en la plaza de Colón de Mayagüez, bajo el terrero del sol, inscribiendo el partido. Demás está decir que por allí pasaron muchos viejos amigos —de mis tiempos de la Salud— que nos dieron la firma por esa solidaridad humana que todavía prevalece, a pesar de todos los pesares, en nuestro país. Hicimos una buena zafra. Pero eso es lo de menos. La mayor parte de las firmas eran independentistas, como ha sido siempre en la experiencia de la inscripción.

Nos impactó mucho el sentido de urgencia que manifestaban los independentistas frente al momento actual. El superpuerto ha puesto en tensión a todo el independentismo. Este es momento de acción. Nuestra gente lo sabe. No podemos dormirnos en las pajas. O actuamos con precisión, audacia y perfecta sincronización o nos arrancan la patria. Y eso es mucho decir.

"¿Qué vamos a hacer ahora?", me preguntaba angustiado un compueblano, "¿vamos a dejar que nos aniquilen como pueblo mientras nos comemos por los rabos unos a otros?" El que así hablaba era pipiolo. No tengo la menor duda de que lo seguirá siendo, sea quien sea el presidente del Partido Independentista, el tipo de organización que finalmente acuerde la "asamblea de programa y reglamento" y la orientación política que proyecte el nuevo PIP. Lo suyo es la independencia de Puerto Rico. Más allá de las susceptibilidades de los líderes, él quiere luchar por conquistar una patria. Y le duele mucho que, en la cima, haya hombres que no vean las cosas tan sencillas como son.

Esa experiencia la hemos vivido múltiples veces. A los independentistas les importa muy poco quién dirige. Lo que quieren es que dirija bien.

Lo cierto es que el pueblo independentista está consternado por la amenaza del superpuerto. Y pide a gritos la unidad patriótica. El que en estos momentos presente obstáculos a esa unidad está en babia, enajenado del pueblo patriota.

Mientras esas consideraciones pasaban por nuestra mente, nos topamos con la edición de CLARIDAD del pasado fin de semana y, en su página siete, con un artículo del compañero Norman Pietri, titulado "De la crisis a la unidad". Nunca hemos puesto en duda ni el patriotismo ni la enjundia de Norman. Muchas veces nos hemos sentido frustrados por su inclinación a la línea de menor resistencia. Esta vez recibimos una buena nueva. Norman se hace eco de una exigencia del pueblo. Pide la unidad del patriotismo frente a la amenaza del proyecto Moscoso. Ha logrado trascender la mezquindad del diferendo pipiolo. Ha dado una vuelta de ciento ochenta grados a su postura anterior. Acepta la necesidad de un frente unido PSP-MPI, contra la cual argumentó con temeridad en el pasado. Y reconoce que son los dos partidos de la independencia los que tienen que coordinar y organizar la lucha contra la nueva amenaza.

Horas después, nos topamos con una edición de *"La Escalera"* y en la misma con un artículo de Jorge Fromm. Hace un análisis muy suyo, que tiene la limitación que le señalara Florencio Merced en una ocasión, de ser la visión de quien observa desde las graderías, sin tirarse al campo de juego. Pero coincide con Norman y el compueblano de Mayagüez en la urgente necesidad de la unidad ahora. Dice así: "El proyecto del imperialismo de establecer en Puerto Rico un gigantesco complejo petroquímico constituye un problema de extrema gravedad para el país y representa una amenaza fundamental para el futuro de la causa de independencia. Ante este reto ingente, ante esta coyuntura decisiva, el independentismo no puede darse el lujo de seguir actuando erráticamente, atado obsesivamente a concepciones obsoletas y limitantes. Hay que renovar y desarrollar sustancialmente la estrategia del independentismo, de modo que esté a la altura de las exigencias del momento, y en función de ello, hay que desatar una poderosa acción política que aglutine a amplios sectores del pueblo y movilice todo el potencial de trabajo y lucha, todos los recursos y voluntades, en forma revolucionaria."

Es obvio que el pueblo está clamando por la más amplia unidad de las fuerzas independentistas en este momento. No ponga nadie obstáculos a este clamor unitario. Ninguna razón es buena para obstaculizar su logro.

Nosotros no podemos, por razones obvias, intervenir en los problemas internos que dividen hoy al Partido Independentista. Pero no podemos dejar pasar por alto el llamado a la unidad del compañero Norman Pietri. En lo que respecta al Partido Socialista, las bases de acción unitaria planteadas por Pietri son válidas. Y estamos prestos a considerarlas con gran simpatía. Pónganse de acuerdo los pipiolos, y pueden estar confiados en que encontrarán en el Partido Socialista el mejor espíritu unitario, para meterle mano conjuntamente a los grandes retos del momento.

10 CLARIDAD – 19 de junio de 1973

"La unidad, ahora." Artículo de Juan Mari Brás.
Periódico *Claridad*, 19 de junio de 1973.

COMENTARIO POLITICO por Juan Mari Brás

La acción unitaria PSP-PIP

Está tomando concreción en estos días una actividad unitaria amplia y diversa entre el Partido Socialista y el Partido Independentista. Esta acción unitaria lleva en sí misma un gran potencial de expansión y profundización. No se plantea un frente unido formal sino la coordinación del trabajo en varios frentes de lucha.

Ejemplos de este nuevo camino hacia la unidad han sido las gestiones conjuntas realizadas en Naciones Unidas recientemente, el acto unitario a celebrarse en Aguadilla el próximo cuatro de julio y la disposición de ambos partidos de seguir coordinando la campaña para derrotar los planes de petrolización de Puerto Rico del gobierno colonial y las compañías petroleras envueltas en la conjura.

Lo más importante es la creciente conjugación de la lucha a todos los niveles entre los dos partidos. En Aguadilla, el sábado pasado, la militancia pipiola se incorporó al piquete organizado por el PSP contra la posición asumida por la alcaldesa de esa ciudad a favor de convertir a su pueblo en un infierno de contaminación y envenenamiento. En Mayagüez, el piquete que originalmente había anunciado el PSP contra el alcalde Benjamín Cole por similar razón será un acto unitario de los dos partidos por iniciativa conjunta de los comités locales de ambos.

En las vistas legislativas sobre el superpuerto, el representante del PIP Carlos Gallisá ofreció su solidaridad plena a nuestro partido frente a las arbitrarias prohibiciones de Rexach Benítez.

El presidente del PIP, Rubén Berríos, se manifestó decididamente a favor de extender la acción unitaria hasta donde lo requieren las circunstancias en la conferencia de prensa conjunta que realizamos en el Colegio de Abogados hace algunas semanas.

Uno de los principales disidentes dentro del PIP, Norman Pietri, se manifestó en CLARIDAD a favor de que se concierte la acción unitaria de ambos partidos. Plantea seis áreas específicas de posible actividad conjunta como base para discusión por un comité coordinador entre el PIP y el PSP. En algunas de ellas ya se está realizando trabajo conjunto, en otras podría concretarse algún grado de coordinación en el futuro próximo, aunque en otras resulte impráctico cualquier intento de coordinación. Pero esos son detalles a dilucidarse en la negociación misma en su día.

Lo importante es destacar que si en algo hay unidad de pensamiento entre el liderato pipiolo en estos momentos es en la conciencia de la necesidad de acrecentar la acción unitaria con el PSP. Eso, desde luego, nos regocija mucho porque los socialistas siempre hemos sostenido la necesidad de la unidad patriótica. Como cuestión de hecho, la Declaración General del PSP visualiza la unidad independentista como uno de los cuatro pilares básicos en la estrategia libertadora que nos llevará a la conquista de la independencia y la construcción del socialismo.

El único peligro de todo este nuevo clima unitario es que los grupos en pugna dentro del PIP puedan estar pensando en la unidad con el PSP como medio de adelantar o apuntalar posiciones en su disputa interna.

Repetimos ahora lo que hemos sostenido a lo largo de los últimos años: la unidad debe fundarse en el fortalecimiento de los dos partidos de la independencia y no en el debilitamiento de ninguno de ellos. Por tanto, la unidad interna de cada uno de esos partidos es esencial para que la acción unitaria bipartidista sea exitosa. Claro está, el proceso es dialéctico y la unidad bipartidista ejerce siempre su influencia sobre la unidad interna de los partidos. Pero no es un atajo hacia esa unidad interna.

El Partido Socialista concerta acuerdos de partido a partido con el PIP. Y esos acuerdos los discute y los negocia con los dirigentes del PIP asignados por su partido para esas gestiones. El PSP no puede imponerle al PIP que en las negociaciones sobre unidad le dé representación a un determinado grupo dentro de ese partido. Cada partido escoge, a través de los organismos correspondientes, quienes son los que se sientan a discutir los planes unitarios. Lo contrario sería promover el caos y la anarquía. Y nada puede estar más lejano a la conducta marxista que eso.

Ello no impide, sin embargo, que el PSP insista en que la unidad sea abarcadora e integre a todo el torrente de la lucha patriótica. Si ahora planteamos que la unidad debe fundarse principalmente en el acuerdo a que lleguen el PSP y el PIP es porque entendemos que la inmensa mayoría del independentismo activo milita en estos dos partidos. Tal visión no excluye la participación de agrupaciones menores y personas no afiliadas a partidos políticos que no obstante tienen reconocida militancia independentista. Tampoco se trata de una visión estática. Si en alguna ocasión futura, la conformación organizativa del independentismo varía y en vez de ser dos partidos de la independencia fueran tres o más, plantearíamos la necesidad de que todos participen en los planes unitarios. Nosotros preferimos que ninguno de los dos partidos se fraccionen y que mantengan en dos las agrupaciones principales como hasta el presente. Por eso instamos a los compañeros del PIP a mantener su unidad y seguir adelantando con nosotros la unidad del independentismo en general.

8 CLARIDAD – 24 de junio de 1973

"La acción unitaria PSP-PIP." Artículo de Juan Mari Brás.
Periódico *Claridad*, 24 de junio de 1973.

Un retroceso ideológico

Por Carlos Gallisá
Vice-presidente del PIP

En días pasados un grupo de compañeros que incluye al Presidente del PIP sometió una propuesta alterna de reglamento. Este documento tiene la importancia de que por primera vez el compañero presidente se manifiesta claramente sobre su concepción de partido. Es para nosotros una sorpresa porque en la pasada Junta de Directores se había logrado un consenso sobre la gran mayoría de los aspectos de los que trataba el documento preparado por la Comisión de Programa y Reglamento.

Se había logrado un consenso sobre el documento político, la definición de miembro afiliado y militante, sobre las estructuras de base e intermedia y sobre algunas medidas de transición. Solo hubo impasse en la constitución de los organismos de jurisdicción nacional y específicamente sobre la composición del Comité Central, su forma de elección y la elección del Presidente. Hasta entonces entendíamos que era sobre estos tres aspectos que iba a girar cualquier proposición proveniente de la posición minoritaria que se opuso a la propuesta que presentó la Comisión de Programa y Reglamento.

Rubén Berríos

La sorpresa ha sido doble, por un lado la forma el hecho de que el Presidente haya constituido una Comisión Ad Hoc de Reglamento que de hecho desbanca la Comisión debidamente nombrada por la Comisión Ejecutiva y que reglamentariamente tiene la función de elaborar la propuesta de Reglamento. Tres meses de trabajo de la Comisión y un seminario de tres días de la Junta de Directores han sido echados por la borda. Nos preguntamos entonces ¿para qué fuimos al Normandie? ¿para qué largas horas de discusión buscando unos consensos que ahora no son respetados?

De otro lado el contenido de la propuesta —este nuevo proyecto de reglamento pretende que el partido regrese a las concepciones liberaloides ya superadas de la casa grande y la "posición sombrilla" típica de los partidos coloniales.

Frente a una concepción de un partido de militantes, de un partido vanguardia que recoja las aspiraciones de la clase trabajadora se trae un documento para un partido llamado pluriclasista que no tiene otro fin que revivir la participación electoral como dogma y diluir el contenido socialista que le hemos imprimido al partido en los últimos dos años. En el mismo preámbulo del nuevo documento se hace la inconcebible afirmación de que el pluralismo ideológico "implica además el pleno respeto por ideologías contrarias y la no imposición de unas sobre las otras" y se reniega de la posición socialista cuando se dice tímidamente que el PIP "reconoce la lucha de clases", afirmando a renglón seguido que: "los conflictos de clase o ideológicos antes o luego de alcanzada la república serán antagonismos de carácter secundario". ¿Qué es esto? Este tipo de afirmación es típico del liberalismo burgués que relega la lucha ideológica con el propósito de ventajerías electoreras. Se deduce de esta posición que es posible tomar el poder, lograr la independencia y construir la sociedad socialista conservando la paz y armonía entre las clases. Todo esto equivale meramente a reconocer que hay una lucha de clases mientras se rehuye al mismo tiempo el tomar partido en esta lucha de clases de parte de los trabajadores como corresponde a un partido socialista.

El preámbulo es un ejercicio de retórica revolucionaria que elude el compromiso de clase que tiene que existir si es que en verdad vamos a construir la república socialista.

Es un documento lleno de inconsistencias ideológicas, falto de contenido y marca claramente un retroceso en la lucha. El preámbulo pretende reconciliar lo irreconciliable; el contenido revolucionario de la nueva lucha por la independencia y el socialismo y las visiones electoreras y oportunistas que dejamos atrás hace tiempo.

Pero hay más. Contrario al principio de dirección colectiva, el nuevo documento concibe la presidencia como una estructura de poder aparte de los organismos colectivos de dirección; reforzando la visión caudillista de la presidencia. Mientras todos los otros miembros de los organismos directivos son producto de un proceso de reelección; mientras todos los otros miembros de la Comisión Política son seleccionados por el Comité Central, se propone llamar a una Asamblea General con el único propósito de seleccionar al Presidente. Esto tiene como resultado el reforzar la visión de la presidencia del partido como algo superior a los organismos. El documento es contradictorio porque por un lado afirma estar basado en el centralismo democrático mientras por el otro asegura la supremacía del presidente a la manera tradicional de los partidos burgueses. A nombre del centralismo democrático se crea un centralismo presidencial aumentando los poderes del presidente más allá de los que le confiere el actual reglamento.

A través de todo el reglamento se le van concediendo poderes excesivos de toda naturaleza al presidente; desde dirigir la acción política del partido hasta presidir la Junta Editorial de *La Hora*. Pasando por coordinar el trabajo de todas las secretarías, de ser responsable de la administración central del partido y de supervisar que todos los funcionarios del partido cumplan con los deberes de su incumbencia. Todo esto sin establecer mecanismos de fiscalización efectiva a los poderes de la presidencia; separándolo de tal manera de las estructuras del partido que reglamentariamente no tiene sustituto y llegándose al extremo de que en caso de ausencia o enfermedad del presidente se tiene que convocar los organismos para seleccionar un interino.

Sin ahondar mucho en el resto del reglamento por razón de espacio, solo queremos señalar que se bajan los criterios del militante a tal extremo que uno que asista a reuniones de comités, reuniones de crítica y auto-crítica y a seminarios de capacitación es un militante. O sea, es posible ser militante sin tirarse a la calle.

Se discrimina contra la JIE al ser los únicos a quiénes se le requiere dos años de trabajo en su organización antes de ser militante.

El Comité Central que se crea puede fácilmente llegar a 300 miembros impidiendo así el carácter deliberativo que debe tener un Comité Central.

Se crea una Junta Editorial del periódico de 18 miembros que hace imposible una dirección editorial eficaz.

Se crean entre otras, las secretarías de asuntos obreros, educación política, relaciones internacionales y se eligen los secretarios para que más tarde éstos redacten sus funciones. No hay un solo artículo dedicado a estas secretarías. Sin embargo, se dedican dos páginas a las funciones del Secretario de Asuntos Electorales y once artículos de los 124 a este tema.

Carlos Gallisá

Finalmente, las medidas de transición son de tal naturaleza que las nuevas estructuras no entrarán en funciones hasta por lo menos un año. Se congela así la situación actual del partido por tiempo indefinido en abierta violación a los acuerdos expresos de la Junta de Directores y al compromiso público que tenemos de lograr los cambios radicales necesarios en nuestro partido en el plazo más breve posible.

Yo por mi parte estoy comprometido con la concepción de partido que recoge básicamente el informe de la Comisión de Programa de Reglamento y he de respaldar los consensos alcanzados en el pasado seminario del Hotel Normandie y el que las nuevas estructuras entren en funciones cuanto antes.

Super puerto es...
Desaparición de comunidades
4 DE JULIO Pa' Aguadilla

4 CLARIDAD – 26 de junio de 1973

"Un retroceso ideológico." Artículo de Carlos Gallisá.
Periódico *Claridad*, 26 de junio de 1973.

Entrevista a Gallisá

Favorece acercamiento PIP-PSP

Por Edwin Reyes
Redactor de CLARIDAD

SAN JUAN – "La fuerza que tenga un frente unido será el resultado de la fuerza que tengan las respectivas organizaciones que lo integran," dijo Carlos Gallisá, vicepresidente del Partido Independentista Puertorriqueño, en entrevista que le hiciera CLARIDAD en sus oficinas de la Legislatura el pasado miércoles.

A la vez, el legislador independentista hizo claro que "estoy a favor de que cada día el acercamiento entre el Partido Socialista Puertorriqueño (PSP) y el PIP sea mayor en un trabajo conjunto tanto en el plano internacional como en el local."

Gallisá hizo tales afirmaciones al solicitársele su opinión sobre la propuesta de frente unido planteada por Norman Pietri en el número 478 de CLARIDAD. A tales efectos, la respuesta íntegra del vicepresidente del PIP fue la siguiente:

"En primer lugar, yo creo que a la unidad no debe llegarse por el hecho de que haya una crisis en una de las organizaciones o porque sea conveniente a una de las organizaciones, sino porque sea conveniente a la lucha.

"Estoy a favor de que cada día el acercamiento entre el PSP y el PIP sea mayor en un trabajo conjunto tanto en el plano internacional como en el plano local. El frente unido es la unión de organizaciones, por lo tanto, hay que mantener las estructuras más fuertes posibles de las organizaciones. Además, hay que tener claro que el frente unido no se puede concebir únicamente en términos de un proceso electoral, sino que se va cuajando en términos de un trabajo diario frente a los problemas que se presentan tales como el superpuerto, el caso de Puerto Rico en Naciones Unidas, y en el pasado, la conferencia de gobernadores, minas, etc. La fuerza que tenga un frente unido será el resultado de la fuerza que tengan las respectivas organizaciones que lo integran."

La ofensiva imperialista en Puerto Rico plantea una situación donde se hace urgente la necesidad de la unidad

(Vea –FAVORECE– Pág. 20)

Llaman frente unido contra el superpuerto

SAN JUAN – "Creemos que ante la magnitud del problema y ante todas las interrogantes que el mismo plantea, las cuales Fomento no se decide a contestar, este pueblo debe formar un bloque sólido de oposición al superpuerto que abarque todos los sectores de nuestra sociedad sin distinción de banderas político-partidistas".

Así se expresó Radamés Acosta, secretario-tesorero de la Unión Nacional de Trabajadores (UNT), el pasado miércoles ante la Comisión de Recursos Naturales y Calidad Ambiental de la Cámara de Representantes en torno al propuesto proyecto de superpuerto para la zona oeste.

Seguidamente añadió que "es el movimiento obrero el llamado a dirigir dicho frente de oposición amplio, por ser representante de toda la masa de hombres y mujeres que le dan vida a esta sociedad con su esfuerzo y trabajo creador."

Acosta declaró que su sindicato se opone "enérgicamente" al establecimiento del superpuerto. De igual forma rechaza la instalación de nuevas refinerías y petroquímicas en la isla y considera que el proyecto de Fomento pone en peligro la existencia misma de Puerto Rico, como pueblo y como nación, debido a los efectos devastadores que ocasionaría el establecimiento de esa industria pesada en el país.

Como alternativas para el desarrollo económico de Puerto Rico, Acosta indicó que se debe desarrollar la agricultura, la industria pesquera y la industria liviana además de liberalizar los tratados comerciales de Puerto Rico con el mundo exterior.

Previamente el dirigente sindical señaló varias contradicciones en el informe de Fomento sobre el superpuerto y descartó el que ese tipo de industria fuese a resolver el problema de desempleo de Puerto Rico. "¿Si después de diecisiete años de industria petroquímica todavía le deben al movimiento obrero 100 mil empleos, porque les vamos a creer ahora? , preguntó Acosta a los miembros de la comisión.

Finalmente el Secretario-tesorero de la UNT cuestionó la capacidad real que pueda tener la Comisión de Recursos Naturales para enfrentarse a las compañías petroleras internacionales.

Aseguró que solo la organización de las comunidades y los trabajadores en sus talleres puede generar la fuerza suficiente para evitar la destrucción física de Puerto Rico.

Además, favoreció la consulta a todo el país y propuso citar una asamblea soberana del pueblo para dilucidar este asunto: "Tenemos plena confianza en nuestro pueblo y sabemos que el resultado será contra el superpuerto porque los pueblos no se suicidan", concluyó.

Pongan en orden los bejucos

SAN JUAN – Si usted llama a CLARIDAD y encuentra un alboroto en la línea, o simplemente no logra comunicación o la comunicación se corta, no nos eche la culpa, por favor, somos los más indignados en esta situación. Resulta que la Telefónica, con la que, naturalmente, guardamos una relación de abierta enemistad, pretende hacernos la vida imposible dándonos el peor de los servicios –de eso sabe el pueblo, maltratado constantemente por este monstruo– y añadiendo a nuestras comunicaciones unos raros sonidos que muchas personas identifican con el funcionamiento solapado de ciertas insolentes grabadoras. No es extraño el hecho de que una persona intente comunicarse con CLARIDAD y salga respondiéndole un agente del Cuerpo de Investigación Criminal (CIC) o algún otro peje por el estilo. Claro, hay que considerar que esto es parte del excelente servicio que brinda la Telefónica, siempre al tanto de todo lo que signifique echar abajo los movimientos revolucionarios. El espionaje, en sus formas más tenebrosas es función especial de esta notoria compañía. (Chile es solo un botón en un muestrario extensísimo.) Aquí están arreciando con toda su técnica, desde la más burda hasta la más sofisticada. Pero aquí estamos muy al tanto de sus intenciones. Ni con grabadoras ni con cosas infinitamente peores van a confundir, menos aún a frenar la lucha de este pueblo. ¡Pongan en orden los bejucos es lo que tienen que hacer! Que la palabra de la Revolución es una brasa inapagable. Y cuando el pueblo la pronuncia, hasta el enemigo se ve obligado a reproducirla y transmitirla. Cumplan con efectividad esa tarea insoslayable. De todos modos, la historia no les deja otro remedio.

Super puerto es...
Veneno

4 DE JULIO Pa' Aguadilla

4 CLARIDAD – 24 de junio de 1973

"Entrevista a Gallisá. Favorece acercamiento PIP-PSP."
Periódico *Claridad*, 24 de junio de 1973

Claridad

10¢

EL PERIODICO DE LA INDEPENDENCIA

Núm. 484 Año XV – Bisemanal | San Juan, Puerto Rico, 8 de julio de 1973 | 15 centavos fuera de Puerto Rico

Acto contra el superpuerto

Miles en Aguadilla

Lolita Lebrón envía mensaje

Por Pablo Martínez Archilla
Redactor de CLARIDAD

AGUADILLA – Más de veinte mil puertorriqueños se reunieron el pasado miércoles en esta ciudad para demostrar su repudio al intento del gobierno colonial y la Administración de Fomento de establecer un superpuerto y base petrolera en Puerto Rico.

La concentración, organizada por los partidos Socialista e Independentista puertorriqueños, es la más grande jamás realizada en esta ciudad del oeste o en cualquier otro lugar del país, exceptuando la capital y Lares.

(Vea –LOLITA LEBRON– Pág. 15)

"No interesamos paz colonial"

Por Diego Ramírez
Redactor de CLARIDAD

AGUADILLA – Juan Mari Brás, secretario general del Partido Socialista Puertorriqueño (MPI), rechazó un llamado a la "paz y armonía" que hizo el secretario de Estado de Puerto Rico, indicando que "los luchadores de la independencia y el socialismo no tenemos ningún interés en la paz que representa el coloniaje".

Las declaraciones de Mari Brás se produjeron durante el acto de protesta contra el establecimiento de un superpuerto y subsiguiente complejo petrolero que, organizado por los partidos Socialista e

(Vea –PAZ COLONIAL– Pág. 15)

Más de 20,000 puertorriqueños se congregaron en Aguadilla el pasado miércoles para expresar su repudio al establecimiento de un superpuerto petrolero y reafirmar su firme disposición de detenerlo. La actividad fue auspiciada por los partidos Socialista e Independentista y hablaron a los manifestantes los dirigentes máximos de ambas organizaciones. (Foto CLARIDAD por Charrón)

"Acto contra el Superpuerto. Miles en Aguadilla."
Periódico *Claridad*, 8 de julio de 1973.

PAZ COLONIAL

viene de la página 1

Independentista, se celebró el pasado miércoles en esta ciudad.

En la mañana del mismo día, mientras participaba en el acto oficial de la conmemoración del 4 de julio, día de la independencia nacional de Estados Unidos, el secretario de Estado, Víctor Pons, señaló que Puerto Rico "no se puede gastar el lujo de vivir en continua belicosidad: física, verbal o ideológica".

Mari Bras, por su parte, indicó que "la paz a que nosotros aspiramos es la cimera paz que se monta sobre la hermandad de los pueblos, de los hombres y de todos los trabajadores del mundo. La paz a que nosotros aspiramos es la que decía Benito Juárez, el gran patriota mexicano, que se define como el respeto al derecho ajeno".

El dirigente socialista explicó que "cuando los pueblos sean respetados en la integridad de sus derechos: cuando los trabajadores que producen la riqueza sean respetados en su derecho a usufructuar esa riqueza colectivamente para la solución de los problemas de todos; cuando no haya más piratería en el plano nacional, ni en el internacional; cuando se acabe la ley selvática que permite que el más fuerte se trague al más débil; cuando termine, de una vez y para siempre, sobre la faz de la tierra este sistema de expoliación humana que condena a las grandes mayorías a la escasez, a la limitación, a la angustia permanente, solo para que una ínfima minoría viva en el lujo excesivo y usufructue las riquezas que produce la clase trabajadora; cuando todo eso termine y se instituya sobre esta tierra nuestra la nueva sociedad fundada en los principios del socialismo y en el ejercicio pleno de la independencia y la soberanía; entonces nosotros o los que nos sucedan en el largo trayecto de la historia se encargarán de garantizar la paz permanente del pueblo puertorriqueño. Mientras tanto, la consigna es la lucha".

Refiriéndose a Víctor Pons, Mari Brás dijo que "mal puede llamar a la paz quien se constituye en portavoz de un régimen que planea la conspiración criminal más monstruosa contra la vida de todo un pueblo; muy poca autoridad moral para invocar la paz tienen los que están dispuestos a convertirse en cómplices de los que pretenden asesinar colectivamente a todo un pueblo".

Añadió que los socialistas e independentistas puertorriqueños "no tenemos ningún interés en la paz que representa el coloniaje, en la paz de cementerio, la paz de muerte, la paz de entrega de quienes se doblan y sucumben a los apetitos de los grandes capitales para entregar todo lo nuestro".

Por otro lado, el Presidente del Partido Independentista, dijo que el presente es uno de los momentos para Puerto Rico en que el pueblo tiene que tomar unas determinaciones firmes y claras.

Rubén Berríos señaló la necesidad de que independentistas y socialistas, dejando a un lado todas las pequeñeces, tomemos plena conciencia de que vivimos uno de los momentos en que parece que la estrategia de los siglos se define y nos enfrentemos al reto que se le plantea a nuestro pueblo.

Seguidamente hizo un análisis de la penetración imperialista en Puerto Rico concluyendo con el actual intento de convertirnos en una base petrolera para beneficio de Estados Unidos.

El dirigente independentista hizo un llamado a la unidad de todo el pueblo puertorriqueño para combatir las pretensiones de Fomento de establecer en el país una industria petroquímica y metalúrgica que en nada beneficiaría a Puerto Rico.

"Aquí nos va en juego la vida de nuestra sociedad; aquí nos va en juego la posibilidad del socialismo para Puerto Rico, porque aquí lo que nos va en juego es la vida física misma de todos los puertorriqueños. La única salida para el imperio es la emigración masiva. Ese es el problema que está planteado" señaló Berríos.

Indicó que los norteamericanos nos aguantaron el devenir histórico en el 1898 cuando culminaba un proceso de siglos en la cuajación de una nacionalidad que ya despuntaba como un pueblo libre, "pero hoy los norteamericanos no nos van a parar la historia en Puerto Rico", añadió.

También se dirigieron a los presentes Carlos Gallisá, vice-presidente del PIP y Fermín Arraiza, secretario general auxiliar del PSP (MPI).

LOLITA LEBRON

viene de la página 1

Los millares de manifestantes comenzaron a reunirse desde temorano en la mañana en el ramal de la carretera número 2 que da acceso al pueblo. Poco después de las diez de la mañana iniciaron la marcha, atravesando varias calles de la ciudad y culminando en los terrenos cercanos a la Plaza del Mercado.

Durante el trayecto se vocearon consignas en contra del establecimiento del superpuerto en la región u otro lugar de la Isla. Varios conjuntos de música típica y de salsa acompañaron la marcha durante el recorrido.

Una vez concluida la marcha, se celebró un acto político precedido de otro artístico.

Se dirigieron al público Rubén Berríos y Carlos Gallisá, presidente y vice-presidente del PIP, respectivamente. Por el PSP (MPI) se dirigieron a los asistentes el secretario general de dicho partido, Juan Mari Brás y Fermín Arraiza, secretario general auxiliar.

Además, hablaron varios trabajadores víctimas de la contaminación producida por empresas petroquímicas establecidas en diferentes pueblos como parte de la nueva modalidad de colonialismo ambiental que viene padeciendo Puerto Rico.

Fueron estos: Manuel Batista, de Cataño; Luis Pons, de Guayanilla y Ferdinand Pérez Cubano, de Berceloneta.

En el acto artístico participaron los grupos de canción del pueblo Taoné y La Puerta, con los conocidos artistas Mirna Vázquez y Walter Rodríguez actuando como maestros de ceremonia.

En adición a las personas anteriormente mencionadas, fueron llamados a la tribuna Florencio Merced y Pedro Grant, de la dirección del PSP (MPI), Rafael Coss, presidente interino de la Federación de Universitarios Pro Independencia; Milton Pabón, Eneida Vázquez y Luis Rivera Pagán, de la dirección del PIP y el Obispo Antulio Parrilla.

Durante el acto se leyó un mensaje de la heroína nacionalista Lolita Lebrón, encarcelada en Estados Unidos desde 1954 y dirigente del comando puertorriqueño que atacó el Congreso norteamericano en reclamo de nuestra independencia.

Dice el mensaje de la patriota puertorriqueña: "El superpuerto no tomará sitio en nuestra tierra porque los libertadores de esta nación puertorriqueña no estamos muertos; vivimos para quitar el yugo del yanqui opresor".

Y añade: "El superpuerto no será una realidad porque nace de la mentira norteamericana y en los tiempos que vivimos el engaño de los poderes esclavizantes se desenmascara y se declara anatema."

La misiva de Lolita finaliza haciendo una exhortación a la unidad del pueblo patriota en sus esfuerzos por la liberación. Igualmente hace una advertencia "al enemigo del pueblo puertorriqueño, Estados Unidos", indicando que la dignidad de este pueblo no se burla y el que la burle debe saber que "el fuego de nuestra independencia patria está hoy más vivo que nunca."

"Acto contra el Superpuerto..." (continuación)

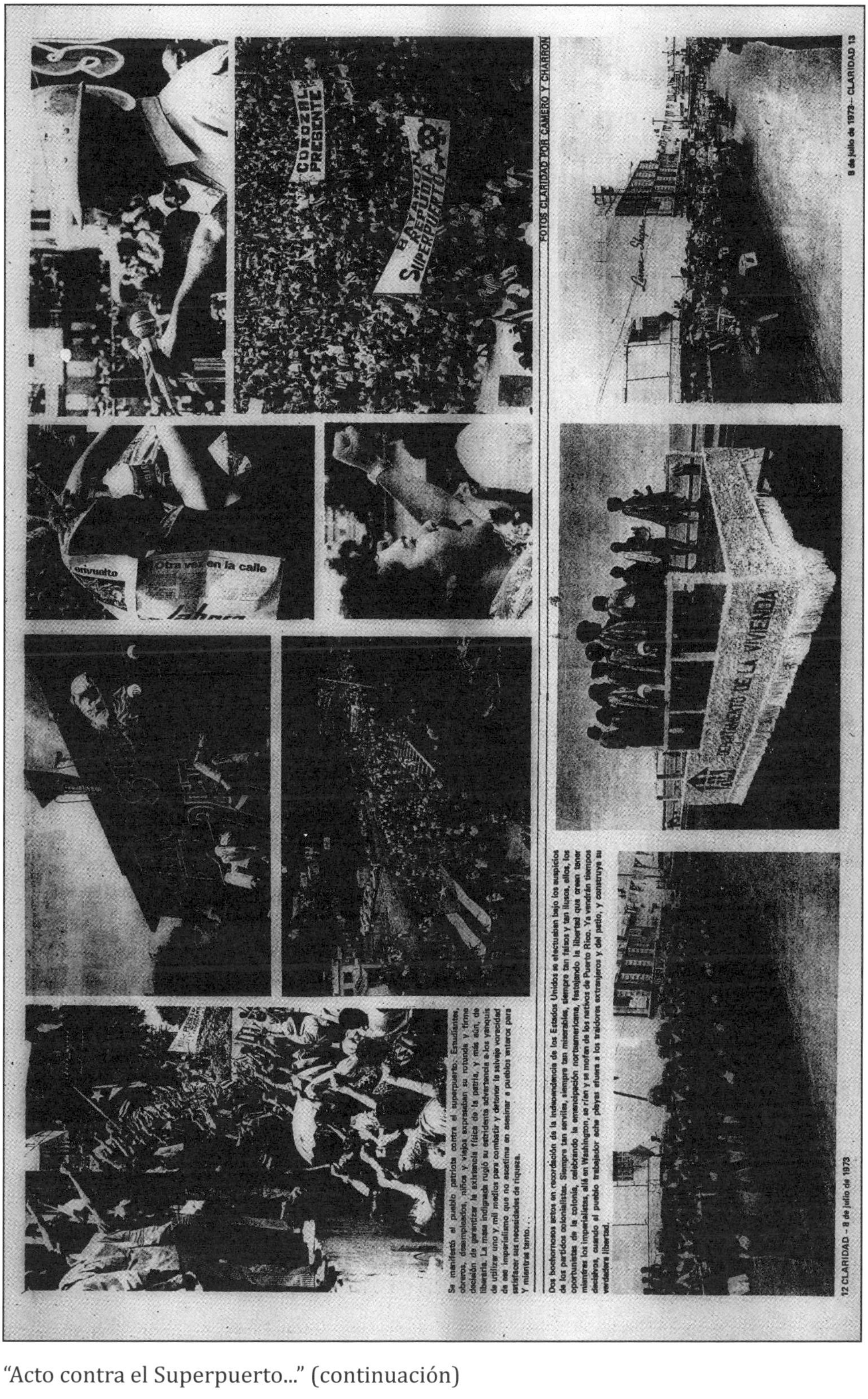

Se manifestó el pueblo patriota contra el superpuerto. Estudiantes, obreros, desempleados, niños y viejos expresaban su rotunda y firme decisión de garantizar la existencia física de la patria, y más aún, de liberarla. La masa indignada rugió su estridente advertencia a los yanquis de utilizar uno y mil medios para combatir y detener la salvaje voracidad de ese imperialismo que no escatima en asesinar a pueblos enteros para satisfacer sus necesidades de riqueza.

Y mientras tanto. . .

FOTOS CLARIDAD POR CAMERO Y CHARRON

Dos bochornosos actos en recordación de la independencia de los Estados Unidos se efectuaban bajo los auspicios de los partidos colonialistas. Siempre tan serviles, siempre tan miserables, siempre tan falsos y tan ilusos, ellos, los oportunistas de la colonia, celebrando la emancipación norteamericana, festejando la libertad que creen tener mientras los imperialistas, allá en Washington, se ríen y se mofan de los nativos de Puerto Rico. Ya vendrán tiempos decisivos, cuando el pueblo trabajador eche pleyas afuera a los traidores extranjeros y del patio, y construya su verdadera libertad.

12 CLARIDAD – 8 de julio de 1973

8 de julio de 1973 – CLARIDAD 13

"Acto contra el Superpuerto..." (continuación)

COMENTARIO POLITICO por Juan Mari Brás

La asamblea del PIP

Este fin de semana se llevará a cabo la "asamblea de programa y reglamento" del Partido Independentista. Se espera que en la misma culmine un proceso de intensa discusión interna sobre la concepción de partido que ha de prevalecer en esa colectividad. Como parte de esa concepción, se discuten también –desde perspectivas diversas– importantes cuestiones como la definición y participación de los militantes en la vida partidaria, los procesos de selección del liderato, el rol de la presidencia y la dirección colectiva.

Aunque la asamblea concentrará en la aprobación de un nuevo reglamento, están planteadas también algunas cuestiones de envergadura programática, tales como la definición de las guías de acción en términos del socialismo científico o las distintas vertientes teóricas del socialismo utópico.

El hecho de que tales cuestiones cruciales se están planteando en el seno del PIP es indicativo del desarrollo que ha alcanzado el fraterno partido durante los últimos años y señala la madurez que va logrando la nueva lucha de independencia en general. En el viejo PIP que ayudamos a fundar en 1946 y en el cual militamos por más de doce años, jamás se vio una discusión así. Todos aceptábamos sin mayor cuestionamiento las premisas ideológicas del partido, fundadas en el liberalismo burgués. De allá a acá se ha caminado bastante y ese dato positivo debe destacarse.

Es natural que haya habido fricciones en los meses anteriores a esta asamblea. El PIP atraviesa por un crítico período de transición ideológica, que hace inevitable el confrontamiento apasionado de posiciones discrepantes. En buena medida, el debate y la discusión se han desviado o frustrado porque han intervenido elementos de personalismos, pugnas de poder y prejuicios que indican la presencia todavía de los métodos y estilos del liberalismo. La revolución no la forjan unos seres asépticos, inmunizados por mágica transmutación teórica a las corrientes negativas de la ideología dominante. Por el contrario, son los mismos hombres y mujeres de esa vieja sociedad, que cargan muchas de sus taras, los que en un proceso consciente, complejo y sumamente trabajoso van cambiándole el rumbo a la historia al mismo tiempo en que se van transformando a sí mismos.

Lo importante es que se mantenga adecuado sentido de proporción. Las tendencias en pugna dentro del PIP tienen un común denominador ideológico y organizativo suficientemente fuerte, en el contexto de la realidad nacional, para ameritar un esfuerzo recíproco de entendimiento y conciliación.

Aparentemente, todas las partes envueltas en el conflicto coinciden en que el PIP debe ser un partido policlasista, amplio y que tenga como base esencial la aspiración de independencia desde una ideología de avanzada, anti-imperialista y con un programa de liberación nacional. Nadie plantea que el PIP se convierta en un partido marxista leninista pero tampoco debe cerrarse a esa posibilidad futura, si su propio desarrollo y el de la lucha en general lo propiciaran. Ciertamente, en este momento no hace falta en este país otro partido de la clase obrera, marxista leninista, ya que esa función la cumple a cabalidad el PSP. Sí hace falta, como complemento a la lucha del PSP, un partido policlasista en el que pueda cumplir su función el sector patriota de la pequeña burguesía, los profesionales, intelectuales, estudiantes y obreros en tránsito a la plena conciencia de clase. Por eso es tan importante que se mantenga la unidad y se fortalezca en ideología y organización el Partido Independentista.

Un partido policlasista no tiene que ser necesariamente un enredo de confusiones o una suma de contradicciones irreconciliables. Si se obstina en ser eso no tiene más destino que la desintegración. Una cosa es *ser* un partido Marxista-Leninista y otra es nutrirse de las ideas del marxismo como guía de acción. Esto último no está en contradicción con la naturaleza policlasista del partido. Lo que definitivamente no puede hacer, sin sentar el caos como doctrina, es pretender que va a utilizar al mismo tiempo el socialismo científico y el utópico como guías de acción.

Tampoco tiene que convertirse en partido marxista leninista para adoptar el centralismo democrático o el principio de la dirección colectiva, o el de la crítica y la auto-crítica, que forman parte de la experiencia acumulada por el socialismo científico. Porque todos esos principios son esenciales para encauzar una organización moderna, articulada, eficiente, independientemente de la composición clasista de la colectividad.

El debate interno del PIP se ha canalizado últimamente en términos de las exposiciones hechas por los compañeros Rubén Berríos y Carlos Gallisá en sendos artículos publicados en CLARIDAD. Independientemente de los ataques y contra-ataques que se han hecho uno y el otro en esos escritos, que no es función nuestra enjuiciar, nos interesa destacar que hay suficiente base en las posiciones de ambos para intentar un sólido consenso que garantice la unidad interna del partido. Es claro que tiene que haber una transacción para lograr ese consenso.

Nos parece que Gallisá esboza certeramente los lineamientos generales de los criterios organizativos en que se debe fundar el tipo de partido que todos aspiran hacer del PIP. Obviamente, la dirección colectiva, el centralismo democrático y la responsabilidad de los organismos de arriba hacia abajo son principios esenciales para el buen funcionamiento de un partido que aspire a ser revolucionario. El portavoz político de un partido revolucionario, llámese presidente o secretario general, debe ser solamente el primero entre un grupo que comparte por igual la responsabilidad de dirección, seleccionado –al igual que sus compañeros– mediante un proceso muy cuidadoso y no por aclamación multitudinaria.

Esos detalles que marcan las discrepancias ostensibles entre Berríos y Gallisá requieren una discusión más ponderada, a la que no dudamos que están dispuestos a entrar los dos dirigentes principales del PIP, así como todos los integrantes de la asamblea. Baste consignar, a nombre de toda la militancia socialista, nuestra esperanza de que esa discusión lleve a encontrar el concenso que fortalezca la unidad pipiola en la asamblea del próximo fin de semana.

8 CLARIDAD – 8 de julio de 1973

"La asamblea del PIP." Artículo de Juan Mari Brás.
Periódico *Claridad*, 8 de julio de 1973.

16- LA HORA - 12 al 18 de julio 1973

Asamblea PIP

¿Qué ocurrió en el Normandie?

Luego de dos días de intenso debate, concluyó parcialmente la Asamblea de Programa y Reglamento del Partido Independentista Puertorriqueño, acordándose continuar los trabajos en una fecha próxima a ser designada por la Comisión Ejecutiva del Partido.

Al inicio de la asamblea se acordó discutir primero los cuatro asuntos considerados como de mayor importancia y controversia: la concepción de Partido, la composición del comité central, la elección del presidente y la secretaría general.

Concepción de partido

Trás un amplio debate, en el cual participó casi toda la dirección y militantes del partido se aprobó, casi unánimemente, con algunas enmiendas, más de estilo que de fondo, el documento presentado por la Comisión de Programa y Reglamento en lo que a concepción de partido se refiere. En la discusión se logró consenso sobre los siguientes puntos generales: que el partido debe ser uno de base amplia, donde se utilicen diversas corrientes del pensamiento socialista, entre ellas el marxismo, el socialismo libertario y la izquierda cristiana como guías para el análisis y la acción política sin la hegemonía de ninguna de ellas en particular y la proletarización del partido para incorporar a su militancia y dirección elementos avanzados de la clase obrera.

Comité central

En el intenso debate sobre la composición del comité central se enfrentaron inicialmente dos posiciones opuestas sobre la sugerencia incluída en la primera propuesta de la comisión, de incorporar en el comité central 30 delegados electos por la Asamblea General del partido. Trás varias horas de discusión dicha sugerencia fue derrotada por votación de 110 contra 103.

Luego se aprobó, casi por unanimidad, que el comité central estará compuesto por la comisión política, los legisladores del partido, los presidentes o un delegado de cada comité de base, los presidentes de área y un delegado adicional por cada área.

Elección del presidente

Se procedió entonces a discutir la manera de elegir al presidente del partido. La propuesta de la comisión designaba al Comité Central, no a la Asamblea General como en la actualidad, como el organismo que escogería al presidente. Se presentó una enmienda al efecto de que la elección del presidente por el Comité Central tuviera que ser ratificada por la Asamblea General.

Los que defendieron la enmienda lo hicieron a base de que serviría de elemento conciliador y armonizador entre las diversas posiciones sobre el particular presentes en el partido; proveía para una mayor participación democrática de parte de la militancia y la base y permitía al partido corregir cualquier error del comité Central en la elección del presidente.

Los que argumentaron contra ella, por su parte, arguyeron que el mayor número de personas presentes en la Asamblea General no implicaba mayor participación democrática sino que la limitaba y que la ratificación del presidente por la asamblea significaba, en realidad, su elección dándole una posición de dirección privilegiada y superior a los organismos de dirección colectiva del partido.

La enmienda fue derrotada en votación de 123 a 112. Se procedió, por mayoría no tabulada, a aprobar la moción de que el presidente, al igual que todos los otros miembros de la Comisión Política, fuera electo por el Comité Central.

Por la extensión e intensidad de los debates no se pudo discutir el cuarto punto considerado como prioritario, la secretaría general, ni el resto de la propuesta del reglamento acordó seguir los trabajos de la asamblea en el futuro más inmediato posible y con los mismos delegados presentes para esta sesión de la asamblea.

Durante el sábado por la tarde, los delegados a la asamblea se unieron al piquete auspiciado por el Movimiento Obrero Unido en protesta contra la movilización de la Guardia Nacional para desarticular las huelgas del Sindicato de Bomberos Unidos y de la U.T.I.E.R.

"¿Que ocurrió en el Normandie?"
Periódico *La Hora*, 12-18 julio de 1973.

Los errores de Rubén Berríos

Por José Pérez Vallé

Los políticos pueden cometer errores, pero cuando estos errores se cometen por ser parte de la personalidad del político, en la dirección nacional, como es el caso de Rubén Berríos, la situación cambia. Cambia al extremo de debilitar aún más un partido ya debilitado. Esta es la situación en el P.I.P. de hoy.

Se me expulsa de la Comisión Ejecutiva por transgredir el artículo treinta y siete (37) que dice de las ausencias a sus reuniones, tres reuniones seguidas u ocho al año dejan vacante la posición.

No deseo justificar aquí mis ausencias y sí condenar la acción injusta y discriminatoria de Rubén Berríos. Rubén Berríos fue el manipulador de la odiosa y bochornosa expulsión. Once de los que él llamó "mayoría sensata", votaron en mi contra y de otros tres compañeros: Aaron Ramos, Luis Alonso y Jorge Morales Yordán. "Mayoría sensata" de once, de veintiocho miembros que tiene la Comisión Ejecutiva. De los otros diecisiete tres no pudimos votar, cinco están ausentes, y nueve votaron en contra de la moción de expulsión.

Pero sí deseo explicar mi expulsión y motivos de mi ausencia a quienes debo mi elección como coordinador, a los militantes del P.I.P. del área de Fajardo-Humacao, y a todos aquellos que están preocupados por la crisis irreversible del P.I.P. que comenzó, a mi juicio, con la expulsión del compañero Noel Colón Martínez.

En Palmarinas, todos estuvimos de acuerdo que el P.I.P. padecía de fallas fundamentales: educación política, organización, graves problemas financieros, participación de la base, y estilos de dirección nacional, entre otros. Sacamos en claro también, que todos habíamos fallado en nuestras funciones. Que con el problema del choque de personalidades y de carácter había que bregar, objetivamente, en la medida que uno puede ser objetivo.

El reglamento se ha violado muchas veces: (1) La misma área que yo coordinaba se creó violando el reglamento. (2) El señor Carlos de Jesús Pérez de Ponce, propulsor de la moción de mi expulsión está sentado en la Comisión Ejecutiva, con voz y voto, en violación del reglamento, pues no fue electo, fue puesto por Rubén. (3) El doctor Raúl Yumet, de Humacao, abandonó la Secretaría de Evaluación General sin ser expulsado y luego de seis meses se declaró vacante la plaza. (4) Luis Rivera Lacourt ha faltado innumerables veces y se ha excusado otras veces. ("Privilegio de cuerpo", decía Rubén, cada vez que Luis Rivera Lacourt se alejaba, sigilosamente.) (5) El Presidente reglamentariamente está supuesto a citar cada quince días, a la Comisión Ejecutiva y no lo ha hecho. (6) En Fajardo se cita por telegrama a Lucas Santos Carmona a la Comisión Ejecutiva ocasionalmente. Y a mí no se me cita. Lucas es un honesto militante que no se presta a esos chanchullos satos. Es decir se aplica el reglamento cuando conviene; si no conviene, no se aplica.

Si se aplicase el reglamento, y si aplicáramos las sanciones, el P.I.P. se quedaría sin dirección nacional y municipal. En eso es que habíamos estado: arreglando la casa. Arreglando y haciendo un partido que sirva a los trabajadores, con la independencia, el socialismo y la democracia.

Si el Partido de hoy, es el reflejo de la República Socialista y Democrítica que anhelamos para mañana, a esa República estoy y estaré tenazmente opuesto.

Mis ausencias de las reuniones de la Comisión Ejecutiva se deben fundamentalmente a los estilos, a los procedimientos, a los gestos, a las actitudes, a la parejería personal del Presidente, a la falta de motivación a enmendarse, a la sub-estimación por parte del Presidente, de los militantes y compañeros, a la arrogancia, a la falta de calor humano, a la falta de humildad. Solamente lamento no habérselo escrito, ya que era difícil ver e imposible hablar con el Presidente del P.I.P. La militancia del área de Fajardo bien lo sabe. Pero es de esperar esa actitud de aquel que aparentemente se siente ser la sibila de la independencia y el socialismo.

Si estuve en contra de la posición del Presidente, fue porque honestamente creía y creo en los conceptos que adelantarán, a mi juicio, la educación política, la organización, las finanzas del partido, la participación de la base y los estilos colectivos de dirección nacional.

¿Es que ésto es una lucha personal, de Rubén contra el colonialismo, el imperialismo y el capitalismo? Es él el titán de la pradera? En esta lucha todos los patriotas puertorriqueños deben tener cabida. ¿Por qué una propuesta de reglamento alterno de Berríos y sus doce apóstoles, cuando había una comisión oficial redactando una propuesta de reglamento a ser debatida en sus méritos en asamblea? ¿Quiénes son los transgresores entonces? —Berríos y sus doce apóstoles.

Pero era necesario reducir los votos disidentes de la asamblea de reglamento y así obtener mayoría. Muchas veces oí decir a Berríos, estando en mejores tiempos, en mejores ánimos, "restando se suma". Aquí, con la expulsión, se encarna este postulado. Ya estamos fuera otros disidentes, vendrá "sangre nueva" como él dice. Esa sangre, si es puertorriqueña, tiene que tener pudor. Hay dos caminos, someterse en humillante desprecio de sí mismo, o rebelarse en contra de los vicios parejeros y maquiavélicos, que a mi juicio son, los errores de Rubén.

14 CLARIDAD 5 de agosto de 1973

"Los errores de Rubén Berríos."
Periódico *Claridad*, 5 de agosto de 1973.

LA HORA- 9 al 15 de agosto- 1973- 7

Opinión

Nos vemos en la asamblea

POR: ANGEL VAZQUEZ
COORDINADOR PIP- MANATI

Al día siguiente de la pasada asamblea de Programa y Reglamento cuando me proponía comprar el periódico se me acercó un amigo quien después de saludarme me dice-

"Oye, ¡Cómo están las cosas en el PIP! Ese Rubén Berríos es un dictador, un autoritario, un stalinista, un... Figúrate, le cortó la cabeza a Aarón Ramos, a Luis Alonso y qué sé yo a cuántos más. Además, tiene una mentalidad derechista y colonialista. Es exactamente igual que Mellado y Palerm! "

¿Por qué tú dices eso- le pregunté.

"Bueno, ¿Es que tú no lees la prensa diaria, acaso no te enteras de las noticias por radio y televisión? - Ahora no se puede quejar, ya no se pueden quejar de que no hay libertad de prensa. Todos los días aparecen en los primeros titulares. Pero ahora Gallisá le tiene la pelea gana a Berríos. Se lo ganó en la asamblea que celebraron ayer. ¿Oye, de qué lado tú estás? ¿Con Gallisá o con Berríos? "

Me sonreí al escucharle mientras miraba unos compañeros que se acercaban. El amigo tenía tanta información sobre el partido y sobre Berríos, pero no sabía en qué lado yo estaba. Me había dicho que ahora sí había libertad de prensa. ¡QUE IRONIA! Yo recordaba que cuatro días atrás había hecho llegar a todos los medios de comunicación varios comunicados de prensa donde se fijaba mi posición junto a toda la militancia de cinco comités del área que coordino. Esos comunicados no se publicaron ni en los muñequitos. Iba a contestarle cuando el amigo continúa diciendo-

"Hasta Bohemia le ofrece al PIP la libertad de expresarse."

¿Y qué se dice en Bohemia-pregunté al amigo.

Que Berríos es un autoritario. Apareció un titular en la portada de la revista donde Gallisá lo dice así. No se pueden quejar, Bohemia se portó bien, a Gallisá lo presentaron retratado en distintas poses mientras era entrevistado por la revista.

Uno de los compañeros que se habían aproximado me dijo bien molesto:- "¡QUE LES PASA A USTEDES! ¡ACASO NO SABEN ARGUMENTAR! ¡COMO LE EMBOBAN LOS DELEGADOS! "

Entonces me reí a carcajadas. Sorprendido el compañero me inquirió: "¿Acaso tú eres tercerista?" Me reí más, luego le dijo- ¿Crees que podríamos ganar cuando ellos tienen una llamada representación de la JIU mayor que la de 20 comités municipales? ¿Crees que podríamos ganar cuando los delegados por los precintos de San Juan se eligen a ellos mismos no permitiendo la participación de los terceristas? Añádele que esos delegados no hacen más labor que la de boicotear toda actividad del partido mientras promueven su política facciosa. ¿Cómo podríamos ganar si los miembros que fueron separados por la Comisión Ejecutiva por facciosos e indisciplinados estaban allí y votaron?

"¿Cuál fue el más alto voto logrado por la facción que dirige Gallisá? me preguntó el compañero.

Ciento veintiocho, contesté.

"Cuántos crees sacará esa facción en la Asamblea General? me preguntó nuevamente.

Poco más de 200, contesté.

"¿Cuántos delegados tiene la Asamblea General? me pregunté nuevamente

Más de 1,500 respondí.

"¿Entonces?"

No hay más que decir. Se repetirá lo mismo que el 8 de abril en Ponce con la diferencia que ahora los delegados a la Asamblea General están enterados de las ambiciones de Carlos Gallisá y su facción tercerista.

Traté de llamar al amigo con quien primero hablaba para orientarlo sobre su ignorancia pero ya se había ido. Me queda por lo menos la esperanza de que lea también LA HORA y CLARIDAD para que averigüe:

1. Porqué la prensa comercial le da tanta publicidad a cualquier facción que surja en un partido de liberación.

2. Porqué una revista "gusana" (con el perdón de los gusanos) le da publicidad a la difamación que se hace de un dirigente independentista que ha tenido gran impacto en el pueblo puertorriqueño.

3. Porqué los comunicados que nosotros enviamos no se atienden.

4. Porqué la libertad en la prensa comercial sólo existe en beneficio del imperialismo y del capitalismo.

Muchos miembros en el partido creen como este pobre amigo. Cuando pase la ASAMBLEA GENERAL se encontrará de frente a la verdad. Nosotros habremos de darnos cuenta de la pesadilla que pasamos. Todos habremos aprendido la lección: cuando no se hace cumplir la disciplina se corre el peligro de que la anarquía de una facción cause pánico en la membrecía de la base.

El PIP que necesitamos

JUAN RAMOS-PRESIDENTE COMITE PIP – BARRANQUITAS

Comparto plenamente las expresiones de nuestro presidente Rubén Berríos, respecto al partido que necesitamos. Este partido no puede ser marxista-leninista. Debe ser un partido independentista y socialista acorde con la realidad puertorriqueña.

Llámesenos rubencistas o como se quiera, porque más que nada somos realistas. Los que, por años, hemos estado en la lucha día y noche, por pueblos y campos, sabemos el partido que necesita el pueblo. Y ya es tiempo de que este partido sea dirigido y orientado por los que verdaderamente trabajan y conocen las realidades nuestras y no por teóricos y revolucionarios de aire acondicionado.

Evitaremos que conviertan nuestro partido en unos "Testigos de Jehová" marxistas-leninistas.

El PIP en la encrucijada

POR: GERMAN DIAZ PEREZ-
-MILITANTE DEL PIP.

La Comisión Ejecutiva del PIP ha hecho la purga de cuatro de sus miembros: los compañeros Jorge Morales Yordán, Luis Alonso, José Pérez Vallé y Aarón Ramos. La acción es un acto de represalia contra quienes han mantenido posiciones críticas hacia Berríos y un intento de intimidar a la militancia del partido. Este atropello, conjuntamente con las declaraciones dadas por Rubén a la prensa el puedes 26 de julio, escalonan la crisis interna del partido a un nivel que reviste gran importancia para todo el independentismo.

En sus declaraciones, Rubén lanza acusaciones a ciegas y sin fundamento contra "algunos" y "otros" de avergonzarse de la palabra democracia, de relegar la lucha por la independencia a un segundo plano, de ser dogmáticos e inflexibles y de tratar de imponer criterios que, a la luz del día, carecen de apoyo en nuestro partido. Para sostener tales acusaciones no aporta evidencia ni señala quiénes son los que tanto mal pretenden hacerle al partido. Todo es palabrería hueca, intentos de intimidar.

La verdad es que ha sido Berríos el que ha tratado de imponer de manera inflexible sus opiniones sin el necesario debate amplio y democrático. El ha sido el opositor más tenaz al debate interno en el seno del partido. Asuntos vitales como los estilos de dirección, la política salarial del partido, el frente unido, nuestra política obrera, una campaña anti-petrolera de base, el rol de la mujer en la lucha y otros siempre fueron silenciados por Rubén en su intento de evitar cualquier discusión que no le favoreciera en sus ambiciones de líder todopoderoso. Berríos ha pretendido jugar a la gallinita ciega con el pueblo puertorriqueño.

El último truco de Rubén es el mismo de los colonizadores e imperialistas: el miedo. Nos dice que un "grupo" quiere convertir al partido en un "grupúsculo ultraizquierdista." Nuevamente, Rubén no aporta ningún dato, ninguna evidencia para sostener su acusación. Simplemente Rubén se define por la derecha, en una movida profiláctica para defender el partido de la "ultra-izquierda." Recordarán los independentistas que al inicio de la crisis, Berríos catalogó a los disidentes de derechistas y habló de terminar con la "última resaca del toñismo." Entonces era una conspiración de derecha, ahora, nos dice, es de izquierda.

Los independentistas no podemos olvidar que la historia de Rubén en el PIP es la historia de su lucha por conquistar el poder y convertirse en una figura monárquica. Rubén comenzó tratando de arrebatarle el poder al Dr. Gilberto Concepción de Gracia. Desde entonces ha chanchullado siempre, primero por el triunvirato, luego contra Landín, después contra Toño González más tarde contra Gilberto Concepción Suárez, Noel Colón y luego contra Carlos Gallisá y la izquierda del partido. La historia de Rubén en el PIP es una división, purga y constantes forcejeos por ser el único y absoluto líder.

Las declaraciones de Rubén descorren su último velo y se nos presenta con todo su odio y resentimiento contra los que no estamos dispuestos a ser marionetas de Rubén ni de nadie. Se nos presenta, además, como lo que él siempre ha sido en realidad: un anti-socialista disfrazado de radical. Ahora nos dice que tenemos que decidirnos por el "socialismo democrático y sensato." Preguntamos, ¿es que existe un socialismo "sensato" y uno "insensato" uno democrático y otro anti-democrático? ¿Cuál es el insensato y anti-democrático? ¿El de China, Cuba, la Unión Soviética, Yugoeslavia o Chile? ¿Cuál es ese socialismo con el cual Rubén pretende meternos miedo?

Lo que está detrás de sus declaraciones es el cuco del comunismo internacional, el mismo fantasma que usa el imperialismo para intimidar al pueblo y mantenerlo bajo el Yugo y la explotación. También nos acusa de querer copiar "esquemas fructíferos en otros tiempos y otros lugares." Pero no se nos dice cuáles esquemas fructíferos. ¿Cuáles, Rubén? ¿El foco guerrillero, la guerra popular, la creación de los soviets, el frente popular electoral? ¿Cuáles?

Para Berríos el socialismo es como un chicle de goma que se estira en forma oportunista. El nuevo estirón es el socialismo a la criolla. No. El socialismo no es una receta de cocina ni un chicle de goma. En la lucha por nuestra liberación tenemos que evitar el dogmatismo y las concepciones estáticas de los procesos políticos, pero sin caer en el oportunismo ni en la falta de claridad ideológica.

El PIP, ciertamente, necesita una definición. Definición que le permita superar su larga trayectoria de improvisaciones, tambaleos y zigzagueos ideológicos y estratégicos. Es risible que ahora Rubén pida un "socialismo "puertorriqueño" cuando él fue uno de los defensores del socialismo sueco en el partido. En cuatro años el PIP ha pasado por la democracia cristiana a la chilena, el socialismo sueco, la social democracia europea y ahora se nos pretende endilgar el socialismo a la criolla.

Estos vaivenes y esta falta de verticalidad y de seriedad política es lo que ha impedido el desarrollo de una adecuada política anti-imperialista y libertadora. El PIP necesita definirse y las opciones son claras: por el socialismo como instrumento de análisis científico y aspiración por una nueva sociedad o por el injerto criollo de Rubén Berríos.

"Nos vemos en la asamblea." Artículo de Ángel Vázquez.
Periódico *La Hora*, 9-15 de agosto de 1973.

El conflicto del

Por Rubén Berríos Martínez
Presidente del PIP

En el Partido Independentista Puertorriqueño existe un serio conflicto. El mismo consiste en que existen profundas diferencias en cuanto a concepción de partido y estructuras organizativas entre el proyecto de reglamento presentado por la Comisión de Reglamento, el cual apoya el compañero Vice-presidente, Carlos Gallisá, y el que hemos presentado trece compañeros de partido.

Tratar de minimizar la importancia del problema luego del artículo del compañero Vice-presidente Gallisá en la pasada edición del 26 de junio de CLARIDAD, sería no reconocer la realidad.

Para tratar de resolver este conflicto de forma que redunde en beneficio de la lucha, hay que enfrentarse al mismo con absoluta serenidad y responsabilidad.

Más aún, para entender la verdadera naturaleza de este conflicto, es imprescindible tener bien claro el contenido real de las alternativas envueltas. Considero que el artículo del compañero Gallisá tiende a crear confusión sobre la verdadera naturaleza de nuestra propuesta al contener una serie de aseveraciones y conclusiones que considero erróneas e injustificadas. El propósito del presente artículo es tratar de clarificar esa confusión, para que así se pueda plantear el problema en su justa perspectiva. De esta manera, todos estaremos en mejor posición para llevar a una conclusión fructífera la Asamblea de Reglamento del Partido.

Analicemos las alegaciones que hace el compañero Vice-presidente Gallisá en su artículo.

1) El compañero Vice-presidente acusa a nuestro proyecto de reglamento, y por ende, a la ideología que inspira a sus autores, de regresar a "concepciones liberaloides", de "revivir la participación electoral como dogma", de caer en "vicios típicos de liberalismo burgués", de "visiones electoreras y oportunistas" y "se reniega la posición socialista".

Estas son acusaciones muy serias a una propuesta de reglamento de compañeros que se precian de ser independentistas y socialistas. Acusaciones ideológicas tan serias como ésas, exigen de prueba contundente. Pero el compañero Vice-presidente no presenta esa prueba. Muy por el contrario, pretende probar tales afirmaciones utilizando aisladamente unas citas del preámbulo de nuestro proyecto y sacando de ellas conclusiones en verdad sorprendentes.

El compañero Vice-presidente cita de nuestro reglamento las siguientes tres frases:

a. El pluralismo ideológico "implica, además, el pleno respeto por ideologías contrarias y la no imposición de unas por otras".
b. "El Partido Independentista Puertorriqueño reconoce la lucha de clases".
c. "Los conflictos de clases o ideológicos, antes o luego de alcanzada la república, serán antagonismos de carácter secundario".

Y de estas citas el compañero alega se deduce, que:

a. "Se reniega de la posición socialista".
b. "Se relega la lucha ideológica con el propósito de ventajas electoreras."
c. Según nosotros, "es posible tomar el poder, lograr la independencia y construir la sociedad socialista, conservando la paz y armonía entre las clases".

Lo contrario a las conclusiones que llega el compañero Gallisá es obvio de una lectura de nuestro preámbulo. El segundo párrafo de nuestro preámbulo dice:

> "El Partido Independentista Puertorriqueño reconoce la lucha de clases, es decir, el antagonismo irreconciliable entre la clase capitalista y las clases trabajadoras como el factor primario detrás de todo proceso revolucionario y postula como su meta última la erradicación de la explotación del hombre por el hombre como preludio a la creación de un nuevo hombre."

Es obvio, no solo de una lectura completa del preámbulo, sino también de nuestra condición de socialistas, que al referirnos a "los conflictos de clases o ideológicos" como de "carácter secundario", nos referimos a los conflictos entre las diversas clases explotadas y en conflicto con el imperio, que caben en nuestro partido según nuestra concepción. Y que no nos referimos a conflictos entre las clases explotadas y la clase capitalista. Como también es obvio, que no nos referimos como secundarios a los conflictos ideológicos entre la burguesía capitalista y la ideología socialista, sino a los conflictos entre las diversas tendencias socialistas, que por definición son las únicas que pueden estar presentes en un tipo de partido como el que describimos en nuestro preámbulo. Es igualmente obvio, que "el pleno respeto por ideologías contrarias" se refiere a ideologías de carácter socialista que según nuestro concepto de partido pueden coexistir en el mismo partido. Y todo esto se hace más obvio aún cuando leemos el tercer párrafo de nuestro preámbulo, que dice:

> "El Partido Independentista Puertorriqueño es un partido revolucionario, pues tiene como propósito tomar el poder para alterar radicalmente el actual sistema de clases, que se fundamenta en la explotación de las clases trabajadoras por la clase capitalista tanto nacional como extranjera."

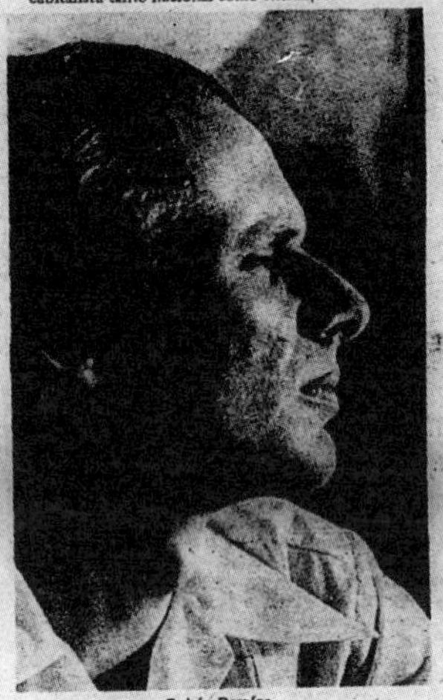

Rubén Berríos

En todo caso, si fuera necesaria alguna clarificación adicional por razones de estilo, no existiría oposición en adicionar frases explicativas o en refrasear oraciones. Pero lo que me parece totalmente fuera de lugar son las conclusiones totalmente erróneas que el compañero Vice-presidente adjudica a nuestras palabras.

El aparente conflicto ideológico que el compañero Vice-presidente plantea es, por lo tanto, inexistente. No hay un debate ideológico planteado en donde se encuentran de un lado los "que asumen posición típica de los partidos coloniales", los "que reniegan la posición socialista", los "que asumen posición típica de liberalismo burgués", los que padecen de "visiones electoreras y oportunistas", y en donde se encuentran por contraposición en el otro lado los que tienen una posición claramente independentista y socialista.

Si el conflicto ideológico estuviera planteado de esa forma, sería fácil escoger ent. e ambas concepciones de partido. El conflicto ideológico que en verdad se plantea en el Partido Independentista Puertorriqueño y que el compañero Gallisá soslaya en su artículo, es un conflicto mucho más real y mucho más profundo, y ambos reglamentos, sin duda alguna, son muestra de diversas posiciones en ese conflicto.

De un lado se encuentra un grupo de compañeros que aceptan una concepción particular de partido que se refleja, tomándose en conjunto, en las estructuras organizativas, y en la parte titulada "Concepción de Partido", que sometiera la Comisión de Reglamento y que apoya el compañero Gallisá, y que lee como sigue: (Art. I del reglamento)

> "El Partido Independentista Puertorriqueño es un partido revolucionario de masas compuesto por obreros, trabajadores, estudiantes y algunos sectores de la pequeña burguesía que se agrupan tras un programa socialista de liberación nacional reconociendo la hegemonía de la ideología de los trabajadores y el papel dirigente del proletariado en la construcción del socialismo."

Del otro lado nos encontramos un grupo de compañeros que aceptamos una concepción de partido que se refleja, tomándose en conjunto, en el preámbulo, en las estructuras organizativas y en el Art. I del reglamento que apoyamos los firmantes de la segunda propuesta de reglamento y que lee:

> "El Partido Independentista Puertorriqueño es un partido revolucionario multiclasista, es decir, compuesto por miembros de diversas clases y sectores sociales en conflicto con el imperialismo (obreros, trabajadores, empleados, campesinos, estudiantes, sectores de la pequeña burguesía y otros sectores del pueblo que estén en conflicto con el imperialismo) que se agrupan tras un programa socialista y democrático de independencia o liberación nacional."

El más mínimo conocimiento de la teoría marxista nos indica que, los primeros aceptan, conscientemente o no, la concepción marxista-leninista del partido político. Este problema se comenzó a plantear en la pasada Junta de Directores y se dejó para clarificación posterior luego de una intervención del compañero Vice-presidente, en donde trató de minimizar la naturaleza del problema.

De nada valdría a estas alturas alegar, como expresaron algunos compañeros en la pasada Junta de Directores, que el Partido, luego de aprobarse el reglamento propuesto por la Comisión, no sería un partido marxista-leninista y que solamente utilizaría el marxismo-leninismo y otros desarrollos ideológicos como instrumento de análisis. No es cuestión de declararse o no declararse marxista-leninista. No es cuestión de estudiar o no estudiar el marxismo-leninismo; esto todo socialista debe hacerlo. Lo que está envuelto es que los compañeros que apoyan la propuesta de reglamento presentada por la Comisión, respaldan un tipo de partido, cuya concepción y estructura son, tomadas en conjunto, de naturaleza marxista-leninista.

Por ello, nosotros no nos hemos limitado a presentar un documento sobre nuestra concepción de partido. De más está decir que esto no excluye el hecho de que en muchas áreas, tanto en la concepción de partido, como en las estructuras organizativas, nuestras ideas sean similares a las que se contienen en el reglamento propuesto por la Comisión de Reglamento. Ese es, en resumen, el problema ideológico planteado.

En Puerto Rico existe un Partido serio y revolucionario de ideología marxistá-leninista: el Partido Socialista Puertorriqueño. De aprobarse la propuesta de reglamento que apoya el compañero Vice-presidente, la única diferencia ideológica entre el Partido Socialista Puertorriqueño y el Partido Independentista Puertorriqueño sería, que el Partido Socialista Puertorriqueño reconoce abiertamente su naturaleza marxista-leninista y el Partido Independentista Puertorriqueño se obstinaría en ocultarla.

Yo, por el contrario, entiendo que el Partido Independentista Puertorriqueño debe ser un partido independentista y socialista de corte distinto y que en contexto puertorriqueño es necesario y positivo que existan ambos tipos de partido A esto es que está encaminada la concepción de partido que esbozamos en nuestro proyecto de reglamento. No es momento para esconder o soslayar este problema.

Dentro de nuestra concepción de partido caben los marxistas-leninistas y todos los socialistas de diversas tendencias que acepten el Programa y Reglamento del Partido. Este es el verdadero significado de la frase que "el pluralismo ideológico implica, además, el pleno respeto por ideologías contrarias y la no imposición de unas sobre otras".

Lo increíble de este conflicto trabado en el Partido es que aún a través de un análisis marxista-leninista debería llegarse a la conclusión de la necesidad de ambos tipos de partido en la lucha por la liberación en Puerto Rico. El que no se haya llegado a esta conclusión es explicable

6 CLARIDAD -- 3 de julio de 1973

"El conflicto del Partido Independentista".
Periódico *Claridad*, 8 de julio de 1973.

Partido Independentista

por el hecho de que muchos de los que apoyan el reglamento de la Comisión no son, en mi opinión, marxistas-leninistas, o porque siéndolos aplican mal la ideología que sustentan.

2) El compañero Gallisá entra en un segundo ataque de fondo a nuestro proyecto de reglamento, alegando que los poderes concedidos al Presidente "refuerzan la visión caudillista de la Presidencia", siendo esto contrario al principio de dirección colectiva. Es preciso indicar en cuanto a esto:

a. Que entre los poderes excesivos que el compañero Gallisá dice se le confieren al Presidente en nuestro proyecto, está "el poder de dirigir la acción política del Partido". Este poder se copió textualmente de la propuesta de reglamento de la Comisión, la cual apoya el compañero Vice-presidente.

b. Que el poder para "presidir la Junta Editorial de *"La Hora"* no se lo concede al Presidente en nuestro proyecto de reglamento y que éste constituye una concesión de poderes del compañero Gallisá al Presidente en su artículo.

c. Que el poder de supervisar "todos los funcionarios del Partido" también es concesión del compañero Gallisá, pues el mismo no aparece en ningún lugar de nuestra propuesta.

Más aún, de los cinco encasillados que en nuestro proyecto le confieren poderes a la Presidencia, cuatro se copian textualmente del reglamento que el compañero Gallisá apoya, y el poder de ser responsable de la administración central del Partido, es una adición que viene del viejo reglamento de nuestro Partido.

El único poder "nuevo" que nuestro proyecto le confiere al Presidente es el de que "coordinará el trabajo de las diversas Secretarías y velará que cada incumbente cumpla con las obligaciones de su responsabilidad y será responsable directo de la administración central del Partido". Este poder es un poder típico en otros partidos socialistas, tanto marxistas-leninistas como no marxistas-leninistas. Ejemplo de esto es el Art. 57 (e) del Reglamento del Partido Socialista Puertorriqueño, en donde se le confiere al Secretario General de ese Partido el poder para "coordinar el trabajo de las diversas Secretarías y exigirá que cada incumbente cumpla con su responsabilidad". En el Partido Socialista Puertorriqueño el Secretario General es además el portavoz político; en nuestro proyecto el portavoz es el Presidente.

Pero de forma alguna es éste un poder que se le confiere al Presidente en nuestro proyecto en forma ilimitada o de tipo caudillista. **Primero**, porque en nuestro proyecto las Secretarías responden en materia política a la Comisión Política del Partido, que es el organismo nacional de dirección política. y no al Presidente. El Presidente solo coordina la labor de las Secretarías. **Segundo**, porque según el Art. 80 (i) de nuestro reglamento, el Secretario de Organización tiene la facultad para "convocar, junto al Presidente, cuantas veces sea necesario, a todas, o a parte de las Secretarías permanentes, para discutir con sus miembros la ejecución de la política trazada por la Comisión Política y el Comité Central".

Debo indicar, además, que según la propia propuesta de reglamento que apoya el compañero Gallisá, al Presidente se le confiere el poder para "velar por el fiel cumplimiento de todos los acuerdos, decisiones y resoluciones de la Comisión Política, del Comité Central y de las Asambleas Generales del Partido". Y definitivamente si el Presidente va a ejecutar a cabalidad y en serio ese poder, tendría que velar porque cada Secretaría cumpla con las obligaciones de su responsabilidad.

Más aún, es necesario apuntar que en nuestro proyecto todos los poderes del Presidente deben entenderse sin menoscabo de la autoridad suprema de los organismos máximos del Partido. Esto último se desprende claramente de las funciones que se adjudican a nuestra propuesta a la Asamblea General, al Comité Central y a la Comisión Política. Nuestro concepto de dirección colectiva, por ejemplo en cuanto a la Comisión Política se refiere, es idéntico al del proyecto que apoya el compañero Gallisá; fue copiado del mismo. No obstante, no habría objeción alguna a clarificar nuevamente el rol supremo de los organismos del Partido con respecto del Presidente o de cualquier otro funcionario del Partido.

En base a lo expuesto anteriormente no logro entender sobre qué fundamento el compañero Vice-presidente arguye que nuestro reglamento "refuerza la visión caudillista de la Presidencia".

3) En cuanto a otras críticas menores que hace el compañero Vice-presidente a nuestra propuesta de reglamento, algunas me parecen tan o más infundadas y erróneas como las ya descritas:

a. La aseveración que la Junta Editora del periódico *La Hora* tiene 18 miembros es errónea. Según el Art. 114 de nuestro reglamento, esa Junta se compone de 9 miembros y no de 18.

b. En cuanto al supuesto vicio de no enumerar los poderes de las Secretarías, me declaro culpable de la misma falla que los compañeros de la Comisión de Reglamento en su propuesta original. Esta omisión quizás se debe a que tratamos de salvar lo más posible la propuesta de reglamento de los compañeros, en la cual

Carlos Gallisá

tampoco se definen las funciones de los Secretarios. Demás está decir que en este aspecto ambos proyectos necesitan corrección También acepto que nuestro reglamento le dedica 11 de 124 artículos a la cuestión electoral. Pero no veo nada de malo en esto, ya que la propuesta de la Comisión de Reglamento le dedica 10 de 110 artículos a la cuestión electoral.

c. Alegar, como hace el compañero Gallisá, que el Comité Central puede llegar a 300 miembros, impidiendo así su carácter deliberativo, es malinterpretar el propósito mismo de los artículos pertinentes a nuestro reglamento. Según se concibe en nuestro reglamento, el Comité Central no pasará de 125 a 150 personas. Pero si el Partido tuviera la dicha de tener tantos miembros, que esto diera margen a un Comité Central de 300, estoy seguro que no habría objeción alguna a variar la proporción matemática que según nuestra propuesta es una de las bases para presentación en el Comité Central. Nuestro propósito es utilizar como uno de los criterios, el criterio de la capacidad que tenga el Comité de Base para ampliar su membresía y no una proporción matemática en particular.

d. En cuanto a los criterios de militante que se establecen en nuestro reglamento y que el compañero Gallisá critica, debo indicar que el único propósito nuestro al redactar los criterios, fue el hacerlos más flexibles para ampliar la base del Partido, al mismo tiempo que se mantienen las diferencias necesarias entre las diversas categorías de miembros. No habría objeción alguna de nuestra parte en añadir o refrasear artículos para su mejoramiento.

e. En cuanto a la alegación del compañero Gallisá de que se discrimina contra la Juventud Independentista Estudiantil (JIE), al ser los únicos a quienes se les requiere dos años de trabajo en la organización antes de ser militantes, debo indicar que existe aquí también una mala interpretación. Nuestro Art. 46 claramente estipula que una persona de escuela secundaria puede llegar a ser miembro del Partido luego de militar dos años en la Juventud Independentista Estudiantil, ya que ésta se considera un organismo auxiliar y no un organismo de base del Partido, o de cumplir con los mismos requisitos que cualquier otro miembro de base. Debo indicar, además, que el Art. 46 se refiere a militantes y no a miembros. Nuestro artículo es prácticamente una copia textual del Art. 72 del Reglamento del Partido Socialista Puertorriqueño, que luego de una larga experiencia con organismos estudiantiles, ha creído conveniente hacer del organismo estudiantil un organismo auxiliar del Partido. La diferencia básica entre el Reglamento del Partido Socialista Puertorriqueño y el nuestro en esta materia es que, contrario al Partido Socialista Puertorriqueño, nuestro proyecto le confiere tres miembros automáticamente en el Comité Central a la Juventud Independentista Estudiantil.

4) Además de las alegaciones anteriores, el compañero Gallisá argumenta que nuestra propuesta de reglamento equivale a que "el Presidente ha constituido un Comité Ad Hoc de Reglamento, que de hecho desbanca la Comisión debidamente nombrada por la Comisión Ejecutiva". Alega, además, que "tres meses de trabajo de la Comisión y un seminario de tres días de la Junta de Directores han sido echados por la borda". Para entender el justo valor de este argumento, debemos mencionar algunos datos que para muchos son desconocidos:

a. La Comisión de Programa y Reglamento no tomó seriamente en consideración las recomendaciones sobre el Reglamento que diversos Comités le habían enviado. Aunque sí es cierto que algunas de estas recomendaciones llegaron tarde, también es cierto que otras llegaron a tiempo para ser consideradas y no fueron debidamente consideradas. De forma alguna puede negársele a la Comisión de Reglamento el derecho de proponer iniciativas propias, pero de forma alguna puede justificarse tampoco el que no se hayan tomado seriamente en consideración las propuestas de los Comités. ¿Para qué se requirieron entonces?

b. Varias semanas antes de quedar redactada la propuesta de los compañeros de la Comisión de Reglamento, y luego de yo haber recibido un pedido para someter mis ideas sobre el nuevo Reglamento, me comuniqué con el compañero presidente de esa Comisión, para que se reuniera conmigo y nunca aparecieron los compañeros.

c. La propuesta de reglamento se me entregó a mí jueves, un día antes del Seminario de la Junta de Directores. Los otros doce compañeros que suscribieron el nuevo proyecto de reglamento la recibieron el viernes por la noche. El proyecto de reglamento es un documento extenso y complicado, cuyas partes están encadenadas las unas con las otras, y cuya comprensión total es sólo posible después de largo y detallado estudio.

d. El propósito de la pasada Junta de Directores fue claro. La discusión en la Junta de Directores se haría con el propósito, no de llegar a determinaciones finales, sino para servir de preparación y preludio a la Asamblea de Programa y Reglamento.

e. Luego de diversos debates que se suscitaron en la Junta de Directores y de negarse la Comisión de Reglamento a redactar propuestas alternas en diversos puntos, el presidente de esa Comisión invitó a los que no estaban de acuerdo con el Reglamento a redactar propuestas alternas.

f. En la discusión en el Plenario de la Junta de Directores solamente se llegó hasta la página 30 de las 60 que componen el Reglamento original.

g. La propuesta que hemos presentado los trece compañeros recoge una buena parte de los artículos de la propuesta de la Comisión de Reglamento.

h. Nuestra propuesta recoge muchas de las ideas y preocupaciones expresadas en la Junta de Directores.

Pero aún de no existir los factores anteriores, es claro

(Vea –CONFLICTO– Pág. 14)

viene de la página 7

que:

a. De forma alguna puede limitarse el derecho de ningún compañero de partido a recomendar enmiendas o propuestas alternas, antes, durante o después de la Junta de Directores o en la propia Asamblea de Reglamento. Querer implicar, directa o indirectamente, que hay algo incorrecto en la forma de someter una nueva propuesta, equivale a limitar ese derecho de los que hemos firmado el documento, ya que esto tiende a desvalorizar las ideas que en él se contienen.

b. Yo, como Presidente, no he constituido ninguna "Comisión Ad Hoc". Diversos compañeros, no conformes con la propuesta de la Comisión, comenzaron luego de la Junta de Directores a reunirse ejercitando el pleno derecho que a ello tienen. Fue en una etapa posterior que fui invitado a participar en ese proceso.

c. La propuesta nuestra no desbanca a nadie. Muy por el contrario, como indicamos en la carta que junto con nuestra propuesta les enviamos a los Comités "solo esperamos que los Comités y los delegados a la Asamblea de Reglamento, le den amplio y detallado estudio a ambas propuestas, y a cualesquiera otras ideas que pudieran surgir, para que la discusión en la Asamblea resulte fructífera".

Tan pronto como redactamos la propuesta, las primeras copias fueron enviadas a los compañeros de la Comisión de Reglamento, luego de haberle informado al compañero presidente de la Comisión de Reglamento durante el período de la redacción sobre la naturaleza de nuestra gestión.

Por último, resulta verdaderamente sorprendente que luego de lo explicado anteriormente y de toda la prédica sobre participación y de libre juego de ideas por meses y meses, el compañero Gallisá se sorprenda ante nuestro proyecto y lo considere como un desbanque "de la Comisión de Reglamento".

CONCLUSION

Todo el presente artículo ha sido dedicado básicamente a clarificar las aseveraciones hechas por el compañero Vice-presidente en su artículo. Las posiciones de nuestro proyecto se han defendido solo en la medida que esa defensa era necesaria para clarificar las alegaciones del compañero.

No es esta la ocasión para defender todos aquellos puntos de nuestro reglamento que están en conflicto con el que defiende el compañero Vice-presidente. El momento para hacer eso a plenitud será la Asamblea de Programa y Reglamento. Yo, por supuesto, como uno de los suscribientes de una de las propuestas de reglamento, defenderé allí las ideas y contenidos del mismo, al igual que el compañero Gallisá ha anunciado que hará con las que él apoya. Pero quiero enfatizar, como decimos en la carta con que acompañamos nuestro proyecto, que no reclamamos perfección para nuestras ideas. Sabemos que muchas de ellas están sujetas a mejoramiento y corrección. Un partido político es un conjunto de ideas y enfoques distintos. El arte de la política es el arte del compromiso que no conflija con los principios y el arte de comprender, de ceder y de llegar a acuerdos comunes, que a lo mejor no son del agrado total de ninguna de las partes envueltas.

Si todos vamos a la Asamblea en ese espíritu, estoy seguro que de los conflictos actuales saldrá nuestro Partido con mayor fortaleza y vitalidad.

14 CLARIDAD – 3 de julio de 1973

LA HORA- 9 al 15 de agosto 1973- 3

Asamblea PIP

Un reglamento, otro reglamento y un intenso debate

En sesión final celebrada en Mayagüez el pasado sábado 4 de agosto, la Asamblea de Programa y Reglamento del PIP aprobó la propuesta de reglamento presentada por la comisión que para tales efectos, había creado la Comisión Ejecutiva del partido.

Durante toda la sesión, al igual que la anterior celebrada cuatro semanas antes en el Hotel Normandie, se enfrentaron en intenso debate los defensores de la propuesta oficial elaborada por la Comisión de Reglamento del Partido y propulsores de una propuesta alterna.

Esta vez el primer debate fue sobre las funciones y poderes del presidente. En consonancia con la propuesta alterna, se presentó una enmienda añadiendo autoridad y tareas a la presidencia. Se defendió la enmienda a base del argumento de la necesidad de tener una persona con máxima responsabilidad a quien se le pueda, por tanto, exigir cuentas del cumplimiento de las tareas del partido. Los defensores de la propuesta de la comisión argumentaron que la enmienda mutilaba una de las aportaciones de la propuesta oficial: la democratización del partido mediante la instauración de organismos de verdadera dirección colectiva y compartida y la eliminación de poderes presidenciales considerados por ellos como excesivos y tendientes al "absolutismo presidencial."

La enmienda fue derrotada y la propuesta de la comisión triunfó sobre la alterna, respecto a los poderes presidenciales, en votación de 146 a 116.

El segundo debate intenso fue sobre la propuesta de la comisión de crear el puesto de Secretario General del Partido. Sus defensores argumentaron de que tal puesto ayuda a compartir, por más funcionarios electos, el poder dentro del partido. Los oponentes contestaron que este funcionario implicaba una innecesaria reducción de funciones y autoridades a la presidencia.

La Secretaría General fue aprobada por cerrada votación de 128 a 120 con 7 abstenciones.

Al discutir los artículos referentes a la Asamblea General, los promotores de la propuesta alterna aceptaron la oficial y ésta fue aprobada por aclamación.

Finalmente se enfrentaron la propuesta oficial y la alterna respecto a todos los otros articulados y la primera fue aprobada por voto de 128 a 98.

De esta manera finalizó la Asamblea de Programa y Reglamento del Partido aprobando casi totalmente, con pequeñas enmiendas de estilo y una importancia relativa a la composición del Comité Central, la propuesta oficial elaborada por la Comisión de Reglamento del Partido.

Sin embargo, algunos de los firmantes de la propuesta alterna dijeron que apelarían las resoluciones de Programa y Reglamento de la Asamblea a la Asamblea General.

Los principios que rigen el proyecto de reglamento aprobado son los siguientes:

1. La organización, el liderato y la representación en los organismos del partido, que sirve de medio al logro de sus tácticas y estrategia, descansa en la intensidad de la militancia y la calidad de trabajo político.
2. Los derechos de los miembros son proporcionales a sus deberes y viceversa.
3. La expulsión, que es recurso de último extremo, se aplica en los casos de delitos graves contra el partido y la realización de sus objetivos.
4. Los organismos básicos del partido están orientados al crecimiento; a la proletarización del partido, es decir, al cambio radical de la base social del partido.
5. La definición de miembro del partido promueve su autofinanciamiento.
6. El proceso decisional en el partido se desarrolla a base del centralismo democrático combinando la centralización de la base.
7. Las áreas geográficas en donde se planea y coordina la acción política no responden meramente a las exigencias de la Ley Electoral; responden a las tácticas y estrategia del partido, a la flexibilidad de la propia acción política.
8. La dirección del partido es colectiva, es decir, depende de las directrices políticas que surgen del proceso de deliberación en sus organismos y no de la voluntad de nadie en particular.

"Un reglamento, otro reglamento y un intenso debate."
Periódico *La Hora*, 9-15 de agosto de 1973.

6- LA HORA- 16 al 22 de agosto 1973

Opinión

¿Qué pasa en el PIP?

Un viraje en la brecha socialista

POR: Paco Guzmán
Comisión Ejecutiva
Partido Independentista Puertorriqueño

La profunda crisis por la que atraviesa el Partido Independentista Puertorriqueño ha hecho que muchos compañeros se olviden de que lo que nos planteamos ahora no surge del vacío, sino que forma parte de todo un proceso que se inició en el 1970, al adoptarse la ideología socialista como medio de análisis y lucha en nuestro partido.

Este proceso de crecimiento político se detuvo al envolverse el PIP en una serie de luchas, entre ellas la electoral, que hicieron que se pospusiera este debate; y hasta el momento hemos tenido un partido cojo, un partido de ideología socialista pero organizado a lo electoral, con unas concepciones erróneas de la lucha y del partido.

Nadie puede negar que desde que el PIP empezó a caminar por la senda socialista, se acercó más al pueblo y, como consecuencia, obtuvo más reconocimiento y apoyo popular.

Quedó demostrado así, que se había tomado el camino correcto, a pesar de la oposición de muchos independentistas de entonces, que pronosticaron el fin del partido por habernos envuelto con una ideología "extraña" a nuestro pueblo, que se prestaba a que se nos acusara de todos los "ismos" habidos y por haber.

En aquellos momentos difíciles, pero vitales para el PIP, se impuso el tesón de un grupo de compañeros, principalmente de la juventud, encabezados por Rubén Berríos, que utilizaron correctamente la persuasión y el liderato para adelantar al partido como instrumento de lucha eficaz contra el imperialismo en Puerto Rico. Para muchos de nosotros era lógico pensar en un momento, que la persona que fue factor determinante en el proceso iniciado en el 1970, asumiera nuevamente, al lado de otros compañeros, el liderato en la reanudación del proceso que pondría al partido sobre dos pies, eliminando así la cojera.

La decepción no se hizo esperar, pues al reanudarse el proceso por la senda socialista en que comenzó, el presidente Rubén Berríos los interpretó como un ataque velado a su posición de liderato y poder en el partido, desatando una guerra defensiva, utilizando como arma principal, precisamente el prestigio y liderato que ganó con apoyo de la juventud, en la lucha por encaminar al PIP por la brecha socialista.

Este cambio en la trayectoria de Rubén Berríos, nos confundió a muchos, y por eso le apoyamos en parte de su guerra defensiva, hasta que, dándonos cuenta de que nos habíamos apartado del camino en que se comenzó, rectificamos y volvimos a encauzarnos por la ruta correcta.

El viraje de tan influyente líder, ha tenido el efecto de revivir un debate que a estas alturas parecía que estaba cerrado en nuestro partido: si el PIP debe o no adoptar la ideología socialista como medio de análisis y lucha.

Ciertamente hay personas que nunca estuvieron de acuerdo con el proceso que se inició en 1970 y aprovechan ahora la oportunidad para plantearlo nuevamente; y me refiero a todos los compañeros que apoyan ahora las posiciones de Rubén Berríos. La diferencia estriba ahora en que estas personas antes combatían a Rubén Berríos por radical y ahora lo apoyan por sensato, y Rubén Berríos por mantener sus posiciones de poder absoluto les hace el juego porque representan unos votitos, lanzando así nuevamente al partido en ese debate, aunque ahora en contra de lo que antes defendía.

En este momento se insiste en cambiar la agenda histórica del partido; sin embargo, las personas que eso pretenden no se han querido dar cuenta de que el camino recorrido ha transformado profundamente a la gran mayoría de los caminantes, y que ahora se presentan unos factores que no existían al inicio:

1. el camino tomado por la senda socialista ha probado ser el camino correcto, 2. muchos compañeros se han dado cuenta de que la inhabilidad para superar la gran mayoría de los obstáculos que hemos encontrado en el camino, se debe a que nuestra colectividad padece de concepciones erróneas de la lucha y del partido y ahora están dispuestos a dar la batalla para superarlos, 3. y que un sector que ha probado en el Normandie y en Mayagüez que es mayoritario en el partido, no está dispuesto a retroceder, sino a dar la lucha pa ' lante y pa ' la izquierda.

En la Asamblea General, foro apelativo de Rubén Berríos, se nos planteará nuevamente, si queremos seguir el proceso iniciado en el 1970 o retroceder, si queremos un partido hecho a la medida de un hombre, o a la medida de las exigencias de la lucha en el Puerto Rico de hoy, si queremos un partido de base y participación amplia, o donde sólo puede pensar un hombre, si queremos un partido comprometido con la lucha obrera o uno de olímpicos discursos pro-obreros;

Si queremos un Partido mirando hacia el pasado o comprometido con el futuro.

Armengol Iglesias
Presidente Comité Municpal PIP-Mayaguez

El PIP se fundó para luchar y lograr la independencia patria. Como uno de sus fundadores me veo obligado a entrar en la arena de la lucha en que se envuelve el partido ahora.

La lucha en este momento es con unos allegados a la casa que quieren de todos modos torcer el camino-el curso del partido cunado estamos cerca de alcanzar la meta original propuesta. Ya la propaganda aquella de que nos moríamos de hambre o que nos mataríamos unos a otros con el advenimiento de la independencia no cala en el pueblo. El pueblo está consciente de que somos la última colonia entre los pueblos del Caribe y de América y de los pocos pueblos que quedan en el mundo bajo ese sistema oprobioso de gobierno. El pueblo ha entendido que si hemos alcanzado tanto progreso como dicen, porqué tenemos que ser inferiores a los demas pueblos del Caribe, de América y del mundo?

Ese sentimiento nacional latente, despertó en nuestro pueblo, junto al conocimiento de los terribles males que agobian al gobierno de los Estados Unidos, tiende a hacer propicia la campaña de Independencia AHORA. Lo que se necesita es fortalecimiento y cohesión dentro del PIP y la cooperación de los otros partidos que propulsan también la independencia. Una campaña intensa por la liberación nacional por todos los campos y pueblos de la patria, ayudada por el impacto que ha de tener el acuerdo de las Naciones Unidas con relación a la condición política nuestra, levantará al pueblo y obligará a los Estados Unidos a reconocer nuestra independencia.

Pero ¿qué pasa? Pues sencillamente, que algunos de los nuevos allegados al partido pretenden relegar esa lucha por la independencia a un segundo plano y consideran ese sentimiento independentista como obsoleto y retardatorio de la lucha por el socialismo que ellos conciben. Un socialismo dogmático, de ultra izquierda que no toma en consideración la idiosincrasia de nuestro pueblo trabajador. Ese grupo vino al partido para apoderarse del mismo. Ha usado todos los medios a su alcance para cogerlo desde arriba, controlando el liderato o la dirigencia como ellos lo llaman. Su último obstáculo para conseguir su meta se llama Rubén Berríos. Ellos no contaban con que Rubén fuese tan "atrasado" que pudiese compenetrarse con la realidad que vive nuestro pueblo trabajador y de los patrióticos objetivos y aspiraciones del pueblo independentista y de sus simpatizantes.

La táctica era que dejando a Rubén en minoría en la dirección ellos ganarían la batalla haciéndole creer al pueblo que son mayoría. Aunque pueden dominar las columnas de la prensa, este problema no se resolverá en los periódicos sino en una asamblea de nuestro Partido Independentista Puertorriqueño por delegados de campos y pueblos versados en la lucha. Hombres y mujeres que han dado parte de su vida y están dispuestos a dar su vida entera por la independencia de la patria y por la creación de un sistema socialista de gobierno para el disfrute de los puertorriqueños.

En esa asamblea, que debe clebrarse pronto, es donde se decidirá la trayectoria que el partido seguirá en estos momentos. No es cuestión de Carlos y Rubén. Vámos más allá. Es el PIP en lucha continua por la independencia y el socialismo puertorriqueño lo que estamos defendiendo. A esa lucha invito y exhorto a todos mis correligionarios.

La ultraizquierda enajenada

Angel Castillo-Militante PIP
Precinto 4

En nuestro partido hay un grupúsculo de ultra-izquierdistas dogmáticos que están completamente enajenados de la realidad política de nuestra patria. De un solo golpe quieren trasplantar unas estructuras de partido llenas de unos vacíos y ajenos a nuestra realidad política. En otro país esas estructuras dieron resultados, pero la realidad de ese país no es necesariamente la misma de nuestra patria.

Nuestro deber como independentistas y socialistas no es trasplantar sino crear, trasplantar es muy fácil, pero el problema está en que no todo lo más fácil es lo más conveniente y menos conveniente si se asimilan ciertas estructuras de partidos ajenos a nuestra realidad de pueblo. Si tomamos de ejemplo el asilisimo yanqui en nuestras estructuras de gobierno, aunque las tendencias son totalmente diferentes (Capitalista, marxista, dogmático) en la esencia son similares. Unos colonialistas trasplantan una estructura de gobierno sin tomar en consideración al país colonizado (PR) que tiene una cultura diferente, costumbres y tradiciones diferentes, y por consiguiente una forma de vivir y pensar diferente , por lo cual nuestro pueblo está siendo forzado a perder su conciencia y los males y vicios del imperio nos están afectando y hasta los estamos haciendo nuestros. Lo mismo sucede con el trasplante de estructuras ajenas a nuestra realidad política. Para ellos es muy fácil trasplantar y a nosotros que nos parta un rayo, pero nosotros la militancia, que es la esencia del partido vamos a crear y a luchar, no es por el partido que queremos sino el partido que necesitamos todos los militantes, afiliados y además, el pueblo puertorriqueño.

Lenin siempre creyó en el marxismo creador y no en el marxismo dogmático. La consigna es a crear y a luchar por un socialismo democrático hecho por los puertorriqueños para los puertorriqueños.

"¿Qué pasa en el PIP?"
Periódico *La Hora*, 16-22 agosto de 1973.

Berríos pide seguidores estén alertas

SAN JUAN – El Presidente del Partido Independentista Puertorriqueño (PIP) hizo un llamado a todos los miembros de dicha colectividad "para que se mantengan alertas, asistan a las reuniones de sus comités y exijan que se cumpla con los principios de decoro y dignidad que han caracterizado nuestra lucha" ante lo que llamó "estado de desesperación de los terceristas".

Las declaraciones de Rubén Berríos se produjeron en conferencia de prensa celebrada el pasado domingo en sus oficinas del capitolio. Se refería a las actuaciones del sector de dicho partido que encabeza el vice-presidente Carlos Gallisá.

Berríos acusó a lo que llamó "el pequeño grupo de miembros de nuestro partido que se conocen como terceristas" de patrocinar "comportamientos altamente censurables y contrarios a las mejores tradiciones independentistas".

Específicamente se refirió a situaciones surgidas recientemente en los pueblos de Guaynabo y Caguas, donde alegadamente se celebraron asambleas locales para elegir los delegados que participarán en la Asamblea General del 9 de septiembre, en violación al reglamento vigente.

Explicó Berríos que el domingo 26 de agosto se reunirán los miembros del PIP en los mencionados pueblos para escoger a sus delegados.

A tales efectos declaró: "No tendré reparos en ejercer los poderes que me otorga el Reglamento General (del PIP) de velar por el fiel cumplimiento de todos los acuerdos, decisiones y resoluciones de la Comisión Ejecutiva. . ."

A la vez que citó para las asambleas de Caguas y Guaynabo recalcó que de ser necesario tomará "cualquier otra acción que asegure la legalidad de los procedimientos".

Además, Berríos anunció que nombrará el Comité de Credenciales, recientemente solicitado por los llamados terceristas, "varios días antes de la Asamblea del 9 de septiembre para que estudie y dilucide cualquier conflicto que pueda surgir con respecto a los delegados electos".

El Presidente del PIP se reafirmó en una declaración suya anterior donde califica al sector del partido que encabeza Gallisá de "grupúsculo ultraizquierdista que desconfía de las capacidades del pueblo independentista".

Socialistas Chile ratifican línea avanzar sin transar

Por Raúl O'Farrell
Especial para CLARIDAD

SANTIAGO, CHILE – "Cada capitulación de este gobierno significa un avance de la burguesía", expresó Carlos Altamirano, Secretario General del Partido Socialista, dirigiéndose a los trabajadores de Santiago en un gran acto convocado para dar a conocer los acuerdos del Pleno del Comité Central respecto a la crisis que enfrenta el Gobierno Popular frente al paro sedicioso de los transportistas. El pronunciamiento del partido más importante de la coalición de gobierno fue difundido nacionalmente por Radio Corporación.

El documentado informe, especialmente dirigido a los trabajadores de los cordones industriales –núcleos de fábricas en poder y bajo la administración de los obreros– fue entregado a la consideración de las masas en un momento en que la lucha de clases y las contradicciones en este país sudamericano han llegado a un nivel crítico cualitativa y cuantitativamente.

La huelga de propietarios de camiones mantiene semi-paralizado al país desde el 26 de julio pasado. Durante las últimas 48 horas se han registrado más de 67 atentados terroristas de derecha y el asesinato del presidente del Movimiento Patriótico de Camioneros, no adherido al paro. Todo ello está ligado al permanente boicot a las iniciativas y soluciones propuestas por el gobierno de la Unidad Popular de parte de la burguesía, que utiliza al máximo la cuota de poder que aún mantiene amparada en la superestructura vigente.

Altamirano reconoció de manera autorcrítica las debilidades del gobierno para enfrentar a los enemigos del avance popular e instó a nombre del Partido a desencadenar toda la fuerza del poder ejecutivo y las masas organizadas "contra la burguesía preotente y sediciosa".

Propuso también medidas económicas inmediatas, entre

(Vea –SOCIALISTAS– Pág. 14)

Los grupos Anamú, Taoné, Moriviví y Tirabuzón Rojo se juntan para preparar "Teatro Total", una ambiciosa producción en la que el talento de los jóvenes socialistas se crece en la experiencia colectiva y que empezará sus rondas ante el público en septiembre. (Foto CLARIDAD por Charrón.)

Vendedores ambulantes protestan ordenanza

ARECIBO – Un grupo de vendedores ambulantes se quejaron a CLARIDAD por recibir una ordenanza municipal prohibiéndoles vender en la calle José de Diego hasta que el municipio de Arecibo lo autorice con un permiso especial.

Uno de los vendedores, Santos Martínez Rosado, de setenticuatro años, quien desde los dieciocho años está vendiendo en un pequeño negocio de esa calle, declaró que es la primera vez que se le prohibe de esa forma ganarse su sustento.

"Desde que el Partido Popular subió al gobierno lo que ha hecho es hacerle daño a los pobres y ahora quiere prohibirnos ganarnos unos centavos para subsistir", expresó.

Juan Martínez Prado, a quien también le exigieron el referido permiso para poder vender en la calle, afirmó que la nueva ordenanza municipal responde "a la presión de las tiendas de gusanos cubanos y norteamericanas sobre el gobierno municipal, ya que los pequeños negocios están frente a estas tiendas".

Luis Torres Torres, por su parte, informó que aun teniendo el permiso le dijeron que "no podía estar allí" y que estaba obligado a moverse todos los días a un sitio distinto.

4 CLARIDAD – 21 de agosto de 1973

"Berríos pide seguidores estén alertas."
Periódico *Claridad*, 21 de agosto de 1973.

Claridad 10¢

EL PERIODICO DE LA INDEPENDENCIA

Núm. 500 Año XV —Bisemanal San Juan, Puerto Rico, 2 de septiembre de 1973 15 centavos fuera de Puerto Rico

La considera Comité de 24

Resolución ONU condena superpuerto

Por Félix Ojeda Reyes
Subdirector de CLARIDAD

NACIONES UNIDAS, N.Y. (Por teléfono) – Un proyecto de resolución en el que se reafirma el derecho inalienable del pueblo de Puerto Rico a la libre determinación y a la independencia, de acuerdo a la resolución 1514 (XV) del 14 de diciembre de 1960, fue presentado el miércoles pasado ante el Comité de Descolonización de Naciones Unidas y se espera que el mismo sea aprobado en el curso de esta semana.

Dicho proyecto, presentado conjuntamente por las delegaciones de la República Popular del Congo, Mali, Siria e Irak, culmina satisfactoriamente el debate sobre el caso colonial de nuestra patria este año en el Comité de los 24.

El importante documento contiene claramente dos de los tres puntos principales que solicitaron los partidos Socialista e Independentista puertorriqueños en sus recientes comparecencias ante el Comité. Estos son, el antes mencionado y la instancia a Estados Unidos para que se abstenga de llevar a cabo ninguna actividad de índole política o económica en la Isla que pueda frustrar ese derecho a la independencia y autodeterminación de los puertorriqueños.

Se trata de una referencia directa, aunque en lenguaje diplomático, al proyecto de superpuerto y combinación de refinerías petroleras en la Isla que han denunciado los dos partidos de la independencia. Así lo hicieron constar las delegaciones del Congo, Siria y

(Vea –ONU– Pág. 17)

Los empleados del Hospital Regional de Caguas decretaron un paro el miércoles pasado para que fueran escuchadas las demandas que vienen planteando desde hace cerca de un año. La protesta, que duró medio día, culminó con una reunión entre los representantes de los empleados, la administración y el alcalde, en la cual se llegó a un acuerdo satisfactorio para los manifestantes. (Foto CLARIDAD por Camero.)

Este es el número 500

Por Ramón Arbona
Director Interino de CLARIDAD

SAN JUAN – Con esta edición, CLARIDAD alcanza su número 500, convirtiéndose en el periódico de más larga vida, mayor frecuencia y más grande tirada con que ha contado la centenaria lucha de independencia del pueblo puertorriqueño.

Al llegar al número 500, el Periódico de la Independencia aparece dos veces en semana, con una circulación combinada de 60,000 ejemplares y un suplemento en inglés y español que se publica en la ciudad de Nueva York para circulación en Estados Unidos.

Pero no siempre ha sido así.

Para llegar al número 500 este periódico ha tenido que recorrer un largo y accidentado camino. La publicación nació en junio de 1959 como un boletín mimeografiado, de ocho páginas tamaño carta, vocero del naciente Movimiento Pro Independencia, con una tirada de 250 ejemplares semanales.

Confeccionaban aquel primer boletín Juan Mari Brás y César Andreu Iglesias. Entre sus primeros colaboradores se contaban José Gil de Lamadrid, Jesús Rodríguez Benítez, Lorenzo Homar, Fran Cervoni, Carlos Raquel Rivera, Francisco Manrique Cabrera, Antonio Maldonado, Carlos Osorio, Emilio Díaz Valcárcel, Rubén Moreira y Lorenzo Piñeiro Rivera.

Poco después de su nacimiento, CLARIDAD comenzó a

(Vea –500– Pág. 19)

"Resolución ONU condena Superpuerto."
Periódico *Claridad*, 2 de septiembre de 1973.

ONU

viene de la página 1

Chile al comentar sobre el proyecto de resolución en la sesión del miércoles pasado del Comité.

"El único punto de los solicitados por el Partido Socialista Puertorriqueño y el Partido Independentista Puertorriqueño que no está directamente contenido en el proyecto de resolución es el del envío de una misión visitadora a Puerto Rico", declaró Juan Mari Brás en una conferencia de prensa celebrada en la tarde del miércoles en la ciudad de Nueva York.

"Entendemos, sin embargo," continuó diciendo el Secretario General del PSP, **"que al autorizar al relator del Comité en una de las cláusulas dispositivas del proyecto, a que recoja la opinión de todas las partes interesadas en la cuestión, se abre la brecha para el envío de dicha misión visitadora".**

Y seguidamente el dirigente socialista declaró enfático: **"Por tales razones, el Partido Socialista Puertorriqueño considera que estamos en vías de obtener otro gran triunfo diplomático en las Naciones Unidas. Mañana jueves, o a más tardar el viernes, se espera que el proyecto de resolución sea puesto en votación y no tenemos dudas de que el mismo sea aprobado por mayoría."**

En la presentación de la resolución ante el Comité de Descolonización el delegado del Congo, Sr. Fungie, definió como genocida los planes del superpuerto proyectado para la Isla y señaló la importancia de que se apruebe íntegramente el párrafo dos de la resolución, que pide al gobierno de Estados Unidos se abstenga de llevar a cabo ninguna actividad que pueda frustrar el derecho a la independencia y autodeterminación de los puertorriqueños.

El diplomático indicó que existen grandes presiones para que ese párrafo no sea incluido en la resolución, pero ellos lo consideran esencial en virtud de lo genocida de la acción estadounidense respecto al establecimiento del superpuerto.

Al secundar la resolución y hacerse co-autor de la misma, el delegado de Siria, Sr. Fouejati, destacó que aunque en el proyecto de resolución no se especificaba el envío de una misión visitadora a Puerto Rico, él esperaba que en un futuro cercano se logre un acuerdo al respecto.

El delegado de Chile, Sr. Holger, recordó que fue su país quien propuso la semana pasada se le concediera audiencia a los representantes de los partidos Socialista e Independentista puertorriqueños. Calificó de histórico el acuerdo de audiencia y dijo que por primera vez se abrieron las puertas de la ONU **"a la voz auténtica de Puerto Rico"**.

Staniflav Suja, representante de Checoeslovaquia, expresó que su delegación ha respaldado consecuentemente la lucha del pueblo de Puerto Rico por su autodeterminación e independencia. Continuó diciendo que las manifestaciones vertidas por Juan Mari Brás y Rubén Berríos Martínez ante el Comité mostraron que el llamado "estado libre asociado" de Puerto Rico es una mera ficción inventada por el poder metropolitano para ocultar la verdadera situación colonial de la Isla.

La sesión del miércoles del Comité de Descolonización fue presidida por el vicepresidente del importante organismo, delegado de Irán, debido a que el presidente Salim Ahmed Salim partió el martes pasado para Argelia como parte de la delegación de Tanzania a la Conferencia de Países No-alineados.

Ricardo Alarcón de Quesada, de Cuba, también salió para Argelia. Lo sustituyó en el curul de Cuba el encargado de negocios de la delegación, Teófilo Núñez.

Trascendió además que una vez se apruebe la resolución se volverá a dar un turno a los delegados de Puerto Rico, Juan Mari Brás y Rubén Berríos Martínez, para que se expresen sobre el documento aprobado.

Transcribimos a continuación el texto íntegro de los aspectos dispositivos del proyecto de resolución presentado ante el Comité:

"1. Reafirma el derecho inalienable del pueblo de Puerto Rico a la libre determinación y a la independencia, de acuerdo con la Resolución 1514 (XV) de la Asamblea General, del 14 de diciembre de 1960.

"2. Pide al gobierno de los Estados Unidos de América que se abstenga de adoptar medida alguna que pueda impedir que el pueblo ejerza plena y libremente su derecho inalienable a la libre determinación y a la independencia, así como sus derechos económicos, sociales y de otra índole y, en especial, que evite toda violación de esos derechos por los órganos constituidos bajo su jurisdicción.

"3. Pide a su Relator, con la asistencia de la Secretaría, reúna toda la información pertinente sobre la cuestión, incluso las opiniones de todas las partes interesadas, con el propósito de facilitar su consideración de la cuestión en 1974.

"4. Decide mantener la cuestión bajo examen permanente."

Una vez aprobada por el Comité, la resolución pasará a la Asamblea General en octubre de este año como parte del informe del Comité. Es de esperarse que Estados Unidos concentre su presión y cabildeo en tratar de que la Asamblea rechace la resolución aprobada por el Comité.

El Partido Socialista Puertorriqueño, por su parte, seguirá laborando con miras al próximo confrontamiento en la Asamblea General.

Este fin de semana se inicia en Argel, capital de Argelia, la Conferencia de Países No-alineados.

Una delegación del Partido Socialista Puertorriqueño presidida por Pedro Baigés Chapel, secretario de Asuntos Internacionales y miembro de la Comisión Política de esa colectividad, salió hacia ese país.

El PSP fue invitado a participar en dicho evento como observador.

Trascendió, además, que para la fase final de la importante conferencia, que es la de jefes de estado y gobiernos, se unirán a la delegación Juan Mari Brás, secretario general del PSP, y el secretario de la zona de San Juan y miembro de la Comisión Política, Florencio Merced Rosa.

"Esperamos que en este cónclave obtendremos el respaldo de los países no-alineados a la resolución aprobada por el Comité de Descolonización de la ONU y que, con este respaldo, lograremos la mayoría en la Asamblea General," dijo Mari Brás.

Y terminó subrayando:

"Toda esta gestión es parte de la intensa actividad que despliega nuestro partido y otras fuerzas del país para detener los planes genocidas del gobierno colonial en relación al proyecto del superpuerto y refinerías petroleras."

"Resolución ONU..." (continuación)

El desenlace de una crisis

La Asamblea General del PIP, es el desenlace de una crisis profunda. Esta crisis comenzó a gestarse en 1970, desde el mismo momento en que el Partido Independentista Puertorriqueño incorporó el socialismo a su tradición independentista fundiendo las dos fuerzas liberadoras de este siglo: la lucha por la independencia nacional y la lucha por la erradicación de la explotación capitalista. De esta fusión surgió el **Nuevo PIP**, que movió a la acción a un sector numeroso de nuestra juventud, desarrolló ideológicamente a una gran parte de los miembros de extracción burguesa o pequeño burguesa y lanzó su militancia contra el imperio en Culebra, en las huelgas y en los rescates de terreno.

Este proceso de renovación y crecimiento creó, sin embargo, las siguientes contradicciones que constituyen las causas de la presente crisis:

1. La contradicción entre el socialismo, comprometido con la transformación radical del sistema y la organización arcaica que concibe la lucha en términos electoralistas.
2. La contradicción entre el socialismo, fundamentado en la igualdad y la dirección colectiva, y el liderato caudillista que perpetúa la inferioridad de la base y su dependencia psicológica en un líder máximo.
3. La contradicción entre el socialismo, comprometido con el papel dirigente de las clases trabajadoras, y la composición pequeño-burguesa del partido cuya mentalidad no ha rebasado sus intereses de clase.
4. La contradicción entre el socialismo, que descansa en los hábitos colectivos de trabajo, y las actitudes personalistas y autoritarias que predominan en la organización electoral de tipo caudillista.

Estas contradicciones han dividido el partido en dos concepciones opuestas de la lucha: la que sustentamos nosotros desde la izquierda socialista, y la que sustenta la derecha electoralista y caudillista, que aceptó a regañadientes el socialismo en 1970 y hoy se resiste tenazmente al adelanto ideológico y organizativo.

Nuestra concepción de partido, representada por el reglamento aprobado en la Asamblea deliberativa de Programa y Reglamento en Mayagüez no es la invención caprichosa de un grupo de líderes. Surge desde abajo, de la propia práctica de los militantes de base y de la capacitación que éstos han experimentado. Prueba de ello es el seminario de evaluación de Palmarinas, celebrado después de las elecciones de 1972. En ese seminario los militantes de base exigieron: 1) participación en los procesos decisionales; 2) erradicación de los estilos autoritarios de dirección y trabajo; 3) fortalecimiento de las estructuras básicas e intermedias del partido; 4) definición del miembro del partido en términos de su militancia y su trabajo político; 5) capacitación ideológica socialista; 6) transformación de la base social del partido; 7) abolición del absolutismo presidencial; 8) instauración de la dirección colectiva; y 9) una vida interna fundamentada en el análisis y el debate, en la convivencia de minoría y mayoría y ajena a los vicios del autoritarismo y el personalismo. El seminario de Palmarinas tenía ya las semillas de nuestra concepción de partido.

Por eso, la Comisión de Programa y Reglamento intentó promover una nueva unidad del partido a tono con las exigencias de su militancia de base. Frente a la evidente división entre la izquierda y la derecha optó correctamente por presentar un proyecto de **unidad hacia la izquierda**, fundamentado en una concepción de partido, cuya estructura es congruente con los compromisos de su lucha anti-imperialista y socialista. Partió de la premisa de que para superar la grave crisis del partido era preciso encarar y resolver sus profundas contradicciones. La Junta de Directores escogió el mismo camino en su seminario del mes de junio.

El presidente Rubén Berríos y un grupo de compañeros decidieron, en cambio, encabezar la tendencia derechista. Sustituyeron la Comisión de Programa y Reglamento con una comisión ad hoc. Diseñaron un reglamento alterno que perpetúa los defectos ideológicos y organizativos que tantas veces ha impugnado nuestra historia y nuestra militancia. Utilizaron las conocidas tácticas del-miedo, tildando nuestra posición de Marxixta-Leninista y acusándonos de ser agentes de ideas foráneas contrarias al sentir del pueblo puertorriqueño. Promovieron demagógicamente el odio hacia los compañeros Terceristas, el miedo a la juventud, el desprecio de los intelectuales y el resentimiento de la Isla contra San Juan. En consonancia con su posición derechista el grupo que encabeza el Presidente Berríos ha recurrido al cultivo de la irracionalidad y al culto de la personalidad del líder máximo. Ha evadido el debate ideológico. Ha sustituido el análisis por la práctica de poner etiquetas.

La lucha ideológica se expresa en los dos reglamentos propuestos. Estos difieren en lo siguiente:

1. El Reglamento de la Comisión contiene una tesis política genuinamente socialista y promueve el adelanto ideológico del Partido. El reglamento alterno es una mescolanza de ideas con un leve barniz de retórica socialista y constituye un retroceso ideológico.
2. El Reglamento de la Comisión establece organismos de dirección democrática y autoridad compartida. Distribuye las funciones y las tareas políticas. El reglamento alterno consagra el caudillismo y el absolutismo presidencial.
3. La propuesta de la Comisión propone unos nuevos estilos de trabajo y de dirección congruentes con las exigencias de la lucha anti-imperialista y socialista. La propuesta alterna reafirma las condiciones que consolidan el autoritarismo y el personalismo.
4. La propuesta de la Comisión establece unas claras prioridades organizativas que se dirigen a la proletarización del partido y a la eventual toma del poder por las clases trabajadoras. El reglamento alterno, tras la fachada de una mogolla pluriclasista, convalida el dominio de la pequeña burguesía que ha demostrado repetidamente su incapacidad para dirigir la lucha por la liberación nacional.

En vista de su derrota por la militancia en la Asamblea de Programa y Reglamento, el grupo derechista pretende ahora ganar en la Asamblea General mediante la fuerza de la ilegalidad y la arbitrariedad lo que no ha podido ganar mediante la legalidad y la razón. Fiel a su concepción de partido:

1. Expulsan en Ponce a cuatro miembros de la Comisión Ejecutiva que sustentan nuestra posición, creando de ese modo una mayoría ficticia en ese cuerpo.
2. Convocan por decreto la Asamblea General del 9 de septiembre sin que medie ningún acuerdo previo de la Junta de Directores sobre la organización y procedimientos de esa Asamblea.
3. El Presidente Berríos asume la posición vacante del Secretario de Organización y procede a invalidar las asambleas de delegados que respaldan nuestra posición y a convalidar las que le son favorables. Rehusa reunir los organismos de autoridad máxima en el partido, es decir, la Comisión Ejecutiva y la Junta de Directores. Boicotea las dos últimas reuniones de este cuerpo que se convocan legalmente de acuerdo con el artículo 22 del reglamento. Se niega a constituir una Comisión de Organización para encauzar imparcialmente la Asamblea General y garantizar el juego limpio.
4. Por órdenes superiores se manipulan los registros de los miembros para evitar la participación de la oposición en las asambleas locales.
5. Se convalidan delegaciones de comités inexistentes y se intenta la reorganiz[illegible]ón de comités que respaldan nuestra posición.
6. Se sustituyen coordinadores de áreas y se crean comités paralelos.

Estas malas mañas demuestran que en el tipo de partido que defienden Rubén Berríos y su grupo toda discrepancia de carácter ideológico se reduce a una mera cuestión de confianza en el líder máximo y toda cuestión de confianza en el líder máximo desemboca en la purga de la oposición o en la división del partido.

Es obvio que el Presidente Rubén Berríos ha ilegalizado todos los procedimientos previos a la Asamblea. Es un hecho que él y sus partidarios han utilizado la intimidación y hasta la fuerza física para impedir la elección de un gran número de delegados que apoyan el Reglamento de la Comisión y, por lo tanto, el acceso de éstos a la Asamblea.

Estas condiciones de ilegalidad no permitirán una adecuada confrontación ideológica a través del debate. El Presidente Berríos se ha encargado ya de que eso se haga imposible, porque en el debate él no puede ganar, como no ha podido ganar hasta ahora.

En estas condiciones y ante la imposibilidad de un debate útil, el concurrir a la Asamblea es un acto sin sentido que solo sirve para legitimar las arbitrariedades cometidas por el Presidente Rubén Berríos y su grupo. Ir a una asamblea bajo estas condiciones conduciría al confrontamiento y a la violencia entre compañeros independentistas. Para evitar incidentes que hayan de producir graves daños a la causa de la independencia y el socialismo hemos tomado la decisión de no asistir a la Asamblea.

Hemos luchado por una profunda transformación de las estructuras y estilos de dirección del partido que se refleja en el Reglamento aprobado por la Asamblea de Programa y Reglamento.

La incapacidad de transformación ideológica de algunos sectores de la burguesía y pequeña burguesía acaudillados por el Presidente Berríos ha creado una división que imposibilita la unidad del partido hacia la izquierda. La última alternativa que nos ofrece este grupo es el regreso al pasado. Esto es completamente inaceptable porque somos consecuentes con nuestra concepción del partido. Creemos que es en la lucha de clases por la independencia y el socialismo donde se demuestra nuestro verdadero compromiso. Ir a la Asamblea de Ponce no adelanta la lucha. Envolvernos en una práctica política independentista y socialista sí la adelanta.

Hacia la acción con las clases trabajadoras es que debe ir dirigido nuestro esfuerzo y ese es el compromiso que ahora reiteramos.

Documento autorizado por la Junta de Directores del PIP celebrada en el Colegio de Abogados el lunes 3 de septiembre de 1973.

9 de septiembre de 1973 -- CLARIDAD 17

"El desenlace de una crisis." Declaración Junta de Directores del PIP. Periódico *Claridad*, 9 de septiembre de 1973.

NACIONALISMO Y SOCIALISMO PUERTORRIQUEÑO[1]

Compatriotas, el camino hasta aquí ha sido largo y penoso, pero esta asamblea demuestra, sin lugar a dudas, que por fin nuestro Partido ha logrado salir del bache donde se encontraba.

Hoy es el principio para nosotros. El acero bueno se templa a fuego bien alto. Según nuestros poetas, nuestra Patria surgió de entre los mares como fruto de una convulsión apocalíptica. Así también sucede, muchas veces, en los procesos humanos.

Los independentistas no estamos, ni estuvimos, ni estaremos, vacunados en contra de las pequeñeces que tenemos todos los seres humanos. Hemos visto cómo nuestro Partido ha pasado por un proceso de dura gestación que llevó al estancamiento, que llevó a la desconfianza, que llevó a la falta de respeto, que llevó a la violación de muchas de las virtudes que siempre caracterizaron al movimiento patriótico de Puerto Rico. Hoy es el fin de ese proceso y el inicio del proceso al que se refería Martí cuando decía que el *porvenir se ha de construir con las manos limpias; únicamente con las manos limpias.*

Yo creo que hay que enterrar lo malo del pasado, pero creo también que hay que analizar el pasado para no volver a cometer los mismos errores que se han cometido una y otra vez. Por eso quiero hablarles con el corazón abierto de par en par, quiero que analicemos ese proceso por el cual ha pasado el Partido y luego, a base de lo aprendido, podamos proyectar un trabajo y una mística hacia la construcción de la República Socialista y Democrática del futuro.

Nuestro Partido, desde 1968, empezó a pasar por un profun-

1 **Discurso pronunciado en la Asamblea General del 9 de septiembre de 1973. Véase nota 1 del artículo "Independencia ¿para qué?", del presente capítulo.**

"Discurso de Rubén Berríos Martínez en asamblea del PIP." 9 de septiembre de 1973. *La independencia de Puerto Rico: Razón y lucha,* pp. 367-373.

do proceso de cambio para adaptarse a una nueva realidad social y económica en Puerto Rico.

Ya en Lares, en 1969, podía yo decirles a los independentistas allí reunidos que la lucha centenaria por nuestra liberación nacional tenía, a la altura de ese año, que afincarse sobre dos columnas. Me referí a esas columnas como el nacionalismo y el socialismo democrático.

El nacionalismo no es nada nuevo para los puertorriqueños. El nacionalismo es lo que nos ha dado vida durante siglos en nuestra lucha. Es fácil, desde la torre olímpica de los que no han tenido que sufrir en la cárcel veinte o treinta años, criticar el nacionalismo. Es fácil, en 1973, cuando no sufrimos la persecución violenta y sangrienta de los años treinta y cincuenta mirar con menosprecio y referirse a los patriotas de aquella época como "chauvinistas". Es fácil porque, como dice nuestro jíbaro, "con la boca es un mamey".

Pero, si no fuera por el entronque nacionalista que rige cada uno de los corazones de los independentistas de Puerto Rico, el imperio hubiera acabado con nuestra Patria hace ya muchísimos años.

El Partido Independentista Puertorriqueño (PIP), logra al fundarse en 1946, conjugar la lucha heroica y de frente, heredada del Partido Nacionalista, con la lucha que nos enseñara José de Diego con su estrategia de "dentro del régimen en contra del régimen". Y eso es lo que hace aflorar un pujante y vibrante Partido Independentista Puertorriqueño (PIP) a finales de la década del 40.

Hoy, más de veinte años después, lo que hace que cada uno de nosotros haya llegado hasta aquí desde distintos puntos de la Isla, es un resorte espiritual que va más allá de las teorías, que va más allá de las epifanías y de los cánticos, que va hasta la misma médula de eso que hace que un ser humano ame tanto más las cosas mientras más cerca están de su lugar de nacimiento o de crianza. Decía don José de Diego que había que tener cuidado con aquellas prédicas cosmopolitas que muchas veces eran buenas para la retórica, pero que no encontraban asiento en el corazón humano. Y, sin duda alguna, desde los albores de la humanidad, el nacionalismo bajo distintos ropajes y bien enten-

"Nacionalismo y Socialismo Puertorriqueño..." (continuación)

dido como defensa de lo propio, ha sido resorte fundamental que ha movido a los pueblos.

¿Quién niega que el nacionalismo polaco le ha dado al pueblo de Polonia el sostén para mantenerse? ¿Quién niega que el nacionalismo mexicano le da al pueblo de México el valor espiritual para haber aguantado a esa caterva de invasores del norte? ¿Quién niega que el nacionalismo cubano es lo que permite a los cubanos mantenerse de pie desafiando al imperio más grande de la tierra? ¿Quién puede negar hoy que los pueblos africanos, en decenas, en racimos de naciones libres, han logrado sobreponerse a los imperios franceses, italianos, alemanes, ingleses, a través del hondo sentir nacionalista de cada uno de esos pueblos?

Es muy fácil criticar al nacionalismo. Pero para criticar el nacionalismo en Puerto Rico, hay que ser una de dos cosas: o un tonto útil del imperialismo, o una persona tan enamorada de sus propias ideas que no puede darse cuenta ni de lo que piensan todos los pueblos del mundo, ni de lo que es la realidad.

Es verdad que en la Alemania nazi el nacionalismo se utilizaba como justificación para pisotear a otras naciones. Y ese aspecto del nacionalismo alemán es totalmente repudiable. Es verdad que el imperio norteamericano, cubriéndose con el manto de un nacionalismo prepotente, le arrebató la mitad de su territorio al pueblo mexicano, y se metió en las Antillas y en toda la América Latina y en todo el mundo. Pero eso es un nacionalismo imperialista, y se llama nacionalismo únicamente porque, para pisotear a otros pueblos, se les fomentó a los nacionales de los Estados Unidos de Norteamérica y de Alemania, el sentido de que su nación era superior a todas las demás, y en nombre del nacionalismo se les enseñó a menospreciar a los nacionales de otros pueblos.

Pero en los pueblos pequeños del mundo, en Vietnam, en Yugoeslavia, en Polonia, en Checoslovaquia y específicamente en Puerto Rico, es sostén, es salvavidas, es acicate y es escuela de nuestro pueblo, el profundo amor a esta tierra que es el nacionalismo puertorriqueño.

¡Qué los Estados Unidos de Norteamérica, la Unión Soviética, Francia, Inglaterra, dejen a los pies de la humanidad su propio nacionalismo para que entonces tengan fuerza moral para criticar el nacionalismo de las naciones pequeñas! Pedirle a Puerto Rico o a cualquier otra pequeña nación que deje su

"Nacionalismo y Socialismo Puertorriqueño..." (continuación)

nacionalismo es el subterfugio del grande por dominar más fácilmente al pequeño.

Cuando digo que el nacionalismo es pilar fundamental de nuestra lucha, no lo digo por mera retórica. Lo digo porque hay una peligrosa tendencia en Puerto Rico que denigra y subestima al nacionalismo. En algunos sectores supuestamente de izquierda se ha convertido en moda el atacar al nacionalismo, como si el ser nacionalista fuera un pecado y no el don más preciado del que pueda participar el que ha nacido en esta tierra. Ese nacionalismo nuestro, es lo que hace que este Partido se llame Partido Independentista Puertorriqueño (PIP).

Nacionalismo en Puerto Rico quiere decir todo lo que ya he señalado: una defensa acendrada y profunda de esta tierra que nos dio la vida para que nosotros, los puertorriqueños, mandemos en esta tierra, y no venga nadie a mandar por nosotros.

Y el socialismo democrático significa que este Partido se traza como aspiración final un sistema económico político en el cual los recursos productivos respondan al interés de la sociedad para que así se logre una mayor producción y una justa distribución de las riquezas y el cual tiene como fin último que cada cual aporte a la sociedad según su capacidad, reciba de ésta el producto de su trabajo y participe con libertad en las decisiones que afecten su vida, todo esto dentro del pleno respeto a los derechos individuales.

Y, partiendo de esa aspiración final, le compete a nuestro Partido en cada momento histórico trazar las pautas y definir las especificaciones programáticas que vayan posibilitando el logro de la aspiración última.

El socialismo no puede ser algo que saquemos del último libro que leímos, porque hay treinta libros distintos sobre treinta tipos distintos de socialismo. Y, definitivamente, el Partido Independentista Puertorriqueño (PIP) tiene que desarrollar un tipo de socialismo que se ajuste a las características de nuestro pueblo y de su desarrollo histórico y cultural. Por eso es que he hablado de socialismo a la manera puertorriqueña.

En Puerto Rico, el Partido Independentista Puertorriqueño (PIP) va a hacer un socialismo puertorriqueño, ajustado

"Nacionalismo y Socialismo Puertorriqueño..." (continuación)

a una trayectoria y a un particular desarrollo histórico, un socialismo por la vía puertorriqueña.

Lo que sí queremos dejar claramente establecido es que las únicas pautas para el desarrollo del socialismo puertorriqueño en este Partido las va a dictar el Partido Independentista Puertorriqueño (PIP), y que no nos sometemos al chantaje de nada ni nadie en ningún sitio del mundo.

No vamos a dejar que nadie nos interprete la historia. La historia nuestra la vamos a hacer nosotros.

Nosotros concebimos el socialismo puertorriqueño como un socialismo de profundo entronque democrático. En Puerto Rico no existe una democracia verdadera, y nosotros queremos una democracia verdadera para Puerto Rico. Esto quiere decir que el pueblo, en la República Socialista y Democrática de Puerto Rico, tenga garantizado su derecho a participar en los procesos que afecten su vida. Que haya una plena participación en el proceso de decisión y, además, que haya un pleno' respeto a los derechos individuales del ser humano. Que en nuestra República, cualquiera pueda expresar su opinión, no importa la discrepante que sea su idea, y que no esté sujeto a los insultos ni a los desmanes de unos cuerpos políticos que le nieguen ese derecho.

Tenemos una gran ventaja sobre otros países socialistas, y es que estamos desde la lejanía sobre la historia. No tenemos porqué cometer los errores que han cometido los socialistas en otras partes del mundo. Hay muchas cosas que podemos y debemos aprender de los países socialistas a través de todo el mundo. Pero, definitivamente, hay en algunos países que se definen como socialistas, muchas cosas que tenemos que evitar porque no nos gustan, porque sabemos que no son justas, porque no se ajustan al desarrollo de nuestra historia. Está bueno ya de hipocresías, si un país llamado socialista, invade a otro país, este Partido tiene que repudiar esa invasión de un país que se llame socialista y se comporte como imperialista. Y tenemos que hacer eso porque es justo y revolucionario. Porque no tenemos porqué someternos al chantaje.

El socialismo lo construye el pueblo en marcha; el socialismo lo construye cada pueblo a su manera.

"Nacionalismo y Socialismo Puertorriqueño..." (continuación)

Cuando un puertorriqueño le tiene miedo al socialismo y dice que, en una República socialista no se podría ni hablar, esa persona tiene una gran dosis de razón en tener miedo, porque, desgraciadamente, en algunos países que se llaman socialistas se ha adolecido y se adolece hoy día de unas fallas muy grandes. Y el pueblo lo sabe. Hay algunas repúblicas llamadas socialistas donde no se respetan los derechos humanos y donde tal situación no tiene justificación de clase alguna. No es a ese tipo de república a la que aspiramos en Puerto Rico.

Y esta verdad tenemos que decírsela al pueblo. Tenemos que decirle al pueblo la verdad completa, aunque nos acusen de revisionistas y de derechistas los que intentan chantajearnos.

Nosotros en este Partido defendemos con integridad y con honestidad aquello en lo que creemos: el nacionalismo y el socialismo a lo puertorriqueño. Y ese es el mensaje en el día de hoy: Vamos a nuestro pueblo con la verdad, que el pueblo nos está esperando. Nuestro pueblo no puede ya más con los malos gobiernos que lo han frustrado en los últimos años. No puede ya más con el alto costo de la vida, con la persecución al obrero. No puede más ante el abuso de los grandes intereses económicos. Ahora el pueblo se empieza a dar cuenta de la verdad de lo que decíamos años atrás: "Ni con los malos ni con los peores."

Pero nosotros estábamos estancados. Estábamos envueltos en debates internos, estériles en apariencia, pero fructíferos porque han dado lugar a que este Partido se identifique y tome una trayectoria. Mientras tanto, el pueblo sigue esperando nuestro mensaje.

Y este mensaje tiene que llegar a todos los rincones de Puerto Rico. No sólo por la radio, la televisión y la prensa; mucho más importante es llevar este mensaje casa por casa. Por eso, todo lo que ha sucedido en el Partido ha sido necesario. Cuando se prendió la luz del socialismo, se pegaron algunos insectos, como sucede siempre cuando se enciende una luz. Pero eso ya es pasado en nuestro Partido. La luz está encendida; el sol está encendido y ustedes son los encargados de llevar el mensaje.

Nadie le va a hacer la independencia a los puertorriqueños. Nadie le va a hacer el socialismo. Sólo los puertorriqueños mismos. Y el líder más grande, como el más pequeño, es, en cierta medida, un instrumento para captar y expresar en un momento dado, las pulsaciones espirituales de los independentistas y las preocupaciones de nuestro pueblo.

"Nacionalismo y Socialismo Puertorriqueño..." (continuación)

Habiendo definido con claridad nuestra ideología naciona-lista-independentista-socialista-democrática de verdad, tenemos la clave para que el pueblo puertorriqueña la haga suya y lleve a cabo el cambio profundo que significa la República Socialista y Democrática de Puerto Rico.

Mi invitación es que salgamos de aquí con mayor vigor, mayor espíritu y mayor mística que nunca antes. Hemos caído en el camino cien veces; ya es tiempo de que aprendamos a caminar con los dos pies sin caernos. Los partidos, como los individuos, cuando niños se caen, cuando hombres, se mantienen enhiestos.

Hoy salimos de aquí con el germen verdadero del partido de masas. ¡Qué nos indentifiquen claramente! Somos nacionalistas, somos independentistas, somos socialistas y somos democráticos. Esa es nuestra definición. Y si, para la ultraizquierda, eso es muy blandito, que se queden filosofando en la ultraizquierda. Y si a la derecha no le gusta nuestra definición, que no le guste nuestra definición a la derecha. Que nosotros, los nacionalistas, independentistas y socialistas democráticos puertorriqueños vamos a seguir por este camino ancho que define nuestro Partido. Que desde hoy hasta el día en que se haga realidad la República Socialista y Democrática de Puerto Rico, nada ni nadie va a parar al Partido Independentista Puertorriqueño (PIP) camino a su glorioso destino.

¡Qué viva Puerto Rico libre!

"Nacionalismo y Socialismo Puertorriqueño..." (continuación)

EDICION del MARTES

Claridad 10¢

EL PERIODICO DE LA INDEPENDENCIA

Núm. 503 - AÑO XV - Bisemanal | San Juan, Puerto Rico, 11 de septiembre de 1973 | 15 centavos fuera de Puerto Rico

Planean eliminar oposición superpuerto

Gobierno utiliza chantaje y soborno

Por Dixie Bayó
Sub-directora de CLARIDAD

SAN JUAN – Los gobiernos de Estados Unidos y Puerto Rico están utilizando recursos **"inimaginables"**, incluyendo el chantaje y el soborno, para imponer al pueblo puertorriqueño la construcción del superpuerto petrolero, revelaron a CLARIDAD fuentes íntimamente ligadas a La Fortaleza y a las altas esferas del gobierno norteamericano.

"El descrédito público de prestigiosas figuras que se oponen al superpuerto, la destitución de sus cargos de importantes funcionarios gubernamentales, la tergiversación de noticias, amenazas, chantajes y sobornos son algunas de las tácticas que se están utilizando", explicaron

(Vea –GOBIERNO– Pág. 13)

Rubén Berríos, presidente del Partido Independentista Puertorriqueño, mientras hablaba a los asistentes a la asamblea general, celebrada en el coliseo de Ponce el pasado domingo. (Foto CLARIDAD por Camero.)

Piden Gallisá y Torres renuncien a escaños

PONCE – Los 1,237 delegados que asistieron a la asamblea extraordinaria del Partido Independentista Puertorriqueño celebrada en esta ciudad aprobaron abrumadoramente la propuesta alterna de reglamento así como la destitución de Carlos Gallisá, Luis Angel Torres y todos aquellos asambleístas municipales identificados con los llamados terceristas.

Durante la asamblea no se suscitaron los esperados debates en torno a los reglamentos a pesar de que éstos plantean serias diferencias en torno a la estructura del partido.

No obstante, varios delegados objetaron que el reglamento aprobado careciera de una Secretaría de Asuntos Obreros, Asuntos Internacionales y Finanzas.

La asamblea fue citada con el único propósito de aprobar el reglamento del partido. Luego se convocará otra asamblea extraordinaria para elegir al presidente del partido y llenar las vacantes en la comisión política, indicó el licenciado Luis Rivera Lacourt, quien presidió la asamblea.

La moción solicitando la expulsión de los legisladores fue presentada por el delegado Federico Quiñones quien señaló que: "Al

(Vea –PIDEN– Pág. 13)

"Piden Gallisá y Torres renuncien a escaños."
Periódico *Claridad*, 11 de septiembre de 1973.

PIDEN

viene de la página 1
abandonar el PIP los señores Gallisá y Luis A. Torres el partido ha quedado huérfano de la representación a la que tiene derecho moral y legalmente".

Se acordó enviarle un telegrama a ambos legisladores y a todos los asambleístas municipales para que inmediatamente abandonen sus puestos.

En un aparte con la prensa, el presidente del PIP, Rubén Berríos indicó que **"más que por razones legales, por razones profundamente morales estos legisladores tienen que abandonar sus puestos".**

Sobre la separación de la JIU del partido Berríos señaló que ésta se encontraba enajenada del 95 por ciento del estudiantado independentista universitario porque respondía al **"colonialismo izquierdizante, a esa nueva izquierda norteamericana que ya tiene más de diez años de vieja".**

Una moción presentada por el delegado de Aguadilla, Orlando Añeses, en el sentido de que se le brindara un voto de confianza a Berríos y reconocimiento por el trabajo realizado en la ONU fue aprobada por aclamación.

En su intervención, el presidente del PIP indicó que los pilares de su partido son el nacionalismo y el socialismo **"a la puertorriqueña".**

Berríos recordó la cita de José de Diego en la que advertía que había que tener cuidado con las **"prédicas cosmopolitanas".**

Indicó que su partido comenzaba un proceso donde, como dijo Martí, **"el porvenir lo vamos a construir con las manos limpias",**

Catalogó de agentes del imperialismo a todos aquellos que se dedican a atacar a los patriotas nacionalistas y la ideología nacionalista.

"Es verdad que la nación sin confines es peligrosa, pero ese es el nacionalismo en su fase imperialista", dijo y a renglón seguido indicó **"el nacionalismo ha sido el salvavidas de los pueblos de Vietnam, Cuba, Yugoslavia, Checoslovaquia y Puerto Rico".**

Sobre la ideología socialista señaló que existen diferentes clases y, por lo tanto, **"tenemos que desarrollar una que se ajuste y se adapte a la realidad puertorriqueña".**

Por otra parte, el ex-vicepresidente del PIP, Carlos Gallisá, quien recientemente anunciara su renuncia al partido junto a otros prominentes líderes de esa colectividad calificó la asamblea de **"una muestra clara de la derrota de Berríos en el partido".**

Expresó que **"la llamada asamblea del PIP realmente fue un mitin de Berríos donde se le dio categoría de delegados a personas que no representan a nadie".**

Añadió que lo que se celebró en Ponce fue —en sus palabras— **"un simulacro de asamblea, donde la soberbia llegó a tal punto de que o se aprobaba el reglamento caudillista o se rompía el partido. Y el resultado fue que se aprobó dicho reglamento y se rompió el partido"**, puntualizó el dirigente independentista.

Respecto al llamado de Berríos para que tanto Gallisá como Luis Angel Torres renuncien a sus escaños legislativos, el ex-vicepresidente del PIP expesó que no le reconoce legalidad ni fuerza moral para pedir un escaño a un grupo que ha renegado los principios socialistas que había en el partido cuando recibieron su mandato.

"Los que tienen que plantearse una cuestión moral respecto a sus escaños son los que los ocupan después de haber traicionado los principios socialistas por los cuales el pueblo independentista votó", subrayó Gallisá.

Finalmente, trascendió que innumerables presidentes de comités municipales y otros dirigentes del PIP, tanto a nivel municipal como a nivel nacional, anunciarán sus renuncias a dicho partido en los próximos días.

Por Dixie Bayó
Sub-directora de CLARIDAD

11 de septiembre de 1973 – CLARIDAD 13

"Piden Gallisá..." (continuación)

Rockefeller amplía sus dominios

Por Doris Castañer
Redactora de CLARIDAD

SAN JUAN – La Corporación IBEC, propiedad de la familia Rockefeller, construirá más de una docena de gigantescos centros comerciales a través de toda la Isla, conjuntamente con las tiendas Barkers y Grand Union, logrando así el total control de locales comerciales en Puerto Rico, aseguró a CLARIDAD una fuente de entero crédito.

Actualmente IBEC opera junto a Barkers y Grand Union varios centros comerciales en Puerto Rico. Con esta nueva concesión esta nueva compañía se convertirá en la más grande acaparadora de locales comerciales en la Isla.

Como consecuencia de esto –según nuestra fuente– y ante la indiferencia de las

(Vea –ROCKEFELLER– Pág. 11)

Claridad 10¢

EL PERIODICO DE LA INDEPENDENCIA

Núm. 507 Año XV –Bisemanal | San Juan, Puerto Rico, 25 de septiembre de 1973 | 15 centavos fuera de Puerto Rico

Dedican actos a Salvador Allende

Multitud Lares reclama unidad

Por Dixie Bayó
Sub-directora de CLARIDAD

LARES – Un fuerte llamado a la unidad de las fuerzas independentistas hizo el secretario general del Partido Socialista Puertorriqueño, Juan Mari Brás, en los actos conmemorativos del 105 Aniversario del Grito de Lares al analizar la división en las filas del Partido Independentista, fijando además la posición del PSP en el sentido de que "en esa unidad están incluidos los marxistas-leninistas, comunistas y no-comunistas, pero lo que no se puede permitir son los anti-comunistas", recibiendo una estruendosa ovación al hacer el

(Vea –MULTITUD– Pág. 7)

Juan Mari Brás, secretario general del Partido Socialista Puertorriqueño, habla a los miles y miles de independentistas reunidos en Lares con motivo del 105 aniversario de la gesta que se escenificó aquí en 1868, bajo la inspiración del Padre de la Patria, Ramón Emeterio Betances. Vea páginas 7 y 12. (Foto CLARIDAD por Charrón.)

"Multitud Lares reclama unidad."
Portada Periódico *Claridad*, 25 de septiembre de 1973.

COMENTARIO POLITICO por Juan Mari Brás

Por encima de las diferencias

Hemos sostenido siempre que es perfectamente normal que existan diferencias ideológicas entre los independentistas puertorriqueños. Esas diferencias, y otros factores, son los que explican la diversidad de organizaciones en que se manifiesta el independentismo. Y eso no es malo.

Lo importante es que se tenga una justa perspectiva y se entienda que hay un común denominador –la lucha por la independencia– que obliga a concertar en alguna medida el trabajo de todos.

Ahora nos aproximamos a una nueva coyuntura que exige la acción unida del independentismo. Se trata de la conferencia de alcaldes de Estados Unidos a celebrarse en San Juan del 1ro. al 5 de diciembre próximo. Varios millares de ejecutivos municipales norteamericanos convergerán aquí para ese evento. Vienen en plan de vacaciones tropicales, a pasar unos días en un clima agradable, a disfrutar de nuestras playas esplendorosas y a darle a sus sentidos el festín del contacto con un pedazo de naturaleza de los más bellos del planeta. Su arrogancia, cultivada por el racismo, el chovinismo de gran potencia y el falso sentido de auto-suficiencia que desarrollan siempre los explotadores, les lleva a pensar que llegarán aquí a un paraíso de diversiones. Ni siquiera se les ocurrirá a la inmensa mayoría de ellos detenerse a pensar que en esta isla vive un pueblo que enfrenta gravísimos problemas sociales, económicos, políticos y culturales. Mucho menos podrían admitir que su gobierno y el sistema que se monta en el mismo son responsables directos de las raíces fundamentales de esa problemática.

Pocas veces se nos ofrece la oportunidad de llevar las demandas de este pueblo directamente a tantos elementos de poder dentro de la estructura imperialista. No son solamente los alcaldes los que recibirán el impacto de nuestra protesta. Junto a ellos vendrán a Puerto Rico otros millares de periodistas, asesores y funcionarios.

Sencillamente, el independentismo no puede desperdiciar la ocasión de realizar una de sus grandes manifestaciones, que quiebre por completo el esquema paradisíaco planeado por el títere Romero Barceló para las vacaciones de sus colegas yanquis.

La ausencia de un mínimo organismo coordinador del independentismo unido impide tomar con la rapidez imprescindible las decisiones unitarias que conduzcan a organizar conjuntamente, desde sus inicios, esa gran actividad patriótica. El problema se agrava por el infantilismo que parcela al independentismo en ghetos artificalmente aislados unos de otros. Se llega al extremo incríble de que el pasado 30 de octubre el Partido Nacionalista celebró un acto supuestamente unitario para conmemorar la gesta gloriosa de 1950 y no invitó al mismo al Partido Socialista Puertorriqueño. Como resultado de esa torpeza, el acto fue el menos concurrido de los últimos años, según el periodista Tomás Stella del San Juan Star.

Ante esa situación, el Partido Socialista se ha tomado la iniciativa de comenzar a organizar un gran acto de protesta para el domingo 2 de diciembre. Será un acto amplio en el que cabe todo el independentismo por encima de diferencia ideológicas u organizativas. Estará enmarcado en tres consignas: libertad para los presos políticos, cero superpuerto e independencia ahora. Todo el que esté a favor de estas tres consignas, que son muchos millares de puertorriqueños, están invitados a participar en el acto. El PSP invita a los partidos, agrupaciones y personas sin partido a unirse en la organización y realización de este acto. No vamos a excluir a nadie. Nos dirigiremos a las organizaciones conocidas invitándoles a una reunión para discutir todo lo concerniente a la actividad. Informaremos continuamente al pueblo patriota sobre el avance de los preparativos.

Hay mucho trabajo que realizar para garantizar que el acto cumpla su importante objetivo. Los socialistas haremos nuestra parte al mismo tiempo en que continuamos realizando las múltiples tareas que tenemos programadas para el mes de noviembre. Pedimos a todos los independentistas que nos den la mano en esta nueva encomienda que nos impone el más elemental deber patriótico.

Los alcaldes de Estados Unidos verán que en está tierra de los puertorriqueños, además de un paisaje exuberante y un sol candente, hay un pueblo que arde en inquebrantable voluntad de patria. Tendrán que insertar en sus esquemas la presencia de ese pueblo y aprenderán que la extensión de sus dominios por estos lares no está tan asegurada como ellos creían. Hacia el logro de ese objetivo, vale la pena echar a un lado las diferencias momentáneamente y juntar fuerzas en el común propósito de la independencia patria.

8 CLARIDAD – 4 de noviembre de 1973

"Por encima de las diferencias." Artículo de Juan Mari Brás.
Periódico *Claridad*, 4 de noviembre de 1973.

COMENTARIO POLITICO por Juan Mari Brás

Oye tú, independentista

MAYAGUEZ – Hay múltiples razones por las cuales la marcha del próximo domingo organizada por el independentismo unido es de importancia excepcional para el avance de nuestra causa.

El país se conmueve ante la iminencia de una grave profundización de la crisis económica en que se ha venido debatiendo el sistema en los últimos tiempos.

El aumento galopante en el costo de la vida crece desenfrenadamente y el gobierno se declara impotente para detenerlo. Nuestra sujeción al monopolio de mercado que Estados Unidos le impone a Puerto Rico es la causa principal de este grave problema, unido a la naturaleza misma del sistema capitalista que se basa en garantizar el lucro de unos pocos a costa de la explotación de mayoría.

El desempleo que ha sido constantemente uno de los problemas crónicos del país amenaza con escalar niveles catastróficos. El negocio turístico está al borde del colapso. Lo confiesa el propio administrador de Fomento, Teodoro Moscoso. Y la única solución que se le ocurre a este cínico promotor de la mafia es legalizar las máquinas traganíqueles para plagar más aún a nuestra Isla de raqueteros, truhanes y delicuentes de toda laya. Pero el propio gobierno admite en sus análisis privados, aunque lo niegue en público, que es inevitable el cierre de un gran número de hoteles próximamente.

Múltiples fábricas están a punto de cerrar sus operaciones por falta de combustible, lo cual representaría un desplazamiento de entre 25,000 y 40,000 obreros a las ya crecidas huestes desempleadas. Esto se debe a la camisa de fuerza de la reglamentación petrolera impuesta por Richard Nixon y las maniobras de las compañías petroleras establecidas aquí, que están canalizando su producción al mercado norteamericano, en menoscabo de las necesidades más urgentes de la economía del país.

El caso colonial de Puerto Rico ha alcanzado una prominencia internacional nunca antes vista y se inserta destacadamente en la agenda de la comunidad mundial, que tiene la liquidación del colonialismo en todas sus formas y manifestaciones, como uno de sus objetivos prioritarios para el inmediato futuro.

Estados Unidos está sumido en una profunda crisis política. Su liderato oficial está totalmente desacreditado y desenmascarado ante el pueblo norteamericano y el mundo entero, empezando por el presidente Richard Nixon, quien difícilmente pueda sobrevivir políticamente esta crisis.

En Puerto Rico el partido de gobierno se debate en hondas divisiones y el gobernador y su equipo de ayudantes principales son acusados de ineptitud por sus propios correligionarios.

Esto lo informan a nuestro partido distintos colaboradores del segundo nivel estrechamente vinculados al gobierno.

Ante todo este conjunto de factores millares de puertorriqueños empiezan a tomar conciencia de que la única alternativa real para enfrentar los problemas vitales que afectan directamente a nuestra vida es descartar todos los remiendos y chanchullos colonialistas y proponer la transformación radical de este sistema podrido, la proclamación de la independencia nacional y la construcción del socialismo, en el que se concentren nuestros recursos y energía creadora en resolver las urgentes necesidades de todos y se elimine para siempre la explotación humana, la desigualdad, la corrupción, la dependencia y el subdesarrollo.

El independentismo tiene sobre sus hombros en este momento una gravísima responsabilidad. Está a nuestro alcance cortar significativamente el cambio hacia nuestras metas de liberación. Para eso es preciso que demostremos palmariamente que somos la fuerza cohesiva, organizada y capaz que puede darle dirección al pueblo en esta encrucijada histórica. Esa demostración tenemos que hacerla ante nuestro propio pueblo, ante el pueblo de Estados Uniidos y ante el mundo entero.

La visita de los alcaldes yanquis provee la coyuntura que necesitamos para hacer esa pujante demostración de fuerzas. El acto en sí tendrá una resonancia que no pueden evitar los más sofisticados métodos de censura periodística que ingenie el imperialismo.

Cada independentista, no importa a qué partido o grupo este afiliado o si no está a ninguno de ellos, tiene la obligación de ayudar a que este acto, que no es de ninguna organización en particular, resulte masivo y exitoso en todo sentido. No hacerlo sería una irresponsabilidad patriótica. Hay que superar la indolencia, la vacilación, el acomodo a la línea de menor resistencia. Sabemos que la militancia de nuestro partido y de otras agrupaciones que auspician el acto están dando todo su esfuerzo para garantizar un acto giganteseo. Corresponde a tí, independentista amigo, tú que oscilas continuamente entre la esperanza y la frustración que cobres conciencia del minuto que vivimos; rebases tus propias ambivalencias anímicas y te dispongas a darle tu apoyo a este acto.

Te aseguramos que no vas a arrepentirte, que verás fructificar con creces el esfuerzo que pueda costarte transportarte a San Juan a caminar con nosotros enarbolando en alto la bandera de la patria y de la independencia.

8 CLARIDAD – 2 de diciembre de 1973

"Oye tú, independentista." Artículo de Juan Mari Brás.
Periódico *Claridad*, 2 de diciembre de 1973.

EDITORIAL

CON LA GUARDIA EN ALTO

Estamos en plena época navideña. Al cierre de esta edición solo restaban diecinueve días para finalizar el año 1973.

No empece los graves problemas que enfrenta el pueblo se respira el ambiente festivo que caracteriza el período navideño. Incluso los militantes independentistas –con todas las tareas que hay en agenda– participan de las tradicionales fiestas.

El pueblo trabajador se resiste a transar frente a las circunstancias adversas y realiza enormes sacrificios para celebrar esa tradición nuestra. Los medios de comunicación en masa manipulan la tradición en beneficio de los grandes importadores.

Mientras tanto, los explotados son los que mantienen el sentido popular puertorriqueñista de la época. Los poderosos se entregan a la frivolidad y los lujos que le atosigan sus amos norteamericanos. En ese sentido las navidades sirven para dramatizar las contradicciones que vive el sistema.

Aparte de ésto, hay que reconocer que hasta ahora, durante la época navideña, el ritmo de la lucha decrece. Eso no quiere decir que la lucha se detenga pero ciertamente mengua. El nivel óptimo de la lucha todavía no permite lo contrario.

Los revolucionarios adecuamos nuestras formas de lucha a las circunstancias. Lo contrario es darse contra la pared una y mil veces. Pero no aceptamos las circunstancias para siempre. Hay que disponerse a reformarlas, transformarlas y así elevar el nivel del forcejeo.

Nos parece que en este año existen condiciones objetivas que permiten adelantar en ese sentido. La grave crisis económica que vive el país, el incremento de la represión y en contraposición el fortalecimiento del independentismo son condiciones que nos brinda la oportunidad para disminuir el reflujo tradicional de estos meses.

Los independentistas –sin que parezcamos seres de otro mundo– tenemos que mantener el ritmo de la lucha y alzar la guardia. No permitamos que el enemigo respire en ningún momento.

La situación que vive el país es crítica. No permitamos que nos entretengan con arbolitos y santa closes importados. Existe una circunstancia muy importante que nos obliga aún más a mantenernos listos para el combate. El gobernador Rafael Hernández Colón prometió que antes de finalizar el año 1973 solicitaría el indulto incondicional de nuestros presos políticos. Tenemos que estar listos para obligarlo a cumplir con su promesa y para ello solo quedan unos días.

COMENTARIO POLITICO por Juan Mari Brás

Carta abierta a Rubén Berríos

Querido compañero,

Quiero referirme a tu artículo **"Unidad de acción, no de palabra"**, publicado en *"La Hora"*, edición fechada del 6 al 12 de diciembre de 1973. En el mismo criticas la política unitaria del Partido Socialista, a la luz de las últimas actividades patrióticas del 23 de septiembre y el 2 de diciembre y planteas unas pautas que a juicio tuyo deben prevalecer como base a las acciones unitarias de nuestros dos partidos.

Tu crítica a la actuación del PSP en relación a la pasada celebración del Grito de Lares es injusta y se basa fundamentalmente en desinformación tendenciosa proporcionada por el enemigo. En ningún momento el Partido Socialista "se autoproclamó amo y rector del día del Grito de Lares". Una agencia norteamericana de noticias, con toda alevosía, falsificó un comunicado enviado por el PSP y falsamente puso en labios de un portavoz del PSP la afirmación de que este año el Partido Socialista tenía a su cargo la organización y movilización para los actos de Lares. Hiciste mal en creer a Prensa Unida Internacional y no a tus compañeros de lucha del PSP.

Lo otro que te molestó del acto de Lares fue que nosotros cediéramos parte de nuestro tiempo en la tribuna al compañero Carlos Gallisá. Carlos había manifestado su disposición de consumir un turno en la tribuna lareña y nosotros consideramos que era importante que así lo hiciera. Se trata de un líder de la independencia. Pretender que ha dejado de serlo porque salió del PIP o quedó marginado de él, es querer tapar el cielo con la mano. Y a estas alturas de tu experiencia como dirigente político ya es tiempo de que aprendas que no hay mano capaz de tapar el cielo. Creemos que era positivo para la lucha que se demostrara en Lares la realidad de que el independentismo sigue unido en su propósito común de alcanzar la liberación nacional por encima de las divisiones que había sufrido por esos mismos días el PIP. El PSP planteó ante el Comité Organizador del acto de Lares la invitación a Gallisá y la delegación del PIP aceptó su inclusión en el programa. Posteriormente, como ha pasado en tantas ocasiones pasadas, tú revocaste la decisión de tus propios delegados y decidiste que Gallisá no hablaría. Decidiste imponer tu veto a la participación de Gallisá en Lares. Pero nosotros no aceptamos que tú tengas poder de veto. Gallisá habló y el pueblo patriota reunido en Lares acogió con gran entusiasmo su participación. Eres tú quien debió aprender la lección que te dio el pueblo en Lares. Preferiste actuar como muchacho malcriado, entrar y salir sin saludar a nadie e ignorar la temática unitaria que inquieta a la militancia de la independencia. La unidad patriótica no puede colocarse en dependencia de tus estados anímicos ni de los de nadie. Ha de fundarse en la comprensión plena de su necesidad, su amplitud y la flexibilidad para ir hilvanándose sólidamente por encima de todos los obstáculos.

Esto nos lleva a lo medular de tu planteamiento en relación con el acto del dos de diciembre. Ahora tú alegas que hay dos partidos de la independencia "que, conjuntamente, aglutinan la casi totalidad del independentismo". Si le hubieras añadido una palabra para decir el independentismo activo en vez de solamente el independentismo, sería una repetición casi literal de algo que nosotros repetimos una y mil veces desde 1971 hasta 1973. Entonces tú negabas esta verdad del momento y afirmabas que el PIP era "el partido de la independencia" como si nosotros no existiéramos. Lo que pasa es que tú vienes a aceptar la tesis de los dos partidos cuando ésta ha empezado a perder vigencia por virtud de la división y subdivisiones en que cayó el Partido Independentista durante el presente año. No te hagas ilusiones, Rubén. No es sensato ni práctico montar la línea política en fantaseos. Aquel PIP que co-auspició la Marcha de los Gobernadores con el MPI –el acto independentista cuantitativamente más grande de toda la historia patria– ya no existe. Se desintegró en el proceso de unas pugnas internas que lo despedazaron. Ustedes, los que hoy dirigen el PIP, podrían reconstruir un partido tan poderoso como aquel, pero será distinto en composición, liderato e ideología al que estaba fraguándose trabajosamente durante el periodo de tres años, desde 1970 hasta las elecciones de 1972. Ustedes sí representan una parte sustancial de aquel partido y por eso nosotros sostenemos que la unidad patriótica tiene que contar con ustedes. Pero los que salieron del PIP también son parte de esa unidad patriótica, aunque a tí no te guste.

Es partiendo de esa realidad que visualizamos la marcha del dos de diciembre con dos propósitos fundamentales: realizar la protesta que impactara aquí y en el exterior frente a los alcaldes yanquis y re-iniciar la reconstrucción de la unidad independentista. Para eso teníamos que contar con todos los grupos y dirigentes que salieron del PIP, al igual que con ustedes. Empezamos por comunicarnos contigo. No es cierto que hubiéramos hecho público primero el anuncio del acto para después invitarlos a una reunión. El compañero José Milton Soltero te explicó nuestra propuesta sobre este acto cuando conversó contigo para ponerte al día en cuanto a lo que se estaba haciendo en las Naciones Unidas. Tú dijiste que le darías pensamiento a la proposición y luego te comunicarías con nosotros. Lo que pasa es que nosotros no podemos frenar la lucha para que discurra al ritmo de tu pensamiento. Por eso procedimos a anunciar nuestra decisión de convocar a todos los grupos para plantear la organización del acto.

Tú preferiste no acudir a la reunión y enviar una delegación a plantear que el PIP se oponía a la celebración de una marcha porque ésta no era el mejor medio de manifestar la protesta de nuestro pueblo frente a la visita de los alcaldes.

En esa reunión ninguno de los delegados del PIP planteó oposición a la presencia allí de Noel Colón Martínez, Carlos Gallisá, Norman Pietri, Luis Angel Torres, David Noriega y otros ex-pipiolos que estaban en la misma. Pero ahora tú confiesas en tu artículo que esa fue la causa principal por la cuál ustedes optaron por no participar en la marcha. No vamos, por tanto, a abundar en esto.

Lo importante es que la marcha demostró que quienes la convocamos y la organizamos pulsamos bien la voluntad de lucha unitaria del independentismo activo. A pesar del boicot abierto del PIP –que llegó a extremos insólitos como el de sacar un vehículo con altoparlantes en un pueblo gritando la absurda consigna, ¡Al pueblo sí, a la marcha no! –la marcha superó en asistencia el último acto unitario del PSP y el PIP, efectuado el 4 de julio en Aguadilla.

Tú sabes a conciencia que no hay base para poner la marcha de los gobernadores como punto de comparación con este acto. El efecto multiplicador de la unidad del independentismo activo se manifestó plenamente en la marcha de los gobernadores, que logró movilizar a decenas de miles de independentistas pasivos. Eso no era posible en esta ocasión porque el independentismo ha vuelto a traumatizarse por un proceso de división interna en el PIP, llevado a extremos por tu insistencia en desconocer la realidad, y el cuál se acentuó por la insistencia de ustedes en mantener vivo ese proceso divisorio, más allá de las fronteras partidarias del PIP.

La marcha llenó todo su cometido. Logró sus objetivos a cabalidad dentro de las circunstancias impuestas por tu falta de visión política. Todavía tú tienes en tus manos el poder para torpedear la unidad independentista. Pero cada vez lo tienes menos. Y si insistes en esa línea, no te queda más destino que la marginación y el aislamiento. Lo que no va a permitir el independentismo es que tus errores garrafales se conviertan en tara de toda la lucha. Un dirigente puede equivocarse muchas veces, y mantener su papel dirigente, siempre que aprenda de las experiencias negativas y se disponga a superarse. Si insiste temerariamente en el error, termina estrellándose contra esa muralla que es la realidad.

Aún hay tiempo de que rectifiques. De lo contrario vas camino de verte en la alternativa de colocarte al márgen de la lucha o tenerte que aliar con unas fuerzas que, por más que se encubran como renovadoras, son las mismas que a lo largo de décadas han sido la alternativa del imperialismo ante la inevitabilidad del cambio. No te dejes caer en esa encerrona, Rubén. **Fraternalmente, Juan Mari Brás.**

8 CLARIDAD – 16 de diciembre de 1973

"Carta abierta a Rubén Berríos." Artículo de Juan Mari Brás.
Periódico *Claridad*, 16 de diciembre de 1973.

VII.
"Plebiscito independentista"

De 1974 a 1976, se produjo la confrontación por la hegemonía en el espacio electoral independentista entre el PIP y el PSP. Esa pugna se vio fomentada en parte por el ingreso, en 1975, de Carlos Gallisá al PSP y de Luis Ángel Torres al MST, quedando el PIP sin representación en la Cámara temporalmente. Y por la decisión del PSP de inscribirse para participar en las elecciones de 1976. A pesar de dicha pugna, continuaron las acciones unitarias en diversos frentes. Eso produjo un surgir renovado de las políticas de represión del estado y las acciones de elementos paramilitares y de contrainsurgencia de extrema derecha, que culminaron en 1976 con el asesinato, en plena campaña electoral, de un hijo de Juan Mari Brás, secretario general y candidato a gobernador del PSP.

Cronología

1974

27 de octubre- El PSP celebra, en el Madison Square Garden de New York, el Día de la Solidaridad con la Independencia de Puerto Rico. Este acto fue organizado en conjunto con las seccionales del área de Nueva York y llevó allí a cerca de 25 mil personas. Hubo asistencia de varios países incluyendo a Cuba. Entre los oradores invitados, estuvieron Angela Davis, Jane Fonda y el mensaje principal fue ofrecido por Juan Mari Brás, Secretario General del PSP. Hubo actos simultáneos en Oakland y San Francisco.

1975

8 de enero- Carlos Gallisá hace entrada al PSP mediante un anuncio hecho en su oficina en el Capitolio junto a Juan Mari Brás. Gallisá es reconocido como el portavoz en la Cámara de un partido que no habría participado de las elecciones del '72.

9 de enero- Juan Mari Brás publica una columna titulada "El ingreso de Gallisá", donde se resalta la importancia de la entrada del legislador a las filas del PSP.

11 de enero- En una actividad de recordación de Eugenio María de Hostos, organizada por el PSP, explota una bomba matando a Luis A. Charbonier y a Eddie Román Torres.

27 de abril- Documento del Comité Central del PIP sobre Política Internacional del PIP (Consejo Mundial de la Paz)

3 de agosto- Rubén Berríos Martínez emprende una gira internacional junto al Secretario General del Partido Revolucionario Dominicano (PRD), doctor José Francisco Peña Gómez, para establecer contacto con los partidos socialistas francés y portugués y el Partido Socialdemócrata Sueco.

23 de septiembre- Conmemoración del Grito de Lares: primera vez desde el 1968 que se hacen actividades por separado. Mari Brás vuelve a hacer un llamado a la unidad y Berríos proclamaba al PIP como único sendero.

1976

11 de enero- El PSP anuncia la apertura de su campaña electoral desde la conmemoración del natalicio de Eugenio María de Hostos.

6 de febrero- En conferencia de prensa en la oficina del representante Carlos Gallisá, se anuncia que Juan Mari Brás será candidato a gobernador del PSP. Pedro Grant será candidato al Senado y Carlos Gallisá a la Cámara.

9 de febrero- En un artículo en el periódico *El Nuevo Día*, Juan Mari Brás acusa a Rubén Berríos de "burgués".

24 de marzo- Es asesinado Santiago Mari Pesquera, hijo de Juan Mari Brás. Mensaje de condolencia de Rubén Berríos.

1 de mayo- Marcha del PSP y el MOU [Movimiento Obrero Unido] por el Día Internacional de los Trabajadores en San Juan. El PIP hará un acto en Mayagüez.

27 de junio- Asamblea del PSP en el parque Sixto Escobar.

18 de julio- Asamblea del PIP en el estadio Hiram Bithorn. Rubén Berríos es nominado candidato a gobernador.

21 de julio- Llamado del PSP al PIP para una alianza electoral.

7 de septiembre- Se aprueba por votación unánime la tercera resolución sobre Puerto Rico en el Comité de los 24 en la ONU

26 de octubre- Debate televisado de los candidatos a gobernador.

2 de noviembre- Elecciones. El PIP obtiene 83,037 votos (5.7%). El PSP obtiene 10,728 votos (0.7%).

TESTIMONIOS

1. RUBÉN BERRÍOS MARTÍNEZ
CANDIDATO A GOBERNADOR PARA ASEGURAR EL ESPACIO DEL PIP

Néstor Duprey Salgado: Tú hablas de un plebiscito. De que se va a dar el plebiscito entre el PSP y el PIP. Eso ocurre entre el '76 y el '80.

Rubén Berríos Martínez: Así es.

NDS: ¿Cómo tú lo ves? ¿Cómo tú, a la distancia del tiempo, nuevamente, cómo tú evalúas ese proceso que fue tan definitorio para el PIP que conocemos hoy?

RBM: Durante ese proceso en el '76, alguna gente me decía: "Postúlate para el Senado que ahí es donde tú vas a salir electo nuevamente". Y, otros me decían: "Recuerda a don Gilberto, hay que salvar la institución; tienes que postularte a la gobernación. Cualquier haber que tengas para votos hay que ponérselo al servicio del Partido". Entonces, me postulé para la candidatura a la gobernación en el '76 y Juan Mari se postuló para la candidatura a la gobernación por el PSP. Y ahí el resultado fue 83 mil a 11 mil. Eso es lo que digo yo fue el plebiscito.

NDS: Hay dos eventos en ese proceso, en esos años, que a mí me llaman la atención y quería tu testimonio. Número uno, a pesar de lo duro que fue ese proceso entre las dos fuerzas principales de la izquierda, hay un gesto tuyo cuando asesinan al hijo de Juan Mari Brás que dista mucho del lenguaje de confrontación que había en ese momento entre ustedes como dos fuerzas políticas. Y yo quisiera que tú me hablaras un poco de eso.

RBM: ¿En qué año fue el asesinato?

NDS: '76.

RBM: Sí. Déjame decirte qué es lo que pasa.

NDS: Que apunta, perdóname, a que la relación tuya con Juan Mari Brás, a pesar aún en los momentos más álgidos, parece que era una relación personalmente buena.

RBM: Nunca, nunca fue mala. Y me sentí honrado cuando su hijo me pidió que fuera uno de los que despidiera su duelo. Y eso es verdad. Juan era un patriota. Yo creía que Juan estaba errado en su línea política, pero yo siempre supe que Juan era un independentista a carta cabal. Luego de las elecciones de 1976, quizás ambos no nos dimos cuenta del verdadero significado del resultado electoral y de lo que significaba, en Puerto Rico en el '76, que un partido socialista democrático sacara 83 mil votos y un partido marxista-leninista sacara 11 mil.

NDS: Y no vieron el valor político en aquel momento.

RBM: ¡Eso! No se vio el valor político... Sí. Yo pienso que esta lucha es tan difícil y que hombres y mujeres de buena fe pueden diferir. Entonces, cuando muere el hijo de Juan, más uno se da cuenta de eso. ¡El más grande de los sacrificios!, y así lo expresé. Y cuando él me fue a ver a mí en Vieques, muchos años después, me dijo cosas que yo nunca he dicho, pero que reflejan el respeto que nos teníamos. Yo nunca tuve un encontronazo con Juan personalmente.

NDS: Tú logras en ese proceso rescatar la presencia legislativa del PIP en el 1972, que no tenía escaños en la legislatura desde el 1960. ¿Ese es el primer cuatrienio tuyo de senador? La primera administración de Hernández Colón...

RBM: Sí. Fue bien abusivo de parte del liderato popular y bien esclarecedor de parte de un grupo de cinco o seis legisladores populares que simpatizaban con muchas de mis ideas, y si no votaban conmigo me decían, "Rubén, tú tienes razón".

NDS: ¿Y cómo fue? ¿Qué significó eso para ti? Estar allí en esa legislatura.

RBM: Pues, presenté muchos proyectos. Me di cuenta de que para los que estaban allí, (excepto aquel grupo que te mencioné), la cuestión del estatus era siempre para las próximas elecciones y siempre con ajustes menores; y, en lo socioeconómico, conservadores, al servicio de los de arriba. Y nosotros, con la consigna ¡Arriba los de abajo!, que, cuando yo la propuse, muchos adversarios trataron en vano de argumentar que me la había copiado. O sea, que fue una verdadera academia para yo darme cuenta en lo que se había convertido el Partido Popular ya en el '72.

NDS: ¿Cómo mantuviste la relación? Tenías al otro lado en la Cámara de Representantes dos representantes independentistas desafiliados del PIP. ¿Tú mantuviste relación?

RBM: Ninguna; hasta que renunció Luis Ángel Torres y lo sustituyó Roberto Aponte Toro, compañero y líder del PIP.

2. Juan Mari Brás
Asesinato de Santiago Mari Pesquera y campaña de 1976

JMB: Mi hijo [Santiago Mari Pesquera] Chagui fue asesinado el 24 de marzo de 1976. En el momento de su asesinato, su madre, Paquita Pesquera, estaba residiendo en New York, donde ejercía como profesora visitante en el colegio de Brooklyn. Y, yo por casualidad también estaba en NY, donde me proponía asistir en solidaridad a unos *sit ins* que celebraba el estudiantado del Colegio Hostos. La noticia de su muerte se me dio en el lugar donde yo me quedé esa noche, que fue el apartamento de José La Luz, militante socialista en esa época. Y, me la dio Rafi Anglada, quien además me acompañó, junto con otros compañeros y compañeras. Desde New York, nos acompañó tanto a Paquita como a mí hasta Puerto Rico. Pues, vuelvo a decir, que para nosotros fue algo verdaderamente imborrable. Jamás en la vida yo puedo olvidar ese momento. Lo recuerdo prácticamente cada día de mi existencia. ¿Urdieron ese asesinato? De una cosa estamos seguros, no fue el acto individual del muchacho que acusaron y finalmente condenaron por asesinato en segundo grado como único autor del crimen. Está probado, por el testimonio de diversos testigos y por la investigación de varios fiscales que tuvieron a su cargo ese caso, que no pudo haber sido un acto individual, de una sola persona. Que tuvieron que participar otros coautores y cómplices en ese asesinato. Incluso hay testimonios sometidos a la fiscalía del Departamento de Justicia, de testigos que vinculan al acto a varios sospechosos exiliados cubanos, que participaron en actividades y movimientos que los vinculan a ese asesinato.

Nosotros tenemos la plena convicción de que hay un encubrimiento, tanto del gobierno de Puerto Rico como del gobierno federal, de los detalles de ese asesinato. Yo tengo en mi poder un memorando, copia de un memorando, que escribió Edgar Hoover el 26 de marzo del '76 y lo envió directamente a la Casa Blanca, al Departamento de Estado, a la CIA la ... Office, al Servicio Secreto, y a las oficinas del FBI en New York, Washington, San Juan y Miami. En ese memo, se da cuenta del hecho de que Santiago Mari Pesquera, hijo mayor de Juan Mari Brás, secretario general del Partido Socialista Puertorriqueño, apareció muerto en la carretera de Caguas dentro del automóvil de su cuñado, en la madrugada del 24 de marzo de 1976. Y, después de ese párrafo donde aparece esa información, aparecen varios párrafos borrados y después aparece una reseña de lo que dijo el *San Juan Star* en un párrafo y en otro párrafo una de lo que dijo el periódico *Claridad* sobre el asesinato. Y, después de esas dos reseñas periodísticas, 4 párrafos más borrados. En total, ese memorando tiene 9 párrafos y solamente hay 3 párrafos que se pueden leer, los otros 6 párrafos están borrados. El gobierno federal se ha negado a darnos la información del contenido de esos 6 párrafos borrados. Se lo hemos requerido reiteradamente, por la vía administrativa, a todos los niveles. Alegan que no pueden dar esa información, amparándose en una sección de la Ley de Libertad de Información de los Estados Unidos que exime de rendir información sobre asuntos que puedan identificar a agentes encubiertos del gobierno, sobre asuntos que afecten investigaciones en marcha, sobre crímenes cometidos y sobre asuntos que afecten la seguridad nacional de los Estados Unidos de América. Alegan las 3 bases de excepción, cualquiera de esas 3 bases. Naturalmente, tienes como deducción lógica, que en esos 6 párrafos cubiertos tiene que haber información vital, información importante sobre este asesinato. Y esa es la información que nos ha negado reiteradamente el gobierno federal. Si eso se junta con el hecho de que la persona que fue acusada por el asesinato es un joven que había tenido un largo historial de enajenación mental, de allí mismo de la urbanización El Paraíso, donde vivía Chagui y donde se crio toda la vida, y que conocía a Chagui y a los otros hijos míos desde niño. Y, que esa persona lo primero que dijo cuando lo arrestaron por el asesinato de mi hijo, fue que él tenía instrucciones de matar a un hijo de Mari Brás. Eso lo dijo y quedó en la minuta del acto mismo de su arresto. El muchacho tenía, como parte de su locura, la pretensión de que él era agente del FBI y continuamente estaba elucubrando sobre su misión como agente investigador del FBI. La conjunción de ese encubrimiento en el memorando federal, con esas indicaciones que ha hecho él sobre las investigaciones que se han hecho sobre su participación en el crimen, constituyen una acusación directa contra el gobierno de los Estados Unidos del tipo de envolvimiento de ellos en este crimen. Yo no puedo asegurar que ellos fueron los que decidieron mandar a matar a Chagui, yo no puedo imputarle esa magnitud de crimen, ni a ellos ni a nadie en particular de los gobernantes de allá o de acá, pero algún tipo de envolvimiento han tenido en el crimen. Por lo menos, en relación con el encubrimiento del mismo.

El contexto en que se dio este crimen es importante tenerlo en mente. El PSP había alcanzado una gran masividad en los meses anteriores a este crimen. Por primera vez, en la historia de Puerto Rico, se da una Asamblea Socialista, donde se llena el estadio Roberto Clemente, el Coliseo, donde caben diez mil personas sentadas y estaba todo el coliseo lleno. Diez mil personas agitando banderas coloradas, diez mil personas con la efigie del Che Guevara y de los próceres puertorriqueños Ramón E. Betances y Pedro Albizu. Que representaban una negación de lo que había dicho y repetido hasta la náusea Muñoz Marín, a lo largo de sus años de gobernador, de que en Puerto Rico los socialistas cabían en un Volkswagen para hacer sus convenciones. Y, ese día le pudimos decir al señor Muñoz Marín desde la tribuna del Coliseo: "Aquí está el Volkswagen de los socialistas puertorriqueños". Y aquella eclosión masiva de apoyo al socialismo, en medio de la colonia más importante del primer imperio de nuestra época, tenía que tener unas consecuencias extraordinarias en la búsqueda de caminos represivos por parte del imperio. Y ciertamente a manifestarse, de distintas maneras. Ese acto fue a finales de 1975, allí se me nominó a mí como candidato a la gobernación por el Partido Socialista Puertorriqueño para las elecciones del 1976. Empezamos a realizar la campaña. Por primera vez el Partido Socialista va a las elecciones con una candidatura de reconocimiento nacional. El compañero Carlos Gallisá, que era legislador por el Partido Independentista, pasa a ser candidato a Representante a la Cámara por el Partido Socialista en esas elecciones. Y a Gallisá se le reconocía como un legislador dinámico, defensor del movimiento obrero, defensor de las comunidades pobres de Puerto Rico, en el ejercicio que hizo de su escaño en la Cámara de Representantes. Para Senador por Acumulación, postulábamos a Pedro Grant, que era a la sazón el principal líder obrero en Puerto Rico y dirigía una de las uniones más poderosas en el país: la Unión General de Trabajadores. Estábamos iniciando una campaña que demostraba una fuerza inusitada. Dondequiera que llegábamos con nuestro mensaje se llenaban las plazas para escucharnos, para oír el mensaje socialista, que era un mensaje distinto, nuevo. Y, es en ese contexto cuando se da esa acción terrorista del asesinato de mi hijo mayor. Tiene que tomarse en cuenta también que, en el expediente de mi persona que ha acumulado el FBI y algunas de cuyas inserciones me fueron reveladas bajo la Ley de Libertad de Información, en distintas ocasiones, el FBI se ufana de haberme causado a mí una trombosis en el año de 1965. Y que tuvo como consecuencia que se me hospitalizara en el Hospital Auxilio Mutuo durante tres semanas y que tuviera que estar alrededor de dos meses fuera de la secretaría general del Movimiento Pro Independencia para atender la convalecencia de aquel acto. El FBI apunta todo eso en mi expediente y sugiere, en el comentario que hacen en esos memorandos, que ellos tuvieron que ver algo con la trombosis que se me provocó a mí.

De manera que, el asesinato de mi hijo, yo lo veo como parte de un desafío para seguir afectando mi lucidez y mi participación plena en la lucha por la independencia de Puerto Rico. En cierta medida, lograron su objetivo. Lograron su objetivo en la medida en que ciertamente afectó mi campaña electoral para la gobernación de Puerto Rico. Yo no engrané de nuevo con la forma impetuosa en que se había iniciado esa campaña. Aunque hice lo indecible por poder seguir adelante, y seguí adelante, participando en la campaña. Y, participé en el debate de los candidatos a gobernación, que se dio en tres debates distintos por Telemundo: que participó Hernández Colón, Romero Barceló, Rubén Berríos, y yo. Y, pude llevar a cabo la campaña, pero ciertamente no estaba en el mejor estado de equilibrio emocional para atender eso y, ciertamente, eso me afectó el resto de mi vida. Yo nunca he sido el mismo después de ese acto. No lo lograron en el sentido de que, pues no lograron romper el espinazo de ninguno de los familiares directos de Chagui, tanto su madre como yo, como su abuelo, que estaba vivo entonces, mi papá, como sus hermanos Rosi y Raúl Mari, se mantuvieron todos bien sólidamente unidos en el esfuerzo por mantener la integridad de nuestras posiciones. Y, como yo señalé en ocasiones distintas, a raíz del asesinato, si en algún momento yo hubiera tenido la más leve intención de abandonar esta lucha de independencia o marginarme de ella en forma alguna, esa posibilidad quedó borrada por completo con ese asesinato. Porque, ocurrido ese asesinato, además de todas las razones que tengo en este mundo para continuar activo en esta lucha, tengo como primera, y, sobre todo, la razón de que el abandono de esta lucha, para mí sería traicionar la memoria de mi hijo.

3. Carlos Gallisá
De crisis a crisis: Del PIP al PSP

Carlos Gallisá Bisbal: Entonces, se queda Rubén solo con una asamblea.... Y ahí empezamos unos y otros a entrar para otro lado. Entonces, vino Luis Ángel Torres con otra gente. Crearon el MSP. Yo entro un año después al PSP. Pues seguí por ahí. ¿Tú ves? ¿Entonces qué ha pasado? Pues, entonces al venir la cosa del PSP, cambio del MPI al PSP. Aquello fue un disparate.

José Sánchez Jorge: ¿Por qué fue un disparate?

CGB: Chico, en la colonia tú pretender que un partido marxista-leninista sea el que vaya... No hay capacidad ninguna realmente de aglutinar....

JSJ: ¿Realmente el PSP era marxista-leninista o tenía las vetas nacionalistas fuertes?

CGB: No, tenía unas vetas nacionalistas del cará'. Entonces, la influencia de la Revolución Cubana. Es que les pasó a muchos movimientos latinoamericanos que quisieron comenzar por donde terminó la Revolución Cubana. Y no, no había para eso. Y ese cambio al PSP fue mortal. Ni decir que la lucha de independencia la iba a dirigir un partido lejos. Se tenía que aglutinar, aglutinar distintas... que era lo que estaba haciendo el MPI. Un frente de liberación nacionalista donde hay tendencias... Y entonces el segundo error enorme: la participación electoral. Ahí yo venía del PIP; llevaba más que un año en el PSP. Y en el Congreso, que se decide ir a las elecciones, yo rechazo la participación en las elecciones.

JSJ: ¿No cree que sería entonces una contradicción usted, siendo legislador, decirle al partido que es un error?

CGB: Sí. ¿Por qué? Porque habíamos ya tenido unas experiencias electorales. Y no era que rechazábamos las elecciones como cuestión de principio. Es que yo creía que ya el Partido Socialista tenía una posición en el país de rechazo a las elecciones, uno. Segundo, no había las fuerzas para ir a una buena presentación con 11 mil votos. No había fuerza electoral, tú sabes. Mari Brás y la dirección, en aquel entonces, tenían como gran defensa que la participación del PSP en las elecciones llevaba a obligar al PIP a una unidad. Yo, que conocía a Rubén bien, siempre le decía a Mari Brás: "Rubén jamás va a ir a la unidad de nada porque Rubén no cree en eso. Rubén cree en un partido de él, un partido finca."

JSJ: ¿Por qué desafiliarse ese año? Ya todo el mundo, por lo menos los que estaban cerca en ese círculo, sabían lo que iba a pasar. Incluso, yo he visto columnas suyas en Claridad rindiendo cuentas de su trabajo legislativo durante x año.

CGB: Yo estaba desafiliado entre comillas pero, la cosa oficial, no. Bueno, a mí me aceptan en la Cámara como representante del PSP, que no había ido a las elecciones, tú sabes.

JSJ: De eso quería hablar, porque con Ramos Yordán usted nunca tuvo una muy buena...

CGB: Yo hice buena relación con Ramos Yordán hasta que vino Rubén y le dijo que me tenía que sacar del asiento del frente como portavoz, pero después hicimos las paces. Porque ya en ese caso, Rubén tenía razón, en el mío ya no tenía..., que era lo que él quería, sacarme de la banca. Allí no tenía razón porque ahí yo había juramentado. Después que tú juramentes, el asiento es tuyo. No es del partido ni es de nadie, es tuyo. Y eso es lo que le aplicaron a Sergio Peña Clós y a toda esta gente.

JSJ: Pero él, no me acuerdo si fue Ramos Yordán o Rubén, y esto lo he visto en Claridad, ellos estaban argumentando que su banca era por adición.

CGB: Sí.

JSJ: Pero entonces, ¿al PIP no le pusieron una banca nueva cuando Roberto se fue?

CGB: Al PIP, cuando lo de Luis Ángel Torres, sí. Entonces ahí vino Roberto Aponte al final. Cuando lo de este hombre, se va. Pero una vez tú juramentas, no te pueden tocar. Lo que pasa es que Luis Ángel no tenía la edad en el primer año. Y ahí es que...

JSJ: Que después renuncia.

CGB: El PIP quería esa banca, pero le dijeron que no también. Ahora, cuando aquel se va, entonces sí. Es por adición, si se va antes de...

JSJ: O sea, la suya no era por adición.

CGB: Sí, la mía era por adición. Las dos eran por adición.

JSJ: Y lo aceptan como portavoz de un partido que todavía no existía.

CGB: Sí. Ramos Yordán dijo: "¡Quédese usted ahí!" Y entonces, era una locura aquello. El último año Roberto Aponte era el portavoz del PIP y yo era el portavoz del PSP. Que no habíamos ido a elecciones, ni un carajo, no estábamos inscritos. No, no, era una tortura aquello.

JSJ: ¿Cuál fue la razón de Rubén cuando usted entra al PSP y luego cuando la Cámara le acepta la portavocía?

CGB: El bregó por allá con Ramos Yordán. Y convenció a Ramos Yordán de que me sacara del asiento del frente. Yo no tenía ningún problema de irme. Yo le decía: "Mira, Ramos, yo me puedo sentar allí atrás y voy a decir lo mismo que cuando estoy al frente. Yo no voy a dejar mi banca al frente porque Rubén Berríos diga que me tienen que echar". Entonces, echo hacia atrás. Dije: "Porque entonces mañana cuando haya sesión, yo me voy a sentar allá al frente y no hay quién me saque de allí. Tú tienes que llamar a la Policía o a ujieres, lo que sea. Vamos a formar un peo aquí del carajo". Entonces, él vino y metió entre [Ángel] Viera Martínez y yo, metió una silla. No cabíamos los tres allí, pero él metió la silla. Levantó el piso de la Cámara, metió unos cables para darle un micrófono a Roberto. Bueno, fue una cosa... Entonces Roberto y yo, pegados allí así, sin hablarnos. No, muchacho, eso han sido cosas...

JSJ: Y en todo el proceso de la crisis, ¿cómo lo veía el independentismo de la periferia? Por ejemplo, los que estaban en el Partido Comunista, Landing por otro lado. ¿Cómo ellos veían ese proceso? Si sabe.

CGB: Yo creo que ellos coincidían conmigo porque tenían una jod...a con Rubén ya. Rubén no era querido por ellos, ya por encima de las ideologías y todas esas cosas. Y yo era más abierto. A la oficina mía en la legislatura, venía todo el mundo y yo les daba un espacio para hacer conferencias de prensa a los sindicatos, a esto, lo otro. O sea, que yo tenía una apertura. Rubén, no. Rubén se encerró y todavía está encerrado. Y el sectarismo que él sembró en el '73 todavía existe en el PIP. De ver a cualquier independentismo, a cualquier independentista que no es pipiolo, verlo como enemigo, tú sabes. Y Rubén no ha cambiado eso. Se ha abierto un poquito, pero él no ha cambiado. Él, su presidencia, tiene que ser como la que es, dueño absoluto del Partido. Ahí no hay discusiones. Rubén dice lo que hay que hacer.

JSJ: Vamos a hablar del PSP. ¿Qué lo llevó a usted al PSP?

CGB: Bueno, porque yo creía que era la fuerza política de independentistas que mejor visión tenía de la lucha. Y que era, pues muy afín con lo que yo pensaba, con una gente con una dedicación y entrega muy grandes. Tenía mucho respeto a la gente que estaba allí. Entonces yo dije: "Bueno, pues deja yo poner mi granito ahí también." Además, no había muchas opciones. No había más opciones para poder uno seguir militando. Yo nunca he creído en ser realengo y ahí me llevó. Ahí pasa lo mismo cuando terminan las elecciones, 11 mil votos, pues se define claramente que el espacio electoral tenía que ser del PIP. No era del PSP, que era lo que yo había dicho en el Congreso. Era que en el PSP había una dirección recia, Mari Brás... Y en la base había mucho respeto en la audiencia.

JSJ: Sí, era un Partido de cuadros.

CGB: Sí, y cuando vamos al Congreso, yo no estoy en la dirección. La dirección lleva la propuesta de ir a las elecciones. Yo levanto la mano, les digo que estoy en contra. Y ahí empieza a subir una gente: Edwin Reyes, Néstor Nazario, Elliot Castro, Radamés Acosta, y consumen, consumimos cinco turnos, estos que te dije y el otro. Y, para mi sorpresa, había un sentimiento en contra, pero había una lealtad a la dirección. Sacamos como 80 votos. Eso yo te diría que de los delegados que había allí, era como un 20%. Siempre recuerdo de Mari Brás, un gesto bonito de él. Hay un receso después de las votaciones. Jenaro Rentas viene y me pasó por el lado, así, encoj...o, Gaztambide pasó encoj...o por el lado mío. Y Mari Brás viene y me dice: "Si te quedas un poquito más. Si te quedas un poquito más hablando... Aquí todos no son socialistas, son nacionalistas." Eso, lo que había que hacer era rascarlos así... Siempre recuerdo eso.

JSJ: Don Juan a mí siempre me pareció una persona bastante ecuánime. Una persona que no se dejaba llevar por personalismos.

CGB: Sí, él... pero era trancado. Él no expresaba, no entregaba sus cartas nunca así, jugaba así. Yo aprendí mucho de él. Y creo que era el independentista que más lejos miraba. Él tenía una visión estratégica superior a las que yo creo que tenía Albizu y tenían otros... Él donde fallaba era en lo táctico, lo inmediato y el gigantismo. El hombre era...

JSJ: Pensó muy grande.

CGB: Vio victorias donde no las había. Y entonces, después tenía la dificultad de que era muy, muy trancado. Él no hablaba así con la gente, tú sabes. Era muy cerrado.

JSJ: ¿Cómo su posición como legislador fue explotada por el PSP, si fue explotada por el partido?

CGB: Bueno, en el PSP, por ejemplo, había legislación que yo consultaba con ellos. Porque yo no tenía todos los asesores estos de que hablan ahora. Por ejemplo, aquí la ley de agua la hicimos Roberto Rexach Benítez y yo cuando Roberto ya estaba medio separado del Partido Popular. Entonces, pues yo iba al PSP y Neftalí [García], que entonces era el científico... Bueno, cogía la legislación y me decía... Y así, alguna legislación, pues tenía el insumo de gente del PSP que tenía un *expertise*. En aquel entonces, el PIP hacía lo que llaman conferencias de prensa, que se hacían, pues, yo las hacía en la legislatura, digo, Mari Brás en mi oficina, y yo tenía oficial de prensa.

JSJ: Pero, ¿se adelantó alguna legislación obrera?

CGB: Por ejemplo, la legislación de las mujeres fue obra del PSP y Norma Valle siempre habla de que esa legislación la hicimos nosotros. Era como legislación laboral para las mujeres. Eso.

JSJ: ¿Esa fue propulsada por ustedes? ¿Esa salió del PSP?

CGB: Sí, salió del PSP. Déjame ver qué más. Primero de mayo... El primero de mayo fue legislación que... Muchas resoluciones, tú sabes. Por ejemplo, yo decía "Hoy es el natalicio de José Martí", qué sé yo qué. Y metía el "teque" de toda la lucha de independencia y, al final, pues se aprobaban. Después yo venía y decía "que se envíe copia de esta resolución al gobierno revolucionario de Cuba" y ahí entonces, [se] formaba el peo: se formaban unos debates. Siempre recuerdo que había unos ofrecimientos allá y, a mitad del discurso, de aquel debate que no tenía fin, sale el presidente y dijo: "Bueno, mire, esto en fin de cuentas es un problema postal. Secretario, resuelva esto."

JSJ: Pero era de esperarse, en esa Cámara, en ese tiempo. Ese tipo de debate solamente por enviar una resolución a Cuba por correo. Estamos hablando de tipos como Pipo Granados... [José Granados Navedo]

CGB: No, no, ahí se juntaban Populares y Penepés, pero yo formaba el peo. Con pend...ás como esas, movía aquello allí y, a veces, conseguía a

Severo que... Es más, llevó a Roberto a pensar que él era socio mío en aquel entonces.

JSJ: Empezando la investigación, y leyendo sobre Bobby Rexach, todavía lo veo PNP, o sea, y para mí verlo como popular es algo nuevo.

CGB: No, no. Mira, su guerra fue con Hernández Colón. O sea, cuando yo llego allí, yo con Robert Rexach no tenía comunicación, prácticamente ninguna. Al contrario, lo rechazaba porque él escribió un panfletito, él y Celeste Benítez cuando era mujer de él, bien anti Albizu. Bueno, se metieron a Harvard a buscar las notas de Albizu. Y yo llegué allí, él ni me hablaba casi. No. Él era bien socio de Severo, y en el debate cuando yo presento la resolución a favor de los presos nacionalistas, para mi sorpresa, cuando yo presento la resolución, él cuando se tiró Severo, pues él se tiró. Y entonces es él quien en ese debate refuta a Muñoz Marín de los presos políticos o políticos presos. Y empezamos a acercarnos. Él entonces entra en unas controversias con Hernández Colón. Algunas de ellas están en estas cosas que se dan marginales en la política: de que en Fortaleza está Salvador Rodríguez Aponte y se junta con Celeste, y él ve que aparece en el periódico un día que una noche en el Club Nocturno del [Hotel] La Concha está Hernández Colón con su mujer y Celeste con Salvador. Y eso, para él fue... Y entonces, en esa época, él presidía la Comisión de Recursos Naturales. Ahí fue que empezamos a hacer legislación e hicimos una amistad grande. Y al extremo que yo estaba muy cercano de él, de todas sus cosas personales... Salíamos a beber y a comer. Bueno, una noche, inconcebible, él me dice que quiere conversar con Juan. Y vamos a la casa de él, un apartamento donde él vivía y nos hizo allí un mondongo. Yo me acuerdo que cocinaba bien. Así que Mari Brás, él y yo, hablando en la casa de él. Siempre lo hicimos hasta que él se metió al PNP. Entonces, él se mete al PNP porque la mujer de él, entonces, la nueva, una reventá' Popular, monta una tienda en Arecibo y quebró. Por ahí alguien lo empata con Carlos Romero y le ofrecen un montón de cosas. Ahí es que él se va.

JSJ: Exacto. En esta cuestión legislativa, usted entra al PSP como legislador y entonces yo lo veo de la siguiente forma: en el país, hay mucha huelga, muchos procesos que se están dando. Está la cuestión del súper puerto, está la cuestión de las minas, su relación con Bobby Rexach, que es el presidente de la Comisión los Recursos Naturales.

CGB: En lo de las minas, Bobby jugó un papel del cará'. Nosotros cogimos a Teodoro Moscoso en una vista y lo descoj...s.

JSJ: Pero, ¿Bobby Rexach hubiera tenido la visión para hacer lo que se hizo si usted no estuviera ahí? Que eso es a lo que yo quiero llegar.

CGB: Yo creo que sí, que yo tenía alguna, algún granito ahí de esa relación, que él me oía. Él tenía también de asesor a Antonio Fernós, que también tenía el oído de él. Y yo creo que él empezó a verme a mí como amigo también y que estaba genuinamente ayudándolo. Y participaba en la comisión de él. Y yo, sí, alguna influencia tenía.... Aquí se hizo trabajo. Yo paré el proyecto de Hernández Colón que iba a tirarlo en el Hiram Bithorn de hacer un parque, un gran parque de diversión. Hernández Colón... Búscate eso, ahí está la carta de Muñoz Marín. Hernández Colón le entregó a Luis Vigoreaux un permiso, algo así, para montar un parque de machinas en el Hiram Bithorn, en la parte de atrás, donde está lo que se llama ahora el Parque Luis Muñoz Marín. Ahí. Entonces, eso era mutilar lo que era la visión de un parque pasivo. Rompía todo. Entonces, yo vine, puse una resolución a la legislatura para investigar esa entrega. Que irse en contra de Hernández Colón era jod...e allí en la legislatura. Y presento eso y empiezo a hablar públicamente de eso... Y entonces, mientras está dándose eso, y yo dando palos en la legislatura, para mi sorpresa, salió Muñoz Marín a hablar. Ahí es que él habla que estos son los pulmones del qué sé yo qué, qué sé yo cuánto. Ahí se cambió enseguida y se movieron, me aprobaron la resolución.

JSJ: ¿Ya Muñoz Marín tenía la casa de Trujillo Alto? Porque aquello también es parte del pulmón de la Zona Metro.

CGB: Sí, sí. Bueno, yo creo que ya él había llegado de allá, de Europa. Muchacho, y entonces esas fueron unas vistas del cará'. Siempre recuerdo que Luis Vigoreaux me llama después y me dice: "Mira, gracias por tratarme bien. Yo iba asustado [que] tú me jod...s allí". La verdad es que, sin uno tratar de echarse galones encima, la presencia nuestra no se veía mucho, pero tenía su efecto. Chequéate eso del parque. Aquella carta de Muñoz tiene que estar en algún sitio.

JSJ: Una vez usted entra a la legislatura y obtiene esa prominencia, ese reconocimiento en el pueblo, yo me imagino que los trabajos, las peticiones de representación de trabajadores, de uniones...

CGB: Venían todas para acá.

JSJ: ¿Cómo usted bregaba con eso? Trabajo legislativo más trabajo...

CGB: Sí. Yo tengo hasta un informe del FBI que me estuvo raro. Con un *desto* del FBI diciendo: "A este hombre hay que velarlo. Está [se ríen] representando diez o doce uniones. Puede paralizar el país un día." Porque venían de todos lados. Y nosotros atendíamos mucha gente, mucha gente. Sin chavos, las uniones no pagaban. Y entonces, a veces uno mirando así, ve que eran intervenciones exitosas. Para mí, de todo lo que yo hice allí, la huelga de los camioneros es realmente la que a mí me dio más fruto o satisfacción. Eran unos camioneros de arrastre que no tenían organización. Entonces las Empresas Díaz, la Empresa Rexach y toda esa gente empezaron a obtener franquicia del gobierno para tener camiones de arrastre. Y un día llegaron dos tipos allí, que yo no sabía quiénes eran, y me dijeron lo que había. Entonces me pongo a investigar y me dicen que la ley que creaba la franquicia no se aplicaba a estas empresas, pero sí a los individuos. Que los individuos tenían que tener franquicia y aquellos se estaban quedando con todo el trabajo...

JSJ: Pero, ellos estaban comprando camiones, teniendo camiones sin franquicia...

CGB: ...o tenían que tener franquicia. Los de allá no tenían que hacer un carajo. Y empiezo a organizar dos o tres que ellos me traían y por ahí vamos embollando. Y empiezo a descubrir las fuerzas que tenía esa gente aquí. Yo no sabía que tenían una fuerza tan grande. Esa gente... Paralizamos la construcción, paralizamos a Bacardí. Bueno, cerramos el Viejo San Juan con los tanques. Yo digo: "Mira, nosotros lo que tenemos son tanques, ¿cómo es?, camiones." "Nosotros lo que tenemos son tanques." Le sentamos los tanques allí al frente del Capitolio. No se podía entrar. Los tipos echaban para adelante la quinta rueda de esa que hablan mucho. Entonces, yo tenía una relación de amistad con [Santiago] Soler Favale, que fue Secretario de Justicia con Ferré y después fue jefe de allí de Fortaleza, y la huelga cogió velocidad.

JSJ: ¿Qué estaban exigiendo?

CGB: Que se legislara para que pudiéramos tener nosotros lo mismo que tenían las empresas. Y entonces, un día me llama Soler Favale. Me dice: "Mira, el gobernador quiere nombrar una comisión para estudiar el asunto. ¿Tú estás de acuerdo?" y yo digo: "Sí, no hay problema". Y fuimos; hicimos una comisión allí. Arturo Díaz fue y fueron los Rexach y fui yo. Y entonces, yo me uní con los tronquistas que tenían el mismo problema con Sears y [JC] Penney porque ellos también tenían el privilegio de no tener franquicia. Entonces vamos a esa comisión. Mientras tanto, ya hemos cerrado los muelles. Y cuando termina la reunión, me dice Soler: "Mira, el gobernador está dispuesto a mandar a la legislatura un proyecto para resolver esto porque esto se está jod...o. Bacardí ya no puede embotellar," esto, lo otro. "Ahora la condición que él pide es que se abran los muelles." Yo digo: "Oye, pues me la pusiste dura porque yo ir ahora así, al pelao', a decirle a esta gente que hay que tumbar la huelga de los muelles." Ese era Quique Pagán. "Eh, que se jo... Vamos a decírselo" y qué sé yo. Tú sabes cómo eran los tronquistas. Entonces llamo a la gente más cercana, y le digo: "Miren, esto es lo que hay." No es fácil decirle ahora a la gente que nosotros sacamos, pero hay que hacerlo. Y fuimos para los muelles. A Quique, como siempre, le importaban cuatro car...s lo que dijera la matrícula. Dijo: "¡Bueno, vamos todos para afuera, ya! ¡Se acabó esta pend...á!". Y empezaron a tirarle piedras. Entonces, yo me tuve que mojar, preparar el camión. "Miren, vamos a decir cosas aquí que no van a ser las mejores," y pues, lo hicimos. La legislatura no estaba reunida. Él mandó un proyecto para la legislatura. Bueno, un triunfo del cará'.

JSJ: Porque él cumplió su palabra.

CGB: Sí, sí. La cumplió. Y terminó así, con un triunfo arrollador. Tanto, que un viejo amigo como Pedro Grant fue por la noche a casa: "¿Dime cómo tú has logrado eso aquí?" Pero fue una jornada del cará' aquello. No sé si te dije que la otra vez, yo estoy en la protesta, allí en los piquetes frente al Capitolio, y llegó el director del *San Juan Star*. No te lo dije, ¿verdad?

JSJ: Sí, sí. Que lo dejara salvoconducto...

CGB: ...salvoconducto con Manny Suárez.

JSJ: Otro capítulo de esos años es su relación con Carlos La Sombra... Rubén estaba en La Princesa, ¿verdad?

CGB: Estuvo inicialmente en La Princesa y después en la parte federal del Oso Blanco. Ahí es que conozco a [Carlos] La Sombra.

JSJ: Hablando de La Sombra, a mí siempre me ha interesado por el hecho de que aquí tenemos esta persona que, vamos, es un criminal común...

CGB: Delincuente, sí.

JSJ: ...pero obtiene una conciencia política buen fuerte.

CGB: Él la obtiene, inicialmente, de los nacionalistas porque él entra de chamaco allí al presidio, donde están los nacionalistas. Y es un muchacho con mucha sensibilidad. Entonces, cuando se empata conmigo, empieza a desarrollar una conciencia mayor y yo le llevo libros, y empatamos. Y yo soy padrino de su hija... Él en aquella época, pues dormía en casa cuando venían las cosas fuertes.

JSJ: Pero, yo creo que para que una persona tenga la visión, vamos, tenga primero el liderato, una protesta como la que hicieron en La Princesa, y después crear la asociación.

CGB: Sí. Tenía cabeza. Él tenía cabeza.

JSJ: Pero, si no se hubiera empatado con usted, por ejemplo...

CGB: Esa fase organizativa no la hubiera tenido.

JSJ: ¿Cómo fue ese motín? Esa protesta en La Princesa, ¿cómo fue eso? ¿Cómo fue esa experiencia?

CGB: Yo estaba en la legislatura y estaba aquí el presidente del Parlamento Francés. Y nos invitaron a los legisladores a que fuéramos a un coctel, qué sé yo qué. Y aquello duró bastante y yo no sé lo que estaba pasando en el país y cuando salgo... Ajá, y entonces yo fui al partido y busqué a [José Luis] Pinchi Méndez, que habla francés, porque nosotros en la cosa internacional siempre estábamos... Y cogimos al francés aquel y le dimos una tunda, del coloniaje y la jod...a. Y salimos de allí Pinchi y yo. Cuando yo salgo de allí, le digo a Pinchi: "Vamos a darnos un trago." Y había un sitio aquí que se llamaba el Ocho Puertas. Pero, Pinchi me dijo: "No, yo me voy para casa". Y yo llegue hasta el Ocho Puertas. Y cuando llego, los dueños me dicen: "Mira, a ti te están llamando desde temprano, que tienen ahí secuestrados a unos periodistas". Y pa'l carajo, que si van a matarlos. Y yo digo: "Este tiene que ser Carlos La Sombra. No puede ser más nadie". Y ahí me lleva el mismo dueño del Ocho Puertas hasta La Princesa. Cuando llego allí, está todo aquello rodeado. La Fuerza de Choque y un preso a cargo de la entrada, que yo conocía porque había estado en el PIP antes. Voy y hablo con él, y me dice: "No, mira, aquí están fulano y zutano". Y entro y empiezan unas negociaciones. Carlos tiene secuestrado al capitán de los guardias penales. La prensa está tirando noticias desde allá. Bueno, la toma del Presidio [La Princesa]. Entonces, llega finalmente Panchito de Jesús, que era el Secretario de Justicia. Y Mari Brás y yo negociamos allí. Recuerdo todavía que firmamos el convenio en la pared de La Princesa como a las siete de la mañana, con todas las demandas, chévere. Bueno, yo me fui para mi casa. Estaba sin dormir. Como a la hora de estar en casa, me dicen que Hernández Colón había revocado al Secretario de Justicia. Arranco para allá otra vez. Y ahí entonces, ya la cosa era distinta. Estaban dándole una tunda a todos los presos allí. Ahí está la foto esta que lo llevan arrestado...

JSJ: ...afuera con el puño arriba.

CGB: Sí, sí. Y se descoj...ó aquello. Y así fue como se dio aquello.

JSJ: Pero, ¿cómo fue posible que La Princesa estuviera tanto tiempo abierta? Aquello era una pocilga.

CGB: Ah, bueno, aquello era infernal, infernal. Allí Carlos hizo una demostración de liderato increíble. Allí no se movía nada sin Carlos, hasta que abrieron el botiquín. Pues, lo importaron al motín y todas esas cosas, a La Sombra.

JSJ: Sí, pero las condiciones en esa cárcel eran... Mi papá estuvo preso en La Princesa y me cuenta que aquello era asqueroso. Aquello era malísimo.

CGB: No, eso era una cosa infernal. Muchacho, una cosa increíble. Una cárcel de cien años.

JSJ: Entonces después de ese motín es que a él lo remueven.

CGB: A otros lados, a organizar por todos lados. Se fue para Bayamón; lo llevaron para Aguadilla; lo llevaron...

JSJ: ¿Y siempre organizaba?

CGB: Él se organizaba allí. Y la gente no se daba cuenta de que estaba organizando. Después él salió con armas. Pero aquello fue día y una noche, el país... Siempre recuerdo la señora, la esposa del fotógrafo de *El Nuevo Día*: "¡Gallisá sálveme a mi marido!"

JSJ: Pero ellos no los maltrataron...

CGB: No.

JSJ: Los tenían, como dice el gringo, como "leverage."

CGB: Sí, sí. La única mujer que había era Dixie Bayó.

JSJ: Okey. ¿Ella estaba dirigiendo Claridad en ese momento?

CGB: No. Era periodista. Yo le digo a Carlos y Carlos en una, llama a Dixie y le habla fuerte, le habla duro. Y yo le digo: "Mira, esta es Dixie de *Claridad*." "No, yo lo sé, es que si la trato blandito, le cogen el cu...o aquí."

JSJ: ¿Él antes de su muerte no estuvo todo el tiempo preso? O sea, después de eso él siguió ...

CGB: No, no, él estuvo preso por armas.

JSJ: ¿Afuera él empezó a hacer trabajo político?

CGB: Él salía conmigo mucho. Él decía que era mi guardaespaldas. Pero, yo no sé por qué él andaba con ese revólver. Carlos era, Carlos era del cará, Carlos no sabía guiar. Entonces se fue con un socio. No sé por qué razón él estaba en esas y se fueron a asaltar una financiera. Era por Bayamón, por allá. Y de momento agarran al tipo, al otro, y Carlos prende y se va sin saber guiar, y ahí es que lo cogen también. Que yo creo que hizo eso más por el amigo; él no estaba en eso de buscar chavos. Y ahí es que yo conozco a Papo La Muerte, que sale con Carlos de prisión.

JSJ: Yo de Papo nunca había escuchado.

CGB: Ángel Díaz, ese es el que muere, el que matan en la Florida. Que daba vueltas, vueltas y vueltas. Sí, y paran la cosa...

JSJ: Eso fue inyección letal, pero se la pusieron mal y agonizó.

CGB: Un tipo de primera. Y no mató al tipo ese. Él a mí no me mentía.

JSJ: Sí, sí. Entonces, ¿conoce usted a Papo la Muerte a través de Carlos?

CGB: Carlos llega esposado con él. Un día, que yo voy a defender a Carlos, y lo conozco a él y después se fugó. La noche que se fugó estaban los helicópteros todavía volando por el presidio, y él que aparece en casa. Llegó al otro día, [a] pedirme un revólver; yo se lo doy. Como 3, 4, 6 días después, aparece uniformado de soldado.

JSJ: ¿Cómo consiguió el uniforme?

CGB: Oye, los delincuentes tienen una capacidad de hacer cosas que...

JSJ: La mayoría de ellos son tipos inteligentísimos.

CGB: Inteligentísimos, ¿tú sabes lo que es tú uniformarte para salir [como] soldado de aquí? Entonces, vino a despedirse. Y me dijo: "Aquí hay alguien que te está jodiendo mucho a ti." Yo digo: "No." Me dice Papo: "Yo me voy mañana y lo tumbo y me voy pa'l carajo." Oreste Ramos nunca sabe lo que le pasó por allí. Papo me dice: "Yo vi uno de una chivita ahí que estaba jod...o contigo en televisión. ¿Lo tumbamos?"

JSJ: Algo normal, o sea, para ellos eso es normal.

CGB: No hombre, ¡qué cará! Un bizcochito eso. Era un tipo bien bueno, bien bueno. Chico, a mí me dolió mucho esa...

JSJ: ¿Qué pasó ahí? ¿Por qué a él lo mataron?

CGB: Él me dijo: "Mira, yo no he matado ese tipo, un cará'." Todo lo que tenía el fiscal era una caja de cigarrillos con unas huellas. Le imputaban ser de los Macheteros y todas esas cosas... ...porque a ellos los entrevistaron. Y Ojeda fue a Florida y los entrevistó. Sí. Entonces Ojeda, esas son las pend...á mías con Ojeda. Ojeda lo entrevista. Yo tengo ahí el video de esa entrevista. Y Papo le dice: "El FBI fue a verme a la cárcel. Me dijo que me tumbaban los cargos si yo ponía a Carlos Gallisá como parte del ajusticiamiento, del asesinato de [Alan] Randall." ¿Te acuerdas?

JSJ: El abogado Randall, que lo mataron...

CGB: Que, si yo lo metía ahí, le tumbaban los cargos. Lo dice: "Y yo le dije que no". Entonces Ojeda, en vez de hacer otra pregunta de por qué con Carlos Gallisá, hizo así y empezó a hablar de otra cosa que no tiene nada que ver conmigo. Esa era la noticia. El agente me estaba buscando a mí.

JSJ: ¿Todavía en esa época?

CGB: Todavía en esa época tenía pend...ás conmigo. Pues, entonces yo con Ojeda... Porque esa era la próxima pregunta que había que hacer. Me querían jod...r también, tú sabes.

JSJ: Algo que había pasado hacía más de treinta años. Y la muerte de Carlos, La Sombra, ¿cómo se da y por qué, si alguna vez se enteraron?

CGB: Eso se da porque hay dos bandos en el presidio. Están los Ñetas, que tienen a Carlos, y hay un tipo que tiene unas manos grandes...

JSJ: Manotas, ¿no?

CGB: Manotas. Manotas dirige... Hace como un mes, yo voy al mecánico y encuentro un tipo que me saluda. Me dijo: "Yo estuve cuarenta y pico de años y sé que tú eras amigo de Carlos". Y la versión que me da él, que vio todo eso, porque tengo otras versiones también. Él me dice que Carlos sale para el hospital en una cita médica. Cuando regresa, regresa con un periódico *Claridad* en la mano. Que la gente de Manotas cree que Carlos tiene un puñal, pero que creen que están respaldados por los guardias penales. Y ahí empieza.

JSJ: Sí, por lo que representaba Carlos.

CGB: Y entonces empieza la pelea ahí en el presidio. Y ahí Carlos lo que tiene es un periódico. Y es una demostración de huevos de Carlos, a tal extremo que le meten un tiro. Yo me entero de eso como por la tarde, yo creo que fue, porque habían llamado a Elliot Castro a identificarlo. Y me llama Elliot y vamos para allá. Y ahí pues, me dan las otras versiones. Pero, más o menos, esa noche limpian a Manotas. Cuando empiezan a surgir los huesos de un montón de gente por las tuberías. Ahí va una guerra, tú sabes.

JSJ: O sea, que también ¿esa misma noche que limpian a Carlos, limpian a Manotas entonces?

CGB: A Manotas. Sí, le dieron duro enseguida. Y ahí empiezan a salir todos los huesos de presos.

JSJ: Por la tubería.

CGB: Plomería.

JSJ: No es lo mismo escuchar esa historia que verla.

CGB: No, no, muchacho. Carlos tenía un arraigo grande, una fuerza del cará'. Pues, yo conocí a todos. En el presidio, había un sitio que le llamaban El Monoloro, que era a donde llevaban a los jefes. Y ahí, pues estaba Manotas, estaba un montón de gente de aquella época. Yo no sé si tú oíste hablar de Rafy Dones, que era el jefe de las drogas aquí.

JSJ: Tomás Trampa era el que tenía vínculos con Miguel Hernández Agosto, ¿verdad?

CGB: El hijo de él, ¿verdad? El hijo o algo así, sí. Que se lo llevaron después para Estados Unidos. Y de allá lo devolvieron y le dijeron, váyanse con este tipo al carajo. Siempre Rafy Dones... Rafy Dones era independentista. Rafy Dones estuvo envuelto en un movimiento que se llamaba algo de la revolución. Tenían una cueva por allá por Moca y los cogieron allí haciendo tiros. Y, siempre recuerdo que me dijo: "Mira, Carlos, cuando haya que traer algo, me dejas a mí saber porque yo conozco todos esos cayos que hay por ahí y entro por ahí sin problema ninguno. Si hay que traer cosas para acá, pues..." Y era, de verdad, independentista. Cada vez que yo iba al presidio, hablaba con él.

JSJ: ¿Podemos decir lo mismo de Carlos o lo de Carlos era una cuestión más social, no, o sea una inquietud de lucha social, de mejoramiento de los, del-?

CGB: ...de los presos. Sí, pero Carlos con el colonialismo no tenía... Siempre decía que en la colonia había que estar siempre encoj...o. El que dirigía aquel grupo despidió el duelo en el cementerio ahí de Villa Palmeras. Siempre recuerdo unas palabras que decía: "Aquí yace un soldado de la libertad", y era Rafy, que había matado unos cuantos. Y Carlos hizo mucho trabajo con los presos. Nosotros vendíamos, vendíamos no, le dábamos 50 y 100 *Claridad* al presidio. El libro de Taso habla de eso...

JSJ: ¿El de Zenón?

CGB: Y de cuando él llega al presidio, el primero que se le presenta es Carlos. Le dice: "Yo tengo instrucciones de Carlos Gallisá de protegerte a ti."

JSJ: ¿Y era cierto eso?

CGB: Sí, era cierto.

JSJ: Esos son de los que se han olvidado después de esa noche de Vieques.

CGB: De lo que falta en los presidios, un Carlos y una doña Trina acá afuera.

JSJ: Exacto. Porque, doña Trina muere, aquí... Los sacan de la Isla a lo loco.

CGB: Después los mafiosos se apoderaron de las prisiones. Fíjate cómo eso cogió vuelo en Italia, en Estados Unidos, en todos lados, de prisiones. Yo fui a hablar una vez a Nueva York a los Ñetas que estaban afuera. Eso es una historia larga, larga...

JSJ: Nada, pero si quiere lo dejamos aquí y seguimos. Porque tengo que pasar esto, conseguir las citas. Sí, pero la historia es larga.

CGB: No, no. Yo quisiera ver si puedo tener esto para el Festival [Claridad].

JSJ: Para febrero [de 2019].

CGB: Febrero. Y me parece que estos primeros años, pues va a ser difícil porque no lo vivimos todos. Porque lo demás lo hemos vivido.

JSJ: Claro. Y yo creo que nos debemos de enfocar en lo que hemos vivido.

CGB: Claro.

JSJ: Porque, como le dije, ya hay una parte que es lo que siempre se cuenta, pero hay otra parte que la gente no conoce o que la gente conoce, pero lo tiene bien guardado... Yo creo que debemos también enfocarnos en la influencia de Carlos Gallisá en todo este proceso. Y se lo digo por varias razones. Yo estuve por Río Piedras, [en] la librería y pregunto: "Mira, ¿tienes un libro sobre el PSP?" "Ah, no."

CGB: No hay.

JSJ: "¿Algo de Carlos Gallisá?" "Mira, sí, esto." "No, no. No que escribió Carlos, sobre él." "Ah, no, no hay nada.". Entonces, esto hay que contarlo. Esto es importante porque es parte integral y es lo que no se ha contado. Que esto que ya tenemos es el preámbulo a lo que yo creo que debe ser el grueso de la historia.

CGB: Pues fíjate, yo creo que he sido el único dirigente independentista que tuvo vínculos con los presos. Todavía recuerdo, los otros días me pasó con uno aquí. Me dijo que era primo de Carlos La Sombra, un taxista aquí. Y me reconocen, me reconocen. Y uno a veces se pone a pensar en unas experiencias que uno ha tenido que han sido experiencias que nadie ha tenido en esta lucha.

JSJ: ¿Cómo usted veía la lucha armada y cómo la veían el PIP y el PSP, que son tres visiones diferentes?

CGB: El PIP no quería ni tocarla. El PIP siempre ha tenido la visión electoral, que es la visión del independentismo conservador y es casi un desconocimiento de lo que es el imperio y todo eso. El PSP tenía eso como una forma de lucha legítima de los pueblos coloniales. Y pues, las CAL eran los PSP.

JSJ: ¿Eso es así? No sabía.

CGB: No sé si tú has oído de Alfonso Beal.

JSJ: No.

CGB: Alfonso Beal era la figura que aparecía como jefe de los CAL. Los CAL eran los Comandos Armados de la Liberación. Y el jefe era Beal, Alfonso Beal, que era Mari Brás. Alfonso Beal era Mari Brás.

JSJ: Era un seudónimo, entonces.

CGB: Betances y Albizu, Beal. Pues, declararon zona de guerra en el Condado y ahí hubo bombazos con coj...s en los hoteles en esa época. Y los CAL, [en] la huelga del periódico *El Mundo*, volaron el helicóptero que transportaba los periódicos. Los CAL hicieron, en la huelga de la Puerto Rican Cement, allí pues también los CAL trabajaron... Pues, eso era parte de la lucha. Y, por lo tanto, fue un método legítimo de lucha de un pueblo oprimido. Y había esas dos visiones en el independentismo. Y junto con la de los CAL, pues se quedaron otros grupos clandestinos, mayormente por Filiberto. Entre Filiberto y Corretjer, son los arquitectos de todas las FALN de Chicago, de Oscar López, de toda esta gente. Corretjer era el padre de las FALN. Bueno, y ahí, pues hubo grandes aciertos y hubo errores también.

JSJ: ¿Cómo, especialmente en los '70 y en los '80, esa lucha armada afectaba el proceso político electoral... la elegibilidad del PIP?

CGB: Bueno, pues [en] el PIP siempre rechazaban porque decían que eso les restaba votos. Pero aquí había de todo. Aquí, los CAL desarrollaron una lucha contra los grandes comercios norteamericanos y se quemaron tiendas de Sears y se quemaron...

JSJ: La Esso.

CGB: De todo. Había de todo. Y había, pues un debate, porque tú quemabas un Pueblo o un Sears y se quedaban cien obreros sin trabajo, después te caían arriba, pero fue una lucha armada... totalmente distinta a la de los nacionalistas. Aquella era a pulmón, esto no. Esto era clandestino de verdad. Muchos cacos y de inteligencia, métodos nuevos y gente adiestrada. Porque en eso sí los cubanos ayudaron mucho a adiestrar. O sea, que era una cosa chiquita, por eso es que hubo tan pocos arrestos y condenas. Fue bien efectiva en términos operativos.

JSJ: Tengo curiosidad por saber de la campaña del '76 y la del '80. Pero la del '76, por ejemplo, ahí entra el PSP y usted está para representante. Pero lo que he visto sobre esa campaña del '76, como que me ha dejado un mal sabor, porque ustedes mismos dicen, después que pierden, que lo que sacaron fueron ¿cuántos? ¿Diez mil votos? Que esa campaña fue un error.

CGB: No, un desastre. Un desastre.

JSJ: ¿Por qué?

CGB: En primer lugar, esa campaña sacó al MPI de la abstención electoral y me parece que después se dijo que fue un grave error. Esa campaña tuvo como base que, si el MPI iba al proceso electoral, se hacía la unidad independentista, lo cual era falso. Esa campaña dividió al MPI, que era la fuerza de mayor peso en el independentismo y ahí Mari Brás sacó 11 mil votos, que era lo que había. No había más nada. Y fuimos Pedro Grant y yo como Senado y Cámara. Aquello fue un disparate. Un disparate.

JSJ: ¿Por qué fue un disparate?

CGB: Porque la fuerza que tenía el MPI era una fuerza de abstención, ¿ve? Esa campaña del '76 se produce con una división del MPI y no produce absolutamente nada más. Entonces, yo entro en el '75 al MPI como la figura más abierta, que venía desde afuera.

JSJ: No, y tiene un escaño ya, entra con un escaño legislativo.

CGB: Entro con un escaño legislativo. Era una locura también. A mí me nominaron en la Cámara como portavoz de un partido que no existía y que no había ido a las elecciones. Yo entro a esa campaña, al '75, con dos bombazos en Mayagüez.

JSJ: ¿Los de enero?

CGB: Los de enero, sí.

JSJ: Esos son los de La Cerda [Alex De La Cerda, oficial de inteligencia de la Marina estadounidense], ¿verdad? ¿Esos son los que hizo La Cerda?

CGB: Había algo de La Cerda, pero fueron los cubanos los que hicieron eso.

JSJ: Entonces usted entra con los dos bombazos al PSP.

CGB: Ese día mismo que yo ingreso allí, fueron los dos bombazos en que muere Charbonier. Ahí arrecia toda la cosa contra el PSP.

4. Norman Pietri
Inscripción del PSP: Un disparate

Mari Mari Narváez: ¿Piensa que fue un error la creación del PSP?

Norman Pietri: Bueno, yo creo que, para crear un partido socialista, tú tienes que tener mucha clase obrera y gente que no sean nacionalistas.

Y que, en el PSP, igual que todos, son muy nacionalistas. En las carpetas mías, la Policía me define: «Es más comunista que nacionalista».

MM: ¿Y eso era verdad?

NP: Tenían razón, porque yo admiro a Albizu y todo eso, pero llega un punto que no. O sea, uno no tiene que estar recitando. Hay unas cosas que dice Albizu que son barbaridades. Cosas derechistas y religiosas. Yo tengo a Albizu, él está en la pared (de mi oficina) también, pero no tengo esa devoción absoluta.

MM: Entonces, eso, el cambio al Partido Socialista: ¿Ocurrió por la influencia de la revolución cubana?

NP: Bueno, sí.

MM: ¿Pero Mari Brás era socialista o no era socialista?

NP: Bueno, él mismo una vez dijo que él era un tercio marxista leninista en lo económico. Eso lo dijo en un periódico, *El Mundo*, que creo que tengo por ahí. Un tercio católico y un tercio nacionalista. Algo así. Un revolú. Pero, como lo importante era... Recuerda que yo siempre pensé que esto (el MPI) era una alianza de gente de distintas clases. No todo el mundo tenía que ser socialista. Yo no quería que los demás fueran socialistas necesariamente, a menos que lo quisieran ser, ¿ves?

MM: ¿Cree que fue muy forzado llevarse a toda esa gente al socialismo?

NP: Fue muy forzado. Porque, o sea, todo el mundo habla de capacitación política, pero eso no es así. Para eso tienes que tener la esencia ya, el tuétano, y el movimiento obrero apenas tenía gente. Lo del movimiento sindical fue la segunda gran diferencia que se confrontó en el MPI/PSP, [según Pietri, para quien las grandes diferencias fueron tres: la lucha armada, la lucha sindical y la estrategia electoral.] Muchos planteaban que las uniones americanas no servían, pues había que derrocarlas. Pues entonces no queda nada, con la visión nuestra de que había que trabajar dentro de las uniones americanas también, se podía hacer trabajo con las uniones americanas, como las uniones de las corporaciones. Por eso es que José Milton (Soltero) decía: pero seguro que la realidad se impone. Esos cuatro años fueron forzados. De hecho, entré al PSP después. Pues ya para el '80, no estaba toda esa gente que querían todas esas cosas, para el '76 se fueron. Pero para las elecciones del '76, el PSP sacó varios miles de votos. Sacaron 10 mil votos. Y Mari Brás y Gallisá sacaron otros cincuenta, setenta mil (en 1980), pero eso ya es por otras razones, ya la gente, a pesar de que es socialista, es Mari Brás que es inteligente, que es buen orador. Pero no había, no había... Eso fue un disparate.

MM: Eso fue un disparate, ir a elecciones en el '76.

NP: Bueno, con un partido socialista, marxista leninista.

MM: ¿Todavía usted no había vuelto ahí?

NP: No, en el '79. Ayudé a inscribir el PSP por segunda vez para el '80. Luego de ahí no hubo más elecciones. Escribí un montón de artículos en *Claridad* que se llamaban "Lenin y las elecciones". Yo decía que la base del leninismo, la participación electoral, es una forma de lucha cuando no hay condiciones para una lucha armada. Entonces me cayeron encima (Florencio) Merced, Manuel de J. González, Jenaro Rentas, todo el mundo. Y esa fue una de las tres cosas por las cuales me tuve que ir, casi tirándome piedras la gente. Porque yo me quedé hasta el final. Cuando se sustituyó la dirección, Mari Brás lo lamentó porque él me propuso para la dirección nueva cuando nosotros peleamos, y a Luciano y a Lorenzo, y ahí, pues.

MM: ¿Cuándo fue eso?

NP: En el '71. Y yo dije "no, yo no acepto". Pero fíjate, hasta el final, aun después de la polémica que tuvimos, él dijo "No", que cómo él iba a estar en una coalición política sin Jaime y sin Lorenzo y sin Norman. Lloró como una Magdalena. Pero no se podía. Estoy seguro que él rectificó en muchos de sus errores. Porque él se volvió una persona más serena, pausada, porque él siempre fue pausado. En el '82, Mari Brás se fue del PSP. Todos esos grupos que él tuvo después, yo estuve en esos grupos. CEPA y todos esos inventos de él. Yo andaba con él pa'rriba y pa'bajo. Mi esposa fue la secretaria de él, primero cuando el bufete Patria o Muerte del '65 al '67 y del '81 al '84 también. Cuando estaba con Lourdes Muriente y Franklin, en el Monte Mall.

MM: Cuando matan a Chagui (hijo de Juan Mari Brás) en el 76, ese discurso en el cementerio, que es en gran medida un detente a que se llevara a cabo algún tipo de acción militar como respuesta.

NP: Sí, porque todo el mundo lo que quería era hacer barbaridades. En represalia, pero era una guerra que íbamos a perder.

MM: ¿Le parece que eso tuvo que ver con la reflexión que se provocó a partir de su crítica?

NP: Todo eso estaba relacionado. En ese tiempo, mis hijos eran pequeños y estaba aterrorizado de que les pudiera pasar algo.

MM: ¿Usted?

NP: Seguro, porque ¿quiénes éramos los que dábamos la cara? Mari Brás era el principal, pero también Luciano y yo, y Baigés. Y pensamos "vienen por nosotros también". Había miedo, pero es natural. Creo que él reflexionó, porque esa venganza contra él fue parte de esa lucha armada. Y de la lucha política.

MM: Él decía que era para que no se formara una guerra aquí y no empezaran a matar gente de un lado y de otro.

NP: Fue una recapacitación de la forma de lucha... Y todo el mundo diciendo: "Mari Brás es el jefe de todo eso". Porque cada vez que arrestaban a uno, ¿de qué movimiento era? Del MPI. ¿Quién defendió a Augusto Plard, que lo acusaron de poner bombas en la Texaco? ¿Ah? Pietri. "Ese los manda a poner la bomba y ahora los defiende", decían. Nadie tenía evidencia, pero lo decían. Pero los que ponían bombas del enemigo, esos sí. Mataron al hijo de Mari Brás, con una intervención de los gusanos y del FBI. Porque los reaccionarios de Caguas y Mayagüez no eran capaces de cosas así, pero sí los gusanos [nombre común despectivo para los cubanos del exilio, opositores de la Revolución Cubana].

MM: Pero usted dice que ya para el '76 se habían detenido esas acciones.

NP: Sí. O sea, que eso no tenía sentido. Las bombas de las tiendas no tenían sentido, porque cerraban el sitio. Y entonces se quedaba desempleada la gente y los seguros pagaban. Querían causar 100 millones de pérdidas, y hubo fuego en tiendas y moteles. El Condado era zona prohibida. Las acciones no eran productivas porque quemaban una tienda, se desempleó la gente, los seguros pagan, el sistema se autoinmuniza. No era tomar el poder. Era crear daño al enemigo.

MM: Pero ¿usted creía en algún tipo de lucha armada que sí debía llevarse a cabo, o en ninguna de esas acciones?

NP: Bueno, ¿cuál? ¿Cuál se podía llevar a cabo?

MM: ¿Usted pensaba que no se podían llevar a cabo?

NP: Me convencí de que no se podía. Cuando vi que eso no tenía ningún efecto, que nos echaban la culpa y no tenían efecto, pues pensé que no se podían seguir.

MM: Pero las acciones de los Macheteros tuvieron efecto.

NP: Bueno, la de la base Muñiz sí. Esa fue fabulosa porque tuvo éxito. Cogieron los aviones, no hubo muertos. Fue un acto de sabotaje limpio. Hubo millones en pérdidas. Acabaron con la Fuerza Aérea de la Guardia Nacional. Yo era íntimo de Farinacci, por cierto. Como también éramos corsos.

MM: ¿Cuál era la manera (idónea) de lucha?

NP: Bueno, era la organización de comunidades. Todas esas luchas que han tenido éxito las empezó el MPI en los años '60. Las Mareas en Guayama, ese tipo de acciones de comunidad. Y la lucha obrera también.

MM: ¿Usted cree que esa debe seguir siendo la clave para seguir luchando por la independencia?

NP: El PIP se enganchó de eso ahora mismo con lo de Peñuelas. No lo creó, pero está enganchao'. Es bueno que se vincule con esas luchas sin que se pretenda dirigirlas. El MPI también trató de dirigir cosas que debieron caminar solas. Darles el empujón para que caminaran, pero dejarlos. Porque no podían tomar un control. Entonces, los muchachos de la universidad decían "pues vamos a ser líderes obreros" e iban a las distintas uniones y, pues, eso tiene una utilidad muy mínima. No sé, no hay fórmulas mágicas. Mari Brás hablaba del resquebrajamiento del coloniaje.

MM: Ahí estamos.

NP: Pero no hay lucha de independencia que pueda tomar provecho de eso. Este país está en una crisis terrible. Y la lucha de independencia, pues está... Las condiciones son las mejores, pero está liquidada. A pesar de que ni existe el ELA, porque lo cancelaron, y es la colonia en directo.

MM: ¿En qué momento consideró que Mari Brás era un líder de su país, más allá del Partido?

NP: Nosotros pensábamos que íbamos a ser el Partido dirigente de Puerto Rico. Y yo era uno de ese grupo.

MM: De sus características como ser humano, ¿cuál considera que es la más importante? Y algún rasgo de él, de su personalidad, que piense que no le favorecía como líder.

NP: Él era tímido. Eso era malo. En lo personal era tímido.

MM: ¿Y por qué era malo?

NP: Porque a veces tenía que ser menos tímido. Después prendía, se elevaba en la tribuna, se convertía en otro. Pero fuera de la tribuna, era el de pueblo chiquito: el mayagüezano de muchos parientes y toda la cosa pueblerina. A él le encantaba lo pueblerino. Eso era bueno. Son virtudes que se pueden volver defectos políticos. Él era un hombre sincero. Tenía muchos atributos como ser humano. La gente se pegaba a él por su atractivo humano. Le gustaba conversar con la gente, hacer cuentos, ese tipo de cosas.

MM: Y con las personas más cercanas a él se le quitaba la timidez.

NP: Con los extraños era muy tímido. Con los cercanos era más atrevido. Si había algo en que metió las patas decía "Ah, esa es una corsada" y yo le peleaba porque yo también era corso. Yo despedí el duelo de Honnelly [*Gómez, tercera esposa de JMB, madre de Teresa María, su hija más joven*]. Y fui muy amigo de tu madre [*Evelyn Narváez Ochoa, segunda esposa de JMB, madre de Mari Mari Narváez*] en la FUPI.

MM: El PSP se va por la vía electoral. Y muchos no estuvieron de acuerdo.

NP: Muchos eran nacionalistas y no creían en las elecciones y, de repente, se les dijo, "ahora tienes que ir a elecciones". No se compenetraron de eso. Y tan pronto hubo el desastre, la reacción fue "¡Qué bueno! Ya no tengo que ir a elecciones".

MM: Independientemente de los errores que se cometieron. ¿No fue peor cerrar ese capítulo? Porque la lucha se quedó como coja.

NP: Lo que pasa es que César Andreu, en el '72, escribió un artículo que cayó muy mal en las filas del PSP, diciendo que con un partido basta. Y eso fue lo que Mari Brás dijo después, que con un partido basta. Por eso apoyó en los '80 al PIP. Yo siempre firmaba para inscribir al PIP. Hasta el '92, ya no en el '96, porque el PIP estaba apestoso. Antes de Vieques, el PIP estaba muerto, y Rubén lo revivió con Vieques. Y ahora... pues, esos muchachos parecen clones de Rubén.

MM: Pero al final, ¿se perdió más o no se perdió más eliminando ese partido?

NP: El partido se desintegró. Para el '92, que se creó el NMI, ya estaba desintegrado.

MM: ¿Por qué, por las diferencias?

NP: No se regeneró, no creció. Creció hacia adentro, nada más.

Conferencia de prensa donde Carlos Gallisá anuncia su ingreso al PSP en enero de 1975, lo acompaña Juan Mari Brás, secretario general del partido. (Archivo del periódico *Claridad*)

El liderato del PSP anuncia los planes de inscripción de la colectividad de cara a las elecciones de 1976. Juan Mari Brás, Florencio Merced, Carlos Gallisá, Pedro Grant y Felipe Cirino. (Archivo del periódico *Claridad*)

Rubén Berríos y Juan Mari Brás durante los actos del Grito de Lares de 1974, el último Lares conjunto del PIP y el PSP. (Archivo del periódico *Claridad*)

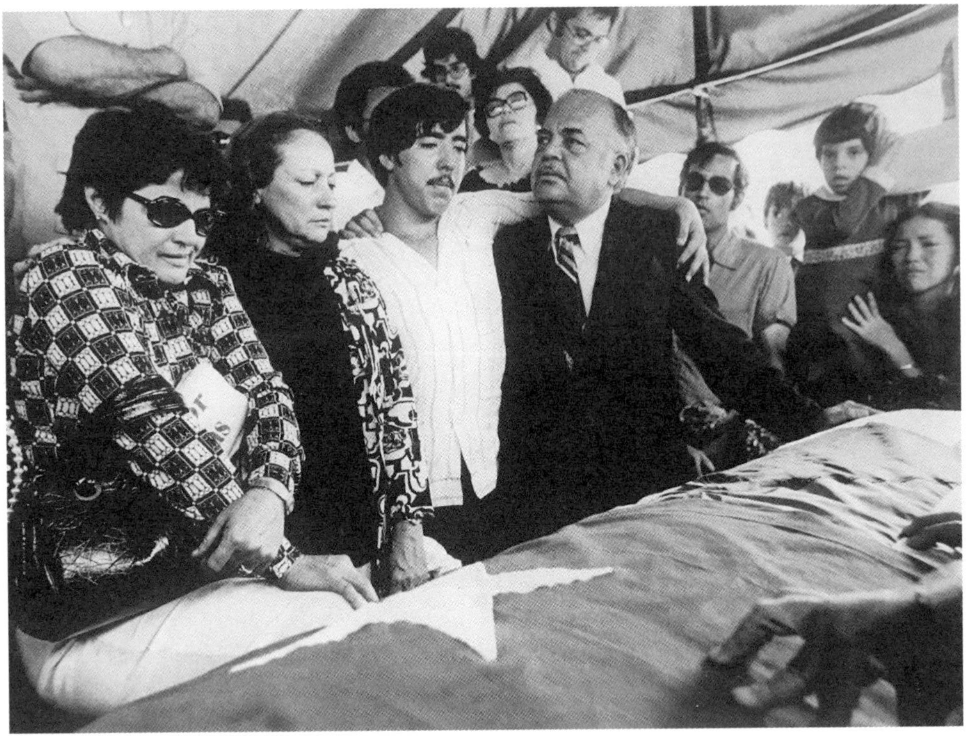

Juan Mari Brás junto a su familia, en el funeral de su hijo Santiago Mari Pesquera, asesinado en marzo de 1976. Periódico *Claridad* núm. 1032, 27 de marzo de 1976.

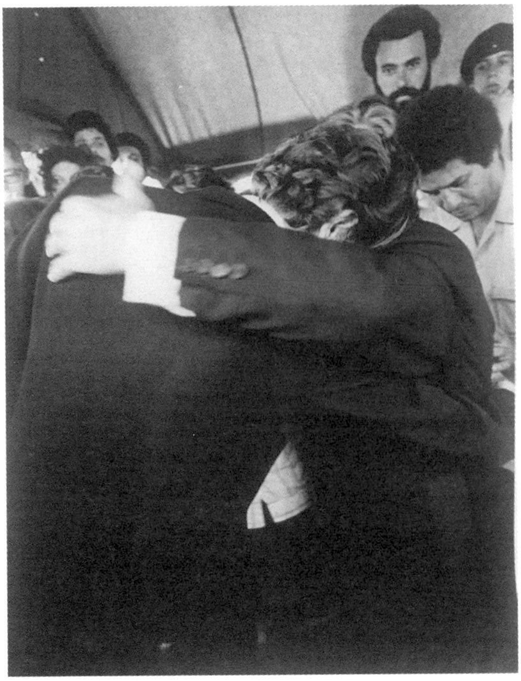

Juan Mari Brás recibe el abrazo de Rubén Berríos durante el funeral de su hijo Santiago Mari Pesquera. Archivo del periódico *Claridad.*

A la derecha el entierro de Santiago Mari Pesquera. Archivo del periódico *Claridad.*

Rubén Berríos junto a Baltasar Quiñones Elías entrando a la asamblea general del PIP donde serán nominados candidato a Gobernador y Comisionado Residente respectivamente, para las elecciones de 1976.
(Archivo del periódico *Claridad*)

Carlos Gallisá pronuncia un mensaje durante el acto del campaña de PSP en la tribuna de Lares en septiembre de 1976.
(Archivo del periódico *Claridad*)

Rubén Berríos pronuncia un discurso durante un acto de campaña en Aguas Buenas en 1976. (Archivo del periódico *Claridad*)

Los candidatos independentistas a la gobernación participan en el debate televisado previo a las elecciones de 1976. Al fondo Rafael Hernández Colón y Carlos Romero Barceló. (Archivo del periódico *Claridad*)

8 LA HORA 4 al 13 de abril de 1974

La guerrilla de uno:
Los proyectos del PIP en el Senado

Senador Rubén Berríos Martínez

San Juan- El senador y presidente del Partido Independentista Puertorriqueño, Rubén Berríos Martínez, dio a conocer a los medios noticiosos en conferencia de prensa celebrada en el capitolio, varios proyectos de gran importancia que tocan aspectos fundamentales de nuestra economía y con los que se cierra la radicación de proyectos por el presente año en la actual Legislatura.

Los proyectos tocan puntos vitales como son la expropiación de las refinerías de petróleo y las fábricas de cemento, la creación de un instituto marino y la enmienda de la vigente ley de alquileres.

La dependencia del petróleo para la satisfacción de nuestras necesidades energéticas así como la propia situación internacional y el hecho de que nuestro país se haya visto imposibilitado de detener la exportación del petróleo y sus derivados de forma que se pudiera garantizar el abastecimiento local, hacen necesaria la Expropiación por parte del gobierno, de las cuatro refinerías que existen en el país. El proyecto pide que la Comisión de Servicio Público realice los estudios pertinentes para llevar a cabo la expropiación forzosa de las mismas y que se cree una Corporación Pública que las adquiera y las administre, teniendo en cuenta la debida representación y participación de los empleados de dicha industrias.

Otro de los proyectos presentados por el PIP en el Senado aboga por la creación de un Instituto de Recursos Marinos. Ante la urgencia de nuestro desarrollo industrial no puede olvidarse una induštria que tantos beneficios puede traer a nuestro pueblo como es la pesca. Es precisamente uno de los puntos en que se nota claramente, nuestra dependencia de los alimentos que nos llegan del exterior. Las 22 libras de consumo anual de mariscos por personas en Puerto Rico, casi en su totalidad, son importadas. Además de aumentar considerablemente el número de personas que se dedican a esa actividad (que en la actualidad son solamente 1,000 pescadores).

En sus artículos el proyecto establece la creación del Instituto de Recursos Marinos adscrito al Departamento de Recursos Naturales. Se autoriza al Instituto a contratar técnicos y empleados y a disponer de una asignación económica que le permita estructurar la ley de pesca, así como estimular reglamentar y desarrollar flotas pesqueras cooperativas y del gobierno para la explotación comercial de los recursos marinos.

Respondiendo a la grave preocupación que existe por el problema de la vivienda en nuestro país, se propone por el Senador Berríos la enmienda de los artículos 4, 11 y 22 de la ley número 464, Ley de Alquileres Razonables de 1964,

La falta de una legislación precisa ha llevado a que se burlen los alquileres básicos de viviendas y pequeños negocios.

Contempla, además, el proyecto la injusta situación que resulta del aumento de los precios en los hospitales privados. También cumple el propósito de velar por la protección de los consumidores puertorriqueños. Haciéndose eco de la presente situación inflacionaria se prevee una congelación de rentas hasta julio del 1976, para que el pueblo pueda tener alivio en un renglón tan vital como es el de la vivienda.

Aquellos propietarios que deseen aumentar la renta después del 1ro de julio de 1976 tendrán que radicar una solicitud ante el administrador del Departamento de Asunto del Consumidor para que la misma sea evaluada y tramitada de acuerdo a esta Ley, según explica el artículo número 3. El artículo 11 por su parte, establece el pago de los interese legales por el depósito o finanza prestada.

Esto son sólo algunos de los proyectos presentados por el Partido Independentista Puertorriqueños que se encuentran radicado ya en el Senado. Otros proyectos de interés para todo el pueblo y, en particular, uno que esperamos será muy bien acogido por la juventud, se reseñan más adelante.

Esta semana se presentó una resolución que promueve la fabricación en Puerto Rico de un aparato que representa una nueva esperanza para los no videntes, se trata del invento de un puertorriqueño, Zaid Díaz, que permitirá a los ciegos ver por medio de una cámara de televisión. Se ha pedido que un comité del Senado estudie la posible fabricación y venta de dicho aparato en la Isla.

Otra de las preocupaciones que tiene nuestro partido y que se refleja en la legislación presentada es la de dotar al país de unos servicios médicos adecuados, el proyecto en cuestión fue vetado anteriormente, pero será presentado de nuevo. Se pretende a través del mismo, asegurar que los hospitales cuenten con el personal profesional necesario las 24 horas del día y con los servicios farmacéuticos también las 24 horas. El proyecto también pide la debida asignación de fondos, para mantener estos servicios.

Un proyecto de gran importancia para el pueblo es aquel que pide que "todos los médicos que practiquen su profesión en Puerto Rico receten medicinas por su nombre genérico."

El prescribir y vender los medicamentos por su nombre genérico y no por marcas ayudaría considerablemente al consumidor puertorriqueño, pues los precios serían menores.

Para aliviar la situación de la mujer puertorriqueña, especialmente de aquella que pertenece a la fuerza obrera del país, se presentó un proyecto que pide el establecimiento de Centros Infantiles para niños de uno a seis años y que quedarían bajo el Departamento de Instrucción Pública. Esto ayudaría, además, a la mujer que no trabaja fuera, pero que le interesaría hacerlo para contribuir al ingreso familiar y a aquella que desea estudiar. Este proyecto ayudaría también grandemente a disminuir la opresión por sexo de que padece la mujer.

Un proyecto más, sometido por el PIP al Senado pide que se enmiende la Ley de Beneficios de Salud para Empleados Públicos, al efecto de que la aportación del gobierno como patrono no sea menor de tres cuartas partes (3/4) del costo total del plan médico a que se acoja cada empleado.

Entre las medidas importantes que han de tener gran efecto en nuestra economía de no ser engavetadas en el Senado está la expropiación de la Puerto Rican Cement, compañía que controla en la actualidad más del 80 por ciento de la producción de cemento en nuestro país, por lo que se encuentra en ventaja a la hora de fijar los precios. Tanto la Puerto Rican Cement como la San Juan Cement han gozado de altos beneficios y márgenes de ganancias y por otra parte no han reinvertido el capital necesario para mantener la efectividad de dicha industria.

Nuestro pueblo no debe estar sujeto a pagar ahora esa ineficiencia y tampoco tiene que sufrir las presiones y el chantaje de estas compañías que amenazan con descontinuar su producción cuando no se les aumenta el precio del cemento.

Se pide en el proyecto que la Comisión de Servicio Público realice los estudios pertinentes para la expropiación y que se cree una Corporación Pública para su administración.

Los proyectos recogen también problemas de tanta actualidad como el que exige la investigación sobre el aumento de las tarifas de electricidad decretado por la Autoridad de las Fuentes Fluviales.

Otro proyecto presentado por el Partido Independentista pide la enmienda a la Ley de Contribuciones para eximir del pago de la contribución adicional a personas con un ingreso neto que provenga de jornales o salarios no mayor de $6,000. Esto aliviaría la carga y la discriminación contra las "masas trabajadoras puertorriqueñas," discriminación que se torna más violenta al considerar que la ley impone las mismas clases de contribuciones a todos los ingresos sin que interese la procedencia.

EN DEFENSA DE NUESTRA CULTURA

La figura del prócer puertorriqueño Rosendo Matienzo Cintrón (1855), quien fuera un incansable luchador a favor de los pobres y a favor de la lucha por la Independencia, será recordada al pedir al cuerpo legislativo que se declare el día 22 de abril de cada año día de la conmemoración del natalicio de Don Rosendo Matienzo Cintrón.

La falta de medios de que se dispone en nuestro país para velar por nuestro patrimonio histórico que es el tesoro más grande que podamos tener ya que se trata de todo aquello que revela nuestra cultura y nuestra forma de ser como pueblo, ha sido objeto de uno de los proyectos presentados. Casi todos los países del mundo han tomado severas medidas para impedir la venta, destrucción y apropiación indebida del patrimonio nacional. Por primera vez, un proyecto propone con precisión y detalle un procedimiento para luchar contra esta situación.

El proyecto establece que sea el Instituto de Cultura Puertorriqueña el que ha de velar porque se cumpla este propósito.

Entre las resoluciones presentadas hay una que se destaca por su empeño en esclarecer el discrimen de que son víctimas los artistas puertorriqueños, el documento ordena a la Comisión de Arte y Cultura que realice una investigación sobre los alegados discrímenes en el empleo por motivaciones políticas de que han sido víctimas varios artistas puertorriqueños.

"La guerrilla de uno."
Periódico *La Hora*, 4-13 de abril de 1974.

Casa llena en el Garden

Vista parcial del acto del Madison Square Garden. –Vea páginas centrales– (Foto CLARIDAD por Charrón.)

Larga ovación a Mari Brás

Delegaciones ONU estuvieron presentes

Por Dixie Bayó
Sub-Directora de CLARIDAD

NUEVA YORK (Telex) – Más de diez delegaciones diplomáticas acreditadas ante la Organización de las Naciones Unidas estuvieron presentes en el coliseo Madison Square Garden durante la celebración del Día de Solidaridad con la Independencia de Puerto Rico, el domingo pasado.

Asimismo se encontraban destacadas figuras de la izquierda norteamericana que junto a grandes contingentes de chicanos, afronorteamericanos, asiáticos, indios y norteamericanos progresistas llenaron hasta el final del acto los asientos del coliseo neoyorquino.

En la tribuna presidencial del acto se encontraban miembros de la Comisión Política del Partido Socialista Puertorriqueño (PSP), encabezados por el secretario general, Juan Mari Brás, y los miembros de la Junta Nacional (Estados Unidos) del Comité pro Día de Solidaridad con la Independencia de Puerto Rico.

DELEGACIONES ACREDITADAS EN ONU

Entre las delegaciones acreditadas ante la ONU que se encontraban presentes se destacaban los delegados de la República Democrática Alemana, República Socialista de Ucrania, República Popular de Mongolia, República Popular de Bulgaria, Unión de Repúblicas Socialistas Soviéticas, República Popular del Congo, Mali, Venezuela, Cuba y la Organización de la Unidad Africana.

MENSAJES DE LOS PRESOS POLITICOS BORICUAS

Pedro Albizu Meneses, vicepresidente del Consejo Puertorriqueño de la Paz, leyó entre grandes ovaciones de la multitud los mensajes enviados por los patriotas encarcelados Rafael Cancel Miranda y Oscar Collazo. A ellos y a Lolita Lebrón, Irvin Flores y Andrés Figueroa Cordero fue dedicado el acto.

El Madison Square Garden fue engalanado con cinco impresionantes fotos de los prisioneros políticos puertorriqueños.

DISCURSO MARI BRAS

La concurrencia ovacionó durante cinco minutos al secretario general del PSP, Juan Mari Brás, al éste iniciar la lectura de su discurso.

El dirigente socialista leyó su mensaje en español distribuyéndose copias en inglés para beneficio de los angloparlantes.

MENSAJE DE ANGELA DAVIS

La destacada militante afronorteamericano, Angela Davis, catalogó el acto como un acontecimiento histórico en la lucha por la independencia borincana. Hizo un llamado a los presentes para que convirtieran sus simpatías en acción y trabajo por la causa

(Vea –ONU– Pág. 20)

Actos simultáneos en Oakland y San Fco.

OAKLAND, CALIFORNIA (SEC) – Puertorriqueños residentes aquí, afronorteamericanos, indios, chicanos y norteamericanos blancos, en número de dos mil, efectuaron el pasado domingo, en el local Apumex Hall, el primer mitin de solidaridad con la independencia de Puerto Rico que se efectúa en esta ciudad.

La actividad, organizada por el Comité Pro Día de Solidaridad con la Independencia de Puerto Rico del Bay Area, coincidió con el grandioso acto efectuado en el Madison Square Garden con idénticos propósitos. Ella se extendió desde las 2:00 de la tarde hasta las 7:30 de la noche del 27.

El mitin fue transmitido simultáneamente por la radio local, y recibió gran atención por parte de los medios informativos californianos.

En él hablaron, entre otros, Benjamín Ortiz, del Partido Socialista Puertorriqueño; Lucas Daumont, boricua residente aquí; Ruth Rodríguez, del

(Vea –ACTOS– Pág. 15)

Líder PSP pronunció discurso principal

Por Dixie Bayó
Sub-Directora de CLARIDAD

NUEVA YORK – Como el inicio de un despertar masivo de la conciencia norteamericana para con la lucha de independencia de Puerto Rico catalogó el secretario general del Partido Socialista Puertorriqueño, Juan Mari Brás, el acto celebrado el pasado domingo en el coliseo Madison Square Garden de esta ciudad.

La actividad, organizada por el Comité de Solidaridad con Puerto Rico, reunió, en un acto sin precedentes, delegaciones representativas de todas las llamadas minorías nacionales que residen en este país. Actos simultáneos se celebraron en Oakland y San Francisco, California.

El discurso principal de la tarde estuvo a cargo de Mari Brás, quien fue recibido con una gran ovación de pie por los miles de asistentes al acto. Mari Brás comenzó señalando que la única unidad posible entre los pueblos del mundo es aquella unidad basada en la garantía de la integridad territorial, autodeterminación e independencia de las naciones.

Analizó la situación internacional desde el punto de vista anticolonial, resaltando que la eliminación de todo vestigio colonial es la principal prioridad del mundo contemporáneo. Dijo que en

(Vea –PSP– Pág. 21)

29 de octubre de 1974 – CLARIDAD 3

"Casa llena en el Garden."
Periódico *Claridad*, 29 de octubre de 1974.

Ovacionan mensajes presos políticos

Por Dixie Bayó
Sub-Directora de CLARIDAD

NUEVA YORK – Los millares de personas que colmaron el Madison Square Garden el pasado domingo respondieron con consigras militantes a la lectura de los mensajes de los presos políticos Rafael Cancel Miranda y Oscar Collazo, dos de los prisioneros políticos a quienes se dedicó el acto.

En igual forma fue recibido un mensaje de solidaridad enviado por el Comité Central del Partido Comunista de Cuba.

Pedro Albizu Meneses, quien fue recibido con una larga ovación, leyó los mensajes de los presos nacionalistas.

Rafael Cancel Miranda expresó: **"Pensé saludarles nombrando cada uno de los sectores aquí representados, pero es mi certeza que llamándolos hermanas y hermanos se dice todo, pues es la nuestra la hermandad de los conscientes,"** aludiendo a la presencia de contingentes de diversos sectores étnicos y nacionales en el Garden.

"A través de las rejas extiendo mis brazos y calurosa y revolucionariamente los abrazo a todos colectivamente y a cada uno individualmente. Destruyamos las barreras que nos ha puesto el enemigo para que ni nos conozcamos y conozcámonos. ¡Viva nuestra combativa solidaridad!", concluyó Cancel Miranda.

En su mensaje Oscar Collazo expresó: **"Mi propia patria será parte de esa ola enorme, incontrolable, que arrolla al mundo que lucha por hacer desaparecer las fuerzas del mal, que hasta ahora han negado el disfrute de la libertad a la mayor parte de la humanidad."**

Se leyeron mensajes enviados por los presos de Attica, Los Doce, de Houston (miembros de la Juventud Contra la Guerra y el Fascismo), a quienes se imputa asesinar a un oficial policiaco.

Un mensaje del Secretariado Ejecutivo de la Organización de Solidaridad de los Pueblos de Asia, África y América Latina decía: **"Los pueblos de Puerto Rico y Estados Unidos deben unirse para golpear juntos desde diferentes frentes al mismo enemigo: el imperialismo yanqui."**

También enviaron mensajes Los Cinco, de Nueva York, presos políticos afronorteamericanos y puertorriqueños acusados por alegadamente matar dos policías en 1971.

La organización Weather Underground expresó su solidaridad en el acto con un mensaje que instaba a los norteamericanos a integrar la lucha del pueblo puertorriqueño a su lucha diaria.

Virginia Collins, destacada dirigente afronorteamericana, leyó el mensaje de los prisioneros de Attica. Este relacionaba la lucha en esa cárcel con la de los presos políticos puertorriqueños y describía el levantamiento de 1971 en Attica como un acto de unidad entre afronorteamericanos, blancos, puertorriqueños y norteamericanos en general.

Los Doce, de Houston, presos políticos chicanos y norteamericanos, trazaron un paralelo entre la situación de México ocupado y Puerto Rico.

El presidente del Movimiento por la Paz y la Soberanía de los Pueblos, Juan Mannello Vidaurreta, envió el siguiente mensaje:

"Atribuimos enorme importancia a las campañas de solidaridad y apoyo hacia la lucha del pueblo puertorriqueños contra el colonialismo e imperialismo dentro del territorio gobernado por los que mantienen la forma más anacrónica y cruel de explotación en nuestro continente. Condenamos la negativa del gobierno norteamericano a reconocer la inmediata independencia y autodeterminación de Puerto Rico y exigimos el indulto a los presos nacionalistas puertorriqueños en Estados Unidos."

Oscar Collazo

Destacan valor acto Garden

Por Dixie Bayó
Sub-Directora de CLARIDAD

NUEVA YORK – Durante la emoción, la agitación y el entusiasmo que reinó en el histórico acto en el Madison Square Garden en solidaridad con la independencia de Puerto Rico, celebrado el 27 de octubre, CLARIDAD logró entrevistar algunas de las más destacadas personalidades que se dirigieron a la concurrencia que llenó la sala del coliseo.

Pregantamos en su opinión, ¿qué significado tiene este acto para el movimiento independentista y las fuerzas progresistas en Estados Unidos y qué lo motivó a participar en el mismo?

"El acto de hoy es el génesis de un movimiento político de norteamericanos, puertorriqueños y otros latinoamericanos que reconocen que Estados Unidos domina y explota a Puerto Rico... Estoy participando en esta actividad porque me he dado cuenta que la única manera en que podemos proteger nuestra identidad nacional es ganando nuestro lugar en la familia de las naciones independientes," expresó el conocido periodista del Canal 7, Gerardo Rivera.

"Esta es una actividad de confraternidad y eso es lo más que necesitan todos los partidos de izquierda en Puerto Rico... Se necesita la unidad," dijo la cantante Lucecita Benítez.

"Creo que el acto de hoy es un paso histórico que comienza a poner al desnudo la naturaleza colonialista de la política estadounidense en Puerto Rico... Estoy participando porque creo que es necesario que se entienda la doctrina Nixon y del imperio norteamericano... Puerto Rico es el Vietnam de este hemisferio y tenemos que solidarizarnos y apoyar la lucha de independencia del pueblo puertorriqueño," apuntó la conocida activista contra la guerra en Indochina, Jane Fonda.

Dave Dellinger, activista contra la guerra en Vietnam y miembro de la Junta de Directores del comité que organizó el acto dijo:

"El significado más sobresaliente de este acto es el hecho de que esta inmensa manifestación de sentimiento a favor de la independencia de Puerto Rico cumplirá la misma función que las manifestaciones contra la guerra en Vietnam cumplieron. Este acto trae el caso de Puerto Rico a la conciencia del pueblo que entonces la llevará al debate público y si esto pasa no hay manera de que persona alguna pueda justificar la presencia de la dominación norteamericana en Puerto Rico. Mi participación se debe al horror absoluto que siento cuando pienso en las condiciones que Estados Unidos quiere imponer a Puerto Rico."

La activista afronorteamericana, Angela Davis, exprisionera política y miembro del Comité Central del Partido Comunista de Estados Unidos, declaró:

"El significado es tremendo, algo que el movimiento en este país tiene que aprender es que mientras hayan colonias estadounidenses ninguno de nosotros será libre. No hacemos esto porque somos caritativos, sino porque de esta manera también conseguimos nuestra libertad. Estoy segura que en un futuro cercano estaremos hablando no solo de un Puerto Rico libre, sino también de un Puerto Rico socialista."

El escritor puertorriqueño, Piri Thomas, conocido por su libro *Down These Mean Streets*, quien fue maestro de ceremonias del acto, expresó: **"Me siento como si hoy fuera mi cumpleaños. Estoy contento de ser no solamente un ser humano, pero también un puertorriqueño."**

El Secretario del Centro de Acción Social Autónomo (CASA), organización en el oeste de Estados Unidos que representa a miles de chicanos señaló: **"Para los chicanos este acto significa que la lucha continúa en América Latina, que esto es el segundo paso hacia la liberación de América y nada ni nadie puede detener el progreso hacia una sociedad socialista."**

La norteamericana Helen Sobell, quien participó en la defensa de los esposos Rosenberg, acusados de conspirar contra el gobierno norteamericano en los años 50 y asesinados por este alegado crimen, manifestó: **"Esto representa un paso cualitativo y significa que habrá una explosión de actividades a favor de la lucha de independencia de Puerto Rico en Estados Unidos."**

PSP

viene de la página 3

los últimos treinta años, a raíz de terminada la Segunda Guerra Mundial, el mundo ha cambiado radicalmente y que varias regiones que comprenden gran número de naciones en África, Asia, Europa y América Latina han derrotado la intervención extranjera y han alcanzado la total independencia.

Dijo que el imperialismo norteamericano ha comenzado su decadencia histórica y que las derrotas que ha sufrido en Corea, Cuba y Vietnam son los mejores signos del total colapso a que se dirige. Explicó que el sistema capitalista, encabezado por Estados Unidos, se ha ido replegando y asumiendo posiciones más flexibles en cuanto a las relaciones con el campo socialista, la Unión Soviética y la República Popular China. Señaló que el principio de la coexistencia pacífica se ha tenido que aceptar y que éste es la base en la estrategia que eventualmente desembocará en el triunfo de las fuerzas socialistas sobre el capitalismo a escala mundial.

Sin embargo, dijo, que esa política defensiva de los imperialistas no es aplicable a los países superexplotados del Tercer Mundo. Recordó la intervención de Estados Unidos en Chile que culminó con el asesinato del presidente Salvador Allende y la instalación de una dictadura militar fascista en ese país. Catalogó a los militares que gobiernan a Chile como el más despreciable excremento y al régimen facista como uno de los regímenes más crueles y tiránicos de la historia de América Latina.

Dijo que el imperialismo conspira con el Estado de Israel para negarles a los palestinos su patria, es aliado de los gobiernos racistas de Africa del Sur y Rodesia, niega a Panamá el derecho que tiene sobre el Canal, pretende condicionar el final del bloqueo a Cuba y que trata de chantajear y sobornar a los países para que les entreguen sus recursos.

El Secretario General del PSP hizo un conciso resumen de la situación económica y política a que Puerto Rico está sometido concluyendo que la voracidad imperialista se manifiesta brutalmente y en su forma más retrógrada. Dijo que los puertorriqueños residentes, tanto en Puerto Rico como en Estados Unidos, son víctimas de esa situación de explotación y que el subempleo y desempleo aumenta a cifras catastróficas entre ellos.

Catalogó a Rafael Hernández Colón y a Carlos Romero Barceló de títeres del colonialismo, especímenes lastimosos y últimos residuos de un mundo en descomposición. Dijo que éstos quieren ignorar el curso irreversible de la historia, insisten en la aberración del sistema colonial y se mantienen de espaldas a los reclamos de justicia de su pueblo.

Hizo un llamado al pueblo norteamericano progresista para que le dé concreción a la consigna utilizada por el Comité de Solidaridad de un bicentenario sin colonias. El gobierno de Estados Unidos se propone conmemorar el bicentenario de su independencia, lo que Mari Brás calificó de gran oportunidad para hacerle ver que los aspectos positivos de esa revolución son empañados por la política esclavizante, brutal y negativa que les caracteriza.

"A nombre del pueblo de Puerto Rico –concluyó Mari Brás– y a nombre de los patriotas puertorriqueños Lolita Lebrón, Oscar Collazo, Irvin Flores, Rafael Cancel Miranda y Andrés Figueroa Cordero, nos comprometemos a continuar marchando victoriosos hacia nuestra meta inmediata que es la proclamación de la independencia de Puerto Rico y la defensa de ésta no importa el precio que haya que pagar por la misma."

29 de octubre de 1974 – CLARIDAD 21

"Casa llena..." (continuación)

Ramón A. Cruz

La limpieza empezará en Instrucción

Por Benjamín Rivalta
Redactor de CLARIDAD

RIO PIEDRAS – El viernes comenzarán las cesantías pronosticadas por el gobierno, con el despido de los empleados que ostentan contratos provisionales en el Departamento de Instrucción Pública (DIP), según trascendió ayer.

Entre los que serán cesanteados se mencionó bibliotecarios, choferes de guaguas y otros. El número total de despidos no pudo ser determinado, pero la fuente aseguró que serían "cuantiosos".

Se cree que la posposición del inicio de clases anunciada ayer por el secretario de Instrucción, Ramón A. Cruz, responde a la necesidad de informar las cesantías a los empleados perjudicados y ganar el tiempo requerido para los reajustes que la supervisión del personal haría necesarios.

En círculos oficiales se dijo el martes que los cesanteados por el gobierno alcanzarán una cifra superior a 20 mil, dentro de los próximos meses.

Nuestra fuente dijo que en la carta que le será enviada a los cesanteados se les sugiere acogerse a las vacaciones que tengan acumuladas, aunque después de éstas quedarán cesantes.

Se dijo que hasta el momento los empleados gubernamentales que ostentan contratos pagados con los llamados fondos "federales" no corren el peligro inmediato de ser cesanteados. No se pudo precisar cuánto tiempo estarán en esas circunstancias.

ATT triunfó sobre ITT

Por Antonio R. Gómez
Redactor de CLARIDAD

SAN JUAN – La Northern Telecom, empresa a la cual la Autoridad de Teléfonos le adjudicó la subasta para la compra de equipo telefónico, es parte de conglomerado de empresas subsidiarias y afiliadas a la American Telephone and Telegraph Co., con quien la referida Autoridad tiene un contrato de asesoría.

La adjudicación de la subasta a la Northern, confirma informaciones suministradas a CLARIDAD por diversas fuentes vinculadas tanto a la Telefónica como a la ITT Caribbean en el sentido de que la pugna ITT-Autoridad de Teléfonos era meramente una lucha entre dos monopolios.

La Northern Telecom, según pudo constatar CLARIDAD de medios enteramente confiables, es subsidiaria de la Bell Telephone of Canada, que posee enteramente la Northern Electric Co. Ltd. casa matriz de la Northern Telecom. La Bell Telephone, por su parte, está afiliada a la American Telephone and Telegraph (ATT).

El contrato que otorgó la Autoridad de Teléfonos a la Northern dispone compras de equipo por un valor de 38 millones de dólares, informó el martes el director ejecutivo de la Telefónica, Salvador Rodríguez Aponte.

Desde que se hizo pública la tan discutida pugna entre la ITT y la Telefónica, CLARIDAD ha estado denunciando que la verdadera pugna era entre dos monopolios (ITT vs ATT).

Fuentes en la Telefónica y en la ITT habían anticipado a CLARIDAD el desenlace de la disputa, lo que ha sido calificado como "una clara victoria para la ATT".

La referida firma mantiene un contrato de consejería y asesoría con la Autoridad de Teléfonos, el cual estará bajo la administración de la American Bell Co., nueva subsidiaria de la ATT creada específicamente para tales propósitos.

El referido contrato tiene una duración de cinco años.

Gallisá ingresa al PSP

SAN JUAN – En una conferencia de prensa conjunta, donde estuvo presente el secretario general del Partido Socialista Puertorriqueño, Juan Mari Brás, el representante independentista Carlos Gallisá hizo su ingreso formal al PSP.

—VEA COMENTARIO POLITICO Y PAGINA 7—

El anuncio fue hecho en las oficinas del Representante Gallisá ayer, donde también se anunció que pasaría a ser el portavoz legislativo del PSP.

Las declaraciones íntegras de Gallisá leen como sigue:

"Después de un largo proceso de análisis y pensando primordialmente en el desarrollo presente y futuro de la lucha por la independencia y el socialismo en Puerto Rico deseo anunciar en el día de hoy mi ingreso al Partido Socialista Puertorriqueño.

"Para un socialista, la labor aislada o individual no tiene sentido. Lo importante es el trabajo colectivo y organizado. El PSP es hoy el verdadero representante de ese trabajo colectivo y organizado que se desarrolla dentro de las masas trabajadoras de este país en la lucha por un Puerto Rico libre y socialista.

"Las victorias de nuestra lucha de independencia en el campo internacional, la creciente toma de conciencia y combatividad del movimiento obrero y la salida de un periódico diario defendiendo los intereses de la clase trabajadora, son logros obtenidos por el PSP a través del enorme esfuerzo de sus miles de militantes. A ese gran esfuerzo queremos aportar nuestra contribución más decidida."

Respondiendo a preguntas de los periodistas, Gallisá dijo que el Partido Independentista Puertorriqueño está claramente definido como uno que defiende los intereses de la pequeña burguesía y como tal cumple su función.

Gallisá dijo que ingresa al PSP como cualquier otra persona que solicita ingreso a la organización, en calidad de afiliado. En esa categoría de miembro deberá cumplir por lo menos seis meses para pasar a la de militante de la colectividad, explicó.

Sobre la participación en las futuras elecciones dijo que es muy prematuro y que eso es una decisión que tomará el Partido, según las condiciones que prevalezcan al momento de las elecciones.

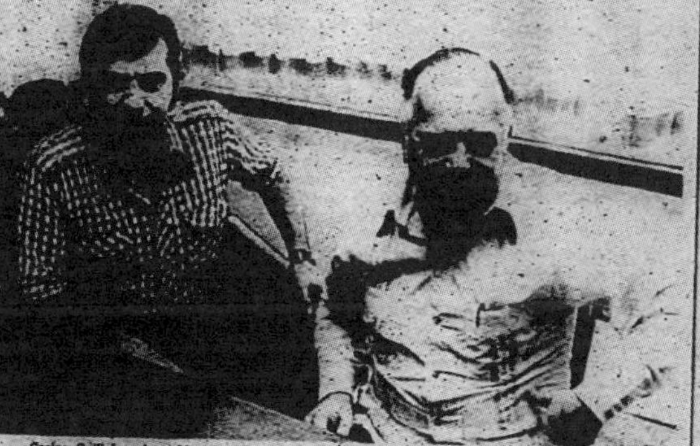

Carlos Gallisá y Juan Mari Brás, miembro y secretario general del PSP, contestan preguntas de los periodistas, momentos después de haberse anunciado el ingreso del primero a la colectividad socialista. (Foto CLARIDAD por Rafi Robles.)

9 de enero de 1975 – CLARIDAD 3

"Gallisá ingresa al PSP."
Periódico *Claridad*, 8 de enero de 1975.

13 de enero de 1975
R-1
GSC -6-

6

hemiciclo de la Cámara.

Adelante con los trabajos.

SR. GALLISA: Señor Presidente.

SR. PRESIDENTE: Compañero Gallisá.

SR. GALLISA: Señor Presidente, para pedir el consentimiento unánime para hacer unas expresiones en torno al comienzo de esta Asamblea Legislativa.

SR. PRESIDENTE: ¿Hay objeción? No habiendo objeción, adelante.

SR. GALLISA: Señor Presidente y miembros de la Cámara de Representantes, comienza esta Sesión Legislativa y por espacio del último año hemos estado aquí como legislador, defendiendo la independencia de Puerto Rico y el socialismo como futuro de nuestra patria, y a lo largo de estas sesiones legislativas pasadas, hemos fiscalizado, hemos denunciado y hemos hecho propuestas dentro de esa visión que tenemos de Puerto Rico.

Como es de conocimiento general, hace unos días hice mi ingreso en el Partido Socialista Puertorriqueño, así que comienzo esta Sesión Legislativa, como miembro del Partido

Discurso de Carlos Gallisá en la Cámara de Representantes de Puerto Rico anunciando su entrada al PSP, 8 de enero de 1975.

13 de enero de 1975
R-2
GSC

-7-

7

Socialista Puertorriqueño, y muy lejos de ser una renuncia a los principios de la independencia y del socialismo que postulé en la campaña del 1972 y que he defendido a lo largo de estos dos años.

Mi decisión es la reafirmación de la defensa de la independencia y del socialismo para mi pueblo.

El trabajo legislativo que hemos realizado aquí hasta ahora ha de seguir la misma línea que hemos observado en los últimos dos años. Y será un trabajo legislativo de conjunto entre el compañero Luis Angel Torres y el que habla, como también lo hemos hecho durante los últimos dos años. Seremos aquí portavoces de esa ideología porque es la ideología de los trabajadores.

Dentro de esa visión que tenemos y dentro de la crisis más profunda que se puede recordar en la historia de nuestro pueblo, comenzamos esta sesión legislativa. Se refleja en la manera más clara y cruda la crisis económica, social y moral que sufre nuestro pueblo en estos momentos.

Discurso de Carlos Gallisá..." (continuación)

13 de enero de 1975
R-2
GSC -8-

8

Creo que la responsabilidad mayor de esta crisis

crisis que abarca no al mundo entero, como se ha pretendido decir hasta este momento, porque no es una crisis mundial es una crisis del capitalismo como sistema en aquellos países donde impera el capitalismo.

Por el otro lado las economías de los países socialistas están más desarrolladas, como lo es en el caso de la Unión Soviética, de la República Popular de China, y el desarrollo total y ascendente de la economía del Gobierno Revolucionario Cubano, como ya ha tenido que ser admitida aún por los propios enemigos de la Revolución Cubana.

Así que esa crisis, la del capitalismo, en Puerto Rico se recrudece por ser una economía totalmente parasitaria de la economía de los Estados Unidos. Y nos afecta doblemente por vivir también en una colonia donde estamos impotentes y no tenemos los poderes para resolver los problemas básicos de nuestra patria.

Y de esa crisis es mayormente también responsabilidad

Discurso de Carlos Gallisá..." (continuación)

13 de enero de 1975

R-2

GSC -9-

9

del Ejecutivo, cuando anuncia que ha habido un déficit de doscientos nueve millones de dólares en este país. Una quinta parte del presupuesto de Puerto Rico se ha gastado por encima de lo programado. Y nos tenemos que preguntar quién es responsable de este déficit. A qué altos burócratas de este Gobierno le cabe la responsabilidad de haber llevado a este país a este déficit dentro de esa crisis general.

Y hay una responsabilidad del Ejecutivo que es el que ha asumido todas las responsabilidades de este país en los últimos dos años. Y hay un Poder Legislativo que ha claudicado en los últimos dos años y se ha convertido en un sello de goma del Ejecutivo.

Y aquí hemos legislado a ciegas sobre todas las propuestas del Ejecutivo. Y hemos probado hoy que se nos ha mentido en vistas públicas, en Comisiones, en información, que se le ha suministrado a este Cuerpo Legislativo. Y la legislación que hemos hecho ha sido una legislación a ciegas.

Por eso al iniciar esta sesión nos tenemos que plantear,

Discurso de Carlos Gallisá..." (continuación)

13 de enero de 1975
R-2
GSC -10- 10

si vamos a seguir legislando a ciegas como le hemos hecho o vamos a cumplir con una responsabilidad como lo demanda aún dentro de las limitaciones que tenemos.

Pero es también un punto final que quiero tocar en esta sesión legislativa, y es que abrimos esta sesión legislativa en medio del asesinato de dos trabajadores puertorriqueños, víctimas, y las primeras víctimas en la historia de Puerto Rico en términos de haberle causado la muerte, porque hay cientos de víctimas más de un terrorismo del imperialismo yanqui combinado aquí en Puerto Rico con unos elementos de la derecha de este país, que lo hemos visto y los hemos desnudado, en el pasado, y los hemos desemmascarado en el pasado como cómplices junto al excremento mayor que tiene la humanidad hoy, que es la gusanera cubana o ex-cubana, mejor dicho, que nos ha caído encima como una plaga.

Todavía no han sido enterrados los dos cadáveres de estos trabajadores puertorriqueños. Esto que se ha perpetrado en Mayaguez eso sí que es terrorismo. La colocación

Discurso de Carlos Gallisá..." (continuación)

13 de enero de 1975
R-2
GSC -11- 11

indiscriminada de bombas en zafacones, en las calles, en sitios públicos y donde perecen inocentes. Y no importa qué puertorriqueño haya caído sea popular, sea estadistas, o sea independentista y socialista, tenemos que combatir el asesinato de estos elementos que hoy están en Puerto Rico y que al parecer actúan impúnemente en este país y que se niegan a perder los privilegios que tienen como clase en este país. Y por eso corrieron de allá, de Cuba, y se negaron a hacer un esfuerzo colectivo con aquel pueblo para mejorar aquel pueblo. Estos elementos que son financiados por la Agencia Central de Inteligencia y el FBI que opera en Puerto Rico, como arma represiva contra nuestro pueblo. Y hace meramente unos días una compañera que trabajó por tres años en Bureau Federal de Investigaciones hizo público toda la intervención del FBI en Puerto Rico, por conocimiento propio en las mismas oficinas del FBI, donde ella trabajaba. Y sabemos de la intervención de la Agencia Central de Inteligencia, aquí. Y sabemos que hay han habido a la fecha de hoy, ciento

Discurso de Carlos Gallisá..." (continuación)

13 de enero de 1975

R-2

GSC -12- 12

sesenta atentados contra organizaciones patrióticas, contra el Periódico Claridad, contra la Impresora Nacional, contra casas y locales de independentistas sin que hasta este momento haya por lo menos un sólo acusado de esos atentados terroristas.

Y me pregunto yo, si en este sistema supuestamente de ley, después de ciento sesenta atentados terroristas contra los independentistas, no ha habido ni un solo arresto. Me pregunto yo si es que la policía es tan deficiente, ineficiente o sencillamente estos señores o estos asesinos, mejor dicho, están actuando al amparo de una protección en este país.

Y en el pasado aquí se firmó, se aprobó una resolución para investigar el último atentado terrorista contra el Periódico Claridad y la Impresara Nacional que imprime ese periódico. Y tengo que señalar que esta Cámara de Representantes comenzó una investigación y que no la terminó, porque cuando pedimos que trajeran al Superintendente de

Discurso de Carlos Gallisá..." (continuación)

13 de enero de 1975
R-2
GSC -13- 13

la Policía, Astol Calero a testificar ante la Comisión que era responsable, ahí mismo se pararon los procedimientos. Y hace más de tres meses que está parada aquella investigación, porque es el señor Calero el que tiene que venir a estas Cámaras a explicar esta situación en el país.

Es muy fácil enseguida que explota una bomba contra un equipo de la Guardia Nacional o contra una de las empresas capitalistas yanqui que operan en este país, hay arrestos de independentistas. Se mueve el FBI, se allanan casas, pero cuando son estos elementos nunca pasa nada, ni hay el más mínimo arresto. Y la Policía de Puerto Rico es culpable y el Gobierno de Puerto Rico es culpable de haber creado esta situación y de las bombas de Mayaguez. Cuando hace tres semanas se ha perseguido como nunca antes en este país, a los independentistas y socialistas en una forma descarada con tres y cuatro carros de la policía detrás contínuamente. Hasta que llega la semana pasada y el mismo alto oficial y comandante del afea Sur de Ponce,

Discurso de Carlos Gallisá..." (continuación)

13 de enero de 1975

R-2

GSC -14-

admite que si, que hay unas órdenes del Superintendente Calero para perseguir y vigilar 24 horas a esos socialistas a esos subversivos. Y lo admite la propia policía y admite los casos específicos y hacen allanamiento de seis casas y no logran encontrar una sola evidencia. Y el C.I.C. allana la casa del compañero Delfín Ramos y no encuentra nada. Y una semana más tarde se mete el FBI a espalda de Delfín Ramos y de su familia y tumba la puerta y entonces aparecen unos artefactos. Y estuvo quince días en la Princesa negándose la Corte Federal de Puerto Rico a vér la vista de un Recurso de Habeas Corpus. Y en estas últimas tres semana se crearon las condiciones de histeria, de esa vigilancia de la policía, de esas declaraciones de la propia Policía de Puerto Rico, sobre los socialistas para que explotaran las dos bombas el sábado en Mayaguez y cuando aparece una bomba en un zafacón, en Mayaguez a las once de la mañana y se le pide a la policía de Mayaguez que haga un registro de todos los alrededores donde se iba a celebrar el acto se negaron,

Discurso de Carlos Gallisá..." (continuación)

13 de enero de 1975

R-2 15

GSC -15-

y no lo hicieron porque no tenían el equipo. Así que hay actores que van más allá de los que pusieron la mera bomba. Y ha de seguir y ya se adjudicó el acto, una organización de cubanos, gusanos en Puerto Rico.

Y en el día de hoy se han recibido dos llamadas en mi oficina de

Discurso de Carlos Gallisá..." (continuación)

13 de enero de 1975
R- 3
ALT 1

/16

una organización de cubanos, gusanos en Puerto Rioo. Y en el día de hoy se han recibido dos llamadas en miloficina de esa organización que se llama Frente Anticommmista Cubano, adjudicándose el acto y diciendo que las bombas de Mayaguez fueron puestas por ellos para darle la bienvenida al Partido Socialista Puertorriqueño. Esa es la situación bajo la cual se reúnen estas Cámaras Legislativas en el día de hoy, de profunda crisis económica, social y moral y de un terrorismo de elementos de la derecha en el país Asociado con las fuerzas represivas norteamericanas que operan en Puerto Rico.

Solo tenemos que decir nosotros, para terminar en el día de hoy, de que no hay bombas ni balas ni ballonetas, que no hay ningún instrumento todavía que pueda detener la lucha de independencia y de socialismo en este país. Y que por cada trabajador que muera por estos asesinos de levantarán docenas y docenas de trabajadores y de puertorriqueños a recoger la bandera. Así, que no creanni el Gobierno de Puerto Rico ni las armas represivas de los yanquis ni esos ex- cubanos gusanos, que van a detener el

Discurso de Carlos Gallisá..." (continuación)

13 de enero de 1975

R- 3

ALT 2 17

movimiento independentista y socialista de Puerto Rico.

SR. LOPEZ SOTO: Señor Presidente.

SR. PRESIDENTE: Compañero López Soto.

SR. LOPEZ SOTO: Para pedir el consentimiento unánime de los compañeros para unas expresiones en torno a este primer día de sesión.

SR. PRESIDENTE: ¿ Hay objeción a la petición del consentimiento unánime del Cuerpo ~~por~~ para el compañero López Soto?

SR. SANTIAGO CAPETILLO: Señor Presidente.

SR. PRESIDENTE: Compañero Santiago Capetillo.

SR. SANTIAGO CAPETILLO: Para saber qué tiempo va a consumir el compañero.

SR. PRESIDENTE: ¿ Podría informar el compañero López Soto al Cuerpo sobre el tiempo aproximado?

SR. LOPEZ SOTO: Alrededor de diez minutos.

SR. SANTIAGO CAPETILLO: Tiempo y tema, si me hace el favor.

SR. LOPEZ SOTO: Es alrededor de lo que se ha expresado aquí, los deseos de esta Legislatura, lo que esperamos legislar en

Discurso de Carlos Gallisá..." (continuación)

comentario político

Por Juan Mari Brás

El ingreso de Gallisá

Quizás no haya sorprendido a nadie la noticia del ingreso de Carlos Gallisá al Partido Socialista Puertorriqueño. Y es que a un partido revolucionario no se ingresa sorpresivamente como suele suceder en los partidos coloniales. Lo que se hizo ayer fue, en realidad, formalizar una realidad que venía desarrollándose en la práctica desde hace largos meses y que ya ha cuajado.

Por lo mismo que señalamos arriba, la integración de Gallisá al partido de los trabajadores reviste singular importancia, sobre todo en este momento. Se trata de un dirigente que –como muchos de nosotros– llega al socialismo por el camino de la lucha de independencia patria.

Hace unos pocos años, Carlos Gallisá era un joven profesional instalado en las esferas más ventajosas de la abogacía. Pudo haber trepado alto dentro de este sistema, echando a un lado sus sentimientos patrióticos, como han hecho tantos otros abogados. O sin llegar a los extremos de abyección de los renegados, podría haberse conformado con mantener su patriotismo dominguero –participando en alguna que otra gran concentración y contribuyendo con dinero a las organizaciones independentistas de vez en cuando– sin que tales actividades afectaran su ascenso profesional. Salvaba así la conciencia y el bolsillo, como solía decir un viejo amigo mío, muy cínico.

Pero el compañero Gallisá optó por una ruta mucho más escabrosa y de mayor provecho para su pueblo. Temprano en su carrera, la militancia independentista lo sacó de cuajo de la abogacía de los grandes bufetes. Participó activamente en el movimiento de renovación del Partido Independentista y en ese proceso se insertó definitivamente en las inquietudes y el pálpito de su pueblo.

Forma parte de un amplio grupo de militantes y dirigentes de nuevo PIP, el que empezó a fraguarse en el periodo de 1970 al 1972 y que, con posterioridad a los últimos comicios, no pudieron triunfar en sus intentos de llevar al PIP a adoptar una ideología y unos principios organizativos que ellos estimaban imprescindibles para el desarrollo de la lucha revolucionaria. No fue la primera vez, y probablemente no sea la última, en que el PIP se estremece en grandes conmociones internas y un sector sale del partido por entender que no cabe dentro de sus moldes.

Al fin de cuentas, las aguas están llegando a sus niveles. Gallisá, como muchos de sus compañeros que salieron del PIP en 1973, ha encontrado en el Partido Socialista la canalización organizativa de su ideario. En verdad, ellos no podían triunfar en el PIP porque –aunque no lo entendieran así en el instante de la pugna interna– lo que estaban planteando era la conversión del Partido Independentista en un partido revolucionario de la clase obrera. Y el embrión de ese partido ya estaba fundado.

El PIP seguirá el curso histórico que le trazaron sus fundadores, como partido que refleja en ideología, composición, actitudes y estilo de trabajo, todas las posibilidades –virtudes y vacilaciones– de la pequeña burguesía patriótica. El PIP ha sido, es y tiene todos los indicios de seguir siendo exactamente eso: el partido de la pequeña burguesía patriota. Nada menos que eso –que es decir bastante– pero nada más.

Gallisá, como muchos otros de sus compañeros en el PIP del '72, se ha abrazado a la ideología del proletariado. La tribuna parlamentaria para la cual lo eligieron los independentistas puertorriqueños ha estado al servicio de la clase obrera. Su práctica profesional se ha tornado en verdadera abogacía proletaria. Es legislador de los trabajadores y abogado de los obreros. Nada más lógico, entonces, que su ingreso al partido de la clase obrera. Por eso, desde el punto de vista del desarrollo de Carlos Gallisá como dirigente obrero, su decisión de integrarse al PSP es un gran acierto.

Para el Partido Socialista Puertorriqueño, por otra parte, el ingreso de Gallisá abre una nueva dimensión a su expansión e influencia como colectividad proletaria. Incorpora a sus filas a uno de los dirigentes independentistas-socialistas de mayor resonancia en el Puerto Rico contemporáneo. Se nutre de una experiencia acumulada por el compañero que le amplía la perspectiva a nuestro partido, en el momento en que nos proponemos avanzar decisivamente hacia el cumplimiento de metas superiores. Alcanza una tribuna parlamentaria, con anterioridad a cualquier posible participación del partido en comicios electorales, que nos permite ensayar las posibilidades del uso revolucionario de esa tribuna y medir su efectividad en el contexto de la lucha presente.

Ahora que Gallisá es miembro del Partido Socialista Puertorriqueño se hace posible re-encontrar, a nivel más alto, la unidad y la coordinación de la tribuna parlamentaria de los independentistas y socialistas puertorriqueños. Los dos partidos de la independencia, contando ambos con su propia representación en la legislatura, tienen ese otro campo abierto para la acción concertada, para el trabajo unitario.

El ingreso de Carlos Gallisá al PSP coincide con el arranque del año del avance decisivo de los socialistas puertorriqueños. Muchos otros trabajadores –en toda la escala de la lucha diversa y multifacética– seguirán profundizando y ampliando la base sólida de este partido obrero, cuyo crecimiento significará el principal puntal en la estrategia libertadora de nuestro pueblo, que no se detendrá hasta alcanzar sus metas: la proclamación de la República Democrática de los Trabajadores y la construcción del socialismo en nuestro país.

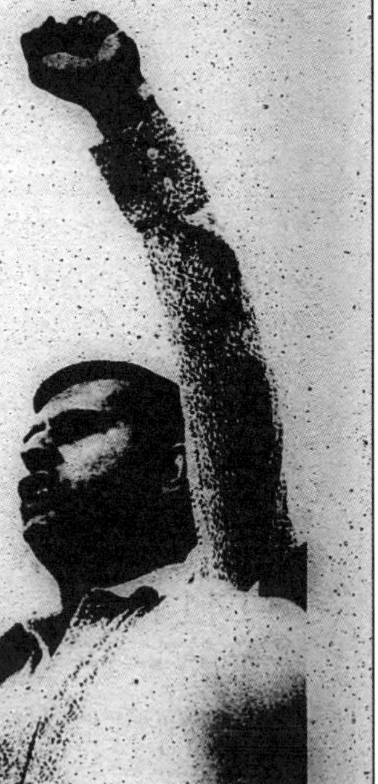

12 CLARIDAD – 9 de enero de 1975

"El ingreso de Gallisá." Artículo de Juan Mari Brás. Periódico *Claridad*, 9 de enero de 1975.

editoriales

¡Recapaciten!

Al descartar en una fecha tan temprana y sobre criterios tan débiles, las posibilidades de unidad electoral con el Partido Socialista Puertorriqueño, el Partido Independentista ha dado un paso que perjudica, no solo a ambos partidos, sino a la lucha de independencia vista en su totalidad. Lo que es peor, —y evidencia de que se han puesto las pasiones por encima de los juicios políticos— es que el paso se da precisamente cuando las maquinarias de los colonialistas demuestran su mayor debilidad y deterioro.

Por suerte, el tomar este paso en una fecha tan temprana, queda aún mucho terreno por transitar en el cual se pueden ir descartando obstáculos y cimentando bases de trabajo conjunto.

En ánimo de ir abriendo esos cauces, el Diario de los trabajadores, analizará en ediciones futuras los detalles de la declaración del Comité Central del PIP. Pero hoy no podemos pasar por alto su referencia a que este periódico le ha hecho una campaña sistemática de desprestigio.

Si algo subestima el PIP en estos momentos es la naturaleza de la lucha de independencia y las operaciones del enemigo. Igualmente muestra no calibrar con precisión la naturaleza de los partidos, tanto los de la independencia como los de la colonia.

A eso, ni más ni menos, equivale decir que no existe la confianza política necesaria entre ambos partidos debido a los "continuos y sistemáticos ataques del liderato del PSP al PIP". La alegación se sustenta diciendo que el PSP tacha al PIP de partido "pequeño-burgués" y "social-demócrata" y que "intenta socavar la base de nuestro partido mediante una campaña sistemática de desprestigio tanto en su periódico como a nivel local".

Sin duda, entre ambos partidos hay discrepancias ideológicas. Por eso existen ambos. Por eso son partidos distintos.

Las alianzas, los frentes unidos, solo pueden hacerse entre partidos distintos. Lo otro sería disolverse para formar un partido único y nadie aquí plantea eso.

Si hay dos partidos distintos, tiene que haber lucha ideológica, debate fraternal. Parte de esa lucha ideológica es ir escudriñando la naturaleza distinta de ambos partidos para que, desde la perspectiva de sus diferencias, pueda haber acuerdo, acción concertada en aquellas metas que son comunes, la más alta de las cuales en el caso de Puerto Rico es la independencia.

Lucha ideológica no es campaña de desprestigio. Cuando en las páginas de este periódico hablamos de partido pequeño-burgués y social-demócrata, nos referimos a la naturaleza de ese partido, a su ideología, a su programa político. Eso no es un insulto, es una realidad que el PIP se esfuerza por subrayar cuando en declaraciones como la que ahora nos ocupa siempre que escribe socialismo le añade el apellido "democracia".

Eso no es nada más que la aceptación de la mentira capitalista de que en el socialismo no hay democracia. Eso es temerle a la democracia obrera y contraponerle la de los capitalistas.

Proceder de la pequeña-burguesía no es de por sí malo. Si así lo fuera, algunos de los más grandes dirigentes de la historia no podrían ser considerados revolucionarios. Ahí están, sin embargo, las heroicas y gloriosas revoluciones socialistas, las democracias obreras que encabezaron, al ubicarse en la ideología del proletariado. Para los revolucionarios, lo incorrecto es elevar las aspiraciones de la pequeña burguesía a programa político.

Los partidos que encarnan las aspiraciones de la pequeña burguesía pueden ser antimperialistas y radicales. Cuando lo son, quienes luchamos por al revolución proletaria así lo reconocemos, sin dejar de reconocer también su naturaleza. Particularmente cuando se persigue la liberación nacional, las posibilidades de alianzas entre partidos de ideologías distintas son posibles.

Cuando esos partidos le temen a la democracia obrera, que es incompatible con la democracia de los capitalistas, hablan de socialismo "pero con" democracia, son partidos social-demócratas. Sobre las contribuciones a la revolución de un partido así hay que debatir y quien crea en eso no tiene que sentirse insultado por ello.

Desde las páginas de este periódico se han analizado estos y otros problemas de la lucha revolucionaria puertorriqueña. Eso no es campaña de desprestigio, eso es ir profundizando el debate mediante el cual —y solamente mediante el cual— se puede ir fraguando la teoría que sirva de guía a la práctica revolucionaria en nuestro país.

Campaña de desprestigio es la otra, la que le hacen los portavoces del régimen imperialista. De esa sí tiene que cuidarse el PIP. Si algo debe preocupar a los independentistas es que los editoriales de los periódicos del capitalismo colonialista pinten a ese partido y su dirigente como "los buenos" cuando se alejan del PSP.

En nuestras páginas nunca han aparecido, ni aparecerán jamás, las insinuaciones veladas, los rumores, las burlas a las que **El Mundo**, **El Nuevo Día** o el **San Juan Star** nos tienen acostumbrados cuando del PIP o del PSP se trata. Tampoco los flirteos, los elogios, las palmaditas en la espalda que esos mismos periódicos le lanzan al PIP para que vaya acercándose al fango de ellos.

El elogio del enemigo sí desprestigia, compañeros del PIP. Busquen las páginas de los periódicos del colonialismo hoy.

EL DIARIO DE LOS TRABAJADORES
claridad
21 de enero de 1975.
San Juan, Puerto Rico
Se publica diariamente por
Editorial CLARIDAD
Toscania Num. 1153
Urb. Villa Capri
Río Piedras, Puerto Rico 00924
Teléfonos 76?-7955 – 761-7775

Director
Ramón Arbona Martínez
Sub-Directores
Gervasio Morales Rodríguez
Dixie Bayó Vargas
Gerente General
Domingo Vega Figueroa
Administrador
Luis Pérez Sánchez
Jefe de Redacción
Bernardo López Acévedo
Director Fundador
Raúl González Cruz
1946–1974

"Recapaciten." Editorial.
Periódico *Claridad*, 21 de enero de 1975.

Rechaza unidad electoral

Por Ludmilia Rivera
Redactora de CLARIDAD

SAN JUAN – Rubén Berríos Martínez, presidente del Partido Independentista Puertorriqueño (PIP), anunció ayer que esa colectividad no participará conjuntamente con el Partido Socialista Puertorriqueño en las elecciones de 1976.

El anuncio fue hecho en conferencia de prensa efectuada en las oficinas de Berríos en el Capitolio, donde estaban presentes varios miembros de la Comisión Política de dicha colectividad.

—VEA DECLARACION INTEGRA EN PAGINA 11

La decisión, según el comunicado de prensa circulado, fue aprobada por el Comité Central del PIP en reunión celebrada el domingo pasado. En ella se alega que "no existe la confianza política necesaria entre el PIP y el PSP que permita acometer una empresa conjunta de la magnitud de un frente electoral para el 1976".

Entre las razones que se dan para que no exista "la confianza política" entre las organizaciones independentistas, se destaca la aceptación por parte del PSP del "escaño legislativo en la Cámara de Representantes que el PIP obtuvo en las pasadas elecciones", aludiendo al ingreso del representante a la Cámara, Carlos Gallisá, al PSP en días recientes. Se acusa también al PSP de "hacer suyo un escaño del PIP".

A preguntas de la prensa, Berríos dijo que esta decisión no era extensiva a la participación conjunta de ambas organizaciones en actividades tales como las gestiones a las Naciones Unidas, los actos de Lares y otras.

"Nosotros consideramos ese tipo de participación conjunta dependiendo de las circunstancias que existan en cada caso en particular," manifestó Berríos.

Por otro lado, fuentes del PIP dijeron a esta redacción que el comunicado de prensa no había sido hecho en la reunión del Comité Central, y que hubo oposición dentro de ese organismo a la proposición de negarse desde ahora a la formación de un frente electoral con el PSP y que la decisión no fue unánime, habiéndose registrado varias abstenciones en ese organismo del PIP.

Rubén Berríos

Debe reconsiderar el PIP

Juan Mari Brás

SAN JUAN – El Partido Socialista Puertorriqueño (PSP), por voz de su secretario general, Juan Mari Brás, catalogó como insólita la decisión anunciada ayer por el Partido Independentista Puertorriqueño (PIP), según la cual queda descartada cualquier unidad electoral entre las dos organizaciones en los comicios de 1976, y llamó al presidente del PIP, Rubén Berríos, "y a todos los miembros del Comité Central" de esa entidad "a que reconsideren esta decisión, que resulta ser inoportuna y temeraria en este minuto histórico".

A continuación las declaraciones íntegras de Mari Brás:

"Acabamos de informarnos que el compañero Rubén Berríos, presidente del PIP, celebró una conferencia de prensa esta mañana para hacer público un acuerdo del Comité Central de dicho partido. En el mismo se rechaza toda posibilidad de que el PIP entre en un frente unido electoral con el Partido Socialista Puertorriqueño.

"El Comité Central del PIP ha cometido un grave error. Ningún partido independentista debe cerrarse a la banda respecto a la unidad en cualquier frente de lucha patriótica. Entre el PIP y el PSP existen grandes discrepancias ideológicas pero subsisten grandes áreas de ideología común, como es la independencia de Puerto Rico. No hay ningún objetivo de la lucha del PIP y del PSP que puede tener mayor prioridad y urgencia que la independencia de nuestra patria. Por lo tanto, es una equivocación muy grave negar la posibilidad de acción concertada entre los dos partidos para lograr lo que para nosotros es una meta común.

"Lo sensato, inteligente y patriótico es que nos sentemos a discutir las posibles áreas de trabajo unitario entre los dos partidos. Estamos en un momento crítico de la historia de Puerto Rico. Ante la debacle ya evidente del sistema colonial — aquí como en el resto del planeta — las fuerzas que pugnan por la liberación nacional en todas las colonias del mundo tienden a unir sus fuerzas. Es insólito que el liderato del PIP decida poner una barrera infranqueable entre los dos partidos de la independencia en estos precisos momentos. No tenemos duda alguna de que el pueblo patriota quiere la unidad y está dispuesto a respaldarla masivamente.

"Hacemos un llamado fervoroso al compañero Berríos y a todos los miembros del Comité Central del PIP a que reconsideren esta decisión, que resulta ser inoportuna y temeraria en este minuto histórico. No les pedimos que acepten por anticipado nuestros planteamientos. Sencillamente les requerimos, a nombre de nuestra lucha centenaria, que se dispongan a discutir con nosotros, en sosegado ánimo de diálogo fraterno, tanto los obstáculos como las posibilidades del trabajo unitario entre los dos partidos. Negarse a ello es desconocer la coyuntura que vive Puerto Rico y las inquietudes y esperanzas del pueblo independentista y socialista."

Padrinazgo en Depto. Salud

Por Julieta Muñoz
Redactora de CLARIDAD

SAN JUAN – El asesor legal del Secretario de Salud, Pedro A. Rosado del Valle es a la vez el principal accionista de la firma contratada por ese Departamento en que diseñe su sistema de información a un costo de $800,000.

El contrato se adjudicó sin ir a subasta, aún cuando otras firmas ofrecieron el servicio a un costo drásticamente más bajo, aseguraron fuentes de entero crédito.

En la contratación de la firma que elaborará el Sistema de Información de ese Departamento, solamente se utilizó como criterio el "padrinazgo" por parte de su Secretario y los "intereses económicos envueltos entre las partes", dijeron los informantes.

El secretario de Salud, José Alvarez de Choudens, sin realizar subasta alguna, escogió para tales fines a la firma Estudios Sociales y de Salud, Inc.; cuyo agente de cargo y principal accionista es Pedro A. Rosado, a su vez, asesor legal de Choudens.

La elaboración de este Sistema de Información, que supuestamente será el "más moderno del mundo," costará 800 mil dólares.

Varias firmas ofrecieron al Secretario de Salud este servicio por un costo drásticamente más bajo (150 mil dólares), pero el Secretario las rechazó, informaron nuestras fuentes.

Tal sistema de Información, servirá supuestamente de banco de información sobre todo dato o estadística que se genere en Puerto Rico en el campo de la salud.

Otros accionistas de la firma Estudios Sociales y de Salud son: Guillermo Arbona Irizarry, Práxedes Norat Zambrana y Raúl Muñoz Encarnación.

Al cierre de esta edición fueron infructuosos los intentos de lograr comunicación con el Secretario de Salud, para que comentara esta información.

José Alvarez de Choudens

21 de enero de 1975 – CLARIDAD 3

"PIP rechaza unidad electoral." Declaración del PIP. Periódico *Claridad*. 21 de enero de 1975.

comentario político

Por Juan Mari Brás

Las razones del PIP

Vamos a analizar las dos razones que da el Comité Central del PIP para rechazar de antemano—y sin que nadie le haya hecho una propposición concreta de unidad—cualquier posibilidad de acción concertada entre los dos partidos de la independencia en el plano electoral. En el comunicado emitido ayer por el presidente del PIP, compañero Rubén Berrios, se enumeran dos razones para sustentar la decisión adoptada.

La primera de esas razones es la siguiente: "**No existe la confianza necesaria entre el PIP y el PSP que permita acometer una empresa conjunta de la magnitud de un frente electoral para 1976. Esto es así ya que los conceptos de moral política que sustentan ambas organizaciones difieren radicalmente**".

Entendemos correcta la aseveración de que los conceptos de moral política que sustentan

ambas organizaciones, difieren radicalmente. El PSP es un partido marxista leninista. Nuestros conceptos de moral política son producto de la total re-evaluación del concepto mismo de moral que ha hecho el socialismo científico. Para los marxistas la moral no se funda en valores absolutos, inmutables, como sostienen los ideólogos del capitalismo.

Cada sistema social en la historia—el esclavista, el feudal, el capitalista y el socialista—ha impuesto sus propios valores, su propia moral y éstos corresponden a los intereses de la clase dominante. Nuestra moral es la del proletariado que ciertamente difiere radicalmente de la moral de la burguesía. **Nuestra moral no se funda en el carácter sagrado del derecho de propiedad individual o corporativo. En la moral burguesa, *todos* los valores se fundan en ese carácter sagrado de la propiedad privada.**

Obviamente, el PIP se adhiere a los criterios morales de la burguesía cuando levanta como querella contra nosotros que les usurpamos un escaño legislativo que les pertenece a ellos. **Aunque no lo digan así, están visualizando el escaño legislativo como una propiedad corporativa del PIP.**

Para nosotros ni el Partido es una corporación *ni* un escaño legislativo es una propiedad. El Partido es un instrumento de lucha y el escaño legislativo es una tribuna que puede ser útil en esa lucha. Cuando el PIP acudió a las elecciones de 1972, y el PSP se abstuvo de participar en las mismas, la corelación de fuerzas entre ambos partidos era muy distinta a la que es hoy. El PIP de entonces recogía en su seno una gama amplísima de luchadores por la independencia y el socialismo. En él había desde marxistas leninistas hasta social-demócratas. Posteriormente a los comicios del '72, ese partido se dividió. Los marxistas y los elementos más radicales dentro del partido quedaron fuera del mismo. Incluidos entre los que salieron del PIP estaban los dos representantes a la Cámara. Muchos ingresaron al PSP porque concluyeron que es éste el partido que mejor representa su ideología. Entre esos muchos que han ingresado al PSP está el compañero Carlos Gallisá. **Es lógico y perfectamente válido dentro de la moral proletaria que el PSP utilice la tribuna parlamentaria que representa el escaño ocupado por Gallisá para proyectar su ideología en el ámbito legislativo.** La realidad es que la representación parlamentaria de los independentistas—que originalmente estuvo en manos del PIP totalmente—se ha dividido en la misma forma en que se dividió ese partido: una parte—la que se quedó en el PIP—está representada por el compañero Rubén Berríos; otra parte— la que se incorporó al PSP— está representada por el compañero Carlos Gallisá y otra parte —que se nucleó en una pequeña organización— está representada por el compañero Luis Angel Torres. A eso hay que añadir que el compañero Gallisá, al integrarse al PSP, representa ahora no solo al sector pipiolo que salió de ese partido e ingresó en el nuestro, sino a todos los miembros y simpatizantes del Partido Socialista. **Esa es la realidad insoslayable**

y siempre será más sensato en política, fundarse en la realidad que aferrarse a lo que pudo haber sido y no fue.

Si vemos la tribuna parlamentaria como lo que es, y no como una propiedad, lo que procede es que se coordine el trabajo parlamentario de todos los legisladores independentistas en todo cuánto sigue habiendo de común ideología y propósito en los que ocupan esos escaños y las organizaciones a que éstos pertenecen.

Ahora bien, no pretendemos que el PIP acepte nuestras concepciones de moral política. **Lo que es incorrecto es plantear que porque tengamos ideas distintas al respecto no podemos concertar acción unitaria en el plano electoral. Eso está desmentido por la experiencia en otros planos de lucha.**

En Francia hubo una alianza electoral del Partido Comunista y el Partido Socialista. El Partido Comunista Francés se adscribe, como nosotros, a la moral proletaria. El Partido Socialista es, como el PIP, una organización no marxista. Eso no impidió que ambas colectividades concertaran su acción electoral con tal éxito que los dos partidos aumentaron significativamente su respaldo en los comicios y por poco ganan la presidencia de la República. Eso mismo ha ocurrido en muchos otros sitios.

Nuestros dos partidos han concertado su acción unitaria en la presentación del caso de Puerto Rico ante las Naciones Unidas. El propio compañero Berríos le dijo a la prensa ayer que seguirían coordinando con nosotros el trabajo en la ONU. Teniendo distintas visiones de la moral política—como las tenemos—hemos logrado con suma facilidad presentar un enfoque unitario ante la ONU. En octubre pasado nos pusimos de acuerdo en pocos minutos para presentar ambos el mismo pliego de demandas como conclusión de nuestras respectivas intervenciones en el debate del Comité de 24.

Como se puede explicar que haya suficiente confianza política para presentar un frente unido en el plano internacional y no la haya para hacerlo en el nacional? Sencillamente, tal aseveración no hace ningún sentido. (continuaremos mañana).

12 CLARIDAD – 22 de enero de 1975

"Las razones del PIP." Artículo de Juan Mari Brás.
Periódico *Claridad*, 22 de enero de 1975.

comentario político

Por Juan Mari Brás

Unidad y lucha ideológica

La segunda razón que aduce el Comité Central del PIP para rechazar cualquier posible acción unitaria con el PSP en el plano electoral es la siguiente:

"Las bases sobre las cuales fundamenta el liderato del PSP su postura unitaria imposibilitan una gestión unitaria de carácter electoral para las próximas elecciones".

Inmediatamente después, el documento del Comité Central del PIP cita un párrafo de la tesis política del PSP en el que se dice que si el objetivo unitario se ve amenazado por acción ajena a nuestra voluntad y **"si cualquier organización, movimiento o grupo independentista se sitúa en una posición anti-revolucionaria y sectaria, concentraremos nuestro esfuerzo en aislar a su liderato de toda influencia entre las masas. . ."** El PIP considera que tal aseveración constituye una amenaza de nuestro partido contra ellos porque, según reza el documento en cuestión, ". . .el liderato del PSP se reserva el derecho de ser el juez del espíritu revolucionario y socialista de las demás organizaciones".

Todo el enfoque que revela lo anterior es infantil. En primer lugar, ¿por qué tiene el PIP que sentirse aludido cuando el PSP habla de organizaciones que puedan tornarse anti-revolucionarias y sectarias? Y además, es absurdo pretender que un partido cualquiera le delegue a otros la determinación de sus propios juicios políticos. Eso siempre es así. El PSP se reserva el derecho de ser juez del espíritu revolucionario de los otros partidos independentistas, en la misma medida en que los otros partidos se reservan el derecho de juzgar el espíritu revolucionario del PSP.

Lo que pasa es que una cosa es nuestro derecho a analizar y enjuiciar las posiciones del PIP y el derecho del PIP a hacer lo mismo respecto a nuestras posiciones, y otra el resultado que esos enjuiciamientos tengan en el pueblo independentista y socialista. En última instancia, los que nos enjuician a unos y a otros son las masas. Por eso la lucha ideológica es un elemento esencial, imprescindible e inevitable, en la forja de la unidad.

Evadir ese confrontamiento continuo entre las posiciones, los planteamientos y la práctica de los dos partidos es, además de incorrecto, inútil. El PIP no tiene más remedio que confrontarse constantemente con el PSP en el plano ideológico lo mismo que el PSP no podría evitar, aunque así lo pretendiera, someterse a un confrontamiento continuo con el PIP. Eso es así porque representamos dos alternativas distintas, en el plano ideológico, estratégico y táctico, para la canalización organizativa de la lucha de liberación de nuestro pueblo. O esas alternativas se funden en una sola en el largo y trabajoso proceso de la lucha misma, o una de ellas prevalece y la otra se diluye.

Si hubiera un abismo insalvable de principios entre ambos partidos, necesariamente ocurriría lo último y no lo primero. Los socialistas sostenemos que no hay esa abismal diferencia de principios. Entendemos que, a pesar de que sí existen fundamentales diferencias en ideología y en métodos de lucha, éstas se pueden reducir sustancialmente mediante la lucha ideológica y la unidad hasta lograr un consenso de principios que permita la acción concertada de los dos partidos hacia sus fines comunes.

En la elaboración del argumento antiunitario, el Comité Central del PIP llega a extremos verdaderamente inauditos. Francamente dudamos que los compañeros pipiolos se hayan detenido a analizar el alcance de las afirmaciones que hacen. Veamos: "La unidad electoral para el 1976 significaría meramente la unidad de las ideas del PSP a las ideas del PIP. En cuanto a las alianzas electorales se refiere, para los socialistas lo primario es la suma de gente, no de ideas".

Si fuera así, lo mejor sería que el PIP le proponga un frente unido al PPD y al PNP porque de esa manera producirían la mayor suma de gente. Como lo primario es sumar gente, no ideas, de esa aseveración se puede pasar con suma facilidad a sacrificar los principios para lograr "lo primario".

La acción unitaria, en el plano electoral como en cualquiera otro, no significaría meramente la suma de ideas, como señala el Comité Central del PIP en su pronunciamiento. **Sería necesariamente un acoplamiento de las ideas que sustentan ambos partidos, hacia un objetivo específico, con el propósito de sumar un apoyo mayor hacia el mismo. Pero en ese acoplamiento no pueden sacrificarse los principios por ninguno de los partidos envueltos. La unidad sin principios es una traición. Y nosotros seríamos incapaces de proponerle al PIP ni a nadie que traicione sus principios, así como no le permitiríamos nadie que nos proponga tal cosa.**

A base de tales desenfoques, el Comité Central del PIP concluye que "la prioridad del PIP durante los próximos dos años es la ampliación y desarrollo de nuestro partido en un partido revolucionario de masas". Y a renglón seguido sostiene que ese objetivo es incompatible con la promoción de alianzas electorales con el PSP. Nada más irreal que esa afirmación.

La propia experiencia le ha demostrado al PIP hasta la saciedad que su política exclusivista y anti-unitaria les ha resultado en todo lo contrario a su objetivo de desarrollar un amplio partido revolucionario de masas. Invariablemente durante los últimos tres lustros, tras cada elección, una buena parte de su militancia se les va, antes para el MPI y ahora para el PSP. Esto los ha reducido a ser una agrupación donde los independentistas jóvenes hacen el noviciado en la lucha. Esa no debe ser la función del PIP.

Por otro lado, la experiencia de otros países donde se han hecho alianzas electorales y de otra índole entre partidos y movimientos de izquierda indica que todos los partidos que integran esa alianzas crecen grandemente, tanto en cantidad como en calidad, como resultado del proceso unitario.

Hemos discutido las razones señaladas en el comunicado emitido por el Presidente del PIP a nombre del Comité Central de ese partido. Sostenemos, sin embargo, que más que esas razones hay otras que no se dan en el pronunciamiento que han pesado mucho en la decisión tomada por el organismo de dirección del PIP. A esas razones escondidas nos referiremos mañana.

12 CLARIDAD – 23 de enero de 1975

"Unidad y lucha ideológica." Artículo de Juan Mari Brás. Periódico *Claridad*, 23 de enero de 1975.

comentario político

Por Juan Mari Brás

Las razones escondidas del PIP

Todo lo que argumentan en el comunicado del Comité Central del PIP del pasado lunes es secundario para los líderes del PIP. Las verdaderas razones para adelantarse a rechazar cualquier posible alianza electoral con el PSP son otras.

El liderato del PIP considera que cualquier alianza con el PSP les restaría votos en vez de fortalecerlos. Llegan a esa conclusión utilizando los mismos razonamientos, prejuicios y temores que la clase dominante ha difundido por años.

Luis Nieves Falcón realizó varias encuestas para el PIP. El propósito era pulsar la opinión pública sobre las alternativas de una comparecencia electoral del PIP separada o conjunta con el PSP.

Para los que realizan encuestas, la muestra es un conjunto de varios centenares de personas, ya censadas, que representen diversos sectores y clases de la sociedad. Nieves Falcón

tiene su muestra y lo mismo la usa para pulsar la aceptación de una pasta dentrífica que la de un partido político.

La muestra de Nieves Falcón arrojó una mayoría que indicó que estaría dispuesta a considerar la posibilidad de votar por el PIP o por algunos de sus candidatos en 1976 si el partido va solo a las elecciones pero no lo consideraría si va junto al PSP.

La conclusión de esa encuesta es un indicador falaz como base para tomar decisiones políticas desde la perspectiva revolucionaria. Se puede y se debe hacer encuestas pero ha de tenerse suma cautela en no caer nosotros en el nivel de subdesarrollo político de las masas. Tal cosa nos colocaría en una encerrona. La función de los revolucionarios no es acoplar sus objetivos al bajo nivel político del pueblo, sino detectar en todo momento los indicios de inquietud, protesta y cuestionamiento del orden existente para impulsar el ascenso de las masas.

Una muestra representativa de la totalidad de la sociedad puertorriqueña refleja —si está bien hecha, como debe haber estado la que hizo Nieves Falcón— la opinión presente, en conjunto, de todos esos sectores y clases. No hay duda que en este momento la mayoría de los puertorriqueños todavía le teme al comunismo, al socialismo, a la revolución y a la independencia. De esos temores se ha valido el sistema para imponer el dominio político de su titerería.

Nosotros no hubiéramos necesitado realizar encuesta alguna para saber que la mayoría induciría al PIP a desligarse todo lo más que pueda del PSP. Es que esa mayoría es todavía presa de todos los prejuicios anti-comunistas y anti-independentistas que ha fomentado el sistema con su propaganda monstruosa y sus deformaciones de la realidad. Lo importante no es lo que piensen sobre la unidad los que aún son presas de la enajenación colonialista.

Lo verdaderamente iluminador para los socialistas y los independentistas todos es pulsar el creciente proceso de despertar que se está manifestando entre ese pueblo, principalmente entre los trabajadores.

Ese proceso ascendente mediante el cual se va cuajando la masificación de la lucha es evidente en el Puerto Rico de hoy. Lo característico de este momento histórico es que se van cayendo los mitos en que se funda la gran falacia colonialista y capitalista. Y cada día son más los que se liberan de prejuicios y temores e inician su transformación ideológica. Esa transformación es cada vez más acelerada en quienes la experimentan.

Por eso, las encuestas sobre la unidad no sirven cuando se hacen con las muestras convencionales. Hágase esa encuesta entre los trabajadores organizados en sindicatos, entre los estudiantes, entre los desempleados, y verá cuán distintos serán los resultados.

No hay que ser ningún genio de la política para entender que la unidad de los dos partidos de la independencia en cualquier frente de lucha, fortalecerá ese frente.

Rechazar esa unidad por temor a los temores del pueblo es caer víctima de la misma enajenación que produce esos temores.

En estos momentos el Partido Socialista Puertorriqueño está siendo atacado desde todos los flancos por el aparato represivo del régimen. Contra nosotros se desata toda la furia del imperialismo y sus servidores. Sin embargo, el partido da muestras de un crecimiento incontenible. Cada vez nuestros actos son más masivos y la composición de los mismos revela una mayor concentración proletaria. Esa es la realidad, la incontrovertible realidad que nos muestra la experiencia de estos días.

La decisión del PIP, gratuita y apresurada, de rechazar por anticipado cualquier posibilidad de unidad electoral con el PSP es un signo de flojera que, a la larga, no les va a salvar de la represión enemiga y, además, les hará perder prestigio entre las masas. En este país no pegan los juyilones. Incluso los temerosos respetan a los que no vacilan, a los firmes, a los que son fieles a sus principios en los momentos de mayor peligro.

Nosotros sabemos que los líderes y miembros del PIP son hombres y mujeres valerosos, capaces de todos los sacrificios que conlleva la lucha de liberación, incluso de alcanzar el heroísmo. Lo que señalamos es su grave error al subestimar el valor de nuestro pueblo, que los lleva a querer desembarazarse de la imagen que el régimen proyecta con su aparato propagandístico y represivo contra el Partido Socialista Puertorriqueño, sus líderes y miembros.

El PIP debe rectificar ese curso de acción vacilante. No estamos proponiendo que decidamos ahora hacer un frente unido electoral. Pero sí es el momento para empezar a discutir seriamente las diferentes áreas de acción concertada en que los dos partidos pueden aunar esfuerzos para lograr el máximo aprovechamiento de la presente coyuntura histórica en adelantar la causa de la independencia de Puerto Rico.

12 CLARIDAD – 24 de enero de 1975

“Las razones escondidas del PIP.” Artículo de Juan Mari Brás. Periódico *Claridad*, 24 de enero de 1975.

EL DIARIO DE LOS TRABAJADORES

claridad

San Juan, Puerto Rico, miércoles 24 de septiembre de 1975 Año XVII, Núm. 877, 25c fuera de PR **15c**

Discurso Mari Brás en Lares

Vea páginas 12, 13 y 14

En actos Lares

PSP llama PIP enfrentar juntos maniobra yanqui

Vea páginas 2, 3 y 4

El 107mo aniversario del Grito de Lares fue celebrado en grande por el pueblo patriota puertorriqueño. La enseñanza albizuista está salvada para siempre. La conmemoración de ayer fue, ante todo, una reafirmación de la voluntad de nuestro pueblo de ser fiel depositario de la creciente solidaridad internacional con nuestra lucha, culminando con éxito la brega libertaria. (Foto CLARIDAD por Luis Castro.)

"PSP llama a PIP enfrentar juntos maniobras yanquis."
Periódico *Claridad*, 24 de septiembre de 1975.

El licenciado Rubén Berríos hace uso de la palabra.

Llama a

Por Antonio R. Gómez
Redactor de CLARIDAD

LARES – El Secretario General del Partido Socialista Puertorriqueño (PSP) hizo ayer un enfático llamado al liderato del Partido Independentista para que "sin más pretextos ni vacilaciones nos reunamos a discutir la realidad que le está presentando al pueblo puertorriqueño la nueva estrategia imperialista".

Juan Mari Brás hizo extensivo dicho llamado a todas las organizaciones patrióticas, independentistas afiliados o no y a "todos los puertorriqueños honestos, de todos los partidos".

El dirigente socialista, quien habló ante millares de personas reunidas en la histórica Plaza de la Revolución de Lares, denunció ex-

Doctrinas

LARES – El debate sobre el status político de Puerto Rico en los próximos meses girará en torno al choque entre la doctrina colonialista expresada recientemente por el gobierno de Washington y las afirmaciones antimperialistas reiteradas hace semanas en La Habana por el presidente cubano Osvaldo Dorticós, declaró ayer aquí Juan Mari Brás.

El Secretario General del PSP comparó las aseveraciones recientes de los cancilleres norteamericanos Daniel Moinyham, Vincent Scali y Henry Kissinger en el sentido de que el caso puertorriqueño es un "asunto interno de Estados Unidos", con la reafirmación de Dorticós de que Puerto Rico es una nación lati-

Berríos:

'PIP, único sendero'

Por Ludmilia Rivera
Redactora de CLARIDAD

LARES – Rubén Berríos Martínez, consideró al PIP "el único sendero revolucionario en Puerto Rico" en su discurso pronunciado ayer aquí.

En el acto celebrado por el PIP, Berríos dijo que "lo único que se puede decir sin duda algunas es que el pueblo independentista está con el PIP".

Dirigiéndose a una concurrencia compuesta de militantes de su partido, y del PSP y otras organizaciones patrióticas, la que se calculó en cuatro mil personas, el dirigente pipiolo alegó que "el PIP ha agrupado aquí más gente que la que vino a conmemorar el Centenario de Lares".

Hizo un recuento del desarrollo y evolución de su partido narrando lo que catalogó de "visicitudes" que tuvo que superar para lograr su plena identificación política.

Se refirió a la lucha que alegadamente desató el PIP contra "las corrientes derechistas" dentro de ese partido. Denominó las mismas como "corrientes socialdemócratas". Se refirió también a la otra corriente que alegadamente permeaba ese partido la que consideró "pequeño-burguesa enajenante" y a la que llamó la corriente izquierdista.

"Tuvimos que luchar contra la corriente elitista, izquierdista, la más típica manifestación pequeño-burguesa de estudiantes e intelectuales," dijo. Esas dos corrientes, alegó, son los peores males. Por otra parte, consideró a su partido como el único cauce entre esas dos corriente que, eventualmente desarrollará la "verdadera revolución".

"Somos el único partido que está compuesto por las masas populares de este pueblo", indicó. Por otro lado, criticó los análisis de clase que alegadamente realizan "los teóricos" y alegó que el análisis de clase en Puerto Rico "hay que hacerlo a base de las clases sociales que aquí existen y no de las que existieron hace 200 años o que existen en otros países del mundo".

El dirigente independentista atacó las administraciones de los partidos Popular y Nuevo Progresista responsabilizando a éstos de la descomposición económica que sufre el pueblo de Puerto Rico.

Orden de actos

LARES – Millares de personas se dieron cita ayer en este pueblo para participar en las actividades organizadas por las distintas organizaciones independentistas y socialistas del país en conmemoración del Grito de Lares.

Las actividades del día comenzaron a las nueve de la mañana con una marcha desde el Puente de Anón a la iglesia del pueblo por parte de miembros del Partido Nacionalista de Puerto Rico y el Partido Independentista Puertorriqueño.

Simultáneamente la Liga Socialista Puertorriqueña celebraba una actividad frente al obelisco de los héroes y mártires de esa gesta revolucionaria. La tradicional misa del día se inició a las diez de la mañana. Los asistentes a ésta partieron luego hacia el cementerio a depositar ofrendas florales en las tumbas de los mártires.

A las once de la mañana el Presidente del Partido Nacionalista de Puerto Rico, Jacinto Rivera Pérez, se dirigió a la multitud congregada en la Plaza de la Revolución. Después el Partido Independentista Puertorriqueño ocupó la misma tribuna. El presidente de este Partido, Rubén Berríos Martínez, se dirigió a la concurrencia.

Un masivo acto político del Partido Socialista Puertorriqueño cerró las actividades del día. Dicho acto se inició a la una de la tarde con un acto artístico y culminó con la intervención de su secretario general, Juan Mari Brás.

2 CLARIDAD – 24 de septiembre de 1975

"PSP llama a PIP ..." (continuación)

enfrentar maniobra yanqui

tensamente "los planes imperialistas de convalidar y remachar" el coloniaje sobre la Isla y el intento de Estado Unidos de "unir las fuerzas colonialistas" contra el proceso de liberación puertorriqueño.

Sentenció que ante el reclamo internacional por la independencia de Puerto Rico, "la inteligencia enemiga de nuestro pueblo empezó a moverse y a resolver contradicciones internas del imperialismo".

Mari Brás reveló que el Presidente de Estados Unidos "ha obligado a Carlos Romero Barceló a aceptar el llamado 'nuevo pacto' del 'ela', con el propósito de someter rápidamente el mismo a la consideración del Congreso norteamericano, el cual aprobaría a toda velocidad la celebración de un referéndum en Puerto Rico".

Dicho referéndum, que podría celebrarse a mediados del próximo año, sería utilizado por Estados Unidos para presentarse ante Naciones Unidas con nuevas estadísticas electorales, según las cuales el 90 por ciento del pueblo apoyaría el llamado "nuevo pacto", denunció el líder del PSP.

Sobre esas bases, se reclamaría que cualquier medida de los pueblos del mundo en pro de la independencia de Puerto Rico, sería supuestamente contraria a la voluntad de la Isla.

El Secretario General del PSP declaró que Wáshington intenta por este medio burlar la voluntad internacional de respaldo al pueblo puertorriqueño en lucha por su soberanía nacional.

El imperialismo. –agregó Mari Brás– pretende absorber a Puerto Rico para siempre, para detener el proceso de liberación de América Latina y salvaguardar sus intereses acumulados aquí. "El imperialismo interesa convalidar y remachar aquí la colonia, en toda su brutalidad y dimensión opresiva", dijo.

"Independentistas y socialistas debemos cobrar plena conciencia de la gravedad de este minuto histórico. El PIP y el PSP tenemos que tomar medidas rápidas y certeras para organizar rápidamente la resistencia del pueblo a esa estrategia imperialista. No hay nada de mayor prioridad en este instante, que esa necesidad de la unidad frente a dicha estrategia," reiteró.

El máximo dirigente del Partido Socialista indicó que el deber de las organizaciones patrióticas de confrontar los planes de Wáshington "no tiene nada que ver" con las elecciones de 1976, ya que ésa y otras actividades quedan supeditadas a la inminencia de la nueva estratagema imperialista.

Instó al independentismo a ubicar en un plano secundario las diferencias tácticas y a "concentrar en la realidad del minuto". "Puede cada partido seguir su curso en todo lo demás y continuar su línea táctica" manifestó al líder socialista.

Mari Brás, quien describió los cambios en la correlación internacional de fuerzas y el ascenso de las tendencias progresistas, anticoloniales revolucionarias en los últimos años, señaló que "la presente situación coincide con un momento en que se ha mostrado más abiertamente el diferendo entre los dos principales partidos de la independencia".

Pero aclaró que el proceso de discusión ideológica, "visto en la perspectiva del momento, no es negativo".

"Todo dependerá de cómo se desencadene ese proceso. Si se trata de definición ideológica y de la composición social de cada partido, la discusión ideológica podría ser beneficiosa; pero lo importante es que no se confunda la gimnasia con la magnesia, y se establezca claramente la línea definitoria entre las posiciones progresistas y de avanzada y las fuerzas retrógradas del imperialismo", expresó el Secretario General del PSP.

frente a frente

noamericana, con inalienable derecho a su independencia.

Mari Brás señaló que "todo el mundo deberá definirse en torno a esas dos doctrinas. O se está con Kissinger, Scali y Moinyham, o se está con la doctrina de Dorticós. Deben definirse todos los líderes políticos del país, incluyendo al liderato del Partido Independentista".

Mari Brás preguntó si "favorece o no el liderato del PIP que Cuba tiene tanto derecho como cualquier país latinoamericano a luchar por la independencia de Puerto Rico", e indicó que "todos los países del mundo" tienen dicho derecho.

"A lo que no tiene derecho nadie, ni aquí ni en ninguna parte del mundo, es a conspirar contra el derecho de Puerto Rico a su autodeterminación y soberanía", dijo Mari Brás.

Insistió en que Puerto Rico "no vive en el vacío" y agregó que "aunque parezca innecesario repetir esa perogrullada es necesario hacerlo, porque existen perogrullos que insisten en la irracionalidad de ubicar a Puerto Rico en un vacío".

Expresó que "Puerto Rico es parte de la bola del mundo y su destino se ve afectado por cuanto ocurre en el mundo", haciendo referencia al apoyo a Puerto Rico de las fuerzas progresistas y socialistas de la humanidad y al hecho de que dicho respaldo no es contrario a los intereses del pueblo puertorriqueño.

"La contradicción no es entre unos que planteen seguir el *curso del mundo* y *otros el curso* de Puerto Rico. Lo que está en contradicción es si vamos a seguir el curso de las fuerzas retardatarias del imperialismo; o si vamos a seguir el curso de las fuerzas de avanzada en todo el planeta. Esa es la contradicción fundamental que plantea este momento histórico en Puerto Rico. Ahí está, por un lado, la titerería del imperialismo, y de otro, las fuerzas de los que hoy hemos venido a Lares, a todas horas y a todas las actividades."

Juan Mari Brás

Poner al hombre y a la mujer puertorriqueña en el timón de su historia como aconseja la más desarrollada ciencia de la humanidad es el propósito de la nueva lucha de independencia. (Fotos CLARIDAD por Luis Castro y Rafael Robles.)

24 de septiembre de 1975 -- CLARIDAD 3

"PSP llama a PIP ..." (continuación)

comentario político

Juan Mari Brás

¿Iremos a las elecciones?

Según se va acercando la fecha del Segundo Congreso Nacional del Partido Socialista Puertorriqueño, va tomando mayor urgencia la contestación de la pregunta. La militancia socialista la ha estado discutiendo. Se han recogido los debates en núcleos y organismos de dirección intermedia. Próximamente el Comité Central *recogerá el fruto de toda la* discusión en la base y profundizará el debate para someter un proyecto de resolución al congreso.

Hemos tenido también el beneficio de las opiniones y argumentos que nos ofrecen personas que no son miembros del partido. Estos incluyen una amplísima gama, desde dirigentes connotados de la nueva lucha por la independencia, como Monseñor Antulio Parrilla y Noel Colón Martínez, hasta simpatizantes, cercanos o lejanos, de la independencia y el socialismo.

Todos los argumentos en pro y en contra de la participación electoral se han estado considerando y continuarán ponderándose cuidadosamente con miras a tomar la decisión que mejor se ajuste a los objetivos revolucionarios del partido.

Hemos visto en la practica cómo opera la influencia ideológica recíproca entre la dirección y la base y entre el partido y las masas. Al recoger lo que entendíamos como una orientación táctica correcta, la dirección del partido sometió a discusión en la base un documento que contiene unas recomendaciones específicas de preferencia entre varias alternativas. Las opiniones de la militancia del partido y del sector de las masas trabajadoras en general que se interesa en éste, su partido, vuelven a influenciar la postura de los dirigentes, que tenemos ante nosotros el reto de sintonizar cabalmente el pulso popular y traducirlo en unas recomendaciones acertadas.

Es importante, en este momento, destacar un aspecto de la discusión que a nuestro juicio va a ser la base del posible consenso. Es el de la acción represiva del régimen como factor, tal vez decisivo, en la determinación final de si el Partido Socialista Puertorriqueño va a participar o no en los comicios de 1976.

En ningún momento nos hemos planteado la ilusión de que las elecciones coloniales garanticen igualdad de derechos a los sectores patriotas, muchísimo menos a los revolucionarios. Si nos hemos planteado la posibilidad de participar en las elecciones es con la conciencia de que se trata de un proceso prefabricado a la conveniencia de la clase dominante y del imperialismo. Pero al mismo tiempo, en el entendido de que, por imprimirle una imagen de cierta ecuanimidad al mismo, el régimen ha tenido que hacer concesiones que permiten a un partido revolucionario insertarse en el mismo, sin dejar de serlo, en busca de unos objetivos específicos, como son los que hemos planteado de divulgar la ideología socialista, expandir las bases organizativas del partido y mantener unas tribunas parlamentarias.

Pero en última instancia, lo de divulgar la ideología socialista y expandir las bases organizativas del partido —que son los principales de los objetivos electorales planteados— lo vamos a conseguir con nuestro propio esfuerzo, independientemente de si al último momento decidimos participar o no en los comicios, en base al análisis objetivo de las limitaciones que nos imponga el régimen. Quedaría solamente la meta de mantener la tribuna parlamentaria sujeta a la decisión de participar.

Hay graves indicios en la actualidad de que el gobierno, tanto el de Wáshington como la administración colonial de aquí, han elevado, en vez de menguar, la represión ostensible contra el PSP desde que fuimos certificados como partido nacional por petición en el Tribunal Electoral.

Mientras el Tribunal Electoral y, más aún, el Tribunal Supremo, se han cuidado de guardar unas apariencias de imparcialidad en lo que respecta al Partido Socialista, no ha sido así en el caso de las agencias, instituciones y personas que de verdad deciden, en la práctica, si va a haber algunos mínimos respetos a los derechos de nuestro partido. Tal es el caso, marcado por la insistencia de sus últimos pronunciamientos, del gobernador colonial, que —siendo presidente de un partido político— habla y actúa con relación al PSP como si este partido no fuera una colectividad debidamente certificada para participar, frente a la que él dirige, en los comicios del próximo año.

Las estaciones de televisión y radio, incluyendo las del gobierno y las de empresas privadas, continúan discriminando notablemente contra el PSP, tanto en la difusión de mentiras y tergiversaciones sobre el partido como en la omisión de sus dirigentes en foros, paneles y programas de discusión política. Lo mismo ocurre en la prensa capitalista.

Se nos va haciendo claro, por imperativo de las condiciones que vamos descubriendo en la realidad, que no tendremos elementos de juicio suficientes, a la altura del Segundo Congreso en noviembre y diciembre próximos, para decidir definitivamente, si vamos a participar o no en las elecciones de 1976. **Si optáramos por la participación, tendremos que dejar claramente abierta la autoridad de los organismos de dirección del partido para decidir en cualquier momento de aquí a noviembre de 1976, llamar al boicot electoral, si continúa produciéndose el discrimen que ya empieza a manifestarse contra el Partido Socialista Puertorriqueño.**

Esto, que en sí no es nuevo, sino que responde al planteamiento crucial de flexibilidad táctica que fluye de nuestra ideología marxista leninista, echa a un lado la visión un tanto anti-dialéctica que permea el debate sobre la cuestión electoral, en que unos y otros consideran que en el próximo congreso habremos de tomar un camino frente a una encrucijada, que nos conducirá irreversiblemente por un sendero o el otro.

El consenso debe ser que el partido no cierre ninguna puerta hasta que llegue el momento preciso de optar por una u otra dirección respecto a las elecciones de 1976.

12 CLARIDAD – 1 de noviembre de 1975

"Iremos a las elecciones." Artículo de Juan Mari Brás.
Periódico *Claridad*, 1 de noviembre de 1975.

EL DIARIO DE LOS TRABAJADORES

claridad

San Juan, Puerto Rico, lunes, 12 de enero de 1976 Año XX, Núm. 968 25 c fuera de Puerto Rico 15c

Activa la CIA en España

VEA PAGINA 4

PSP abre campaña electoral

—Vea página 3—

La multitud de socialistas colmo ayer el Centro Cultural de Mayaguez para conmemorar el natalicio de Eugenio María de Hosto. y la fundación del MPI, antecesor del Partido Socialista Puertorriqueño. Allí, el secretario general del PSP, Juan Mari Bras, llamo al 1976 como un año decisivo para la lucha de liberación de Puerto Rico. —Vea más información y fotos en paginas 3, 12 y 13—. (Fotos CLARIDAD por José R. Charron.)

"PSP abre campaña electoral."
Periódico *Claridad*, 12 de enero de 1976.

PSP abre campaña electoral

Por Ludmilia Rivera
Redactora de CLARIDAD

MAYAGUEZ -- Con un llamado de lucha a la clase trabajadora y una exhortación a la unidad patriótica del independentismo, el Partido Socialista Puertorriqueño abrió ayer aquí su campaña electoral.

En la concurrida conmemoración del natalicio de Eugenio María de Hostos y de la fundación del Movimiento Pro Independencia, antecesor del PSP, el secretario general de la colectividad socialista, Juan Mari Brás, afirmó que éste será un año de gran importancia para el desarrollo revolucionario de la lucha por la liberación puertorriqueña.

Año de "combates callejeros" y de "confrontaciones ideológicas vitales" lo llamó el dirigente máximo del PSP, último de tres oradores que desfilaron por la tribuna montada en el Centro Cultural de Mayagüez.

Mari Brás aseguró que en la campaña electoral ya iniciada el PSP divulgará su mensaje de lucha por todos los campos, pueblos, barrios y caseríos del país.

"Le diremos al pueblo trabajador que juntos y organizados podremos vencer a nuestros enemigos los capitalistas y los imperialistas, en la misma forma que vencen los trabajadores en sus huelgas a los patronos," explicó Mari.

Definió inmediatamente que buscará el PSP al participar en las elecciones de noviembre:

"No le pedimos un voto al pueblo con la ilusión de que vamos a tomar el poder. Lo que se va a pedir es un voto para que se vuelque la protesta de ese pueblo contra ese gobierno y este sistema putrefacto," explicó.

Mari Brás analizó la actual crisis económica de Puerto Rico, se refirió en varias ocasiones al pensamiento de Hostos, quien preconizó que éste siglo sería escenario de grandes cambios políticos y sociales; y aludió igualmente a la actual correlación de fuerzas en el mundo, donde afirmó el capitalismo se encuentra a la defensiva.

Insistió en la necesidad de hacer crecer el PSP aglutinando alrededor suyo a cada vez más amplios sectores de trabajadores. Sin ello, puntualizó, no se podrá desarrollar la revolución en Puerto Rico ni menos proclamar la república e iniciar la construcción del socialismo.

La consolidación del PSP fue tema reiterado del discurso de Mari Brás para la cual, explicó, es necesario que se desarrolle la organización sindical de los trabajadores.

El objetivo es que más y más sectores de obreros identifiquen al PSP como su partido, y como vehículo para la transformación del actual sistema colonial y capitalista, dijo.

Siempre aludiendo al avance del socialismo sobre el capitalismo a nivel mundial, Mari Brás afirmó que los grandes cambios de que habló Hostos ya se han realizado y se continuarán realizando en el planeta.

Contrastó los niveles de miseria existentes en los países capitalistas, el desempleo, los bajos salarios que padecen los trabajadores, con los avances materiales, la plena ocupación y crecientes salarios que disfrutan los obreros de los países donde el socialismo es ya una realidad.

Recalcó el carácter crucial que reviste 1976 para la lucha de liberación de Puerto Rico al final dramático de su discurso:

"Este será un año de divulgación internacional de nuestra lucha. Este será un año en que la ideología de la clase obrera llegará a más puertorriqueños; un año en que la polarización de las fuerzas del progreso contra las del retroceso, las de los puertorriqueños contra los colonialistas, habrá de desarrollarse a niveles nunca antes sospechados. Así se sentarán las bases que conducirán a hacer efectiva en la realidad y en la práctica la consigna de independencia ya, socialismo ahora mismo," concluyó.

RECONOCIMIENTO A LOS FUNDADORES

Los actos conmemorativos del natalicio de Hostos y la fundación del MPI se iniciaron con un reconocimiento a quienes organizaron en 1959, aquel, que sería Vanguardia Patriótica Puertorriqueña.

Varios de aquellos compartieron la tribuna, entre ellos: Providencia Trabal de Nazario, Néstor Nazario, Loida Figueroa, Domingo Vega, Santiago Mari, J. A. González González, José N. Rodríguez (Yeyo), Lidia Barreto, Radamés Guiñesta y el propio Mari Brás. Se recordó, además, a dos fundadores del MPI ya fallecidos: Julio Valcárcel y Domingo Lugo.

El dirigente obrero y miembro del Comité Central del PSP, Pedro Grant, inició los discursos, exhortando a divulgar el pensamiento y obra de Hostos "hasta llevarlos a la conciencia de viejos y jóvenes de todo el país".

"El pensamiento hostosiano tiene que ser guía de nuestra lucha por la independencia y el socialismo, para acabar con la explotación del hombre por el hombre," sentenció, tras aludir también al carácter profético de aquel pensamiento.

Fuertes palabras de condena reservó el dirigente obrero para los administradores de turno en la colonia. En obvia alusión al informe Tobin, dijo:

"Nos piden sacrificios para solucionar su crisis. ¡Pero si los trabajadores de este país hemos estado sacrificados! ¿Para qué es el sacrificio, para enriquecer a los capitalistas con nuestro trabajo? Pues no," afirmó categórico.

Más adelante criticó a los líderes sindicales de Mayagüez y pueblos limítrofes, quienes, dijo, traicionaron las tradiciones de lucha revolucionaria que caracterizaron a los sindicatos de la región del oeste.

Un recuento de la ardua labor patriótica que desplegó el MPI desde su fundación, que lo convirtió en el iniciador de la nueva lucha de independencia, hizo en su turno el subsecretario general del PSP, Pedro Baigés Chapel.

Hizo un llamado a las fuerzas patrióticas puertorriqueñas a manifestar su solidaridad con las fuerzas independentistas y progresistas de Angola.

"En Angola está en juego el destino de Africa. Si los imperialistas se fortalecen en Angola, se fortalecerán con ellos las fuerzas racistas y fascistas," advirtió Baigés Chapel.

El ánimo y disposición de lucha eran evidentes en la concurrencia que colmó el Centro Cultural mayagüezano.

Miembros fundadores del MPI fueron llamados a la tribuna en señal de reconocimiento. —Véa más fotos en páginas 12 y 13—. (Fotos CLARIDAD por José R. Charrón.)

Otro informe contra los trabajadores

Por Antonio R. Gómez
Redactor de CLARIDAD

La eliminación de la mayoría de los "beneficios" de los trabajadores y el aumento en las ventajas e incentivos de que disfrutan las industrias extranjeras constituyen a juicio de un comité nombrado por la Administración de Fomento Económico, las soluciones a los problemas que encara esa agencia en su empeño de atraer industrias.

El comité, cuyo informe fue dado a la publicidad el sábado, recomienda, entre otras cosas, que se "revisen" los beneficios marginales que "disfrutan" los obreros, tales como vacaciones, días de fiesta, licencias por maternidad y otros que, según el informe, "elevan los costos de producción" de las industrias establecidos en el país.

Sugiere además que se limiten los pagos por desempleo, seguros por incapacidad, bonos de navidad y otros similares que, según el comité, también aumentan considerablemente los costos de nómina en el país.

El informe compara los referidos beneficios marginales ofrecidos en Puerto Rico con los que se ofrecen en Estados Unidos y concluye que el "ela" exige más gastos en nómina a los patronos que Estados Unidos.

El informe concluye que estos "altos beneficios marginales mandatorios son un obstáculo para la expansión de nuevos empleos manufactureros y la extensión de industrias existentes".

El informe de 46 páginas propone también que se intente eximir a la Isla de la aplicación de los salarios mínimos federales, así como que se eliminen las juntas de salario mínimo del "ela" y sus decretos salariales mandatorios.

Sobre los incentivos a las industrias, se recomienda una revisión de la ley de exención contributiva para hacerla más atractiva a los inversionistas. Se propone que no se le cobren contribuciones completas a las industrias al finalizar su período de exención contributiva y se comience el cobro paulatinamente.

Se sugiere aumentar los fondos de Fomento para la promoción de industrias, reducir los costos de electricidad, agua y otros servicios gubernamentales para las industrias y una reducción permanente de las contribuciones sobre ingresos y sobre la propiedad para todas las industrias manufactureras.

12 de enero de 1976 — CLARIDAD 3

"PSP abre..." (continuación)

De izquierda a derecha, Juan Mari Brás, Florencio Merced, Carlos Gallisá y Pedro Grant. (Foto CLARIDAD por Carlos Torres.)

PSP anuncia candidatos

Por Ludmilia Rivera
Redactora de CLARIDAD

El secretario general del Partido Socialista Puertorriqueño, el líder obrero, Pedro Grant, y el representante a la Cámara, Carlos Gallisá encabezarán la papeleta electoral de ese partido en los próximos comicios electorales, reveló ayer en conferencia de prensa el secretario de Información y Propaganda del PSP Florencio Merced Rosa.

El PSP postulará a Mari Bras para la candidatura a la gobernación, a Grant para senador por acumulación y a Gallisá para representante por acumulación, precisó Merced.

Dijo que el candidato socialista a gobernador "obtendrá para su partido el respaldo electoral de todos los socialistas, los independentistas que creen en la unidad patriótica y los trabajadores más conscientes y alertas del país". Agregó que Gallisá cuenta con el mismo apoyo "porque se ha destacado en su labor legislativa como el verdadero representante de los trabajadores".

Sobre Grant, Merced expresó que es un obrero que ha alcanzado "un gran liderato entre los trabajadores" y reveló que su selección fue la respuesta del PSP al clamor de trabajadores y líderes Sindicales quienes apoyan la candidatura de Grant.

"Con la selección de Grant para la candidatura a senador el partido de los trabajadores ofrece al pueblo trabajador puertorriqueño la oportunidad de llevar a uno de sus más destacados y auténticos dirigentes sindicales a la legislatura", apuntó Merced.

Por otro lado, anunció que el PSP celebrará asambleas en las dieciséis zonas en que divide al país el próximo domingo 22 para seleccionar sus candidatos a senadores y representantes por distritos, a alcaldes y asambleístas municipales.

Advirtió que los candidatos tendrán que ser ratificados por el Comité Central del Partido Socialista.

EL PSP necesita recoger para los candidatos a senadores y representantes por distrito el cinco por ciento de las papeletas recogidas para su inscripción como partido en los distintos distritos de acuerdo a la última orden emitida por el Tribunal Electoral.

En el caso de los candidatos a legisladores por acumulación y el candidato a gobernador, será necesario recoger tres mil firmas, aseguró el secretario de Asuntos Electorales y Legislativos del PSP, Felipe Cirino Colón.

'Fortalecerá clase obrera'

El candidato a gobernador y máximo dirigente del Partido Socialista Puertorriqueño, Juan Mari Brás, aseguró ayer que la participación de un partido marxista-leninista en el proceso electoral por primera vez en la historia del país, canalizará la fuerza política de la clase obrera y fortalecerá el poder de esa clase.

En conferencia de prensa efectuada ayer en las oficinas del legislador socialista Carlos Gallisá, el dirigente del PSP afirmó que la participación de esta colectividad en los comicios de noviembre debilitará a los partidos capitalistas y colonialistas", entre los cuales, precisó, no se incluye al Partido Independentista Puertorriqueño.

Al ser interrogado sobre la posibilidad de que surjan conflictos irreconciliables entre el PIP y el PSP durante la contienda electoral, Mari Brás aseguró que ello no ocurrirá. "Lo que se anticipa es un debate ideológico que va a redundar en un esclarecimiento político de los rumbos a seguir por el independentismo", explicó.

Aseguró que el voto independiente en las próximas elecciones se calcula en una tercera parte del electorado, "por lo que ningún partido puede en estos momentos calcular sus fuerzas".

"Nosotros recibiremos muchos votos mixtos, pero nuestra consigna será 'un voto integro por el socialismo,' " expresó el líder socialista.

Entre los objetivos electorales del PSP mencionó el de fortalecer el instrumento político de los trabajadores, que afirmó es el PSP. Indicó también que ese partido obtendrá la tribuna legislativa en la que la clase obrera expresará su protesta continua ante el sistema de explotación a que la han sometido. Subrayó que los legisladores socialistas que sean electos impulsarán legislación social que mejore y fortalezca el poder de los trabajadores.

Dijo que el PSP ha realizado encuestas según las cuales "ha aumentado dramáticamente su simpatía en el país y ha alcanzado un gran apoyo periférico". Los simpatizantes, aseguró, se han multiplicado por más de diez veces los que tenía el PSP algún tiempo atrás.

'Apoyo de los trabajadores'

El dirigente obrero Pedro Grant, candidato a senador por acumulación por el Partido Socialista Puertorriqueño aseguró ayer que contará con el apoyo de grandes sectores de la clase obrera y numerosos líderes sindicales.

Grant aclaró que el Movimiento Obrero Unido, del cual es coordinador, es una organización sindical y no política. Añadió que no buscará el respaldo del MOU como organización para su candidatura pero que tratará de convencer a los dirigentes sindicales que lo integran para que individualmente le brinden su apoyo.

"El MOU," añadió, "está integrado por dirigentes sindicales de todas las ideologías políticas".

Entre los objetivos que perseguiría desde un escaño en el Senado, el líder obrero señaló el de obtener para los trabajadores el derecho a conseguir trabajos y salarios decentes y servicios médicos de la mejor calidad, eliminando la diferencia que existe entre los que reciben los ricos y los que tocan a los trabajadores.

Reveló que un gran número de líderes sindicales del país se han reunido para elaborar su programa legislativo en caso de resultar electo. Ese programa, aseguró, beneficiará grandemente a la clase trabajadora.

Reiteró su empeño en unificar a la clase trabajadora a través de la constitución de una central única de trabajadores, la cual considera necesaria para "enfrentar efectivamente al poder de los patronos".

No al reformismo

El presidente del Partido Independentista Puertorriqueño, Rubén Berríos "como persona es nuestro amigo y compañero y como legislador es un buen legislador, pero como dirigente político ha cometido graves equivocaciones que han desviado el rumbo del PIP hacia posiciones flojas", afirmó ayer el Secretario General del Partido Socialista Puertorriqueño, Juan Mari Brás.

Advirtió el dirigente socialista que la participación del PSP en las elecciones de noviembre además de debilitar a los partidos capitalistas y colonialistas, debilitará las posiciones reformistas y responsables de lo que llamó "la castración de los movimientos independentistas en Puerto Rico".

Aseguró que el Partido Independentista ha adoptado una ideología reformista pero hizo claro que no es un partido capitalista ni colonialista como son los partidos Popular Democrático y el Nuevo Progresista.

"En Puerto Rico no hacen falta reformas sino cambios fundamentales que viren esto al revés y le den el poder a los trabajadores," afirmó Mari Brás, quien añadió que para eso es "necesaria una revolución".

6 de febrero de 1976 — CLARIDAD 3

"Fortalecerá clase obrera."
Periódico *Claridad*, 6 de febrero de 1976.

Mari Bras Aspirará Gobernador por PSP

Por Roberto Betancourt
De la Redacción EL MUNDO

El Partido Socialista Puertorriqueño (PSP) anunció ayer jueves que esa colectividad política ha tomado la decisión de postular a su secretario general, Juan Mari Bras, para gobernador; al legislador, licenciado Carlos Gallisá, para representante por acumulación y al líder obrero Pedro Grant para senador por acumulación.

Los candidatos fueron seleccionados según un acuerdo tomado por los organismos del partido a nivel local y ratificado por el organismo central de la colectividad política.

En conferencia de prensa en las oficinas del representante Carlos Gallisá en el Capitolio donde se anunciaron las candidaturas se adelantó, además, que el próximo 22 de febrero el PSP efectuará asambleas en las 16 zonas en que éste se divide para escoger a los demás candidatos directos que habrán de figurar en la papeleta electoral de ese partido.

Mari Brás, Gallisá y Grant necesitan 3,200 peticiones de endoso cada uno para poder figurar como candidatos por el PSP en las próximas elecciones.

En la conferencia de prensa Mari Brás adelantó además que dentro de varios días estará lista la plataforma del programa que habrá de presentarle al pueblo de Puerto Rico el PSP en las próximas elecciones.

El líder socialista explicó que se incluirá entre otras cosas, acción legislativa que fortalezca la posición de los trabajadores frente a la "voracidad de los capitalistas".

Indicó también que se luchara para que los trabajadores [illegible] su instrumento de lucha el cual es el PSP por ser el socialismo la única alternativa viable al problema económico de Puerto Rico.

Los tres líderes socialistas, acompañados del licenciado Felipe Cirino, procurador del PSP ante el Tribunal Electoral, anunciaron que el Partido impulsará el voto íntegro en la pa-

(Continúa en la Pág. 15-A)

Indice

2 SECCIONES

"Mari Brás aspirará a Gobernador por PSP."
Periódico *El Mundo*, 6 de febrero de 1976.

comentario político — Juan Mari Brás

Cuentas claras

010380

El jueves pasado anunciamos las candidaturas nacionales del Partido Socialista Puertorriqueño para los comicios de noviembre próximo. Ya hemos iniciado una intensa campaña por todo el país, llevando los principales planteamientos del socialismo a nuestro pueblo en actos que estamos celebrando en fábricas y centros de trabajo, universidades y escuelas, caseríos, barriadas y urbanizaciones.

Es preciso esclarecer la diferencia entre nuestras candidaturas y las de todos los demás partidos. En primer lugar, nuestra campaña no girará fundamentalmente en torno a nombres y personalidades. El individuo como tal, no importa lo destacado que sea, no puede ser el centro de atención en un partido que aspira construir la sociedad socialista. Solo en la medida en que cada persona es capaz de integrarse a la colectividad para contribuir al esfuerzo combinado de todos, es que será fructífera la aportación individual. Esa visión colectivista no solo es esencial para el socialismo sino también para la democracia. Para nosotros, ni la democracia ni el socialismo son meros recursos retóricos. Son principios sustanciales a la altura de los cuales tenemos que estar cotidianamente en todas nuestras actuaciones. Solamente así podremos avanzar hacia las metas libertadoras que nos hemos trazado. No hay nada superior a la acción colectiva de los trabajadores como fuerza impulsadora del cambio social.

La función primordial de los candidatos socialistas es ser portavoces de una ideología, un programa y un partido que representan los intereses y aspiraciones de todos los trabajadores puertorriqueños. Exigiremos el derecho a utilizar todos los foros a que tienen acceso los otros candidatos para realizar a plenitud esa función de portavoces que se nos ha encomendado. Eso deberá ser así en toda la escala de las candidaturas, nacionales, regionales y locales.

No pretendemos privilegios, pero tampoco aceptaremos el más mínimo discrimen cruzados de brazos.

Los adversarios de los partidos coloniales y los amigos del PIP deben tener muy claro que, gústeles o no, tendrán que tallar con nosotros a lo largo de esta campaña. No hay manera de evadir el confrontamiento ideológico con el socialismo en esta elecciones. El socialismo —el científico, el verdadero— llegó para quedarse a la vida política puertorriqueña. Eso significa que la política se está poniendo los pantalones largos en Puerto Rico.

Cada candidato a alcalde, a asambleista o a legislador de los partidos coloniales, o del PIP, tendrá que encarar el reto que significa para ellos el confrontamiento de sus posiciones con las de los socialistas. Se acabaron los tiempos en que la política electoral se reducía a una competencia de enajenados. Frente a todas las variantes de la alienación colonizada, surgirá la alternativa socialista en sus vertientes diversas, abriendo brechas en la conciencia del pueblo.

Los socialistas queremos un clima que propicie la discusión y el debate inteligente de las ideas. Lo queremos así porque tenemos todas las de ganar en cualquier discusión racional y sosegada de nuestra problemática nacional.

No tenemos interés alguno en que ese debate, la campaña electoral ni las elecciones en sí se tornen violentos. Nosotros no iniciaremos la violencia en ningún momento. Pero no vamos a tolerar que se utilice la violencia más mínima contra nuestro partido ni sus integrantes. El menor asomo de violencia será contestado por nosotros con el grado de violencia defensiva capaz de apabullar a los que pretendan silenciarnos de ese modo.

Los foros en que se lleva a cabo la campaña política no estarán limitados por las preferencias de los políticos coloniales. Nosotros estaremos siempre prestos a ir a debatir con ellos en cualquier lugar, incluyendo las tribunas de la burguesía. Al mismo tiempo, les invitaremos a debatir con nosotros en nuestros propios foros: en los centros de trabajo, en las comunidades obreras, ante los sindicatos y asociaciones de trabajadores, en las escuelas y universidades. Si ellos huyen de esos foros, lo sentimos mucho. Nosotros vamos a acudir constamentemente a los trabajadores y expondremos las posiciones de nuestro partido ante ellos, con los adversarios presentes o sin ellos.

Los medios de comunicación masiva deberán abrirse al alcance de todos los partidos por igual. Eso quiere decir que si van a celebrar foros entre candidatos, a los niveles que sea, tendrán que incluirnos a nosotros. De lo contrario haremos todo lo que esté a nuestro alcance para que el mismo no se lleve a cabo y nos ingeniaremos la forma de hacer valer nuestros derechos.

Ya empezamos a organizar los funcionarios de colegio que representarán a nuestro partido en cada uno de los colegios electorales del país. Ellos serán los custodios del voto socialista. Tienen la encomienda de no dejarse arrebatar un solo voto emitido a favor de nuestro partido y de sus candidatos o cualquiera de ellos. Los chanchullos tras bastidores, el traqueteo de votos falsos y el contaje inflado se tendrán que acabar como prácticas impunes de la política en este país. Esa será otra de las consecuencias inmediatas de la participación de un partido de la clase obrera en los comicios. Cada funcionario del PSP será un vigilante alerta, que garantizará a riesgo de lo que pueda sobrevenir que no se le va a escamotear un solo sufragio al partido.

Finalmente, el resultado de las elecciones —sea cual fuere— no va a detener ni desviar nuestra lucha un solo minuto. Reajustaremos las miras, como lo hacemos constantemente, a la luz de la experiencia que obtengamos durante la presente campaña, para seguir adelante, en el camino largo y duro de la construcción revolucionaria.

Esperamos que esta experiencia nos fortalezca y expanda grandemente el ámbito de la vanguardia y la sensibilidad de las masas trabajadoras hacia la ideología socialista. Aspiramos, por tanto, a acercarnos a nuestras metas libertadoras como resultado de la brega de este año. **Por eso es que estamos en la misma, por eso somos candidatos, unos y otros, a distintos cargos públicos, y por eso tenemos la firme convicción de que, no importa lo que pase en noviembre, triunfaremos.**

7 de febrero de 1976 -- CLARIDAD 11

"Cuentas claras." Artículo de Juan Mari Brás.
Periódico *Claridad*, 7 de febrero de 1976.

Juan Mari Bras, candidato a la gobernación por el Partido Socialista Puertorriqueño. (Foto EL MUNDO por Teodoro Torres)

Mari Bras: Objetivos Electorales del PSP Y su Plan Socialista

Entrevistado por la Junta Editorial de EL MUNDO, el licenciado Juan Mari Bras, presidente del Partido Socialista Puertorriqueño, respondió a las especulaciones de que el PSP terminará por no ir a las próximas elecciones.

El licenciado Mari Bras además:

- **Se refirió a las relaciones del PSP con Cuba y a las fuentes de financiamiento de su partido.**
- **Estableció una diferencia entre ser revolucionario y ser terrorista.**
- **Expuso los objetivos electorales del PSP.**
- **Explicó cuál sería el momento apropiado para proclamar la república, aun independientemente de resultados electorales.**

P- Se ha especulado que su Partido Socialista Puertorriqueño al fin y al cabo no concurrirá a las elecciones. ¿Ha tomado usted una decisión definitiva y final a este respecto?

R- Definitivamente el Partido Socialista Puertorriqueño participará en las elecciones de 1976. El acuerdo fue tomado por el Segundo Congreso del Partido en diciembre pasado después de amplia y profunda discusión en la base y no hay la más remota posibilidad de que nos retiremos de las elecciones de 1976.

P- Las encuestas independientes de todos los partidos indican que el PSP cuenta en estos momentos con aproximadamente el 1% de los votos. ¿Qué ganaría su partido si participa en las elecciones, saca 1% de los votos y demuestra así que representa un porcentaje tan pequeño del pueblo puertorriqueño?

R- En primer lugar, estimamos que esas encuestas no son exactas en lo que se refiere al Partido Socialista. Obviamente es muy difícil que cualquier ciudadano común y corriente se identifique ante un extraño como socialista cuando es evidente la persecución sistemática que hay contra los socialistas en todos los ámbitos de la vida nacional.

Pero independientemente de esa realidad que apuntamos, nuestra campaña electoral no está fundamentalmente dirigida a obtener equis cantidad de votos. Está dirigida a alertar la conciencia del pueblo trabajador, a insertar en el debate político la alternativa socialista, la discusión de las soluciones radicales a los problemas radicales que se confronta el país y a expandir la base del partido, incorporando al mismo a los millares de trabajadores que captemos en el curso de esta campaña y que hagan posible que este partido pueda avanzar en su lucha por organizar a la clase obrera y al pueblo trabajador puertorriqueño.

P- ¿Nos podría dar un cifra aproximada en cuanto al número de electores que podría tener su partido?

R- En la actualidad no podemos hacerlo. El partido está por iniciar una serie de encuestas a través de su grupo de investigaciones sociales que no se han llevado a cabo todavía. Lo que sí podemos asegurar es que los candidatos legislativos por acumulación del Partido Socialista, los compañeros Carlos Gallisá y Pedro Grant, son los candidatos independentistas para cualesquiera puestos electivos que más votos sacarán en las elecciones del 1976.

P- ¿Está prediciendo que sacaría más votos que el senador Rubén Berríos?

R- Estimamos que sí.

P- La participación del Partido Socialista Puertorriqueño va a dividir el voto independentista. Y el voto independentista incluye personas con soluciones radicales y otros con soluciones moderadas, etc. ¿No le hace un daño su partido a la idea de independencia dividiendo el voto independentista?

R- No. Las elecciones coloniales no tienen carácter plebiscitario. Ninguno de los partidos participantes en ellas le atribuye un carácter plebiscitario a esas elecciones. Por diferentes razones, populares, novoprogresistas, independentistas del PIP y socialistas, coincidimos en que las elecciones no son un plebiscito en que se manifieste nítidamente la preferencia del pueblo en relación al status político.

Ahora, nosotros sí creemos que los dos partidos de la independencia debieran participar conjuntamente en estas elecciones incorporando un frente unido electoral que con un programa común que recogiera las cosas en que estamos de acuerdo ambos, se presentara como una alternativa electoral ante el pueblo puertorriqueño. Desafortunadamente, el liderato del Partido Independentista rechazó desde principios de 1975 la invitación que le hizo el Comité Central del Partido Socialista para sentarnos a discutir las posibilidades de acción conjunta de los dos partidos, incluyendo la esfera electoral.

Nosotros entendemos que la independencia de Puerto Rico no se logrará hasta que se logre la unidad de todas las fuerzas patrióticas que la impulsan y que dentro de esas fuerzas el Parti-

(Continúa en Pág. 14-A)

"Mari Brás: Objetivos electorales del PSP." Entrevista. Periódico *El Mundo*, 7 de febrero de 1976.

que el compañero Berrios no la tenga también en nosotros.

P- En varias ocasiones el Gobierno ha alegado que el PSP está vinculado con los terroristas que reciben su adiestramiento en Cuba. ¿Qué comentarios podría hacer al respecto?

R- El gobierno sabe que el Partido Socialista Puertorriqueño es un partido revolucionario. Que hay una diferencia cualitativa, fundamental entre ser revolucionario y ser terrorista. Que una cosa y la otra están tan distantes como el Cielo y la Tierra. Revolucionario es la más alta manifestación de la civilización en términos de ideología política. El terrorismo conduce la condición humana a la violencia más brutal. Nosotros hemos rechazado el terrorismo individual indiscriminado, anárquico en repetidas ocasiones.

El gobierno sabe muy bien que ésa es la realidad. Sabe también que nosotros tenemos una relación de solidaridad recíproca con los partidos y movimientos revolucionarios del mundo que respetan nuestra independencia y nosotros respetamos la suya. Que el Partido Socialista Puertorriqueño se define como un partido marxista-leninista independiente. Que no reconoce centros hegemónicos desde donde se dicten pautas a nuestro partido en ningún lugar del mundo. Sea Moscú, Pekín, o el que sea. Que esa línea independiente la ha sostenido el Partido Socialista a través de su existencia en la forma de movimiento pro independencia en los primeros años, y de partido en los últimos cuatro años.

También sabe el gobierno que la revolución cubana, que es sin lugar a dudas, la principal y más consecuente aliada de la lucha del pueblo por la independencia de Puerto Rico, nos ha dado una gran ayuda moral y material en términos de la divulgación internacional del caso de Puerto Rico, como fue la celebración en La Habana de la Primera Conferencia Internacional por la Independencia de Puerto Rico. Y que nada de lo que ha hecho la revolución cubana respecto a Puerto Rico ha sido secreto. Lo ha proclamado su liderato desde Fidel Castro hacia abajo en repetidas ocasiones. Y que el tránsito y flujo continuo de puertorriqueños hacia Cuba en los últimos años es un hecho abierto que no le negamos a nadie y que van allí nuestros compatriotas a ver y a recibir la experiencia de un pueblo en revolución y que no hay nada conspirativo ni que ocultar en ese tránsito que va a seguir y se va a intensificar.

¿DE ACUERDO CON BERRIOS?

P- El señor Rubén Berrios sostiene que él y su partido no favorecerían la independencia si no tuviera el apoyo de la mayoría de los puertorriqueños porque considera que sin ese apoyo, la independencia fracasaría. ¿Es correcto interpretar que usted proclamaría la independencia aún sin el apoyo de la mayoría de los puertorriqueños?

R- No, no es correcto. Nosotros, como revolucionarios, estamos claros (a los efectos de que ninguna revolución en el mundo se sostiene si no tiene el apoyo de la gran mayoría del pueblo. Es una de las grandes adulteraciones de la verdad que hacen los capitalistas —la propaganda falsa de que las revoluciones son imposiciones de una minoría a la mayoría. No ha habido en la historia, a lo largo de los siglos, revolución victoriosa que no cuente con el apoyo de las grandes mayorías.

Lo que pasa es que hay unas minorías esclarecidas, firmes, decididas, que abren la brecha e inician el camino de la revolución. Pero hasta tanto el pueblo se incorpora a ese camino, la revolución no triunfa en ningún lugar. Por eso nosotros sostenemos que para ganar la independencia de Puerto Rico, que es un derecho inalienable, que no se puede renunciar, las grandes mayorías no pueden renunciarlo jamás, pero para hacerlo efectivo, para ponerlo en práctica, es preciso incorporar a la lucha por ella a las grandes mayorías del pueblo puertorriqueño.

P- En otras palabras, si a su Partido se le presentara la oportunidad de proclamar la independencia, ¿usted no se aprovecharía de esa oportunidad si no tuviera constancia de que la mayoría del pueblo puertorriqueño estaría a favor?

R- Sí, solamente en el preciso instante en que tengamos la convicción de que representamos el clamor de las grandes mayorías del pueblo sería que procederíamos a proclamar la república. No puede ser un minuto antes ni un minuto después, como decía Lenin en la víspera de la toma de Petrogrado, le decía al Comité Central Bolchevique: "Ayer hubiera sido muy temprano -mañana sería muy tarde".

Lo que define a los grandes líderes revolucionarios e indica la envergadura que tienen es precisamente captar ese instante en que se da el salto a la toma del poder en un proceso revolucionario. No puede ser antes de que las masas estén preparadas para ello, ni después.

FINANCIAMIENTO DEL PSP

P- ¿Sería un resultado electoral la regla para

representa una gota en el océano de millones en que se mueven los partidos de los capitalistas. Y por otro lado, nos sometía a unas intervenciones que se prestaban para incrementar la persecución de que somos víctima los socialistas.

Haciendo el balance de conveniencia de esa situación, el Comité Central de nuestro partido acordó no aceptar esos $184,000 y en vez de eso desarrollar una intensa campaña de recaudación entre las masas trabajadoras del país, que dicho sea de paso, la iniciamos con sumo éxito el pasado fin de semana en todo Puerto Rico. Peseta a peseta y vellón a vellón recogimos más de de $12,000 en el fin de semana en Puerto Rico y estamos planeando celebrar colectas nacionales de esa índole desde aquí hasta las elecciones.

P- ¿Usted anticipa alguna ayuda económica del exterior?

R- No, solamente de la seccional del Partido en Estados Unidos ya que somos el único partido puertorriqueño que está debidamente organizado en todas las comunidades de los puertorriqueños en Estados Unidos desde Nueva York hasta California. Le hemos asignado una cuota de $100,000 a la seccional del Partido en Estados Unidos, que se está levantando con actividades de colecta entre los puertorriqueños y otro tipo de actividades de recaudación.

COMUNISMO Y DEMOCRACIA

P- El PSP se califica a sí mismo como un partido marxista-leninista independiente, como dijo usted. ¿Por qué no debe el pueblo considerar que usted representa una forma dictatorial de gobierno y que si su ideología triunfara en Puerto Rico los puertorriqueños perderían tanto su libertad política como su libertad individual?

R- Eso está bien que lo piensen así los capitalistas, que forman una ínfima minoría de este pueblo. Esos sí perderán sus privilegios —será abolida la llamada libertad de empresa, que permite que unos cuantos se apropien del fruto del trabajo de las grandes mayorías trabajadoras. Y serán abolidas las libertades y derechos de los capitalistas que se dirijan a restaurar ese sistema de desigualdad e injusticia en el país.

Pero el pueblo trabajador que integra la abrumadora mayoría de los puertorriqueños alcanzará una dimensión real y efectiva de libertad. La democracia socialista es una democracia superior en calidad a la democracia burguesa. Es una democracia que no se limita al ritual pasivo de votar cada cuatro años que incluye el derecho al voto secreto y universal.

Eso no es lo único en que participan las masas en la democracia socialista, sino que el pueblo todo participa desde la administración de su comunidad y su vecindario, la administración de la justicia en esa comunidad y ese vecindario hasta la dirección política nacional, interviniendo directamente en la redacción y elaboración de las leyes principales que rigen al país e interviniendo a nivel de las fábricas y centros de trabajo en la política de producción que ha de tener cada uno de esos centros de trabajo.

La democracia socialista es esa democracia real y efectiva que empieza por abolir el hambre, por garantizar las condiciones materiales indispensables para ejercer la libertad a todos los integrantes de la sociedad, como es el derecho a un trabajo y a un salario, donde no haya desempleados. El derecho a una vivienda, el derecho a un sistema de salud adecuado, verdaderamente universal para todos. El derecho a una educación progresiva para todos. Ésa es la verdadera democracia. Esa es la democracia que no se funda en leyendas ni en ficciones, sino en las realidades. Y a ésa es a la que nosotros aspiramos.

P- ¿Desde el punto de vista de que el Estado es el único y absoluto patrono?

R- No, con el punto de vista de que se eliminan los patronos, toda clase de patronos. El Estado (socialista) es la conjunción de todas las fuerzas del trabajo en la sociedad para hacer prevalecer la propiedad colectiva sobre los bienes de producción de toda la sociedad.

P- ¿Cómo se explica que en todos los países comunistas se impide la libre entrada y salida de sus ciudadanos al exterior?

R- Eso no es correcto. En los países socialistas se reglamenta el tránsito al exterior en la medida en que es necesario para impulsar una economía equilibrada. Sobre todo, en los primeros tiempos de la construcción de la sociedad socialista, donde no se puede gastar el lujo una sociedad que está construyendo el socialismo de producir la sangría a la economía que representaría en términos de divisa dejar que la gente se vaya a gastar su dinero al campo capitalista.

Sin embargo, cuando se alcanza un cierto desarrollo económico se abre progresivamente al intercambio de los pueblos las fronteras de los países. El turismo internacional en los países socialistas más avanzados —los de Europa Oriental, por ejemplo— ha ido en incremento dramático en los últimos años en la medida en que han despegado sus planes de desarrollo económico.

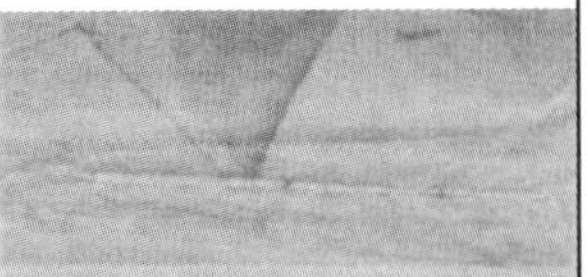

"... el PSP plantea la necesidad de la unidad patriótica..."

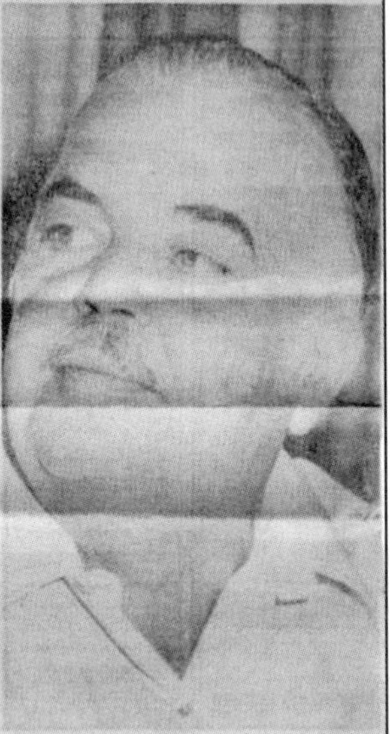

"... hay una diferencia entre ser revolucionario y ser terrorista..."

"... el que quiera ser americano, se va para Estados Unidos..."

"Mari Brás: Objetivo..." (continuación)

Mari Bras Opina Gallisá y Grant Sacarán Más Votos que Berríos

De la Primera Página

do Independentista y el Partido Socialista son decisivas. Entendemos por tanto que en la medida que se fortalezca el Partido Socialista, que es el partido que plantea la necesidad de la unidad patriótica, se irá convenciendo el liderato del Partido Independentista de lo incorrecto de la línea sectaria que han asumido y llegarán a rectificar la misma y a acceder en el futuro a coordinar acción común con nuestro partido.

RELACIONES CON CUBA

P- ¿Por qué usted considera que el senador Rubén Berríos rechazó esa invitación que le hiciera usted para formar un frente común?

R- Bueno, él hizo una serie de alegaciones en la carta que nos envió rechazando siquiera discutir la posibilidad de una acción conjunta de los dos partidos, entre las cuales destacaba las diferencias de enfoque de los dos partidos y una falta de confianza recíproca entre el liderato de los dos partidos. Nosotros entendemos que ninguna de las dos razones eran válidas entonces ni lo son ahora.

Las diferencias de enfoque sólo son evidencia de la diversidad ideológica del pueblo patriota puertorriqueño que no impide que nos pongamos de acuerdo en aquellas cosas importantes y prioritarias en que tenemos la misma meta, como es la independencia de Puerto Rico. En cuanto a la falta de confianza, en lo que a nosotros respecta, tenemos confianza en el patriotismo del compañero Berríos y en que podríamos sentar las bases de una unidad sólida en el futuro. Y no tenemos ninguna razón para pensar que el compañero Berríos no la tenga también en nosotros.

P- En varias ocasiones el Gobierno ha alegado que el PSP está vinculado con los terroristas que reciben su adiestramiento en Cuba. ¿Qué comentarios podría hacer al respecto?

R- El gobierno sabe que el Partido Socialista Puertorriqueño es un partido revolucionario. Que hay una diferencia cualitativa, fundamental entre ser revolucionario y ser terrorista. Que una cosa y la otra están tan distantes como el Cielo y la Tierra. Revolucionario es la más alta manifestación de la civilización en términos de ideología política. El terrorismo conduce la condición humana a la violencia más brutal. Nosotros hemos rechazado el terrorismo individual indiscriminado, anárquico en repetidas ocasiones.

El gobierno sabe muy bien que ésa es la realidad. Sabe también que nosotros tenemos una relación de solidaridad recíproca con los partidos y movimientos revolucionarios del mundo que respetan nuestra independencia y nosotros respetamos la suya. Que el Partido Socialista Puertorriqueño se define como un partido marxista-leninista independiente. Que no reconoce centros hegemónicos desde donde se dicten pautas a nuestro partido en ningún lugar del mundo. Sea Moscú, Pekín, o el que sea. Que esa línea independiente la ha sostenido el Partido Socialista a través de su existencia en la forma de movimiento pro independencia en los primeros años, y de partido en los últimos cuatro años.

También sabe el gobierno que la revolución [illegible]

medir ese clamor de la mayoría por la independencia?

R- Lo más probable es que no, aunque uno no puede predecir cómo se vuelquen los acontecimientos en el futuro, pero a juzgar por lo que la experiencia histórica indica, las elecciones en Puerto Rico están demasiado condicionadas, programadas, por la apabullante propaganda que desplazan los partidos del sistema que cuentan con millones de dólares —el PNP y el Partido Popular cuentan para esta campaña cada uno con $8 ó $10 millones— y con todo el engranaje represivo dirigido a aterrorizar al pueblo con la idea revolucionaria es improbable pensar que las elecciones puedan canalizar adecuadamente esa expresión popular.

Ahora, repito, que no podemos predecir si esa situación cambia en un futuro y se presentara una elección en que la mayoría respaldara las posiciones independentistas y socialistas, en ese caso lo que haríamos es inmediatamente proceder a proclamar la república. Por eso hemos señalado que en el caso nuestro, como candidato a gobernador, la primera promesa que le hacemos al pueblo de ser electo, es no ejercer ese cargo, sino abolirlo inmediatamente y proclamar la independencia de Puerto Rico.

P- Usted señaló que tanto el Partido Popular como el Partido Nuevo tienen una abrumadora ventaja económica. Sin embargo, usted rechazó los fondos electorales que por ley le correspondían. ¿No está esto en conflicto?

R- No, porque precisamente aceptar esos fondos es ayudar a dar la falsa impresión de igualdad, cuando en realidad lo que nos hubiera correspondido es la cantidad de $184,000 que representa una gota en el océano de millones en que se mueven los partidos de los capitalistas. Y por otro lado, nos sometía a unas intervenciones que se prestaban para incrementar la persecución de que somos víctima los socialistas.

Haciendo el balance de conveniencia de esa situación, el Comité Central de nuestro partido acordó no aceptar esos $184,000 y en vez de eso desarrollar una intensa campaña de recaudación entre las masas trabajadoras del país, que dicho sea de paso, la iniciamos con sumo éxito el pasado fin de semana en todo Puerto Rico. Peseta a peseta y vellón a vellón recogimos más de de $12,000 en el fin de semana en Puerto Rico y estamos planeando celebrar colectas nacionales de esa índole desde aquí hasta las elecciones.

P- ¿Usted anticipa alguna ayuda económica del exterior?

R- No, solamente de la seccional del Partido en Estados Unidos ya que somos el único partido puertorriqueño que está debidamente organizado en todas las comunidades de los puertorriqueños en Estados Unidos desde Nueva York hasta California. Le hemos asignado una cuota de $100,000 a la seccional del Partido en Estados Unidos, que se está levantando con actividades de colecta entre los puertorriqueños y otro tipo de actividades de recaudación.

COMUNISMO Y DEMOCRACIA

P- El PSP se califica a sí mismo como un partido marxista-leninista independiente, como dijo usted. ¿Por qué no debe el pueblo conside-

"... el PSP plantea la necesidad de la unidad patriótica..."

FALLO ELECTORAL

P- Señor Mari Bras, usted enfoca eso desde el punto de vista del turismo. ¿Qué hay entonces de aquellos otros ciudadanos que por una razón u otra no se adaptan al sistema socialista y desearían abandonar el país y radicarse en otro lugar, a quienes también en cierta medida se les impide esa salida?

R- No, ésos se van como se han ido los contrarrevolucionarios.

P- ¿No importa que fueran técnicos o profesionales necesarios para la implementación de una república socialista?

R- En nuestro caso, nosotros abriríamos las puertas para que se pueda ir todo el que no se ajuste a los requerimientos de una patria que tiene que esforzarse para levantar sus bases firmes. El que quiera ser americano, se va para los Estados Unidos. Nosotros no le pondremos ninguna restricción.

P- ¿Quién cree usted que ganará las elecciones en Puerto Rico?

R- Yo creo que nadie podría decir con precisión en este momento qué partido va a ganar las elecciones. Lo que puedo asegurar es que no las va a ganar el Partido Independentista ni las va a ganar el Partido Socialista.

P- ¿Cuál de los dos usted cree que tenga mayoría de votos? ¿El Independentista o el Socialista?

R- Yo creo que el Partido Socialista, de todos los que participan en estas elecciones, va a ser el único que salga de las elecciones con un crecimiento notable. Va a ser el único que como resultado de las elecciones, se va a hacer evidente que es un partido en crecimiento y que los dos candidatos legislativos del Partido Socialista —compañeros Gallisá y Grant— tendrían mayor número de votos que cualesquiera otros candidatos de cualquiera de los dos partidos.

P- ¿Qué le beneficiaría más a su Partido — que ganara el Partido Popular o el Partido Nuevo Progresista?

R- Nosotros entendemos que en Puerto Rico se inició una crisis que es irreversible; que esa crisis seguirá profundizando gane el PNP o el Partido Popular y que se inició junto con esa crisis un despegue de la toma de conciencia de los trabajadores que seguirá avanzando gane el Partido Popular o gane el PNP.

De manera que no nos preocupa en absoluto cuál de los dos gane. Los dos son igualmente ineptos para sacar a Puerto Rico de la crisis y la crisis no tiene más solución que su transformación en la revolución socialista. Puerto Rico va a ser libre, soberano, independiente y socialista mucho antes de lo que piensan los que actualmente compiten en la carrera electoral por el menguado poder de la colonia capitalista.

"Mari Brás: Objetivo..." (continuación)

ESTADO LIBRE ASOCIADO DE

PUERTO RICO

POLICIA DE PUERTO RICO

OFICINA DE P INTELIGENCIA

FEB. 9 1976 FEB. 9 1976

_______ EL MUNDO _______ EL DIA _______ SAN JUAN STAR

8 EL NUEVO DIA—Lunes 9 de Febrero de 1976

Mari Bras a la carga contra Berríos

PONCE, (AP)- El secretario general del Partido Socialista Puertorriqueño, Juan Mari Bras, calificó ayer al presidente del PIP, Rubén Berríos, "de pequeño burgües, de ideas conservadoras y reformistas", alegando que esta colectividad expulsó "a todos los que representaban el empuje socialista".

Mari Bras dijo en una entrevista en Ponce, que este tipo de ideas del licenciado Berríos "no es nuevo", cuando se le preguntó en torno a la posición del Presidente del PIP "de no buscar la independencia mediante el odio hacia el pueblo y el gobierno de Estados Unidos".

"El compañero Berríos ha representado el punto de vista reformista dentro del movimiento independentista y dentro de su propio partido, y prevaleció su posición conservadora sobre el ala izquierda del PIP, que planteaba un rejuvenecimiento de ese partido", alegó Mari Bras.

MARI BRAS añadió que la posición del ala izquierda del PIP- el grupo marxista leninista- "fue lo que llevó a ese partido a un salto adelante en las elecciones de 1972".

"Después de eso prevaleció el compañero Berríos con sus concepciones pequeño burguesas, sus ideas conservadoras y reformistas, y expulsaron del partido a todos los que representaban ese empuje, entre los cuales estaban el compañero Carlos Gallisá y muchísimos líderes de ese partido", añadió.

010373

"Esos compañeros se han incorporado al partido donde verdaderamente pueden desarrollar su ideología, que es el PSP. Ahora están deslindados los campos, los independentistas de izquierda, los que plantean la solución socialista están en el PSP y los independentistas reformistas, los que siguen la línea del viejo partido Unión de Puerto Rico, Partido Liberal y el Partido Popular, esos son los que están en la línea del PIP", continuó Mari Bras.

Mari Bras pronosticó también que su colectividad "perforará el sistema electoral hecho para que no haya cambios en el sistema" y elegirá al licenciado Carlos Gallisá a la Cámara y al líder obrero, Pedro Grant, al Senado.

"Estoy convencido de que Grant y Gallisá tienen grandes posibilidades de ser electos", dijo Mari Bras, quien es candidato a Gobernador por el principal partido marxista del país.

ALEGO QUE LAS encuestas "de los partidos colonialistas", PPD y PNP, revelan que dos terceras partes de. electorado "[illegible] indecisos sobre como d[illegible] ar sus votos en las pro[illegible] elecciones" y se mostr[illegible] esperanzado de que su colectividad "obtenga una gran cantidad de esos votos".

En los círculos políticos se señala que para que un candidato salga electo al Senado o la Cámara debe obtener alrededor de 75 mil votos o que su partido quede inscrito.

"Mari Brás a la carga contra Berríos."
Periódico *El Nuevo Día*, 9 de febrero de 1976.

comentario político **Juan Mari Brás**

Los votos y la ONU

LUQUILLO -- Uno de los problemas que más preocupa a los independentistas de siempre, que acuden a las tertulias y charlas que estamos celebrando por toda la Isla, es el efecto que tendrá sobre nuestro planteamiento en Naciones Unidas la cantidad de votos que obtengan los partidos de la independencia.

Algunos plantean que al acudir a las elecciones tanto el PSP como el PIP estamos arriesgándonos a que nos cuenten en las urnas y que de esa manera se fortalezca la alegación de Estados Unidos de que solamente una pequeña minoría del pueblo puertorriqueño quiere la independencia.

En el fondo de esta preocupación, que es legítima y de buena fe, hay una aceptación inconciente de las premisas de los imperialistas y una curiosa intención de tapar el cielo con la mano.

Nuestro planteamiento en Naciones Unidas no depende de las estadísticas electorales. El colonialismo está proscrito en el mundo contemporáneo como cuestión de principios. El derecho de autodeterminación e independencia es **inalienable**. Eso significa que no puede renunciarse. Se asume que cuando un pueblo sometido a colonialismo renuncia su derecho a la independencia algo anda muy mal en ese pueblo. Y, efectivamente, no hay mayor muestra de la explotación y de la opresión que la pasividad de sus víctimas.

Todos los países coloniales han pasado por esos largos períodos de aparente aceptación del yugo imperialista. Unos y otros han sufrido múltiples altibajos en sus luchas libertarias. No son pocos los pueblos que hoy son libres y soberanos y que hace pocos años estaban sometidos a gobiernos extranjeros que aparentemente contaban con el apoyo mayoritario en las urnas.

Nosotros no sacamos nada con hcacerle creer falsamente a la ONU ni a nadie que la mayoría del pueblo puertorriqueño es en la actualidad activamente independentista. Obviamente, eso no es cierto. Si fuera cierto ya hubiéramos proclamado la república.

Invocamos un derecho que tiene nuestro pueblo a la independencia que es tan válido para los que lo exigimos como para los que en la actualidad no se atreven reclamarlo. Por eso cuando hablamos a nombre de todo el pueblo puertorriqueño en los cónclaves internacionales, no tenemos que mostrar mandatos especiales ni autorización expresa de la mayoría. No estamos rindiendo ni limitando los derechos de los puertorriqueños, sino reclamando que se nos devuelva la integridad de esos derechos que nos han sido conculcados. De ahí que los países no alineados y los del campo socialista, que juntos comprenden la mayoría del mundo, tanto territorial como poblacionalmente, nos reconocen a los luchadores de la independencia como los representantes legítimos del pueblo puertorriqueño y le niegan tal representatividad a la titerería colonial que funge como equipo gobernante del país.

Por otro lado, el consenso de la humanidad está de acuerdo en que los pueblos coloniales tienen derecho a utilizar todas las formas de lucha accesibles para conquistar su independencia. Esa lucha envuelve múltiples facetas, que se van desarrollando sucesiva o simultáneamente, no siempre a una misma velocidad. El despertar de la conciencia del pueblo, la articulación de su voluntad y la elevación de su organización para sentar las bases de un confrontamiento victorioso con los dominadores, son aspectos muy importantes de toda lucha de liberación.

La participación en el proceso electoral de 1976 va a servirnos para muchos propósitos en relación con el avance de nuestra lucha independentista y socialista. El más importante de ellos es precisamente el de expandir la toma de conciencia de clase y nacional por parte del pueblo puertorriqueño. Al mismo tiempo, en el curso de esta campaña se irá comprobando nuestra denuncia del carácter antidemocrático del proceso electoral en la colonia. Desde ahora vamos llevando un inventario completo de todos los discrímenes, las persecuciones y las desigualdades a las que someten al partido de los trabajadores en esta campaña. Cada vez que se nos niega una facilidad pública para una actividad, o que se rechaza la publicación de una declaración del partido o sus candidatos en los periódicos del sistema, o que se persigue a un grupo de militantes por el FBI o la policía política del "ela", se va aumentando el volumen de evidencia sobre el carácter colonialista de las elecciones.

Estamos haciendo un historial completo de toda la campaña desde los inicios del año 1976. No quedará un solo acto abusivo o discriminatorio que no quede consignado en este dosier. En agosto, cuando acudamos de nuevo ante el Comité de Descolonización de Naciones Unidas y ante la Conferencia Cumbre de los Países No Alineados en Colombo, Sri Lanka, presentaremos toda esa compilación de evidencia. Le analizaremos a los integrantes de esos importantes foros cuál es exactamente el punto en que se encuentra nuestro forcejeo independentista en este minuto histórico. Les advertiremos que estamos participando en las elecciones, conscientes de que todavía el aparato represivo y propagandístico del régimen logra mantener enajenada a la mayoría del pueblo y utilizarlo en sus maniobras electoreras.

Le pediremos al comité especial de la ONU que envíe una misión visitadora a Puerto Rico para que observe directamente cómo es que opera el proceso eleccionario en este país. Si ellos vienen y ven, no tendremos que argumentarles mucho. Basta con que observen la apabullante maquinaria de Populares y PNP, sostenidas por los grandes intereses capitalistas yanquis, en sus faenas de enajenar conciencias.

El apoyo que le estamos pidiendo a la comunidad internacional es de principio. Nos interesa reservar para el futuro el reconocimiento de esos principios. La solidaridad internacional se da en la medida en que se desarrolla y profundiza la lucha nacional. No estamos pidiendo en estos momentos que esa solidaridad se traduzca en ayuda material masiva para nuestro pueblo porque no hemos alcanzado aún las fases culminantes de nuestra revolución libertadora, donde sí necesitaremos la ayuda concreta del mundo entero. Por ahora es suficiente que se esclarezca la definición jurídica del derecho de Puerto Rico a la plena independencia y que se dé la ayuda material en términos de la divulgación internacional de nuestra situación.

Nada de lo dicho significa que no sea importante el número de votos que obtengamos en los comicios de noviembre. Será importante porque demostrará el crecimiento de este partido de vanguardia y consecuentemente el ascenso que va alcanzando la lucha. Cada voto socialista representa un jalón hacia la victoria de la independencia y el socialismo. Por eso, precisamente, es que un voto socialista tiene mucho más peso específico sobre la realidad política del país que cientos de votos por cualquiera de los otros partidos. Y por eso nos esforzaremos en tener tantos votos como sea posible, cuidando siempre que éstos sean reflejo de una toma de conciencia. Pero tampoco nos vamos a obsesionar por el resultado de la estadística electoral.

Muchos o pocos, los votos socialistas serán indicio de que esta lucha en desarrollo es irreversible y no puede tener más desenlace que la victoria definitiva.

20 de marzo de 1976 -- CLARIDAD 11

"Los votos y la ONU." Artículo de Juan Mari Brás.
Periódico *Claridad*, 20 de marzo de 1976.

EL DIARIO DE LOS TRABAJADORES

claridad

San Juan, Puerto Rico, viernes, 26 de marzo de 1976. Año XVII, Núm. 1031. 25c fuera de Puerto Rico. 15c

Declaración oficial PSP sobre asesinato

Horrendo crimen político

Asesinan hijo mayor Mari Brás

Vea página 3

En este paraje solitario de la carretera de Caguas-Río Piedras, fue hallado ayer el cadáver del joven socialista Santiago Mari Pesquera (foto insertada). Efectivos policiacos hacían ayer temprano inspecciones de rigor en el lugar donde fue perpetrado este crimen que el PSP ha denunciado como de clara motivación política. (Foto CLARIDAD por Rafael Robles.)

"Asesinan hijo mayor Mari Brás."
Portada *Claridad*, 26 de marzo de 1976.

Condena unánime en la Cámara

La Cámara de Representantes condenó ayer unánimemente el asesinato de Santiago Mari Pesquera, hijo del secretario general del Partido Socialista Puertorriqueño, Juan Mari Brás, y acordó enviar un mensaje de "sincera y profunda condolencia" al dirigente socialista a nombre del cuerpo.

La petición para el envío del mensaje y la condena al asesinato de Mari Pesquera fue presentada por el portavoz del Partido Popular Democrático, José Ramón Morales, quien solicitó que se realice una "verdadera y profunda" investigación que esclarezca el crimen.

La petición de Morales fue endosada por el portavoz del Partido Nuevo Progresista en la Cámara, Hernán Padilla, quien a nombre de su partido expresó sus condolencias a Juan Mari Brás y al Partido Socialista Puertorriqueño.

Expresiones de adhesión fueron formuladas también por otros representantes. Tras condenar el asesinato éstos exigieron una investigación exhaustiva del crimen que lleve a dar con los responsables.

Previo a la moción de Morales el representante socialista Carlos Gallisá denunció a la Cámara el crimen contra el hijo del Secretario General del PSP calificándolo como uno de claro móvil político.

Enumeró los distintos atentados recientes contra miembros y locales del PSP incluyendo los disparos que contra la residencia de los Mari Pesquera se hicieron el pasado viernes en la noche.

Gallisá, quien dijo que ésta es la primera vez que en [illegible] historia de Puerto Rico que se atenta y asesin[illegible] los familiares más cercanos, los hijos, de un dir[illegible]ente político para hacerle daño a éste, califi[illegible]ales actos como propios de la derecha fascista.

El re[illegible]esentante socialista aseguró que este tipo de acción "no nos llevará a actos improvisados y revanchistas como pretenden nuestros enemigos".

"Seguiremos haciendo lo que creamos necesario cuando lo creamos necesario," agregó.

En su intervención ante la Cámara, el portavoz del PPD, José Ramón Morales, señaló que este asesinato "tiene que causar la más seria indignación ante el pueblo puertorriqueño".

Otras reacciones

El gobernador Rafael Hernández Colón y varios legisladores "populares" y novoprogresistas lamentaron ayer el asesinato de Santiago Mari Pesquera, en tanto el Movimiento Socialista Popular (MSP) lo condenó enérgicamente, calificándolo de "claro crimen político".

Como es habitual en casos como éste, Hernández Colón dijo haber dispuesto "que asignen al esclarecimiento de este caso los mejores investigadores de la Policía y todos los recursos necesarios para fijar las responsabilidades que correspondan".

El presidente del Senado, Juan Cancel Ríos, dijo lamentar profundamente el asesinato del joven socialista, hijo del secretario general del Partido Socialista Puertorriqueño, Juan Mari Brás. Cancel Ríos dijo que enviaba su "más sentido mensaje de pésame y condolencia" a Mari Brás y demás amigos y familiares de Mari Pesquera.

Miguel Hernández Agosto, vicepresidente del Senado, dijo estar "conturbado" con la noticia del asesinato. Agregó que "dentro del dolor que compartimos con el compatriota Juan Mari Brás y demás familiares, quisiéramos encontrar alivio en que no sea esta una tragedia que responda a motivaciones políticas". El PSP, en el cual Santiago Mari Pesquera militaba como afiliado, denunció ayer el crimen como uno motivado políticamente.

En tanto, el portavoz novoprogresista en el Senado, José Menéndez Monroig, condenó el asesinato, enmarcándolo en un rechazo a toda violencia que él atribuyó al pueblo puertorriqueño.

Luis Ernesto Ramos Yordán, presidente de la Cámara de Representantes, expresó su consternación por la muerte de Mari Pesquera, y dijo esperar "que las autoridades competentes esclarezcan con la mayor prontitud y diligencia todas las circunstancias en las que se produjo este lamentable suceso".

El representante Severo Colberg también lamentó "este suceso, por tratarse del hijo de un compatriota y un ser humano". Expresó su condolencia personal al Secretario General del PSP y demás familiares de Mari Pesquera.

Tras condenar el asesinato, el Movimiento Socialista Popular afirmó que "el crimen político acaecido evidencia el curso que están tomando los ricos en Puerto Rico de pasar al asesinato de los socialistas como medio para evitar la toma de conciencia de nuestro pueblo y su camino a la revolución".

El MSP condenó también lo que llamó "declaraciones hipócritas del gobernador", quien dijo haber ordenado se esclarezca cuanto antes el crimen.

"Bien sabe el gobernador que los que han cometido esta fechoría son los mismos que con su anuencia han realizado más de 200 actos terroristas contra los luchadores de la independencia y el socialismo," afirmó el MSP, en un comunicado que firmó Luis Angel Torres, secretario general de la organización.

Agentes de la Policía inspeccionan en el cuartel de Caguas el vehículo en que viajaba Santiago Mari Pesquera cuando fue asesinado. (Foto CLARIDAD por Rafael Robles.)

Calero designa agente

El agente Ismael Rodríguez, adscrito al Negociado de Investigaciones Criminales de la zona de Caguas, dirigirá la investigación del asesinato de Santiago Mari Pesquera, anunció ayer el superintendente de la Policía, Astol Calero.

La designación de Rodríguez, descrito por Calero como "si no el más hábil, uno de nuestros más hábiles agentes," obedeció a la orden dada por el gobernador en el sentido de que se asignen los "mejores agentes al caso".

Calero informó que se inició ayer la investigación y que se espera tener información más concreta hoy. "La presunción es que fue un asesinato," afirmó.

"Haremos todo el esfuerzo que sea posible para aclarar este asesinato," concluyó Calero.

Declaración de la FUPI

"La Federación de Universitarios Pro Independencia (FUPI), a nombre del estudiantado universitario puertorriqueño, condena el cobarde asesinato de que ha sido víctima el compañero Santiago Mari Pesquera, hijo del secretario general del Partido Socialista Puertorriqueño, Juan Mari Brás.

"Las circunstancias que rodean este asesinato no dejan dudas sobre las motivaciones políticas del mismo. Este crimen se une a la larga lista de ataques y atentados perpetrados contra el movimiento independentista y muy especialmente contra el Partido Socialista Puertorriqueño, sin que hasta el momento se haya procesado a nadie.

"El compañero Santiago Mari estuvo integrado al trabajo de nuestra organización durante sus años de estudiante y se destacó por su firme y activa militancia durante la huelga universitaria de 1973.

"La FUPI hace llegar públicamente su más profunda manifestación de condolencia a los familiares de Santiago Mari. Así mismo, van dirigidas al compañero Juan Mari Brás y a los miembros del Partido Socialista Puertorriqueño, del que Santiago Mari fue militante, nuestras sinceras expresiones de solidaridad ante la pena que nos conmueve.

"Exhortamos a todo el pueblo y particularmente a los estudiantes a que expresen su enérgico repudio a este vil asesinato político.

"Al mismo tiempo, manifestamos nuestra firme determinación, que sabemos comparte todo el pueblo patriótico, de continuar la lucha por la independencia y el socialismo, que compartimos con nuestro compañero asesinado."

2 CLARIDAD — 26 de marzo de 1976

"Asesinan hijo..." (continuación)

'Horrendo crimen político'

Asesinan hijo Mari Brás

Santiago Mari Pesquera, hijo de Juan Mari Brás, secretario general del Partido Socialista Puertorriqueño (PSP) fue hallado asesinado en la mañana de ayer, en lo que fue calificado como "el más horrendo asesinato político en los últimos tiempos en Puerto Rico".

Santiago Mari Pesquera, de 24 años, hijo de Mari Brás y Paquita Pesquera, fue hallado por un transeúnte que pasaba por un área solitaria cerca de la ciudad de Caguas, e informó a la Policía.

El joven Mari Pesquera fue víctima de un balazo en la sien derecha y la Policía descartó que el móvil del crimen fuera robo o suicidio. El auto en que estaba Chagui, como se le conocía cariñosamente, propiedad de su hermana Rosa Mercedes y su esposo Leroy López, estaba en perfecto estado, así como las pertenencias y dinero que cargaba el fenecido joven.

En rueda de prensa celebrada ayer, Florencio Merced y Ramón Arbona miembros de la Comisión Política y Carlos Gallisá, miembro del Comité Central del PSP, expresaron que "este horrendo asesinato tiene claramente un carácter político y es la primera vez en la historia de Puerto Rico que se llega al extremo de matar al hijo de un dirigente político".

Dijeron que los otros dos hijos del máximo líder del Partido Socialista, Rosa Mercedes y Juan Raúl, venían siendo objeto de atentados, incluyendo disparos y amenazas por parte de criminales terroristas de derecha.

Se señaló que Chagui había pedido prestado por una hora el automóvil a su hermana, el miércoles a las 4:00 de la tarde.

Santiago Mari Pesquera tomaba un curso de aviación comercial en el estado de Oklahoma, en Estados Unidos, de donde había arribado a la Isla hace cerca de un mes. Exmiembro de la FUPI y alumno del Recinto de Mayagüez, era de los tres hijos de Mari Brás el menos activo en la lucha política y gustaba de la música como pasatiempo, y había estudiado en la Escuela Libre de Música durante sus años de secundaria.

A preguntas de la prensa, Merced expresó que los miembros y dirigentes del PSP están acostumbrados a amenazas y atentados "que ya hemos dejado de informar a la Policía, pues ésta nunca hace absolutamente nada por investigar".

"A dos años del atentado derechista en Impresora Nacional que dejó un saldo de dos heridos en el gerente de CLARIDAD Domingo Vega y el dirigente socialista Manuel de J. González, las autoridades no han hecho nada," dijo Merced.

Añadió que en un atentado reciente contra Rosa Mercedes, vándalos dispararon varias veces contra su residencia en la urbanización Río Piedras Heights, mientras gritaban: "comunistas, los vamos a matar a todos".

Juan Mari Brás se encontraba hasta ayer en Nueva York, donde cumplía compromisos del partido. Así mismo, Paquita Pesquera estaba en la misma ciudad, donde trabaja como profesora universitaria.

Los líderes del PSP anunciaron que el partido realizará una investigación sobre el asesinato, y manifestaron que "el crimen va dirigido a desquiciarnos políticamente, y a afectar el punto donde más duele a un padre, asesinando uno de sus hijos".

Rafael Criado, patólogo forense del Instituto de Medicina Legal, certificó que Santiago Mari Pesquera fue asesinado y que hubo forcejeos entre él y sus asesinos. (Foto CLARIDAD por Rafael Robles.)

Declaraciones Rubén Berríos

El presidente del Partido Independentista Puertorriqueño, Rubén Berríos Martínez, autorizó ayer las siguientes declaraciones en relación con el asesinato del joven socialista Santiago Mari Pesquera:

"Todos los miembros del Partido Independentista Puertorriqueño y yo en mi carácter personal y como presidente del partido nos sentimos profundamente conmovidos e indignados por el brutal asesinato del hijo mayor del distinguido amigo y compañero Juan Mari Brás.

"Todo nuestro pueblo demanda que se actúe con premura y sin negligencia de índole alguna para apresar a los responsables de este crimen.

"Quizás el mayor consuelo en estos momentos del compañero Juan Mari Brás y su familia sea saber que todos los hombres y mujeres que se precien de serlo en esta patria comparten su dolor."

OTRAS CONDOLENCIAS

Una delegación del Partido Nacionalista encabezada por su presidente Jacinto Rivera Pérez se personó al Comité Central del PSP a expresar sus condolencias por la muerte de Mari Pesquera.

Otros mensajes que llegaron a las oficinas del Comité Central del PSP incluían a José Luis Feliu Pesquera, la familia Homar, Oscar Pintado, líder de la UIET, Lorenzo y Carlos Piñeiro, el director ejecutivo del Tribunal Electoral, Ovidio Zayas Rivera, Ildefonso López, secretario general del Partido Popular Democrático, Jorge Font Saldaña, Jaime Benítez y Hernán Padilla.

Patólogo declara fue asesinado

Por Gloria Alonso
Redactora de CLARIDAD

"No tengo la más mínima duda de que fue un asesinato," dijo ayer el doctor Rafael Criado, patólogo forense que realizó la autopsia del cadáver de Santiago Mari Pesquera, en el Instituto de Medicina Legal.

Criado reveló que el disparo que mató al joven fue hecho a un pie de distancia de la sien derecha. La bala se alojó en el cerebro.

"Numerosos arañazos, contusiones y hematomas en el cuello y la boca" de Santiago Mari, indican que hubo un gran forcejeo entre el joven y su asesino, según explicó Criado.

"En adición, su mano derecha estaba engarrotada, lo que es muestra clara de que Santiago ofreció gran resistencia cuando se dio cuenta que iba a ser asesinado," dijo Criado.

El patólogo forense descartó la posibilidad de suicidio.

Ordenó a la Policía una prueba de parafina para determinar si el engarrotamiento de la mano de Santiago se debió o no a que intentó defenderse quitándole el arma a su agresor.

Otros indicios de lucha son la camisa desgarrada que llevaba el cadáver.

Según explicó Criado, el joven fue asesinado una hora y media después de haber comido. "Este detalle ayudará a determinar la hora de la muerte," dijo.

Criado realizará otros estudios encaminados a esclarecer otros pormenores del asesinato. Espera concluirlos para el lunes.

Santiago Mari Pesquera fue encontrado muerto ayer en la mañana, en el kilómetro 27.8 de la Carretera de Caguas. "No obstante, fue asesinado el miércoles," dijo Criado.

26 de marzo de 1976 — CLARIDAD 3

"Asesinan hijo..." (continuación)

comentario político

Declaración del Partido Socialista Puertorriqueño ante el asesinato del hijo de su Secretario General

(Nota de Redacción: Publicamos a continuación, en el espacio en que habitualmente escribe el compañero Juan Mari Brás, la declaración oficial del Partido Socialista Puertorriqueño (PSP) en torno al asesinato de Santiago Mari Pesquera.)

El Partido Socialista Puertorriqueño y el pueblo de Puerto Rico todo han recibido un golpe cruel e inescrupuloso.

Santiago Mari Pesquera (Chagui), joven miembro de nuestro partido e hijo mayor de nuestro secretario general, Juan Mari Brás, fue asesinado de un disparo a la cabeza. Su cadáver apareció en un paraje solitario de Caguas, encerrado en el automóvil en que viajaba, sin que estuvieran en el lugar las llaves del carro ni faltaran sus pertenencias de valor.

Es la primera vez en la historia del país que se asesina el hijo de un dirigente político. Nuestro partido denuncia ante el pueblo de Puerto Rico que quien está detrás de este asesinato repugnante y cobarde es la mano de quienes explotan a nuestro pueblo día a día, el imperialismo y sus agencias represivas.

Se trata de un atentado contra todo el pueblo puertorriqueño, porque introduce en nuestra convivencia de pueblo un elemento ajeno, que nuestro partido, como toda familia puertorriqueña, rechaza. En nuestra historia como organización de vanguardia en la lucha por la liberación de nuestro pueblo hemos sido víctima de todo tipo de agresiones, persecuciones y atentados, pero esta nueva agresión escapa a toda comprensión humana y despierta la indignación de toda la familia puertorriqueña.

Este crimen muestra toda la brutalidad a que es capaz de llegar el imperialismo en su afán por mantener a nuestro pueblo bajo la dominación colonial.

Las familias Mari y Pesquera saben plenamente cuán hondo el Partido Socialista Puertorriqueño comparte con ellos hoy el dolor de esta muerte desgarradora. Al comunicarles públicamente nuestro pésame, les reiteramos que el partido es la familia grande a la que tanto nuestro inolvidable Chagui como sus padres y hermanos pertenecen y que ahora más que nunca pueden contar con el calor y el apoyo que proporciona el seno del partido.

Al denunciar este crimen, le reiteramos a nuestro pueblo que puede confiar plenamente en que jamás flaquearemos, que jamás nos dejaremos intimidar por ninguna de las agresiones que puedan desatarse contra nosotros. Nuestro compromiso es inquebrantable.

Julio Vives Vázquez
Presidente
Partido Socialista Puertorriqueño

A 25 de marzo de 1976

Santiago Mari Pesquera mientras participaba en el piquete que auspició el Partido Socialista Puertorriqueño el pasado domingo frente al Capitolio, en repudio a las vistas del llamado "nuevo pacto".

Consternados líderes sindicales

Por Julieta Muñoz
Redactora de CLARIDAD

De consternación y rabia fue la primera reacción de más de una decena de dirigentes sindicales al enterarse ayer del asesinato de Santiago Mari Pesquera, hijo del secretario general del Partido Socialista Puertorriqueño (PSP), Juan Mari Brás.

CLARIDAD se comunicó con los líderes sindicales, quienes manifestaron indignación ante el "asesinato político", y sinceras expresiones de condolencia extensivas a los padres y hermanos del joven asesinado.

Radamés Acosta, secretario general
Unión Nacional de Trabajadores

"El asesinato del compañero Chagui ha sido perpetrado por elementos de la derecha, que demuestra la desesperación de estos elementos en unos momentos en que la lucha de independencia de nuestro pueblo y la figura de Juan Mari Brás han cobrado renombre mundial. La respuesta de los trabajadores ante este asesinato será escalonar nuestras luchas hasta eliminar de una vez y para siempre el fascismo de nuestra patria."

Luis Lausell, presidente
Capítulo UTIER de San Juan

"Estamos solicitando inmediatamente una investigación sobre este trágico suceso ya que en definitiva la versión que hasta ahora nos ha dado la radio es demasiado difusa. Nosotros entendemos que no había nadie en este país, que no fueran las fuerzas represivas, con motivo de hacer tal cosa. El pueblo entero está dolido con esta situación. Le comunicamos por este medio a nuestro compañero de lucha y amigo Juan Mari Brás, nuestro profundo dolor ante este desgraciado suceso."

Juan Vélez, presidente
Unión Autoridad de Comunicaciones

"Es espeluznante. Me acabo de enterar por la radio y en verdad no sé qué decirte. Espero que en esta ocasión la Policía de Puerto Rico y el gobierno del "ala" salgan de la parcialidad que siempre ha tenido contra los grupos minoritarios y ejerzan todo su poder para encontrar al culpable. . . El joven asesinado es hijo de uno de los máximos líderes políticos de este país. Sin lugar a dudas se quiere intimidar para evitar que las ideas de otros se propaguen. Esa es la impresión que tengo."

Elba Vallés de Blagg, presidenta
Unión Independiente ACAA

"Es un salvajismo. Hay que exigir una investigación inmediata y que se dé con el culpable o los culpables."

Walter Rodríguez, secretario Organización
APATE

"Definitivamente el asesinato constituye una provocación al independentismo puertorriqueño y esperamos que las autoridades pertinentes den con los culpables, aunque entendemos que es responsabilidad de todo el pueblo patriota puertorriqueño hacer justicia porque ya han habido más de 200 atentados contra independentistas en este país, y la "justicia" todavía no ha encontrado ni a uno. Ya es hora que el pueblo haga justicia con los recursos que tiene a mano."

Juan Ríos, secretario-tesorero
Unión Empleados de Hospitales

"A mí me llega bien a lo hondo. No sé qué decirte. Esto tiene que ser un asesinato político, tiene que ser así. . . A los socialistas los persiguen donde quiera. Exigimos una pronta investigación de las autoridades para que den con los asesinos."

José Juan Hernández, presidente
Unión Telefónicos

"Estamos muy acongojados. ¿Qué se podría decir que no sea denunciar nuevamente las medidas represivas de este sistema, los medios de fascismo que utilizan para amedrentar a la lucha de independencia de este país. . .? Nosotros sabemos que por eso arriesgamos nuestras vidas, nuestras familias. Repudiamos con toda la fuerza de nuestro espíritu este acto criminal y exigimos del gobierno de este país una intervención inmediata y que esta vez sí aparezcan los culpables."

28 de marzo de 1976 — CLARIDAD 5

"Declaración del Partido Socialista Puertorriqueño ante el asesinato del hijo de su secretario general"
Periódico *Claridad*, 28 de enero 1976.

editoriales

Ante la historia

(Ningún editorial que pudiera ofrecer a sus lectores este periódico hoy sería capaz de recoger en todo su profundo sentido el dolor con que el patriotismo puertorriqueño sepultó ayer el cuerpo de Santiago Mari Pesquera como lo sintetizaron las palabras del secretario general del Partido Socialista Puertorriqueño, Juan Mari Brás, padre del joven vilmente asesinado. Por eso, y para dejar ante la historia fielmente grabadas estas palabras, en lugar del acostumbrado editorial publicamos hoy la transcripción de esa extraordinaria oración fúnebre.)

Palabras de Juan Mari Brás al momento de dar sepultura a su hijo, Santiago Mari Pesquera

No pensaba intentar decir unas palabras esta tarde. Me lo impone un sentido de responsabilidad ante la historia que trasciende o debe trascender el torbellino de emociones que en estos momentos agita nuestra conciencia. Frente a la grandeza y la trascendencia histórica de los mártires, no hay derecho ni siquiera a cobijarse en el inmenso cariño de la paternidad para negarle el adiós postrer a este mártir de la independencia patria, que llega aquí a juntar sus cenizas con las de Fefel y Raúl, con las de Albizu, Gilberto y De Diego y todos los que a lo largo de la historia han sembrado esa semilla que ya nadie puede detener, la semilla de la patria puertorriqueña.

Doloroso es, más que para nadie para su madre; doloroso es para su abuelo, doloroso es para sus hermanos, doloroso es para todos sus familiares, amigos y compañeros, este tránsito traumático resultado de la más abominable degeneración en sectores criminales de la especie humana.

Bien doloroso. Ya a nosotros no pueden causarnos un dolor mayor. Agotaron todos sus recursos. Ya no tienen en sus manos una manera de golpearnos más hondo. Y a Chagui, nuestro querido y tierno hijito, le decimos: Hijo, te recordaremos minuto tras minuto en el resto de esta lucha de todos nosotros, que será el resto de nuestras vidas. Mientras tanto, como si no le hubiésemos ofrecido suficiente a esta patria su madre, sus hermanos, su abuelo y el que habla, aquí dejamos, en la tierra del poema de Gautier Benítez, junto a Fefel y a Raúl, junto a los mártires de la patria, un mártir más.

Y nuestro único compromiso es transformar el martirologio en heroísmo. No es la venganza lo que puede animar los corazones de seres tan hondamente heridos, que no podrían satisfacerse con un sentimiento tan banal, pequeño y mezquino como la venganza. Solo cuando transformemos ese martirio en heroísmo, el pueblo entero, el pueblo amado de Puerto Rico por el que cayó Chagui, por el que han caído todos en esta jornada más que centenaria, levantará a los cielos el monumento de una patria nueva; de una patria hermosa, de una patria donde no puedan darse jamás crímenes como éste.

EL DIARIO DE LOS TRABAJADORES
claridad
Orden Félix Elmuza, La Habana, Cuba
27 de marzo de 1976
Año XVII, Núm. 1032
Se publica diariamente por:
Editorial CLARIDAD
Toscania Núm. 1153
Urb. Villa Capri
Río Piedras, Puerto Rico 00924
Teléfonos: 781-7955 – 781-7775

Director
Ramón Arbona Martínez
Sub-directores
Gervasio Morales Rodríguez
Dixie Bayó Vargas
Gerente General
Domingo Vega Figueroa
Administrador
Luis Pérez Sánchez
Jefe de Redacción
Bernardo López Acevedo
Director Fundador
Raúl González Cruz
1945-1974

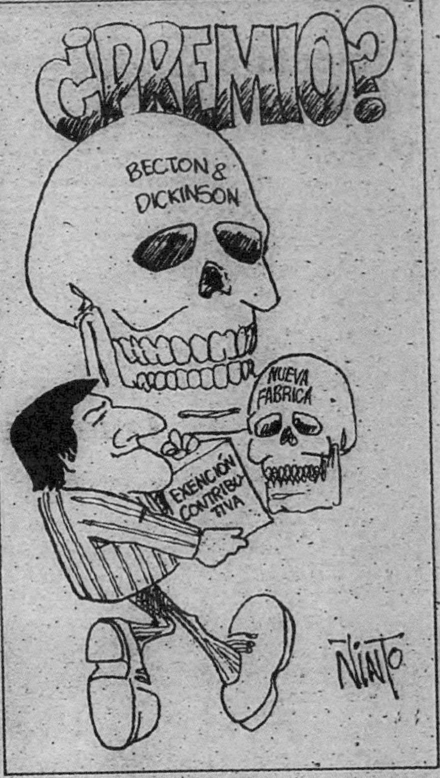

intercambio

Después de expulsar a los ingleses de Haití en 1798, Toussaint asumió el poder como gobernador y aprobó un proyecto de Constitución que declaraba a la Isla protectorado de Francia.

Pero Napoleón, que sólo aceptaba el dominio pleno de la colonia, envió una expedición bajo el mando del general Leclerc. El 6 de mayo de 1802 se firmó un tratado de paz, que Leclerc no respetó y envió como prisionero a Francia al fundador de la nacionalidad haitiana.

Tousaint fue internado en el Temple primero y luego en el fuerte de Joux, donde murió el 7 de abril de 1803.

* * * * *

Las Islas Malvinas formaron parte del territorio argentino hasta 1833, cuando Gran Bretaña, en un acto de fuerza, las ocupó e incorporó a sus sistema colonial. El 3 de enero de ese año, la corbeta inglesa "Cleo" se presentó en Puerto Soledad, en ese territorio, exigiendo el retiro del pequeño destacamento argentino. Finalmente lo ocuparon y expulsaron a casi todos los habitantes argentinos. Las razones que tuvo la potencia colonial fueron puramente expansionistas y las excusas baladíes. Alegaron la existencia de una placa de plomo que dejó en el siglo XVIII una expedición clandestina inglesa, que luego de intentar apoderarse de lo que era territorio español, se retiró voluntariamente.

* * * * *

En la frase "acaban de dar las diez en punto" sobran las palabras "en punto". No así en en caso de que la frase fuera "Son las diez en punto".

27 de marzo de 1976 – CLARIDAD 15

"Ante la historia." Editorial.
Periódico *Claridad*. 27 de marzo de 1976.

comentario político

Juan Mari Brás

Domingo rojo

El domingo 27 de junio de 1976 (mañana) podría marcar un salto de gran importancia histórica en las luchas del pueblo puertorriqueño por su liberación.

La asamblea socialista del Parque Sixto Escobar promete ser la comprobación elocuente del gran crecimiento que ha alcanzado nuestro partido. La clase obrera y las masas trabajadoras harán su primera gran demostración de fuerza política. Hace apenas un par de años habría parecido poco menos que imposible la celebración de una asamblea multitudinaria de un partido independentista, socialista y revolucionario en Puerto Rico. Este acto será la culminación de cinco meses de campaña intensa, durante los cuales se ha llevado la alternativa socialista a la conciencia de decenas de miles de trabajadores, cara a cara, en centros de trabajo, comunidades y centros escolares por todo el país.

Hemos comprobado, principalmente durante las últimas semanas el notable crecimiento que hay en las simpatías del pueblo trabajador hacia nuestro partido. En Orocovis, Comerío y Barranquitas; en Mayagüez, Hormigueros y Añasco; en Aguadilla y San Sebastián; en Hatillo, Camuy y Arecibo; en Bayamón, Cataño y San Juan, hemos visto durante la última semana millares de puños proletarios alzarse en expresión combativa de solidaridad a nuestro paso por carreteras, calles y caminos, en plazas públicas, plazas de mercado, comunidades y centros gubernamentales.

Las metas de movilización de todas las zonas visitadas por nosotros en estos días se han superado. Las colectas realizadas el pasado fin de semana por los organismos de base del partido para sufragar los gastos de esta movilización sobrepasaron las expectativas más optimistas.

Todo indica que la asamblea socialista del Escobar va a ser la más grande en toda la existencia del MPI y el PSP y que marcará un desarrollo de mucha monta en nuestra lucha: el surgimiento del primer partido revolucionario masivo en toda nuestra historia.

El hecho de que tal acontecimiento coincida con la celebración de la llamada cumbre de los países capitalistas le imprime a nuestra asamblea una mayor significación y resonancia. Precisamente en el momento en que Gerald Ford pretende reafirmar el propósito imperialista de retener a Puerto Rico como territorio colonial yanqui, se producirá un acto que indica a clara luz que este pueblo está encaminándose a la independencia y el socialismo.

La reunión de Ford y sus colegas de las principales potencias capitalistas tiene un objetivo imperialista que afecta a todos los pueblos del Tercer Mundo, del campo socialista e incluso de los mismos países capitalistas desarrollados. Según cable de Prensa Asociada que circuló esta semana, uno de los puntos principales de la agenda de esta reunión es lo que ellos llaman "el conflicto norte-sur". Indica el referido parte noticioso que "las naciones industriales de Occidente se encuentran en un estado de desorganización al acercarse a negociaciones críticas con los países en desarrollo." Mas adelante, el mismo cable señala que "funcionarios de Estados Unidos han advertido que este país y sus aliados sufrirán grave daño económico y político si fracasan en negociar efectivamente con las demandas del Tercer Mundo apoyado por las naciones comunistas".

De modo que queda claro que esta reunión va dirigida a conspirar contra los intereses del Tercer Mundo. Los pueblos de Asia, Africa y América Latina están reclamando sus derechos con mayor fuerza cada día. La política abusiva de precios impuesta por las potencias capitalistas en el mercado internacional, que prevaleció por largo tiempo, se está yendo a pique. Ya los pueblos productores de materias primas se cansaron de vender sus riquezas a precios de baratillo y comprar las maquinarias y otras mercancías norteamericanas, europeas y japonesas a precios muy altos. Estos magnates del gran capital internacional pretenden detener la rebelión del Tercer Mundo contra sus prácticas abusivas en el comercio internacional.

A nosotros nos corresponde, por lo tanto, protestar esta reunión de los capitalistas, no solamente a nombre de nuestro pueblo en lucha por la independencia, sino a nombre de todos los trabajadores del mundo y en particular de los pueblos del Tercer Mundo. El movimiento no alineado, que comprende fundamentalmente los países de ese Tercer Mundo, nos ha brindado apoyo y solidaridad para nuestra lucha de liberación. Nuestro partido representa al pueblo puertorriqueño en los cónclaves a todos los niveles del no alineamiento. Ahora mismo nos preparamos para enviar una delegación de alto nivel a la Cumbre de los No Alineados que se efectuará en Sri Lanka en agosto próximo. Tenemos, pues, la oportunidad de demostrar que ese apoyo es recíproco, que nosotros también tenemos el espíritu solidario e internacionalista para ofrecer respaldo a las grandes causas de la humanidad. No hay, por otro lado, mejor manera de demostrarle a los países del campo socialista y del Tercer Mundo la importancia estratégica que tiene la lucha por la independencia de Puerto Rico para toda la humanidad, que realizando la más masiva manifestación de protesta por esta reunión cumbre de los capitalistas.

De manera que mañana domingo vamos a condensar en unas cuantas horas campañas y metas que representan avances estratégicos de gran envergadura para nuestra lucha. Tenemos que trabajar con esmero durante las próximas horas para llevar a su culminación gloriosa estos actos. Deberá velarse porque haya una perfecta sincronización de itinerarios y horarios. Velemos por cumplir al pie de la letra cada detalle de este domingo rojo, en que convergen objetivos tan preciados de nuestro partido y el pueblo patriota y trabajador.

26 de junio de 1976 — CLARIDAD 11

"Domingo Rojo."
Periódico *Claridad*, 27 de junio de 1976.

EL DIARIO DE LOS TRABAJADORES

claridad

San Juan, Puerto Rico, lunes 28 de junio de 1976 Año XVII, Núm. 1109 25c fuera de Puerto Rico 15c

Vea Comentario Político y Editoriales

Más de 30 mil repudian la cumbre

La más grande

Mas de quince mil socialistas se reunieron en la asamblea de ayer en el parque Sixto Escobar, en apoyo a las posiciones y los candidatos del Partido Socialista Puertorriqueño, siendo esa la concentración roja más grande celebrada en la historia de Puerto Rico. Información y fotos en las páginas 3, 4, 5 y centrales. (Foto CLARIDAD por Rafael Robles.)

"Mas de 30,000 repudian la Cumbre."
Periódico *Claridad*, 28 de junio de 1976.

010665

Juan Mari Brás
Secretario General del PSP

EL NUEVO DIA—Miércoles 21 de Julio de 1976

Llamado al PIP:
MEJOR AHORA QUE MAÑANA

Ya se celebraron éxitosamente las asambleas de campaña de los dos partidos de la independencia y ambas colectividades se enfilan a la fase final de la contienda que culminará el 2 de noviembre. Conviene detenernos a reflexionar sobre la unidad en este instante, antes que caigamos unos y otros en el fragor de una lucha electoral que por su propia dinámica, va a acentuar las diferencias, y no las grandes áreas de ideología común, entre el PSP y el PIP.

Programáticamente, el PIP se definió en su asamblea del domingo como un partido independentista, anti-imperialista y socialdemócrata. Su presidente y candidato a gobernador, compañero Rubén Berríos, al responder a preguntas de CLARIDAD, manifestó que "el PIP usará los medios legales mientras pueda, pero cuando sea necesario acudirá a la ilegalidad". Luego, a la pregunta "¿incluyendo la lucha armada?", respondió categóricamente: "Sí, incluyendo la lucha armada si es necesario".

Es evidente que las diferencias entre el PIP y el PSP en este preciso momento histórico no son tan abismales que impidan el acercamiento y esfuerzo unitario que la más elemental prudencia patriótica reclama de ambos partidos.

El Partido Socialista Puertorriqueño es, al igual que el PIP, independentista, y anti-imperialista. A diferencia del PIP, es marxista-leninista. Nuestra visión estratégica de la lucha por la liberación patria difiere de la del PIP en tanto los socialistas, no solo reservamos el derecho a la lucha armada como alternativa "si es necesario", sino que proclamamos sin ambages ese derecho y afirmamos que su ejercicio sí es necesario para alcanzar la independencia, La diferencia, pues, se circunscribe —en este punto tan importante— a que los socialistas afirmamos la necesidad de la lucha armada, y el PIP no hace tal afirmación, pero tampoco niega la necesidad de ésta y expresa quo, de convercerse de que es necesaria, estará dispuesto a respaldarla.

En Europa Occidental los partidos marxistas leninistas y socialdemócratas han encontrado, o están en vías de encontrar en otros casos, las bases de una unidad que haga avanzar a la izquierda en las luchas políticas de distintos países. Uno de los invitados especiales de la reciente asamblea del PIP, nuestro amigo Lionel Jospin, pertenece precisamente a un partido —el Socialista Francés— que ha seguido éxitosamente la línea de unidad con el Partido Comunista Francés. En los pasados comicios presidenciales en Francia, el candidato de la izquierda fue el dirigente del Partido Socialista Francés, Francois Mitterand. Con el concurso de más de cinco millones y medio de votos comunistas, Mitterand obtuvo más del 48% del total de sufragios emitidos en la segunda vuelta de la elección presidencial, perdiendo por escaso márgen con el presidente electo Giscard. A no ser por la alianza de varios partidos de izquierda, y en particular los comunistas y los socialistas, Mitterand no hubiera obtenido un respaldo tan vasto.

Aparte de la ideología común, el otro factor que determina la necesidad y posibilidad de unidad entre los partidos de izquierda en cualquier lugar es el de la fuerza política que recíprocamente deben aunar los partidos que se juntan en alianza. En nuestro caso, esa necesidad ha quedado comprobada elocuentemente por las dos asambleas de los dos partidos de la independencia. El conjunto de ambos actos, el socialista del Escobar el 27 de junio y el del PIP del Bithorn el 18 de julio, indica claramente que el independentismo puertorriqueño ha crecido durante los últimos cuatro años. Señala, además, con suma nitidez, que ese crecimiento es mucho más marcado en el caso del Partido Socialista Puertorriqueño. Habría que estar en babia para no reconocer un hecho tan evidente. Si se compara la Asamblea Socialista de noviembre de 1971, celebrada en la Cancha Pepín Cestero de Bayamón, con la efectuada en el Coliseo Roberto Clemente en diciembre de 1975, y más aún, con la que celebramos en el Parque Sixto Escobar el pasado 27 de junio, veremos un crecimiento tangible que marca por lo menos una multiplicación por cuatro en términos de asistencia. No ha sido así en el caso del PIP. La asamblea del Bithorn del domingo pasado fue concurrida y mostró un gran entusiasmo de la masa pipiola. Pero evidentemente fue menor en asistencia a la de ese mismo partido, efectuada en el mismo lugar el 9 de julio de 1972. Tampoco se cumplieron las expectativas triunfalistas del liderato del PIP, que había anticipado la semana pasada que el acto superaría en asistencia, no ya las anteriores asambleas del PIP, sino incluso las de todos los partidos políticos de este país. **Es hora de que el liderato del PIP se detenga a examinar con sensatez los signos de los tiempos.**

No tenemos duda alguna que si seguimos actuando separadamente, el Partido Socialista Puertorriqueño seguirá creciendo a un ritmo mucho más marcado que el PIP y pronto alcanzaremos y sobrepasaremos en cantidad de apoyo a nuestro fraterno partido. Pero nuestros objetivos no se definen por tan constreñida competencia. Lo importante es que estamos viviendo un minuto histórico en que el independentismo podría dar un salto cuantitativo de grandes proporciones, que rompa el actual equilibrio de fuerzas políticas en el país, y se inserte con un apoyo sustancial, comparable al de los anexionistas y autonomistas, en el espectro político nacional. Con la enorme diferencia de que los independentistas seríamos la única fuerza en ascenso dramático al tiempo en que nuestra causa es la única que está engarzada a las corrientes victoriosas de esta época en el mundo.

Pero ese salto no puede lograrlo el PSP separado del PIP ni el PIP separado del PSP. Los que nos reunimos en el Escobar el 27 de junio seríamos unos ilusos insensatos si pretendiéramos desconocer, en la lucha de independencia, a los que se reunieron el domingo pasado en el Parque Hiram Bithorn. De igual manera no deben los reunidos en el Bithorn pretender ignorar a los que estuvimos reunidos en el Escobar hace algunas semanas.

Algunos independentistas consideran que la propia dinámica de los acontecimientos inducirá inevitablemente a la unidad futura entre el PSP y el PIP. **Estamos de acuerdo, pero advertimos que es mejor que esa unidad se produzca ahora que mañana. Y no vemos ninguna razón válida que pueda impedir que lo hagamos ahora, si hacemos un esfuerzo por rectificar actitudes negativas y respondemos a un reclamo del pueblo patriota y a la más elemental sensatez.**

Las encuestas realizadas por todos los partidos políticos indican que hay una porción sustancial del electorado que todavía está indeciso en cuánto a sus preferencias de partido para los comicios de noviembre. El muestreo que nos ofrece la rica experiencia vivida por nosotros en los últimos meses nos presenta una realidad que no puede haber estado ajena al liderato del PIP. Son muchos, muchísimos, los puertorriqueños que nos dicen que considerarían seriamente la alternativa independentista si los dos partidos de la independencia unieran sus esfuerzos en estas elecciones.

Por otro lado, no existen ahora ninguna de las razones que se debatieron en 1972 para rechazar la unidad electoral PIP-PSP. Ante esa posibilidad tan esperanzadora y hermosa, no hacer un esfuerzo por lograr ahora esos acuerdos unitarios sería un error del que vamos a arrepentirnos luego. ¿Por qué obsecarse en el error cuando todo confluye hacia el esclarecimiento pleno del camino certero?

Vaya este nuevo llamado fraternal al Partido Independentista Puertorriqueño, en nombre de los socialistas, a buscar la manera de integrar una alianza electoral que le plantee una alternativa amplia y victoriosa a nuestro pueblo para los comicios de noviembre próximo.

¡Abre camino al socialismo!

PARTIDO SOCIALISTA PUERTORRIQUEÑO

X

ANUNCIO POLITICO PAGADO

Mensaje del Partido Socialista Puertorriqueño

"Mejor ahora que mañana." Artículo de Juan Mari Brás.
Periódico *El Nuevo Día,* 21 de julio de 1976.

EL PARTIDO INDEPENDENTISTA PUERTORRIQUEÑO (PIP): SINTESIS DE LA LUCHA INDEPENDENTISTA[1]

Treinta años en la historia no es mucho pero, si esos treinta años se han vivido bien, con dignidad, con vergüenza y con patriotismo, valen más que siglos.

Hoy venimos aquí, a conmemorar la fundación del Partido Independentista Puertorriqueno (PIP), a agradecer a sus fundadores lo mucho que han hecho por la Patria y a celebrar lo que estamos viendo aquí en esta plaza y lo que estamos viviendo en todo Puerto Rico: el hecho innegable del gran resurgir del independentismo.

Nada de lo que estamos viendo aquí en esta noche, nada de lo que estamos viendo en cada rincón de Puerto Rico, ni un gesto de simpatía o de solidaridad, ni una sola sonrisa de generosidad, ni un sólo ¡viva! de alabanza a la Patria, se hubiera dado en 1976 en Puerto Rico si no hubiera sido por la gesta de los fundadores de este Partido.

Esta noche hay muchos de ellos aquí presentes. Para los que se fueron –y desde la perspectiva de los que creemos que esto no acaba aquí, en los confines de este globo terráqueo–, para los que desde el recuerdo están presentes también en este momento, todo nuestro agradecimiento. Los fundadores de este Partido que están aquí, lo único que tienen que hacer es mirar a su alrededor para darse cuenta de lo bien que sembraron, para darse cuenta de que la lucha jamás fue en vano. Sería injusto, pecaría de malagradecido, si me pusiera a mencionar nombres desde esta tribuna. El olvido de un solo nombre sería imperdonable de parte del que

1 Discurso pronunciado en Bayamón el 20 de octubre de 1976, en la conmemoración del trigésimo aniversario de la fundación del Partido Independentista Puertorriqueño (PIP), que se fundó en esa misma fecha en 1946, en Bayamón.

"Discurso de Rubén Berríos Martínez en el aniversario del PIP." 20 de octubre de 1976. *La independencia de Puerto Rico: Razón y lucha*, pp. 398-412.

recibiera el olvido y de parte de los buenos compañeros que recordara nombrar. Y son tantos los buenos puertorriqueños, fundadores de este Partido que viven todavía, que por eso no puedo mencionar nombres esta noche.

Sin embargo, hay un nombre que sí hay que mencionar aquí porque representa a todos los otros. Hay un nombre que hay que mencionar porque sin él jamás se escribiría la verdadera historia de Puerto Rico. Hay un hombre que hay que mencionar, porque tuvo la mayor de las heroicidades, fue héroe en tiempos no heróicos. No sufrió el inmediato calvario del que sufre el glorioso destino de morir en la lucha por su ideal, glorioso destino que ha sido alabado en todos los pueblos del mundo. Ser héroe así es difícil. Pero hay otra forma de ser héroe que es quizás más difícil todavía. Ser héroe en momentos heróicos es digno de alabanza. Pero ser héroe en momentos no heróicos es digno de mayor alabanza. Hay que reconocer aquí la heroicidad que nos enseñó un gran puertorriqueño, la heroicidad del que, al verse repudiado en el proceso electoral por la mayoría de este pueblo, no cesó ni un momento en su lucha, y jamás perdió la confianza en su pueblo, y jamás le echó la culpa a su pueblo.

Un hombre que es capaz de pasar por un calvario de más de veinte años casi solo, viendo cómo el pueblo está adormecido por los cantos de sirena de los que lo engañaron y lo traicionaron; un hombre que vio cómo las puertas que antes se habrían luego se cerraban; un hombre que vio como la mayoría de los que antes se acercaban a él, cuando el camino era de gloria y parecía fácil, se apartaban luego; un hombre que sólo tuvo junto a sí en ese calvario a un manojo de cirineos puertorriqueños muchos de los cuales están aquí hoy; un hombre que vio muchas veces cómo se mofaban de su trayectoria; un hombre que, por muchos años, no recibió un aplauso, ni vio una multitud como ésta; un hombre que escogió el "camino menos doloroso" —como él decía— para su pueblo; un hombre que aprendió la lección grande de José Martí: "Y con el pie en el barco de la guerra estaré, y si me encargasen que tentara la independencia por la paz, haría esperar al barco y la tentaría"; un hombre que aprendió del Maestro José Martí, cuyo busto tenía sobre el escritorio, aquellas palabras de que: "la mayor prueba de valor es contenérselo"; un hombre que padeció quizás la mayor de las desgracias, la desgracia de ver a su pueblo inundado con signos aparentes de progreso, adorando

"Discurso de Rubén Berríos..." (continuación)

el Becerro de Oro, sabiendo él que vendría la crisis tarde o temprano; un hombre que no fue comprendido porque fue demasiado bueno para ser comprendido en momentos de materialismo rampante; ese hombre representa aquí, en esta noche, a todos los hombres que han luchado por la libertad, y me atrevo a decir, sin temor a equivocarme ni de ser injusto con nadie que cuando se escriba la historia de la independencia de Puerto Rico dirán las futuras generaciones: el que tuvo la visión de unir la lucha de masas de José de Diego con la lucha de verticalidad patriótica de don Pedro Albizu Campos, el que conjugó espíritu y cuerpo, el que hizo carne el ideal, el que nos enseñó que había que seguir un camino puertorriqueño para conseguir la libertad de Puerto Rico, el que conjugó la lucha de siglos para hacer posible la libertad, ese hombre sí quiero mencionarlo esta noche aquí: ¡Ese fue Gilberto Concepción de Gracia!

Y ese gigante de este pueblo fue, a nombre de muchos otros hombres, grandes también, el encargado de fundar y de crear este vehículo de liberación. Entenderlo a él, es entender al Partido Independentista Puertorriqueño (PIP); no entenderlo a él es no entender, ni a este Partido, ni la posibilidad de triunfo en la lucha por la Independencia.

En Puerto Rico esta noche es de conmemoración, es noche de educación, y eso es lo que pretendo hacer.

En Puerto Rico, en los primeros años de este siglo, existió un líder independentista insobornable: don José de Diego y Martínez. Los que juegan con la historia a base de ver con la medida de hoy lo que pasó ayer, son unos injustos, unos mezquinos y unos infames. Don José de Diego y Martínez, no obstante lo que han querido hacer creer de él algunos supuestos nuevos revolucionarios,[2] fue un patriota inamovible en la lucha por la libertad de este pueblo. A don José de Diego y Martínez le tocó vivir años tremendamente difíciles en la lucha por la independencia. Fueron los que yo llamo los años del "deslumbramiento", los años en que parecía omnipotente el imperio que se venía encima sustituyendo al viejo imperio español; y don José de Diego y Martínez escogió el camino que él estimó ajustado en aquel entonces.

2 Se refiere a ataques lanzados en esa época contra José de Diego por sectores de la ultraizquierda, por supuestamente no ser "revolucionario".

"Discurso de Rubén Berríos..." (continuación)

A principios de siglo se unieron en un solo partido los autonomistas —los colonialistas— y los independentistas, en el Partido Unión de Puerto Rico,[3] con un ala independentista, bajo el liderato de don José de Diego, y un ala colonialista bajo un señor "cuyo nombre recordar no quiero"[4] en este momento. Luego de la gesta de don José de Diego, cuando logró crear fuerza independentista, cuando logró crear conciencia patria porque no se marginó del proceso histórico en aquel entonces, cuando hizo lo único que debe hacer un revolucionario, que según Martí es hacer en cada momento lo que en cada momento es necesario, luego de la muerte de don José de Diego surgió la otra vertiente independentista, la vertiente del nacionalismo, bajo el inmortal Maestro de nuestra Patria, don Pedro Albizu Campos.

Tampoco se puede juzgar a don Pedro y al Partido Nacionalista desde la perspectiva de 1976. Hay que juzgarlo desde la perspectiva de 1930, cuando en Puerto Rico el imperio era omnipotente y cuando cundía la desesperación económica y social. Don Pedro, por definición, no pretendió hacer un partido de masas en Puerto Rico. Pretendió formar un grupo bien instruido y bien dedicado de patriotas, que pudieran despertar conciencia en todos los rincones de Puerto Rico. Fíjense ustedes cómo difería esa vertiente de la vertiente de don José de Diego. De Diego pretendía aglutinar masa dentro de un partido que era mitad independentista y mitad colonialista. Don Pedro Albizu Campos pretendía reunir un grupo compacto y sólido compuesto exclusivamente de puertorriqueños independentistas que pudieran despertar la Patria en todo Puerto Rico.

Y luego, con la fundación del Partido Independentista Puertorriqueño (PIP), en 1946, por primera vez en la historia de Puerto Rico se unen ambas vertientes. Se une la idea del partido de masas, como lo quería hacer de Diego y la idea de un partido que no llevara la independencia acompañada de ninguna otra idea de *status*, como lo quería Albizu. El Partido se llamó Partido

[3] Con respecto al Partido Unión, véase capítulo III, discurso "La Historia de la lucha independentista".

[4] Se refiere a Luis Muñoz Rivera, líder del ala colonialista del Partido Unión y padre de Luis Muñoz Marín. Muñoz Rivera nació en Barranquitas en 1859 y murió en San Juan en 1916.

"Discurso de Rubén Berríos..." (continuación)

Independentista Puertorriqueño (PIP) para que no quedara duda alguna de que lo que buscaba este Partido era la independencia de Puerto Rico sin ninguna clase de coalición o componenda con ningún otro grupo de puertorriqueños que no creyera en la independencia, como lo había enseñado el Maestro Albizu. Y también recogió la vertiente de De Diego, bajo la convicción de que la única forma de hacer la independencia es con el pueblo entero, bregando con la realidad de este país y no con la realidad de otros países. *Eso es el Partido Independentista Puertorriqueño (PIP): la conjunción del movimiento de masas de José de Diego y del movimiento de verticalidad patriótica de don Pedro Albizu Campos.*

Lo que hizo en 1946 Gilberto Concepción de Gracia no se pudo haber hecho en el tiempo de De Diego ni en el tiempo de don Pedro Albizu Campos. Solamente se podía hacer después del trabajo y la preparación que hicieron esos dos líderes.

Sin Partido Independentista Puertorriqueño (PIP), jamás se hubiera abierto la posibilidad real de la República para Puerto Rico. *Don Gilberto Concepción de Gracia creó el vehículo para traer la independencia. Sin vehículo, sin instrumento, un pueblo, por sí solo, no puede hacer la independencia.*

Hablar de la libertad de esta Patria sin hablar del vehículo que va a traerla, es hablar en palabras nada más. Tan importante es en la lucha el fin como el método que se utiliza para llegar a ese fin. Así de grande es lo que nos legaron los fundadores.

La idea de la independencia, de por sí, no es suficiente. Se necesita un instrumento que la haga viable. Es como nos cuenta el Géneris de la creación. Al principio, el ser humano existía en la mente del Creador, pero fue en la Creación donde se convirtió en realidad. Así pasó con el independentismo. Los siglos anteriores fueron gestores. Betances, Hostos, De Diego, Albizu, precursores. Gilberto Concepción de Gracia, el hombre que creó el Partido para la liberación de Puerto Rico. ¿Qué cuál es más grande? ¡Todos son el "más grande"! Todos son los picos de la cordillera de este pueblo.

Gilberto y los fundadores del Partido nos legaron el instrumento en el 46. Del 46 hasta ahora ha transcurrido un trecho de treinta años. Y debemos entender, aunque sea someramente, lo que ha sucedido para, así, poder entender lo que está sucediendo y lo que va a suceder.

"Discurso de Rubén Berríos..." (continuación)

En esos treinta años hubo un periodo inicial de gran crecimiento de la fuerza electoral del independentismo. Este crecimiento se debió, particularmente en 1952 a que muchos derrotistas vinieron al Partido Independentista Puertorriqueño (PIP) de los viejos partidos Liberal y Socialista, que desaparecieron en aquel entonces. Los 126 mil puertorriqueños que votaron por el Partido Independentista Puertorriqueño (PIP) en 1952 no eran independentistas todos. Había muchos independentistas, pero había muchos que solamente votaron por el Partido Independentista Puertorriqueño (PIP) para tratar de derrotar al Partido Popular Democrático (PPD) en 1952. Prueba de ello es que, después del 52, cuando, a través del uso del dinero de los grandes intereses y de la prédica antiindependentista del Partido Popular Democrático (PPD), empieza a surgir el Partido Estadista Republicano (PER), esa fuerza derrotista se va del Partido Independentista Puertorriqueño (PIP) y vota por el Partido Estadista Republicano (PER, en 1956.[5]

Desde mediados de la década del cincuenta en adelante el Partido Independentista Puertorriqueño (PIP) comienza a declinar electoralmente. Y ¿por qué comienza a declinar la fuerza del Partido Independentista Puertorriqueño (PIP)?

En Puerto Rico en la década del cincuenta cobra ímpetu el proceso de industrialización, el proceso de la sustitución de la economía del campo por la economía de la industria y de la ciudad; proceso que ha sucedido también en muchísimos países independientes del mundo, y que no es exclusivo de esta colonia. Pero el Partido Popular Democrático (PPD) logra identificar ese proceso a través del control de la propaganda con su posición de repudio a la independencia y con su gestión como partido. Y el que venía del campo y tenía que quitarse los zapatos para llegar al pueblo, vio cómo se construía una carretera que pasaba cerca de su hogar y ya no se tenía que quitar los zapatos. El que se ganaba veinte centavos la hora, se empezó a ganar 85 y un peso la hora. (No porque los capitalistas fueran buenos sino porque usted puede pagar un peso la hora explotando a un obrero en un fábrica más fácilmente que pagarle 10 centavos explotándolo en la caña. No porque fueran buenos, sino porque así es el pro-

[5] Para un análisis de este descenso electoral, véase capítulo 11, artículo "El problema colonial de Puerto Rico y la estrategia independentista", p. 141.

"Discurso de Rubén Berríos..." (continuación)

ceso). Y el pueblo asoció ese cambio de lo rural al urbanismo, de la central de caña a la fábrica de Fomento, con el liderato del Partido Popular Democrático (PPD) y con la postura antiindependentista de ese liderato.

El liderato del Partido Popular Democrático (PPD), además, socavó las fuerzas independentistas mediante la persecución descarnada y abusiva a la que sometió al nacionalismo y al Partido Independentista Puertorriqueño (PIP) del 50 al 54, cuando encarceló a cientos de puertorriqueños que luchaban por la independencia. Y el factor de la persecución de la década del 50, y el factor del cambio social que se experimentó de la era del capitalismo agrario a la etapa capitalista industrial, es lo que explica el enorme poder que desarrolló el Partido Popular Democrático (PPD) que entonces crea una burocracia gubernamental; y, a base de prebendas, a base de puestecitos, a base de posiciones y de becas, y de regalitos, el monstruo de la burocracia empieza a crear sus propios hijos. Y durante un largo tiempo que llega hasta 1968, el Partido Popular Democrático (PPD) se encuentra cómodamente en el poder.

Al mismo tiempo un número elevado de puertorriqueños tuvieron que emigrar a los Estados Unidos de Norteamérica –aliviando la situación económica del país– en lo que los colonialistas llaman la "válvula de escape", porque los exportaban de los arrabales de Puerto Rico hasta los arrabales de Nueva York y ahora, dicho sea de paso, le quieren hacer un monumento al jíbaro puertorriqueño. Y pasa lo que tenía que pasar; no es nada raro. Las fuerzas asimilistas crecieron por causa de la prédica antipatriótica del Partido Popular Democrático (PPD) y de la integración de la economía de Puerto Rico a la norteamericana y declinó el independentismo por la persecución y porque la gente asoció el llamado "progreso" con la postura antiindependentista y colonialista del Partido Popular Democrático (PPD).

No estoy haciendo historia antigua. Más tarde, a mediados de la década del 60, mis queridos hermanos, la burbuja revienta. Entonces empieza a hacer crisis la economía colonial. Y yo quiero que ustedes entiendan bien por qué empieza a hacer crisis. Por lo mismo que les había dicho ya Gilberto Concepción en 1948: porque la economía no era nuestra, y por lo tanto, no estaba bajo nuestro control.

"Discurso de Rubén Berríos..." (continuación)

Ese cambio del campo a la fábrica al que me referí se hizo posible por una serie de razones.

Si tomamos en cuenta: Primero, porque había más bajos salarios en Puerto Rico que en Estados Unidos de Norteamérica; segundo, porque exportaban a los puertorriqueños por cientos de miles para los arrabales de Nueva York; tercero, porque no había competencia en los mercados norteamericanos porque el mundo acababa de pasar por una guerra y Puerto Rico exportaba a los Estados Unidos de Norteamérica prácticamente sin competencia. Esas tres razones principales, unidas a otras fueron las que empezaron a dar margen a que se establecieran aquí las fábricas norteamericanas en lo que se llamó la operación "Manos a la obra".[6]

Pero, poco a poco, los salarios empezaron a subir. ¿Por qué? Porque, si los obreros tenían que comer a precios de Nueva York, no podían recibir salarios de Haití. Tenían que demandar que los salarios subieran. Entonces, cuando los salarios subieron, ya no era tan fácil establecer una fábrica en Puerto Rico, sino que las fábricas se iban para Haití, para la República Dominicana, para África, Asia, u otros lugares donde la mano de obra era más barata.

Segundo, Europa se recupera de la guerra y empieza conjuntamente con las nuevas naciones del tercer mundo a exportar para los Estados Unidos de Norteamérica zapatos, medias, pantalones, lo que se hacía en Puerto Rico. Y lo hacen a precios más baratos. Y ya se les hacía más difícil a los industriales norteamericanos establecidos en Puerto Rico exportar hacia Norteamérica.

Además los puertorriqueños que habían emigrado —a quienes el gobernador, dicho sea de paso, les echa la culpa del desempleo en Puerto Rico— los puertorriqueños a quienes ellos les habían prometido, con micrófonos por los campos, el paraíso terrenal en Nueva York cuando llegaron allá, se dieron cuenta de lo que era aquello, y dijeron: "Para que me muerda una rata al nene aquí en Nueva York, mejor me voy debajo de un flamboyán a respirar aire de mi Patria". Y, compatriotas, ¡con mucha razón muchos

6 En el capítulo II, artículo "La Independencia de Puerto Rico: única solución", se analiza este proceso de la "Operación manos a la obra". Se ha optado por dejar el texto del presente discurso intacto, sin eliminar la inevitable repetición, pues aquí se explica el proceso de decaimiento económico de una forma sencilla.

"Discurso de Rubén Berríos..." (continuación)

volvieron! ¡Nuestros queridos hermanos nunca se debieron haber ido de esta tierra que es la suya! Y nuestros brazos están abiertos para ellos.

En resumen, cuando cambiaron las condiciones que habían permitido el supuesto "milagro" del crecimiento económico de Puerto Rico, el barco de la colonia empezó a hacer agua y se empezó a hundir. Eso es ya para el 65 y el 67. Ya las fábricas no venían y, entonces, ¿qué hizo el gobierno? Primero hizo lo siguiente, y es importante que ustedes lo entiendan: Primero, se metió en deudas. Como no había producción suficiente, pues lo primero fue meterse en deudas, coger prestado. Cuando no se tiene dinero, hay que pedir, o regalado o prestado. Lo que pasa es que uno puede pedir pretado hasta cierto punto. Por deber demasiado esa puerta se les está cerrando. Lo otro que hicieron fue estirar más la mano para pedir dinero a los Estados Unidos de Norteamérica.

Y la producción estancándose progresivamente. Había que sacar más dinero de algún lado. ¿De dónde van a sacar el dinero? De la clase media, en contribuciones sobre ingresos y de la clase media y la clase pobre, en impuestos sobre el consumo. Tres cuartas partes de los ingresos por contribuciones en este país vienen de la clase pobre y de la clase media. Las grandes corporaciones no pagan contribuciones. Es decir, los pobres y la clase media pagan tres de cada cuatro pesos que recibe el gobierno.

Populares, penepés, independentistas, pagan las contribuciones para que se hagan las carreteras para que se puedan transportan los productos petroquímicos, para que los grandes intereses se hagan millonarios en Puerto Rico.

Ya para 1968 hay una conciencia en Puerto Rico de que se estaba el pueblo, que se tiró en brazos de los republicanos [*i. e*, Partido Nuevo Progresista (PNP)] en 1968 y al darse cuenta de Partido Nuevo Progresista (PNP) en 1968 y al darse cuenta de que los republicanos no representaban una salida volvió al Partido Popular Democrático (PPD) en 1972. Y ahora que volvió al Partido Popular Democrático (PPD), dice: "pero si éstos no sirven tampoco. . . ¿Qué he hecho?"

El Partido Independentista Puertorriqueño (PIP), a través de ese proceso, tuvo que ajustar algunas de sus ideas —no sus principios, que son los mismos hoy y siempre— sino sus ideas en

"Discurso de Rubén Berríos..." (continuación)

cuanto al ordenamiento socioeconómico de la sociedad para adaptarlas a una realidad nueva.

Ahí es que surge nuestro programa en el 70, de Independencia, Socialismo y Democracia.

Independencia no quiere decir tener una República de nombre, para coger órdenes de otro país. Independencia quiere decir que aquí mandamos nosotros. Lo que pasa es que el colonialismo cala hondo, y no solamente afecta al pueblo en general, sino que, muchas veces, afecta a los que luchan por la independencia también, porque el virus del colonialismo es tremendo. Entonces se puede caer fácilmente en sustituir un colonialismo mental por otro colonialismo mental. Y ese es un problema con que tuvimos que bregar desde 1970 hasta 1974 en este Partido. No es cuestión de salir de esta órbita para caer en aquella órbita. Es cuestión de salir de todas las órbitas, para gitrar libremente entre todos los pueblos del mundo. *No es cuestión de ser satélite, es cuestión de ser planeta.* Y esa fue la gran batalla de este Partido del 70 en adelante. Tres años nos tomó dirimirla.[7]

Y hay algunas concepciones, que ven la Patria y la independencia meramente como un medio para establecer, supuestamente, una "patria de patrias". ¿Dónde está esa "patria de patrias?" ¿Dónde es que existe esa hermandad entre países en la cual los pequeños pueden vivir sin que los grandes los exploten? ¿O es que, acaso, por ejemplo, la disputa entre China y la Unión Soviética se da entre países capitalistas? ¿Qué le pasó al internacionalismo proletariao entre China y la Unión Soviética? ¿Habrá alguien tan osado o ingenuo como para decir que la Unión Soviética practicaba el internacionalismo proletario cuando les pasaron los tanques por encima a los patriotas checos? ¿Habrá alguien tan osado, por otro lado, como para decir que los Estados Unidos de Norteamérica están usando el internacionalismo democrático cuando atropellan al pueblo de Vietnam? ¿O estaban los Estados Unidos de Norteamérica pensando en la hermandad panamericana cuando metieron los marinos en Santo Domingo, nuestra República hermana? No, compatriotas. Hoy en día, la primera obliga-

7 Aunque este proceso de definición ideológica que se recoge en las próximas páginas ya fue analizado ampliamente en el capítulo VI, "La Independencia y el Socialismo Democrático", se ha estimado conveniente incluirlo ya que provee un marco histórico imprescindible para comprender la historia del Partido Independentista Puertorriqueño (PIP).

"Discurso de Rubén Berríos..." (continuación)

ción de toda persona que aspira al mejoramiento de su propia sociedad es la de darse cuenta de que eso que falsamente llaman internacionalismo, es una rémora del siglo pasado que no existe én la realidad.

Resuelto ese problemita del colonialismo de la ultradizquierda, el Partido concretó su nueva filosofía: Independencia, Socialismo y Democracia.

La independencia, es como el amor a la madre de uno, nadie se lo tiene que explicar. La independencia a la cual me refería hace unos momentos, la independencia en la cual aquí mandemos nosotros. Que aquí no mande más nadie, nada más que el que es de esta sagrada tierra. Que en Santo Domingo manden los dominicanos, que en Venezuela manden los venezolanos, que en Cuba manden los cubanos, que en los Estados Unidos de Norteamérica manden los norteamericanos, y que en Puerto Rico manden los puertorriqueños.

Yo estoy seguro de que, si mañana sucdiera la desgracia histórica —que no va a suceder— de que, por Guánica, vinieran unos nuevos invasores, de donde fueran, de Sud África, de Marte, para no mencionar otros países— de inmediato algunos malos hijos de esta tierra les irían a ofrecer el Estado Libre Asociado (ELA), y otros de inmediato les irían a pedir la integración. En 1898 con la tranquilidad más grande del mundo, bajaron la bandera española y treparon la bandera americana. Hoy en día pasaría lo mismo. Los independentistas seríamos los primeros que estaríamos en esas playas, pero dando el pecho para que no pisara un invasor.más nuestra Patria.

La independencia que postula el Partido Independentista Puertorriqueño (PIP) es una independencia plena dentro del marco de la hermandad, y la relación con todas las naciones del mundo. Es una independencia grande, no una independencia pequeña. El nacionalismo vuelvo a repetirlo, es la única forma de proteger la independencia de los países pequeños de la voracidad de los países grandes, sean del bloque que sean. Y eso lo ha probado la historia reciente.

Una vez tengamos esa independencia, hay que usarla bien. Es lo que el Partido ha llamado el Socialismo Democrático. No "democrático" por ponerle un apellido que le guste a la gente, no se equivoque nadie. Democrático, porque creemos en la democracia. Este Socialismo nuestro tiene que hacerse —no es

"Discurso de Rubén Berríos..." (continuación)

cuestión de que queremos que se haga, tiene que hacerse— con la protección de las libertades individuales de todos los puertorriqueños. No solamente de los que creen como nosotros, sino también de los que no creen como nosotros. Porque libertad es permitirle libertad al que no cree como uno. La libertad individual no es un logro del capitalismo, como ignorantemente creen algunos que la asocian con los Estados Unidos de Norteamérica; es un logro de la humanidad. La libertad de adorar a Dios como uno crea conveniente, de organizar diversos partidos políticos, de asociarse libremente, la libertad de expresión y de escribir e imprimir lo que uno crea necesario imprimir. Las libertades humanas y civiles clásicas van a estar garantizadas por la Constitución de la República de Puerto Rico, porque son ganancias de ese pueblo. Al fin de cuentas, ¿de qué vale el *confort* material, de qué vale tener el estómago lleno, si el hombre no tiene la libertad de actuar según su propia conciencia dentro del respeto a su prójimo?[8]

Y en ese sistema de Independencia, de Socialismo y de Democracia, es que creemos los miembros de este Partido. Y el instrumento que recoge estas ideas, que son las únicas que pueden envolver al pueblo en la lucha por la libertad, es el Partido Independentista Puertorriqueño (PIP). ¡Nuestro glorioso Partido!

Luego de treinta años, ¡aquí está el Partido! Más fuerte, más creyente en sí mismo que nunca antes. No tomemos ninguno de los atajos ni nos desviamos desesperados por ninguno de los caminos fáciles. Porque la desesperación por un lado, y la copia o la claudicación, por otro, son los caminos fáciles. Difícil es ir aprendiendo a tientas, como aprenden los pueblos, tropezando y volviéndose a levantar, cayéndose y volviéndose a levantar. No avergonzarse de caer, y avergonzarse menos aún de levantarse todos los días.

Fuimos tejiendo durante treinta años, en este telar magnífico que nos legaron los fundadores de este Partido, puntada a puntada, con cariño, con fe en este pueblo, con confianza en nosotros mismos. El camino ha sido difícil, pero aquí está el instrumento. Antes teníamos el instrumento y no teníamos la oportunidad

[8] Se ha omitido aquí una explicación sobre el socialismo por estar incluida en el capítulo VI.

"Discurso de Rubén Berríos..." (continuación)

histórica. Ahora, tenemos el instrumento puesto al día con las nuevas corrientes de pensamiento y tenemos el momento histórico apropiado.

De ahora en adelante hace falta una cosa nada más: trabajo para engrandecer a este Partido. Si todos los que están aquí esta noche tienen plena conciencia de esta historia limpia, de esta estela de vergüenza que ha dejado este Partido; si tienen plena confianza en la fortaleza de su ideología, porque surge, no de la imaginación de un genio, ni de la mera lectura de un libro sino de la entraña sufrida del pueblo trabajador puertorriqueño; si ustedes tienen plena confianza, todo es posible. Pero no es con el trabajo mío o de los miembros de la Comisión Política, o de los líderes locales de cada pueblo que se va a hacer la libertad de nuestra Patria. Es con el trabajo de cada uno de nosotros. Esta es una gestión de pueblo. Y cada uno de nosotros tiene que hacer su contribución, particularmente en esta parte final de la campaña electoral.

La obligación de ser funcionario de colegio es de todos los independentistas, no sea que los que han sido tan corruptos en el gobierno del país, también quieran ser corruptos con los votos del Partido Independentista Puertorriqueño (PIP). Más aún, el voto mixto, que es un voto de transición de los partidos coloniales al Partido Independentista Puertorriqueño (PIP) se va a multiplicar en estas elecciones y tiene que estar el independentista presente allí, por supuesto, el independentista que jamás vota mixto, porque nosotros votamos por ideología y no por hombres, porque el amor al Partido y el amor a la Patria no se comparte, igual que no se comparte el amor a la madre. Tienen que estar todos y cada uno de ustedes allí, en esa mesa, defendiendo los votos del Partido. Tienen que garantizar la limpieza del proceso electoral.

Tienen que convertirse ustedes, de aquí al día de las elecciones en predicadores. Cada uno de ustedes se tiene que poner una meta sencilla, además de su trabajo en cada comité, piensen en dos o tres personas no más. Y esas dos o tres personas son las que usted va a convencer antes del próximo 2 de noviembre. Su esposa, su esposo, si todavía no es independentista, su papá, su mamá, su hermano, su primo, su compañero de trabajo, su vecino. Esos dos o tres que usted tiene en su mente, en los que están pensando ahora mismo. Esos dos son. Esos tres son. Dedí-

"Discurso de Rubén Berríos..." (continuación)

quele todo el tiempo a ellos. Mañana, tarde y noche. Si los independentistas hacemos eso, el susto y la canillera después del 2 de noviembre entre los colonialistas van a ser inmensos, sus rodillas van a parecer castañuelas.

Compatriotas, si ustedes no hacen esa labor y no cumplen con esa obligación, todo lo que se ha hecho corre el peligro de perder gran parte de su ímpetu. Esos treinta años de lucha, estos últimos tres años y medio de trabajo y de definición, el trabajo de ustedes de todos los días, si no estamos ahí el día de las elecciones, y si no trabajamos en estos últimos días de la forma que tenemos que trabajar, corre el peligro de perder ímpetu.

Nunca pierdan la confianza en el que van a convencer. Si no tenemos confianza en el hermano puertorriqueño que todavía no está con nosotros, la Patria Libre nunca llegará, porque la Patria Libre la tenemos que hacer los puertorriqueños. La Patria puertorriqueña hay que hacerla con puertorriqueños. Y hoy, muchos de ellos todavía están en otros partidos. No pierdan la confianza en ellos. Piensen en esos dos o tres que van a convencer. Recuerden que este pueblo ha tenido mala suerte, históricamente hablando. Cuando teníamos casi vencido al imperio español llegó el naciente imperio americano, deslumbrando las imaginaciones en Puerto Rico. Esa mala suerte la han sufrido pocos pueblos en el mundo. El colonialismo no es culpa de este pueblo, es culpa de los imperialistas y de dos o tres apátridas que ellos siempre se buscan para que les hagan el juego en cada una de sus colonias. Si Cristo tuvo uno entre doce, que lo traicionó, no es raro que los pueblos tengan uno, dos o tres, entre tres o cuatro millones. No es culpa de nuestro pueblo.

Este pueblo es sano, este pueblo es grande, este pueblo es trabajador. Hoy en día una gran parte del mismo recibe cupones porque no se le da la alternativa de trabajar por un salario justo en un oficio honrado. Pero este mismo pueblo que recibe cupones porque no puede hacer otra cosa, es el pueblo que se va a las fincas de los Estados Unidos de Norteamérica a trabajar en el frío o bajo el sol. Es el mismo pueblo cuyos padres trabajaron doce horas al día para que hubiera decencia y honradez en los hogares puertorriqueños. Es el mismo pueblo que volverá a trabajar cuando se le de la oportunidad de trabajar. Es el pueblo de Betances; es el pueblo de Ruiz Belvis, que murió abandonado en la soledad de un destierro, igual que Gilberto murió abandonado

"Discurso de Rubén Berríos..." (continuación)

en la soledad del destierro de la incomprensión de su pueblo. Este es el pueblo de Hostos, que enseñó a pensar a América; este es el pueblo, mis queridos hermanos, de un José de Diego, que mantuvo esa antorcha firme en los momentos del deslumbramiento. Es el pueblo de Pedro Albizu Campos, que levantó a todo un pueblo que estaba de rodillas y lo puso de pie.

Es el pueblo de don Gilberto Concepción de Gracia. Es el pueblo que nunca se ha rendido. Este pueblo ha demostrado, en casi 500 años de colonización, que en un territorio relativamente escaso, geográficamente hablando, y con solamente tres millones de habitantes, es capaz este pueblo nuestro de ponerse de frente a los dos imperios más grandes de los últimos cinco siglos, y todavía llamarse puertorriqueño cada hombre y mujer de esta sagrada tierra. Un pueblo así es un pueblo que no puede morir jamás, porque ya pasó por todos los calvarios.

Ahí está ese pueblo grande con el que vamos a construir la libertad. Es momento de ir a recoger, es momento de tirar las redes para traer la pesca abundante de la liberación a esta tierra. Y no compete esa gestión solamente al liderato. Compete a cada uno de los militantes de este partido. Si con esta confianza en el instrumento, que es el Partido Independentista Puertorriqueño (PIP), si con esta confianza en este pueblo que es el que le da vida al Partido Independentista Puertorriqueño (PIP), ustedes van a este pueblo, no tardará el día en el que, no ya esta enorme multitud, sino la multitud de todos los puertorriqueños, con el recuerdo de todos los que lucharon durante siglos, se enyuntarán en algún lugar de la cordillera, y le gritará al mundo entero:

YA ES HORA DE QUE LO NUESTRO SEA NUESTRO

ARRIBA LOS DE ABAJO Y QUE VIVA PUERTO RICO LIBRE

"Discurso de Rubén Berríos..." (continuación)

VIII.
"Oposición verdadera" y elecciones de 1980

Una vez refrendada en votos la hegemonía del PIP en el espacio electoral independentista, el PSP ensayará una nueva táctica electoral concentrando sus objetivos en la elección de representación independentista en la legislatura. La crispación política que se generará durante la administración estadista del gobernador Carlos Romero Barceló, ejemplificada en el asesinato de dos jóvenes independentistas en el Cerro Maravilla el 25 de julio de 1978, junto con otros hechos de violencia política y social, generará una discrepancia ente el PIP y el PSP sobre posibles acercamientos con el Partido Popular Democrático (PPD), tanto en el frente electoral como en el internacional, lo que marcará la campaña de ambas colectividades en los comicios de 1980.

Cronología

1977

22 de septiembre- Asesinato del abogado laboral Alan Randall.

1978

29 de enero- Atentados con bombas a las residencias del presidente de la UTIER, Luis Lausell, y de Juan Mari Brás.

3 de marzo- Juan Mari Brás dice que el PSP podría respaldar la candidatura a la gobernación del exgobernador Roberto Sánchez Vilella dentro de un frente antianexionista.

1 de julio- Memorando de la División de Inteligencia de la Policía da cuenta de reuniones entre el exgobernador Sánchez Vilella y líderes del PSP.

25 de julio- Un escuadrón de la Policía asesina en el Cerro Maravilla a los jóvenes Arnaldo Darío Rosado y Carlos Soto Arriví, quienes fueron llevados allí para cometer actos de sabotaje contra las torres de la emisora Rikavisión por el agente encubierto Alejandro González Malavé.

27 de julio- El PSP realiza un piquete frente al Cuartel General de la Policía para exigir que se esclarezca "la masacre" del Cerro Maravilla y para denunciar que González Malavé había sido agente encubierto dentro del PSP en el Comité de Villa Prades.

28 de agosto- El Comité de Descolonización aprueba una resolución a favor de la libre determinación e independencia para Puerto Rico. Estas vistas del Comité de Descolonización se caracterizaron por ser la primera vez que el movimiento anexionista va a deponer al Comité, argumentando que la estadidad es una forma de descolonización para Puerto Rico. Esa idea fue esbozada por Maurice Ferré y Juan Manuel García Passalacqua, según informa *Claridad*.

12 de septiembre- Se aprueba resolución por consenso de independentistas y autonomistas en la ONU. Hay discrepancias entre el PIP y el PSP sobre la inclusión de la fórmula de Libre Asociación.

17 de septiembre- En reunión del Comité Central del PSP, se acuerda su reinscripción y participación en las elecciones de 1980.

19 de noviembre- Se publica columna de Juan Mari Brás en *Claridad*: "El socialismo y el movimiento sindical."

1979

9 de marzo- Entierro en Aguadilla del exprisionero nacionalista Andrés Figueroa Cordero.

19 de mayo- Arresto de manifestantes en Vieques, que interrumpían los ejercicios de la Marina de Guerra de Estados Unidos. Entre los arrestados, figura el abogado y dirigente del PSP, Pedro Baigés Chapel.

12 de septiembre- Recibimiento unitario a los prisioneros nacionalistas liberados.

20 de septiembre- Se ordena en el Tribunal federal el arresto de Pedro Baigés Chapel.

21 de septiembre- Se ordena por el juez federal Juan B. Torruellas el arresto de Juan Mari Brás al desacatar, como abogado de Pedro Baigés Chapel, una orden del tribunal.

22 de septiembre- Intento de arresto a Juan Mari Brás en asamblea del Colegio de Abogados. Un grupo de abogados rodean a Mari Brás e impiden el arresto.

23 de septiembre- En actos del Grito de Lares, Rubén Berríos rechaza los llamados a unidad y es abucheado.

24 de septiembre- Arrestan a Juan Mari Brás en el aeropuerto de Isla Verde mientras intentaba viajar a Nueva York en gestiones del caso de Puerto Rico en la ONU.

14 de octubre- Sentencian a 30 días de cárcel a Juan Mari Brás y es desaforado del Tribunal Federal.

22 de octubre- Sale del Presidio Juan Mari Brás.

16 de noviembre- En un foro celebrado en el Colegio de Abogados junto al embajador de Cuba en la ONU, Ricardo Alarcón, Rubén Berríos y Juan Mari Brás se acusan mutuamente de "ilusos" al debatir sus divergencias en torno a la resolución de la ONU de 1978.

1980

26 de marzo- Se anuncian las candidaturas por el PSP de Juan Mari Brás al Senado, Carlos Gallisá a la Cámara y Luis Lausell a la gobernación.

27 de abril- Asamblea del PSP en el Centro de Convenciones del Condado, con asistencia de 3 mil personas.

2 de julio- En artículo en el periódico *El Mundo*, Juan Mari Brás pide reunión urgente de los partidos de oposición para proponer medidas que eviten un fraude electoral.

10 de agosto- Juan Mari Brás pide a los independentistas no votar por partidos coloniales y reitera sus denuncias de posible fraude electoral.

23 de septiembre Conmemoración del Grito de Lares en la que el orador principal fue Juan Mari Brás, que pronosticó más violencia por parte del gobierno para terminar con el movimiento independentista. Carlos Gallisá calificó de una "ilusión" creer que la independencia llegará por la vía electoral en clara referencia al PIP. A la actividad, asistieron como invitados Reinaldo Payán y Francisco de Asís Fernández, que eran enviados del gobierno sandinista de Nicaragua.

10 de octubre- Se anuncia la creación de un comité amplio de apoyo a las candidaturas de Mari Brás y Gallisá, encabezado por Piri Fernández de Lewis y que incluye a don Ricardo Alegría y a Fernando Milán Suárez, entre otros.

27 de octubre- El PSP apoya al candidato del PIP a la alcaldía de Cabo Rojo.

31 de octubre- El PSP cierra su campaña en su Comité en Santurce.

4 de noviembre- Elecciones Generales. Gana el PNP de manera dudosa; el PIP obtiene 87,272 votos, mientras que el PSP obtiene 5,224 votos. El PSP no queda inscrito. Esto sería el principio del fin para ese Partido.

TESTIMONIOS

1. RUBÉN BERRÍOS MARTÍNEZ

DISCREPANCIA CON EL PSP Y CUBA EN LA ONU

Néstor Duprey Salgado: Hay en esos años también otro elemento que a mí me llama la atención y es tu relación con el nacionalismo, que has continuado en toda tu trayectoria.

Rubén Berríos Martínez: ¡Especialmente mi insistencia en todos los discursos!

NDS: Y en eso, un poco también rompes, aunque había unas referencias al nacionalismo en el discurso del PIP de Concepción de Gracia, en ti, cuando tú asumes la dirección del PIP, hay un rescate de las figuras del nacionalismo en el discurso del PIP.

RBM: Y también de la idea del nacionalismo y de diferenciar, ya que el nacionalismo había quedado desacreditado en Europa por las razones evidentes...

NDS: Y uno de los elementos que se va a utilizar en el debate ideológico en el seno del PIP es la crítica a ti por el "nacionalismo". Que parecería ahora, cuando uno lo ve a la distancia en el tiempo, parece una contradicción, pero en aquel momento era un tema de debate, la identificación de tu discurso con el nacionalismo.

RBM: Sí, porque respeto el nacionalismo de don Pedro siempre. Algo muy distinto es el tipo de lucha que algunos desarrollan en los setenta. Por eso la relación de doña Lolita Lebrón con nosotros toda la vida fue excelente. En aquel entonces, empiezan a estallar bombas en Puerto Rico y yo insistía en la diferencia entre las bombas, que pueden explotar y matar a cualquiera... Y yo quería marcar la diferencia entre ese tipo de lucha y la lucha de don Pedro y los nacionalistas. Además, reivindicaba la línea de don Gilberto que, como ya te he dicho, insistía en el camino menos doloroso mientras no se cerraran las puertas de la legalidad.

NDS: Hay una continuidad con el liderato de don Gilberto, con el marcar la distancia, aunque sí hay un volver al nacionalismo, a la figura del nacionalismo, sí hay una continuidad con Gilberto de marcar, de defender la línea de lucha del PIP del proceso electoral versus la lucha armada. Igual que Concepción de Gracia en los '50, a ti te toca dirigir un partido donde hay un resurgir de la lucha armada.

RBM: Así es. De un tipo de lucha armada distinta a la del nacionalismo de don Pedro. Y ahí yo tengo un encontronazo. Hasta en Lares tengo un encontronazo.

NDS: Por eso. Y se habla mucho del debate que se da al interior del PIP y con el PSP, pero es dentro de una misma línea de lucha: la lucha electoral.

RBM: Así es.

NDS: ¿Cómo fue entonces? ¿Cómo tú ves ahora, a la distancia, ese debate que se va a dar en los '70 y en los '80 con los que plantean la lucha armada como una estrategia de lucha para alcanzar la independencia?, que ahí un poco tengo que jugar el mismo rol que tiene que jugar Concepción de Gracia en el '50, de respeto, pero distancia.

RBM: Así se recoge en la Declaración del PIP de Aguadilla del '50. Es un documento muy importante esa Declaración del 1950 que honra a nuestro Partido.

NDS: Te abuchearon en Lares.

RBM: ¡Oh! Seguro que sí. Un grupo abucheó; otros aplaudieron. Me pregunto cuántos de los que me abuchearon serían agentes. Además de los que de buena fe abuchearon.

NDS: ¿Se siente difícil discrepar de quienes piensan como uno en el fin último?

RBM: Sí, pero yo en Lares no tenía duda de que había que trazar la línea. Lo que pasa es que a veces, como decía Martí: "El valor mayor del hombre es contenérselo". La pregunta es si ese tipo de lucha armada contribuía a adelantar la independencia. A mí aquello me pareció equivocado. Bueno, y creo que se comprobó con la historia. Pero, obviamente, al que ha estado dispuesto a sufrir persecución y cárcel, hay que respetarlo.

NDS: A pesar de lo álgida de la relación PSP-PIP en los '70, ustedes mantuvieron, más o menos, una misma postura en cuanto al caso de Puerto Rico en las Naciones Unidas hasta el 1978. ¿Cómo tú recuerdas ese, *yo no lo llamaría debate, pero esa discrepancia, sobre el tema de la Libre Asociación, la comparecencia de Hernández Colón a las Naciones Unidas y demás?*

RBM: Esa fue una discrepancia fuerte. La recuerdo como una discrepancia álgida.

NDS: ¿Qué pasó?

RBM: Bueno, lo que pasó sencillamente es que nosotros estimamos en el 1978, que abrirle la puerta a otra alternativa que no fuera la independencia iba a servir en Puerto Rico para darle respiración artificial al colonialismo, lo cual, de hecho, sucedió, y que Hernández Colón, obviamente no creía en la Libre Asociación según lo definía la ONU. Y, recuerdo que tuve una discrepancia fuerte porque, obviamente, eso fue un arreglo que se hizo entre el Partido Popular, mejor dicho, entre Hernández Colón, el gobierno de Cuba y el PSP. Recuerdo que yo le dije a Ricardo Alarcón: "Aquí las decisiones con respecto a la independencia las hacemos los puertorriqueños. Y según el resultado de las últimas elecciones, entre los independentistas puertorriqueños, esto es 8 a 1, y no hay derecho a incluir eso en la Resolución sin el consentimiento nuestro. Nosotros no vamos a formar un lío si se incluye eso de la Libre Asociación, (por razones evidentes), pero nosotros nos oponemos tajantemente". Y fue una oposición firme.

NDS: Ese cambio de abrirle la puerta a la Libre Asociación en ese momento, ¿fue una iniciativa del PSP o fue una iniciativa de los cubanos?

RBM: Yo no sé. Yo sé lo que le dije al embajador de Cuba y sé de los efectos posteriores: que yo creo que ese es el inicio del melonismo en Puerto Rico. El inicio formal, acelerado y bautizado por un sector independentista, porque ya existía. Pero, yo no sé, no te puedo decir de quién fue la iniciativa. No tengo constancia. ¿A ti te gustaría añadir algo respecto a eso, Fernando?

Fernando Martín García: Bueno, yo creo que hay que examinar el contexto de ese momento. Hay un contexto en Puerto Rico y en las relaciones cubanoamericanas.

NDS: Es un contexto del diálogo de la administración Jimmy Carter y el gobierno de Cuba.

FMG: En el momento más cercano de la relación Carter-Cuba. Y ese es el momento, también, donde, en el contexto puertorriqueño, el PSP, como institución, se había dado cuenta después de las elecciones del '76 de que su proyecto de suplantar al PIP como la corriente principal del independentismo, no se podía dar. Y, por lo tanto, estaban buscando otras maneras de insertarse en el proceso político y había que, por lo tanto, hacer lo posible por descontaminar al Partido Popular de su tradición colonial lo más posible, para que tuviera alguna base de compatibilidad. Y ahí se reunieron el hambre y la necesidad...

NDS: Esa es mi contención. Pero, por eso lo pregunto. Es la versión tuya, pero esa es mi contención.

FMG: Claro, otra vez, estas son inferencias. Yo no te puedo decir: "Tengo aquí la transcripción de la conversación donde se planeó, se urdió, todo lo que hizo posible el que hubiera esa determinación por parte de Cuba y el PSP por un lado, y Hernández Colón por el otro". Creo yo que fueron esos...

RBM: Dicho sea de paso, tu descripción del contexto, que se parece a la de Fernando: así es que suceden las cosas casi siempre. Quién lo propuso primero es relativamente inmaterial, porque son dos necesidades que se juntan y dan margen a lo que sucedió.

NDS: Ahí nos da la oportunidad de hablar de un elemento que está presente durante toda tu gestión política, que es el tema de Cuba y su Revolución. ¿Cómo tú conoces, por ejemplo, cuándo conociste a Fidel?

FMG: ¿1983?

RBM: Sí. Yo creo que fue cuando los cubanos, después de las elecciones del '80, se dieron cuenta de la correlación de fuerzas en Puerto Rico entre el PSP y el Partido Independentista Puertorriqueño. Ya había pasado también lo de Carter.

NDS: Está Ronald Reagan en el poder.

RBM: Sí, sí. Se dieron cuenta de que, para hacer sus decisiones en la ONU, ellos tenían que entrar en un diálogo con la corriente principal del independentismo en Puerto Rico.

FMG: Que acababa de ser, además, admitida a la Internacional Socialista.

RBM: Ahora voy. Que, por el otro lado, desde el '78-'79, el PIP había sido fundador de la COPPPAL, y que acababa también en el '83 de ser admitido a la Internacional Socialista en el Congreso de Albufeira, Portugal. Obviamente, la razonabilidad dictaba a los cubanos eso, y, entonces, en el '83 fuimos a Cuba por primera vez.

FMG: O quizás fue '84, principios del '84.

RBM: Es posible, '83, '84.

NDS: Entre el '83 y el '84.

RBM: Sí, sí. ¿Quién invitó a quién? Yo no recuerdo.

FMG: A nosotros ellos nos invitaron desde Nueva York. Nosotros siempre habíamos tenido una posición de apoyo a la Revolución Cubana, como es natural. Pero nunca habíamos sido parte, vamos a decirlo de esta manera, del grupo de partidos de América Latina que se habían vinculado orgánicamente a la Revolución a base de reuniones conjuntas, manifestaciones, las visitas sistemáticas a los grandes acontecimientos, a los grandes aniversarios cubanos, estar en la tribuna, "aquí está de Venezuela tal, de Bolivia tal, de Puerto Rico tal", o sea, esa relación no la habíamos tenido. No teníamos relación bilateral alguna.

RBM: Sí. Ahí empieza la relación bilateral.

FMG: Y, entonces, esa invitación nos la hacen no solamente para que visitemos a Cuba, es para que Rubén tenga una reunión con Fidel.

RBM: Entonces tenemos reuniones extensísimas.

NDS: ¿Qué tú recuerdas de esa reunión?

RBM: Muchas cosas, pero ¿cuántas más tuvimos con Fidel?

FMG: ¿Tú dices después de la del 1983?

RBM: Sí.

FMG: Del '83. Bueno, yo recuerdo, por lo menos, que yo estuve en otra ocasión durante el periodo especial, y tú después estuviste dos o tres veces por tu cuenta... Estuviste en otras ocasiones en viajes que yo no fui.

RBM: Así es. En esa, (yo no sé de cuál te voy a narrar), pero fueron reuniones de muchas horas. Ocho horas, de doce de la noche hasta...

FMG: Yo creo que como desde las once de la noche y cuando Fidel se fue estaba amaneciendo.

RBM: Sí. O sea, de once de la noche a las siete de la mañana, o lo que fuera. Y las otras, también muy prolongadas.

FMG: En una ocasión, tú viajaste con él en un viaje extenso. Fueron a muchos sitios juntos.

RBM: Sí, sí. O sea, en su carro. Fueron varias reuniones, pero lo que sí yo te puedo decir es que después de esa reunión inicial y las otras ya...

NDS: Cambió la mirada de los cubanos.

RBM: Así mismo es. No tengo la menor duda de eso.

NDS: ¿Cómo era Fidel, Rubén?

RBM: Una persona que escuchaba muchísimo y hacía muchas preguntas, pero escuchaba muchísimo. Te voy a narrar algo que no he narrado en ningún sitio. Tiene que haber ocurrido en la primera o la segunda reunión cuando estaba Fernando, pero... Recuerdo que Ricardo y...

FMG: Piñeiro...

RBM: ...Piñeiro, el jefe del Comité América, estaban cabeceando porque eran las cinco o seis de la mañana... pero Fidel seguía haciendo preguntas y, en algún momento, no sé por qué, surgió la cuestión de la caña. Entonces Fernando y Fidel, (Fernando porque por su experiencia familiar y sus estudios, pues, tenía mucho conocimiento sobre la caña), yo no sé cuánto tiempo estuvieron hablando, tres cuartos de hora, sobre las variedades de caña. Piñeiro y Ricardo estaban cabeceando y yo, como era una reunión con Fidel, pues estaba muy atento, pero no entendía de las variedades que estaban hablando. Terminaron de hablar de la caña y yo pensé: "Bueno, se acabó la reunión". Pero alguien mencionó el café, y Fernando y Fidel empezaron a hablar de las variedades de café. Entonces, yo me rasqué la cabeza. Y, como a los tres cuartos de hora o algo así, Fernando, con su sentido del humor, dice (me acuerdo como si fuera ahora), dice: "Comandante (o presidente), yo lo que no puedo entender es lo siguiente...", eso fue a las seis de la mañana que nunca se me olvidará, "...es con respecto a esta cuestión de Ubre Blanca". ¿Ustedes recuerdan la vaca aquella que cuántos litros de leche al día era que supuestamente daba?

FMG: Cien litros.

RBM: Cien litros. Los otros como que despiertan ante la mención de Ubre Blanca y Fernando dice: "Porque yo creo que la solución de muchos de los problemas de Cuba es bastante fácil", le dice Fernando. "¿Cuál es?", [Fernando] dice: "Pues yo propongo que a esa vaca la crucen con una ballena y que le pongan en cada teta un ordeñador y manden uno para Pinar del Río, otro para Oriente, otro para Matanzas, qué sé yo ni qué". Fidel se levanta y dice: "No me crees, ¿verdad?". Todo el mundo mira y Fidel dice: "Un momentito. Comandante, coronel, (lo que fuera), prepare el helicóptero". Y yo digo: "¿Para qué?" "Vamos a ir para Isla de Pinos para que aquí vean los compañeros a la vaca". Y yo digo: "¡Un momentito! El avión sale a las nueve y media o diez". Entonces, todos convencimos a Fidel de que no fuéramos a la Isla de Pinos. Yo nunca olvidaré esa escena.

FMG: Mira, el comienzo de esa reunión fue así: Fidel llegó, nos saludó, llega con el comandante Piñero, jefe del Comité América. Ricardo ya estaba con nosotros esperando, pero él llega con el comandante Piñero; un indicador de muchas cosas. Y, entonces, pues, cuando llega, ya Rubén me había pedido que hiciera como una introducción de agradecimiento y, bueno, pues, procedí inmediatamente... Di las gracias por todo lo que la Revolución Cubana había hecho por Puerto Rico en las Naciones Unidas, a manera de introducción... Y él no me dejó hablar. "Cuando la Guerra de Independencia de Cuba, miles de puertorriqueños combatieron en la manigua y cientos murieron en la Guerra de Independencia de Cuba. Ni un solo cubano ha muerto por la independencia de Puerto Rico. Así que los que le debemos a ustedes, somos nosotros. Así que vamos a dejar eso claro".

RBM: Sí, él lo planteó como una cuestión de principios. Así mismo fue. Obviamente, empezando la reunión así, terminando como les narré, se establecieron unas relaciones francas, sinceras y cordiales.

NDS: Inclusive con Ricardo Alarcón, que me mencionas que habían tenido una diferencia en esa reunión...

RBM: Sí, en el '78. Ahí se limó todo. Respeto y cordialidad. Recuerdo lo que me narró un amigo mutuo. Fidel le dijo: "Yo, a los independentistas puertorriqueños los respeto mucho y nunca nos han venido a pedir dinero". Eso es una frase de Fidel.

FMG: No solamente eso. Tú fuiste más lejos. En un momento dado, salen unos planteamientos sobre las colaboraciones que se estaban dando a los movimientos en América Latina. Se sabía que en Puerto Rico el independentismo estaba carente de recursos y antes de que hubiera ofrecimiento de nada Rubén dijo: "Si hubiera algo presupuestado ahí, dénselo a los salvadoreños. Ellos son los que más lo necesitan".

RBM: Nosotros no queremos asistencia material.

NDS: O sea, que no había asistencia económica de Cuba.

FMG: Nunca.

NDS: Junto con ese proceso y la importancia de Cuba, hay una relación personal en tu vida política, y sé que, en el plano personal también, muy importante, y él es José Francisco Peña Gómez.

RBM: De eso te hablo inmediatamente. Déjame seguir un poquito con Fidel porque más tarde siguieron otros encuentros. Más tarde, ya en el siglo 21, de cara al Congreso de Panamá, Fidel personalmente le dice a los concernidos: "Ahí hay que estar". O sea, que Fidel desarrolla una relación muy buena con nosotros. Y antes, con lo de Vieques, Fernando va a Cuba que yo estoy acá todavía. Y Fidel inspeccionó la tribuna contigo, Fernando, y yo creo que debes contarle eso porque es importante.

FMG: Sí, pero ya esa relación se fue desarrollando. Y se mantuvo siempre bilateral.

NDS: No era multilateral.

FMG: No. No estábamos integrados orgánicamente a una red de apoyo sistemático. Y yo creo que ambos llegamos a entender perfectamente bien que cada cual tenía que tenerle lealtad primaria a su lucha y que, en ocasiones, discreparíamos. Y eso, yo creo que fue la base para una relación extraordinariamente saludable.

RBM: Especialmente, cuando estábamos al otro lado con la COPPPAL [Confederación Permanente de Partidos Políticos de América Latina] y con la IS [Internacional Socialista].

FMG: Y en ese proceso la relación se desarrolló de una manera muy saludable. Y los cubanos, yo creo que también se dieron cuenta de que lo del '78 y su secuela había sido un error. Que hubo unos deslumbramientos momentáneos, con unas circunstancias y unas coyunturas que desaparecieron.

NDS: Tenían una debilidad política con Hernández Colón.

FMG: Con el momento de *rapprochement.*

NDS: Con Carter, o sea, toda esa mirada ancha.

FMG: Y con un poco también la idea... Una de las cosas que estaba implícita, yo no se lo quiero atribuir a nadie, una de las cosas que estaba implícita en los planteamientos del '78 es que, de alguna manera, el independentismo debía abandonar el protagonismo en la ONU. Está implícito, porque si aquel está haciendo la labor del señor, hay que ir a ayudarlo.

NDS: Convertirse en un socio menor del Partido Popular.

FMG: Que fue lo que algunos en Puerto Rico acabaron haciendo.

NDS: Un premelonismo.

FMG: Bueno, eso es parte de todo ese proceso. Así es que, y yo creo que los cubanos se dieron cuenta de todo lo que sucedió en el '78 y nunca más el tema de lo del '78 volvió a surgir en el comité. Una vez hubo uno que otro boricua que trató de levantarlo, pero tan pronto se planteó... Me acuerdo, siendo embajador el ahora canciller, Bruno, hubo alguien...

NDS: Bruno Eduardo Rodríguez.

FMG: ...hubo alguien de acá que trató. Tres minutos duró. Yo dije: "Por combatir esa propuesta que está haciendo este señor, es que Lolita Lebrón fue a la cárcel por 25 años". Y ahí se acabó la discusión. Ese lenguaje se acabó. Así que, desde ahí en adelante, los cubanos siempre fueron muy consecuentes en asegurarse que las iniciativas que ellos tomaban con respecto al tema de Puerto Rico tuvieran el visto bueno de nosotros. Claro, y nos consultaban; consultaban con mucha gente, pero siempre se aseguraban de que las iniciativas no fueran contradictorias con nuestro juicio de lo que era necesario hacer.

NDS: O sea que, tú le atribuirías, para usar tu frase, a que la victoria del PIP en el "plebiscito" que se da al interior del independentismo, uno de los primeros cambios que provoca es el cambio en la mirada del gobierno de Cuba, a quién es la fuerza política en el independentismo con la que hay que contar a la hora de diseñar la política sobre Puerto Rico.

RBM: Eso es un factor importante en todo esto.

FMG: Pero esa reacción no fue inmediata, porque realmente el triunfo en el "plebiscito" fue en el '76.

NDS: Y esto se da en el '83.

RBM: Sí. Pero, los procesos toman tiempo.

FMG: Y es en el '78 que ocurre... ¿Por qué? Porque, de momento, yo creo que las lecciones que se derivaron de las elecciones del '76 por parte de otros no fueron inicialmente esas. Las lecciones que se derivaron eran otras, pienso yo. Porque quien estaba tratando de persuadir a los cubanos era quien había resultado perdidoso en el '76. Y creían que lo que había que hacer era enganchar la lucha a este nuevo potencial que parecía existir en el Partido Popular de posible regeneración. Y ese planteamiento les convino, les convenía, objetivamente hablando, a los cubanos porque reducía el estado conflictivo con Estados Unidos y, además, estoy seguro que de buena fe podía haber quien pensara, (quienes no conocían a Hernández Colón), pues que se trataba de San Pablo camino a Damasco. Pero yo creo que a los cubanos no les tomó un año darse cuenta de todo. Sí, porque acuérdate que ya para las elecciones del '80, el progresismo de Hernández Colón, en cuanto al estatus, había sido retirado. O sea, que entre el '78 y el '80, Hernández Colón dijo: "No, no, espérate. Lo importante es ganar las elecciones".

RBM: Bueno, si me permiten. Todo eso del '76 al '83 se remacha décadas más tarde con lo de Vieques; obviamente, pues, esa es una prueba adicional de cuál era la correlación de fuerzas en Puerto Rico. Y la marcha por Vieques en Cuba, que tú estuviste allá, Fernando. Eso fue dirigido por Fidel. Y te recuerdo, además, que en esos tiempos la Internacional Socialista me había elegido presidente honorario junto a Maurois y Shimon Peres. O sea, que se fue fortaleciendo esa relación. En el 2006, lo del Congreso de Panamá por la independencia fue una consecuencia lógica de todo ese proceso.

FMG: Y después de Panamá, porque ¿te acuerdas cuando se iba a hacer el cumpleaños de Fidel? Justo antes de que él tuviera su accidente nos invitaron, que tú me mandaste.

RBM: Sí.

FMG: Y el gobierno me organizó un simposio donde se trajo a todos los funcionarios del gobierno de Cuba que bregan con el tema de las relaciones exteriores internacionales con América Latina. O sea, más de cien personas, todos especialistas, más la gente de los más altos niveles del Ministerio, para que yo fuera a dar una charla sobre el tema de Puerto Rico. Cuál tenía que ser la línea política...

NDS: ...un reconocimiento claro.

RBM: Es decir, que de principios de los '80 en adelante, las relaciones con Cuba siempre fueron de esta naturaleza, bilaterales, muy respetuosas. Y en la ONU, pues, ni hablar. Yo creo que es importante tener esa cuestión clara.

NDS: En el '76 y en el '80, tú aspiras a la gobernación por el PIP. *Y luego de las elecciones del '80, cuando el PSP había postulado a Juan Mari Brás y a Carlos Gallisá a la legislatura, donde obtienen una cantidad razonable de votos, el PIP decide cambiar lo que había sido su táctica electoral y tú pasas nuevamente en el '84 a aspirar al Senado, David Noriega a la Cámara.*

RBM: Cuando saqué creo que 220 mil votos, ¿Tú crees que me robaron alguno en aquellos tiempos sin máquinas?

NDS: ¿Tuvo algo que ver esa experiencia del PSP en la decisión del PIP?

RBM: Más que eso, tuvo que ver el hecho de que ya el PIP tenía suficiente fuerza, con 83 mil y 87 mil votos a la gobernación que habíamos obtenido en el '76 y el '80, para que pudiéramos postular otro candidato a la gobernación que dejara al Partido inscrito, como en efecto lo hicimos con la candidatura de Fernando, y al mismo tiempo, elegir a Cámara y Senado. Te recuerdo, además, que yo había salido electo en el 1972.

NDS: Fuiste el único que salió por votos.

RBM: Por voto directo. No por adición, como ya te narré.

NDS: Y, además, en el '84 no tenías competencia por el espacio independentista. El PSP no va a las elecciones. El PSP está a punto de desaparecer.

RBM: Sí, sí. Correcto, pero más que eso fue la experiencia del '72 y el hecho de que teníamos una candidatura a la gobernación que podía dejar inscrito al Partido y que podíamos elegir en Cámara y Senado. Era tan lógico el paso que dimos. Imagínate, en el '84 yo saqué creo que 220 mil votos sin máquinas.

NDS: Ahora obviamente el conteo es mucho más, es cercano a la realidad. Tiene que haber habido algo.

FMG: Hago una notita al calce. La decisión del PSP en el '80, de poner a Juan y a Carlos a Cámara y Senado, y de poner a Luis Lausell...

NDS: ...a Luis Lausell a gobernador.

FMG: ...a todas luces era la manifestación de un trueque, implícito o explícito... que es el Acto II de lo del '78. Yo pongo mis dos candidatos a Cámara y Senado a cambio, para que los populares voten por ellos porque tenemos coincidencias, y la gobernación la dejo en blanco. Claro, pongo un nombre, Luis Lausell, pero en efecto es una invitación a los seguidores del PSP para que a la gobernación voten por el candidato del Partido Popular.

NDS: Por Hernández Colón.

FMG: En el caso del PIP, es al contrario. En el caso del PIP, en el 1984, es el momento donde el PIP se da cuenta de que puede tanto elegir candidatos a Cámara y Senado a pulso como mantener la institucionalidad que suponía asegurar la inscripción. O sea que, en el caso de nosotros, no fue sacrificando una cosa por la otra. Al contrario.

RBM: Yo visité prácticamente todos los barrios de Puerto Rico con Fernando.

FMG: Así que, esa era la idea. La idea era poder probar que... Porque lo otro era el paso hacia la desaparición institucional del independentismo como fuerza independiente y su capacidad para afectar la realidad política. El PIP se hubiera convertido...

RBM: En una rabiza del PPD. Y, entonces, me preguntaste por Peña. Bueno, esa es otra historia.

NDS: Una figura importante en tu vida política.

RBM: Fundamental. Yo te voy a dar esto (un escrito) y así no tengo que hablarte demasiado. Es un discurso que yo di recientemente en Santo Domingo, que no se ha publicado todavía, sobre la relación de Peña Gómez y la independencia de Puerto Rico, que va desde que yo lo conocí en los setenta hasta el '98 en que murió. Ahí narro toda la relación de Peña y la independencia de Puerto Rico, la relación conmigo, nuestra amistad. Y, obviamente, puedes citarme como si te lo hubiera dicho. En el discurso, traje a consideración hasta los informes de la Policía de Puerto Rico del setenta y pico, toda la cuestión de Oaxaca, la fundación de la COPPPAL, la Internacional Socialista, etcétera. Quizás debo señalarte dos o tres cositas respecto a esto. Comienzo con una referencia a su entierro y a una paloma que se posó sobre el féretro. Y, después, otra cita de Peña que, camino a Loíza a una actividad del Partido, a una asamblea general, me dijo: "Rubén, (cruzando en el ancón) Puerto Rico es lo mismo que Santo Domingo". Entonces, yo recuerdo en mi discurso que el hombre hace su historia, pero en condiciones dadas y determinadas que a José Francisco y a mí nos tocó vivir en tiempos de la Guerra Fría, después de la Segunda Guerra Mundial, y que, ante esa realidad, había que buscar aliados. Y, digo hoy, reitero, cuando en medio de la Guerra Fría muchos se arrodillaron frente al poder norteamericano y la ilusión soviética, José Francisco no sucumbió ni ante el poder que otorgaban los unos, ni ante la adulación y lisonjas que dispensaban los otros. Y por eso se ganaba el respeto de todos. En ese marco es que hay que entender la amistad y la relación entre José Francisco y este servidor y lo que pensábamos ante esas realidades.

NDS: Peña es fundamental para abrirte las puertas de la Internacional [Socialista].

RBM: Pero antes de abrirnos las puertas de la Internacional, voy a lo siguiente. Leo de un memorándum, del 10 de noviembre del 1975, expediente 4974 de la Policía de Puerto Rico: "Fue recibido por el Senador Rubén Berríos y un grupo de 15 o 20 individuos. Peña Gómez recordó que él había firmado a nombre del PRD un acuerdo con el PIP en la pasada convención del 1974 y que, a cualquier problema político sobre detenciones, el PIP le iba a dar todo el apoyo legal y económico". Otro memorando del 24 de noviembre del '75. (¡Qué buenos son los expedientes esos porque refrescan la memoria!) "Cada vez que Peña Gómez visite cualquier país socialista de América o Europa, además de exponer el problema dominicano, también promoverá la lucha que sostiene el PIP por la independencia de Puerto Rico". Juntos estuvimos en la fundación de la COPPPAL, el 12 de octubre de 1979. Cuando se fue a elegir la mesa directiva, Gustavo Carvajal (presidente del PRI) dijo que solamente podía elegirse un vicepresidente por la zona del Caribe. Peña insistió en que nos turnáramos en el cargo, para que cada uno cumpliera la mitad de un término. Gustavo recordaba, bromeando muchos años después, que Peña y yo fuimos responsables de la única triquiñuela de la cual él había sido víctima, ya que desde entonces seguíamos siendo vicepresidentes de la COPPPAL. Comento yo: "Gustavo, por supuesto, más que víctima, fue un conspirador pasivo".

Luego, en el '83, en Albufeira, Portugal, se logró, con el respaldo de los partidos latinoamericanos encabezados por Peña Gómez, el ingreso del PIP como miembro de la Internacional. Se aprobó una resolución sencilla, que rige hasta hoy y cita: "La Internacional Socialista apoya la independencia de Puerto Rico, una nación latinoamericana". Recuerdo la sonrisa de satisfacción de José Francisco al finalizar el debate sobre la resolución favoreciendo nuestra independencia. Ante la férrea oposición y continuo cabildeo de la Embajada de Estados Unidos y la consecuente propuesta de uno de los presentes, el delegado de Portugal, (no Mario Soares), el Secretario de Relaciones Exteriores, para que la resolución fuera enmendada y se condicionara el apoyo a nuestra independencia, añadiendo al final de la resolución la frase: "cuando el pueblo así lo determine". El compañero Fernando Martín dijo: "Acepto la enmienda, pero con la condición de que cada vez que se respalde un asunto relativo a los derechos de la mujer o de cualquier otro asunto fundamental sobre el apoyo a cualquier partido hermano de Europa, o del mundo entero, también se añada la frase 'cuando el pueblo así lo determine'". El presidente Willy Brandt pidió de inmediato que se retirara la enmienda. La independencia de Puerto Rico se trataba y se trata de una cuestión de principios, la cual no depende de mayorías o minorías coyunturales. Ahora se añadía el respaldo de partidos, muchos de ellos partidos de gobierno aliados de Estados Unidos. Esa fue, en buena medida, obra de José Francisco y su ayuda. Recuerdo también que, en Estocolmo en 1989, cuando la Guerra Fría se acercaba a su fin, el presidente de la IS, Willy Brandt, me hizo una seña de un lado al otro del salón para que me le acercara. Me dijo entonces, lo que yo poco después le comuniqué a José Francisco y a Fernando. Me dijo, cito: "Te tengo buenas noticias. Antes de esta reunión me llamó como de costumbre el Secretario de Estado de Estados Unidos y entre los tópicos de los cuales me habló, por primera vez, no me habló del apoyo de la IS a la independencia de Puerto Rico". Y, remachó diciendo, cita: "Estás empujando una puerta abierta". "You are pushing an open door". No dijo más. Era evidente que, como gran estratega, sabía por dónde iba la corriente. Eso fue en el '89. Luego viene Vieques. Y pensar que algunos en su ceguera anti PIP prácticamente ni tan siquiera reconocen el rol fundamental que en esa gesta tuvo el partido que fundó don Gilberto. Luego viene el repudio a la colonia en el plebiscito del 2012. Luego, culminando con el caso *Sánchez Valle* y con la Ley PROMESA, el Ejecutivo, el Congreso y la Corte Suprema de los Estados Unidos niegan la existencia del supuesto "pacto" del ELA.

2. Carlos Gallisá
El "robo" de los escaños

Carlos Gallisá Bisbal: Bueno, después de eso hay que hablar de algo que han querido minimizar aquí, de la lucha armada. Pues, aquí se diseñó una lucha armada urbana, unas guerrillas urbanas que tuvieron éxito. Aquí, los condenados por la lucha armada de toda esa época fueron bien mínimos. Creo que los de las expropiaciones de los bancos... Yo creo que de los bancos, que fueron bastantes, solamente uno fue procesado. Entonces se crean los grupos, el grupo de Filiberto [Ojeda Ríos, Movimiento Revolucionario Independentista Armado, MIRA]. Hay que hablar de la gran aportación del PSP también en organizar a los boricuas de Estados Unidos. Que todavía los resultados de eso se dan.

José Sánchez Jorge: Sí, todavía están.

CGB: Porque, hasta entonces, los nacionalistas lo que decían era que se exiliaban en Nueva York, no que se organizaron. En el PSP, ahí fue que metimos 20 mil personas en el Madison Square Garden... Con Lolita [Lebrón] y Oscar [Collazo]: todos colgando [en pancartas] del techo del Madison. Estuvieron Jane Fonda y Angela Davis...

JSJ: Ray Barreto tocó también.

CGB: Sí. Todo eso, pues, ha tenido sus expresiones de la comunidad boricua. Para hacer ese recuento que no está hecho. La cuestión internacional. Que los nacionalistas habían hecho algunas cosas... Albizu que dio una voltereta por ahí.

JSJ: En el caso internacional, el PSP tenía muy una buena relación con Cuba. ¿Tenía relación, obviamente, con Moscú?

CGB: No.

JSJ: ¿No tenía relación con Moscú? ¿O era a través de Cuba?

CGB: Absolutamente nada. Los rusos, eso es algo que hay que decirlo, los rusos nunca quisieron ni acercarse a nosotros porque en la Guerra Fría, ellos veían a Puerto Rico como el patio de Estados Unidos. Entonces evitaban meterse al patio acá, como los americanos no se metían en Chechenia. Y a nosotros nunca, nunca, nunca, los rusos, la Unión Soviética en aquel entonces, nos dieron atención.

JSJ: Sin embargo, el PIP, que yo creo que es a modo de ripostar, el PIP estuvo con Peña Gómez.

CGB: Bueno, ya eso era más fácil porque ahí no entraban los intereses americanos. Entonces, hicieron una alianza con Peña Gómez y la Unión, pero eso se cayó porque ahí los dos baluartes grandes eran Adenauer, el de Alemania [debe referirse a Willy Brandt]…. Adenauer y Peña Gómez acá en América Latina, Felipe González…

JSJ: En España.

CGB: Todo eso se jod…ó. Y entonces, nosotros participábamos internacionalmente, mayormente en los No Alineados. Que hay que hacer una historia de por qué nosotros caímos y nos reconocieron como movimiento de liberación nacionalista. Es una historia de novela casi. Entonces, el trabajo internacional que hace el PSP, claro con Cuba, los soviéticos votaban por nosotros en el Comité de Descolonización por Cuba, no por nosotros, pero nunca hablaron... y la gente decía que nosotros nos financiábamos con los rublos rusos…

JSJ: Que, de hecho, yo tengo una pregunta, pero la voy a hacer después fuera de récord.

CGB: No, dime.

JSJ: Sobre cómo se financió Claridad semanal…

CGB: No, mira eso fue del cará, no.

JSJ: Digo, diario, diario. Cómo se financió [Claridad] diario.

CGB: Ah, diario. Pues, chico, es que había movimiento. O sea, nosotros éramos pocos, pero con una capacidad de trabajo y todo el mundo dedicado, entregados. Los que estudiaban dejaron los estudios, pues, tú sabes... Eso era una máquina que funcionaba. Mingo Vega, por ejemplo, salía a buscar chavos por ahí y recogía chavos. Había una compañera de

Estados Unidos que tenía dinero y cuando había las cosas apretadas, nos daba 25, 50 mil. Pero todo era un trabajo voluntario. ¿Tú sabes lo que es que nosotros nos tirábamos a la calle a repartir una emisión de 100 mil? ¿Ah? Había que jod...e en las luces.

JSJ: Sí mucho. Viendo el Claridad, se ven los anuncios. Cien mil el primero de mayo y se repartían los sesenta, se vendían los 60...

CGB: Sí. Al que no cumplía lo jod...n.

JSJ: ¿Había que cumplir?

CGB: A Mari Brás, una vez lo entrevistaron, y dijo, y le preguntaron "¿Cuál ha sido su mayor error en la política?", y dijo: "El gigantismo." Y la verdad que era un gigantismo del cara'. Bueno, un diario, tú sabes.

JSJ: Y fueron seis días, porque cinco días, no, no, fueron seis.

CGB: Sí, no, no, era increíble. ¿Tú sabes lo que es que tú tengas que hacer un periódico con dos compañeros arriba con dos rifles? Por años, había que hacer guardia en *Claridad*, en el Comité Central. Tú te amanecías ahí. No, no, y la hacías, la guardia, tú sabes... Pero era un gigantismo del cará' y una entrega total a las tareas del partido.

JSJ: ¿Cómo un partido que se acaba de inscribir hace una campaña y, aunque fue un fiasco, sembró la semilla para la campaña del '80 que, a mi entender, fue lo que llevó al PIP a hacer lo que hizo en los '90?

CGB: Claro. Esa campaña no estuvo concebida así. Esa campaña del '80 se da porque hay un fondo dentro de la comisión electoral. Hay un fondo electoral en que hay un millón de dólares sobre los votos que se eligen y nosotros no teníamos derecho a ese fondo... Y entonces la jueza, aquella jueza, ¿cómo se llamaba? Dijo que el PSP tenía derecho a esos fondos.

JSJ: ¿Pero eso fue en el '80?

CGB: '80.

JSJ: La del '76, ¿cómo ustedes la financian?

CGB: A chavo limpio. A chavo limpio.

JSJ: O sea, que ustedes, en las luces, donaciones de la gente.

CGB: Sí. Es exitosa la del '80 por los chavos que nos dieron. Eso no fue, ¿cómo se llama? Algo que nosotros habíamos visualizado, tú sabes. Porque es que cogimos demasiados chavos. Teníamos entonces televisión. Pero esa campaña del '80 provocó problemas adentro también. Juan impuso a Luis Lausell. Luis Lausell estaba loco ya, porque Mari Brás me suspendió a mí. Me cortó el vuelo.

JSJ: ¿Por qué?

CGB: Nunca supe por qué Mari Brás no quería que yo fuera el candidato a gobernador.

JSJ: Pero, ¿usted quería ser candidato a gobernador?

CGB: No mira, yo no quería hacer un carajo. Yo sabía que aquello no iba para ningún lado. Pero dentro del partido, la mayoría era que yo fuera, ¿ves? Porque era el que más votos había sacado y el que más proyección tenía, ¿no? Pero Juan se impuso. Entonces se diseñó aquella cosa de que tú puedes elegir al gobierno y a la oposición a la misma vez, lo cual era una buena consigna, ¿no? Y la gente la compró.

JSJ: ¿Y esa es la "oposición verdadera"? ¿Por qué?

CGB: Esa es la oposición verdadera. Pero no fue diseñada así. Es después cuando vienen los chavos y entonces, Juan se inventa él la consigna esa, que pegó. Y si hubiese habido máquinas, nosotros hubiéramos salido, porque nosotros sacamos cincuenta y pico de mil votos. Digo, cincuenta mil no. Ochenta y pico de mil votos.

JSJ: Sí. Eso es lo que dice el libro de Bayrón Toro.

CGB: Ochenta y pico de mil votos. Digo, con todo el robo, tú sabes.

JSJ: Incluso, el Partido lo que sacó fueron, ¿cuántos? ¿cinco mil?

CGB: En los ochenta, cinco mil. Y once [mil] en la anterior.

JSJ: Pero ustedes dos, salen. O sea, que es lo que pasó con el PIP en el '72. El PIP saca pocos votos, pero ustedes dos, ustedes tres salen, digo, Rubén sale electo y ustedes entran por ley de minoría.

CGB: Sí, sí. No, si hubiera habido máquinas, nosotros salíamos. Digo, por gente que nos dijo una vez y otra vez, que con esto nos robaron y todas esas cosas. Severo Colberg, por ejemplo, me dijo: "Chacho, a ustedes les robaron un cojo...l de votos."

JSJ: Yo siempre he pensado que esa elección del '80 fue-, ha sido la elección más importante, en términos históricos en Puerto Rico, por todo lo que es-

taba pasando. Maravilla, Adolfina Villanueva. Todo eso estaba pasando, más los problemas que tenía Carter allá que se reflejaban aquí, vamos, la liberación de los compañeros nacionalistas. ¿Cómo la habían concebido *esa campaña del 1980 en un principio? Antes de los chavos [del dinero].*

CGB: ¿Antes de los chavos? Pues, nosotros creíamos que podíamos hacer algo como candidato independiente, pero no teníamos tampoco muchas destrezas y confianza de que nos contaran los votos por el movimiento electoral este, ¿no? Si tú no tienes funcionarios, te jod... Por eso es que las máquinas esas [para contabilizar votos] han resultado.

JSJ: Entonces, ¿ustedes trataron de traer o de "enamorar" a los abstencionistas durante esas dos campañas? O sea, la gente del MPI que no se fue con el PSP, ¿ustedes trataron de traerlos?

CGB: Nosotros tratamos de traer a los más cercanos. Yo, en esa campaña, yo saqué cincuenta y pico de mil votos o algo así, en la primera, y ochenta y pico en la segunda. En todo esto, por el trabajo legislativo, donde, pues Severo Colberg dijo que yo había hecho un excelente trabajo y lo dijo públicamente. Y la verdad que el trabajo legislativo fue bueno. Severo dijo que yo había sido el mejor legislador. Yo creo que la gente lo vio después en el '80 con ochenta y pico de mil votos.

JSJ: Claro. En esa elección el PIP puso a Rubén para el Senado, ¿verdad? ¿O él fue candidato a gobernador?

CGB: ¿En el '80? Yo creo que Rubén fue candidato a gobernador. Yo creo que sí. Ahí es que empieza el descenso del PIP. Que después se vuelve a reforzar en el 2000 cuando nosotros le damos el respaldo, la convergencia, y ahí sale el 2000. Desde entonces esta gente no está inscrita.

JSJ: Y después de las elecciones, ¿cómo queda el PSP? O sea, como partido, ¿cuáles eran esas discusiones después del '80?

CGB: Eso vuela en cantos. Lo que se había dado en el PIP con el '72, se dio entonces con el PSP y se divide el PSP. El otro grave error que pasa. O sea, el PSP y el PIP no [se] recuperan de sus crisis electorales. Fueron dos desastres. Los grandes errores fueron cambiar el MPI al PSP y después, la participación electoral.

JSJ: Pero usted, por ejemplo, [en un artículo de 1971, en La Escalera] aquí usted básicamente dice que ir a la lucha electoral es importante para ir en contra del colonialismo, pero, claro, esto es en el '71.

CGB: Sí, pero la apoyo internamente. Lo que llamamos en el marxismo de que tú apoyas cuando la mayoría decide, pero en ese congreso se da un choque entre Mari Brás y yo. Ahí yo vengo del PIP, de una campaña electoral, y tengo una visión distinta a la del PSP, pero me derrotan.

JSJ: ¿Cuál era su visión en ese momento?

CGB: Abstención. Pero públicamente tengo que apoyar la decisión. Lo que llaman el centralismo democrático.

JSJ: Estoy tratando de entender el cambio... Si en un momento usted está a favor de la contienda electoral para adelantar la independencia, después se dio cuenta de que eso no iba para ningún lado, llama a la abstención, ¿cómo se da? ¿Cuál es el camino?

CGB: Bueno, porque tú vas desarrollando otras cosas y otros pensamientos. Yo creía que el PIP era manejable, que se podía cambiar y hacer dentro del PIP, que ya había una base, un partido coj...ú, tú sabes. Era lo que era el MPI, de confrontación, de todo. Y ese era el partido que yo quería. Y pues, eso no lo pude hacer dentro del PIP. Y por eso me voy al PSP, donde creo que está la fuerza política más desarrollada en ese momento.

JSJ: Sí, sí, pero se convierte, degenera en lo que...

CGB: Sí. Se degenera.

JSJ: Y ¿usted era el único que pensaba de esa forma? O sea, y aquí yo estoy pensando en Florencio Merced, en Manuel de J. [González]....

CGB: Ahí hay distintas formas. Florencio había sido abstencionista y después estaba a favor. Porque en todo este elemento, hay unos cambios en la gente y en las mentalidades. Pero había un sentimiento fuerte de abstención. Y el abstencionismo estaba a todo *switch* en el Congreso que se decidió eso, pero, como siempre pasa, hay una figura muy fuerte. Era Mari Brás. Y la verdad es que Jenaro Rentas tenía mucha fuerza dentro del partido. Y Jenaro es una de las figuras que mueve al MPI al partido marxista, no es mayormente Juan. Juan después se montó en esa ola. Y hay que hablar de esto, el MPI y el partido marxista, por qué se dio. No es Mari Brás el que empuja eso mucho, es Jenaro. Y Jenaro mueve sus fichas dentro de la organización. Pero, yo llego de dar la batalla en el PIP, y entro al PSP a dar la otra batalla. Y entonces, yo dije: "¡Puñ..., yo vengo de dos crisis!" Y yo estoy llegando. Claro, me reconocían como dirigente y todas esas cosas, pero yo soy un recién llegado. Era un recién llegado al PSP cuando se da esa batalla. Y ya había allí entuertos largos, en que yo no había participado un cará'. Hubo hasta que cambiar el reglamento del PSP para yo entrar. Porque había un reglamento que decía que para uno ocupar un puesto de dirección tenía que tener una tarjeta de militante, que yo no la tenía. Pues, yo no tenía tiempo. ¡Ah! y hubo gente que se enojó. Que yo estuviera en el Comité Central...

JSJ: ¿Pero aun siendo el legislador? El legislador no, el portavoz del PSP.

CGB: Sí. No, no. Aquello era jod...e allí. No era fácil. Los Populares no entendían eso: "Pero ¿cómo cará' tú no vas a estar en la dirección de ese partido?," me decía Rony Jarabo. Pero eso era cerrado, a la cañona. Todavía Rafaelito habla de su padre, que estuvo preso y todas esas cosas, y no tenía carnet.

JSJ: Él entra al PSP, ¿verdad? Don Rafa entra al PSP, ¿verdad?

CGB: Sí, sí, sí. Pero que hubo también problemas con él, que había sido preso y todo.

JSJ: Y porque no tenía carnet.

CGB: No tenía carnet.

JSJ: Eran bien cuadrados. Y ¿no hubo intentos de seguir el trabajo de base, el trabajo que se estaba haciendo a nivel obrero a nivel sindical?

CGB: Hubo, sí, sí.

JSJ: Pero, después de las elecciones del '80. Después que aquello voló en cantos.

CGB: Después de las elecciones del '80, pues te voy a decir más, yo creo que esa es la base de la... Eso es después de las del '76. Ahí se fue un montón de gente. Además, había una discusión sobre la lucha armada. Y ahí se fueron unos cuadros muy importantes que estaban en contra del retiro de la matraca.

JSJ: O sea, los que se van son los que están a favor [de la lucha armada].

CGB: Sí.

JSJ: ¿Ahí es que viene entonces la cuestión en la República Dominicana?

CGB: No necesariamente.

JSJ: ¿Cómo queda eso?

CGB: Ahí había un problema. El problema fue con los marinos, con los dos marinos. Y entonces el partido favorece el ajusticiamiento de los dos marinos. Y ahí sale César...

JSJ: No, no. Yo me estoy refiriendo a...

CGB: ¿A "Los tres de La Victoria"?

JSJ: Yo creo que sí, la Bahía de Ocoa.

CGB: Pero, eso viene después. Eso viene después. Los dos marinos es la respuesta a la muerte, en prisión de Ángel Rodríguez Cristóbal. Y hay una gente que dice que eso estaba mal. Que César Andreu Iglesias... Que vienen para el PIP después. Y esa es la respuesta de la Liga Socialista. Y eso se queda ahí.

JSJ: ¿En qué año es que el PSP se termina, como tal, en papel? O sea, yo sí sé que después del '80 el PSP ya casi no existía, pero, oficialmente, fue en el '92, ¿no?

CGB: '93. Yo trato de hacer, como Secretario General, un nuevo movimiento. Y hacer un frente más y Mari Brás me lo boicotea con el frente Hostosiano, que lo quiere hacer a la misma vez. Cosas que no se dicen, pero los últimos años de Mari Brás y míos son un poco de tumultuosos, tú sabes.

JSJ: ¿Por qué? ¿Solamente por eso o es que había ya...?

CGB: Mira, yo no sé. En estos momentos, yo no te puedo decir con precisión de dónde salió esa disidencia. He tratado de precisar algo, pero... Hay una cosa que llaman, ¿cómo es?, el síndrome del ex, de gente que ocupa posiciones y después quieren mandar montados en esa historia. Seguir mandando, pero sin las responsabilidades. Eso es lo más que yo te puedo precisar en estos momentos. Cosas que no se pueden escribir, ni decir porque es un peligro. Hemos peleado demasiado... Sería demasiado, tú sabes. Yo sé que siempre Juan decía que yo no podía ser secretario general porque yo tenía la guerra con Rubén y que jamás habría unidad.

JSJ: Que todavía aun ahí él tenía una visión de unidad.

CGB: Por más que yo le decía todo lo que ha pasado, pero él no. Y yo tenía mejor relación con Rubén que [con] él. Juan para reunirse con Rubén, tenía que usar a Florencio. Mira cómo estaba esto.

JSJ: O sea, que todos estos viajes a Nueva York a la ONU, ¿eran un frente entonces?

CGB: Bueno, siempre se hacía el trabajo, pero era pegao con saliva, no era que venía dándose... Mira, digo, y hacíamos cosas, no. Por ejemplo, nosotros tuvimos varias reuniones con Sánchez Vilella para que fuera a la ONU. Y un viernes, había reunión en la ONU el lunes, y nos dimos la mano y todo. Sánchez nunca apareció. No. Sánchez [Vilella] nos llama un día, él iba en el '80 a hacer unas declaraciones para apoyarnos. Yo lo fui a buscar como una semana antes de las elecciones y me reafirmó la cosa. Nunca hizo un carajo.

Juan Mari Brás se dirige al país mientras es arrestado por alguaciles federales al intentar salir de la Isla en septiembre de 1979. (Archivo del periódico *Claridad*)

Juan Mari Brás carga a su hija María de las Mercedes, "Mari" Mari Narváez, al salir de la cárcel. Lo acompaña Carlos Gallisá. (Archivo del periódico *Claridad*).

Durante los actos del Grito de Lares en 1979, Rubén Berríos será abucheado al rechazar los llamados a la unidad. (Archivo del periódico *Claridad*)

Para las elecciones de 1980 el PSP nominará a la legislatura a Juan Mari Brás y Carlos Gallisá. (Archivo del periódico *Claridad*)

En un foro celebrado en el Colegio de Abogados en noviembre de 1979, Rubén Berríos y Juan Mari Brás discutirán sus discrepancias sobre la estrategia seguida en la ONU en 1978. Presente en el foro estará Ricardo Alarcón. (Archivo del periódico *Claridad*)

comentario político

Partido y frentes

Por Carlos Gallisá

La prensa comercial ha destacado con cierto asombro que el Partido Socialista Puertorriqueño esté dispuesto a participar en un movimiento amplio anti-primarias presidenciales con sectores y grupos más allá del independentismo. Pero el destaque mayor de la noticia ha sido las expresiones del compañero Mari Brás de que el PSP pueda considerar respaldar a Roberto Sánchez Vilella para gobernador, de cuajarse un reagrupamiento de fuerzas políticas en el país que conduzca a un frente electoral en el 1980.

La falta de tradición en la política puertorriqueña de frentes que agrupen diversas corrientes políticas en unos objetivos comunes hace difícil el entendimiento y por lo tanto la formación y desarrollo de tales frentes. Contribuye a la dificultad la inflexibilidad histórica de las distintas posiciones y las cargas subjetivas que se arrastran por años. Pero la gran dificultad que nos pueda plantear esta alternativa no nos puede llevar a sentir la imposibilidad de la misma.

Un frente no es otra cosa que la unidad de voluntades de organizaciones, grupos e individuos en la consecución de unos objetivos. La naturaleza misma del frente y su fuerza depende de la amplitud de su composición. Los objetivos finales o estratégicos de las distintas tendencias políticas que se agrupan, claramente no son los mismos. Obviamente, de serlos, no haría falta el frente ya que encajarían perfectamente en una sola organización o partido. Se trata precisamente de una **unidad en la diversidad**. Para algunos, los objetivos del frente coinciden con sus objetivos finales, para otros, son objetivos temporales o tácticos, necesarios en el avance hacia sus propios objetivos finales o estratégicos.

De ahí parte la necesidad de toda organización revolucionaria de contar con un programa mínimo y uno máximo, con una clara relación entre ambos. El programa mínimo de nuestro partido no debe ser otro que el programa de las transformaciones políticas y económicas inmediatas, **alcanzables y realizables dentro de la presente realidad político puertorriqueña** y que sirvan a su vez para dar los pasos siguientes en la realización de la república socialista.

A nadie se le puede ocurrir que dentro de las realidades objetivas y subjetivas —mucho más las últimas que las primeras— del presente político del país, hayan condiciones para la realización **inmediata** de nuestro programa máximo, la conquista del poder para llevar a cabo la revolución socialista. Para los socialistas, el momento es uno de extender nuestras fronteras lo más posible sin rendir principios ni pagar cualquier precio en el empeño. Es aliar rigor y flexibilidad en un justo balance que nos permita avanzar.

Tener bien clara la distinción y relación entre el programa mínimo y el máximo nos ha de llevar a lograr acertadamente las acciones del presente inmediato tan t nportante para nuestras metas estratégicas. No se trata de posponer ni aplazar estas últimas sino de ir por el camino que nos asegure llegar a ellas. No puede haber simplificación; "en la política los caminos más cortos no son los más breves".

En estos momentos se hace más evidente que nunca que somos un pueblo sin consenso en la solución final de nuestro destino como pueblo. Una indefinición asfixiante es la que nos produce esa falta de "acuerdo". Los moldes políticos bajo los cuales nos hemos dividido no han avanzado ni se han desarrollado lo suficiente, ninguno de ellos, que pueda llevar a la conquista de una mayoría amplia en ausencia del consenso. En el futuro previsible no se ve tampoco el desarrollo en esa dirección de ninguna de las fórmulas tal y como han sido presentadas hasta el momento.

El país necesita una nueva variable política que permita abrir un camino que conduzca a una solución final. Todo indica que nuestro pueblo en el presente inmediato ni en el corto plazo previsible ha de optar por una solución final. De todo lo anterior surge nuestro señalamiento de que existen condiciones y hay la necesidad de un reagrupamiento de fuerzas políticas en el país sobre unas bases mínimas que permitan aglutinar los más amplios sectores. Dicho reagrupamiento, que podría tomar la forma de un frente, tendría que definirse anti-anexionista y anti-colonialista. Por esa vía, defender el verdadero principio de autodeterminación del pueblo puertorriqueño según expresado por Naciones Unidas en su Carta de Descolonización (Resolución 1514 - XV) y la Resolución del Colegio de Abogados en cuanto a status político ya que ambas recogen el principio de la total transferencia de poderes al pueblo puertorriqueño para que en el ejercicio de la soberanía tome las decisiones que tenga a bien hacer. Es solo en el ejercicio de la soberanía donde tendría validez cualquier decisión de los puertorriqueños sobre su futuro político. Esto es totalmente contrario a las pretensiones colonialistas y norteamericanas de que la decisión se tome desde la posición colonial, sin la previa transferencia de poderes.

Si no fuera por algunas "ondas" que hay por ahí, sería innecesario decir la enorme importancia de la independencia y soberanía como aliada objetiva de las reivindicaciones socialistas de los trabajadores. **La palanca de la independencia es indispensable para acabar** con la causa última de la dependencia y explotación que es el modo de producción capitalista.

En adición a las definiciones anteriores, dicho frente tendría que elaborar otros puntos sobre lo económico y social que pudiera presentarse como un programa unitario.

En vista de lo anterior es que hemos señalado conveniente considerar y discutir cualquier propuesta dentro de estas líneas donde se incluyan sectores más allá del independentismo. Es claro que cualquier respaldo del Partido Socialista dependerá del programa que tal frente pueda presentar una vez se organice.

El próximo Congreso del Partido tendrá destacadamente en su agenda la discusión sobra la posición del Partido frente a las elecciones del 1980. Allí decidiremos sobra las alternativas a nuestro alcance.

Del 10 al 16 de marzo de 1978 – CLARIDAD 15

"Partidos y frentes." Artículo de Carlos Gallisá.
Periódico *Claridad*, 3 de marzo de 1978.

comentario político

Ni jubilación ni continuismo

Por Juan Mari Brás

011458

Decíamos la semana pasada que al Partido Socialista Puertorriqueño le ha llegado la hora de la renovación completa. El partido que nosotros hemos ido construyendo trabajosamente por casi dos décadas se enfrenta ahora a una situación nueva, sumamente compleja, que exije esa renovación, tanto en sus estructuras organizativas como en su equipo de dirección a todos los niveles.

Esa nueva situación es en parte producto de nuestra propia obra. Pero, al mismo tiempo, obliga a un encuadramiento distinto al que hemos tenido dentro de la vida política nacional en los últimos diecinueve años.

Durante la pasada campaña electoral, el PSP se ganó el reconocimiento de las grandes masas puertorriqueñas como uno de los partidos nacionales de este país. Ese reconocimiento representa un cambio de gran importancia en nuestra perspectiva y en la ubicación partidaria dentro del espectro político nacional. Ya la generalidad del pueblo reconoce al PSP como una colectividad política claramente diferenciable del PIP, cosa que no ocurría con anterioridad al 1976.

Durante el año y medio que lleva la administración de Carlos Romero y el PNP, el reconocimiento del PSP por las grandes masas del pueblo puertorriqueño se ha elevado más aún. Nadie en este país puede desconocer la presencia de este partido en la vida política puertorriqueña ahora.

El PSP fue gestor de un intenso proceso de toma de conciencia de clase que empieza a fructificar al presente en el desencadenamiento, todavía un poco difuso, de un impetuoso movimiento obrero. El partido está insertado destacadamente en las principales corrientes de la lucha de clases que se están manifestando en el Puerto Rico de hoy.

Al calor de esas luchas, e impulsados por la acción vanguardista del Partido Socialista Puertorriqueño, han aflorado veintenas de líderes obreros, muchos de ellos surgidos de la propia clase obrera y sus forcejeos cotidianos. Ellos destacan en los sindicatos, en las asociaciones comunales y en diversos escenarios de lucha. Dirigen huelgas combativas y protestas vigorosas, sea en conflictos obrero-patronales como los de Fuentes Fluviales y la AMA o en la organización de la resistencia contra la voracidad imperialista, como han sido las protestas exitosas dei pueblo de Vieques contra la Marina de Guerra de Estados Unidos o las de la comunidad de Guanajibo contra la maniobra de los consorcios yanquis por saquearnos el níquel.

La orquestación represiva cuidadosamente diseñada y ejecutada por la inteligencia enemiga, con todo y la complicidad objetiva de los grupos y grupúsculos que, por estar en babia, le hacen coro a sus objetivos de debilitar al Partido Socialista Puertorriqueño, no ha sido capaz de contener la eclosión de simpatías y la reproducción acelerada de apoyo a las posiciones básicas del socialismo puertorriqueño.

Pero toda esa actividad revolucionaria en ciernes requiere una adecuada canalización organizativa para la cuál el presente diseño partidista del PSP no es suficiente. Cuando afirmamos que el partido tiene que abrirse a una política organizativa de base amplia y militancia selectiva estamos hablando precisamente de abrir esos canales que propicien la verdadera proletarización del PSP. Es incorporar al partido a esos crecientes sectores de vanguardia que están multiplicándose rápidamente entre los trabajadores del país. Y es, a la vez, agilizar los mecanismos que permitan que simultáneamente a la incorporación intermitente se vaya dando el proceso de selectividad que garantice la consolidación y el desarrollo de un verdadero partido revolucionario.

Los que forjamos este partido con grandes esfuerzos tenemos que sentirnos plenamente satisfechos de cómo van fructificando nuestros trabajos fatigosos de todos estos años. Al mismo tiempo, para impulsar la fructificación en gran escala, es preciso que le abramos cauce a la renovación.

Los que llevamos casi dos décadas asumiendo responsabilidades máximas en este partido no estamos para jubilarnos ahora que el reto se torna más grande, pero tampoco para permitir que el continuismo constriña las perspectivas futuras de esta lucha.

Hemos sostenido a lo largo de los últimos meses, en escritos en CLARIDAD e intervenciones en los foros partidarios, que la generación fundadora de este partido; tanto la que fundó el MPI en 1959 como la que presidió su transformación a partido marxista leninista en 1971, estuvo integrada fundamentalmente por elementos venidos de las luchas estudiantiles y patrióticas. Esas luchas patrióticas se escenificaron principalmente, a lo largo de la década de los años sesenta, en las universidades y las refriegas estudiantiles. Ellas fueron el crisol donde se fraguó un movimiento capaz de cumplir un importante rol histórico: el de fundar el primer partido marxista leninista masivo en la historia de este país.

La década de los setenta ha representado un cambio del plano universitario al de los sindicatos en el escenario principal de las luchas. Ahora estamos en el apogeo de esas luchas sindicales.

De lo que se trata es de impulsar la elevación del nivel de esas luchas al plano político, que es el definitivo, en el que podrá plantearse con seriedad el objetivo de la toma del poder por la clase obrera y sus aliados.

Es ese liderato salido de las luchas obreras el que tiene que tomar el timón de este partido para plantearse la meta de esa elevación cualitativa de la lucha de clases en nuestro país. Van a cometer errores, la mayor parte de ellos por falta de experiencia en la conducción de luchas políticas. Nosotros también los hemos cometido. Pero será precisamente de la comprobación en la práctica de cuáles son los caminos certeros de donde se irá empujando la lucha a sus niveles más altos.

Nuestra función ahora debe ser la de garan**tizar, con nuestra militancia en la trinchera que se nos asigne, la continuidad de esta lucha y de este partido.**

No estamos planteando que todos los miembros de la dirección máxima de este partido deben ser sustituídos. Ciertamente, es preciso entender que el proceso renovador se ha estado dando a lo largo de los últimos años y ha tenido sus efectos en los cuerpos de dirección máxima. Algunos de los integrantes de la presente Comisión Política fueron precisamente elevados a ese organismo en un espíritu renovador.

Pero esa renovación, para serlo de verdad, tanto en la realidad como en su proyección pública, tiene que incluir cambios en los que ocupamos los cargos más altos de dirección. Específicamente, debe incluir un cambio en la Secretaría General del partido.

La vieja tradición caudillista de la política puertorriqueña nos ha impuesto su tara en todo un período del desarrollo de este partido. Aún cuando grandes sectores de la clase obrera y los trabajadores empiezan a reconocer el PSP como el más leal defensor de sus intereses, queda todavía la identificación caudillista que lleva a muchos a llamar al PSP "el partido de Mari Brás." Es hora de que el partido de Mari Brás desaparezca del escenario público y le de curso al partido de la clase obrera.

Del 19 al 25 de mayo de 1978 — CLARIDAD 15

"Ni jubilación ni continuismo." Artículo de Juan Mari Brás.
Periódico *Claridad*, 19 de marzo de 1978.

Un Congreso histórico

El segundo Congreso Extraordinario del Partido Socialista Puertorriqueño, celebrado los días 15, 16 y 17 del corriente mes, realizó su histórica apertura en la sede del Colegio de Abogados con la presencia de destacadas personalidades del país que, acompañaron a los miembros fundadores del Movimiento Pro Independencia como invitados especiales del evento.

Destacadas figuras del movimiento de liberación de Puerto Rico escucharon, junto a la matrícula socialista presente en el acto, el mensaje principal a cargo del dirigente socialista Juan Mari Brás. Cabe especial mención, del héroe nacionalista, Andrés Figueroa Cordero.

Entre otros, estuvieron presentes: Noel Colón Martínez, Eneida Vázquez, Gilberto Concepción Suárez, Luis F. Camacho, Nilita Vientós Gastón, Carlos Vélez Rieckehoff, Pablo García Rodríguez, Rosario Ferré, Angel Tapia Flores y Luis Angel Torres.

También estuvieron presentes los profesores Benjamín Torres, Viola Lugo, Víctor Meléndez, José Emilio González, Isabel Gutiérrez del Arroyo, José Antonio Herrero, y Emilio Díaz Varcárcel. Además, los líderes sindicales, Luis Amaury Suárez, Arturo Grant, Arquelio Caraballo, Gil Ríos Mulero, y el abogado laboral, Norman Pietri, entre otros.

Los miembros fundadores que compartieron la tribuna de la apertura del Congreso, fueron Alejandro Sella, Luis F. Lázaro, Juan Santos Rivera, Loida Figueroa, Lydia Barreto, Paquita Pesquera, Domingo Vega, Alfredo Bassat, Santiago Mari Ramos, Rafael Hernández Ramos, Pedro Juan Maldonado y Víctor M. Santiago. También estuvieron presentes: Virgilio Alvarez Román, Aníbal Lebrón, Luis Santiago Reyes, Miguel Rosado, Juan Ríos Figueroa, Pedro Maldonado Cintrón, Francisco Elías Quiñones y Rosa Caraballo Casiano.

Vista parcial de los presentes en la Clausura del Congreso. Entre otros invitados, se destacan los artistas Lucecita Benítez, Alberto Carrión y Pedro Rivera Toledo. (Foto CLARIDAD por Rafael Díaz)

El PSP ante grandes retos

Por Antonio R. Gómez
Redactor de CLARIDAD

La presente situación política de Puerto Rico le plantea al Partido Socialista Puertorriqueño retos de superación "verdaderamente grandes" afirmó el secretario general de la colectividad Juan Mari Brás durante su presentación del informe del Comité Central del partido a los delegados del segundo Congreso Extraordinario de la organización en la apertura del evento.

"Si grandes son los retos", sostuvo Mari Brás, "mayor es la necesidad, la urgencia, de que éstos se encaren con acierto frente a la disyuntiva que se le plantea a nuestra clase obrera y al pueblo trabajador puertorriqueño".

Durante su extensa intervención el pasado viernes en el Colegio de Abogados, el portavoz político de la colectividad hizo un pormenorizado análisis de la presente condición política del país. La situación organizativa del PSP, la trayectoria histórica de la organización, sus errores principales, y las tareas que tiene por delante.

En torno a estas últimas destacó que las guías del proceso rectificador del Partido son el desarrollo de un partido de vanguardia que a su vez sea un partido de masas y que trabaje sobre esas bases hacia la construcción del partido obrero necesario para el Puerto Rico de hoy capaz de rendir las funciones de vanguardia que se necesitan en este país y en este momento histórico.

Ese partido, añadió, "tiene que ser independentista, tiene que ser socialista, tiene que ser revolucionario; tiene que al mismo tiempo conjugar esos tres aspectos de una misma ideología, de una misma postura."

"Debe ser riguroso y flexible, eficiente y centralizado en la ejecusión de la autoridad y profundamente democrático en su funcionamiento; tiene que mantener el cotejo de la realidad para entender el presente puertorriqueño".

Ampliando sobre el análisis de la situación política actual destacó que "por más que nosotros deseáramos que la independencia y el socialismo sean acontecimientos simultáneos en la vida nacional, todo parece indicar que no va a ser así."

"En Puerto Rico," explicó, "hay una crisis del status político. Esa crisis es muy posible que conduzca a un cambio muy importante en el status político en el curso de la próximo década. "Ese cambio, añadió, "ha de ser de la mayor importancia en perspectiva histórica para la clase obrera, los trabajadores puertorriqueños y para el socialismo a nivel internacional."

"La lucha por la independencia", continuó Mari Brás, "sigue siendo objetivo prioritario de primera magnitud para los socialistas y comunistas puertorriqueños". Quien no entienda eso no está cumpliendo con el más elemental deber de un comunista en una colonia; quién no lo entienda así está elucubrando pero no está haciendo revolución", sentenció.

Destacando la necesidad de enfrentar y derrotar la ofensiva anexionista desatada contra el país, el dirigente socialista sostuvo que "es posible y necesario no solo derrotar esa ofensiva anexionista sino montar una contraofensiva sobre bases anticoloniales que conduzcan a una nueva situación política a Puerto Rico lo más cercana posible a la independencia."

"No estamos para hacernos ilusiones; no va a conducir este proceso en el periodo corto de una década a la república socialista. Pero va a conducir a lo más cercano a ése, que es nuestro objetivo estratégico, en la medida en que sea certera la acción que los socialistas generemos y que podamos por tanto reproducir y generar entre las grandes masas."

Resaltó el máximo dirigente Socialista la necesidad de la inserción en ese proceso de un partido obrero. "Un partido que insertado en el mismo no solo pueda vivir sino fortalecerse para estar en condiciones de librar una lucha prolongada por la toma del poder y la construcción del socialismo y la nueva sociedad".

Al hablar sobre el desarrollo histórico de la organización Mari Brás destacó que desde sus orígenes el PSP-MPI se desarrolla sobre dos características fundamentales que abren una nueva concepción de la lucha independentista. Son la fusión de la lucha política con la lucha económica y social de nuestro pueblo y una nueva concepción organizativa de la revolución puertorriqueña.

Estas dos características fueron desarrollándose durante los saltos cualitativos que fue experimentando la organización hasta alcanzar su actual condición de Partido Socialista, marxista-leninista.

En ambos casos sin embargo, explicó Mari Brás, "el ilusionismo nos llevó a confundir la perspectiva histórica con la perspectiva política. Pensamos que la fusión necesariamente conllevaría alcanzar ambas metas simultáneamente. Quisimos traducir nuestros deseos en diagnóstico científico."

"Pensamos también, que la crisis del colonisje se profundizaría a niveles tales que estallaría en una situación revolucionaria con suma rápidez. No ha sido así. La crisis del coloniaje en nuestro país no se ha profundizado en dimensiones tales que estallara por combustión espontánea, ni se ha desarrollado la acción conciente de la vanguardia y las masas para hacer que esa crisis pueda transformarse en su solución."

Mari Brás enumeró una serie de factores responsables de esa situación entre los que mencionó la fuerte inyección de fondos federales, y por otro lado las deficiencias y errores de la propia organización de los socialistas los cuales enumeró destacándolos también como parte importante de la presente situación política.

Esos errores y deficiencias, destacó, son los que hemos comenzado a rectificar a raíz del proceso de evaluación que culminó con este Congreso.

Del 22 al 28 de septiembre de 1978 — …ICAD 11

"Un Congreso histórico."
Periódico *Claridad*, 22-28 septiembre de 1978.

Por el partido obrero que necesitamos

En medio de reiteradas ovaciones de los asistentes al acto de clausura del Congreso Extraordinario del Partido Socialista Puertorriqueño, celebrado el pasado domingo en el Centro de Convenciones del Condado, el secretario general reelecto de la colectividad, Juan Mari Brás, resumió los principales acuerdos y resoluciones del importante evento Socialista.

Tras destacar la importancia real y simbólica de la presencia y participación en las deliberaciones del Conggreso de una nutrida delegación de la Seccional del PSP en Estados Unidos, Mari Brás explicó las razones que le llevaron a reconsiderar su planteamiento de no aspirar a la reelección, la máxima posición de dirección del PSP. "Confieso que desde los primeros momentos en que hice el planteamiento sobre la necesidad de un cambio en la Secretaría General del Partido, confié en que convencería al partido sobre la justeza del planteamiento. Tengo una profunda convicción de que el planteamiento ha sido justo. Sin embargo, los delegados al Congreso y los miembros del Comité Central electo hoy no comparten del todo los criterios que yo he expuesto, y por encima de toda otra consideración debía prevalecer el sentido de disciplina del militante socialista. Entre todas las modestas contribuciones que puedo ofrecerle a este pueblo quizás una de las más importantes sea probar con el ejemplo la validez del principio del centralismo democrático, norma que rije a todo partido revolucionario que de verdad lo sea, de que cada militante ha de someterse al dictamen de la mayoría, aún cuando sus particulares concepciones no correspondan a los de la mayoría. Excepto cuando se trata de una cuestión de principios, y evidentemente en este caso no lo había, así tiene que ser en todo lo demás. De lo contrario no estaríamos sentando bases sólidas para la construcción de un partido obrero para el Puerto Rico de hoy y para el Puerto Rico de mañana. Por esa razón, más que por ninguna otra, me tienen ustedes en esta tribuna esta noche", indicó el dirigente Socialista.

Al enumerar los principales acuerdos adoptados por el PSP en su Congreso Extraordinario, Mari Brás resaltó el hecho de que "quedó definida con toda claridad la línea estratégica de nuestro Partido, quedó definido el concepto cardinal de que la principal responsabilidad de los comunistas, de los socialistas en toda colonia, y por tanto en Puerto Rico, es la lucha por la independencia nacional de nuestra Patria", tras lo cual los asistentes ovacionaron de pie por varios minutos las palabras que resumían uno de los principales acuerdos adoptados por el Congreso.

Señaló también que "el primer objetivo interno que tiene la más alta prioridad en la consideración de los Socialistas es el de desarrollar y consolidar a plenitud el partido obrero para el Puerto Rico de hoy, un partido que sea independentista, socialista y revolucionario, y que se plantee la transformación radical de las estructuras existentes en el país y la construcción del socialismo como su objetivo gran-estratégico."

Dijo además Mari Brás que el partido reafirmó su entendimiento de que es preciso enfrentar la tarea de quebrar la hegemonía ganada por el imperialismo en nuestro país y de que la lucha ideológica forma parte importante de ese camino hacia la quiebra de la hegemonía imperialista y capitalista en Puerto Rico.

Mari Brás se dirigió a los asistentes al acto de clausura, en el que estuvieron presentes destacadas personalidades del independentismo, del movimiento sindical y estudiantil, así como del campo cultural, entre estos Lucecita Benítez, Alberto Carrión y Pedro Rivera Toledo.

Mari Brás destacó la formulación de la línea organizativa de la colectividad como una que "buscará la incorporación de todos los que tengan identificación plena con el socialismo científico, con la independencia, con la construcción del socialismo, independientemente de las desigualdades, diversidad y particularidades que cada simpatizante pueda manifestar."

La independencia del Partido para tomar las decisiones que considere más convenientes en cada momento, fue otro señalamiento del Secretario General del PSP en su intervención. "Avanzar en la revolución puertorriqueña es nuestro derecho como revolucionarios de este país y nuestra obligación como revolucionarios de este planeta. Y como somos los socialistas puertorriqueños y los revolucionarios puertorriqueños los que tenemos esa responsabilidad sobre nuestros hombros, no serán los revolucionarios fraternos de ningún otro lugar del mundo los que podrán dirigir la revolución puertorriqueña sino que esa es responsabilidad nuestra que no podemos delegar y que no habremos de delegar en nadie. . ."

La reafirmación en los principios de impulsar la más amplia democracia socialista y la dictadura del proletariado para garantizar aplastar las clases explotadoras, así como el derecho inalienable del pueblo puertorriqueño a recurrir a la violencia revolucionaria para oponerla a la violencia contrarrevolucionaria del sistema, fueron enunciados en la intervención del dirigente Socialista.

Tras un extenso análisis de la situación nacional y la coyuntura política que se presenta ante la aprobación de la resolución del Comité de Descolonización de Naciones Unidas sobre Puerto Rico, Mari Brás explicó las razones por las cuales el Congreso decidió, por mayoría abrumadora, participar en las elecciones de 1980 y a esos efectos iniciar la inscripción del PSP a fin de completar la misma en 1979.

Mari Brás explicó en su discurso que por la negativa del gobierno norteamericano a extender un visado a una delegación del Partido Comunista de Cuba, designada por el Buró Político del Comité Central, ésta se vio impedida de asistir al Congreso. No empece a ello, un mensaje fue recibido en el que reiteraba la solidaridad del Partido Comunista, el gobierno y el pueblo cubano a la lucha por la independencia del pueblo puertorriqueño. La mención hecha por Mari Brás del presidente cubano Fidel Castro Ruz, mereció un cerrado aplauso de los socialistas.

Juan Mari Brás, reelecto Secretario General del PSP, mientras rinde el informe de clausura del Congreso ante más de un millar de socialistas e invitados el pasado domingo en el Centro de Convenciones. En la mesa presidencial, los miembros de la Comisión Política de la colectividad, (de izquierda a derecha) Wilfredo López, Wilfredo Mattos, Carlos Gallisá, Lucía Romero, Luis Lausell y Gervasio Morales. (Foto CLARIDAD por Rafael Díaz.)

Cuba y Nicaragua presentes

La apertura del segundo Congreso Extraordinario del Partido Socialista Puertorriqueño tuvo uno de sus momentos de mayor emoción cuando fueron leídos los mensajes solidarios del Comité Central del Partido Comunista de Cuba y del Frente Sandinista de Liberación Nacional de Nicaragua.

Por otra parte, el mensaje del Comité Central del Partido Comunista de Cuba, subrraya el convencimiento de que "los objetivos del Congreso, la importancia de los documentos que ustedes aprobarán, el debate y la envergadura de las Resoluciones, abrirán una nueva página en las heroicas luchas de su Patria".

El mensaje cubano al Congreso Socialista puertorriqueño reconoce que la "reciente resolución aprobada por el Comité de Descolonización de las Naciones Unidas es un ejemplo fehaciente de la creciente solidaridad que mueve la causa de la Independencia de Puerto Rico. Esta resolución es, sobre todo una victoria de las fuerzas independentistas y una derrota de las maquinaciones y maniobras de los Estados Unidos".

Al referirse a la decisión del gobierno norteamericano, que impidió el viaje de una delegación cubana al evento socialista en Puerto Rico, destaca que "esta absurda medida no evitará, sin embargo, que en vuestro Congreso esté presente, como siempre, el mensaje solidario de la Revolución Cubana".

Y añade: **"Reiteramos el sentimiento de todo nuestro pueblo: que mientras haya un puertorriqueño que defienda la idea de la independencia, mientras haya uno, tenemos el deber moral y político de apoyar la idea de la Independencia de Puerto Rico. Y cumpliremos con ese deber moral y político"**, concluye el mensaje cubano.

La comunicación del Frente Sandinista de Liberación Nacional (FSLN) dirigida al Congreso Extraordinario del Partido Socialista Puertorriqueño declara que "por los comunes principios levantados por la independencia definitiva de nuestros pueblos, que son la liberación nacional y el socialismo, el FSLN presenta un saludo fraternal a este Congreso y hace llegar al combativo pueblo de Puerto Rico nuestra identidad con su causa libertaria y nuestra solidaridad militante".

"La lucha del pueblo puertorriqueño — continúa el mensaje — por conquistar su independencia y soberanía, esa lucha encaminada a lograr las más caras aspiraciones de un pueblo que combate al enemigo imperialista, es motivo de nuestra simpatía, de nuestra adhesión y hermandad en el combate".

14 CLARIDAD — Del 22 al 28 de septiembre de 1978

"Por el partido obrero que necesitamos."
Periódico *Claridad*, 22-28 septiembre de 1978.

Comité Central del PSP

Carlos Gallisá
Presidente del Comité Central del Partido Socialista Puertorriqueño

Juan Mari Brás
Secretario General del Comité Central del Partido Socialista Puertorriqueño

Lucía Romero
Sub-secretaria general del Comité Central del Partido Socialista Puertorriqueño

Wilfredo Mattos Cintrón
Miembro de la Comisión Política del Comité Central del Partido Socialista Puertorriqueño

Gervasio Morales Rodríguez
Miembro de la Comisión Política del Comité Central y Director de CLARIDAD

Miembro de la Comisión Política del Comité Central del Partido Socialista Puertorriqueño

Miembro de la Comisión Política del Comité Central del Partido Socialista Puertorriqueño

Del 22 al 28 de septiembre de 1978.—CLARIDAD 15

"Comité Central del PSP."
Periódico *Claridad*, 22-28 septiembre de 1978.

comentario político

El socialismo y el movimiento social

Por Juan Mari Brás

El Partido Socialista Puertorriqueño iniciará próximamente su inscripción como partido por petición con miras a participar en las elecciones de 1980. Comenzaremos a principios de diciembre un plan piloto de tres semanas en una docena de precintos en áreas montañosas y costeras: Comerío, Barranquitas, Cayey, Orocovis, Naranjito, Toa Baja, Toa Alta, Dorado y Vega Alta, entre otros.

Ese plan piloto será evaluado por un grupo especializado que analizará todos los aspectos de su realización, a base de unos objetivos trazados y la medida en que se cumplan los mismos. De esa evaluación sacaremos unas conclusiones que le impriman mayor precisión científica al plan general de inscripción para 1979.

Esperamos cumplir tres objetivos centrales durante la campaña inscripcionaria: 1) asegurar la franquicia electoral que nos permita participar en los comicios de 1980 en la forma y manera que se decida posteriormente; 2) pulsar el incremento en simpatías y apoyo al socialismo entre el pueblo trabajador al presente y, 3) sentar las bases para ese apoyo en organización en la medida posible y en la diversidad de formas que la realidad requiera

No tenemos la menor duda de que vamos a cumplir lo esencial de esos objetivos. El socialismo llegó a Puerto Rico para quedarse hasta triunfar. Las elecciones de 1976 fueron el primer indicio irrefutable de que eso es así. Sin subsidio gubernamental, sin recursos económicos mínimos y sin prácticamente experiencia alguna en las lides electorales, logramos acumular un apoyo específico que se manifestó en tres dimensiones crecientes: la candidatura a gobernador obtuvo 10,728 votos. El candidato a senador por acumulación, compañero Pedro Grant, obtuvo 24,364 votos y el candidato a representante por acumulación, compañero Carlos Gallisá, obtuvo 42,507 votos. Esas tres cifras representan "los tres círculos concéntricos de nuestro apoyo" a noviembre de 1976.

La influencia del socialismo científico en la vida política puertorriqueña ha crecido bastante a partir de noviembre de 1976. Líderes y militantes socialistas han ganado elecciones para altos cargos en importantes sindicatos y uniones de trabajadores, tanto del sector público como el privado. Continuamente se amplía y profundiza la actividad cultural, la creación artística guiadas por una orientación socialista. La presencia socialista en el debate político del país es incuestionable, y cada vez más influyente. El poder socialista, que es resultado de todo lo anterior así como de la realidad internacional, donde el campo socialista es cada vez más amplio y fuerte, OBLIGA a todos, amigos y enemigos, a contar con el PSP como un factor ineludible en el conjunto de fuerzas que determinan las decisiones políticas.

Por otro lado, el Partido Socialista ha experimentado un intenso proceso de crecimiento cualitativo que marca su madurez institucional. Pronto celebraremos el vigésimo aniversario de la fundación de esta organización. Un partido político meramente electoral y que aspire solamente a administrar el gobierno existente suele tener una vida histórica de varias décadas. Por eso, su ascenso y descenso se precipitan en cuestión de pocos años. Pero un partido que aspira a transformar el sistema es harina de otro costal. Su vida histórica se proyecta en siglos, no en décadas. De ahí que el periodo de su gestación y crecimiento inicial sea mucho más largo. El PNP se organizó en menos de un año y triunfó súbitamente en las primeras elecciones a las que acudió, en 1968. Se trata de un conglomerado amorfo que sólo se junta por fuerza de una coyuntura muy transitoria. Con la misma rapidez con que se forjó habrá de desintegrarse, como ocurrió con su antecesor, el Partido Estadista Republicano. Esa es la gran diferencia. Cuando ya no haya ni recuerdo de que el PNP fue un partido de mayoría en este país, habrá Partido Socialista para largo todavía en el futuro patrio.

Hay millares de trabajadores que aún no se identifican como socialistas pero que creen que es beneficioso para el país que haya un Partido Socialista y sienten respeto y admiración por las actuaciones nuestras. En una encuesta realizada en 1976 por nuestro Grupo de Investigaciones Sociales con la mayor rigurosidad científica, uno de cada cuatro encuestados indicaron que es beneficioso para el país que el PSP exista. No obstante, esa misma encuesta señalaba que sólo uno de cada cien votarían por el partido en las elecciones de ese año. Ese veinticinco por ciento del electorado que considera beneficioso para el país que el PSP exista está integrado por Socialistas potenciales. No van a convertirse al socialismo de la noche a la mañana, pero van moviéndose a ritmos variables hacia mayores niveles de conciencia.

Los que van a dar las firmas para inscribir el PSP serán del PNP, del PPD, del PIP, del PSP o gente que no se considera afiliado a partido alguno. Se estima que una cuarta parte del electorado no está afiliado a ningún partido ni ha decidido por cual votará en 1980. Los líderes y militantes de los tres partidos con franquicia actualmente no van a darnos las firmas para inscribir el PSP ni nosotros vamos a pedírselas. Pero esos son, en total, unos cuantos millares. Las grandes mayorías, integradas por hombres y mujeres que trabajan todos los días para ganarse el sustento o que ni siquiera pueden contar con un trabajo y un salario estable, van rompiendo, lenta pero crecientemente, las barreras de prejuicios que les encuadra en determinados esquemas. Muchos de ellos hoy están listos para darnos una simple firma para que nuestro partido se inscriba. Mañana estarán prestos a darnos un voto y más tarde sus niveles de conciencia les llevará a ofrecer mucho más por llevar al socialismo a su triunfo definitivo. Así son los procesos sociales, cambiantes y dinámicos. Los que lo ven como cosas estáticas están en babia.

Por eso, los Socialistas no necesitamos hacer pactos con ningún partido para que nos ayude a inscribirnos. No dependemos de que a determinado partido le pueda parecer conveniente o no que el PSP quede inscrito. No estamos buscando franquicias prestadas. Estamos inscribiendo sólidamente nuestra franquicia esencial: que es la que concede el pueblo a quienes reconoce como sus instrumentos de lucha.

Tampoco podrá partido alguno evitar que el PSP se inscriba, con medidas coercitivas, cacerías de brujas, presiones o represiones. Carlos Romero, Angel Viera Martínez y una parte del liderato del PNP se podrán conjurar para dificultar nuestra inscripción pero no tienen la menor posibilidad de lograr impedirla. Ni su poder es tan grande ni el nuestro tan pequeño.

El proceso inscripcionario del PSP será, al mismo tiempo, una gran escuela política para toda nuestra militancia. La mayor fuente de sabiduría política de que siempre tendremos que aprender está en el pueblo trabajador. El contacto con amplios sectores de ese pueblo enriquecerá nuestro acervo, nos señalará nuestros errores y nos inducirá a agilizar la capacidad de rectificación que garantice que de verdad podamos cumplir la función orientadora que corresponda a un partido de vanguardia.

No será, por tanto, la inscripción del PSP un mero formulismo realizado mecánicamente para cumplir con unos requisitos de ley. Vamos a salir hacia el pueblo a un reencuentro que seguirá reproduciéndose en múltiples formas a lo largo de los próximos años. Porque tenemos una convicción que se funda en la observación científica de la realidad y la más firme determinación de empujar el cambio social necesario para cumplir las grandes metas de este pueblo. ¡Iniciemos, pues, la tarea, con ánimo de victoria!

Del 17 al 23 de noviembre de 1978 — CLARIDAD 15

"El socialismo y el movimiento sindical." Artículo de Juan Mari Brás. Periódico *Claridad,* 19 de noviembre de 1978.

POLICIA DE PUERTO RICO
DIVISION INTELIGENCIA

EL MUNDO ___ EL DIA ___ THE SAN JUAN STAR ___ EL VOCERO

NEW YORK TIME ___ EL CARIBE R.D. ___ CLARIDAD

Anuncio político pagado

Consenso o confrontación

PARTIDO SOCIALISTA PUERTORRIQUENO

Por Juan Mari Brás

Este no es momento de agitar la histeria ni de soltar la lengua para desbordar pasiones. El país corre parejo con el mundo en una coyuntura sumamente peligrosa.

A nivel mundial, lo que está en juego es la sobrevivencia de la especie humana. Un error de cálculo del liderato norteamericano —presionado por las múltiples tensiones que produce la conciencia de la decadencia del poderío imperialista— podría conducir al holocausto nuclear. Los puntos de mayor riesgo son Europa y el Mediano Oriente. Tanto la propuesta de Wáshington a la OTAN para aumentar sustancialmente la cantidad de misiles a Europa Occidental apuntando hacia la URSS y los demás países Socialistas, como la delicada situación entre Estados Unidos e Irán conllevan graves peligros de que degeneren en un conflicto mundial irreversible de grandes proporciones.

El Caribe es otra de las áreas del planeta donde se fragua con relativa celeridad otro de los puntos de conflicto. Y nosotros los puertorriqueños jugamos un rol importante en el contexto caribeño.

Por eso, es importante que unos y otros sepamos cabalmente la dimensión de todo lo que está en juego. En nada ayudará en este instante ni la prepotencia y arrogancia de la Marina norteamericana, la Casa Blanca y los demás voceros del gobierno de Estados Unidos, ni la constreñida visión enajenada de los acontecimientos por parte de los politiqueros del patio. Los que solo pueden tallar en el plano fangoso del dime y direte, le harían un bien a Puerto Rico si siquiera fueran capaces de contribuir con su silencio.

El peor peligro del momento es la inconciencia. De nada vale ignorar la magnitud de lo que ha ocurrido en Puerto Rico el lunes pasado. La emboscada por un comando patriota a una guagua de marinos norteamericanos fue un acto de guerra. Fue una primera respuesta armada de un sector del independentismo a los asesinatos, agresiones y represiones de la Marina, de la Corte Federal y de todo el aparato imperialista, incluyendo el régimen fascistoide de Carlos Romero.

Los Socialistas no podemos condenar ese acto de guerra porque hacerlo sería resignarnos al chantaje de la prepotencia imperialista. Por el contrario, reconocemos y proclamamos el derecho de nuestro pueblo a oponer la violencia revolucionaria a la violencia represiva del imperio.

Lamentamos que a estas alturas de la civilización los seres humanos tengan que matarse unos a otros, sean estos norteamericanos, puertorriqueños o de cualquier otro lugar del mundo. Pero es "un hecho de la vida", al decir de los yanquis. Esa es la guerra en su esencia. Lo que pasa es que mientras haya agresores no puede pedírsele a los agredidos que se crucen de brazos a esperar pasivamente que se les siga victimando impunemente.

¿Y quién ha empezado esta batalla? Ciertamente, no fueron los comandos independentistas que actuaron el tres de diciembre. Fue la Marina de Guerra de Estados Unidos, con sus incesantes bombardeos contra el pueblo de Vieques. Fueron los asesinos de Arnaldo Darío Rosado y Carlos Soto Arriví en el Cerro Maravilla, y los que planearon y ejecutaron el entrampamiento y posterior encubrimiento de la felonía. Fueron los jueces Juan Torruella y Hernán Pesquera cuando condenaron a los patriotas que defendían los derechos de los viequenses. Fueron los asesinos de Angel Rodríguez Cristóbal en la Prisión Federal de Tallahasee, Florida.

Si alguien dudaba que esto es una guerra, aunque muy limitada por ahora, no tiene más que analizar las movidas posteriores de la Marina y el Gobierno de Estados Unidos. Ellos lo han tomado como tal. Movieron un contingente de sesenta marinos hacia la Isla. El almirante Knoizen, jefe de la Marina de Estados Unidos en el Caribe, hizo expresiones muy precisas que definen todo su enfoque de lo ocurrido como un confrontamiento militar entre dos partes beligerantes. "No voy a revelar qué medidas de seguridad estamos tomando", dijo, y añadió, "No le doy información al enemigo".

Todavía estos actos de guerra, de una y otra parte, no se han generalizado en un confrontamiento irreversible. Pero estamos muy cerca de que eso ocurra. Los que toman tales decisiones a los altos niveles gubernamentales deberán computar con mucha precisión los efectos de cada paso que den o dejen de dar. Los politiqueros de aquí, por pura inconciencia de colonizados, podrían atizar el fuego que conduzca a la generalización del confrontamiento. Y esa generalización no podemos prever hasta dónde llegaría, sobre todo montada en el contexto de la delicada situación del Caribe y del mundo. El patriotismo puertorriqueño, como saben muy bien los estrategas de la política colonial en Wáshington, no está solo. Hoy tiene el apoyo y solidaridad crecientes de fuerzas muy poderosas en el mundo.

El Partido Socialista Puertorriqueño sostiene en este instante la posición que ha hecho pública reiteradamente: no queremos la confrontación pero tampoco la rehuimos. Proponemos la búsqueda de un consenso dictado por la más elemental sensatez, que de lograrse le evitaría inmensos dolores a las presentes generaciones patrias. Aún los imperialistas tienen mucho que ganar con el consenso. Pero, a la larga, la parte más perdidosa será el imperialismo. Ambas partes perderíamos mucho con la confrontación. Vietnam debió enseñar que es completamente ilusorio que cualquier ejército, por poderoso que sea, le puede ganar una guerra a un pueblo.

Si Estados Unidos quiere evitarse el lento, pero creciente desarrollo de un Vietnam Caribeño, todavía está a tiempo para actuar con cordura. Si a sus acólitos de aquí les da la inteligencia para entender la magnitud del embrollo en que se están metiendo, reflexionen más y parloteen menos. Detengan a sus bandas terroristas. Cese la retórica histérica y pónganle un alto al empeño de atosigarle la anexión a nuestro pueblo.

El Partido Socialista Puertorriqueño le propone al país y a todos los otros partidos, como expresión organizativa que son del espectro político nacional, que cese de inmediato la insensata carrera de ataques y contraataques que solo sirven para exacerbar pasiones. Montada sobre un barril de pólvora, en un sentido casi literal, esa discusión pública no lleva a más lugar que al escalonamiento de la confrontación. Lo patriótico en este momento es buscar un consenso procesal para la descolonización que evite el descalabro. Así como las grandes potencias mundiales tienen la obligación de buscar entendimientos mínimos para evitar una conflagración total, así también las fuerzas políticas puertorriqueñas deben agotar todas las posibilidades para reducir al mínimo la confrontación necesaria y garantizar, en la medida posible, la paz de nuestro pueblo. Cualquier otro camino, no le quepa a nadie la más mínima duda, solo conducirá a la generalización de la guerra.

"Consenso o confrontación." Artículo de Juan Mari Brás. Periódico *Claridad*, 9 de diciembre de 1978.

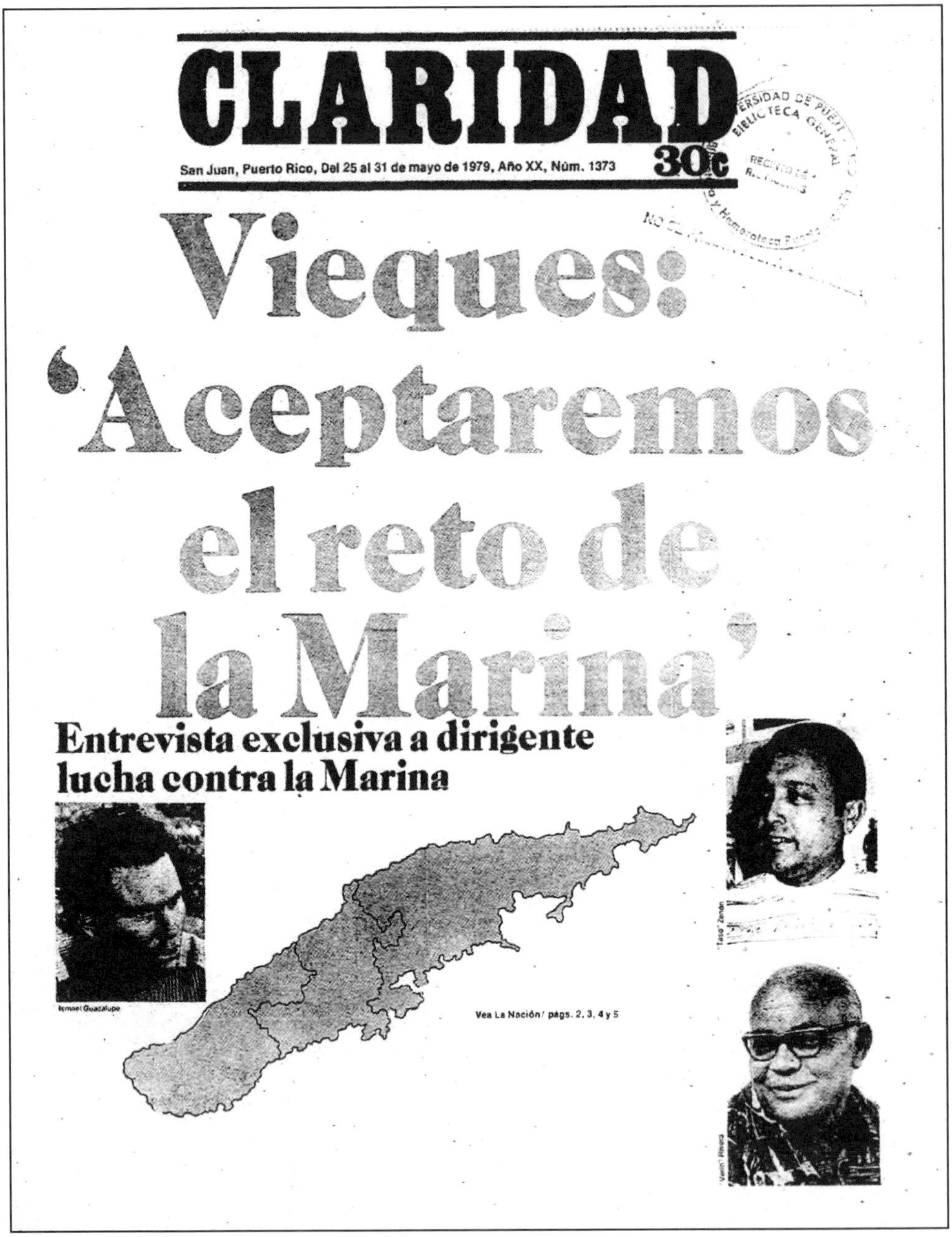

CLARIDAD

San Juan, Puerto Rico, Del 25 al 31 de mayo de 1979, Año XX, Núm. 1373

30¢

Vieques: 'Aceptaremos el reto de la Marina'

Entrevista exclusiva a dirigente lucha contra la Marina

Ismael Guadalupe

Vea La Nación / págs. 2, 3, 4 y 5

'Taso' Zenón

"Vieques: Aceptaremos el reto de la Marina."
Periódico *Claridad,* 25 al 31 de mayo de 1979.

la nación

Vieques: 'Aceptaremos el reto

Por Antonio R. Gómez
Redactor de CLARIDAD

Finalizó otra jornada de desafío y lucha en las aguas y tierras viequenses. Esta jornada presenta importantes diferencias a las anteriores y marca una nueva etapa en la lucha de los viequenses, pescadores y pueblo en general, por expulsar a la Marina de su territorio.

En esta ocasión se destaca la brutalidad y fuerza agresora de la armada norteamericana contra el pueblo viequense. Más importante aún, sin embargo, destaca la respuesta que Vieques dio a tales agresiones en forma masiva.

Los tres principales dirigentes de la lucha por el rescate de Vieques coinciden al proclamar victoriosa la jornada.

Carlos Zenón, Ismael Guadalupe y Severino Rivera Morales (Verín) entrevistados por CLARIDAD, hicieron balance de los episodios de lucha de la pasada semana y concurren en que el saldo es altamente positivo para el desarrollo de los objetivos que tiene plantados el pueblo viequense.

Para "Taso" Zenón el resultado "es definitivamente favorable". "Es así", nos señala, "por la sencilla razón que esta vez estuvimos más organizados y por fín la Marina hizo prácticamente lo que nosotros estábamos esperando que hiciera: meter la pata al envolverse en arrestos y detenciones innecesariamente y hasta brutalmente".

Guadalupe y Rivera puntualizan por su parte el efecto concientizador que la actitud de la Marina tuvo sobre el pueblo.

"Se cumplió uno de los objetivos principales que tenía la Cruzada Pro Rescate de Vieques: que el pueblo recobre y tome conciencia del objetivo común de nuestra lucha contra la presencia de la Marina. El pueblo de Vieques ha tenido una reacción sumamente favorable. Parte de nuestro pueblo se había olvidado de los efectos sobre el desarrollo de la Isla y de los daños que le causa a nuestro pueblo la Marina. Ante estos acontecimientos nuestro pueblo ha comenzado a reaccionar de una forma que nos ha sorprendido".

Guadalupe puntualiza las expresiones de "Verín" reafirmando el propósito de lucha de los viequenses. "Lejos de detener la lucha", nos dice, "esto ha provocado que personas que estaban como meros observadores decidan enfrentar el reto abierto que les han lanzado. Las reacciones de apoyo a nuestra lucha se produjeron no sólo en Vieques sino que cubrieron actividades en la Isla Grande y Santa Cruz.

La moral de los pescadores, quienes han llevado la vanguardía de esta lucha se transformó también en la jornada.

Dice Zenón, "la moral de los pescadores está bien alta. A pesar de que la Marina prácticamente recogió sus motetes y se marchó (con las maniobras "Readex") los pescadores ayer mismo me estaban preguntando qué activi-

CLARIDAD no tiene que pedir permiso

Por Gervasio Morales
Director de CLARIDAD

Mientras la Marina norteamericana nos mantuvo detenidos por espacio de ocho horas en la oficina de Seguridad de la Base Roosevelt Roads, en Ceiba, fui llamado, junto al compañero fotógrafo Wilfredo Toledo, para reunirnos con el almirante Arthur Knoizen, jefe de la Marina en el Caribe.

En la breve, pero sustanciosa reunión, Knoizen nos indicó que fuimos detenidos porque durante los incidentes, no fue posible distinguir entre periodistas y quienes no lo eran y además, porque CLARIDAD no había pedido permiso para cubrir en áreas restringidas por la Marina.

Despues de llenarse la boca alegando bondades de la Marina con la prensa (con lo que creo que Wilda Rodríguez discreparía rotundamente), Knoizen nos dijo que en virtud de que él había autorizado a otros periodistas a cubrir ese día, nos dejaba en libertad.

No quise dejar pasar la oportunidad para cantarle algunas verdades a Knoizen, de frente y sin intermediarios.

En primer lugar le dije, y le reitero aquí, que CLARIDAD no cubre la lucha que se libra en Vieques sólo por su importancia noticiosa, sino más importante aún, porque apoyamos esa lucha y somos parte de ella. Por eso hemos estado, estamos y estaremos en la primera trinchera ofreciendo a nuestros lectores la información de lo que allí sucede y aportando nuestra modesta cuota para el logro de la victoria del pueblo puertorriqueño contra la Marina.

En segundo lugar, no le reconocemos a Knoizen ni al presidente de Estados Unidos mismo autoridad de clase alguna para determinar dónde, cuándo y cómo CLARIDAD cubre algún acontecimiento en Vieques, en la Isla Grande o en la Cochinchina, si fuera necesario. Las tierras que ocupa la Marina en Vieques han sido usurpadas a los viequenses. presencia de Estados Unidos en Puerto Rico tiene su raíz en una invasión militar; el colonialismo en Puerto Rico en última instancia se mantiene por vía de la fuerza y por ende, los que luchamos contra esas fuerzas no tenemos que pedir permiso para ejercer nuestra función, el periodismo revolucionario.

Por último, en vista de lo que le había señalado, dejé establecido que no pedíamos ningún privilegio como periodistas, por lo cual, rechazábamos que se nos dejara en libertad mientras permanecieran detenidos los otros 21 compañeros.

Esas verdades no son nuevas para nadie. La línea editorial de CLARIDAD es tan clara como el manantial más claro que exista en Puerto Rico. Tan es así que el propio Knoizen nos adelantó que conocía esa línea de CLARIDAD, al tratar de evitar que le cantara las verdades que le dije.

Pero al hacerlo, quise dejar para récord lo que preveo sucederá en el futuro. CLARIDAD volverá a Vieques cuantas veces sea necesario, donde sea necesario y sin más permiso que el que nos ha dado el pueblo puertorriqueño en lucha. Y tenga presente Knoizen y sus soldaditos ésto: los periodistas de CLARIDAD no tienen orchata en las venas. Nos corre la misma sangre que tienen los pescadores viequenses, sentimos la misma indignación ante sus bravuconadas, abusos y agresiones y no estamos dispuestos a que se agreda a ningún puertorriqueño impunemente.

CLARIDAD

San Juan, Puerto Rico, Del 25 al 31 de mayo de 1979, Año XX, Núm. 1373

Director Gervasio Morales y Gerente General Domingo Torres

Se publica semanalmente por Editorial CLARIDAD/Oficinas de redacción en Calle Toscania 1153, Urb. Villa Capri, Río Piedras, Puerto Rico/Teléfonos 761-7955 y 781-7775/Taller, Impresora Nacional, Centro Industrial Julio N. Matos, Carolina/Oficinas en Nueva York: 114E 13th. St., 10003/Teléfono: (212)260-0150.

2 CLARIDAD — Del 25 al 31 de mayo de 1979

"Vieques: Aceptaremos..." (continuación)

la nación

de la Marina'

dades teníamos programadas para hoy. Yo les estoy diciendo que a pesar de ello estamos en pie de guerra y que nos mantendremos a la expectativa y ellos están a la expectativa.

A este pueblo la Marina le declaró la guerra y definitivamente nosotros aceptamos el reto".

Preguntamos sus impresiones sobre la suspensión de las prácticas de la Marina y su relación con la lucha que se desarrolló esta semana. La respuesta fue unánime. Se refieren a los avisos oficiales de la Marina sobre los días en que desarrollarán sus maniobras, programadas hasta el 2 de junio próximo, y rechazan por tanto los alegatos de que las mismas hubieran terminado ya oficialmente como alega la armada norteamericana.

La orden del día era acampar. Las instrucciones: no resistir arresto, si hubieran. Sin embargo, los marinos tenían otras. Agredir, abusar, arrasar con el campamento y no escatimar con nadie, aunque se trate de una mujer de 76 años de edad. Pero el que lleva un saco para dar, tiene que llevar otro para recibir. Los marinos recibieron la respuesta de un pueblo que no está dispuesto a ser agredido gratuitamente. Muchos son ya los abusos, vejámenes, insultos y agravios contra Vieques y todo Puerto Rico. Si Knoizen, la Marina y el gobierno de Estados Unidos creen que podrán seguir agrediendo impunemente, le instamos a recordar a Vietnam y su pueblo, de donde los sacaron con el rabo entre las patas. Aquí no será diferente.

"Definitivamente", nos dice Zenón, "yo no sé si ellos han recibido algún tipo de llamada de Wáshington o de algún otro lugar ordenándoles la suspensión. Pero es un hecho que suspendieron las maniobras antes de lo que lo tenían programado. Lo hicieron porque se le estaba poniendo la cosa caliente aquí.

"Verín" por su parte destaca, al coincidir con Zenón, que la suspensión obedeció al interés de la Marina de evitar mayores complicaciones en Vieques. "No saben cómo bregar con esta situación delicada y decidieron retirarse para evitar verse en problemas más delicados".

Guadalupe tampoco tiene dudas: "La suspensión de las maniobras es resultante de la actividad de los viequenses. En esta ocasión las demostraciones y los desafíos superaron por mucho las ocasiones anteriores".

¿Cómo afectará el resultado de esta jornada con todas sus particularidades el desarrollo futuro de la lucha de Vieques? fue lo próximo que preguntamos.

Zenón fue claro: "Definitivamente ya hemos empezado a bregar. Ya tenemos ciertas estrategias y ya hemos empezado a pulirlas. Hay nuevas estrategias tanto para bregar en el mar como donde sea necesario. Estamos preparados. Ya la Marina nos ha enseñado bastante las uñas y definitivamente tenemos que empezar a bregar de otra forma para contrarrestar sus ataques. Entre las cosas que tenemos planteadas es evitar que los miembros de la Marina circulen por nuestro pueblo. Si nosotros tenemos problemas para entrar en las aguas restringidas, si tenemos problemas para entrar a las bases navales, ellos van a tener problemas entrando el pueblo de Vieques".

"Verín" subraya por su parte que existe gran preocupación por evitar caer en un estilo de lucha que pueda traer hasta luto en algún hogar, no importa el hogar que sea. "Estamos en la mejor disposición de mantener la lucha dentro de los marcos pacíficos. Pero como dirigentes respondemos a un pueblo y es el pueblo el que decide. Si la Marina establece este tipo de lucha violenta trataremos de contestar en la forma en que nos sea posible. Antes soportamos los abusos de los marinos, fuimos muy tolerantes. Ahora las cosas no son así. No permitiremos más abusos".

Guadalupe se une a tales expresiones y destaca que probablemente el pueblo de Vieques tenga que utilizar tácticas que nunca había utilizado. "Vamos a tener que recurrir a nuestro derecho a la autodefensa. Vamos a tener que responder a las agresiones. La Marina nos está empujando a eso".

Como bien resumió Zenón "A este pueblo la Marina le declaró la guerra y definitivamente hemos aceptado el reto".

Del 25 al 31 de mayo de 1979 -- CLARIDAD 3

"Vieques: Aceptaremos..." (continuación)

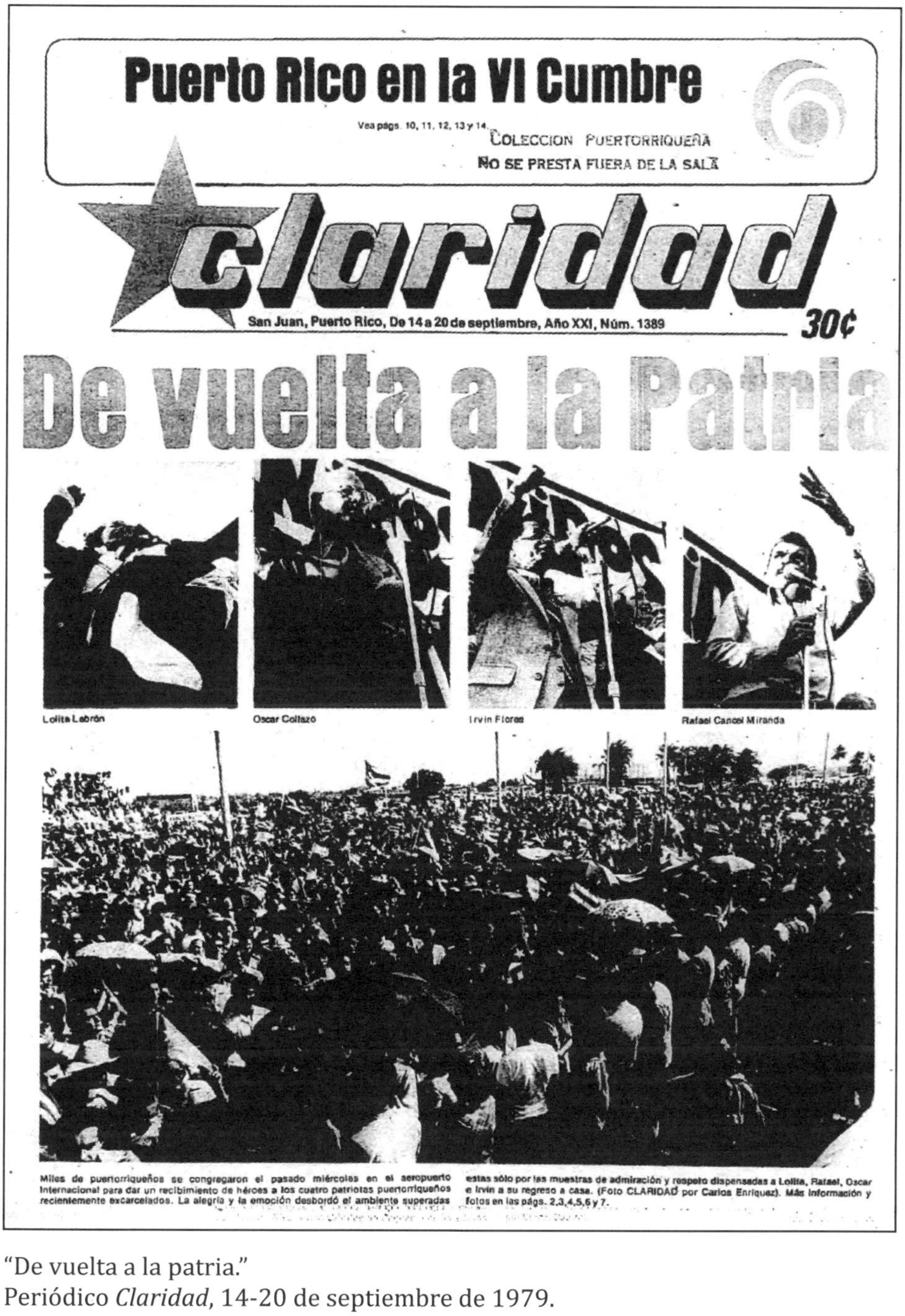

Puerto Rico en la VI Cumbre

Vea págs. 10, 11, 12, 13 y 14.

claridad

San Juan, Puerto Rico, De 14 a 20 de septiembre, Año XXI, Núm. 1389
30¢

De vuelta a la Patria

Lolita Lebrón

Oscar Collazo

Irvin Flores

Rafael Cancel Miranda

Miles de puertorriqueños se congregaron el pasado miércoles en el aeropuerto Internacional para dar un recibimiento de héroes a los cuatro patriotas puertorriqueños recientemente excarcelados. La alegría y la emoción desbordó el ambiente superadas estas sólo por las muestras de admiración y respeto dispensadas a Lolita, Rafael, Oscar e Irvin a su regreso a casa. (Foto CLARIDAD por Carlos Enríquez). Más información y fotos en las págs. 2,3,4,5,6 y 7.

"De vuelta a la patria."
Periódico *Claridad*, 14-20 de septiembre de 1979.

la nación/ 6 CLARIDAD – Del 14 al 20 de septiembre de 1979

Del 14 al 20 de septiembre de 1979 – CLARIDAD 7 /la nación

Alegría y regocijo por doquier

Por Antonio R. Gómez
Redactor de CLARIDAD

DIRIGENTES INDEPENDENTISTAS

DIRIGENTES SINDICALES

ARTISTAS PUERTORRIQUEÑOS

DIRIGENTE ESTUDIANTIL

"Alegría y regocijo por doquier."
Periódico *Claridad*, 14-20 de septiembre de 1979.

LOS TRES FRENTES DE LUCHA[1]

Quiero saludar desde aquí a los cuatro compatriotas nacionalistas recientemente liberados[2] y expresarles, a nombre de todos los independentistas de Puerto Rico, nuestro profundo respeto y agradecimiento por habernos dado un enorme ejemplo en la lucha por la independencia, al seguir constantes en el ideal, sin claudicar, aun cuando esa constancia significó padecer prisión por un cuarto de siglo.

Para poder estar a la altura moral de ese ejemplo, tenemos que darnos cuenta de que ese ejemplo no nos pertenece sólo a los independentistas. El ejemplo de los cuatro compatriotas es para todo el pueblo puertorriqueño, sin el respaldo del cual no podrá convertirse en realidad la independencia de Puerto Rico.

Podrá haber muchos puertorriqueños que discrepen de los métodos de lucha que, en un momento histórico en particular, estimaron conveniente utilizar los seguidores del Partido Nacionalista. Y también hay muchos puertorriqueños que discrepan del ideal de la independencia. Pero de lo que nadie discrepa en nuestra Patria es de que hombres y mujeres que están dispuestos a permanecer más de un cuarto de siglo en prisión por sus ideales son dignos del respeto y la admiración de todo un pueblo. Y ese respeto que el pueblo puertorriqueño les tiene a los cuatro compatriotas constituye un haber poderosísimo para el ideal de la independencia.

Un gran defecto de algunos independentistas es creerse que el patriotismo es una especie de don, del cual mientras menos

1 Discurso pronunciado en Lares el 23 de septiembre de 1979.

2 Se refiere a Lolita Lebrón, Oscar Collazo, Irvin Flores y Rafael Cancel Miranda, excarcelados en 1978. Véase nota 7 del discurso bajo título "Albizu Campos", capítulo III.

"Discurso de Rubén Berríos Martínez en los actos del Grito de Lares", 23 de septiembre de 1979. *La independencia de Puerto Rico: Razón y lucha,* pp. 413-421.

personas participen, más le toca a uno. Y con el patriotismo sucede lo contrario. El patriotismo, para ser virtud, tiene que ser contagioso. Tiene que transmitirse a los que todavía no están dispuestos a luchar por la libertad de la Patria. Si no es así, el patriotismo se convierte en un asunto de carácter sicológico, no de carácter político. Y nosotros estamos en una lucha política por la redención de nuestra Patria.

La excarcelación de los cuatro compañeros nos enseña que no se puede vencer al adversario, que no se puede hacer la independencia si no se conjugan una serie de factores, tanto en Puerto Rico como en los Estados Unidos de Norteamérica, como en el plano internacional.

Si el grito por la excarcelación de los compañeros hubiera permanecido entre los independentistas nada más, sin contagiar al resto del pueblo, los compañeros no estarían con nosotros todavía.

Recuerdo todavía cómo luchamos en la Legislatura de Puerto Rico, el compañero Roberto Aponte en la Cámara[3] y este servidor en el Senado, para que se aprobara una resolución pidiendo la excarcelación de los compañeros. Sólo cuando el pueblo se dio cuenta de la justicia de la demanda y la hizo suya, los líderes oportunistas de Puerto Rico se dispusieron a hacer suya también la bandera de la excarcelación.

Y cuando el pueblo empujó al liderato penepé y popular a esa posición a favor de los compañeros, empezaron los Estados Unidos de Norteamérica a prestarle más atención al asunto.

Pero no bastaba con eso, porque se han dado muchas ocasiones en nuestra historia en las que los Estados Unidos de Norteamérica han ignorado el clamor del pueblo puertorriqueño y de sus líderes como sucedió a principios de siglo, cuando impusieron la ciudadanía norteamericana a pesar de que la Cámara de Delegados la repudió unánimemente.

Fue sólo cuando se dieron otras condiciones, además de la esencial e imprescindible –la demanda del pueblo–, cuando empezó a ceder el carcelero allá, en los Estados Unidos de Norteamérica.

3 Legislador por el Partido Independentista Puertorriqueño (PIP) en 1976.

"Discurso de Rubén Berríos..." (continuación)

El segundo frente de lucha fue el frente internacional. Poco a poco, a través de años, se fueron estableciendo contactos y haciendo aliados en esta lucha por la liberación de los compañeros. Estos esfuerzos culminaron en tres resoluciones de una importancia muy grande: la resolución de las Naciones Unidas, la resolución de la Conferencia de Países No Alineados y la petición de los Partidos Socialistas y Socialdemócratas Latinoamericanos reunidos en el Congreso de la Internacional Socialista en Vancouver, Canadá, el año pasado. Es decir, la demanda se convirtió, no ya en una demanda exclusiva de los independentistas, no ya en una demanda exclusiva de prácticamente todo el pueblo puertorriqueño, sino en una demanda de fuerzas importantes a nivel internacional.

Pero no bastaba con ese tampoco. No bastaba con nosotros y con el apoyo internacional. Había que bregar internamente en los Estados Unidos de Norteamérica. Dentro de las contradicciones enormes de ese pueblo –donde hay gente explotadora y gente buena, noble, honesta– logramos los independentistas hacer sentir el reclamo de la excarcelación.

Se conjugó lo nacional puertorriqueño con lo internacional y con las contradicciones internas en los Estados Unidos de Norteamérica y hubo, además, un momento oportuno. Y es que no bastaba con los factores mencionados; se requería, además la coyuntura oportuna para hacer valer los derechos reclamados.

Y la coyuntura llegó porque los Estados Unidos de Norteamérica tienen hoy un presidente –Carter– que, en este momento no es visto con simpatía por gran parte del pueblo norteamericano y este señor está dispuesto a ser osado con tal de cambiar esa imagen que tiene de él su pueblo. Y piensa en los treinta millones de negros que hay en norteamérica, y en los quince millones de chicanos, y en los dos millones de puertorriqueños, y decide presentarse como campeón de los derechos humanos de las minorías liberando a los cuatro nacionalistas puertorriqueños.

Y, en ese momento, todas aquellas presiones cristalizan y se abren las puertas de las cárceles para los compañeros nacionalistas.

Esto constituye una enorme enseñanza para los independentistas. *La lucha en este país hay que llevarla siempre en tres frentes: el nacional, el internacional y el de los Estados Unidos de Norteamérica, atentos siempre a la oportunidad histórica apropiada para hacer valer los derechos.*

"Discurso de Rubén Berríos..." (continuación)

El primer frente, el frente imprescindible, sin el cual no se puede lograr nada, es el frente de nuestro pueblo. Si la República no es fruto del trabajo y de la voluntad de los hijos de esta tierra, si no "tiene por base. . . la pasión. . . por el decoro del hombre", para usar una frase de Martí, entonces no vale una "lágrima de nuestras mujeres ni una sola gota de sangre de nuestros bravos." Para nosotros la República tiene que ser el producto del esfuerzo, del trabajo y del sacrificio del pueblo puertorriqueño. Por eso nuestra primera meta, nuestra prioridad, es convencer a nuestro pueblo de que luche por la independencia.

Y para cumplir con esa meta nosotros buscamos la unidad del pueblo puertorriqueño dentro de las filas del Partido Independentista Puertorriqueño (PIP). En eso aprendimos la lección de nuestro fundador, el doctor Gilberto Concepción de Gracia y del Maestro don Pedro.

Don Pedro, cuando fue electo presidente del Partido Nacionalista, estableció fuera de toda duda que el Partido Nacionalista creía en la unidad dentro del Partido Nacionalista de Puerto Rico.

Y el Partido Independentista Puertorriqueño (PIP) cree en la unidad dentro del Partido Independentista Puertorriqueño (PIP).

Les recuerdo que, en 1932 y en 1936, existía en Puerto Rico otro partido, además del Partido Nacionalista, que decía que creía en la independencia para Puerto Rico y que tenía la "independencia a pelo"[4] en su programa. Ese era el Partido Liberal. Ese partido tenía más del 40% de los votos y, sin embargo, don Pedro Albizu Campos no se unió al Partido Liberal y mantuvo la posición de que los puertorriqueños que luchaban por una Patria libre de toda tutela debían ingresar al Partido Nacionalista.

No debe asombrarnos esta posición de don Pedro. Los partidos son instrumentos de lucha de los pueblos y tienen que escoger unos caminos. Una vez están convencidos de que esos caminos son los correctos, no pueden dejarlos a un lado.

En 1950, los independentistas y los nacionalistas no estábamos unidos. Nos respetábamos, sí; y la famosa "Declaración de Aguadilla"[5] después de la Revolución de 1950, fue un ejemplo

4 Frase que se utilizó en la época para significar que el Partido Liberal tenía como única finalidad de *status* político la independencia.

5 El texto de la "Declaración de Aguadilla" se incluye en el Apéndice A del presente discurso.

"Discurso de Rubén Berríos..." (continuación)

de ello. Pero aun con la presencia de héroes y mártires como don Gilberto y don Pedro, seguimos cada cual por nuestro propio camino, el camino que cada uno creía correcto.

Siguiendo esos ejemplos y esa trayectoria histórica es que el Comité Central del Partido Independentista Puertorriqueño (PIP) por mediación de su presente, reafirma hoy su posición de unidad con el pueblo.

Más aún y desafortunadamente la mayoría de los que piden unidad ahora, se fueron del Partido Independentista Puertorriqueño (PIP) y han tratado de destruir a este partido. ¡Y ahora piden unidad! Nosotros hemos escogido nuestro camino y respetamos los otros caminos, pero exigimos también que respeten el nuestro. Repito: el Partido Independentista Puertorriqueño (PIP) se reafirma hoy en su tesis de unidad con el pueblo.

Nosotros vamos en busca de nuestro pueblo, con la Independencia, con el Socialismo Democrático y con nuestro método de lucha.

¿Y qué vamos a hacer para convencer al pueblo, para hacer realidad esa unidad con el pueblo? Porque venir a Lares una vez al año o ir a una que otra marcha es muy poco. ¿Qué vamos a hacer?

Lo primero que tenemos que hacer, ya lo estamos haciendo. Es desarrollar un Programa de Partido ajustado a las necesidades del Puerto Rico de hoy. En 1952 el Partido Independentista Puertorriqueño (PIP) desarrolló un programa para esa época. En 1970 ajustó ese programa a las nuevas circunstancias. Ya es tiempo, casi diez años después, de que lo ajustemos a las nuevas circunstancias de 1980. Ya se está discutiendo el nuevo programa en los comités del Partido. Y yo quiero adelantarles hoy, para conocimiento de todo el pueblo, que ese programa marca rumbos significativos.

Tiene el nuevo programa dos partes fundamentales. En la primera se brega con los problemas específicos: desempleo, droga, crimen, los problemas inmediatos de todo Puerto Rico, y se proyectan soluciones específicas a esos problemas específicos.

La segunda parte versa sobre la forma en que advendrá la República a Puerto Rico. Explica todo lo relacionado con la transición a la República. ¿Cuánto tiempo toma? ¿Qué sucede en las áreas específicas de comercio, de seguro social, de los poderes que ahora ostenta el gobierno de los Estados Unidos de Nor-

"Discurso de Rubén Berríos..." (continuación)

teamerica sobre nuestra Patria? Vamos a contestar lo relativo al proceso de transición, para que nuestro pueblo sepa que luchar por la República no es dar un salto en el vacío, que es el temor de muchos puertorriqueños.

Fundamento de las dos partes de nuestro programa es la unidad con el pueblo. Es abrirle los brazos a este pueblo nuestro. Es ir al que votó por popular o penepé, y que es nuestro hermano aunque no esté con nosotros todavía. Y es predicarle con respeto y con cariño. Y fustigar, de la manera más firme posible, porque se lo merecen, a ese liderato oportunista del Partido Popular Democrático (PPD) y a ese liderato incondicional del Partido Nuevo Progresista (PNP). Es hacer una diferencia tajante entre el liderato corrupto de esos partidos y el pueblo puertorriqueño que, por razones de familia, históricas o circunstanciales, votó en el pasado por esos dos partidos. Esa es la actitud que tenemos que asumir los independentistas ante nuestro pueblo.

Muy pocas veces antes en nuestra historia se había presentado una oportunidad como la que ahora estamos viviendo. Nuestro pueblo está harto de salir de un partido malo cada cuatro años para caer en otro partido igualmente malo.

La estadidad y el Estado Libre Asociado son parte del mismo proceso de asimilación, no son dos cosas distintas, una lleva a la otra.[6] Y ambos, el liderato popular y el liderato del Partido Nuevo Progresista (PNP), siguen entregando nuestra Patria sin que nos demos cuenta.

Vamos todos a trabajar desde hoy, con un programa sensato y con cariño para con nuestro pueblo.

La condición es la más propicia en los últimos años, porque el pueblo está harto del liderato de esos dos partidos. No votan por ellos porque crean en ellos, votan "por confiscación", para tumbar al que está en el poder. Y puedo decir, sin temor a equivocarme, que el Partido que goza de mayor respeto en ese pueblo es el Partido Independentista Puertorriqueño (PIP). Y el mérito de eso no es principalmente de esta generación, aunque podamos haber contribuido en algo. El mérito grande es de los que llevan años y años trabajando y luchando sin aplausos ni recompensa.

6 Sobre esta realidad, véase capítulo 11, artículo "El problema colonial de Puerto Rico y la estrategia independentista".

"Discurso de Rubén Berríos..." (continuación)

La razón grande para ese respeto que nos tiene el pueblo es que estamos insuflados del único ideal que existe en Puerto Rico: el ideal de la independencia.

Pregunto yo, ¿alguien, en Puerto Rico ha escuchado de algún poeta que le haya compuesto unos versos al Estado Libre Asociado? ¿Alguien aquí tiene noticias de algún cantor que le haya compuesto una canción a la estadidad o al Estado Libre Asociado? ¿Alguien está dispuesto a derramar una lágrima por la estadidad o por el Estado Libre Asociado? ¿Alguien aquí sabe de alguna persona que esté dispuesta a pasar un minuto en la cárcel por el Estado Libre Asociado o por la estadidad?

No. Porque los ideales se encuentran en rincones más cálidos del espíritu. Y se podrá llorar, o cantar o penar en prisión por la mujer que le dio a uno los días o por la mujer que se ama, o por la Patria, pero jamás nadie será capaz de sentir los latidos estremecidos del corazón por una aberración histórica como la estadidad o por un embeleco jurídico como el Estado Libre Asociado.

Por eso a diario escuchamos a populares o a penepés que dicen: "Yo respeto la independencia." Nosotros no podemos decir lo mismo de lo que ellos defienden. Nosotros podemos y tenemos que decir: "Yo respeto al puertorriqueño que cree en la estadidad; yo respeto al puertorriqueño que cree en el Estado Libre Asociado." Pero no podemos respetar ni la estadidad ni el Estado Libre Asociado como soluciones dignas para el pueblo puertorriqueño. Por eso todo el pueblo nos respeta a nosotros y a nuestro ideal, y nosotros respetamos a todos los puertorriqueños, pero sólo respetamos el ideal de la independencia.

Tenemos el ideal que lleva a la mística, al desprendimiento, a la hidalguía de mantener los altos valores del espíritu en esta tierra.

Y no se culpe a los que no son independentistas, como hacen algunos, que tildan a nuestro pueblo de abyecto, porque no es cierto. Cualquier pueblo del mundo que hubiera sufrido los mismos accidentes históricos nuestros, hubiera reaccionado de la misma forma.

Nadie crea que este pueblo es menos que ningún otro pueblo del mundo. Muchas veces, y hay que decirlo con honestidad, con vergüenza y con dignidad, somos nosotros los independentistas los que le hemos fallado al pueblo. ¡Por supuesto que el imperio

"Discurso de Rubén Berríos..." (continuación)

es el mayor responsable! Esa es la constante. Los imperios siempre quieren mantener las colonias y recurren a los métodos a los que tengan que recurrir. Pero nosotros hemos fallado muchas veces porque no hemos trabajado lo suficiente, no hemos tenido el suficiente desprendimiento y sacrificio, no hemos sabido comunicar con respeto y amor el ideal de la independencia.

Yo les aseguro que este pueblo va a responder cuando vayamos a él con el nuevo programa, con la dedicación y la firmeza que nos insufla nuestro ideal. Tenemos que convencer al pueblo racionalmente de la necesidad de la libertad, pero también tenemos que convencerlo afectivamente, porque creer en el propio pueblo y en su libertad tiene mucho de racional, pero tiene también mucho de afectivo. Muy bien decía Martí que "el sentimiento es parte de la ciencia". Hay que enamorarse del propio pueblo. Tennemos que confiar en nosotros mismos.

Los enemigos de la independencia han tratado de quitarle a este pueblo la confianza en sí mismo. Armados con nuestro ideal de la independencia y con este nuevo programa, con la seguridad de que hemos escogido el camino correcto, vayámos al pueblo. Y el pueblo va a responder. Pero el pueblo necesita algo más que razonamiento. El pueblo necesita también confianza en su liderato local, en la prédica del Partido y en la institución que es el Partido Independentista Puertorriqueño (PIP). La política es parte ideología y parte confianza en los hombres y las mujeres que trasmiten esa ideología. Y es la obligación de cada uno de ustedes el convertirse en líderes, en su trabajo, en su vecindario, en su calle, y comunicar con ternura y con firmeza el ideal de la libertad de Puerto Rico.

Yo estoy seguro de que este pueblo va a responder, porque son muy pocos los pueblos, en la historia de la humanidad, que han podido resistir un destrozo y una asimilación tan brutal como aquella a los que se ha sometido a nuestro pueblo desde que llegaron los norteamericanos a Puerto Rico. Y, a pesar de ello, hay mucho pueblo. Porque este pueblo, en la intimidad de su espíritu desea liberarse. Por eso respeta al independentismo. Por eso mira hacia nosotros y sabe que decimos la verdad. Lo que les pido a ustedes es que vayan, con mucha humildad, pero cargados con el espíritu de la verdad a llevar el mensaje de nuestro Partido, a trasmitirlo a nuestro pueblo.

Si vamos con los brazos abiertos, veremos que, muy pronto, habrá un enorme abrazo en este país y le vamos a dar al mundo un enorme ejemplo de civismo. No solamente vamos a hacer la independencia, sino que vamos a hacer de nuestra República un ejemplo de trabajo, de virtud, de vergüenza y de honestidad.

"Discurso de Rubén Berríos..." (continuación)

san juan/lunes 24 de septiembre de 1979

EL NUEVO día 20¢

Carter dará su opinión sobre el límite marítimo de Puerto Rico

VEASE PAGINA 6

METRO

180,000 personas en la concentración antinuclear en Nueva York

Berríos dice "no" en Lares a la unidad de los independentistas

"¡Déjennos en paz!: Rubén Berríos."
Periódico *El Nuevo Día,* 24 de septiembre de 1979.

2 EL NUEVO DIA—LUNES 24 DE SEPTIEMBRE DE 1979

PRIMER PLANO

'Déjennos

Por WILDA RODRIGUEZ
De El Nuevo Día

LARES--El ex prisionero nacionalista Oscar Collazo propuso oficialmente ayer aquí la creación inmediata de un comité timón, integrado por líderes del independentismo, para estructurar el proceso hacia una unidad independentista en el país.

El Presidente del PIP Rubén Berríos, por su parte, utilizó el mismo foro para sostener que los pipiolos buscan "la unidad del pueblo puertorriqueño con la lucha por la independencia dentro de las filas del PIP".

Ambos se dirigían a una multitud independentista -comparable en entusiasmo y tamaño con la que acudió a la histórica celebración del centenario del Grito de Lares de 1968 --que se apiñó a duras penas en esta población en otro aniversario del Grito para escuchar personalmente las versiones y argumentos sobre la controversial unidad independentista.

El Grito de Lares se conmemoró este año por partida doble con una celebración unitaria en la mañana en la que participaron, conjuntamente, unas 10 organizaciones independentistas con los cuatro nacionalistas excarcelados y el obispo Antulio Parrilla como sus portavoces oficiales, y otra exclusiva del PIP, en la tarde, con Bèrríos a la cabeza. Esa división inicial marcó la tónica del evento, afianzándose a lo largo del día.

En la mañana, Collazo cerró el acto unitario proponiendo la creación del comité timón por la unidad.

"Esto (la lucha por la independencia' no es una batalla de líderes; es una batalla de pueblo", sostuvo Collazo.

"Garateando unos con los otros por insignificancias mientras los ojos de muchas naciones están puestas en nosotros para ver qué camino seguimos" es lo que se hace actualmente.

POR SU parte Lolita Lebrón, vestida a la usanza de los Cadetes de la República Del Partido Nacionalista-quienes mantuvieron una guardia de honor blanquinegra durante el acto-indicó a la multitud que: "Sólo hay un camino, hacia el frente. No son las ideologías, no son los sistemas. El paso es sacar de este suelo la presencia norteamericana".

"No perdamos el tiempo en halarnos el pelo los

"¡Déjennos en paz!..." (continuación)

PRIMER PLANO EL NUEVO DIA—LUNES 24 DE SEPTIEMBRE DE 1979 **3**

en paz': Rubén Berríos

Rubén Beríos quiere unidad, pero bajo el marco del Partido Independentista.

Berrios se sostuvo en la constitución del PIP en que la unidad está en el instrumento de lucha y éste, el propio PIP".

"El tiempo del chantaje con el PIP se acabó. Este es el partido que va a hacer la Independencia de Puerto Rico. Todo el que grita unidad, menos los cuatro, se fueron del PIP y trataron de destruirlo. Nosotros hemos escogido nuestro camino y les decimos: unan ustedes los 28 grupos que tienen primero que nosotros, el 90 por ciento de los independentistas, estamos unidos.

Berríos se sostuvo en que la posición del PIP es similar a la que asumió el propio Pedro Albizu Campos cuando decía creía en la unidad pero dentro del Partido Nacionalista.

LA MULTITUD independentista congregada en Lares ayer fue calculada como de costumbre dependiendo de la fuente que emitía los cálculos, que fluctuaron entre los 10 mil y 25 mil. La realidad aplastante de la actividad en Lares ayer fue un pueblo atestado tepe a tepe y un tapón descomunal.

La muchedumbre independentista varió poco en composición de mañana y tarde. Pipiolos se reunieron desde temprano a escuchar a los nacionalistas y "unionistas y se quedaron por la tarde a escuchar la reacción de Berríos.

Las limitaciones físicas del pueblo para sostener la multitud en la plaza central donde se realizaron los actos fue tal, que los asistentes optaron por invadir azoteas de edificios y hasta el campanario de la iglesia católica colgaba una bandera puertorriqueña sostenida por un nutrido grupo.

Antulio Parrilla: una de las figuras centrales del acto mañanero.

FOTOS RAMON KORFF

Dos cadetes de la República, uniformadas aunque no de gesto

[illegible]

"¡Déjennos en paz!..." (continuación)

Desde el Monoloro

Comentario Político por Juan Marí Brás

Vea Págs. 10 y 11

claridad

San Juan, Puerto Rico, Del 28 sept. al 4 oct. de 1979, Año XXI, Núm. 1391

35¢

¡Más represión!

★ Gran Jurado federal arremete contra la prensa

★ Siguen encarcelando por lucha Vieques

Vea La Nación / Págs. 2, 3 y 5

★ Respuesta internacional por encarcelamiento Marí Brás

Vea Mundo / Págs. 6 y 7

Esta es una de las famosas fotos que el Gran Jurado ha ordenado que se entreguen. Se trata de un intento por hacer su incursión en toda la represión que se está desatando contra los que apoyan la lucha del pueblo viequense y no están dispuestos a permitir atropellos y violaciones de los más elementales derechos. Al cierre de esta edición, permanecían inciertas las posturas que asumirían los distintos medios de comunicación en el país respecto a la orden del Gran Jurado. Pero CLARIDAD ya adoptó la suya: ¡No entregaremos nada!

"¡Más represión!"
Periódico *Claridad*, 26 sept-4 octubre de 1979.

comentario político/ 10 CLARIDAD – Del 28 septiembre a 4 octubre de 1979

Desde el Monoloro

Por Juan Mari Brás

Compañeros y compañeras, compatriotas todos:

Tanto el compañero Pedro Baigés Chapel como el suscribiente estamos bien. La comunidad de este presidio nos ha ofrecido una espléndida hospitalidad. Los funcionarios del penal —sin extendernos privilegios que ni pedimos ni aceptamos— nos han tratado con respeto, consideración y delicadeza. Sobre todo destaca la cálida solidaridad que nos brindan los compañeros de prisión. Desde el momento de nuestro ingreso aquí, empezamos a recibir muestras de afecto, apoyo y camaradería que nos emocionan y refuerzan nuestras esperanzas en la capacidad de los seres humanos para la superación. Esa es, precisamente, la base ética de toda revolución.

De todas las galeras del penal nos llegaron gritos de respaldo, cartas que en lenguaje humilde y elocuente nos ofrecen toda la ayuda y apoyo para hacer lo más llevadera posible la estadía en la cárcel, así como regalos varios —jabones, toallas, dulces, cigarrillos— que han abarrotado la pequeña celda en cantidades suficientes para superar en tiempo la compulsión represiva del llamado juez Torruellas.

No voy a desperdiciar esta temporada. Ella ofrece una magnífica ocasión para elaborar y afinar la ponencia que le prometí a la compañera Awilda Palau para el Simposio sobre Criminalidad del partido. Los que ven al delincuente como un monstruo despojado de humanidad son incapaces de afrontar con éxito el problema del crimen. A los gobernantes y altos funcionarios de agencias que bregan con el crimen les convendría la experiencia de una temporada en prisión. Sin embargo, fuera de los gobernantes revolucionarios, los demás, generalmente, si llegan a tener la experiencia de estar presos es cuando ya no tienen la más remota posibilidad de volver al poder.

Se ha circulado el falso rumor de que he sufrido un trastorno cardiaco en la prisión. Eso es completamente falso. No es la primera vez que estoy preso. Como cuestión de hecho, es ésta la sexta vez que me cierran en una prisión. Conozco este medio como preso y como abogado, desde hace más de treinta años, por lo que forma parte de mi ambiente vital.

Lo de mis supuestas enfermedades recurrentes es un deseo del aparato represivo yanqui —confesado en el expediente del FBI sobre mi persona— que sus megáfonos repiten periódicamente con el vano empeño de que la mera repetición de su morboso anhelo lo convierta en realidad.

De modo que nadie debe preocuparse ni por nuestra salud ni por nuestra seguridad. Eso no significa que estemos contentos por estar presos. A nadie le gusta eso. Mucho menos en una celda y prisión de seguridad máxima que —como dicen los reclusos aquí— la diseñaron como si fuera para guardar animales y no seres humanos y por eso la bautizaron como "El Monoloro".

Lo que pasa es que nosotros tenemos la obligación moral y política de rechazar los intentos de la llamada Corte Federal de someternos a la obediencia y conseguir que nos inclinemos ante su poderío. Que ejerzan ellos ese poder en toda su dimensión de injusticia, mientras tengan la fuerza para mantenerlo. Pero en esa misma medida están delatando su desprecio por los derechos humanos más básicos.

No les será fácil justificar el atropello que están cometiendo con nosotros. Por encima de ficciones y complejidades leguleyas, hay unos hechos muy sencillos que resaltan la injusticia en que la llamada Corte Federal se funda.

La verdad, monda y lironda, sin precedentes en nuestra historia, es que han metido a la cárcel a un abogado y a su cliente —quien es también abogado— por solicitar la suspensión de un juicio.

Pero el origen de todo esto se remonta a la misma noche en que trajeron de Vieques a los veintiun compañeros secuestrados por la Marina. Sin base legal alguna —siquiera en el propio ordenamiento jurídico yanqui— la Marina intervino con los puertorriqueños y otros amigos de la causa de Vieques que realizaban una protesta pacífica en una playa puertorriqueña. Fue la Marina y no ellos, la que violó la ley, la ley puertorriqueña que dispone que las playas son del pueblo y nadie puede obtener propiedad sobre ellas.

Esa noche, fiscales y alguaciles de ese falso Tribunal nos mintieron a los abogados y uno de los fiscales actuó groseramente al negarse siquiera a hablar con los abogados que requeríamos información sobre la situación de los 21 compañeros arrestados. A mí se me impidió durante más de 3 horas —incluso después de haber llegado a la Corte los arrestados— subir al edificio de la supuesta corte. De esa forma obstruían mi ejercicio de la profesión y afectaban los derechos de los compañeros arrestados que esperaban nuestro asesoramiento y consejo.

Luego vino el juicio de Monseñor Parrilla, que ya hemos comentado en este mismo espacio. Nunca antes la infamia se revistió de tan nauseabunda parafernalia. Allí me convencí personalmente —presenciando— aquel proceso seudo-judicial tan prejuiciado— que no había la más remota posibilidad práctica de obtener la mínima justicia de los farsantes que fungían como impartidores de ésta.

Los Socialistas siempre hemos impugnado la jurisdicción y legalidad de la llamada Corte Federal en todos los casos en que se ha llevado a algunos de nuestros militantes a ese foro. Hasta ahora, además de impugnar la legitimidad del foro, levantábamos todas las demás defensas que pudieran utilizarse en beneficio de los acusados. Luego del caso del Obispo Parrilla, el Partido estimó que ese juez y esa corte se habían desenmascarado más allá de toda duda como vulgares instrumentos represivos al servicio de la Marina yanqui y del imperialismo en general. Lo indicado, pues, es que nuestros militantes se circunscri-

"Desde el Monoloro." Artículo de Juan Mari Brás.
Periódico *Claridad*, 26 septiembre-4 octubre de 1979.

ban a hacer esa denuncia y no presenten ninguna otra defensa. Así lo hicimos saber públicamente.

Como el caso de Baigés estaba señalado para septiembre, y ese día tanto él como yo estaríamos en La Habana en un compromiso contraído con muchos meses de anticipación, pedimos la suspensión del caso. Eso se hace todos los días en todos los tribunales. Rara vez se deniega una suspensión cuando la base es un compromiso previo, fuera del país, del abogado. Nunca antes, que yo sepa, además de denegar la suspensión, se ha metido a la cárcel al abogado y al cliente.

Pero es que el compromiso era algo muy esencial. No es un viaje de placer al exterior, como los que contínuamente justifican las suspensiones solicitadas por abogados y concedidas por Torruellas. Era que íbamos para la Sexta Cumbre de los Países No Alineados y en esa conferencia se elevaría a los niveles más altos la solidaridad con la lucha del pueblo puertorriqueño por la independencia nacional.

Por eso Torruella declaró sin lugar la suspensión, ordenó el arresto de Baigés y una orden para mostrar causa por la cual no debe condenárseme por desacato.

Conforme a la línea acordada por el Partido, yo no comparecí en la fecha indicada para mostrar causa. A cambio, radiqué dos mociones, una a nombre de Baigés y otra en el mío propio, en las que indicaba que no teníamos excusa ni explicación alguna que darle al Tribunal que no fuera la consignada en la moción de suspensión.

El viernes pasado, mientras Torruella ordenaba mi arresto, yo estaba viendo un caso de pasquines en el Tribunal de Distrito de Río Piedras. Al otro día fuí a la Asamblea del Colegio de Abogados en el Hotel Sheraton. Allí José López, quien funge como alguacil federal y parece tener vocación de Sherif de película de vaquero, montó un operativo escandaloso como si estuviera persiguiendo a una banda de fascinerosos. Sitió el salón de asamblea, ordenó clausurar todas las puertas menos una hoja de la entrada principal y se colocó allí a esperar su presa. Eso fue una provocación a todos los abogados allí reunidos. Estos reaccionaron con la dignidad y el sentido solidario más alto. Me rodearon físicamente, en número de más de un centenar, que incluía letrados de todos los partidos —como bien declaró por la radio el compañero Angel Tapia, presidente del Colegio— y me acompañaron hasta el automóvil. El falso Sherif optó por desmantelar su tinglado y correr en riversa.

El domingo estuve todo el día en Lares. Allí no se presentaron los alguaciles. Ellos podrán ser torpes, pero no tanto. "Mono sabe el palo que trepa". Con el pueblo patriota presente ellos saben que no podían efectuar ese arresto sin provocar una batalla que ni Juan Torruellas ni mucho menos José López están en condiciones de desatar.

El lunes estuve en el Comité Central del Partido y celebramos allí una conferencia de prensa, como había anunciado. Salimos hacia el aeropuerto para abordar el vuelo que nos llevaría a Nueva York para asistir a una reunión con el Presidente de la Asamblea General de Naciones Unidas. Me interceptaron a la entrada del terminal aéreo de Isla Verde y tal como había anticipado en la conferencia de prensa, no hicimos ninguna resistencia al arresto. No lo hicimos porque no tenemos la fuerza para hacerlo. La tuvimos para cumplir los compromisos importantes del fin de semana, pero obviamente no podíamos plantearnos resistir el arresto indefinidamente a no ser que estuviéramos dispuestos a irnos a la clandestinidad y eso, por el momento, no está en nuestra agenda de trabajo.

Me llevaron al edificio del gobierno de Estados Unidos en el Viejo San Juan. Allí me tomaron las huellas digitales, que ya ellos tenían desde hace más de treinta años. Luego me trajeron a este Monoloro.

Estoy citado para "juicio" por dos supuestos desacatos el 31 de octubre. Si quisiera salir en libertad provisional bajo fianza, tendría que depositar cinco mil dólares en efectivo, entregar el pasaporte y comprometerme a no salir de Puerto Rico. Lo del dinero no tiene importancia. Pero las otras condiciones son completamente inaceptables para nosotros. Ninguno de nosotros va a aceptar condiciones de no salir del país. Nuestro derecho a viajar por el mundo en busca de apoyo para la independencia de Puerto Rico es esencial e irrenunciable. Como a los puertorriqueños se nos despojó nuestra ciudadanía y se nos impuso la de Estados Unidos desde 1917, no tenemos otra forma de identificarnos para viajar por el mundo que no sea el pasaporte yanqui. Por eso usamos ese pasaporte. Cuando nos lo quiten físicamente, si pueden hacerlo, ya buscaremos el apoyo de otros estados soberanos y organizaciones internacionales que nos extiendan la documentación requerida para viajes internacionales. Pero voluntariamente no vamos a rendirlo. Mucho menos vamos a hacer compromiso alguno de no salir del país. Ahora mismo tengo compromisos que requerirían que viaje a Panamá, Venezuela, Estados Unidos y México. Si no llego a todos o algunos de esos lugares, que ellos sepan que es porque el Gobierno yanqui me tiene preso, pero nunca porque yo haya aceptado condiciones impuestas por ellos en mi libre tránsito por el mundo. Soy portavoz electo democráticamente de un partido político puertorriqueño. Cuando se me prohibe viajar, no están violando los derechos de un solo ciudadano. Es de millares de ciudadanos que me han encomendado la tarea de llevar el reclamo de independencia de nuestra patria por todos los confines del planeta. Que respondan ante el mundo por estas violaciones a los derechos nacionales de los puertorriqueños.

Y mientras tanto, asegúrense los Socialistas y todos los trabajadores de que la lucha se incremente. Castiguemos a los culpables de estos atropellos con una lucha escalonada, por Vieques, por Puerto Rico y por toda la humanidad. No tienen los imperialistas yanquis, ni sus testaferros como Torruellas, poder suficiente para frenar la lucha de un pueblo que acrisola su voluntad para rescatar su libertad. Más bien lo que logran con estos desafueros es escalonar la lucha nuestra. Que así sea.

"Desde el Monoloro..." (continuación)

la nación / 8 CLARIDAD — Del 28 septiembre a 4 octubre de 1979

Los pipiolos y la unidad

Por Carlos Rivera Lugo
De la Redacción de CLARIDAD

¿Qué piensa usted del llamado a la unidad independentista hecha por los cuatro héroes nacionalistas Lolita Lebrón, Rafael Cancel Miranda, Irvin Flores Rodríguez y Oscar Collazo, en los actos conmemorativos del Grito de Lares?

Con esa pregunta en los labios, entrevistamos a 69 pipiolos en la Plaza de la Revolución de Lares el pasado 23 de septiembre.

Aún resuena en nuestros oídos el grito de "Se acabó el evento" lanzado por el líder máximo del Partido Independentista Puertorriqueño cuando afirmaba en su discurso en Lares que de las 10.000 personas allí presentes, todas favorecían su posición de que la unidad independentista está dentro de las filas del PIP y que dicha organización es la que va a hacer la independencia.

Para nuestra sorpresa, y estoy seguro que lo será para el PIP también, de los 69 encuestados al azar —todos pipiolos comprobados— sólo 30, es decir un 43 por ciento, no apoyaban el llamado unitario de los cuatro héroes nacionalistas. Entretanto, 28, o sea un 41 por ciento, apoyaron el llamado unitario y 11, un 16 por ciento, no opinaron.

No pretendemos adjudicarle un carácter científico a esta encuesta, ya que la misma indudablemente no cuenta con un universo representativo. Lo que sí puede concluirse, con todo el debido respeto, es que las cifras dadas por el compañero Berríos en Lares son un tanto caprichosas y de que indudablemente no se acabó el evento en el seno del PIP en cuanto a la unidad del independentismo.

"Yo soy uno de los propulsores de la unidad dentro de mi partido y entiendo que en la actualidad tenemos que bregar para convencer a ese pueblo que no es independentista para que se integre a trabajar por la liberación nacional", señaló el compañero Eudaldo Báez, presidente del Comité Central del PIP en Mayagüez. Añadió que "hay que sentar unas bases de respeto mutuo" para la unidad "respeto hacia las diferentes ideologías".

Segismundo López, presidente del precinto 45 de Mayagüez, calificó el llamado de los cuatro patriotas nacionalistas de "simpático, hay que considerarlo". "Lo más importante del llamado de los nacionalistas es que debe permear una armonía para que todo el mundo quiera la independencia para este país. Debemos dirigir nuestros cañones a tirarle a los yanquis y no tirarnos a nosotros mismos. Todos somos puertorriqueños, somos patriotas y todos queremos la independencia para Puerto Rico."

Rubén Berríos: Esto se acabó ya, la unidad es el Partido Independentista Puertorriqueño.

"Ya es tiempo de que dejemos nuestras diferencias políticas hacia un lado y nos enfrentemos a la causa común que es la independencia de Puerto Rico y después nuestras diferencias políticas se pueden resolver", nos dice otro miembro del PIP. "En la unión está la fuerza. Yo creo en eso", nos señala otro de los entrevistados, mientras una compañera expresó: "Yo lo creo también y soy de Rubén".

"La unidad es la solución que tiene el pueblo para lograr su verdadera liberación. Si estamos buscando una verdadera transformación, la única forma es uniéndonos y luego podemos buscar una alternativa de tipo económico para organizar nuestra sociedad. De otra forma no lograremos nunca esa transformación", explicó otra compañera.

"Nosotros tenemos tácticas diferentes a la de los demás partidos pero nosotros apoyamos el llamado de los nacionalistas", puntualiza otro de los entrevistados. Añade otra compañera: "Mientras más nos unamos más posibilidades existen de que haya un incremento en la masa independentista. Creo que los objetivos se pueden lograr más rápidos."

Laura Rosado nos dijo que el llamado de los cuatro héroes nacionalistas "hay que analizarlo muy bien antes de emitir juicios". Otro nos señaló: "Por el bienestar de Puerto Rico y por las circunstancias especiales que hay, hay que darle pensamiento".

"No es el momento oportuno para opinar. Creo que tenemos que esperar a ver a qué quieren llevarnos y arrastrarnos estos líderes de los partidos. Los líderes de los partidos quieren aprovecharse de los cuatro nacionalistas. Le han lavado el cerebro a los cuatro durante el tiempo que han estado con ellos", afirmó otro de los encuestados.

"Yo creo en la unidad, en la unidad con el pueblo y no con los grupúsculos", expresó Edwin Rivera Delgado. "Yo creo en la unidad, pero que se unan al PIP", señala otro.

"Yo no creo en la unidad porque 8 de cada 10 independentistas son del PIP y donde está realmente la posibilidad de crecimiento es yendo al pueblo y no arrinconándose con grupos pequeños", puntualiza Ernesto Sánchez. Entretanto, Nidia Rivera afirmó: "La unidad con el pueblo, ni con Mari Brás ni con el PSP porque ellos están destruyendo al movimiento independentista".

Emilio Rosa, dirigente de la UTIER, apuntó: "Yo creo en la unidad fuera de ideologías políticas extrañas a la situación de nosotros, o sea, sin marxismo sin leninismo, una unidad de pueblo pero sin ideologías, sin pensar en lucha armada, sin comunismo".

¿Eso significa que usted excluiría a alguien que fuese comunista?, le preguntamos. "Bueno, así puede ser", respondió.

Volvemos a preguntarle si ello significaría que excluiría al PSP, a lo que nos respondió: "Sí, de cualquier ideología marxista-leninista y me mantengo siguiendo a mi líder Rubén Berríos. Eso está claro también".

Angel Soto opinó que "debe haber unidad pero los grupos minoritarios deben unirse a los que más tengan, o sea, un grupo que no representa ni el 1 por ciento del electorado en Puerto Rico no puede pedir unidad".

Fortalece la verdadera oposición

"Los pipiolos y la unidad." Artículo de Juan Mari Brás.
Periódico *Claridad*, 28 de septiembre-4 de octubre de 1979.

Del 28 septiembre a 4 octubre de 1979 — CLARIDAD 9 / la nación

Lolita, Rafael, Irvin y Oscar

'La unidad, único camino'

Los cuatro exprisioneros nacionalistas puertorriqueños reafirmaron el pasado domingo en Lares su llamado a la unidad de las fuerzas independentistas, cautivando nuevamente a la multitud.

El momento no es otro que el de la unidad, la fuerza motriz para la liberación de la Patria, exclamó entre aplausos Lolita Lebrón, en un emotivo discurso.

Al regreso, hemos encontrado un espíritu potente, maravilloso, el espíritu de Pedro Albizu Campos, de los padres de la Patria, de los mártires cuya inmolación no fue en vano, añadió.

Calificó la unidad como el único camino, la única prioridad, el corazón del independentismo. Yo les pregunto a ustedes por qué no hay unidad, por qué no le dicen a sus líderes por qué no hacen la unidad. La única prioridad es quitar de este suelo la presencia norteamericana, indicó Lolita Lebrón.

Yo soy socialista, soy nacionalista, soy independentista, soy unitaria y si no eres unitario no puedes caminar conmigo, dijo y añadió: en Puerto Rico hay mucho potencial, mucho patriotismo.

Sobre el sistema que aspira en la República, Lolita dijo: un sistema que garantice la dignidad y la libertad del hombre desde antes de nacer, antes de ser concebido.

Rafael Cancel Miranda relató que fue sometido a enormes presiones por el servicio secreto, el FBI y otras agencias norteamericanas para que "doblara las rodillas aunque fuera un poco, querían humillar al pueblo puertorriqueño a través de nosotros".

Somos los primeros prisioneros en la historia de Estados Unidos que le imponen las condiciones en que íbamos a salir de la cárcel, dijo Cancel Miranda.

Reiteró que no reconoce autoridad al gobierno y las instituciones de Estados Unidos y refiriéndose al intento de arresto del dirigente Socialista Juan Mari Brás, ayer, dijo: me tienen que llevar a mí también con él, porque ese es mi hermano y sobre todo, es un puertorriqueño.

Sobre la matanza el año pasado de dos independentistas a manos de la policía en la región montañosa del Cerro Maravilla, agregó, en obvia referencia al Gobernador Carlos Romero Barceló: califican de héroes a esos pistoleritos con uniforme, pero cuando unos puertorriqueños hacen correr a unos cuantos yanquis en el Congreso, gritan: asesinos, asesinos.

Cancel Miranda exhortó a la unidad nacional de todos los puertorriqueños para erradicar el colonialismo y advirtió que la lucha será dura y deben utilizarse todas las formas necesarias para derrotar "al único enemigo: el Yanqui".

Por su parte, Irvin Flores exaltó la capacidad de lucha del [illegible]

poderío militar de Estados Unidos.

Cuando un pueblo se decide a luchar por su independencia, no hay ejército ni cañones que lo paren, sentenció.

Los revolucionarios de 1868 dictaron la pauta a seguir cuando proclamaron en Lares la primera República, continuaremos esa lucha y seguiremos esa pauta, no importa los sacrificios que haya que hacer, añadió.

Flores subrayó que si es necesario, el pueblo empuñará las armas. En 1950, cuando se oyeron aquellos tiros en Wáshington y había la revolución en Puerto Rico, se oyó el grito de independencia en el mundo entero.

Oscar Collazo afirmó que el pueblo de Puerto Rico desea su unidad e independencia.

Anunció que los cuatro aceptan la invitación del gobierno de Cuba para visitar "esa nación soberana y socialista". Dijo que también fueron invitados a la República Dominicana y a la Segunda Confeencia Internacional de Solidaridad con la Indepenencia de Puerto Rico a celebrarse en México en noviembre.

Reafirmó que los cuatro nacionalistas lucharárr hasta lograr la unidad del movimiento independentista boricua.

Monseñor Antulio Parrilla

Condenan tribunal yanqui en PR

El tribunal de Estados Unidos en Puerto Rico representa hoy la represión yanqui contra nuestra patria, declaró el obispo católico Antulio Parrilla.

Hablando en los actos del Grito de Lares en dicho poblado del interior montañoso de la isla, Parrilla expresó que el tribunal pretende intimidar no sólo a los hombres y mujeres libres de la isla municipio de Vieques, sino de todo Puerto Rico.

Parrilla, quien enfrenta la inminente posibilidad de ser arrestado por participar en mayo pasado en un desafío contra la presencia de la Marina norteamericana en Vieques y desobedecer al tribunal de Estados Unidos, habló en Lares a nombre de todo el movimiento patriótico.

Refiriéndose al incidente del pasado sábado cuando alguaciles del mencionado tribunal trataron infructuosamente de arrestar al secretario general del Partido Socialista Puertorriqueño (PSP), Juan Mari Brás, Parrilla señaló:

"Juan está defendiendo el decoro de la patria puertorriqueña. Personalmente yo hubiera estado dispuesto a defender a Juan Mari Brás hasta con mi vida", dijo y añadió que el intento de arresto fue una provocación. Pudo haber sangre, pero la serenidad y el valor pudo más y liberamos a Juan Mari Brás de los leones, dijo Parrilla.

Sobre los 21 acusados ante el tribunal norteamericano por participar en el desafío en Vieques, el prelado agregó, en obvia referencia a los cuatro nacionalistas recién liberados:

"A los 21 nos espera la cárcel. ¿Y qué? Es el relevo de los que han sido liberados. Ojalá haya miles que vayan a Vieques.

"No voy a cumplir con nada de [illegible] corte federal de Estados Unidos. No iré a la citación del próximo día 28, porque no pienso pisar esa sala inicua, artificiosa, donde no se puede hablar español. No hay allí la más tenue posibilidad de que se haga justicia, porque ese tribunal es la Marina y es el Pentágono", añadio.

Parrilla, Obispo Titular de Ucres, agregó que en última instancia, la represión en Puerto Rico "viene de Wáshington, del Congreso del Presidente, del Pentágono".

Destacó la importancia de la Segunda Conferencia Internacional de Solidaridad con la Independencia de Puerto Rico a efectuarse en Ciudad de México entre el 30 de noviembre y el 2 de diciembre.

'La unidad es el PIP', dice Berríos

Por Antonio R. Gómez
Redactor de CLARIDAD

"Se acabó el evento. El PIP va por su camino, por la independencia y el socialismo democrático; con sus métodos de lucha y a buscar al pueblo. Y esa es la posición del Partido por voluntad de los independentistas de Puerto Rico. Y se acabó."

Así resumió el presidente del Partido Independentista Puertorriqueño (PIP), Rubén Berríos Martínez la posición de su organización en torno al llamado de unidad del independentismo lanzado por los cuatro ex-prisioneros nacionalistas.

"No queremos confusiones ante el pueblo. Queremos nuestras formas, nuestros métodos", agregó Berríos quien subrayó que "la unidad es el PIP".

El dirigente pipiolo se dirigió a miles de simpatizantes de su partido que se congregaron en un segundo acto de celebración del 111 aniversario del Grito de Lares posterior a un masivo acto unitario celebrado en horas de la mañana.

"Nosotros buscamos la unidad del pueblo puertorriqueño en la lucha por la independencia en las filas del Partido Independentista Puertorriqueño. El PIP cree en la unidad dentro del PIP"; añadió Berríos quien sostuvo que dicha postura parte de las enseñanzas del fundador de dicha colectividad, Gilberto Concepción de Gracia y el dirigente nacionalista, Pedro Albizu Campos.

"Mi llamado", continuó el dirigente independentista, "es a los que se pasan esgalitaos gritando por ahí unidad: Unan ustedes los 28 grupos de ustedes primero para empezar. Unanse ustedes porque nosotros, el 90 por ciento de los independentistas estamos unidos en el PIP.

"Les aseguro no sólo a los líderes colonialistas de este país sino a los Carter, Kennedys y todos los que vengan que dentro de poco todo este pueblo estará unido dentro de las tiendas de este partido", añadió Berríos quien aclaró que su contestación estaba dirigida a 'los cuatro nacionalistas pues "a los demás hace tiempo ya que les contestamos".

"La unidad, único camino."
Periódico *Claridad*, 28 de septiembre-4 de octubre de 1979.

Del 28 septiembre a 4 octubre de 1979 – CLARIDAD

Un Lares por la unidad

Una ofensiva para lograr la unidad independentista y de desafío a las instituciones norteamericanas en Puerto Rico, marcó la celebración del Grito de Lares.

Los actos de celebración del Grito de Lares, gesta revolucionaria puertorriqueña de 1868 contra la dominación española, fueron este año de carácter unitario y contaron con la presencia de los cuatro nacionalisas recién liberados tras más de 25 años en cárceles norteamericanas.

Lolita Lebrón, Oscar Collazo, Irvin Flores y Rafael Cancel Miranda fueron los principales oradores del día, cautivando la multitud de varias decenas de miles de personas que se congregaron en el pequeño poblado de Lares, en el corazón montañoso de Puerto Rico.

Pedro Albizu Meneses, hijo del máximo líder nacionalista Albizu Campos, fue el maestro de ceremonias.

El obispo católico Antulio Parrilla, que enfrenta juicio por desacatar la autoridad del tribunal norteamericano en San Juan, tuvo a su cargo el mensaje a nombre del movimiento independentista.

Fueron llamados a la tarima los independentistas, entre estos, Blanca Canales, Carmen Pérez e Isabel Rosado. Además, los dirigentes de las organizaciones independentistas, destacando Juan Mari Brás, secretario general del Partido Socialista Puertorriqueño (PSP), Carlos Vélez Rieckehoff, presidente del Partido Nacionalista, el veterano luchador y poeta Juan Antonio Corretjer y la presidenta del Consejo Puertorriqueño de la Paz, Eneida Vázquez.

Los cuatro exprisioneros políticos encabezaron temprano en la mañana la entrada al pueblo de Lares por la empinada cuesta del barrio Anón, que tradicionamente culmina en una marcha alrededor de la Plaza de la Revolución.

Luego se efectuó el acto ecuménico en que hicieron uso de la palabra dirigentes religiosos. Al acto político siguió una visita a las tumbas de los caídos en la gesta de 1868, y allí habló Lolita Lebrón.

Una comitiva de jóvenes vistiendo a la usanza de los Cadetes de la República que organizó en la década de 1930 el Partido Nacionalista y portando banderas de Puerto Rico y Lares acompañó a su entrada y salida del templete a los cuatro héroes independentistas.

El Partido Independentista Puertorriqueño (PIP), que hace unos días reafirmó su política de abstenerse de hacer actividades unitarias con el resto del movimiento, fue la única entidad patriótica que no auspició el acto unitario.

El acto del PIP se celebró a las tres de la tarde, dos horas después del otro acto, y el principal orador fue el presidente de la organización, Rubén Berríos.

La celebración del Grito de Lares se produjo en medio de gran tensión por la posibilidad de arrestos.

El tribunal norteamericano en San Juan ordenó el arresto del líder Socialista Juan Mari Brás y el día anterior se produjo un incidente cuando alguaciles federales intentaron infructuosamente de detenerlo.

Los cuatro compañeros recién liberados presidieron los actos conmemorativos del Grito de Lares.

Dos figuras símbolos de nuestra lucha patriótica: Oscar Collazo e Isabel Rosado.

Irvin Flores reclamó la unidad del independentismo.

La lucha de Vieques, representada por dos puertorriqueños que enfrentan la represión por exponer, Monseñor Parrilla e Isabel Rosado, también estuvo presente en los actos de Lares.

Se criaron juntos en Mayagüez y juntos siguen en la lucha.

Tras 25 años de ausencia Lolita Disfruta el encuentro con su pueblo.

Lares fue literalmente abarrotado por millares de independentistas.

El puño en alto fue un homenaje a los cuatro compañeros que regresaron a la patria.

FOTOS CLARIDAD POR RAFAEL DIAZ Y LUIS "ESTRELLA" SANCHEZ

"Un Lares por la unidad."
Periódico *Claridad*, 28 de septiembre-4 de octubre de 1979.

PSP denuncia complot para asesinar a Mari Brás

Vea La Nación / pág. 3

claridad

35¢

San Juan, Puerto Rico, Del 19 al 25 de octubre de 1979, Año XXI, Núm. 1394

Condenan Mari Brás a 30 días cárcel

LLaman a vigilia el domingo para esperar su salida

Vea La Nación / pág. 3

A pesar de que los alguaciles federales y sus secuaces de la Policía de Puerto Rico intentaron burlar a la prensa del país y a los simpatizantes de Juan Mari Brás, aquí está la foto. Sacaron al dirigente Socialista del tribunal norteamericano en Puerto Rico esposado y no por el lugar acostumbrado sino entre las amapolas de uno de los costados de ese edificio en el Viejo San Juan. El juez federal Juan R. Torruella sentenció al Secretario General del PSP a treinta días de prisión y ordenó que se inicien los procedimientos para su desaforo de la corte federal. El secreteo, la mentira, las bravuconadas del alguacil José Antonio López no evitaron que CLARIDAD captara este histórico momento. (Foto CLARIDAD por Rafael Anglada López).

"Condenan Mari Brás a 30 días de cárcel."
Periódico *Claridad*, 19-25 de octubre de 1979.

Del 19 al 25 de octubre de 1979 – CLARIDAD 3 / **la nación**

Sale libre el lunes por la mañana

Condenan a Mari Brás a 30 días de cárcel

El secretario general del Partido Socialista Puertorriqueño, Juan Mari Brás, reiteró el jueves su rechazo a la jurisdicción legal y moral del Tribunal de Estados Unidos en Puerto Rico para juzgarle y advirtió en sala al juez de dicha corte, Juan R. Torruella, que no se considera un preso "aunque pueda usted por la fuerza condenarme a estar preso".

Las expresiones de Mari Brás se produjeron en la vista en la que se pretendió juzgarle por alegado desacato a dicho tribunal y tras la cual fue sentenciado a 30 días de cárcel, y se ordenó su desaforo como abogado en ese Tribunal.

Mari Brás explicó en corte abierta y hablando en español "que los hombres libres nunca seremos presos aunque pueda usted por la fuerza condenarme a estar preso".

El dirigente Socialista estableció que en el español existe una clara diferencia entre "estar" y "ser", que no logra recoger el inglés. Añadió entonces que aunque pueda "estar" preso no "es" un preso porque se considera un hombre libre.

En declaraciones escritas distribuídas a la prensa y repetidas en sala Mari Brás reiteró que "todo esto es una persecusión política y no le reconozco a esta corte capacidad legal ni moral para juzgarme ni condenarme".

"Al único foro al que estoy dispuesto a someter mi caso es al pueblo puertorriqueño. A éste le reitero que yo no he cometido delito alguno".

Al finalizar la vista el dirigente del PSP declaró además que "la versión que dio el fiscal y la que dio el juez en torno a este caso son una presentación falsificada de los hechos". "No se contendió eso allí", añadió, "porque no se reconoce la jurisdicción de la Corte de Estados Unidos".

Refiriéndose a la orden de Torruellas de que se desafore a Mari Brás y que se notifique sobre el particular al Tribunal Supremo de Puerto Rico, Mari Brás anunció que "si el Supremo considera esa orden entonces presentaremos allí toda la prueba refutando la versión del fiscal y el juez".

Juan Mari Brás

La vista en contra de Mari Brás se celebró en una sala abarrotada de público y bajo estrictas medidas de seguridad.

Durante el proceso Mari Brás se mantuvo en silencio negándose a contestar preguntas del juez y a presentar defensa alguna. Sus únicas expresiones se produjeron luego de ser declarado culpable y momentos antes de leerse la sentencia.

Al cierre de esta edición el secretario general del Partido Socialista Puertorriqueño, Juan Mari Brás, había cumplido ya 25 días de cárcel por lo que los 30 días de la sentencia se cumplen el lunes en la mañana. El PSP anunció que se realizará una vigilia frente al Presidio Estatal desde el domingo a las 8:00 PM para aguardar la salida del dirigente Socialista. La actividad, se informó, será una de carácter amplio de todos los que apoyan la lucha del pueblo de Vieques.

DECLARACIONES JUAN MARI BRAS

"No voy a hacer alegación ni planteamiento alguno ante la llamada corte federal a no ser lo que ya dije en el acto de lectura de acusación: que todo esto es una persecusión política y que no le reconozco a esta corte capacidad legal ni moral para juzgarme ni condenarme.

"Al único foro al que estoy dispuesto a someter mi caso es el pueblo puertorriqueño. A éste le reitero que yo no he cometido delito alguno y que en la práctica lo que ha ocurrido es que se me ha mantenido preso por 25 días por pedir la suspensión de un caso, lo cual es una barbaridad jurídica en cualquier corte del mundo.

"Independientemente de las personas que utilicen como instrumentos para cada acto represivo, son las mismas fuerzas y los mismos intereses los que me encarcelan y los que conspiran para asesinarme. Son los mismos que hicieron asesinar a mi hijo y son los mismos que cometieron el horrendo crimen del Cerro Maravilla.

"Son los que someten al pueblo de Vieques al bombardeo y al genocidio y los que mantienen a Puerto Rico entero en la ignominia del coloniaje.

"Ninguno de esos actos represivos va a detener la lucha de independencia de Puerto Rico. Estados Unidos, con todo su poderío, no tiene suficiente fuerza para detener un pueblo, una nación que está enraizada en una historia heroica de lucha contínua.

"Ya hay cinco compañeros encarcelados por los casos de Vieques. Esa lucha va a seguir adelante y no cesará por más que la repriman hasta que la Marina se vaya de Vieques para siempre.

"Finalmente tengo la seguridad de que la corte que hoy me condena —sin más autoridad que la que emana de la fuerza bruta— está condenada a desaparecer de nuestro país y sólo se recordará por las futuras generaciones como una de las instituciones apócrifas creadas por el coloniaje y extinguidas como todo lo falso, al calor de las fuerzas del pueblo."

Gallisá exige garantías a gobierno

PSP denuncia complot contra Juan Mari Brás

Por Rafael Anglada López
Redactor de CLARIDAD

Un complot para asesinar a Juan Mari Brás durante su encarcelamiento en el presidio fue denunciado por el presidente del Partido Socialista Puertorriqueño (PSP), Carlos Gallisá.

El dirigente Socialista anunció que en comunicación telefónica con el secretario de Estado, Pedro Vázquez responsabilizó al gobierno del Partido Nuevo Progresista (PNP) y Carlos Romero Barceló por cualquier cosa que le suceda al Secretario General del PSP durante su encarcelamiento.

El complot para asesinar a Mari Brás incluye a por lo menos dos guardias penales adscritos a la sección de seguridad máxima de la Penitenciaría Estatal de Río Piedras —conocido como el "Monoloro"— junto a varios intermediarios y personeros que responden a sectores políticos de "adentro y afuera del PNP".

CLARIDAD denunció dos semanas atrás, en su portada que un contrato estaba circulando entre los elementos de la Mafia en Puerto Rico para eliminar físicamente a Mari Brás, una vez surgiera un auto-atentado a Carlos Romero Barceló en Mayaguez el próximo 4 de noviembre.

Gallisá informó a la prensa el pasado miércoles por la tarde cómo el PSP había recibido diversas informaciones sobre la realización del complot para asesinar a Mari Brás durante los próximos días. La información obtenida por el PSP fue transmitida a Pedro Vázquez y a la Administradora de Corrección, Irba Cruz de Batista durante la noche del martes y la mañana del miércoles.

El Presidente del PSP enfatizó en todo momento que los intentos de asesinar a Mari Brás provienen de afuera del presidio por sectores políticos de extrema derecha dentro y fuera del Partido Nuevo Progresista (PNP). Enfatizó en todo momento que la mayoría de la población penal del "Monoloro" —los reclutos- han actuado con gran respeto y solidaridad en torno a Mari Brás y los restantes presos políticos que allí se encuentran como resultado de la lucha en Vieques contra la presencia allí de la Marina de Guerra de Estados Unidos.

Sin embargo, los elementos derechistas vinculados a la Mafia intentan reclutar con dinero a algunos convictos que se encuentran en esa Penitenciaría o que sean trasladados desde otras a la de Río Piedras.

Abogados y familiares que visitaron al Monoloro el miércoles por la tarde informaron a CLARIDAD que habían observado un número de medidas de seguridad preventivas mayor a las de costumbre.

Al denunciar al país la situación existente, Gallisá insitió que "no pedimos, ni solicitamos, ni aceptaremos privilegios de clase alguna para Mari Brás o los restantes presos políticos, pero exigimos la garantía de la seguridad de éstos".

"No estamos en la línea de la confrontación, pero tampoco la rehuiremos. Nuestras exigencias responden al derecho que tenemos de garantizar la vida del compañero Juan Mari Brás, tanto fuera como dentro del Presidio. Como le señaláramos al secretario de Estado Pedro Vázquez, de no garantizarle la vida a Juan Mari Brás dentro del Presidio, no hay garantías entonces para ninguna figura política en este país".

"Sale libre lunes por la mañana. Condenan a Mari Brás a 30 días de cárcel." Periódico *Claridad*, 19-25 de octubre de 1979.

la nación / 10 CLARIDAD – Del 9 al 15 de noviembre de 1979

A cumplir la meta Socialista:

'Inscribiremos el Partido este año'

Restan menos de dos meses para concluir el año 1979. A principios, en el acto conmemorativo de la fundación del Movimiento Pro Independencia, celebrado en Mayaguez, los Socialistas iniciaron el esfuerzo para inscribir el Partido Socialista Puertorriqueño y cumplimentar así uno de los acuerdos más importantes aprobados por el Congreso extraordinario celebrado en septiembre del año 1978.

Wilfredo López Montañez, miembro de la Comisión Política del partido y encargado nacional de la inscripción, habla para CLARIDAD sobre el estado de este importante proceso y los planes organizativos para asegurar que en lo que resta del año, se cumpla con la meta trazada de inscribir el partido en todo el país.

"Las 52,796 de inscripción que el Partido ha radicado, hasta el 31 de octubre, en la Comisión Estatal de Elecciones, demuestran, si se le compara con la pasada inscripción antes de las elecciones de 1976, el éxito de este proceso y el gran respaldo que el pueblo le ha dado al Partido.

"Conviene señalar que hemos tenido algunos inconvenientes y un cúmulo de tareas, que han afectado la marcha del proceso de inscripción. En los meses de julio, agosto y septiembre, el partido se envolvió en los Juegos Panamericanos, en la lucha del pueblo de Vieques, en las actividades de bienvenida a los cuatro héroes nacionalistas y en la denuncia de muchas situaciones, como el caso del Cerro Maravilla, que han requerido la inversión de recursos humanos y económicos. También nos afectó el período en el que el país fue azotado por los huracanes, en que muchos sectores donde habíamos planificado inscribir fueron severamente afectados y los puertorriqueños concentraban en atender esa situación.

"Pero también nos hemos confrontado con un inconveniente que requiere nuestra atención. Se trata de que la inscripción del partido no ha contado con la participación de todos los Socialistas y particularmente un sector de cuadros y dirigentes nacionales. El grueso de los militantes y afiliados del partido han estado inscribiendo desde enero y en buena medida han sido los mismos hasta el día de hoy. Ese hecho, unido a las múltiples tareas que ellos mismos han realizado, los ha conducido, lógicamente, a un agotamiento físico, y una reducción del ritmo de la inscripción. Pero también les afecta el hecho de que no ven en dirigentes destacados del partido la participación al nivel que les corresponde en esta tarea que es prioridad de todos.

"Nosotros tenemos que atajar esa realidad, cambiarla e incorporar en este último trecho hasta diciembre, a todos los dirigentes, militantes y afiliados del partido para cumplir con la meta de inscribir el partido en el año 1979, y de enero en adelante dedicarnos a otros aspectos de la participación electoral.

"Las condiciones para terminar la inscripción del Partido están. El pueblo apoya de manera significativa y nos da su firma, como fue el caso de este pasado domingo donde el compañero Juan (Mari Brás) y yo nos trasladamos a Arecibo para participar en una batida inscripcionaria que superó las expectativas que nos habíamos trazado.

"La Comisión Política del Partido trazó un plan para los meses de noviembre y diciembre, conducente a terminar la inscripción y lograr la participación en ese esfuerzo de todo el liderato nacional e intermedio del Partido.

"Por eso, a los miembros del Comité Central se les ha asignado en las diversas zonas que estamos inscribiendo para que además de aportar su esfuerzo, sirvan de estímulo a los compañeros de la base, desde ahora hasta terminar la inscripción.

"A fines de año, todo el Partido realizará una evaluación del cumplimiento de las tareas trazadas para el año, donde la participación en la inscripción del partido será una de las prioridades, principalmente en cuanto al liderato nacional respecta.

"Quiero destacar que de los 68 precintos en que estamos inscribiendo, 43 de ellos ya se han completado el 5 por ciento requerido por ley y 29 de ellos el 7 por ciento que el Partido se trazó para asegurar la certificación del partido en todos los precintos.

"Asegurar la inscripción del Partido este año reviste una importancia singular en esta coyuntura política que vive el país. Es tarea de todos los Socialistas, por mandato del Congreso del partido, cumplir con ella y colocar al partido en condiciones reales de decidir cómo se insertará en las luchas políticas del próximo año, en que se efectuarán las elecciones y donde los trabajadores estarán muy atentos a lo que dirá y hará el partido.

"Para eso, hay que redoblar el paso del trabajo y del compromiso, con el reto que el país está depositando en nosotros, los Socialistas Puertorriqueños. Será ese pueblo quien en definitiva calibrará la capacidad de este partido para ser realmente la oposición verdadera y uno de sus elementos de juicio será nuestra capacidad para cumplir con las metas que nos trazamos. Por eso, la consigna desde ahora hasta diciembre es, ¡A cumplir con la meta de inscribir el Partido en el año 1979!

Asignación miembros del Comité Central por Zonas

ZONA	DIRIGENTES
Norte	Carlos Gallisá, Serapio Laureano y Rafael Anglada
Oriental	Juan Mari Brás, Florencio Merced, Franklyn Rivera y Gervasio Morales
Caguas	Wilfredo López Montañez, Domingo Vega Figueroa y Awilda Palau
Humacao	Pedro Grant, Edwin Reyes y Carlos Rivera
Bayamón-Toa	Lucía Romero, Luis Lausell, Luis Escribano y Lolita Aulet
Ponce	Luis Toro Goyco, Osvaldo Romero y Luis Pons Irizarry
San Juan	Manuel de J. González, Doris Pizarro, Néstor Nazario y Lidy López
Central	Julio Vives Vázquez
Oeste	Marciano Avilés, Alberto Márquez y María de los Milagros Pérez

"Inscribiremos el partido este año." Artículo de Juan Mari Brás. Periódico *Claridad*, 9-15 de noviembre de 1979.

la nación / CLARIDAD — Del 9 al 15 de noviembre de 1979

A pesar de las objeciones del PIP:

Socialdemócratas AL apoyan Conferencia

Por Carlos Rivera Lugo
De la Redacción de CLARIDAD

Dieciocho partidos socialdemócratas de América Latina apoyan la Segunda Conferencia Internacional de Solidaridad con la Independencia de Puerto Rico a celebrarse próximamente en Ciudad México a pesar de las objeciones y la resistencia del Partido Independentista Puertorriqueño.

Una declaración de apoyo a la Conferencia, que se efectuará del 30 de noviembre al 2 de diciembre en la capital azteca, fue suscrita en Oaxaca por los participantes de la reunión de partidos socialdemócratas latinoamericanos, entre los cuales se destacan Leonel Brizola, del Partido Trabalhista do Brasil; Víctor Paz Estenssoro, del Movimiento Nacional Boliviano; el senador venezolano Pompeyo Márquez, del Movimiento Al Socialismo; Guillermo Manuel Ungo, del Movimiento Nacional Revolucionario de El Salvador y miembro de la Junta que gobierna actualmente en dicho país; y Moisés Hassan, miembro de la Junta de Reconstrucción Nacional de Nicaragua.

Asimismo, suscribieron la declaración el ex-mandatario de Costa Rica, Daniel Oduber, del Partido de Liberación Nacional; el diputado ecuatoriano Rafael Márquez, de la coalición gobernante Congreso de Fuerzas Populares; Nicolás González, del gobernante Partido Revolucionario Democrático de Panamá; el Dr. Upeon Rosotham, del gobernante Partido Nacional del Pueblo de Jamaica; Mario Jorge Eastman, del Partido Liberal Colombiano y presidente del Parlamento latinoamericano.

El documento fue suscrito por representantes de los siguientes otros partidos: Acción Democrática de Venezuela, la Izquierda Democrática de Ecuador, el Partido Socialista Democrático de Guatemala, el Partido Popular Socialista y el Partido Socialista de los Trabajadores, ambos de México.

Según fuentes de entero crédito vinculadas a la reunión socialdemócrata de Oaxaca, el Partido Independentista Puertorriqueño, y en particular su presidente Rubén Berríos Martínez, levantó sus objeciones a que allí se aprobara una resolución de apoyo a la Conferencia Internacional, uno de cuyos principales auspiciadores es el gobernante Partido Revolucionario Institucional (PRI) de México. La posición de Berríos fue duramente censurada por un representante mexicano que calificó la actitud del dirigente pipiolo de "antihistórica" ya que no podía entender de ninguna manera que un partido independentista puertorriqueño no sólo no participara en una conferencia de solidaridad con la independencia de Puerto Rico sino que además objetara a que fuerzas y organismos de la comunidad internacional respaldaran dicho evento.

Informan nuestras fuentes que durante el intenso debate que se produjo en la Comisión de Resoluciones, Berríos intentó justificar su posición diciendo que el PIP no respaldaba dicha Conferencia debido a que el Comité Puertorriqueño de Apoyo a la misma no era representativo del independentismo boricua y que estaba integrado por elementos radicales de extrema izquierda que podrían incluso crearle serias dificultades al gobierno mexicano. Insistió en que su organización es el verdadero representante del independentismo puertorriqueño.

Ante las objeciones del PIP, la delegación del Partido Socialista de los Trabajadores de México decidió retirar la resolución que había presentado y en su lugar redactó y circuló una declaración de saludo y apoyo a la Conferencia que fue suscrito por 18 organizaciones y 22 personalidades políticas allí presentes, por encima de la posición de Berríos.

La declaración señala que los firmantes "saludamos la celebración de la Segunda Conferencia Internacional de Solidaridad con la Independencia de Puerto Rico, convocada por el Comité Internacional Preparatorio y auspiciada por el Consejo Mundial de la Paz y por la mayoría de los partidos políticos progresistas, democráticos y antimperialistas de México".

"Deseamos patentizar nuestro apoyo a la independencia del hermano pueblo puertorriqueño y desear por ello éxito completo y mayores avances en la solidaridad mundial de todos los pueblos en esta noble causa", concluye la declaración.

Además del PIP, se encuentran entre los no firmantes de la declaración el Dr. José Francisco Peña Gómez, secretario general del Partido Revolucionario Dominicano (PRD) quien fue calificado por Berríos en la recién celebrada Asamblea Nacional del PIP, como el "padrino" de la solidaridad con la independencia de Puerto Rico. El dirigente dominicano explicó que no había firmado la misma debido al temor de que se viesen afectadas las relaciones bilaterales que el PRD mantiene con el PIP.

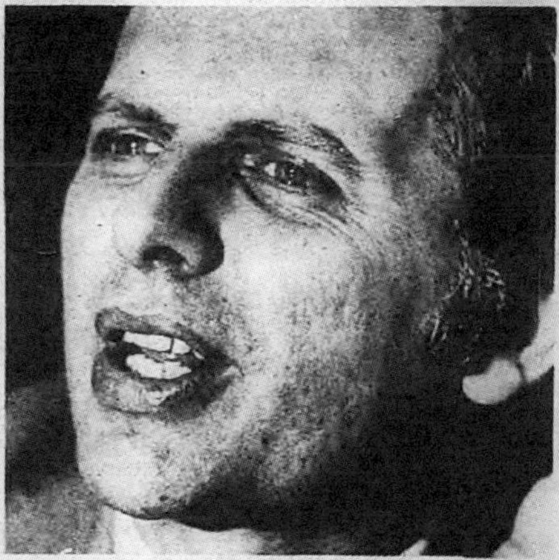

Rubén Berríos Martínez

Firme respaldo PRI a Conferencia en México

Por Carlos Rivera Lugo
De la Redacción de CLARIDAD

El presidente del gobernante Partido Revolucionario Institucional de México, el licenciado Gustavo Carvajal, le reiteró a una delegación puertorriqueña que lo visitara en días recientes, que su organización respalda firmemente la celebración de la Segunda Conferencia Internacional de Solidaridad con la Independencia de Puerto Rico.

El líder del PRI subrayó que esperaba que dicha Conferencia sirviera para profundizar y ampliar la solidaridad con la lucha del pueblo puertorriqueño.

La delegación boricua, integrada por Eneida Vázquez y Noel Colón Martínez, presidenta y vicepresidente respectivamente del Comité Puertorriqueño de Apoyo a la Conferencia, Carlos Gallisá, presidente del Partido Socialista Puertorriqueño y Pedro Albizu Meneses, discutió con Carvajal el asunto de la oposición del Partido Independentista Puertorriqueño a la Conferencia. Se le reiteró todos los esfuerzos que se hicieron en Puerto Rico para que el PIP se integrara y participara de la Conferencia al nivel de su peso político en Puerto Rico, petición ésta que en todo momento recibió la más rotunda negativa por parte de la dirección del PIP.

En una reunión celebrada con el Comité Mexicano de Apoyo, presidido por el distinguido dirigente del PRI, el licenciado Natalio Vázquez Pallares, se discutieron aspectos del programa de la Conferencia y las invitaciones a la misma. Se informó que ya se han reservado facilidades de hospedaje y de reunión en el céntrico Hotel El Prado, el cual será sede del magno evento.

La delegación sostuvo reuniones asimismo con el Senador Ramiro Ruiz Madero, coordinador general del Congreso de los Trabajadores Mexicanos; con Arnulfo Martínez Verdugo, secretario general del Partido Comunista Mexicano; con Rafael Aguilar Talamantes, secretario general del Partido Socialista de los Trabajadores; con Heberto Castillo, secretario general del Partido Mexicano del Trabajo, entre otros.

Pedro Albizu Meneses se quedó en Ciudad México para representar al Comité Puertorriqueño de Apoyo en una reunión del Grupo de Trabajo del Comité Internacional Preparatorio que sesionará próximamente en dicha capital. El Grupo de Trabajo está integrado por el Consejo Mundial de la Paz, México, Cuba, Estados Unidos y Puerto Rico.

"Socialdemócratas de AL apoyan conferencia."
Periódico *Claridad*, 9-15 de noviembre de 1979.

ESTADO LIBRE ASOCIADO DE PUERTO RICO
POLICIA DE PUERTO RICO
DIVISION INTELIGENCIA

7008

NOV. 1 6 1979

✓ EL MUNDO ______ EL DIA ______ THE SAN JUAN STAR ______ EL VOCERO

______ NEW YORK T

NOV. 1 6 1979

Participaba Ministro Cubano

Discrepancias de Mari y Berríos Surgen en Foro Independencia PR

Por Bartolomé Brignoni
De la Redacción EL MUNDO

Las diferencias políticas entre los líderes independentistas Rubén Berríos Martínez y Juan Mari Bras, se pusieron de manifiesto nuevamente durante la celebración ayer de una conferencia en el Colegio de Abogados en la que participó el diplomático Ricardo Alarcón, viceministro de Relaciones Exteriores de Cuba.

Berríos y Mari Bras volvieron a discrepar sobre el concepto de la transferencia de poderes o y la forma en que Puerto Rico definitivamente conseguirá su independencia.

En el foro participaron, además de Alarcón, Berríos y Mari Bras, el ingeniero Libertario Avilés, en representación del gobernador Carlos Romero Barceló; el profesor Luis Agrait, en representación del Partido Popular, y el profesor Angel Calderón. De mantenedora actuó la doctora Carmen Gautier.

El foro fue auspiciado por la Fundación Puertorriqueña de las Humanidades y las facultades de Estudios Generales, Ciencias Sociales, Derecho y Humanidades de la Universidad de Puerto Rico.

012865

Aunque sin referirse directamente al presi-

De la Página 3-A

dente del Partido Independentista, Mari Bras afirmó que era una señal de ambivalencia respaldar en las Naciones Unidas la transferencia de poderes y rechazarlo en Puerto Rico.

Dijo el secretario general del Partido Socialista Puertorriqueño que es ilusorio creer que a través del proceso electoral se pueda hacer la independencia de Puerto Rico.

Según Mari Bras, es necesario que Estados Unidos transfiera los poderes para poder descolonizar y conseguir la independencia de nuestro país.

Señaló el líder socialista que su partido rechazaba la asociación con el pueblo de Estados Unidos bajo cualquier circunstancia.

Indicó que Estados Unidos interesa atrasar la solución del caso político puertorriqueño para preteger sus intereses económicos y militares. Añadió que la represión y persecución contra los grupos independentistas cada día es mayor.

Por su parte, Berríos dijo que las Naciones Unidas no va a resolver el caso político puertorriqueño. Apuntó que la independencia se conseguirá únicamente con la "voluntad y lucha" de todos los puertorriqueños.

Declaró el Presidente del PIP que es ilusorio pensar que Estados Unidos vaya a transferir sus poderes al pueblo de Puerto Rico para entonces poder hacer la independencia.

Mencionó que sin el fruto del esfuerzo del pueblo la independencia no tiene sentido. Señaló que la independencia será posible "porque los puertorriqueños la pedirán y porque no hay otro camino a la encerrona del colonialismo."

Indicó que Puerto Rico nunca será un estado porque este status no le conviene a Estados Unidos, además de que los norteamericanos "no nos quieren como estado".

Por su parte, Ricardo Alarcón afirmó que Estados Unidos fue el primero en llevar el caso político puertorriqueño a la consideración de las Naciones Unidas.

Mencionó que el caso político pueartorriqueño es uno de los asuntos que más preocupa al Comité de Descolonización de las Naciones Unidas, así como a toda la comunidad internacional.

Apuntó que ningún otro asunto ha recibido tanta atención en el Comité de los 24 como el status político de Puerto Rico.

El profesor Luis Agrait dijo que la existencia de un gobierno que favorece la estadidad ha exacerbado las pasiones políticas en el país. Añadió que esto ha ayudado a internacionalizar el caso político puertorriqueño.

Según Agrait, el presidente Jimmy Carter y el Congreso de Estados Unidos están de acuerdo en que los puertorriqueños son los únicos que tienen que resolver su problema de status.

Dijo que los líderes políticos han rehusado definir claramente en qué consiste la transferencia de poderes al pueblo de Puerto Rico.

Por su parte, el ingeniero Libertario Avilés, que se describió como "estadista-socialista", afirmó que el status político no es uno de los problemas que más preocupa al hombre puertorriqueño. Apuntó que hay otros problemas de más preocupación para los puertorriqueños.

Según Avilés, los puertorriqueños hacen caso omiso a las presiones de las Naciones Unidas y de otros foros internacionales para la solución de su status político.

Dijo que la fórmula autonomista cada día pierde más fuerza, y que los puertorriqueños están fijando su atención en únicamente dos fórmulas ideológicas: la estadidad e independencia.

"Puerto Rico resolverá su status político sin la intromisión de personas y organismos extraños", dijo Avilés.

"Discrepancias de Mari y Berríos surgen en foro independencia PR." Periódico *El Mundo*, 16 de noviembre de 1979.

ESTADO LIBRE ASOCIADO DE PUERTO RICO
POLICIA DE PUERTO RICO
DIVISION INTELIGENCIA

NOV. 16 1979

______EL MUNDO __✓__EL DIA______THE SAN JUAN STAR______EL VOCERO

______NEW YORK TIME______EL CARIBE R.D.______CLARIDAD

Frente a frente Pipiolos y Socialistas

NOV. 16 1979

Por RUBEN O. ARRIETA
De El Nuevo Día

LAS DIFERENCIAS entre el PIP y el PSP quedaron de manifiesto en un foro cuando los dirigentes de estos dos partidos independentistas intercambiaron acusaciones tildándose de "ilusos" en la consideración de métodos para obtener la independencia.

Juan Mari Bras, Secretario General del PSP, inició la polémica cuando incluyó al PIP entre el PNP y el PPD como partidos "que se han metido dentro del esquema diseñado por los imperialistas". Indicó Mari Bras que el PIP espera "tener mayoría en la colonia" y así "está reunciando al derecho inalienable a la independencia. Están dándole vueltas a la noria y jugando con el destino político de Puerto Rico," arengó Mari Bras.

El Presidente del PIP, Rubén Berrios, rechazó los planteamientos de Mari Bras y se trancó a una propuesta de éste para que los dos partidos se unan en un plan de llevar al Congreso un proyecto a favor de la independencia para la Isla. ¿Cómo se nos exhorta a participar en juntas después de afirmar que estamos jugando con el destino político de Puerto Rico? afirmó Berrios.

012868

El dirigente del PIP debatió argumentos de Mari Bras, quien lo llamó iluso por querer ganar unas elecciones bajo el sistema actual. De acuerdo con Berrios, iluso sería pretender una transferencia de poderes para entonces luchar por la independencia.

Berrios quiere la independencia plena para celebrar después una consulta. "Bajo el control de Estados Uidos una consulta sería injusta", expresó. Al mismo tiempo prometió que el PIP continuará trabajando por la independencia "desde la colonia porque no hay nada más." Indicó que está confiado de que el pueblo "responda" si la independencia se le presenta de forma racional.

"Frente a frente pipiolos y socialistas."
Periódico *El Nuevo Día*, 16 de noviembre de 1979.

Del 23 al 29 de noviembre de 1979 – CLARIDAD 5 / la nación

Debaten concepto de transferencia de poderes

Por Héctor Meléndez
Colaborador de CLARIDAD

Un intenso debate se suscitó entre los dos principales dirigentes independentistas, Juan Mari Brás y Rubén Berríos, en torno al concepto de transferencia de poderes de Estados Unidos a Puerto Rico.

El debate se produjo el pasado jueves 15 en el foro sobre el caso puertorriqueño en Naciones Unidas, que formaba parte del simposio sobre la realidad de Puerto Rico.

El Secretario General del Partido Socialista Puertorriqueño indicó que la transferencia de poderes es un concepto procesal que ha sido capaz de lograr los más impresionantes consensos en Puerto Rico. Añadió que es un punto que ayuda a conjugar la unidad nacional anticolonial.

Mari Brás insistió en que la unidad nacional será la base para la solución unitaria y decorosa del problema colonial de Puerto Rico. Puso de ejemplo al Colegio de Abogados, que ha propiciado el consenso sobre la base del traspaso de poderes y la autodeterminación, a tono con la Resolución 1514 (XV) de la ONU, logrando un consenso imposible de alcanzar de otra forma, entre las diversas fuerzas.

Por eso la jauría de los más colonialistas quiere destruir ahora el Colegio, expresó Mari Brás.

Por su parte, el Presidente del Partido Independentista Puertorriqueño restó importancia a la unidad de las diversas fuerzas políticas del país e insistió en que la solución al problema colonial está en que el PIP gane las elecciones y una vez en el gobierno, reclame la independencia a Estados Unidos.

Berríos reafirmó la tesis de que desde el gobierno y una vez electo por la mayoría, el PIP podrá presionar más eficazmente a Estados Unidos y negociar con éste desde una posición más fuerte.

El líder del PIP se felicitó por rechazar de plano cualquier acción unitaria con otras facciones políticas y reiteró que el Partido Popular siempre se aprovechará demagógicamente de cualquier alianza sobre la base del traspaso de poderes.

Berríos interpretó el concepto de traspaso de poderes como la total y definitiva independencia y calificó de ilusorio que se enarbole este concepto para hacer avanzar al movimiento independentista. Dijo que es más realista triunfar electoralmente en Puerto Rico y luego exigir la independencia.

Berríos negó los argumentos de Mari Brás de que el régimen colonial impide por su propia naturaleza un triunfo eleccionario de los independentistas y no respondió la afirmación de que el autonomismo es una fuerza que por razones históricas sería voluntarista subestimar.

Berríos rechazó enérgicamente que sea "jugar con el destino patrio" o ambivalente respaldar el concepto de transferencia de poderes en la ONU y omitirlo en el Programa del PIP.

Calificó como "juridicismo" excesivo el énfasis en reclamar el traspaso de podres y estableció, en obvia referencia al Partido Socialista, un contraste entre la labor proselitista entre el pueblo y el trabajo en el plano jurídico e internacional.

Juan Mari Brás presenta su ponencia ante el Foro "El caso de Puerto Rico ante la ONU" que formó parte del Simposio Puerto Rico: Su gente y su futuro, auspiciado por la Universidad de Puerto Rico. De izquierda a derecha los restantes miembros del panel Ricardo Alarcón, Prof. Carmiña Gautier, Rubén Berríos, Luis Agrait, Libertario Avilés y Angel Calderón. (Foto CLARIDAD por Freddie Toledo).

En proceso proyecto EU pro independencia

El Partido Socialista Puertorriqueño labora conjuntamente con legisladores y abogados progresistas norteamericanos en un proyecto de independencia de Puerto Rico a radicarse en el Congreso de Wáshington.

Así lo anunció el secretario general del PSP, Juan Mari brás, al deponer en el foro sobre el caso de Puerto Rico en la ONU.

Mari Brás indicó que el proyecto servirá para levantar la conciencia entre el pueblo norteamericano sobre su rol en la solidaridad con la lucha independentista de Puerto Rico y para abrir una discusión sobre este caso en el seno de la potencia colonialista.

El Congreso norteamericano es una gran caja de resonancia y ello ayudaría a difundir el caso de Puerto Rico y la solidaridad con nuestra lucha, dijo.

Al recordar la exigencia que hace a Estados Unidos la resolución de la ONU de 1978 de que cese la represión contra los patriotas puertorriqueños, Mari Brás denunció el asesinato de Angel Rodríguez Cristóbal en la cárcel federal de Tallahassee, Florida, hace pocos días.

Entre prolongados aplausos, Mari Brás afirmó que Rodríguez Cristóbal fue asesinado por el gobierno norteamericano como parte de la represión contra la lucha para que la Marina abandone Vieques, la manifestación más candente de la lucha anticolonial hoy en Puerto Rico.

Dijo que la resolución de la ONU de 1978, al incluir el derecho de Puerto Rico a la libre asociación una vez goce de los poderes que le pertenecen, sirve para examinar en el futuro cualquier supuesta reforma que pretenda hacer el imperialismo a título de libre-asociación.

Ya hubiéramos querido tener en 1953 una resolución así, que hubiera puesto al desnudo toda la farsa del llamado "estado libre asociado", agrego el dirigente Socialista.

El plebiscito no solucionará problemas status Isla

SAN JUAN (TALCOM)- El jurista David Helfeld declaró que son prácticamente nulas las probabilidades de que el problema del status político de Puerto Rico se resuelva en el proyectado plebiscito de 1981.

Señaló Helfeld que la posibilidad de que ocurra un cambio constitucional en Puerto Rico a raíz del proyectado plebiscito es "remota", ya que es de esperarse que ninguna de las tres alternativas de status gane suficientes votos. Incluso, según Helfeld, la división entre los puertorriqueños es tal que es posible que ninguna de las opciones gane siquiera la mitad más uno de los votos.

Helfeld, profesor de la Universidad Católica y ex-decano de la Escuela de Derecho de la Universidad de Puerto Rico, ha sido consultor del gobierno en varios aspectos, incluso el debatido asunto de la sindicalización de los empleados públicos. Sus impresiones sobre el futuro político de Puerto Rico las dio en el simposio "Puerto Rico, su gente y su futuro", celebrado recientemente en la Universidad de Puerto Rico.

En su ponencia, Helfeld señaló que Puerto Rico está cada vez más integrado a la economía norteamericana y el Congreso, cada vez más, aplica legislación federal a la Isla. Aunque ésto apuntaría a favor de la estadidad, Helfeld señaló que el problema no está resuelto: "Es necesario —dijo— desarrollar un alto grado de consenso que posibilite comenzar negociaciones conducentes a la solución del status político y preparen el camino para un futuro plebiscito donde alguna de las alternativas pueda salir victoriosa".

"Debaten concepto de transferencia de poderes."
Periódico *Claridad*, 23-29 de noviembre de 1979.

la nación / 10 CLARIDAD — Del 16 al 22 de noviembre de 1979

1980: Fortalecer la oposición verdadera

El Partido Socialista Puertorriqueño recabará el respaldo de la mayor cantidad posible de independentistas en las próximas elecciones, a base del récord que tiene de encabezar la verdadera oposición en el país.

Así se expresó el viernes Juan Mari Brás, secretario general del PSP, hablando en rueda de prensa. También estuvo en la conferencia de prensa Lucía Romero, subsecretaria general de la colectividad, que la semana pasada regresó de una gira por el Medio Oriente en gestiones de solidaridad.

Mari Brás dijo que en los primeros cuatro meses de 1980, el PSP realizará asambleas públicas en todos los municipios para crear comités de acción electoral Socialistas. La campaña eleccionaria del Partido Socialista comenzará el Primero de Mayo, Día Internacional de los Trabajadores.

No habrá que ser miembro del PSP para participar en dichos comités, sino respaldar diez puntos: la transferencia de poderes de Estados Unidos a una asamblea constituyente del pueblo de Puerto Rico —lo cual implica la salida de la Isla de las fuerzas coloniales norteamericanas—; la defensa de los recursos naturales; el reclamo de las 200 millas marítimas; ensanchamiento de la democracia con mayor participación de los trabajadores y sectores populares; un programa realista contra la criminalidad; sustitución de importaciones y desarrollo de la agricultura; congelación y renegociación de la deuda pública y privada; creación de mecanismos contra la corrupción administrativa; fomento de la cultura puertorriqueña y sindicalización sin cortapisas de los empleados públicos.

El dirigente Socialista dijo que las elecciones de la Isla carecen de carácter pebliscitario. Si gana el PNP o el Partido Popular, agregó, será determinado principalmente por la inclinación que adopten las fuerzas coercitivas y los grandes intereses económicos que dominan la vida de los puertorriqueños.

Lo que puede decidirse en estas elecciones es el crecimiento y consolidación de una oposición verdadera, capaz de impulsar en la próxima década las inevitables transformaciones políticas por el camino de la liberación y no del coloniaje; de los trabajadores y no de los capitalistas extranjeros o de aquí, expresó Mari Brás.

Añadió que hacia ese objetivo se dirigirá el esfuerzo de los Socialistas en las elecciones. Ahora que el PIP se ha definido como un partido más dentro del sistema, sin tener la menor oportunidad de triunfo en esas elecciones, se está cancelando por decisión propia como instrumento efectivo de oposición, dijo Mari Brás.

El líder del PSP indicó que no existe la más remota posibilidad de que el PIP gane las elecciones coloniales y que por esa ilusión, está echando a un lado principios del independentismo como es reclamar que para la autodeterminación verdadera, Estados Unidos transfiera los poderes al pueblo puertorriqueño y salgan de la Isla las fuerzas e instituciones norteamericanas.

A lo que lleva la nueva línea del PIP es a que se quede sin la soga y sin la cabra. Van a perder el respaldo de los independentistas en aras de unas adhesiones de millares de electores de los dos partidos de los ricos que no conseguirán, declaró.

El dirigente del PSP recabará el respaldo de las masas trabajadoras y del independendentismo en general haciendo énfasis en la experiencia; el PSP ha encabezado la eficaz oposición a los colonialistas y al sistema todo: así se demuestra en el caso del Cerro Maravilla, en la lucha contra la Marina en Vieques, en Naciones Unidas y en las demás denuncias del carácter antiobrero, corrupto y anti-democrático del gobierno.

El único requisito para respaldar al Partido Socialista y colaborar en su campaña electoral es respaldar el programa mínimo, en torno a la consigna de "para un cambio verdadero, a fortalecer la oposición primero", dijo Mari Brás.

Abogados derrotan intervención PNP

Por Carlos Rivera Lugo
De la Redacción de CLARIDAD

El Colegio de Abogados de Puerto Rico rechazó firmemente la intervención política del gobernante Partido Nuevo Progresista en los asuntos de dicha institución al aprobar por una aplastante mayoría en su Asamblea del pasado sábado una resolución en defensa del principio de la colegiación compulsoria.

Sólo 13 de los 943 abogados presentes votaron en contra de la resolución sobre la colegiación compulsoria radicada, entre otros, por los licenciados Noel Colón Martínez y Rodolfo Cruz Contreras, ambos ex-presidentes de la más que centenaria institución.

Colón Martínez indicó en su intervención en favor de la resolución que la misma respondía a la grave situación en que se había colocado al Colegio ante los pronunciamientos del gobierno, del presidente de la Cámara de Representantes, Angel Viera Martínez y del Departamento de Justicia en contra del sistema de colegiación compulsoria que existe por ley. Incluso, el representante penepeísta Edison Misla Aldarondo ha recogido dicha posición de la administración actual en un proyecto de resolución sometido a la Cámara en que se solicita la revisión de dicho principio de colegiación compulsoria.

El propio presidente del Colegio de Abogados, Angel Tapia Flores, defendió en su mensaje de apertura de la Asamblea el carácter pluralista de la entidad y rechazó las imputaciones de politización lanzadas contra la misma. Insistió en que el Colegio de Abogados no debe ser instrumento de partido político alguno. "Impongamos nuestra razón por la fuerza de la razón misma y no por la fuerza del poder", sentenció Tapia Flores.

El principal representante de la posición en favor de la eliminación del principio de la colegiación compulsoria, el licenciado Angel E. Rosa creó cierto malestar durante la Asamblea al prácticamente dilatar el desarrollo de la misma con incensamentes preguntas e intervenciones sobre detalles y cuestiones no sustantivas. Sin embargo, sorprendió a los allí presentes que no de los principales "tapabocas" dado a las posiciones impulsadas por Rosa, activista del PNP, fue la que le propinó su correligionario, el ex-representante y juez superior David Urbina, quien habló en contra de los que quieren destruir la institución. Puntualizó que no se le puede dar paso a aquellas "fuerzas externas" que se le quieren imponer al Colegio.

Algunos de los allí presentes resaltaron la importancia de la resolución aprobada como una lección a los que en el gobierno no comprenden la amplitud y el pluralismo del orden democrático.

Por otro lado, otra de las resoluciones aprobadas se refiere al caso de Bobby Knight. La misma demanda del gobierno de Carlos Romero Barceló que se proceda a gestionar la extradicción del dirigente olímpico norteamericano ante la impugnación y la actitud desafiante asumida por éste ante el sistema judicial puertorriqueño.

Presentes en la Asamblea estaban los máximos dirigentes de los tres principales partidos de oposición, todos ellos abogados: el ex-gobernador Rafael Hernández Colón del Partido Popular Democrático; el ex-senador Rubén Berríos Martínez del Partido Independentista Puertorriqueño; y Juan Mari Brás del Partido Socialista Puertorriqueño. Todos recibieron los aplausos y la ovación de los allí presentes al ser anunciada su presencia por Tapia Flores, aunque llamó la atención que la ovación creció al máximo cuando fue presentado el Secretario General del PSP.

Juan Mari Brás y Rubén Berríos Martínez fueron ovacionados cuando se les presentó por el Presidente del Colegio de Abogados a los asistentes a la asamblea de esa entidad celebrada el pasado sábado en el recinto de esa institución. (Foto CLARIDAD por Freddie Toledo).

"1980: Fortalecer la oposición verdadera."
Periódico *Claridad*, 16-22 de noviembre de 1979.

comentario político / Del 23 al 29 de noviembre de 1979 – CLARIDAD 11

La oposición verdadera

Por Juan Mari Brás

Nunca antes en la historia patria se había concentrado tanto ataque en un partido político tan pequeño. La orquestación represiva y propagandística contra el Partido Socialista Puertorriqueño, ciertamente, no guarda proporción con su fuerza actual. Lo que pasa es que sí la guarda con su gran potencial de crecimiento.

El socialismo es la fuerza política más poderosa del mundo contemporáneo. No hay mas que examinar la historia de los setenta y nueve años que van del siglo veinte para concluir, sin lugar a dudas, que se trata del movimiento social más impetuoso que se ha desarrollado en esta época. Es el único que ha logrado transformar radicalmente a sociedades inmensas desde el retraso más espantoso hasta el desarrollo pleno. Y lo que es más importante, desde la miseria para las grandes mayorías y la opulencia para los privilegiados hasta la distribución más equitativa de la riqueza que se haya alcanzado a lo largo de la historia.

El mundo, que cada día se hace más pequeño y mayores son las interacciones que determinan los desarrollos que se dan en todos sus contornos, se divide fundamentalmente en dos sistemas sociales en pugna, el capitalismo y el socialismo. Hay diversas variantes nacionales de ambos, pero pese a todas las contradicciones y particularidades de los distintos procesos, en lo esencial las alternativas se reducen a esas dos.

Nosotros somos los representantes de la alternativa socialista en la vida política y social del Puerto Rico de hoy. Así nos reconoce el pueblo puertorriqueño, el enemigo imperialista y sus acólitos de aquí y prácticamente toda la comunidad internacional.

Puerto Rico es, por otro lado, uno de los lugares del mundo bajo dominación capitalista donde se concentran en el menor espacio las mayores cantidades de riqueza y productividad. La injusticia social aquí corre pareja con la monstruosidad de la economía. No se conoce otra país en el planeta que, exhibiendo una productividad tan alta y un volumen de actividad económica tan cuantioso, tenga unos desequilibrios tan grandes en la distribución de esa riqueza y, consecuentemente, en el orden social. Esa realidad se resume en la dramática ecuación que hemos citado en tantas ocasiones: **los trabajadores puertorriqueños, que producen tanto o más como los Estados Unidos, reciben salarios de menos de la mitad del promedio pagado por igual empleo allá y tienen que afrontar un costo de vida más alto que el de Norteamérica. Esto se agrava por el desempleo de más del cuarenta por ciento.**

Por eso, las condiciones en Puerto Rico están maduras para el crecimiento sustancial del socialismo como fuerza política. Eso ya se vislumbra en la influencia del socialismo en el movimiento sindical, estudiantil e intelectual del país.

Esta es la razón por la cual se nos ataca tanto, desde todos los flancos. De rebote, los que nos atacan no tienen problemas en elogiar a los independentistas y socialistas que estén

en contradicción con el PSP. No es porque ellos consideren que aquellos son mejores independentistas y socialistas que nosotros. Es porque el PSP es la única organización socialista que ya está suficientemente arraigada entre nuestro pueblo como para que desde sí florezca el auge del socialismo en Puerto Rico.

Al PIP lo elogia editorialmente tanto **El Mundo** como el **San Juan Star**. Los columnistas a sueldo del aparato imperialista, al descubierto como Alex W. Maldonado o Ismael Fernández, o burdamente encubiertos como Roberto Rexach Benítez, elogian la línea pipiola no para favorecer la independencia a plazos cómodos que plantea el programa del Condado. Es para contraponer esa ilusión irrealizable a la única alternativa de poder con que cuenta el independentismo puertorriqueño, que es la del socialismo. La orquestación es tan obvia, que, con tal de atacar al PSP, se alían también a algunos microgrupos de la ultraizquierda. Es una santa alianza contra el socialismo en la cual se juntan objetivamente los temores, vacilaciones e ilusiones del liderato pipiolo, el infantilismo ultraizquierdista exacerbado por resentimientos y las deformaciones y falsificaciones de los propagandistas del sistema.

Pero toda esa conjura no logra sus propósitos. Ante las crecientes huestes de los trabajadores ávidos de una alternativa real, el ataque orquestado contra el Partido Socialista es uno de los indicios de lo efectivo que somos como la oposición verdadera en el país. Por eso casi nadie nos niega las firmas para inscribir el partido y crece el apoyo entre el pueblo para nuestro partido.

En esta coyuntura, la alternativa socialista debe montarse sobre una clara política de fortalecimiento del partido como instrumento de oposición. Las consignas no son otra cosa que programas condensados. Cuando decimos que **"para un cambio verdadero, a fortalecer la oposición primero"**, estamos esbozando la ruta táctica del momento hacia la toma del poder. Nuestro esfuerzo tiene que concentrarse en ampliar y profundizar la base del socialismo mediante el destaque de nuestra función como oposición verdadera. Las grandes mayorías del pueblo no estarán todavía en condiciones de comprender la necesidad y la posibilidad de la toma del poder por los Socialistas en Puerto Rico. Pero sí comprenden con suma facilidad que el Socialismo es la oposición más efectiva del país. Y reconocen la necesidad de una buena oposición frente a la realidad de que las últimas administraciones, tanto del PNP como del PPD, han manifestado un creciente deterioro en lo que respecta a corrupción, politiquería e ineptitud.

Las fuerzas del imperialismo y la reacción ya saben que no pueden destruirnos, pero conspiran para evitar que podamos crecer. Esta es la hora del crecimiento del socialismo. Terminar la inscripción dentro del año presente, tal como lo planeamos desde el principio; ampliar y adaptar la organización a fines de la campaña electoral durante los primeros cuatro meses de 1980 y concentrar los seis meses desde el primero de mayo al 4 de noviembre próximos en una intensa campaña electoral, fundada en nuestro record como oposición verdadera, serán los pasos acertados para enfilarnos hacia las metas finales de independencia y socialismo.

La oposición verdadera." Artículo de Juan Mari Brás, Periódico *Claridad,* 23-29 de noviembre de 1979.

"Conversando con la dirección socialista."
Periódico *Claridad*, 4 de enero de 1980.

7008

ESTADO LIBRE ASOCIADO DE PUERTO RICO
POLICIA DE PUERTO RICO
DIVISION INTELIGENCIA

MAR. 26 1980

EL MUNDO ✓ EL DIA THE SAN JUAN STAR EL VOCERO
NEW YORK TIME EL CARIBE R.D. CLARIDAD

El PSP escoge sus candidatos

Por ARIEL ORTIZ TELLECHEA
De El Nuevo Día

012672

LOS LICENCIADOS Juan Mari Bras, Carlos Gallisá y el líder sindical Luis Lausell completan el cuadro de la totalidad de aspirantes a un cargo público en las próximas elecciones por el Partido Socialista Puertorriqueño.

Gallisá regresaría a la Cámara, donde estuvo por un cuatrienio al resultar electo por el Partido Independentista Puertorriqueño, al cual renunció a mitad de incumbencia; Mari Bras ocuparía un escaño en el Senado, y Lausell es el candidato a "gobernador de la colonia".

Los anuncios fueron hechos a mediodía de ayer en una concurrida conferencia de prensa celebrada en un restaurante de Hato Rey, en la que Mari Bras se expresó optimista de que el PSP aumentará voto en las elecciones de noviembre mediante el apoyo de la clase obrera.

Para que Gallisá y Mari Bras puedan ocupar un escaño "en la Legislatura de Puerta de Tierra" el propio partido estima que necesitará obtener entre 120 mil y 125 mil votos.

En las pasadas elecciones el PSP obtuvo una totalidad de 10 mil votos, aunque Gallisá, quien entonces también se postuló para la Cámara, logró 44,500, pero no resultó electo.

El PSP ha presupuestado para la campaña de las próximas elecciones un total de $600 mil, según indicó el propio Mari Bras.

"NOSOTROS aspiramos -- dijo Mari Bras -- a ampliar al partido como la oposición verdadera".

El Partido no postulará -- como en años anteriores -- candidato a Comisionado Residente en Washington, por entender que aunque todos los cargos públicos "son coloniales bajo el presente status, el de comisionado residente encarna dramáticamente la indignidad del coloniaje".

La decisión realmente no se ha tomado, pero la misma parece académica por razón de que todo el liderato del Partido se opone a que se postule un candidato para el cargo.

La oposición verdadera se reune en asamblea

PARTIDO SOCIALISTA PUERTORRIQUEÑO

FOTO/ZAYAS

El liderato del Partido Socialista explica a la prensa algunos detalles sobre los planes de participación electoral en la próxima campaña. La actividad tuvo lugar en el restaurante Zipperlo de Hato Rey.

Mari Bras estuvo de acuerdo conque el Partido Independentista Puertorriqueño aumentará los votos en las próximas elecciones, y definió al Partido Nuevo Progresista y Partido Popular como los representantes de "la burguesia intermedia que representa los grandes intereses de los norteamericanos".

Al PIP lo definió como "representante de la pequeña burguesía del sector patriótico" y al PSP como representante "de la clase trabajadora".

Mari Bras dijo que entre el más de medio millón de electores que no fueron a votar a las primarias locales demócratas está "el potencial para el crecimiento del Partido Socialista Puertorriqueño".

"PSP escoge sus candidatos."
Periódico *Claridad*, 26 de marzo de 1980.

Del2 al 8 de mayo de 1980 – CLARIDAD 11

Socialistas aprueban programa electoral

El Partido Socialista Puertorriqueño boicoteará cualquier plebiscito sobre status bajo el presente orden político y exigirá que Estados Unidos transfiera los poderes al pueblo de Puerto Rico, como única solución al problema colonial.

Así fue acordado en la Asamblea del Programa Electoral del PSP efectuada en el Centro de Convenciones del Condado el pasado domingo. Los Socialistas aprobaron promover que el asunto del status se resuelva **mediante el consenso entre las fuerzas políticas y no mediante la confrontación, indicando que el gobierno del PNP mantiene una actitud de violencia y agresividad.**

La Asamblea del PSP determinó que como **partido de oposición verdadera, exigirá legislación obrera conducente a que se reconozca la sindicalización de los empleados públicos y su derecho a la huelga, que se prohiban los cierres patronales y la infiltración de las uniones por agentes de la policía, que se aumente el período de licencia por maternidad, se garantice el pago de pensiones adecuadamente y el inmediato pago y asistencia médica a los trabajadores que sufran accidentes de trabajo.**

El programa de once puntos aprobado por la Asamblea incluye que los puertorriqueños en Estados Unidos vote[illegible] en la isla y participen del deb[illegible] público aquí, señalando qu[illegible]tos viven ya en la es[illegible] [illegible]ufren discrimen, pésimas condiciones de vida y los empleos ma[illegible]erosos.

Para combatir la crim[illegible]alidad, los Socialistas reclamarán que Puerto Rico tenga poder sobre la migración, para evitar la importación de actividad y mercancías criminales, que se cree una comisión idónea que investigue los oficiales de la Policía que hayan cometido delitos aprovechando su autoridad y una reforma carcelaria basada en la rehabilitación y en el trabajo remunerado de los presos y que estos puedan continuar sus relaciones familiares y sexuales con sus cónyuges.

El PSP rechaza la legislación para sentencia fija y participará activamente en el plebiscito del 29 de junio, exhortando al pueblo a que vote contra la propuesta de restringir el derecho a la fianza.

La Asamblea, dedicada al pueblo de Vieques, decidió que sean los miembros del PSP en dicha isla-municipio —en consulta con el Comité Central— quienes decidan cómo actuar electoralmente este año, pues allí existe una gran unidad contra la Marina por encima de partidismos.

Otros puntos del programa son para ampliar los derechos y la participación democrática del pueblo, así como la defensa de las libertades individuales, una reforma educativa que provea participación a los profesores, estudiantes y empleados del sistema de instrucción público y privado y que haga de la universidad un centro de defensa de la cultura puertorriqueña.

También, los Socialistas fomentarán la defensa y enriquecimiento de la cultura nacional, se opondrán a la explotación de los recursos minerales si no se protege el ambiente y se asegura que el pueblo será quien se beneficie y promoverán los derechos de la mujer y legislación para eliminar el discrimen y la utilización consumerista de la imagen femenina. El PSP reconoce el derecho al aborto y exige a la vez una alta calidad en los servicios médicos y en la orientación a estos efectos. A tales efectos se aprobaron secciones relativas a la Salud y la Familia y los Niños.

El Partido Socialistas impulsará el desarrollo de la agricultura y la sustitución de importaciones, además de la creación de una industria de pesca respaldada por el gobierno.

Fueron aprobadas resoluciones de recordación del joven cubano asesinado hace un año, Carlos Muñiz Varela, rechazando el resultado de la investigación del gobierno norteamericano sobre el caso del Cerro Maravilla, de apoyo a la Revolución Cubana y censura a las maniobras militares de Estados Unidos planificados para mayo en Guantánamo, en favor de la soberanía deportiva de Puerto Rico y de condena a la muerte de Adolfina Villanueva Osorio, abaleada por la Policía al practicar un desahucio en el barrio Medianía Alta de Loíza.

"Socialistas aprueban programa electoral."
Periódico *Claridad*, 2-8 de mayo de 1980.

14 CLARIDAD — Del 15 al 21 de agosto de 1980

¿Por qué votar por Mari Bras y Gallisá?

Te invitamos a participar en el Comité de apoyo a las candidaturas legislativas de Juan Mari Brás y Carlos Gallisá, que se constituyó el jueves 31 de julio de 1980. Con tu ayuda y la de otros puertorriqueños que sentimos la responsabilidad del momento crítico presente, nos proponemos elegir Senador por Acumulación al Lcdo. Juan Mari Brás y Representante por Acumulación al Lcdo. Carlos Gallisá, por encima de afiliaciones partidistas y particulares ideologías.

Puerto Rico necesita una fiscalización seria y honrada del proceso político. Los próximos cuatro años serán de trascendental importancia. Entre otros, se debatirán "issues" tales como el rescate de Vieques, la contratación para la explotación del cobre y el níquel, la exploración y posible explotación del petróleo, la sindicalización de los empleados públicos y los efectos de los llamados problemas energéticos en los consumidores. Durante el próximo cuatrenio se legislará en relación a nuestro "status", se debatirá el tema de la defensa de la cultura y la nacionalidad puertorriqueña. Como legisladores, Mari Brás y Gallisá presentarán proyectos e ideas nuevas para resolver viejos problemas, como lo son la necesidad de una reforma educativa, de una nueva ley de la policía, de una solución a la situación de miles de envejecientes y de los servicios de salud que aquejan a nuestro pueblo. En fin, Mari Brás y Gallisá cumplirán con excelencia la tarea de propiciar el desarrollo y fortalecimiento de una oposición verdadera en las cámaras legislativas.

Nosotros votaremos por Juan Mari Brás y Carlos Gallisá y te exhortamos a unirte a la campaña nacional no-partidista para elegirlos al Senado y a la Cámara de Representantes. La primera frase de nuestra labor, que comprende la creación de capítulos, la recaudación de fondos, una cruzada educativa de cómo votar por Juan Mari Brás y Carlos Gallisá en papeletas "mixtas", etc., consiste en el respaldo de sus candidaturas por medio de la firma.

Por ello solicitamos tu ayuda para conseguir la mayor cantidad de puertorriqueños que apoyen con su firma el Manifiesto que acompaña esta carta, y nos lo devuelvas por correo antes del 12 de septiembre de 1980 para publicarlo en la prensa a mediados del mismo mes. En ocasiones hemos compartido luchas y aspiraciones comunes, esperamos que esta campaña sea un lazo más que nos una en el quehacer patriótico,

Cordialmente,
Piri Fernández de Lewis

Directiva del Comité:
Piri Fernández de Lewis, Presidenta
Victor Meléndez, Tesorero
Carmen del Toro, Secretaria
Luis A. Figueroa
Francisco Guzmán
Manuel Maldonado Denis
Jenaro Marchand
José E. Marín
Iris Martínez
Benjamín Ortiz Belaval
Luis Rivera Pagán
José Milton Soltero
Madeline Willemsen

Asamblea Pro Voto Ausente

El Capítulo Pro Voto Ausente del Comité de Apoyo a las Candidaturas Legislativas de Juan Mari Brás y Carlos Gallisá celebrará una asamblea el próximo martes 19 de agosto a las 8:00 de la noche en el Colegio de Abogados, en Santurce.

Según comunicado de prensa, el propósito de la asamblea del Capítulo Pro Voto Ausente es exhortar a la juventud puertorriqueña que estudia en el extranjero a ejercer su derecho al voto ausente a favor de las candidaturas por acumulación de Mari Brás y Gallisá al Senado y la Cámara de Representantes respectivamente.

El Comité extendió una invitación a todos los estudiantes interesados a que asistan a la asamblea del 19 de agosto, en la que participarán Carlos Gallisá y la presidenta del Comité de Apoyo, la Dra. Piri Fernández de Lewis. Ambos explicarán a los que asistan la importancia de este esfuerzo por elegir a la Legislatura a Mari Brás y Gallisá.

Se informó que esa noche se exhibirá una corta película sobre la situación actual del país. Además, habrán notarios presentes quienes explicarán a los interesados el proceso de solicitar el voto ausente y la manera de ejercerlo. Habrán solicitudes de voto ausente para todos los que lo interesen y servicio de notarios gratis.

MANIFIESTO

La necesidad de tener un buen gobierno la tenemos siempre presente. Sin embargo, muchas veces olvidamos la necesidad de una buena oposición que ejerza fiscalización verdadera, de voces que levanten el nivel del debate público, que impulsen discusiones de gran importancia para nuestro pueblo y que promuevan ideas y legislación que contribuyan a enfrentarnos sin temores a los graves problemas del Puerto Rico de hoy.

La necesidad de una oposición activa y efectiva es mayor en estos momentos ya que los próximos cuatro años nos acercarán a unas definiciones como pueblo y la legislatura de Puerto Rico será uno de los foros principales del debate político que se avecina.

Dentro de los candidatos a la legislatura sobresalen dos personas que pueden cumplir con excelencia esa función de fiscalización y oposición que necesitamos como pueblo. Son ellos Juan Mari Bras, candidato al Senado y Carlos Gallisá, candidato a la Cámara de Representantes. Ambos, a través de sus gestiones públicas y de su historial político han demostrado que pueden cumplir con excelencia esa función fiscalizadora y de oposición tan necesaria en estos momentos.

Nosotros, puertorriqueños de diversas ideologías, nos unimos para respaldar las candidaturas de Juan Mari Bras al Senado y Carlos Gallisá a la Cámara de Representantes. Votaremos por ellos y exhortamos a todos los puertorriqueños a respaldar y votar por ellos para lograr la verdadera oposición y fiscalización que necesitamos en este país.

FIRMA	NOMBRE (nombre en letra de molde)	DIRECCION	TELEFONO

NOMBRE del que ha conseguido estas firmas: ________

Dirección ________

Teléfono ________

"¿Por qué votar por Mari Brás y Gallisá?"
Periódico *Claridad*, 15-20 de agosto de 1980.

14 EL NUEVO DIA-MIERCOLES 24 DE SEPTIEMBRE DE 1980 **PRIMER PLANO**

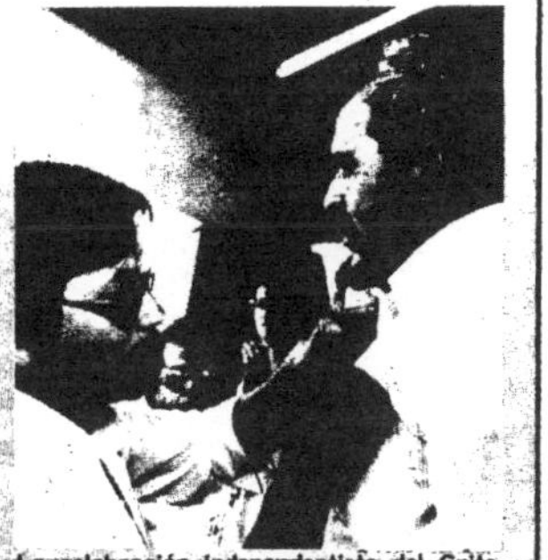

La celebración independentista del Grito de Lares combinó ayer los discursos usuales con los actos artísticos de tono patriótico, aunque en esta ocasión ante una concurrencia menos numerosa que la acostumbrada. Hubo también actos de reconocimiento como el que le concedieron unos delegados sandinistas de Nicaragua a los presos nacionalistas liberados el pasado año.

Mari anticipa "dolorosos enfrentamientos"

Por BIENVENIDO OLAVARRIA
De El Nuevo Día

LARES — Juan Mari Bras, secretario general del Partido Socialista Puertorriqueño, dijo ayer que "las fuerzas del imperialismo han planeado un escalonamiento de la represión contra los militantes independentistas" y anticipó "dolorosos y trascendentales enfrentamientos entre el pueblo puertorriqueño".

"Maravilla es el ensayo de un plan de terrorismo policiaco puesto en marcha por el régimen de Carlos Romero Barceló y sus ayudantes en La Fortaleza con el objetivo expreso de ahorcar al movimiento independentista puertorriqueño", dijo Mari Bras.

El líder independentista, candidato a un escaño en el Senado por su partido, fue el orador principal ayer en los actos de celebración del aniversario 112 del Grito de Lares.

Cientos de independentistas se congregaron ayer en el corazón de esta ciudad y permanecieron allí hasta entrada la noche bajo unas condiciones que variaron desde un sol candente hasta un aguacero torrencial.

Mari Bras dijo que "los sectores facistas y antirevolucionarios del imperialismo buscan un enfrentamiento con los focos de resistencia" y exhortó a la militancia independentista a "salir a protestar contra ese atropello, no sólo por un principio moral sino como acto de autodefensa colectiva".

MARI BRAS no fue el único orador de los actos que pronosticó violencia en Puerto Rico. Poco antes, Jacinto Rivera Pérez, presidente del Partido Nacionalista, había dicho que "de querer continuarse con el afán anexionista, ocurrirá aquí peor que en Vietnam".

"Carlos Romero Barceló sabe que mientras haya una fuerte resistencia del pueblo patriota en Puerto Rico no puede soñar con la anexión y la estadidad en este país", dijo Mari Bras en una parte de su discurso.

Carlos Gallisá, presidente del PSP y candidato a representante a la Cámara por esa colectividad, descartó las urnas como medio para lograr la independencia de la Isla.

"Es una ilusión creer que la independencia vendrá por la vía electoral, como cree el PIP (Partido Independentista Puertorriqueño)", dijo Gallisá en su turno al micrófono. Sin embargo, Gallisá descartó también como medios adecuados la "lucha sindical" y la "lucha armada sin masas".

"No se puede trasladar la lucha política a la lucha sindical. La lucha en los sindicatos nunca ha hecho una revolución. Debemos combinar la lucha armada de masas y preparar las condiciones para su efectividad", dijo Gallisá.

Luis Lausell, candidato a gobernador por el PSP, dijo por su parte que "es importante llevar el mensaje "revolucionario) a los obreros de Puerto Rico... envolver a los trabajadores en esta lucha anticolonialista para establecer un sistema de bases socialistas."

EN LOS ACTOS de ayer estuvieron presentes, como invitados especiales, dos importantes figuras del movimiento Sandinista de Liberación Nacional de Nicaragua: Reinaldo Payán y Francisco de Asís Fernández.

Payán estaba allí para emplementar un acuerdo tomado el 20 de marzo en La Habana, Cuba, durante el Sexto Congreso de la Organización Continental Latinoamericana de Estudiantes. Ese acuerdo fue en el sentido de que se concediera la "Medalla José Rafael Varona" a los cuatro expresos nacionalistas Lolita Lebrón, Irving Flores, Oscar Collazo y Rafael Cancel Miranda, y póstumamente al también ex-preso nacionalista Andrés Figueroa Cordero.

Collazo, con su medalla de oro prendida al pecho, condicionó la aceptación del homenaje.

"Es doloroso recibir esta medalla porque la nación que pretendimos libertar está aún esclava, así que la aceptamos a nombre de todos los que han luchado por la independencia... En América Latina están los pueblos agrupándose para dar la última batalla que causará la muerte al último imperio criminal y asesino que queda en el mundo: el imperialismo yanqui", dijo Collazo y solicitó a nombre de los asistentes "juramentarse de que terminarán las divisiones que separan al pueblo patriota de Puerto Rico".

Los asistentes gritaron varias veces con fuerza: "¡Unidad!, ¡Unidad!".

En su discurso, Gallisá aludió a la unidad y dijo que las relaciones entre las fuerzas independentistas se han caracterizado a veces por la carencia "de respeto mutuo y por el debate poco responsable y poco fraternal".

GALLISA dijo reconocer que su propio partido "tiene una cuota de responsabilidad" en la situación que acusó y añadió que "en vez de una guerra contra el imperialismo hemos tenido una guerra de boletines que profundiza aún más nuestras diferencias".

Cuando Mari Bras cerró su discurso, habló sobre la petición de unidad que hizo Collazo. "Cuente usted conmigo", dijo desde el micrófono Mari Bras al ex-preso nacionalista.

Durante la mañana de ayer se colocaron ofrendas florales en el "Monumento a la Revolución" ubicado en el centro de la plaza pública, y en el cementerio de la ciudad "en homenaje a los caídos durante la gesta revolucionaria".

Al cierre de los actos de ayer estaban programados para dirigirse a los asistentes el Presidente de la Liga Socialista, Juan Antonio Corretjer, y el Presidente del PIP, Rubén Berríos.

Los dos invitados nicaragüenses, al hacer uso de la palabra, atacaron al "imperialismo yanqui" y expresaron la solidaridad de su país con los movimientos independentistas de la Isla.

"Mari anticipa dolorosos enfrentamientos."
Periódico *El Nuevo Día*, 24 de septiembre de 1980.

la nación/ 12 CLARIDAD – Del 26 de septiembre al 2 octubre de 1980

Mari Brás peligros

El líder Socialista Juan Mari Brás advirtió a los presentes sobre la represión que desata el gobierno de Romero contra todos como parte de su ofensiva anexionista.

La heroína, Blanca Canales y el presidente del Partido Nacionalista, Jacínto Rivera Pérez hicieron una ofrenda floral ante la tumba de los mártires y héroes de la gesta de Lares.

Por la Redacción de CLARIDAD

El secretario general del Partido Socialista Puertorriqueño, Juan Mari Brás, alertó sobre la eventualidad de que se desate sobre las vanguardias reales de este país "la represión mayor que jamás haya visto nuestro pueblo".

Hablando ante miles de independentistas en la celebración del 112 Aniversario del Grito de Lares, Mari Brás reiteró que la facción que controla en estos momentos la dirección del Partido Nuevo Progresista y por tanto el presente gobierno, es la banda más fascista, con mayor odio a la clase obrera y con mayor desprecio de los valores fundamentales de la humildad.

"Si esa claque fascista", añadió, "sigue, en auxilio de los sectores ultra-reaccionarios del imperialismo, su tarea de destrucción y confrontación de nuestros focos de resistencia, estamos entonces en la víspera de graves, grandes y trascendentales confrontaciones en nuestra historia".

Señalando como evidencia de tal política contra las fuerzas de liberación nacional puertorriqueña el caso del Cerro Maravilla, el dirigente Socialista recalcó que éste fue "un ensayo del plan de terrorismo policiaco puesto en marcha por el gobernador Carlos Romero Barceló de atacar físicamente al movimiento independentista puertorriqueño".

"Romero sabe", añadió Mari Brás, "que mientras haya una firme resistencia patriótica en Puerto Rico no tiene que ni soñar con la estadidad y la anexión de este país".

El candidato al senado por acumulación por el PSP se refirió también a la desaparición y muerte reciente de cuatro de los "sospechosos" del FBI en el caso de Sabana Seca y al arresto de cuatro independentistas esta semana bajo múltiples acusaciones. "Ahora, acosado como está," dijo Mari Brás, refiriéndose al gobierno y su relación con estos hechos, "tal parece que han acordado la confrontación como alternativa para enfrentar la situación casi desesperada en que se encuentran."

"Si dejamos que eso pasara impunemente", agregó, "mañana serán otros que tampoco estén dentro de una organización y luego no respetarán a los que estamos bajo la protección de una organización y no pararán porque hayan llegado al PSP, y seguirán hacia el PIP. Y no van a parar ahí y seguirán hasta el PPD, hasta sus sectores más puertorriqueñistas. No hay fronteras partidistas cuando se desata la represión", subrayó.

El principal dirigente del PSP recogió prominentemente en su discurso el llamado que momentos antes hiciera el héroe nacionalista Oscar Collazo para trabajar ahora hacia la unidad independentista. "Nadie en el movimiento patriótico tiene mayor autoridad moral y política para hacer el llamado que han hecho los héroes nacionalistas. La respuesta que se le dé revelará el nivel de autenticidad de cada líder y de cada militante de esta lucha." Cuente usted con nosotros como humildes soldados de fila, terminó Mari Brás su mensaje dirigiéndose a Collazo.

Por su parte, el dirigente sindical y candidato a gobernador por el Partido Socialista Puertorriqueño, Luis Lausell Hernández, llamó en su discurso a difundir el mensaje socialista e independentista en el país y principalmente entre los trabajadores puertorriqueños.

"Independientemente del proceso electoral," sostuvo Lausell, "antes y después del mismo, hay que dirigirse a todos los trabajadores para romper la visión ideológica que ha logrado la burguesía imponer sobre la cla-

El secretario general de la Liga Socialista Puertorriqueña, Juan Antonio Corretjer dedicó su acto a la memoria del mártir Angel Rodríguez Cristóbal y los once prisioneros de guerra.

"Mari Brás alerta peligros anexionismo."
Periódico *Claridad*, 26 de septiembre-4 de octubre de 1980.

Del 26 de septiembre al 2 octubre de 1980 – CLARIDAD 13 / **la nación**

Fotos CLARIDAD por Freddie Toledo e Iván Díaz

Los patriotas y héroes Oscar Collazo, Irvin Flores, Rafael Cancel Miranda y Lolita Lebrón fueron condecorados con la orden José "Fofel" Varona por la Organización Continental Latinoamericana de Estudiantes (OCLAE). La condecoración, que también fue concedida póstumamente a Andrés Figueroa Cordero, estuvo a cargo del dirigente de la Juventud Sandinista de Nicaragua, Reynaldo Payan. Luego de recibir dicha orden, Oscar Collazo hizo un llamado a nombre de los cuatro para que el independentismo siguiera el ejemplo del pueblo de Sandino y se uniera para luchar por la liberación de la patria.

alerta anexionismo

se trabajadora puertorriqueña.

"No tenemos la capacidad económica que tienen los capitalistas", advirtió, "pero sí tenemos la voz y la concepción clara para convencer a los trabajadores y romper esa barrera. Hay que sembrar desde ahora. La alternativa es conversar y si somos más, más podremos conversar y convencer más, sembrar por la dignidad.

"Hoy estamos ante una suprema definición o se está con los patronos o se está con los trabajadores en todos sus frentes de lucha", concluyó.

Por su parte, Carlos Gallisá, presidente del PSP y candidato a la Cámara de Representantes, criticó severamente que se estuvieran celebrando "dos Gritos de Lares", hecho que evidenciaba la dispersión por la cual atraviesan en la actualidad las fuerzas de liberación nacional.

Criticando además el nivel del debate ideológico que profundiza aún más el distanciamiento y la separación de las fuerzas de liberación nacional, Gallisá especificó que era necesario el debate ideológico, pero éste tenía que ser responsable, fraternal y de altura como corresponde a los revolucionarios.

Asegurando que el PSP tenía una cuota de responsabilidad por la falta de unidad que impera entre las fuerzas patrióticas, señaló que el momento actual requiere afinar una línea de masas, que combinada a la lucha armada sea capaz de darle la victoria final al pueblo puertorriqueño. Son estas dos vertientes de lucha las que harán justicia y traerán la libertad y el socialismo a este país, concluyó.

SALUDO DE NICARAGUA SANDINISTA

"La causa de Puerto Rico es nuestra causa", subrayó en breve mensaje Francisco de Asís Fernández, presidente de la Asociación de Trabajadores de la Cultura y del Consejo Popular de la Cultura de Nicaragua.

Fernández, se dirigió a los miles de independentistas congregados en Lares durante las actividades organizadas por el Partido Socialista Puertorriqueño.

"Las conquistas del pueblo de Nicaragua", subrayó, "son las conquistas también del pueblo puertorriqueño, de todos los pueblos democráticos y revolucionarios. Esta fue posible gracias a la unidad de nuestro pueblo. Fuimos y somos un sólo puño de voluntad Sandinista para golpear al enemigo."

Sólo la unidad hizo posible el sueño y la esperanza del pueblo nicaragüense, agregó. Pero ésta fue posible también por la solidaridad internacional y por eso hoy nosotros tenemos que dar solidaridad. No podemos dejar de ser solidarios con el pueblo salvadoreño que está siendo masacrado, ni quedarnos callados ante la situación de Guatemala, ni ante la situación de Paraguay y Argentina y mucho menos ante la gesta histórica que debemos desatar en Puerto Rico. La causa de Puerto Rico es nuestra causa: ¡Que Viva Puerto Rico Libre! ¡Patria Libre o Morir!, ¡La marcha hacia la victoria no se detiene!, concluyó el representante Sandinista.

El PIP celebró solo

Por Miñi Seijo Bruno
Redactora de CLARIDAD

El Partido Independentista Puertorriqueño, celebró el Grito de Lares en acto aislado del resto de las fuerzas patrióticas. El mismo comenzó a las seis de la tarde cuando llegó a Lares la primera ronda de la "Caravana de la Verdad", como se le ha llamado al recorrido del PIP por la Isla. Dicha caravana llevó miles de peregrinos a Lares llenando la plaza y las calles adyacentes a capacidad.

Entre los oradores de la noche figuraron los diferentes candidatos a senadores y representantes por acumulación tales como Ariel Colón Pratts, Justo Echevarría, Félix Rodríguez, así como Marta Font de Calero, candidata a Comisionada Residente en Washington, Roberto Aponte Toro, candidato a la alcaldía de San Juan y Edia Quiñones, candidata a alcaldesa por el pueblo de Lares.

También se dirigió al público el licenciado Baltasar Quiñones Elías, fundador de dicho Partido y quien hizo un recuento de la lucha de independencia de toda la América Latina entroncando la lucha del pueblo puertorriqueño a la de esos países hermanos.

Rubén Berríos, en un discurso que duró hora y media habló del resurgir del independentismo en pueblos como Santa Isabel, Sabana Grande y Ponce.

Por otro lado, criticó fuertemente el envío de miles de refugiados cubanos y haitianos a Puerto Rico expresando que esto era consecuencia del status colonial de la Isla. Gran parte de su discurso lo dedicó a combatir la estadidad federada catalogándola como la gran mentira del PNP que la equipara a la "seguridad que traerá a la Isla".

"Mari Brás alerta..." (continuación)

7001

ESTADO LIBRE ASOCIADO DE PUERTO RICO
POLICIA DE PUERTO RICO
SECCION ESTUDIOS Y ANALISIS

OCT. 24 1980

/__/ EL MUNDO /__/ ~~EL DIA~~ /__/ THE SAN JUAN STAR

/__/ EL VOCERO /__/ CLARIDAD /__/ EXTRA

/__/ OTROS

EXAMINADO … ARCHIVADOS OCT. 24 1980

013019

EL NUEVO DIA—VIERNES 24 DE OCTUBRE DE 1980 13

200 firmas en apoyo a las candidaturas de Juan Mari Brás y Carlos Gallisá

La necesidad de tener un buen gobierno la tenemos siempre presente. Sin embargo, muchas veces olvidamos la necesidad de una buena oposición que ejerza fiscalización verdadera, de voces que levanten el nivel del debate público, que impulsen discusiones de gran importancia para nuestro pueblo y que promuevan ideas y legislación que contribuyan a enfrentarnos sin temores a los graves problemas del Puerto Rico de hoy.

La necesidad de una oposición activa y efectiva es mayor en estos momentos ya que los próximos cuatro años nos acercarán a unas definiciones como pueblo y la legislatura de Puerto Rico será uno de los foros principales del debate político que se avecina.

Dentro de los candidatos a la legislatura sobresalen dos personas que pueden cumplir con excelencia esa función de fiscalización y oposición que necesitamos como pueblo. Son ellos Juan Mari Brás, candidato al Senado y Carlos Gallisá, candidato a la Cámara de Representantes. Ambos a través de sus gestiones públicas y de su historial político han demostrado que pueden cumplir con excelencia esa función fiscalizadora y de oposición tan necesaria en estos momentos.

Nosotros, puertorriqueños de diversas ideologías, nos unimos para respaldar las candidaturas de Juan Mari Brás al Senado y Carlos Gallisá a la Cámara de Representantes. Votaremos por ellos y exhortamos a todos los puertorriqueños a respaldar y votar por ellos para lograr la verdadera oposición y fiscalización que necesitamos en este país.

Francisco Javier Albizu
Ricardo E. Alegría
José A. Alicea
Carmen Alvarez
Ricardo I. Alvarez Díaz
Maritza A. de Rosado
Amparo Angleró de Fidalgo
Carlos Aneiro
Rafael Aponte Ledee
Wilfredo Aponte
Dr. Asdrúbal Arzola
Edilberto Ayala
John Balossi
Carmen G. Barada
Modesta A. Barbosa
José Juan Beauchamp
Lucecita Benítez
Isabel Bernal
Carlos Berríos
Víctor Berríos
Zoraida Betancourt
Julio Biaggi
Lic. Rina Biaggi García
María Teresa Blanco Stahl
Marcial V. Bosch Ramírez
Israel Burgos
Antonio Cabán Vale (El Topo)
Rafael Cabrera Andino
Sandra Cáceres
Roberto Candelaria González
Pablo Juan Canino
Enrique Cantero
Carlos Carrera Benítez
Aurea Cerroni
Herminio Colón Guasp
Ernesto Cordero
Roberto Cotto
José A. Crescioni Benítez
Gladys Crescioni Neggers
Benjamín Cruz
Cristóbal Cruz
Salvador Cruz
Lic. Rodolfo Cruz Contreras
Eugenio Cuebas Arbona
Prof. Germán Delgado Pasapera
Lic. Israel Delgado Ramos
Luis Denizar
José Miguel del Pilar
Carmen Del Toro
Luz M. Díaz
Nydia Díaz Rivera
Dr. Juan Ramón Díaz Troche
Emilio Díaz Valcárcel
Rafael Díez de Andino
Mario Dones
Arturo Echevarría
Roberto Fajardo Vélez
Dra. Piri Fernández de Lewis
Jacqueline Ferrer
Angel Fidalgo Díaz
Luis A. Figueroa
Hjalmar Flax
Julio García
Rocky García Madera
Prof. Pablo García Rodríguez
Lic. Angel García Troche
Lic. Enrique (Chino) González
Evangelista González
Lilliam González
Lissette González
Emilio González Díaz
Luis E. González Foster
Azaris Guerrido
Lic. Francisco Guzmán
Blanco Hernández
Pedro Hernández
Lic. Francisco Hernández Vargas
Lorenzo Homar
Miguel D. Hudo Ricci
Dr. Sergio Irizarry Rivera
Dr. Juan Iturregui
Mirta Jiménez Martínez
Francisco J. Jordán
Sylvia Juarbe
Lic. Andrés Jusino Archilla
Lic. Rita Jusino Archilla
Amedee Lefebre
Lic. Lorenzo Lagarde Garcés
Roberto Lewis Fernández
Orlando López
Prof. Luis López Nieves
Pedro M. Lozada Soler
Lic. Jaime Luciano
Lic. Wilfredo Luciano
Lic. Héctor Lugo Bougal
Prof. Viola Lugo de Meléndez
José R. Madrazo
Antonio Maldonado
Dr. Manuel Maldonado Denis
Dr. José (Pepito) Marcano
Felipe Marchand
Jenaro (Tuto) Marchand
Augusto Marín
José E. Marín
Prof. Rosa Luisa Márquez
Damián Marrero Medina
Victoria Martínez Cartagena
Iris Martínez
Dr. Jaime Martínez Tolentino
Ovidio Marty Pabón
Prof. Ramón Felipe Medina
Heriberto Medina Marrero
Rangel Meléndez
Víctor Meléndez Vázquez
Prof. Jorge Luis Méndez
Alberto Mercado
Fernando Milán Suárez
Graciani Miranda Marchand
Amado Morales
Jacobo Morales
Jerónimo Morales
Prof. Jorge Luis Morales
Carmen Moreno
Ramón Moyett
Marya Muñoz
Dr. Rafael Nadal
Eliezer Narváez
Bienvenido Negrón
Benjamín Ortiz Belaval
Prof. José Antonio Ortiz
Prof. Milton Pabón
José A. Pacheco
Rafael Pagán Cruz
Guido Palés
Lorna Quiles
Fernando Ramírez
Lic. Víctor Ramos Acevedo
Lic. Héctor Ramos Mimoso
Aleidas Ramos Vélez
José R. Reguero
Rev. Francisco Reus Froilán
Sharon Reily
Carlos E. Ríos
Carmelo Rivera
Danny Rivera
Genoveva Rivera
Luis Ramón Rivera
Iris A. Rivera González
Luis Rivera Pagán
Lic. Osvaldo Rivera Cianchini
Rafael Rivera Rosa
Pedro Rivera Toledo
Elba Rodríguez
Emilia Rodríguez
Lic. Marcos Rodríguez Fresse
Dr. Fritz I. Rodríguez Muñoz
Lic. Jaime Rodríguez Rivera
Leticia Rodríguez Rivera
Prof. Carmelo Rodríguez Torres
Yolanda Roldán
Dr. José C. Román
Marcelino Rosa Morales
José A. Rosario
Prof. Wilfredo Ruiz Oliveras
Librado Sáez
Andrés Salas Soler
Jaime Salas Soler
Reynaldo Salas Soler
Doris Saldá de Aneiro
Mercedes Sallabery
Mercy Sallaberry de Rafols
Lourdes Sallaberry Morciglio
Prof. Luis Rafael Sánchez
Luis Sánchez Betances
Lic. Héctor Sánchez Martínez
Pedro Santaliz
Fufi Santori
Aníbal Santos
Loreina Santos Silva
Eduardo Seda Bonilla
Jorge Señeriz
Edgar Sepúlveda Domínguez
Georges G. Siegel
Lic. Emilio Soler Mari
Dr. José Milton Soltero
Nini Soltero
Pedro Juan Soto
Prof. Jalil Sued Badillo
Lic. Angel Tapia Flores
Prof. Carlos Toro
Carlos Torres Iriarte
Lic. Julio Eduardo Torres
Armando Torres Vega
Patricia Trigo de Biaggi
Rafael Tufiño
Lic. Ruth Vasallo de Soltero
Lic. Enrique Vázquez Báez
Lic. Rafael Vázquez Báez
Juan Vélez Rivera
Amaury Veray
Sonia Vega Miranda
Nimia Vicéns
Lic. Nilita Vientós Gastón
Prof. José J. Villamil
Madeline Williamsen
Marcos Zurinaga

Y MILES DE FIRMAS MAS...

Comité de Apoyo a las Candidaturas Legislativas de Juan Mari Brás y Carlos Gallisá

"Anuncio 200 firmas en respaldo candidaturas Mari Brás y Gallisá." Periódico *El Nuevo Día*, 24 de octubre de 1980.

Del 7 al 13 de noviembre de 1980 – CLARIDAD 5 **la nación**

Buenas perspectivas para Mari Brás y Gallisá

Por Elliott Castro
De la Redacción de CLARIDAD

De mantenerse en los colegios electorales en los que el Partido Socialista Puertorriqueño no tenía funcionarios de colegio, la misma proporción de votos que en aquellos en los que había representación Socialista, Carlos Gallisá y Juan Mari Brás tendrían buenas probabilidades de ser electos como representante y senador por acumulación, respectivamente.

Se espera que cuando se complete el primer conteo de votos, que incluye los depositados por los reclusos, enfermos mentales, votos ausentes y los no adjudicados, Gallisá tendrá unos 85,000 votos y Mari Brás pocos miles menos.

Al momento de redactar estas líneas, se calculaba en unos 107,000 la cantidad de votos necesarios para que un aspirante por acumulación a cualquiera de los dos cuerpos pueda ser electo.

Once senadores y once representantes son electos por acumulación. Tanto el PNP como el PPD postularon seis candidatos y el PSP uno para cada uno. El PIP presentó seis, pero en la práctica sólo uno estaba aspirando realmente ya que a los restantes cinco en cada cuerpo le fueron asignados solamente uno que otro precinto.

Así que en la práctica habían catorce candidatos en cada cuerpo aspirantes para cada cargo. Actualmente los candidatos del PIP ocupan la posición número catorce en cada cuerpo, sin ninguna posibilidad de mejorar. Gallisá y Mari Brás estaban número trece, por lo que cada uno tendría que superar a dos de los otros aspirantes.

En la Cámara de Representantes, José Enrique Arrarás del Partido Popular era el número doce y Angel Viera Martínez, del PNP el número once. Víctor Rodríguez hacia el número doce entre los aspirantes al Senado y Francisco Aponte Pérez, también del PPD, el número once.

El secretario general y candidato a Senador por acumulación del Partido Socialista Puertorriqueño, Juan Mari Brás, deposita su voto en la urna, el pasado martes, en Hato Rey.

Carlos Gallisá, presidente y aspirante a la Cámara de Representantes, coloca en la urna electoral otro voto más para la Oposición Verdadera.

Mari Brás mientras intercambiaba impresiones con compañeros Socialistas, en el Coliseo Roberto Clemente, donde la Comisió Estatal de Elecciones realizaba el escrutinio electoral.

PSP pedirá recuento

Por Lilliam Marrero
Redactora de CLARIDAD

Miles de votos vertidos por electores dé diferentes partidos a favor de las candidaturas legislativas de Juan Mari Brás y Carlos Gallisá no fueron contados en varios colegios electorales de acuerdo con informes obtenidos por el Partido Socialista Puertorriqueño.

El PSP solicitará a la Comisión Estatal de Elecciones un recuento general de votos, según anunció el Secretario General y candidato a Senador por acumulación por dicho partido.

Mari Brás, indicó que al completarse el escrutinio general de votos y posteriormente efectuarse el recuento aparecerán miles de votos que no han sido adjudicados tanto a su candidatura como a la de Gallisá para Representante por acumulación.

Por otro lado, se informó que la petición de recuento de votos por parte del PSP se basa en que durante los escrutinios electorales se registró una serie de irregularidades.

Wilfredo Matos, miembro de la Comisión Política del PSP, dijo que entre esas irregularidades se encuentra el hecho de que en varios colegios no se adjudicaron votos emitidos a favor de Gallisá y Mari Brás cuando estaban marcados debajo de los nombres de ambos.

Señaló que dichos votos fueron rechazados por funcionarios de otros partidos a pesar de que existía un acuerdo entre todos los comisionados electorales para que los votos emitidos de esa manera se contaran.

Según informes en poder del PSP, añadió Matos, se ha establecido que el promedio de votos a favor de las candidaturas legislativas del PSP era mucho más alto en aquellos colegios donde habían funcionarios y mucho más bajo donde los Socialistas no tenían representante.

Citó casos específicos de escuelas donde en un colegio con funcionarios a las candidaturas de Gallisá y Mari Brás se les adjudicaron hasta 26 votos mientras que en otro colegio inmediatamente al lado donde no había representante del PSP a ambos candidatos no se les adjudicó ningún voto.

Señaló que, por ejemplo, en un colegio de Dorado se rechazaron 40 papeletas conteniendo votos mixtos para Gallisá y Mari Brás lo cual, sostuvo, se ha repetido en muchos otros casos.

Otra irregularidad registrada fue el caso de algunos colegios donde no se adjudicó ningún voto íntegro al PSP mientras que hay electores que sostienen que votaron allí a favor de dicho partido.

"Buenas perspectivas para Mari Brás y Gallisá, PSP pedirá recuento."
Periódico *Claridad*, 4 de noviembre de 1980.

la nación/ 6 CLARIDAD – Del 7 al 13 de noviembre de 1980

El PIP mantuvo franquicia

Por Elliott Castro
De la Redacción de CLARIDAD

El Partido Independentista Puertorriqueño, mantuvo su franquicia electoral cuando su candidato a la gobernación, Rubén Berríos Martínez obtuvo más del 5 por ciento (5%) del total de votos emitidos para ese cargo.

Al cierre de esta edición, se estimaba en unos 85,000 el total de votos recibidos por Berríos, que es poco más de los que recibió en las elecciones de 1976, pero que representa una pequeña disminución en su por ciento, que fue de 5.69.

Eso demuestra que el PIP mantuvo sus electores, aunque no pudo reflejar el dramático aumento que aseguraban sus dirigentes, de "cientos de miles de votos pipiolos".

Nuevamente el PIP presenta su mayor fuerza electoral en los sectores medios de las grandes zonas urbanas del país. También mantuvo su presencia con considerables números de votos en algunos pueblos del interior.

Algunos candidatos pipiolos a las alcaldías lograron que una buena cantidad de electores de otros partidos votaran por sus candidaturas. Por ejemplo en Cabo Rojo, el candidato a alcalde Rolando Ortiz Molina, que también fue respaldado por el Partido Socialista, obtuvo alrededor del 21% de los votos emitidos. En Ponce, Pedro Castaing, obtuvo un once por ciento de los votos. El por ciento de Ortiz es el más alto y el aumento en Ponce el más dramático de todos los candidatos a alcaldes en toda la Isla.

Diversos dirigentes del PIP reconocieron que un buen sector de las personas que manifestaron respaldar al PIP durante la campaña electoral y que ellos esperaban votaran bajo la bandera verde y blanca, lo hicieron por Rafael Hernández Colón, buscando detener la estadidad, representada por el PNP. Se mostraron complacidos por el resultado de su campaña electoral de gran altura, que llevó el mensaje de la independencia a cientos de miles de puertorriqueños.

Esos mismos dirigentes pipiolos descartaron cualquier tipo de reorganización de la dirección de su partido, a la vez que reiteraron su convencimiento de la corrección de la línea general de su campaña, que se distinguió por atacar con mayor fuerza al Partido Popular que al PNP. En diversas formas también descartaron la necesidad de la unidad de las fuerzas independentistas para tratar de adelantar nuestras posiciones en el pueblo en general.

Berríos,....Berríos.... Berríos Martínez,. El presidente del PIP se busca y se encuentra en las listas electorales, para luego emitir su voto.

El voto de los extranjeros

Varios miles de extranjeros, mayormente cubanos y norteamericanos, votaron en los comicios del pasado martes.

El número exacto de éstos es difícil de precisar ya que la Comisión Estatal de Elecciones no tiene clasificados a los electores por lugar de nacimiento. Sin embargo, se considera que el mismo es lo suficientemente significativo como para decidir unas elecciones.

ANALISIS
DE NOTICIAS

Carlos Romero Barceló ganó la gobernación en 1976 por unos 43,000 votos de diferencia sobre Rafael Hernández Colón. En esa ocasión, aseguran los analistas de la política puertorriqueña, el voto de los aproximadamente 50,000 cubanos y norteamericanos residentes aquí, con derecho a voto según la ley, fue un factor decisivo en la victoria de Romero.

Según declaraciones dadas por la socióloga puertorriqueña Marcia Rivera a la agencia EFE, los extranjeros en Puerto Rico votan tradicionalmente por los partidos más conservadores que les ofrecen mayores garantías para su permanencia en el país. Así ocurre, por ejemplo, con los votantes cubanos residentes en Puerto Rico que salieron de su país por estar en contra de la revolución socialista cubana e intervienen en la política puertorriqueña en contra fundamentalmente de la alternativa independentista por temer que ésta lleve a la isla también hacia el socialismo. Un sector de la comunidad cubana en Puerto Rico va más allá, protagonizando actividades terroristas de derecha contra las organizaciones patrióticas puertorriqueñas.

Según la socióloga Rivera, de los 100,000 extranjeros residentes aquí, según las estadísticas provisionales del último censo, por lo menos la mitad tiene derecho al voto en Puerto Rico.

En estas elecciones, prominentes miembros de la comunidad cubana hicieron campaña activa en favor de la candidatura de Carlos Romero Barceló, aunque otro grupo más pequeño reaccionó expresando su endoso público al Partido Popular en un anuncio publicado en los medios noticiosos del país pocos días antes de las elecciones.

La impresión general entre varias personas que sirvieron de funcionarios de colegio el día de las elecciones es que hubo una participación alta de extranjeros. En la unidad 20.5 del Precinto 3 de San Juan hubo un 17 por ciento de votantes extranjeros, mientras que en otra unidad de ese mismo precinto, ascendió al 45 por ciento.

En la unidad 13.8 del precinto 109 de San Juan, de 258 electores, más del 10 por ciento eran extranjeros, entre éstos 24 cubanos.

Las fuerzas independentistas han levantado siempre su denuncia ante los foros internacionales de lo decisivo que también podría ser dicho voto de los extranjeros en cualquier plebiscito sobre el status de la Isla, y como la participación de éstos constituye una violación flagrante al derecho del pueblo puertorriqueño a la autodeterminación.

"El PIP mantuvo franquicia."
Periódico *Claridad*, 4 de noviembre de 1980.

El resultado electoral

Por Juan Mari Brás

Hay que esperar largos días, y probablemente semanas y hasta meses, para que el país tenga información precisa sobre los resultados de las elecciones del martes pasado. Nos limitaremos por lo tanto a destacar algunos aspectos que ya resultan evidentes, sin que pretendamos siquiera iniciar el análisis final de estos comicios.

Lo primero que resalta es que se ha frenado el avance de la ofensiva anexionista que puso en marcha el PNP bajo la dirección de Carlos Romero Barceló. El propio Romero aceptó en la noche del martes que, aunque saliera electo, no habrá plebiscito en 1981, ya que no alcanzó la mayoría absoluta del electorado. Quedan atrás, como una pesadilla, los intentos obstinados de la administración de Romero de acelerar el camino hacia la estadidad.

Aún cuando Romero ganara la gobernación, las cámaras legislativas tendrán mayoría Popular. En tales condiciones, no sólo se paralizará ese avance anexionista, sino que el ejecutivo tendría que replegarse en muchas de las incursiones asimilistas que ya había hecho durante el cuatrienio presente.

Los independentistas y socialistas no debemos obviar el reconocimiento del hecho de que muchos partidarios de nuestra causa decidieron darle el voto a Rafael Hernández Colón para derrotar a Carlos Romero y a la estadidad. Esos compatriotas no escucharon nuestros reclamos de que es más importante fortalecer el voto independentista y socialista que usarlo para ayudar a derrotar a un gobernador colonial cualquiera. Y en vista de lo cerrado que va a ser la decisión sobre la gobernación, no hay duda que el triunfo de RHC, de producirse, se lo deberá a esos votantes independentistas y socialistas. En ese sentido, deberá quedar claro que el independentismo en su conjunto es el que inclina la balanza en la polarización entre estadistas y autonomistas. Y si algo quedó claro en estas elecciones es que la tesis que presenta a independentistas y estadistas como aliados en el anti-colonialismo ha sido rechazada por el independentismo. El pueblo independentista, por el contrario, considera con razón que lo justos es que juntemos fuerzas independentistas y autonomistas, en la amplia base de la afirmación de la puertorriqueñidad, para aislar y derrotar al enemigo principal de Puerto Rico, que es el empeño asimilista de la estadidad.

A eso, aunque llevado a un extremo que a nuestro juicio es equivocado, se debió el estancamiento electoral de la fuerza independentista en su conjunto. Porque parece claro que el sentimiento y la convicción independentista sigue creciendo en nuestro país, cosa que no se reflejó en los votos íntegros obtenidos por los partidos de la independencia por las razones explicadas arriba.

El Partido Popular pudo aglutinar suficiente fuerza para derrotar al PNP y a Romero, sobre todo, por la insistencia en unos issues de campaña que se basaron en posiciones de afirmación puertorriqueña, de rechazo al neo-fascismo Romerista y de denuncia de los crímenes, corrupción y atropellos como el del Cerro Maravilla, el asesinato de Adolfina Villanueva, la vinculación de altos funcionarios de gobierno con el crimen organizado y la defensa de nuestra cultura e identidad nacional como pueblo.

No valió la maquinaria multimillonaria del PNP, que producía publicidad a saturación —fundada en la demagogia y la manipulación de los temores del pueblo— en proporción de siete a uno con la del Partido Popular y por lo menos de veinte a uno en relación con el PIP y el PSP.

Tampoco valió la exacerbación del anti-independentismo y el anti-comunismo que enajenan como pesada tara a una porción de nuestro pueblo. Si nosotros respondiéramos a la demagogia con demagogia, diríamos ahora que la mayoría de este pueblo es comunista porque la propaganda penepeísta se basó en acusar a los Populares de estar aliados con los comunistas. No es así. Pero sí puede afirmarse que esa mayoría ha rechazado el intento de chantaje que esa propaganda representa y ha afirmado, en diferentes grados de conciencia, una disposición a buscar la unidad de la puertorriqueñidad, incluyendo en ella a las fuerzas del socialismo.

Tampoco debe escapar en este apuntamiento preliminar el significado que tiene el voto emitido por los candidatos legislativos del Partido Socialista. Aunque el conteo del voto legislativo por acumulación no ha terminado, ya señala dos hechos sumamente significativos: 1) nuestras candidaturas han obtenido el mayor número de voto mixto que se haya emitido por cualesquiera candidatos en todas las elecciones de Puerto Rico, superándose el récord establecido por la candidatura de Don Roberto Sánchez Vilella en 1972; 2) los votos emitidos a favor de nuestras candidaturas fueron muchos más que los que recibieron juntos, los seis candidatos del PIP a cada cámara. Resulta muy claro, al analizar los votos legislativos del PIP y los del PSP, que un alto porcentaje de pipiolos votó por los candidatos legislativos del PSP. Esos hechos señalan que se acabó el argumento pipiolo de que los Socialistas representamos sólo una fracción mínima del independentismo. Y revelan la realidad de que el clamor unitario entre el pueblo independentista es cada vez mayor.

También debemos destacar el hecho de que decenas de miles de Pipiolos, Populares y Penepés hayan votado por el presidente y el secretario general del Partido Socialista Puertorriqueño es un reconocimiento de que los Socialistas somos la Oposición Verdadera en este país. Indica que, por primera vez, el socialismo empieza a perforar el bloque ideológico de la burguesía. Y que, a pesar de la infame campaña que por décadas se ha llevado aquí contra el socialismo y en particular contra los dirigentes de este Partido, ésta no ha logrado aislarnos de la corriente principal de las masas en Puerto Rico.

En el curso de los próximos días, semanas o meses, se decidirá si hemos sido electos a las cámaras legislativas. Estamos confiados en qué si se realiza un recuento general de votos emitidos, hemos de ser electos. Pero independientemente de que esa elección se dé o no, la magnitud del voto obtenido por nosotros es en sí un elemento esperanzador del potencial inmenso que tiene el trabajo de los independentistas y socialistas para fructificar masivamente entre nuestro pueblo. Ese, más que ninguno otro, es el indicio más positivo que revelan las elecciones que acaban de celebrarse.

"El resultado electoral." Artículo de Juan Mari Brás. Periódico *Claridad*, 4 de noviembre de 1980.

IX.
Futuro de la lucha

Tras los años de lucha, la reflexión marca el cierre de este relato, donde se hace un inventario del saldo de los debates de las décadas inmediatamente precedentes en el presente y futuro de la lucha por la independencia de Puerto Rico.

Cronología

1981

14 de mayo- En una columna en *Claridad,* titulada "El reagrupamiento", Carlos Gallisá vuelve a hacer un llamado de unidad independentista, como era natural por parte del PSP. Gallisá escribe: "Si la descolonización es lo que está como prioridad en este minuto, debemos comenzar por entender que ningún partido por sí solo tiene la fuerza suficiente para llevar a cabo tamaña tarea. A todos los que luchamos por la descolonización nos queda grande ese trabajo para realizarlo aisladamente y por nuestra cuenta, en olvido de otras fuerzas que trabajan hacia el mismo propósito. No convencernos de esto es seguir repitiendo los mismos errores y no avanzar".

1988

17 de abril- Como parte del Cuarto Congreso del PSP, se aprobó una resolución de apoyo electoral al PIP, afirmando que una "fuerte demostración electoral del PIP es beneficiosa a la lucha de independencia". Rubén Berríos elogió la decisión. Esta sería la primera vez que el PSP le da su completo apoyo al PIP.

8 de noviembre Elecciones Generales en las que Rafael Hernández Colón gana la reelección con 871,643 votos. El PIP queda inscrito y eligen al Fernando Martín al Senado y a David Noriega a la Cámara. Dado que el PPD elige más de dos terceras partes de ese cuerpo, se incorporan dos escaños por adición, uno para el PNP y otro para el PIP, que lo ocupa Gilberto Reyes. Reyes renuncia al escaño y es ocupado por Hiram Meléndez. (Bayrón Toro, pp. 417-427)

1992

30 de agosto- El PSP emite unas declaraciones en las que se apoya a David Noriega a la Cámara y a Neftalí García para el Senado, quitando apoyo al PIP como institución. Mientras que Juan Mari Brás critica la decisión del PSP, tildándola de equivocada y diciendo que "la coherencia no es de las características sobresalientes del socialismo criollo".

21 de diciembre- Un grupo de independentistas se reunieron y acordaron constituir un comité timón de 16 personas para crear un nuevo movimiento independentista, 8 de los 16 eran miembros del Comisión Política del PSP.

1993

julio- Devolución de las carpetas hechas contra independentistas y organizaciones de independentistas por la Policía de Puerto Rico.

2 y 3 de octubre- Se crea el Nuevo Movimiento Independentista en una asamblea celebrada en la Central High y el Coliseíto Pedrín Zorrilla. En la misma asamblea, el PSP se disuelve para que sus miembros "pudieran, de forma individual, pasar a ser parte del NMI".

Testimonios

1. Juan Mari Brás

Yo sostengo que la primera prioridad que requiere esta coyuntura de parte del movimiento independentista es una ofensiva de educación política y de orientación para reiterar que la independencia, y solamente la independencia, es el paso indispensable para cualquier cambio social positivo que se quiera impulsar en nuestra sociedad. Que es el primer paso indispensable para encarar el problema horrible de la criminalidad rampante. Que es el primer paso indispensable para encarar el problema de la dependencia creciente en que está inmerso nuestro pueblo como resultado de la indefensión a que lo ha sometido el coloniaje y, que ha llevado a un numeroso sector puertorriqueño a tener que vivir de la caridad pública, de los fondos federales. Porque no es que la gente prefiera eso, es que no han tenido otra alternativa accesible y solo la independencia nos permite maniobrar para eliminar el desempleo, para eliminar el ocio, eliminar la ausencia de buenos programas formativos, educativos para el hombre y la mujer puertorriqueña. Para eso tenemos que empezar por tener nosotros mismos la seguridad de que eso es así. Desafortunadamente eso ha sido afectado por complicados operativos de diversionismo ideológico, que se han llevado a cabo en nuestro país, que han llevado a algunos sectores del liderato y las organizaciones independentistas a creerse la mentira de que la independencia no es accesible, de que la independencia está pasada de moda, de que la independencia es algo romántico que tiene que ver con la nostalgia del pasado y no es algo real y vigente en la perspectiva del futuro inmediato de nuestro pueblo. Eso es lo primero que hay que sacar de las cabezas del liderato independentista, porque si usted va a vender un producto y no cree en ese producto, usted no sirve como vendedor, naturalmente. Entonces, todo el que quiera predicar la independencia y fundar organizaciones, y desarrollar organizaciones para la defensa de la independencia, tiene que empezar por aprender ese "abc" de lo que significa la independencia. Tenerlo bien claro y no permitir que lo ofusquen y lo desvíen de su atención ninguno de los operativos que realiza el enemigo, el adversario o hasta los mismos amigos a veces inconscientemente. Una vez tengamos eso claro, naturalmente que hay una diversidad de ideologías dentro del independentismo, porque el independentismo es el embrión de la república. Y la república a la que aspiramos es una república pluralista, democrática, donde va a haber tantas corrientes ideológicas y grupos, partidos y organizaciones como haya en la población puertorriqueña. Y, naturalmente toda esa diversidad de orientaciones e ideologías diversas y conflictivas que se van a dar en la república, están embrionariamente en el movimiento independentista, que es el embrión de la república. Y eso no es malo; eso lo que hay es que verlo en su justa perspectiva y visualizarlo así y no como una catástrofe. Ahora, lo que resulta catastrófico es cuando esas diferencias ideológicas, entre las orientaciones diversas que hay dentro del independentismo, se convierten en barreras que impidan la coherencia de todos los grupos en la defensa de los objetivos comunes que nos unen a nosotros, entre los cuales destaca como primero de todos, la conquista de la independencia. Nosotros no tenemos que ser iguales, los pipiolos y los del Nuevo Movimiento, los de Causa Común y los del MST y los de las demás organizaciones independentistas existentes y los miles y miles, que son más que todos estos juntos, que he mencionado, que no pertenecen a ninguna organización, que están desafiliados.

No tenemos por qué ser iguales todos, y cada cual tiene sus particulares inclinaciones y cada cual tiene su conciencia de lo que debe dar a la lucha, que varía dependiendo de la condición de cada cual. Y no podemos permitir que se estandarice todo eso y que se le exija lo mismo a todo el mundo. Ese fue uno de los errores en que incurrimos en el pasado. Pretendíamos crear el sentido vanguardista de la lucha, incorporando a todo el mundo en el mismo nivel de militancia y acción, y con el mismo enfoque de los problemas, cosa que resultó en la dispersión. Pero esa dispersión a su vez ha enriquecido el crecimiento de esa generación que nosotros tratamos de encuadrar dentro de aquel concepto de ponerle gríngolas y no, la gente se nos fue de aquel experimento, aquel experimento fracasó. ¡Gracias a Dios que fracasó!

Yo dediqué muchos años de mi vida con el enfoque incorrecto de que esa era la manera de organizar la lucha por la independencia, pero hoy me alegro de que esa no haya sido la culminación de esa lucha y tampoco estoy frustrado porque haya perdido el tiempo, porque no lo perdí. Porque la gente que estuvo en ese Partido Socialista, en el que yo fui Secretario General, están hoy por ahí haciendo cosas creativas a favor de Puerto Rico, y me los encuentro todos los días en los campos, en los pueblos, en Nueva York, dondequiera que me meto. Quiere decir que aquel experimento fructificó por otros lares que nosotros no habíamos previsto y eso, pues es limitación nuestra, no limitación de la obra, la obra tuvo su fructificación. Pero ahora, si reconocemos esta realidad de ahora, esta diversidad de ahora, esta proliferación de rutas y maneras de enfrentar el problema que hay ahora y nos proponemos darle coherencia a esa diversidad, cada cual aportando su modesta cuota para buscar esa coherencia sin pretender ser el factor protagónico, ni hegemónico mucho menos, de la reconstrucción del movimiento independentista, vamos a llegar a una acción concertada que sea victoriosa. Vamos a llegar a ella, vamos a llegar a ella porque todas las condiciones son positivas y están dadas para lograr eso. Porque hay una diversidad de fuerzas previamente entrenadas, organizadas, orientadas en la lucha del patriotismo, que se han podido desenvolver entonces, cada una por su ruta y que pueden ser las que transformen cualitativamente la situación en un momento dado.

Yo no tengo la menor duda de que eso podría ocurrir. El problema está en que encuentro que hay un vacío generacional en el traslado de mando del movimiento independentista puertorriqueño. No veo que la generación de relevo, que se llama, que existe y que está por ahí regada, como he dicho, haya resuelto el problema que tiene que resolver de quiénes son sus líderes para comandar este próximo paso en el relevo generacional maratónico, de una lucha que lleva 500 años. Y que, por tanto, no es una carrera de 100 metros que se pueda decir, empezó aquí y termino el año que viene allá. No. Es una carrera maratónica ¡que ojalá, que estuviéramos en el último tramo! Que todos aspiramos a que sea, pero que, si no es así, los que tengan que dirigir ese tramo tienen que prepararse y preparar al pueblo para engarzar con otro tramo próximo, si no se ha resuelto. Porque hay que tener presente que esa es la manera de enfocar la lucha por la libertad en una colonia que lo ha sido por 500 años, y que es hoy la colonia más importante del imperio más poderoso de la tierra y eso es lo que hace que sea difícil nuestro tránsito a la independencia. Pero si resolvemos ese problema, que emerja de toda esa diversidad de fuerzas que han surgido y que están por ahí, y que son gente brillante, hombres y mujeres que estén en las artes, en las ciencias, el comercio, en la industria, en distintos lugares realizando con creatividad una gran obra. De toda esa gente tiene que salir el liderato que se haga cargo de ese relevo generacional, para sustituir a Rubén Berríos y sustituir a Carlos Gallisá y sustituir a Noel Colón Martínez. Y, desde luego a Juan Mari Brás, que ya está fuera de toda esa prominencia lideril, porque ya llegó a la etapa de la jubilación y no está, por tanto, en condiciones de asumir cargos de presidencia y liderato de ningún grupo, sino más bien de soltar las últimas presidencias que nos quedan, después de haber hecho unos esfuerzos reiterados por muchos años de ir soltando todas esas presidencias.

Tiene que surgir la dirección, de ese relevo generacional. Y no puede ser impuesto por nadie, no puede ser que yo me retire y diga, mi sucesor va a ser fulano de tal o fulana, no. Eso incluso lo probamos en el pasado y no resultó. Tiene que ser que surja del propio seno del movimiento independentista. La orientación táctica del movimiento independentista tiene que surgir de esa generación de relevo que lidere este momento, esta etapa de la lucha. Es esa generación, la que va a dirigir una etapa de la lucha, la que tiene que decidir por qué camino es que se va a llegar, a la mayor prontitud posible, a la independencia de Puerto Rico. Y no somos los viejos que experimentamos unos caminos trillados en el pasado, ninguno de los cuales fue exitoso, porque no hemos conseguido la independencia. De manera que como caminos a la independencia, todos los que experimentamos nosotros se quedaron truncos. Lo mejor que podemos contribuir en el plano de la táctica es esperar que nuestros sucesores conciban y desarrollen unos caminos más exitosos que los que nosotros pudimos concebir y desarrollar en nuestro momento. Y entonces, cuando ese movimiento independentista rearticule su capacidad ofensiva, porque en los últimos años hemos estado girando sobre la capacidad defensiva, de resistencia, que ha acumulado un movimiento que tiene tanta historia, y que, por lo tanto, no desaparece de la noche a la mañana. Y hemos estado girando sobre esa cuenta, pero ya es tiempo de que empiece la nueva ofensiva independentista que es para avanzar hacia la meta y no meramente para resistir los embates de los operativos destructores de la nacionalidad y de la independencia, que siempre desata el enemigo. Cuando esa generación conciba esa táctica y le meta mano al reto de dirigir este tramo de la lucha, tendrá unas condiciones excepcionalmente beneficiosas, mucho mejores que las que tuvimos nosotros cuando iniciamos la nueva lucha de independencia en los primeros años de la década del '60.

2. Rubén Berríos Martínez

Néstor Duprey Salgado: A Concepción de Gracia se le criticó mucho por insistir en la permanencia del PIP como instrumento en la lucha por la independencia y todos los que trataron de sustituirlo fracasaron en el intento. En este momento de tu vida, es indiscutible que todos los que han intentado sustituir al PIP en su espacio político han fracasado. Pero se ha sido contigo muy mezquino, en reconocer el éxito de la línea política tuya y cómo tú, yo sé que tú, contrario a la leyenda, eres muy poco dado a la evaluación personal... Y la entrevista lo demuestra, pero ¿cómo tú te ves en esta etapa de tu vida que has recorrido, quizás, la misma trayectoria de Concepción de Gracia?...

Rubén Berríos Martínez: Con un poquito más de tiempo y sin culpar a don Gilberto de los errores que yo haya cometido. Deja ver cómo yo puedo decir esto. Reitero que a don Gilberto le tocó vivir la etapa del becerro de oro, del deslumbramiento, de la persecución atroz, y donde don Pedro planteaba una estrategia distinta de cómo alcanzar la independencia. Y, a mí, y a los que hemos seguido después, nos ha tocado vivir la etapa de la dependencia extrema de los cupones, y también la persecución y las carpetas, aunque a mucha menor escala que nuestros precursores. Para mí es milagroso que en Puerto Rico queden independentistas y personas afines a la independencia. Esa reciente encuesta del *Washington Post* (del 10% para la independencia), que es la primera que se hace de verdad por gente de afuera de aquí, es interesante. Y entonces, en esa etapa posterior a don Gilberto, uno trata de mantener el fuego encendido y la antorcha en alto. ¿Cómo tú rompes con el cerco internacional, la cuestión de la social democracia, la COPPPAL, etcétera? Eso creo que lo hemos podido adelantar. Y yo también, estoy muy satisfecho de que hay un liderato independentista joven.

NDS: Cuando se te acusaba de todo lo contrario, que Rubén Berríos es el que no le abre espacio a nadie, que no hay renovación del PIP.

RBM: Y para mí eso es una gran satisfacción. Por ejemplo, en los últimos años, (obviamente, los líderes jóvenes me consultan), pero todo corre aquí sin mí: una transición ordenada y eso me da una gran satisfacción. Como me dijo una vez un líder de otra ideología: "¿De dónde tú sacas a esos muchachos?". Y tenemos un excelente liderato joven, especialmente en un momento de descrédito en el liderato Popular, en el liderato PNP. Nosotros tenemos una gente muy buena y eso me da una gran satisfacción. En eso estoy satisfecho y estoy satisfecho con otras cosas. Muchos se me acercan y me dicen, "Oiga, licenciado, usted tenía razón. ¡Tenía razón!" Y se refieren a unos planteamientos que yo hice en el '70 y el '80. Yo creo que la tesis fundamental que nosotros esbozamos, (y digo esbozamos, porque fuimos muchos los que participamos en la redacción) desde un artículo que publiqué en el *Foreign Affairs* en el '78, y que se reiteró en el '97, se va a cumplir. Y eso me da una gran satisfacción. El PPD ya cumplió su función, la que fuera, respecto al estatus. Y la estadidad, como yo dije en un discurso en el '84, es un fantasma. Esa señora no se quiere casar con nosotros. Por lo tanto, es cuestión de tiempo y circunstancia en lo que se alinean los astros. ¿Para qué? Para que a ellos (a los Estados Unidos), les causemos el problema, la crisis y entonces, ellos se sienten a hablar en serio sobre el futuro. Si tú pintas la estadidad como lo que es y si la colonia ya es insostenible, y ofreces una transición adecuada hacia la soberanía separada (tarea que ya se adelantó del '89 al '91), entonces el proceso seguiría su curso normal hacia nuestra liberación. Las condiciones ya están dispuestas. Y me da una gran satisfacción saber que, aunque en esa trayectoria han cooperado muchos, desde distintas perspectivas, nosotros, el PIP, el Partido de don Gilberto, hemos contribuido mucho. Y eso me da una gran satisfacción personal. Veo que la tierra prometida no está lejos, Néstor. Fíjate, de lo que hemos estado hablando verdaderamente es de qué hacer para forzar a Estados Unidos a enfrentar su obligación descolonizadora para hacer realidad nuestra liberación. Antes de ahora no se podía lograr nuestro objetivo; ahora sí.

NDS: Antes no había salida.

RBM: Eso es lo que te digo. Antes no había salida. Por eso estoy más optimista que nunca antes. Los resultados electorales del 2016 reflejan el desbordamiento del PPD y el PNP. Hay mucho pueblo suelto, en búsqueda. Ya en Estados Unidos los pasos están dados; internacionalmente, están dados. Ya del '89 al '91, se sentaron las bases para la transición. Ya se fueron de Vieques y de Roosevelt Roads. Ya el pueblo repudió la colonia en el 2012 y en el caso *Sánchez Valle*, los propios Estados Unidos aceptan que el ELA no es más que un territorio. Nuestra liberación se acerca. Tú dirás: "Tú eres bien optimista". La veo cerca. ¿Cómo cuaja? Es cuestión de tiempo y circunstancia. Pero va a cuajar. Y lo que está en el fondo es que la nacionalidad puertorriqueña es bien fuerte. Y esa es la base de la liberación.

NDS: Para terminar, a la luz de ese inventario de futuro que haces, y mirando ya al inicio de la conversación la figura de Concepción de Gracia, si te tocara enfrentarte a don Gilberto en este momento para darle cuentas, ¿qué le dirías? ¿Qué hiciste con el partido que te dejó?

RBM: Don Gilberto, traté de hacer lo mejor que pude para seguir su ejemplo, pero sé que ni de lejos. Yo creo que cuando se escriba la verdadera historia (que se va a escribir algún día y gente como tú va a tener que ver con eso), a don Gilberto se le reconocerá como uno de los más grandes patriotas de este país. Yo conocí a Willy Brandt, a Michael Manley, a Olof Palme y a Mario Soares; y con Alfonsín y Peña tenía una relación de amistad, y todos me estimulaban y me animaban. Yo hablé ante la CELAC, ante todos los presidentes de América Latina y el Caribe. Don Gilberto no tuvo nada de eso. No contó con esa solidaridad ni tuvo ningún tipo de reconocimiento. ¡Nada! Y seguía, y seguía, y seguía. Yo he tratado de emular su constancia, ser consecuente como él, pero la grandeza de don Gilberto es algo aparte. Enfrentarse a Muñoz, tener que pararse frente a don Pedro sin criticarlo, bueno, ¿tú sabes lo que es eso? Combatir al imperio americano al inicio de la Guerra Fría, en la época del becerro de oro. En esas circunstancias, su abnegación, su clara visión estratégica, su generosidad y mantener la fe, ¡milagroso! Don Gilberto era un gigante. Un gigante moral. Lo que dejó fue deuda cuando murió. No dejó nada material...

Pablo Ortiz Ramos: Nunca tuvo casa propia.

RBM: Así es. No tuvo ni casa propia. Discípulo de Martí, para don Gilberto la patria fue ara de sacrificio, no pedestal para encumbrarse. Sabía, como Bolívar, que el talento sin probidad es un azote, y dedicó su intelecto y su vida, honrada, honesta, íntegra, a la libertad de la patria. Eso es lo que yo creo de don Gilberto.

NDS: Gracias Rubén.

claridad

San Juan, Puerto Rico, Del 22 al 28 de abril de 1988, Año XXIX, Núm. 1838

50¢

PSP apoyará al PIP en elecciones

Resolución aprobada por Asamblea PSP

Vea pág. 2

RHC y Koch derrotados en Nueva York

Vea pág. 5

"Resolución PSP sobre elecciones 1988."
Periódico *Claridad*, 17 de abril de 1988.

la nación

Por fuera

¿PARA QUIEN TRABAJA ALEX?

Recientemente el auto-bautizado "politólogo mayor" de Puerto Rico (¿acaso no debería decirse "politicólogo?, pues de ninguna forma aparece en los diccionarios) Juan Manuel García Passalacqua, comentaba en su columna acerca de las cavernarias posiciones de Alex Wáshington Maldonado.

La recomendación de Juanma, sabia por demás, era leer a Alex y concluir todo lo contrario. Esa es la fórmula, pero las razones para que Alex W. esté más troglodita que nunca no se explicaron.

Resulta que el abanderado de la "libertad de prensa, objetividad e independencia de los periodistas" es un escribidor a sueldo del Departamento de Estado de Estados Unidos. Don Alex trabaja para la United States Information Agency (USIA), propagandista oficial del gobierno norteamericano; adscrita al Departamento que dirige Mr. Shultz. Obviamente, los intereseSSS de Alex están con quien le paga sos viajes y dietaSSS por América Latina, difundiendo la política de la administración Reagan. Por eso, Juanma, a Alex se le puede aplicar una variante del refrán popular: "Dime quién te paga, y te diré qué escribes".

LAS JUSTAS FUERON INJUSTAS

Difícilmente alguien pueda catalogar como justas a las Justas del pasado fin de semana, en las que no dejaron competir a Roxanne Oliver.

Tampoco es muy justo que digamos el desplazamiento de atletas puertorriqueños por parte de competidores extranjeros.

Por ejemplo, los supuestos "Taínos" de la Universidad del Turabo acumularon 121 puntos en hombres. Sin embargo, los verdaderos Taínos del equipo, léase los puertorriqueños, solo lograron 12 puntos. Los restantes 109 los hicieron los "taínos" estadounidenses y un "taíno" dominicano, que se coló en el paquete.

Los campeones Tigres de la Interamericana dividieron sus 172 puntos equitativamente; 86 para los "tigres" de aquí y 86 para los "tigres" del exterior.

También participaron Delfines (Sagrado Corazón) y perros Tarzanes (Colegio de Mayagüez) importados.

No se les puede llamar justas (de justicia) a unas Justas en las que unos equipos compiten con refuerzos extranjeros, mientras otros lo hacen solamente con puertorriqueños. Por eso y desde aquí, declaramos a los Gallitos de la UPR CAMPEONES DE LAS JUSTAS PUERTORRIQUEÑAS.

Resolución Partido Socialista Puertorriqueño sobre las elecciones de 1988

Por su trascendencia e impacto en la lucha patriótica boricua, CLARIDAD reproduce a continuación el texto íntegro de la resolución aprobada por la asamblea del PSP celebrada el pasado domingo 17 de abril.

POR CUANTO: El Partido Socialista Puertorriqueño reconoce la participación electoral como una de las muchas formas de la lucha que en la presente realidad puertorriqueña puede adelantar los objetivos de nuestra independencia nacional.

REITERAMOS el derecho del pueblo puertorriqueño a utilizar todas las formas de lucha para alcanzar la liberación nacional de Puerto Rico.

RECONOCEMOS al Partido Independentista Puertorriqueño como una organización patriótica con un largo historial de lucha por la independencia de nuestra patria y como el único partido que participa en las elecciones de 1988 en favor de la independencia.

AFIRMAMOS que una fuerte demostración electoral del PIP es beneficiosa a la lucha de independencia.

RECONOCEMOS la necesidad de complementar esfuerzos en la lucha por la independencia, no obstante las diferencias ideológicas existentes en las diversas manifestaciones de nuestra lucha de liberación nacional.

CONCIENTES del mandato del Cuarto Congreso del Partido Socialista Puertorriqueño de abrir una nueva etapa de lucha por la independencia y de la necesidad de una renovación profunda en actitudes y concepciones tácticas y estratégicas que faciliten el diálogo, la coordinación y la unidad de esfuerzos y voluntades en el camino hacia la independencia nacional.

RESOLVEMOS:

PARTICIPAR en la contienda electoral de 1988, dándole nuestro voto al Partido Independentista Puertorriqueño.

DESARROLLAR una campaña electoral manteniendo el Partido Socialista Puertorriqueño su propia identidad y sus propios énfasis y acciones en la misma, dirigiendo nuestros mayores esfuerzos a hacer realidad la más fuerte expresión electoral de apoyo a la lucha de independencia y al Partido Independentista Puertorriqueño.

Rubén Berríos elogia decisión

Luego de conocer la decisión del Partido Socialista Puertorriqueño de apoyar al Partido Independentista Puertorriqueño en los próximos comicios de noviembre, el senador independentista Rubén Berríos Martínez, elogió el acuerdo de los socialistas.

"El Partido Independentista Puertorriqueño -dijo Berríos Martínez- ha hecho un llamado a todos los puertorriqueños que aspiran a un buen gobierno y a la definición del problema del status para que lo apoyen con su voto en las próximas elecciones. Por lo tanto, constituye para nosotros motivo de particular satisfacción que compatriotas puertorriqueños, que comparten con nosotros la aspiración final de la independencia como solución al problema del status -como lo son los miembros del Partido Socialista- hayan determinado apoyar al PIP en los próximos comicios".

"Ahora más que nunca, constituye una obligación para todos mantener el clima de cordialidad y respeto que prevalece entre ambas organizaciones", concluyó el líder independentista.

Al momento de emitir sus declaraciones, Berríos Martínez no había recibido la carta que le envió el secretario general del PSP, Carlos Gallisá, ni la Resolución de respaldo aprobada por una Asamblea celebrada el pasado domingo en Ponce.

Claridad
1866 Ave. Ponce de León, Pda. 26 1/2, Santurce, P.R. 00909 Tel. 725-5221
San Juan, Puerto Rico, Del 22 al 28 de abril de 1988, Edición 1635, Año XXIX
El Semanario CLARIDAD se publica los jueves por Editorial CLARIDAD. Ave. Ponce de León 1866 Pda. 26 1/2, Santurce, Puerto Rico 00909. Teléfono 725-5221. Suscripciones por correo en Puerto Rico 12 meses - $25.00/ 6 meses - $13.00. En Estados Unidos 12 meses-$30.00/ 6meses $15.00.
CLARIDAD (USPS 599-610) is published weekly by Editorial CLARIDAD, 1866 Ponce de León Ave., Santurce, Puerto Rico. Second Class postage paid at San Juan, Puerto Rico and additional mailing office. POST-MASTER: Send Address changes to CLARIDAD, 1866 Ponce de León Ave. Santurce, Puerto Rico 00909.

"Resolución PSP ..." (continuación)

"Poner fin a la subordinación política de Puerto Rico"

A continuación CLARIDAD publica el texto íntegro de la declaración inicial del Presidente del Partido Independentista Puertorriqueño, Rubén Berríos Martínez, leída ante el senado de Estados Unidos durante las recién concluidas vistas del Comité de Energía y Recursos Naturales de esa institución. La misma fue traducida del original en inglés y fue subtitulada por CLARIDAD.•

Ponencia de Rubén Berríos Martínez
Presidente del Partido Independentista Puertorriqueño ante el Comité de Energía y Recursos Naturales del Senado de Estados Unidos, 1 de junio de 1989

Sr. Presidente; distinguidos miembros del Comité:

El problema del estatus político de Puerto Rico, que nos trae hoy aquí, aún cuando es difícil de resolver, es simple de definir.

Puerto Rico es una nación latinoamericana, que por virtud de la Guerra Hispanoamericana de 1898 cayó bajo la soberanía de Estados Unidos, y hoy, 91 años después de esa fecha, las leyes y reglamentos de EEUU, aprobados por el Congreso -en el cual Puerto Rico no tiene voto ni representación- aplican a Puerto Rico.

Tal relación -con el nombre que sea y por imposición o consentimiento- contradice el principio de la democracia representativa, es inconsistente con los valores y principios del pueblo americano y es motivo de bochorno para los Estados Unidos ante la comunidad internacional.

En términos del derecho internacional Puerto Rico es un territorio no-incorporado o posesión de los Estados Unidos, sujeto a los poderes plenos del Congreso a través de la cláusula territorial de la Constitución de Estados Unidos. En términos del derecho internacional, Puerto Rico es una colonia en un mundo que, a través de la resolución 43-47 de enero 13 de 1989 de la Asamblea General de la ONU, ha declarado la última década de este siglo como "la Década Internacional para la Erradicación del Colonialismo".

La solución al problema del estatus puertorriqueño está claramente dictado por el derecho internacional, que forma parte del derecho de Estados Unidos. Bajo la resolución de la Asamblea General de la ONU 1514 (XV) de 1960, que explícitamente aplica a "todos los territorios que no hayan alcanzado aún su independencia", los Estados Unidos están específicamente obligados a transferir "todos los poderes" al pueblo puertorriqueño, de manera que éste pueda libremente determinar su propio futuro.

En repetidas ocasiones, la comunidad mundial, a través de numerosas y específicas resoluciones, le ha recordado al gobierno de Estados Unidos sus obligaciones con relación a Puerto Rico. Pero el gobierno de Estados Unidos ha optado, hasta el momento, por hacer caso omiso a las normas del derecho internacional en el caso de Puerto Rico.

Es para nosotros, por tanto, motivo de optimismo el que el presidente de Estados Unidos haya recomendado a este Congreso tomar el asunto de la auto-determinación puertorriqueña y que los senadores Johnston y McClure hayan incluido en los proyectos 711 y 712 un explícito reconocimiento a la aplicabilidad del derecho internacional en la eventual legislación que resulte de estas vistas.

Los senadores Johnston y McClure ha propuesto tres proyectos dirigidos a la celebración de un referéndum o plebiscito, a celebrarse en Puerto Rico, entre las alternativas de estadidad, independencia y "commonwealth".

Ya que el proyecto 710 ha sido abrumadoramente repudiado en Puerto Rico, como uno que, cuando más, es un inútil concurso de simpatías entre alternativas sin definición, dirigiré mis comentarios a los proyectos del senado 711 y 712; aún cuando debo hacer claro que el S. 712 dado que contiene un compromiso congresional previo con las alternativas plenamente definidas, es un mejor proyecto.

SOLUCIONES REALISTAS PARA PROBLEMAS COMPLEJOS

Las definiciones de la independencia contenidas en el S.711 y S.712 han sido propuestas por el Partido Independentista Puertorriqueño. Nuestras propuestas consisten esencialmente en un proceso inicial de transición hacia la proclamación de la independencia, caracterizado por las plenas garantías democráticas y un segundo proceso de transición que tendría lugar luego de la proclamación de la independencia. Este último proceso facilitaría la evolución de la economía puertorriqueña de su presente condición de dependencia extrema a una de un desarrollo basado en una mayor auto-suficiencia económica y una balanceada interdependencia. Esto significa que sólo con la independencia, los Estados Unidos pueden proyectar el relevo de la carga económica que le impone la dependencia colonial al contribuyente americano.

En resumen, hemos formulado una propuesta de independencia que garantizará los legítimos intereses de ambos, Puerto Rico y Estados Unidos. A ese fin, hemos diseñado soluciones realistas para problemas complejos relacionados con los asuntos de ciudadanía, defensa, relaciones comerciales, impuestos, moneda y finanzas, deuda pública y otros.

Hay una vista programada para mañana, en donde responderé a sus preguntas relacionadas con estos asuntos. Estoy, por supuesto, en la disposición de contestar también, sus preguntas sobre estos asuntos durante los trabajos de esta mañana; pero creo más importante que en esta declaración inicial, dirija el grueso de mis comentarios, primero, a los requisitos sustantivos mínimos que deben ser cumplimentados por las tres alternativas que serán sometidas al pueblo de Puerto Rico, y segundo, a los aspectos procesales del propuesto referéndum.

12

CLARIDAD-Del 9 al 15 de junio de 1989

"Ponencia de Rubén Berríos Martínez en las vistas congresionales sobre el estatus de Puerto Rico."
Periódico *Claridad*, 9-15 de junio de 1989.

comentario político

"Que conteste Johnston"

Por Carlos Gallisá

(Ponencia ante el Comité de Energía y Recursos Naturales del Senado de Estados Unidos)

Señor Presidente y señores miembros del Comité:

La limitación de cinco minutos impuesta por este Comité a las ponencias que aquí se presentan no permite articular una posición sobre un tema tan importante y complejo como es el destino político de Puerto Rico. Estamos pues, ante un simulacro de unas vistas públicas para llenar el expediente legislativo.

Esta imposición añade a este proceso unos vicios que se arrastran desde sus inicios. El primero de ellos es que ustedes, como Comité Congresional y en representación del Gobierno de Estados Unidos, pretenden actuar como árbitros cuando son parte del problema colonial que sufre Puerto Rico hace 91 años.

Ustedes no pueden escaper de lo que son: ustedes representan la potencia colonial, y como tal, no pueden actuar como juez y parte. Como potencia colonial y de inicio tienen que asumir la responsabilidad primaria de definir su posición respecto a Puerto Rico. Hecho esto, tomar las medidas necesarias para crear las condiciones que garanticen que el pueblo de Puerto Rico ejerza su derecho a la libre determinación e independencia.

Ha llegado la hora de que ustedes le digan a los puertorriqueños los propósitos que persigue la política norteamericana al decidir esta acción congresional.

Hasta ahora, ustedes le han exigido a los puertorriqueños las definiciones, sin que ustedes demuestren acatar y cumplir con su responsabilidad de hacer las suyas. Esto mantiene al pueblo de Puerto Rico adivinando sobre cuáles son los propósitos de Washington en este asunto. Ello lleva a más confusión cuando lo que el momento exige es claridad.

Hasta ahora ustedes se han limitado a preguntar y a exigir respuestas de los puertorriqueños. Este es el momento para que ustedes empiecen a contestar nuestras preguntas, la de los puertorriqueños, las de todo un pueblo que está viendo y oyendo lo que sucede aquí.

Emplazamos a este Comité a que se exprese. Nuestra primera pregunta es si ustedes, al embarcarse en esta acción congresional, reconocen que se enfrentan a un problema colonial. Esto tiene una importancia cardinal, porque si ustedes niegan la naturaleza del problema, de un Puerto Rico colonial, entonces aquí no se resolverá nada, estaríamos repitiendo el ejercicio inútil de 1967 y la celebración de otra farsa plebiscitaria como aquella. Usted, Senador Johnston, conoce muy bien la experiencia de aquel proceso por haber participado en el mismo. El hecho de que se encuentre aquí luego de 22 años es la mejor prueba de lo inútil que resultó aquello.

Nuestra segunda pregunta es la siguiente: ¿están ustedes dispuestos a renunciar la soberanía que ejerce el Congreso sobre Puerto Rico, bajo la cláusula territorial que entró en vigor como resultado de la invasión militar de 1898?

Si la respuesta es negativa, tendremos forzosamente que concluir que todo esto va dirigido a una reafirmación del estado colonial de Puerto Rico. No puede haber solución al coloniaje mientras el Congreso mantenga su soberanía sobre Puerto Rico. Si por el contrario, ustedes están en la disposición de renunciarla, entonces estaríamos abriendo espacio para un proceso descolonizador que pueda ponerle fin al agobiante problema del colonialismo que nuestro pueblo ha sufrido ya por casi 500 años.

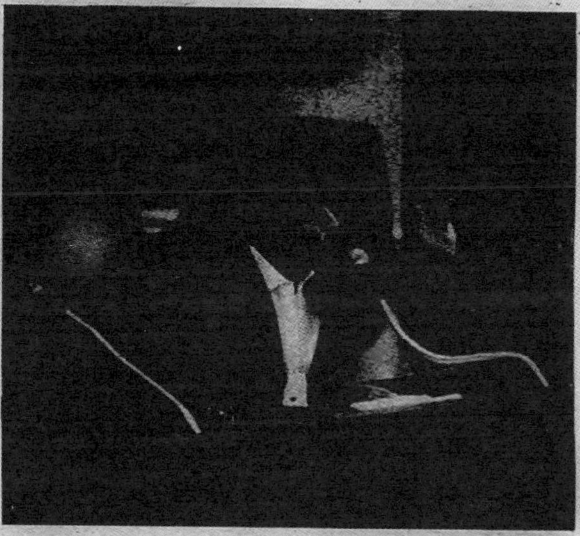

También quisiéramos una contestación a nuestra tercera pregunta: ¿van a cumplir ustedes con las normas del derecho internacional vigente conforme a la resolución 1514 (XV) conocida como la Magna Carta de Descolonización de la Organización de Naciones Unidas y de otras normas internacionales aplicables a la descolonización de los pueblos? Queremos oír una respuesta clara sobre esto.

Para que haya un verdadero diálogo, consulta y negociación entre ustedes y el pueblo puertorriqueño es imprescindible que estas preguntas sean contestadas por usted, Sr. Johnston, como Presidente de este Comité o bien en su carácter personal, dado el peso que usted tiene en este proceso legislativo.

Soslayar las contestaciones a estas tres preguntas sólo conduciría a reforzar la desconfianza de un pueblo que ha sufrido ya bastantes engaños en sus reclamos y aspiraciones de libertad política.

Esas aspiraciones de independencia, libertad y democracia las hemos mantenido vivas desde el siglo pasado y jamás renunciaremos a ellas. Han costado sangre y cárcel a muchos compatriotas, algunos han pagado el mayor de los costos: su vida misma.

Hoy se encuentran en las cárceles norteamericanas más de 20 patriotas puertorriqueños con largas condenas de prisión por lo que ustedes consideran un delito y nosotros un honor y un derecho legal y moral: luchar por la independencia de nuestra patria. Ayer mismo el compañero Juan Segarra Palmer, fue condenado a 65 años de prisión. La semana pasada recibieron condenas de prisión, de un Tribunal Federal en Hartford, otros tres luchadores independentistas. Esos no son delincuentes, ni terroristas. Son patriotas con las mismas motivaciones e ideales de los que ustedes llaman los Padres Fundadores de la nación norteamericana.

Si ustedes quieren comenzar un verdadero diálogo y entendimiento con nosotros, deben demostrar esa disposición con la inmediata amnistía de todos nuestros presos políticos.

Si por el contrario, se empecinan en reafirmar su dominio colonial o de atragantarnos la estadidad, que para nosotros es la culminación del coloniaje, entonces no tendrían ustedes un estado 51, sino una Irlanda del Norte dentro de su confederación.

Estamos a favor del tránsito más pacífico y conveniente hacia la independencia, tanto para ustedes como para nosotros. El Partido Independentista Puertorriqueño le ha sometido una propuesta, que como documento de trabajo sirve para comenzar un diálogo racional para ponerle fin a este bochornoso estado colonial de Puerto Rico. De ustedes depende, en gran medida, el camino a seguir. Por lo pronto exigimos contestación a las tres preguntas fundamentales que le hemos hecho en el día de hoy.

Espero que no se rehuya contestarlas.

Si no hay una contestación categórica y clara sobre los propósitos de ustedes en este plebiscito y de crear las condiciones que garanticen la libertad de expresión del pueblo de Puerto Rico, (lo que en el derecho internacional se conoce como la transferencia de poderes) para que el pueblo colonial pueda ejercer su derecho a la libre auto-determinación, entonces nosotros - y no sólo el Partido Socialista Puertorriqueño, como Miembro Observador del Movimiento de Países No alineados, sino más allá de las filas independentistas, Populares y penepés que están cansados ya de arrastrar este problema colonial- iríamos a un boicot masivo de este plebiscito y a una denuncia internacional de que es un engaño más del gobierno de Estados Unidos a la comunidad internacional, como lo hicieron en el 1952 y en el 1967.

11

CLARIDAD-Del 23 al 29 de junio de 1989

"Ponencia de Carlos Gallisá en vistas congresionales sobre el estatus de Puerto Rico." Periódico *Claridad*, 23-29 de junio de 1989.

en la nación

Declaración del Partido Socialista Puertorriqueño

Fotos Juan A. Hernández

Para el Partido Socialista Puertorriqueño (PSP) la decisión en torno a las elecciones de 1992 trasciende el carácter táctico que normalmente le asignamos a las decisiones electorales.

Nuestra decisión en esta ocasión la concebimos como parte de una visión más a largo plazo de lo que es nuestro objetivo prioritario: la renovación y reconstrucción del movimiento independentista puertorriqueño. Ese objetivo se enmarca en lo que llamamos "El Nuevo Proyecto Político". La construcción de ese nuevo proyecto es tarea urgente que tenemos como mandato de nuestro último congreso partidario y de la propia realidad de nuestra lucha de independencia.

La profunda convicción de que los proyectos políticos de la independencia desarrollados durante las últimas décadas ya cumplieron su función histórica, así como grandes cambios ocurridos en la realidad puertorriqueña, nos ha llevado a lanzarnos a la preparación de una nueva tesis de independencia que sirva como base para la creación de una nueva organización independentista. Ese es el camino que nos empeñamos en abrir. Un camino de futuro y de cambio. Para abrir ese futuro de cambio y renovación es necesario romper con todo lo que afirma el estancamiento, el atraso, lo inoperante, en fin, con todo lo que contradice el cambio y la renovación.

En 1959, un grupo de patriotas, enfrentados a una encrucijada similar a la que nos enfrentamos nosotros hoy, decidieron por la ruptura con lo existente, con lo inoperante y fundaron el Movimiento Pro-Independencia. Con ello iniciaron lo que se ha llamado "la Nueva Lucha de Independencia". La historia de esos años y los grandes logros de esa "Nueva Lucha" son conocidos por todos. Valga señalar que en estos momentos difíciles todavía giramos sobre los haberes que nos legó esa gesta de más de dos décadas.

Si en aquel momento los fundadores del MPI se hubieran preocupado por la franquicia del PIP, por las posibles acusaciones de sectarismo, u otras consideraciones de tipo personal o emocional, jamás hubieran hecho su enorme contribución a la lucha de independencia.

Hay una gran contradicción entre la visión de un nuevo proyecto político y el respaldar la línea política del PIP mediante el voto por ese partido o su principal candidatura a gobernador.

Un voto por el PIP, íntegro o por su candidato a gobernador, en ausencia de oportunidades de triunfo, sirve a un propósito: mantener la franquicia electoral de ese partido. Esa franquicia le adjudica entre otras cosas, la representación oficial del independentismo para todos los asuntos en que el gobierno de Estados Unidos o el de Puerto Rico convoque a las fuerzas políticas de la Isla. De ahí la importancia del voto por gobernador.

En el pasado, independentistas y socialistas dentro y fuera del Partido Socialista Puertorriqueño (PSP) han favorecido respaldar electoralmente al Partido Independentista Puertorriqueño (PIP) invocando los siguientes argumentos:

1-Que un voto por el PIP promueve la unidad del independentismo;

2-Que es una forma del independentismo no pipiolo acercarse a la dirección y base del PIP para ser oídos e influenciar ideológicamente en el PIP;

3-Que es importante para el independentismo puertorriqueño tener representación en las cámaras legislativas;

4-Que es igualmente importante que el independentismo tenga una franquicia electoral.

La experiencia nos dice que a pesar del apoyo incondicional que se le ha dado al PIP en el pasado, el acercamiento o diálogo del PIP con el resto del independentismo ha sido prácticamente ninguno. Por el contrario, la política sectaria y de distanciamiento de la dirección pipiola se ha acentuado durante los últimos años. Nuestro apoyo tampoco ha tenido el efecto de ser oído por la dirección pipiola e influenciar ideológicamente en el PIP.

En cuanto a la importancia de que el independentismo puertorriqueño tenga representación en las cámaras legislativas, coincidimos con tal afirmación. Entendemos que la representación legislativa del PIP en los pasados años ha cumplido fundamentalmente con las expectativas de todo el independentismo. Por tal razón creemos que deben hacerse los esfuerzos para mantener representación independentista en las Cámaras Legislativas.

Respecto a la importancia de que el independentismo cuente con una franquicia electoral, compartimos en principio tal aspiración. Sin embargo, debemos preguntarnos si se le ha dado buen uso a la franquicia del PIP. Esto es, si la franquicia en manos del PIP le ha servido bien a los intereses generales de la lucha de independencia y no exclusivamente a los intereses más estrechos del PIP.

Primeramente debemos afirmar que la franquicia alcanzada en las pasadas elecciones es producto del trabajo y los votos emitidos por independentistas, pipiolos y no pipiolos. Esto es algo que los custodios y los administradores de la franquicia no deben olvidar. La franquicia no es propiedad privada de un grupo y menos de un individuo para usarla a su antojo. Impone unas responsabilidades a quienes la administran ya que la autoridad que confiere trasciende los límites partidarios y afecta los intereses de todos los componentes de la lucha.

El uso que le ha dado el PIP a su franquicia no ha tenido en cuenta el resto del independentismo no pipiolo. El ejemplo más destacado para confirmar lo anterior fue la decisión del PIP de participar incondicionalmente en un plebiscito congresional. Esa decisión del PIP, tomada en contra del sentir mayoritario de los independentistas, rompió un consenso sólido de décadas del independentismo puertorriqueño sobre la participación en plebiscitos.

El poder que le da al PIP la franquicia electoral le lleva a administrar el proceso electoral del país junto al PNP y al PPD. Con el poder de la franquicia, el PIP se ha opuesto en la Comisión Estatal de Elecciones al planteamiento nuestro de que se altere el proceso de elección de los legisladores por acumulación y éstos se voten por separado en una tercera papeleta. La tercera papeleta contribuiría a romper el dominio bipartita sobre una tercera parte de los escaños legislativos devolviéndole el poder de selección al pueblo. A su vez permitiría aumentar la representación independentista en las cámaras, cosa que actualmente es extremadamente difícil sino imposible.

"Declaración del PSP."
Periódico *Claridad*, 30 de agosto de 1992.

X.
Un intento de balance final

Luego de las elecciones de 1980, el PSP comenzó su larga marcha hacia la desaparición, que se concretó finalmente en 1993. Varias fueron, a nuestro entender, las razones para ese desenlace:

1. Como señalan Juan Mari Brás, Carlos Gallisá y Norman Pietri, la decisión inicial de transformar el MPI en un partido marxista leninista con una concepción "vanguardista" de la lucha, en parte bajo la influencia de la experiencia revolucionaria cubana, así como la decisión de llevar a ese partido a una competencia con el PIP en el plano electoral, fueron errores estratégicos costosos.

2. A esos dos errores hay que sumar la ambivalencia táctica que representó para el MPI-PSP su relación con los CAL. La confusión en la ruta táctica, en la "vía" para alcanzar no solo la independencia, sino el tránsito al socialismo, produjo contradicciones internas y pugnas que diezmaron esa organización que, sin duda, renovó la lucha independentista a mediados del siglo XX.

3. Más allá de los errores producto de equívocos tácticos, incomprensiones mutuas e inmadurez política, los protagonistas de estos años de anhelos, luchas y desencuentros admiten, en distintos momentos del relato colectivo, un excesivo voluntarismo, idealismo y optimismo bajo una especie de sentido de la "inminencia de la victoria". Además de eso, todos coinciden en reconocer que la mano de la inteligencia estadounidense y sus colaboradores locales tuvo mucho que ver con promover el desasosiego y el desencuentro en las filas independentistas. Con el tiempo y el acceso a los archivos desclasificados estadounidenses, así como a los testimonios documentales en otras fuentes, como es el caso del gobierno cubano, se puede aclarar cuánto movieron las manos foráneas los hilos de esta trama.

Este hecho, sin embargo, no exime de errores a los protagonistas, como ellos mismos, en ejercicio de madurez y profunda honestidad intelectual, así atestiguan.

4. El gran legado del MPI, del PSP, del Nuevo PIP y del MSP, convertido posteriormente en Movimiento Socialista de los Trabajadores (MST), será darle un contenido ideológico progresista al ideal independentista, dentro de un proyecto político que incorpora nuevas generaciones de dirigentes y participantes al espacio de la militancia política en pro de dicha causa, y que ve la lucha electoral (en el caso del PIP y del PSP) como complemento y no como fin en sí mismo. Ese espacio político renovado utilizará la papeleta y la tribuna de la calle y el parlamento como órganos de defensa y reivindicación de las luchas comunitarias, obreras, estudiantiles, ambientales, de derechos humanos y de solidaridad antiimperialista, dentro de la más amplia práctica de amplitud y unidad posible. Esa combinación de elementos tácticos y estratégicos dieron al independentismo electoral su segundo gran momento, luego de la década del '40, en hegemonía sociológica y política en el país, logrando niveles de apoyo e influencia considerables, de los cuales los más de 90 mil votos alcanzados por un partido socialdemócrata y uno marxista leninista, en la colonia más grande del imperio más poderoso de la tierra en 1976, es testimonio más que elocuente.

5. Es una ironía de esta historia que, sin embargo, la línea política del último PSP (1977-1980) acabó siendo reconocida por su "competidor" y "vencedor" en el "plebiscito" del independentismo electoral, el PIP, lo cual se traduce en lo siguiente:

   a. La necesidad de cultivar la mejor relación posible entre todas las organizaciones independentistas, sin importar y, más aun, respetando las diferencias tácticas, incluyendo la realización de la mayor cantidad de actos y trabajos conjuntos en los niveles nacional e internacional.

   b. El reconocimiento de una colindancia ideológica con posibilidades de acciones conjuntas dentro del centro político, partiendo de la admisión de la realidad colonial y la necesidad de superarla a través de la afirmación nacional y la conquista de la soberanía.

   c. El énfasis en la táctica electoral del independentismo, comenzado por el PIP en 1972, al recuperar la representación legislativa independentista, pero consolidado en las campañas del

PSP en el 1980 y del PIP de 1984 en adelante, en la obtención y mantenimiento de dicha representación legislativa independentista. Esa representación legislativa se ha proyectado como vehículo de promoción del ideal independentista en el entorno comunitario y sectorial, así como espacio de fiscalización de los partidos mayoritarios, apoyado fundamentalmente en los votos mixtos del electorado de esas mismas colectividades.

d. El mantenimiento de alianzas incómodas dentro del contexto geopolítico latinoamericano y su relación con los Estados Unidos, aun después del final de la Guerra Fría en 1991, en aras de la solidaridad con la causa de la independencia de Puerto Rico.

Para el PIP, estos años representaron el periodo de su radicalización ideológica y la definición del modelo de partido que prevalecería hasta el momento actual. Sin embargo, el tiempo y el fin de la Guerra Fría vieron operar un cambio en el énfasis del discurso pipiolo. Producto de la apertura de un espacio de diálogo y negociación con los Estados Unidos durante el proceso de discusión congresional del tema del estatus político en los años 1989-1991, el independentismo electoral logró por primera vez un compromiso legislativo sobre los detalles de la eventual transición hacia la independencia, hecho que no se daba desde la década de los '40, y la discusión del segundo y tercer "proyecto Tydings" de independencia. Ese periodo de negociación logró para el PIP la legitimación como interlocutor del independentismo en los centros de poder en los Estados Unidos. Este hecho, junto con sus relaciones con partidos socialdemócratas a través de la Internacional Socialista (IS), el reconocimiento por parte del gobierno de Cuba y sus partidos, y de movimientos afines, como la principal organización independentista, consolidaron la hegemonía del PIP como la imagen y voz del sentimiento independentista más allá de nuestras costas y convirtieron la negociación, y no la confrontación, en el instrumento táctico privilegiado por el independentismo electoral.

Pero no todo fue cambio. Como producto de los acontecimientos de Vieques a partir de 1999, los protagonistas de este relato revivieron los momentos de su juvenil militancia al participar de los actos de protesta, movilización y desobediencia civil que llevaron finalmente a la salida de la Marina de Guerra de los Estados Unidos de la Isla Municipio. Para los revolucionarios de los años de las lluvias borrascosas, esa fue una última batalla en la que utilizaron las tácticas que, entonces en

Culebra y luego en Vieques, devolvieron el espacio hegemónico de la lucha social y política al independentismo.

Este testimonio de valor y sacrificio en lucha que quema los años en búsqueda de un ideal, es ejemplo y relato de cómo patriotas insobornables discreparon con pasión, con convicción y, muchas veces, con error en aras de defender lo que creían correcto. Al final, supieron que los hombres buenos pueden disentir, pueden discrepar, sin que eso implique falta de valor o de honestidad en sus convicciones.

XI.
Biografías

Rubén Berríos Martínez (1939-)

Nació el 21 de junio de 1939 en Aibonito, Puerto Rico. Recibió un Bachillerato en Administración y Economía en la Universidad de Georgetown, un LL. B. y una Maestría en Derecho en la Universidad de Yale, y un posgrado en la Universidad de Oxford. Desde 1970, es presidente del Partido Independentista Puertorriqueño. En el 1971, dirigió la lucha de su Partido contra la presencia de la Marina estadounidense en Culebra. Por sus actos de desobediencia civil pacífica en la playa de Flamenco, fue condenado junto a otros compañeros a cumplir tres meses de cárcel. Como consecuencia de su encarcelamiento, la Universidad de Puerto Rico lo expulsó de su cátedra en la Escuela de Derecho, a la cual fue restituido cuatro años después por decisión del Tribunal Supremo. En el 1972, fue electo Senador por primera ocasión. Regresó a la Asamblea Legislativa en el 1984, el 1992 y el 1996. Berríos es miembro fundador y vicepresidente de la Conferencia Permanente de Partidos Políticos de América Latina (COPPPAL), miembro del Consejo Ejecutivo de la Asociación Latinoamericana para los Derechos Humanos y Presidente Honorario de la Internacional Socialista. Ha publicado los libros *La Independencia de Puerto Rico: Razón y lucha*; *Puerto Rico: Nacionalidad y Plebiscito* y *Hacia el Socialismo Puertorriqueño*, además de artículos en varias publicaciones de prestigio internacional, como *Foreign Affairs*. En el 2005, se publicó *Un mapa para la ruta*, un libro editado por Pablo Marcial Ortiz que recoge documentos –personales, inéditos– escritos por Rubén, además de cartas, discursos y ensayos.

Carlos Gallisá Bisbal (1933-2018)

Nació el 2 de octubre de 1933 en Camuy, Puerto Rico. Fue miembro del Ejército de los Estados Unidos durante el conflicto de Corea. Hizo estudios en Derecho en la Universidad de Puerto Rico. Ejerció la profesión de abogado el resto de su vida, destacándose en la defensa de trabajadores y perseguidos. Su trayectoria independentista se traza al año 1961, cuando ingresó al Partido Independentista Puertorriqueño (PIP). En el 1970, fue electo vicepresidente del PIP y en las elecciones del 1972, fue electo Representante a la Cámara por dicha colectividad. Hizo su ingreso al Partido Socialista Puertorriqueño (PSP) en el 1975 y fue electo como Secretario General de dicho partido en 1983, puesto que ocupó hasta 1993. Fue candidato a la Cámara de Representantes por el PSP en las elecciones de 1976 y 1980. Durante sus años de militancia en el PSP, fue director en varios periodos del periódico *Claridad* y, hasta sus últimos días, mantuvo su columna de comentario político en dicho semanario. Tras su retiro de la política activa, participó de 1996 a 2018 como analista político en el programa radial *Fuego Cruzado*. En el año 2015, fue electo como representante de los consumidores a la Junta de Gobierno de la Autoridad de Energía Eléctrica, cargo que ocupó hasta el año 2018. Fue autor de los libros: *Desde Lares* (2010) y *La deuda: Una crisis política* (2015). Falleció el 7 de diciembre de 2018.

Antonio J. González González (1921-2014)

Nacido en Manatí, Puerto Rico, el 2 de junio de 1921 y criado en Ciales, "Toño" González fue un defensor de la independencia de Puerto Rico, la justicia social y los valores cristianos. Veterano de la Segunda Guerra Mundial, donde estuvo prisionero en el campo de concentración alemán de *Bad Orb*, a su regreso a Puerto Rico fue destacado dirigente estudiantil durante la huelga universitaria de 1948. Miembro fundador del Partido Independentista Puertorriqueño (PIP) en 1946, fue su candidato a la gobernación en las elecciones de 1968. Fundó del Partido Unión Puertorriqueña en 1969, del que fue candidato a la gobernación en 1972. Se desempeñó como Catedrático de Economía y Decano de la Facultad de Ciencias Sociales de la Universidad de Puerto Rico (UPR), Recinto de Río Piedras, y como profesor de las Escuelas de Derecho de la Pontificia Universidad Católica de Puerto Rico, en Ponce, y de la Universidad de Puerto Rico. También fue docente del Centro de Estudios Avanzados de Puerto Rico y el Caribe. Autor de varios libros de texto sobre economía general y economía de Puerto Rico, fue además columnista de los periódicos *El Mundo* y *El Reportero*. Murió el 16 de enero de 2014.

Juan Mari Brás (1927-2010)

Nació el 2 de diciembre de 1927 en Mayagüez, Puerto Rico. En marzo de 1943, con apenas dieciséis años, fundó el Capítulo de Agregados Pro Independencia (CAPI) junto a compañeros de escuela superior de Mayagüez. En 1944, presidió la Juventud Independentista Puertorriqueña a la que se integraron organizaciones estudiantiles de la época. En ese mismo año, se matriculó en el Recinto de Río Piedras de la Universidad de Puerto Rico, y se hizo miembro de la Sociedad Independentista Universitaria (SIU). De 1945 a 1946, fue jefe de redacción del periódico universitario *La Torre*. En esos mismos años, escribió varios artículos para *El Imparcial*, *Puerto Rico Ilustrado* y *El Universitario*. Fue miembro fundador del Partido Independentista Puertorriqueño. Participó como uno de los dirigentes de la huelga universitaria de 1948. Durante los años 1951-1954, residió en Washington DC, donde cursó estudios de Ciencias Políticas y Derecho en George Washington University y American University. En 1956, hizo campaña para el puesto de representante del PIP. En 1959, formó parte del Movimiento Pro Independencia (MPI) y, junto a César Andreu Iglesias fundó *Claridad*, periódico que dirigió en varios períodos durante las tres décadas siguientes. En 1971, el MPI se transformó en el Partido Socialista Puertorriqueño, que Mari Brás dirigió hasta octubre de 1982. En 1989, coordinó la organización Causa Común Independentista, en un intento de unificar el movimiento independentista, y el Congreso Nacional Hostosiano, que tuvo como secuela la creación del Movimiento Independentista Nacional Hostosiano. Murió el 10 de septiembre de 2010.

Norman Pietri Castellón (1938-)

Nació en el barrio Ensenada, en Guánica, Puerto Rico, el 5 de septiembre de 1938. Es el primer hijo del matrimonio compuesto por un contable de la Guánica Central y una modista, ambos yaucanos. Su primera infancia transcurre entre Ensenada, Yauco y Santurce. A los ocho años, se traslada con sus padres a Santo Domingo. A su regreso a Puerto Rico dos años después, con la familia agrandada por el nacimiento de su hermana, Norman estudió en la Academia San Jorge y, posteriormente, en la Central High, de la que se gradúa con honores en 1955. Ingresó a la Universidad de Puerto Rico y, en poco tiempo, junto a un grupo de amigos, fundó la Federación de Universitarios Pro-Independencia (FUPI), de la que se convirtió en su segundo presidente. En 1959, completó su Bachillerato en Ciencias Sociales e ingresó a la Escuela de Derecho de la UPR. Participó de la fundación del Movimiento

Pro Independencia (MPI), organización en la que sería miembro destacado de los cuadros directivos e, incluso, director del semanario *Claridad*. Graduado de Derecho en 1963 y revalidado a principios de 1964, inició la práctica privada de la abogacía y pronto descubrió su vocación por el Derecho Laboral, que convirtió en su especialización hasta el día de hoy. Aunque oficialmente retirado, Pietri todavía dedica una parte de su tiempo al asesoramiento legal de uniones.

Luis Ángel Torres Torres (1948-2013)

Nació el 26 de julio de 1948 en Río Piedras. Desde pequeño, jugó béisbol. Se graduó de la Escuela Superior Margarita Janer de Guaynabo. Comenzó a estudiar Geología en la Universidad de Puerto Rico, Recinto de Mayagüez, donde se vinculó a la Federación de Universitarios Pro Independencia (FUPI). Se trasladó a la Facultad de Ciencias Sociales del Recinto de Río Piedras de la UPR. Fue presidente de la Juventud Independentista Universitaria (JIU) del Partido Independentista Puertorriqueño (PIP). Para las elecciones generales de 1972, salió electo a la Cámara de Representantes por el PIP, cargo que no pudo ocupar hasta cumplir los 25 años. Por diferencias ideológicas, abandonó el PIP y renunció a su escaño. Fundó el Movimiento Socialista Popular, que luego se fusionó con el Partido Socialista Revolucionario (PSR) y la Liga Internacionalista de los Trabajadores (LIT) para transformarse en el Movimiento Socialista de Trabajadores (MST). Torres fue Secretario General en dichas organizaciones. A principios de la década del '80, regresó a la UPR a terminar un Bachillerato en Pedagogía. Se certificó como maestro de Artes Industriales y trabajó en la Escuela Juan Antonio Corretjer de Cupey. Se integró de lleno a las luchas magisteriales como miembro de la Federación de Maestros de Puerto Rico, organización de la que fue Secretario de Asuntos Sindicales mientras el grupo CODEMI (Compromiso, Democracia y Militancia) dirigió la misma. En mayo de 2013, fue diagnosticado con cáncer en su sistema linfático. En diciembre de ese mismo año, murió a causa de una pulmonía.

XII.
Bibliografía

Fuentes primarias

Archivo Fundación Voz del Centro

Archivo Movimiento Socialista de los Trabajadores

Archivo Partido Independentista Puertorriqueño

Archivo Producciones Zaranda

Fundación Juan Mari Brás

Negociado Federal de Investigaciones (FBI). Carpeta de Juan Mari Brás.

Policía de Puerto Rico, División de Inteligencia. Carpeta de Juan Mari Brás.

Policía de Puerto Rico, División de Inteligencia. Carpeta de Rubén Berríos Martínez.

Policía de Puerto Rico, División de Inteligencia. Carpeta del Movimiento Socialista de los Trabajadores (MST).

Policía de Puerto Rico, División de Inteligencia. Carpeta del Partido Independentista Puertorriqueño (PIP).

Proyecto: Dialogando sobre independentismos (1890-1980), Partes I y II.

Periódicos

Claridad
La Hora
El Mundo
El Imparcial
El Nuevo Día

El Yunque

Revistas

Avance

La Escalera

Fotografías

Archivo digital Periódico *El Mundo*

Archivo Periódico *Claridad*

Fondo Carpetas de la Policía. Archivo General de Puerto Rico

Fuentes Secundarias

Agosto, Ángel M., *Lustro de gloria: No hubo en la historia fuerza mayor para la revolución en Puerto Rico, Vol. 1*. La Casa Editora de Puerto Rico, 2014.

Alvira Encarnación, Luz E., *Antonio J. "Toño" González: Memorias, testimonios y documentos de un jíbaro del barrio Frontón de Ciales*. CIEDP Universidad Interamericana de Puerto Rico, 2014.

Bayrón Toro, Fernando. *Elecciones y partidos políticos en Puerto Rico*. Editorial Isla, 2008.

Berríos Martínez, Rubén. *Hacia el socialismo puertorriqueño.* 1975.

______. *La independencia de Puerto Rico: Razón y lucha*. Editorial Línea, 1983.

______. *Un mapa para la ruta*. Pablo M. Ortiz Ramos, 2004.

Colón Martínez, Noel. *La disidencia como vocación*. Publicaciones Gaviota, 2009.

Gallisá, Carlos. *Desde Lares.* CG Editores, 2010.

Hobsbawn, Eric. *Años interesantes: Una vida en el siglo XX.* Madrid: Editorial Crítica, 2013.

Mari Brás, Juan. *Abriendo caminos: Selección de discursos y ponencias que son hilo conductor del pensamiento político del autor durante el curso de cuarenta y dos años*. Editora Causa Común, 2001.

______. *Memorias de un ciudadano*. Editorial Barco de Papel, 2006.

______. *Puerto Rico, el otro colonialismo: Intervenciones en la Organización de Naciones Unidas y el Movimiento de Países No Alineados, 1973-1981*. Comité Central, Partido Socialista Puertorriqueño, 1982.

Martín García, Fernando. *La tierra prometida: Partido Independentista Puertorriqueño* (1946-1996), Editorial Libertad, 1996.

Mattos Cintrón, Wilfredo. *El libro, la calle y el fusil*: Breve historia del movimiento estudiantil puertorriqueño, Formación de la hegemonía de EEUU en Puerto Rico y otros ensayos. Ediciones La Sierra, 2018.

Historia del Movimiento Socialista de Trabajadores: Documentos de estudio para el Segundo Seminario de la Izquierda Socialista, Vol. 1. Escuela Socialista Pablo Soto Carriat, Movimiento Socialista de Trabajadores, 21 de octubre de 1973. Disponible en: https://www.scribd.com/document/26389205/Historia-del-MST-volumen-1

Paralitici, José "Che". *Historia de la lucha por la independencia de Puerto Rico.* Publicaciones Gaviota, 2018.

Tapia, Norma. *La crisis del PIP.* Editorial Edil, 1980.

Varios. *Hablan sobre Juan Mari Brás*. Fundación Juan Mari Brás, 2018.

XIII.
Indice Onomástico

A

B

C

N

O

P

Q

R

José Antonio Orta-Cotto

Abogado - Notario